Akten zur Auswärtigen Politik der Bundesrepublik Deutschland

Herausgegeben im Auftrag des Auswärtigen Amts
vom Institut für Zeitgeschichte

Hauptherausgeber
Hans-Peter Schwarz

Mitherausgeber
Helga Haftendorn, Klaus Hildebrand,
Werner Link, Horst Möller und Rudolf Morsey

R. Oldenbourg Verlag München 2003

Akten zur Auswärtigen Politik der Bundesrepublik Deutschland

1972

Band I: 1. Januar bis 31. Mai 1972

Wissenschaftliche Leiterin
Ilse Dorothee Pautsch

Bearbeiter
Mechthild Lindemann, Daniela Taschler
und Fabian Hilfrich

R. Oldenbourg Verlag München 2003

Bibliografische Information der Deutschen Bibliothek
Die Deutsche Bibliothek verzeichnet diese Publikation in der Deutschen
Nationalbibliografie; detaillierte bibliografische Daten sind im Internet
über <http://dnb.ddb.de> abrufbar.

Bibliographic information published by Die Deutsche Bibliothek
Die Deutsche Bibliothek lists this publication in the Deutsche
Nationalbibliografie; detailed bibliographic data is available in the Internet at
<http://dnb.ddb.de>.

© 2003 Oldenbourg Wissenschaftsverlag GmbH, München
Rosenheimer Straße 145, D-81671 München
Internet: http://www.oldenbourg-verlag.de

Das Werk einschließlich aller Abbildungen ist urheberrechtlich geschützt. Jede Verwertung außerhalb der Grenzen des Urheberrechtsgesetzes ist ohne Zustimmung des Verlages unzulässig und strafbar. Dies gilt insbesondere für Vervielfältigungen, Übersetzungen, Mikroverfilmungen und die Einspeicherung und Bearbeitung in elektronischen Systemen.

Umschlaggestaltung: Dieter Vollendorf
Gedruckt auf säurefreiem, alterungsbeständigem Papier (chlorfrei gebleicht).
Gesamtherstellung: R. Oldenbourg Graphische Betriebe Druckerei GmbH, München

ISBN 3-486-56640-7

Inhalt

Vorwort	VII
Vorbemerkungen zur Edition	VIII
Verzeichnisse	XV
Dokumentenverzeichnis	XVII
Literaturverzeichnis	LXXIV
Abkürzungsverzeichnis	LXXXIII
Dokumente	1
Band I (Dokumente 1–156)	3
Band II (Dokumente 157–303)	647
Band III (Dokumente 304–424)	1429
Register	1891
Personenregister	1891
Sachregister	1951

Anhang: Organisationspläne des Auswärtigen Amts vom März und Oktober 1972

Vorwort

Mit den Jahresbänden 1972 wird zum zehnten Mal eine Sammlung von Dokumenten aus dem Politischen Archiv des Auswärtigen Amts unmittelbar nach Ablauf der 30jährigen Aktensperrfrist veröffentlicht.

Das Erscheinen der vorliegenden Bände gibt Anlaß, allen an dem Werk Beteiligten zu danken. So gilt mein verbindlichster Dank dem Auswärtigen Amt, insbesondere dem Politischen Archiv sowie den Damen und Herren in den Referaten, die beim Deklassifizierungsverfahren zur Offenlegung der Dokumente beigetragen haben. In gleicher Weise zu danken ist dem Bundeskanzleramt für die Erlaubnis, unverzichtbare Gesprächsaufzeichnungen einbeziehen zu können. Desgleichen danke ich dem Willy-Brandt-Archiv für die Genehmigung zum Abdruck wichtiger und die amtliche Überlieferung ergänzender Schriftstücke aus dem Nachlaß des ehemaligen Bundeskanzlers Brandt und Herrn Bundesminister a. D. Professor Egon Bahr für die entsprechende Genehmigung betreffend das Depositum Bahr. Beide Bestände befinden sich im Archiv der sozialen Demokratie der Friedrich-Ebert-Stiftung in Bonn.

Besonderer Dank gebührt ferner den Kollegen im Herausgebergremium, die sich ihrer viel Zeit in Anspruch nehmenden Aufgabe in bewährter Kollegialität gewidmet haben. Ferner sei die tadellose Zusammenarbeit mit den zuständigen Persönlichkeiten und Gremien des Instituts für Zeitgeschichte dankbar hervorgehoben. Gedankt sei auch dem präzise arbeitenden Verlag R. Oldenbourg.

Das Hauptverdienst am Gelingen der drei Bände gebührt den Bearbeitern, Frau Dr. Mechthild Lindemann, Frau Dr. Daniela Taschler und Herrn Dr. Fabian Hilfrich, zusammen mit der Wissenschaftlichen Leiterin, Frau Dr. Ilse Dorothee Pautsch. Ihnen sei für die erbrachte Leistung nachdrücklichst gedankt.

Ebenso haben wesentlich zur Fertigstellung der Edition beigetragen: Herr Dr. Franz Eibl durch die Erstellung der Dokumentensammlung, Herr Dr. Michael Ploetz durch Mithilfe bei der Bearbeitung und das Anfertigen des Personenregisters und Herr Dr. Wolfgang Hölscher durch die kompetente Beratung bei der Herstellung des Umbruchs.

Berlin, den 1. Oktober 2002   Hans-Peter Schwarz

Vorbemerkungen zur Edition

Die „Akten zur Auswärtigen Politik der Bundesrepublik Deutschland 1972" (Kurztitel: AAPD 1972) umfassen drei Bände, die durchgängig paginiert sind. Den abgedruckten Dokumenten gehen im Band I neben Vorwort und Vorbemerkungen ein Dokumentenverzeichnis, ein Literaturverzeichnis sowie ein Abkürzungsverzeichnis voran. Am Ende von Band III finden sich ein Personen- und ein Sachregister. Aufgrund der Umorganisation des Auswärtigen Amts zum 1. Oktober 1972 war die Aufnahme von zwei Organisationsplänen notwendig. Sie datieren vom März bzw. Oktober 1972 und befinden sich gleichfalls am Ende von Band III.

Dokumentenauswahl

Grundlage für die Fondsedition der „Akten zur Auswärtigen Politik der Bundesrepublik Deutschland 1972" sind die Bestände des Politischen Archivs des Auswärtigen Amts (PA/AA). Schriftstücke aus anderen Bundesministerien, die in die Akten des Auswärtigen Amts Eingang gefunden haben, wurden zur Kommentierung herangezogen. Verschlußsachen dieser Ressorts blieben unberücksichtigt. Dagegen haben die im Auswärtigen Amt vorhandenen Aufzeichnungen über Gespräche des Bundeskanzlers mit ausländischen Staatsmännern und Diplomaten weitgehend Aufnahme gefunden. Als notwendige Ergänzung dienten die im Bundeskanzleramt überlieferten Gesprächsaufzeichnungen. Um die amtliche Überlieferung zu vervollständigen, wurden zusätzlich der Nachlaß des ehemaligen Bundeskanzlers Willy Brandt (Willy-Brandt-Archiv) und das Depositum des damaligen Staatssekretärs im Bundeskanzleramt, Egon Bahr, im Archiv der sozialen Demokratie der Friedrich-Ebert-Stiftung ausgewertet.

Entsprechend ihrer Herkunft belegen die edierten Dokumente in erster Linie die außenpolitischen Aktivitäten des Bundesministers des Auswärtigen. Sie veranschaulichen aber auch die Außenpolitik des jeweiligen Bundeskanzlers. Die Rolle anderer Akteure, insbesondere im parlamentarischen und parteipolitischen Bereich, wird beispielhaft dokumentiert, sofern eine Wechselbeziehung zum Auswärtigen Amt gegeben war.

Die ausgewählten Dokumente sind nicht zuletzt deshalb für ein historisches Verständnis der Außenpolitik der Bundesrepublik Deutschland von Bedeutung, weil ausschließlich Schriftstücke veröffentlicht werden, die bisher der Forschung unzugänglich und größtenteils als Verschlußsachen der Geheimhaltung unterworfen waren. Dank einer entsprechenden Ermächtigung wurden den Bearbeitern die VS-Bestände des PA/AA ohne Einschränkung zugänglich gemacht und Anträge auf Herabstufung und Offenlegung von Schriftstücken beim Auswärtigen Amt ermöglicht. Das Bundeskanzleramt war zuständig für die Deklassifizierung von Verschlußsachen aus den eigenen Beständen. Kopien der offengelegten Schriftstücke, deren Zahl diejenige der in den AAPD 1972 edierten Dokumente weit übersteigt, werden im PA/AA zugänglich gemacht (Bestand B 150).

Nur eine äußerst geringe Zahl der für die Edition vorgesehenen Aktenstücke wurde nicht zur Veröffentlichung freigegeben. Hierbei handelt es sich vor allem um Dokumente, in denen personenbezogene Vorgänge im Vordergrund stehen oder die auch heute noch sicherheitsrelevante Angaben enthalten. Von einer Deklassifizierung ausgenommen war Schriftgut ausländischer Herkunft bzw. aus dem Bereich multilateraler oder internationaler Organisationen wie etwa der NATO. Unberücksichtigt blieb ebenfalls nachrichtendienstliches Material.

Dokumentenfolge

Die 424 edierten Dokumente sind in chronologischer Folge geordnet und mit laufenden Nummern versehen. Bei differierenden Datumsangaben auf einem Schriftstück, z. B. im Falle abweichender maschinenschriftlicher und handschriftlicher Datierung, ist in der Regel das früheste Datum maßgebend. Mehrere Dokumente mit demselben Datum sind, soweit möglich, nach der Uhrzeit eingeordnet. Erfolgt eine Datierung lediglich aufgrund sekundärer Hinweise (z. B. aus Begleitschreiben, beigefügten Vermerken usw.), wird dies in einer Anmerkung ausgewiesen. Bei Aufzeichnungen über Gespräche ist das Datum des dokumentierten Vorgangs ausschlaggebend, nicht der meist spätere Zeitpunkt der Niederschrift.

Dokumentenkopf

Jedes Dokument beginnt mit einem halbfett gedruckten Dokumentenkopf, in dem wesentliche formale Angaben zusammengefaßt werden. Auf Dokumentennummer und Dokumentenüberschrift folgen in kleinerer Drucktype ergänzende Angaben, so rechts außen das Datum. Links außen wird, sofern vorhanden, das Geschäftszeichen des edierten Schriftstücks einschließlich des Geheimhaltungsgrads (zum Zeitpunkt der Entstehung) wiedergegeben. Das Geschäftszeichen, das Rückschlüsse auf den Geschäftsgang zuläßt und die Ermittlung zugehörigen Aktenmaterials ermöglicht, besteht in der Regel aus der Kurzbezeichnung der ausfertigenden Arbeitseinheit sowie aus weiteren Elementen wie dem inhaltlich definierten Aktenzeichen, der Tagebuchnummer einschließlich verkürzter Jahresangabe und gegebenenfalls dem Geheimhaltungsgrad. Dokumentennummer, verkürzte Überschrift und Datum finden sich auch im Kolumnentitel über dem Dokument.

Den Angaben im Dokumentenkopf läßt sich die Art des jeweiligen Dokuments entnehmen. Aufzeichnungen sind eine in der Edition besonders häufig vertretene Dokumentengruppe. Der Verfasser wird jeweils in der Überschrift benannt, auch dann, wenn er sich nur indirekt erschließen läßt. Letzteres wird in einer Anmerkung vermerkt. Läßt sich ein solcher weder mittelbar noch unmittelbar nachweisen, wird die ausfertigende Arbeitseinheit (Abteilung, Referat oder Delegation) angegeben.

Eine weitere Gruppe von Dokumenten bildet der Schriftverkehr zwischen der Zentrale in Bonn und den Auslandsvertretungen. Diese erhielten ihre Informationen und Weisungen in der Regel mittels Drahterlaß, der fernschriftlich oder per Funk übermittelt wurde. Auch bei dieser Dokumentengruppe wird in der Überschrift der Verfasser genannt, ein Empfänger dagegen nur, wenn der Drahterlaß an eine einzelne Auslandsvertretung bzw. deren Leiter gerichtet

Vorbemerkungen

war. Anderenfalls werden die Adressaten in einer Anmerkung aufgeführt. Bei Runderlassen an sehr viele oder an alle diplomatischen Vertretungen wird der Empfängerkreis nicht näher spezifiziert, um die Anmerkungen nicht zu überfrachten. Ebenso sind diejenigen Auslandsvertretungen nicht eigens aufgeführt, die nur nachrichtlich von einem Erlaß in Kenntnis gesetzt wurden. Ergänzend zum Geschäftszeichen wird im unteren Teil des Dokumentenkopfes links die Nummer des Drahterlasses sowie der Grad der Dringlichkeit angegeben. Rechts davon befindet sich das Datum und – sofern zu ermitteln – die Uhrzeit der Aufgabe. Ein Ausstellungsdatum wird nur dann angegeben, wenn es vom Datum der Aufgabe abweicht.

Der Dokumentenkopf bei einem im Auswärtigen Amt eingehenden Drahtbericht ist in Analogie zum Drahterlaß gestaltet. Als Geschäftszeichen der VS-Drahtberichte dient die Angabe der Chiffrier- und Fernmeldestelle des Auswärtigen Amts (Referat Z B 6). Ferner wird außer Datum und Uhrzeit der Aufgabe auch der Zeitpunkt der Ankunft festgehalten, jeweils in Ortszeit.

In weniger dringenden Fällen verzichteten die Botschaften auf eine fernschriftliche Übermittlung und zogen die Form des mit Kurier übermittelten Schriftberichts vor. Beim Abdruck solcher Stücke werden im Dokumentenkopf neben der Überschrift mit Absender und Empfänger die Nummer des Schriftberichts und das Datum genannt. Gelegentlich bedienten sich Botschaften und Zentrale des sogenannten Privatdienstschreibens, mit dem außerhalb des offiziellen Geschäftsgangs zu einem Sachverhalt Stellung bezogen werden kann; darauf wird in einer Anmerkung aufmerksam gemacht.

Neben dem Schriftwechsel zwischen der Zentrale und den Auslandsvertretungen gibt es andere Schreiben, erkennbar jeweils an der Nennung von Absender und Empfänger. Zu dieser Gruppe zählen etwa Schreiben der Bundesregierung, vertreten durch den Bundeskanzler oder den Bundesminister des Auswärtigen, an ausländische Regierungen, desgleichen auch Korrespondenz des Auswärtigen Amts mit anderen Ressorts oder mit Bundestagsabgeordneten.

Breiten Raum nehmen insbesondere von Dolmetschern gefertigte Niederschriften über Gespräche ein. Sie werden als solche in der Überschrift gekennzeichnet und chronologisch nach dem Gesprächsdatum eingeordnet, während Verfasser und Datum der Niederschrift – sofern ermittelbar – in einer Anmerkung ausgewiesen sind.

Die wenigen Dokumente, die sich keiner der beschriebenen Gruppen zuordnen lassen, sind aufgrund individueller Überschriften zu identifizieren.

Die Überschrift bei allen Dokumenten enthält die notwendigen Angaben zum Ausstellungs-, Absende- oder Empfangsort bzw. zum Ort des Gesprächs. Erfolgt keine besondere Ortsangabe, ist stillschweigend Bonn zu ergänzen. Hält sich der Verfasser oder Absender eines Dokuments nicht an seinem Dienstort auf, wird der Ortsangabe ein „z. Z." vorangesetzt.

Bei den edierten Schriftstücken handelt es sich in der Regel jeweils um die erste Ausfertigung oder – wie etwa bei den Drahtberichten – um eines von mehreren gleichrangig nebeneinander zirkulierenden Exemplaren. Statt einer Erstausfertigung mußten gelegentlich ein Durchdruck, eine Abschrift, eine Ablichtung oder ein vervielfältigtes Exemplar (Matrizenabzug) herangezogen werden.

Ein entsprechender Hinweis findet sich in einer Anmerkung. In wenigen Fällen sind Entwürfe abgedruckt und entsprechend in den Überschriften kenntlich gemacht.

Dokumententext

Unterhalb des Dokumentenkopfes folgt – in normaler Drucktype – der Text des jeweiligen Dokuments, einschließlich des Betreffs, der Anrede und der Unterschrift. Die Dokumente werden ungekürzt veröffentlicht. Sofern in Ausnahmefällen Auslassungen vorgenommen werden müssen, wird dies durch Auslassungszeichen in eckigen Klammern („[...]") kenntlich gemacht und in einer Anmerkung erläutert. Bereits in der Vorlage vorgefundene Auslassungen werden durch einfache Auslassungszeichen („...") wiedergegeben. Textergänzungen der Bearbeiter stehen in eckigen Klammern.

Offensichtliche Schreib- und Interpunktionsfehler werden stillschweigend korrigiert. Eigentümliche Schreibweisen bleiben nach Möglichkeit erhalten; im Bedarfsfall wird jedoch vereinheitlicht bzw. modernisiert. Dies trifft teilweise auch auf fremdsprachige Orts- und Personennamen zu, deren Schreibweise nach den im Auswärtigen Amt gebräuchlichen Regeln wiedergegeben wird.

Selten vorkommende und ungebräuchliche Abkürzungen werden in einer Anmerkung aufgelöst. Typische Abkürzungen von Institutionen, Parteien etc. werden allerdings übernommen. Hervorhebungen in der Textvorlage, also etwa maschinenschriftliche Unterstreichungen oder Sperrungen, werden nur in Ausnahmefällen wiedergegeben. Der Kursivdruck dient dazu, bei Gesprächsaufzeichnungen die Sprecher voneinander abzuheben. Im äußeren Aufbau (Absätze, Überschriften usw.) folgt das Druckbild nach Möglichkeit der Textvorlage.

Unterschriftsformeln werden vollständig wiedergegeben. Ein handschriftlicher Namenszug ist nicht besonders gekennzeichnet, eine Paraphe mit Unterschriftscharakter wird aufgelöst (mit Nachweis in einer Anmerkung). Findet sich auf einem Schriftstück der Name zusätzlich maschinenschriftlich vermerkt, bleibt dies unerwähnt. Ein maschinenschriftlicher Name, dem ein „gez." vorangestellt ist, wird entsprechend übernommen; fehlt in der Textvorlage der Zusatz „gez.", wird er in eckigen Klammern ergänzt. Weicht das Datum der Paraphe vom Datum des Schriftstückes ab, wird dies in der Anmerkung ausgewiesen.

Unter dem Dokumententext wird die jeweilige Fundstelle des Schriftstückes in halbfetter Schrifttype nachgewiesen. Bei Dokumenten aus dem PA/AA wird auf die Angabe des Archivs verzichtet und nur der jeweilige Bestand mit Bandnummer genannt. Dokumente aus VS-Beständen sind mit der Angabe „VS-Bd." versehen. Bei Dokumenten anderer Herkunft werden Archiv und Bestandsbezeichnung angegeben. Liegt ausnahmsweise ein Schriftstück bereits veröffentlicht vor, so wird dies in einer gesonderten Anmerkung nach der Angabe der Fundstelle ausgewiesen.

Kommentierung

In Ergänzung zum Dokumentenkopf enthalten die Anmerkungen formale Hinweise und geben Auskunft über wesentliche Stationen im Geschäftsgang. Angaben technischer Art, wie Registraturvermerke oder standardisierte Verteiler, werden nur bei besonderer Bedeutung erfaßt. Wesentlich ist dagegen die Frage, welche Beachtung das jeweils edierte Dokument gefunden hat. Dies läßt sich an den Paraphen maßgeblicher Akteure sowie an den – überwiegend handschriftlichen – Weisungen, Bemerkungen oder auch Reaktionen in Form von Frage- oder Ausrufungszeichen ablesen, die auf dem Schriftstück selbst oder auf Begleitschreiben und Begleitvermerken zu finden sind. Die diesbezüglichen Merkmale sowie damit in Verbindung stehende Hervorhebungen (Unterstreichungen oder Anstreichungen am Rand) werden in Anmerkungen nachgewiesen. Auf den Nachweis sonstiger An- oder Unterstreichungen wird verzichtet. Abkürzungen in handschriftlichen Passagen werden in eckigen Klammern aufgelöst, sofern sie nicht im Abkürzungsverzeichnis aufgeführt sind.

In den im engeren Sinn textkritischen Anmerkungen werden nachträgliche Korrekturen oder textliche Änderungen des Verfassers und einzelner Adressaten festgehalten, sofern ein Konzipient das Schriftstück entworfen hat. Unwesentliche Textverbesserungen sind hiervon ausgenommen. Ferner wird auf einen systematischen Vergleich der Dokumente mit Entwürfen ebenso verzichtet wie auf den Nachweis der in der Praxis üblichen Einarbeitung von Textpassagen in eine spätere Aufzeichnung oder einen Drahterlaß.

Die Kommentierung soll den historischen Zusammenhang der edierten Dokumente in ihrer zeitlichen und inhaltlichen Abfolge sichtbar machen, weiteres Aktenmaterial und anderweitiges Schriftgut nachweisen, das unmittelbar oder mittelbar angesprochen wird, sowie Ereignisse oder Sachverhalte näher erläutern, die dem heutigen Wissens- und Erfahrungshorizont ferner liegen und aus dem Textzusammenhang heraus nicht oder nicht hinlänglich zu verstehen sind.

Besonderer Wert wird bei der Kommentierung darauf gelegt, die Dokumente durch Bezugsstücke aus den Akten der verschiedenen Arbeitseinheiten des Auswärtigen Amts bis hin zur Leitungsebene zu erläutern. Zitate oder inhaltliche Wiedergaben sollen die Entscheidungsprozesse erhellen und zum Verständnis der Dokumente beitragen. Dadurch wird zugleich Vorarbeit geleistet für eine vertiefende Erschließung der Bestände des PA/AA. Um die Identifizierung von Drahtberichten bzw. -erlassen zu erleichtern, werden außer dem Verfasser und dem Datum die Drahtberichtsnummer und, wo immer möglich, die Drahterlaßnummer angegeben.

Findet in einem Dokument veröffentlichtes Schriftgut Erwähnung – etwa Abkommen, Gesetze, Reden oder Presseberichte –, so wird die Fundstelle nach Möglichkeit genauer spezifiziert. Systematische Hinweise auf archivalische oder veröffentlichte Quellen, insbesondere auf weitere Bestände des PA/AA, erfolgen nicht. Sekundärliteratur wird generell nicht in die Kommentierung aufgenommen.

Angaben wie Dienstbezeichnung, Dienststellung, Funktion, Dienstbehörde und Nationalität dienen der eindeutigen Identifizierung der in der Kommentierung vorkommenden Personen. Bei Bundesministern erfolgt ein Hinweis zum jeweiligen Ressort nur im Personenregister. Eine im Dokumententext lediglich mit ihrer Funktion genannte Person wird nach Möglichkeit in einer Anmerkung namentlich nachgewiesen. Davon ausgenommen sind der jeweilige Bundespräsident, Bundeskanzler und Bundesminister des Auswärtigen.

Die Bezeichnung einzelner Staaten wird so gewählt, daß Verwechslungen ausgeschlossen sind. Als Kurzform für die Deutsche Demokratische Republik kommen in den Dokumenten die Begriffe SBZ oder DDR vor und werden so wiedergegeben. Der in der Forschung üblichen Praxis folgend, wird jedoch in der Kommentierung, den Verzeichnissen sowie den Registern der Begriff DDR verwendet. Das Adjektiv „deutsch" findet nur bei gesamtdeutschen Belangen oder dann Verwendung, wenn eine eindeutige Zuordnung gegeben ist. Der westliche Teil von Berlin wird als Berlin (West), der östliche Teil der Stadt als Ost-Berlin bezeichnet.

Der Vertrag vom 8. April 1965 über die Einsetzung eines gemeinsamen Rates und einer vereinigten Kommission der Europäischen Gemeinschaften trat am 1. Juli 1967 in Kraft. Zur Kennzeichnung der Zusammenlegung von EWG, EURATOM und EGKS wird in der Kommentierung ab diesem Datum von „Europäischen Gemeinschaften" bzw. „EG" gesprochen.

Für häufig benutzte Publikationen wie Editionen, Geschichtskalender und Memoiren werden Kurztitel oder Kurzformen eingeführt, die sich über ein entsprechendes Verzeichnis auflösen lassen. Der Platzersparnis dienen ebenfalls die Rückverweise auf bereits an anderer Stelle ausgeführte Anmerkungen. Häufig genannte Verträge oder Gesetzestexte werden nur bei der Erstnennung nachgewiesen und lassen sich über das Sachregister erschließen.

Wie bei der Wiedergabe der Dokumente finden auch in den Anmerkungen die im Auswärtigen Amt gebräuchlichen Regeln für die Transkription fremdsprachlicher Namen und Begriffe Anwendung. Bei Literaturangaben in russischer Sprache wird die im wissenschaftlichen Bereich übliche Transliterierung durchgeführt.

Verzeichnisse

Das *Dokumentenverzeichnis* ist chronologisch angelegt. Es bietet zu jedem Dokument folgende Angaben: Die halbfett gedruckte Dokumentennummer, Datum und Überschrift, die Fundseite sowie eine inhaltliche Kurzübersicht.

Das *Literaturverzeichnis* enthält nur solche Publikationen, die häufig zur Kommentierung herangezogen und mit Kurztiteln oder Kurzformen versehen wurden. Diese sind alphabetisch geordnet und werden durch bibliographische Angaben aufgelöst.

Das *Abkürzungsverzeichnis* führt die im Dokumententeil vorkommenden Abkürzungen auf, insbesondere von Organisationen, Parteien und Dienstbezeichnungen sowie sonstige im diplomatischen Schriftverkehr übliche Abbreviaturen. Abkürzungen von Firmen werden dagegen im Sachregister unter dem Schlagwort „Wirtschaftsunternehmen" aufgelöst. Nicht aufgenommen werden geläufige Abkürzungen wie „z.B.", „d.h.", „m.E.", „u.U." und „usw." sowie Abkürzungen, die im Dokumententext oder in einer Anmerkung erläutert sind.

Register und Organisationsplan

Im *Personenregister* werden in der Edition vorkommende Personen unter Nennung derjenigen politischen, dienstlichen oder beruflichen Funktionen aufgeführt, die im inhaltlichen Zusammenhang der Dokumente wesentlich sind. Das *Sachregister* ermöglicht einen thematisch differenzierten Zugriff auf die einzelnen Dokumente. Näheres ist den dem jeweiligen Register vorangestellten Hinweisen zur Benutzung zu entnehmen.

Die *Organisationspläne* vom März und vom Oktober 1972 zeigen die Struktur des Auswärtigen Amts und informieren über die Namen der Leiter der jeweiligen Arbeitseinheiten.

Verzeichnisse

Dokumentenverzeichnis

1	05.01.	Aufzeichnung der Ministerialdirektoren Herbst und von Staden	S. 3
		Herbst und Staden analysieren die künftige institutionelle Entwicklung der Europäischen Gemeinschaften und unterbreiten Vorschläge für die Europäische Politische Zusammenarbeit.	
2	05.01.	Botschafter Emmel, Warschau, an das Auswärtige Amt	S. 9
		Emmel berichtet von einem Gespräch mit dem polnischen Stellvertretenden Außenminister Willmann über die Familienzusammenführung.	
3	06.01.	Gesandter Lüders, Moskau, an das Auswärtige Amt	S. 15
		Lüders informiert über den Inhalt einer sowjetischen Note zur Einbeziehung von Personen und Gütern aus Berlin (West) in das Transitabkommen zwischen der Bundesrepublik und der DDR.	
4	07.01.	Botschafter Schnippenkötter, Genf (Internationale Organisationen), an das Auswärtige Amt	S. 17
		Schnippenkötter nimmt Stellung zur Frage einer Beteiligung der DDR an der UNO-Umweltkonferenz im Juni und weiteren internationalen Tagungen.	
5	12.01.	Botschafter Krapf, Brüssel (NATO), an das Auswärtige Amt	S. 22
		Krapf resümiert die Beratungen im Ständigen NATO-Rat über die finanzielle Hilfe für Malta.	
6	13.01.	Aufzeichnung des Ministerialdirigenten van Well	S. 28
		Van Well schlägt Sondierungen zur Aufnahme diplomatischer Beziehungen mit der Volksrepublik China vor.	
7	13.01.	Botschafter Ruete, Paris, an das Auswärtige Amt	S. 33
		Ruete äußert sich zu Überlegungen, die französischen Truppen in der Bundesrepublik mit nuklearen Sprengköpfen auszurüsten.	
8	18.01.	Botschafter von Puttkamer, Tel Aviv, an das Auswärtige Amt	S. 35
		Puttkamer berichtet über ein Gespräch mit dem israelischen Außenminister Eban. Themen waren der Jugendaustausch mit Israel und die Wiederaufnahme diplomatischer Beziehungen zwischen der Bundesrepublik und den arabischen Staaten.	

9	19.01.	Aufzeichnung des Ministerialdirigenten van Well	S. 38

Van Well legt den Entwurf einer Weisung an die Handelsvertretung in Helsinki vor, in der die finnische Initiative zur Aufnahme von Verhandlungen mit beiden deutschen Staaten erörtert wird.

10	19.01.	Generalkonsul Enders, Dacca, an das Auswärtige Amt	S. 48

Enders informiert über ein Gespräch mit dem Ministerpräsidenten von Bangladesh. Im Mittelpunkt standen die Ankündigung von Mujibur Rahman, diplomatische Beziehungen mit der DDR aufzunehmen, sowie die Anerkennung von Bangladesh durch die Bundesrepublik.

11	20.01.	Ministerialdirigent van Well an die Botschaft in Madrid	S. 51

Van Well erläutert die Haltung der Bundesregierung zur Errichtung einer Vertretung der spanischen Handelskammer in Ost-Berlin.

12	21.01.	Aufzeichnung des Bundeskanzleramts	S. 54

Zusammengefaßt wird das Gespräch des Staatssekretärs Bahr, Bundeskanzleramt, mit dem Staatssekretär beim Ministerrat der DDR, Kohl, am 20./21. Januar in Ost-Berlin. Erörtert wurden der Entwurf der DDR für einen Allgemeinen Verkehrsvertrag sowie die Frage der Einbeziehung von Berlin (West).

13	21.01.	Aufzeichnung des Staatssekretärs Bahr, Bundeskanzleramt	S. 57

Bahr gibt sein Vier-Augen-Gespräch mit dem Staatssekretär beim Ministerrat der DDR, Kohl, am Vortag in Ost-Berlin wieder. Im Mittelpunkt standen ein Zwischenfall auf einem Handelsschiff der DDR im Nord-Ostsee-Kanal, ein Allgemeiner Verkehrsvertrag und Reiseerleichterungen.

14	21.01.	Staatssekretär Frank, z.Z. Neu Delhi, an das Auswärtige Amt	S. 62

Frank unterrichtet über die Konsultationsgespräche mit der indischen Regierung. Hauptthemen waren eine mögliche Aufnahme diplomatischer Beziehungen zwischen der DDR und Indien sowie die Anerkennung von Bangladesh durch die Bundesrepublik.

15	24.01.	Aufzeichnung des Vortragenden Legationsrats I. Klasse Hansen	S. 65

Hansen resümiert ein Gespräch des Staatssekretärs Frank mit dem Abteilungsleiter im französischen Außenministerium, de Beaumarchais, über die französische Absicht, ein Handelsbüro in Ost-Berlin zu errichten.

16	25.01.	Aufzeichnung des Vortragenden Legationsrats Bräutigam	S. 68
		Bräutigam faßt eine Unterredung des Staatssekretärs Bahr, Bundeskanzleramt, mit Vertretern der Drei Mächte zum Stand der Verkehrsverhandlungen mit der DDR zusammen.	
17	25.01.	Botschafter Scholl, Kopenhagen, an das Auswärtige Amt	S. 70
		Scholl berichtet über ein Gespräch des Bundesministers Scheel mit dem dänischen Außenminister Andersen. Themen waren die Anerkennung von Bangladesh, der dänische EG-Beitritt, die Europäische Sicherheitskonferenz, der Beitritt der Bundesrepublik und der DDR zur UNO, MBFR, die UNO-Umweltkonferenz und die Befassung des NATO-Ministerrats mit der Menschenrechtslage in Griechenland.	
18	26.01.	Bundeskanzler Brandt an Bundesminister Scheel	S. 75
		Brandt spricht sich für einen neuen Anlauf zur Regelung offener bilateraler Fragen mit Jugoslawien aus.	
19	02.02.	Aufzeichnung des Botschafters Sachs, Brüssel (EG)	S. 77
		Sachs informiert über ein Treffen der Außenminister der EG-Mitgliedstaaten am 1. Februar. Erörtert wurden die Wirtschafts- und Währungsunion, die Beziehungen zu den EFTA-Mitgliedstaaten, die geplante Gipfelkonferenz sowie Maßnahmen zur Verbesserung der Funktionsfähigkeit des EG-Ministerrats und zur Vertiefung der europäischen Integration.	
20	03.02.	Aufzeichnung des Staatssekretärs Bahr, Bundeskanzleramt	S. 82
		Bahr resümiert ein Vier-Augen-Gespräch mit dem Staatssekretär beim Ministerrat der DDR, Kohl, vom Vortag über die Mitwirkung der DDR in internationalen Organisationen.	
21	03.02.	Aufzeichnung des Bundeskanzleramts	S. 86
		Zusammengefaßt wird das Gespräch des Staatssekretärs im Bundeskanzleramt, Bahr, mit dem Staatssekretär beim Ministerrat der DDR, Kohl, vom 2./3. Februar über einen Allgemeinen Verkehrsvertrag.	
22	04.02.	Gespräch des Staatssekretärs Frank mit dem japanischen Botschafter Kai	S. 90
		Themen sind das Verhältnis zur Volksrepublik China, die Beziehungen Japans zu den Europäischen Gemeinschaften sowie der Besuch des sowjetischen Außenministers Gromyko in Japan.	

23	04.02.	Gesandter Boss, Brüssel (NATO), an das Auswärtige Amt	S. 95

Boss berichtet über eine Sitzung des Ständigen NATO-Rats, in der die Positionen für die Finanzverhandlungen mit Malta festgelegt wurden.

24	08.02.	Gespräch des Bundeskanzlers Brandt mit Präsident Amin	S. 98

Im Mittelpunkt steht die finanzielle und technische Hilfe für Uganda.

25	08.02.	Aufzeichnung des Staatssekretärs Bahr, Bundeskanzleramt	S. 101

Bahr äußert sich zu den Gesprächen mit dem Staatssekretär beim Ministerrat der DDR, Kohl, vom 2./3. Februar. Erörtert wurden grundlegende Fragen im Verhältnis zwischen der Bundesrepublik und der DDR, der Allgemeine Verkehrsvertrag sowie der Beitritt der DDR zu internationalen Organisationen.

26	08.02.	Aufzeichnung des Vortragenden Legationsrats I. Klasse Menne	S. 105

Menne resümiert eine Debatte unter NATO-Experten zum Stand der Verhandlungen über eine Begrenzung der strategischen Waffen (SALT).

27	09.02.	Bundeskanzler Brandt an den Generalsekretär des ZK der KPdSU, Breschnew	S. 109

Brandt äußert sich zu den Beziehungen zur UdSSR, zu den Bemühungen um einen Modus vivendi mit der DDR sowie zur Europäischen Sicherheitskonferenz.

28	10.02.	Gespräch des Bundeskanzlers Brandt mit Staatspräsident Pompidou in Paris	S. 112

Hauptthemen sind die innenpolitische Debatte über die Ratifizierung der Ostverträge, die Verhandlungen mit der DDR, die Aufnahme der Bundesrepublik und der DDR in die UNO, die Lage in Jugoslawien, die Europäische Sicherheitskonferenz und MBFR sowie die Beziehungen der USA zur UdSSR und zur Volksrepublik China.

29	10.02.	Deutsch-französische Konsultationsbesprechung in Paris	S. 127

Im Mittelpunkt stehen währungspolitische Fragen, die europäische Wirtschafts- und Währungsunion sowie die Wirtschaftsbeziehungen zwischen den Europäischen Gemeinschaften und den USA.

30	10.02.	Botschaftsrat Nowak, Beirut, an das Auswärtige Amt	S. 139

Nowak informiert über ein Gespräch mit dem libanesischen Außenminister Abu Hamad. Themen waren eine Wiederaufnahme der diplomatischen Beziehungen zwischen der Bundesrepublik und dem Libanon sowie ein möglicher Besuch des Bundeskanzlers Brandt in Israel.

31	11.02.	Deutsch-französische Konsultationsbesprechung in Paris	S. 141

Erörtert werden die Vertiefung der europäischen Integration durch die Ernennung von Europaministern bzw. durch die Einrichtung eines Sekretariats für die Europäische Politische Zusammenarbeit, die EG-Gipfelkonferenz, die Außenbeziehungen der Europäischen Gemeinschaften, die Europäische Sicherheitskonferenz und die Agrarpolitik.

32	15.02.	Gesandter Boss, Brüssel (NATO), an das Auswärtige Amt	S. 150

Boss berichtet über ein Treffen der Ständigen Vertreter mit dem ehemaligen NATO-Generalsekretär Brosio zu den von der NATO vorgesehenen MBFR-Explorationen in der UdSSR sowie den Risiken von MBFR.

33	15.02.	Ministerialdirigent Simon an die Botschaft beim Heiligen Stuhl	S. 153

Simon unterrichtet über ein Gespräch des Staatssekretärs Frank mit dem Apostolischen Nuntius, Bafile, anläßlich eines Kommentars in der Zeitung „Osservatore Romano" zur geplanten Änderung des Paragraphen 218 des Strafgesetzbuches.

34	17.02.	Botschafter Emmel, Warschau, an das Auswärtige Amt	S. 156

Emmel übermittelt Äußerungen aus dem polnischen Außenministerium zur Interpretation des Warschauer Vertrags.

35	21.02.	Aufzeichnung des Bundesministers Scheel	S. 160

Scheel faßt ein Gespräch mit dem SPD-Abgeordneten Wischnewski zusammen. Gegenstand waren dessen Reisepläne sowie die Wiederaufnahme diplomatischer Beziehungen zu verschiedenen arabischen Staaten.

36	21.02.	Aufzeichnung des Vortragenden Legationsrats I. Klasse Blech	S. 162

Blech formuliert Überlegungen zum Fortgang der Deutschlandpolitik.

37	21.02.	Botschafter Allardt, Moskau, an das Auswärtige Amt	S. 176
		Allardt gibt Äußerungen des stellvertretenden Abteilungsleiters im sowjetischen Außenministerium, Kwizinskij, zur Frage der Einbeziehung von Berlin (West) in Verträge der Bundesrepublik wieder.	
38	22.02.	Gespräch des Bundeskanzlers Brandt mit dem rumänischen Ersten Stellvertretenden Außenminister Macovescu	S. 179
		Themen sind die bilateralen Beziehungen und die Europäische Sicherheitskonferenz.	
39	22.02.	Aufzeichnung des Staatssekretärs Bahr, Bundeskanzleramt	S. 185
		Bahr resümiert ein Gespräch des Bundeskanzlers Brandt mit dem sowjetischen Botschafter Falin vom Vortag. Im Mittelpunkt standen die Ratifizierung der Ostverträge, die Gespräche zwischen der Bundesrepublik und der ČSSR über eine Verbesserung des bilateralen Verhältnisses sowie die Europäische Sicherheitskonferenz.	
40	22.02.	Botschafter Lahr, Rom, an Bundesminister Scheel	S. 187
		Lahr informiert über ein Treffen mit dem Abteilungsleiter im italienischen Außenministerium, Ducci. Erörtert wurden Befürchtungen der italienischen Regierung vor einem deutsch-französischen Bilateralismus in Europa.	
41	22.02.	Botschafter von Puttkamer, Tel Aviv, an das Auswärtige Amt	S. 191
		Puttkamer berichtet über eine Unterredung mit dem Staatssekretär im israelischen Außenministerium, Gazit, zu den bilateralen Beziehungen, den Nahost-Konsultationen im Rahmen der Europäischen Politischen Zusammenarbeit und zum Nahost-Konflikt.	
42	22.02.	Gesandter Boss, Brüssel (NATO), an das Auswärtige Amt	S. 194
		Boss faßt ein Gespräch des NATO-Generalsekretärs mit den Ständigen Vertretern der NATO-Mitgliedstaaten zusammen, in dem Luns über kanadische Vorbehalte gegenüber den verschiedenen innereuropäischen Konsultationsgremien informierte.	
43	25.02.	Aufzeichnung des Ministerialdirigenten Müller	S. 197
		Müller befaßt sich mit Hintergründen und Folgen der Entführung einer Maschine der Lufthansa nach Aden.	

44	28.02.	Gespräch des Staatssekretärs Frank mit dem sowjetischen Botschafter Falin	S. 199
		Erörtert werden die Frage der Grundstücke für die Botschaften und Generalkonsulate beider Staaten, der Beitritt der DDR zu internationalen Organisationen, die Einbeziehung von Berlin (West) in internationale Verträge sowie in den Urlaubsflugverkehr nach Bulgarien, die Europäische Sicherheitskonferenz, die Verwendung des Begriffs „deutsch" in amtlichen Schriftstücken und die Gespräche zwischen der Bundesrepublik und der ČSSR über eine Verbesserung des bilateralen Verhältnisses.	
45	01.03.	Aufzeichnung des Vortragenden Legationsrats I. Klasse von Schenck	S. 210
		Schenck äußert sich zur Einbindung von Berlin (West) in den Allgemeinen Verkehrsvertrag mit der DDR.	
46	03.03.	Aufzeichnung des Vortragenden Legationsrats Ruth	S. 212
		Ruth legt das Ergebnis einer Klausurtagung verschiedener Ressorts zu MBFR dar.	
47	07.03.	Aufzeichnung des Bundeskanzlers Brandt	S. 218
		Brandt gibt Gespräche mit Schah Reza Pahlevi und Ministerpräsident Hoveyda am 6./7. März in Teheran wieder.	
48	07.03.	Aufzeichnung des Vortragenden Legationsrats I. Klasse Munz	S. 229
		Munz berichtet von der Unterrichtung der außenpolitischen Arbeitskreise der SPD- und der FDP-Fraktion über die NATO-Verteidigungshilfe für Griechenland.	
49	10.03.	Aufzeichnung des Bundeskanzleramts	S. 231
		Wiedergegeben werden die Gespräche des Staatssekretärs Bahr, Bundeskanzleramt, mit dem Staatssekretär beim Ministerrat der DDR, Kohl, am 9./10. März in Ost-Berlin über einen Allgemeinen Verkehrsvertrag.	
50	11.03.	Aufzeichnung des Bundeskanzleramts	S. 234
		Resümiert wird ein Gespräch des Staatssekretärs Bahr, Bundeskanzleramt, mit dem Staatssekretär beim Ministerrat der DDR, Kohl, am 9. März in Ost-Berlin über die Schaffung einer Gemeinsamen Kommission und die Einbeziehung von Berlin (West) in den Allgemeinen Verkehrsvertrag.	
51	11.03.	Aufzeichnung des Staatssekretärs Bahr, Bundeskanzleramt	S. 235
		Bahr faßt die Vier-Augen-Gespräche mit dem Staatssekretär beim Ministerrat der DDR, Kohl, am 9./10. März in Ost-Berlin	

		zusammen. Erörtert wurden die zeitlich befristete Anwendung des Transitabkommens zu Ostern und Pfingsten, Fragen des Luftverkehrs, die Mitwirkung der DDR in internationalen Organisationen, Reiseerleichterungen sowie der Grenzverlauf an der Elbe.	
52	13.03.	Gespräche des Ministerialdirektors von Staden mit dem Staatssekretär im amerikanischen Außenministerium, Irwin, und Abteilungsleiter Hillenbrand in Washington	S. 240
		Im Mittelpunkt stehen der Beitritt der DDR zu internationalen Organisationen, die Europäische Sicherheitskonferenz, MBFR und die Ratifizierung des Moskauer und des Warschauer Vertrags.	
53	13.03.	Botschafter Freiherr von Wendland, Valletta, an das Auswärtige Amt	S. 246
		Wendland äußert sich zu den finanziellen Hilfen für Malta.	
54	14.03.	Deutsch-amerikanisches Regierungsgespräch in Washington	S. 249
		Hauptthema ist die Mitwirkung der DDR in internationalen Organisationen.	
55	15.03.	Botschafter Allardt, Moskau, an das Auswärtige Amt	S. 254
		Allardt berichtet über sowjetische Besorgnisse anläßlich des Ratifikationsverfahrens in der Bundesrepublik zum Moskauer und Warschauer Vertrag.	
56	16.03.	Aufzeichnung des Bundesministers Ehmke	S. 258
		Ehmke legt Alternativen zur Lösung des Problems der jugoslawischen Wiedergutmachungsforderungen dar.	
57	17.03.	Aufzeichnung des Vortragenden Legationsrats I. Klasse Blech	S. 262
		Blech erörtert offene Fragen bezüglich des Allgemeinen Verkehrsvertrags mit der DDR.	
58	17.03.	Botschafter Ruete, Paris, an das Auswärtige Amt	S. 266
		Ruete informiert über das französische Interesse an der Ratifizierungsdebatte in der Bundesrepublik über den Moskauer und Warschauer Vertrag.	
59	17.03.	Gesandter Boss, Brüssel (NATO), an das Auswärtige Amt	S. 269
		Boss resümiert die Diskussion im Ständigen NATO-Rat über die Arbeit der Bonner Vierergruppe. Hauptthema war der zivile Luftverkehr mit Berlin (West).	

60	20.03.	Aufzeichnung des Ministerialdirigenten van Well	S. 273
		Van Well gibt ein Gespräch mit dem sowjetischen Botschafter Falin über die Einbeziehung von Berlin (West) in einen Handelsvertrag mit der UdSSR wieder.	
61	20.03.	Botschafter Limbourg, Athen, an das Auswärtige Amt	S. 277
		Limbourg unterrichtet über eine Vortragsreise des Schriftstellers Günter Grass nach Griechenland.	
62	20.03.	Botschafter Pauls, Washington, an das Auswärtige Amt	S. 281
		Pauls berichtet über die amerikanische Einschätzung des Ratifikationsverfahrens in der Bundesrepublik zum Moskauer und Warschauer Vertrag.	
63	21./ 22.03.	Gespräche des Bundesministers Scheel mit dem tunesischen Außenminister Masmoudi in Tunis	S. 285
		Gesprächsthemen sind die Lage im Mittelmeer, die Beziehungen zwischen Tunesien und den Europäischen Gemeinschaften, Pläne für die Europäische Sicherheitskonferenz und die Lage im Nahen Osten.	
64	21.03.	Aufzeichnung des Vortragenden Legationsrats I. Klasse Blumenfeld	S. 296
		Blumenfeld erörtert mögliche sowjetische Reaktionen auf eine Ablehnung des Moskauer und des Warschauer Vertrags im Bundestag.	
65	21.03.	Aufzeichnung des Vortragenden Legationsrats Bräutigam	S. 302
		Bräutigam faßt ein Gespräch des Staatssekretärs Bahr, Bundeskanzleramt, mit Vertretern der Drei Mächte über die Einbeziehung von Berlin (West) in einen Handelsvertrag mit der UdSSR zusammen.	
66	21.03.	Botschafter Sachs, Brüssel (EG), an das Auswärtige Amt	S. 304
		Sachs informiert über die Konferenz der Außenminister der EG-Mitgliedstaaten und -Beitrittsstaaten. Besprochen wurde die Vorbereitung einer Gipfelkonferenz im Herbst.	
67	21.03.	Botschafter Allardt, Moskau, an das Auswärtige Amt	S. 306
		Allardt unterrichtet über eine Rede des Generalsekretärs des ZK der KPdSU, Breschnew, vom 20. März.	

68 23.03. **Aufzeichnung des Bundeskanzleramts** S. 311

Dargelegt werden die Gespräche des Staatssekretärs Bahr, Bundeskanzleramt, mit dem Staatssekretär beim Ministerrat der DDR, Kohl, vom 22./23. März. Im Mittelpunkt standen einzelne Formulierungsvorschläge für einen Allgemeinen Verkehrsvertrag.

69 24.03. **Gespräch des Staatssekretärs Frank mit dem jugoslawischen Außenminister Tepavac in Belgrad** S. 313

Gesprächspunkte sind die Ratifizierung des Moskauer und des Warschauer Vertrags, die Europäische Sicherheitskonferenz und die Lage im Mittelmeer.

70 24.03. **Aufzeichnung des Ministerialdirigenten von Schenck** S. 317

Schenck erörtert die Behandlung des Briefes zur deutschen Einheit im Ratifikationsverfahren zum Moskauer Vertrag vom 12. August 1970.

71 25.03. **Aufzeichnung des Staatssekretärs Bahr, Bundeskanzleramt** S. 321

Bahr gibt das Vier-Augen-Gespräch mit dem Staatssekretär beim Ministerrat der DDR, Kohl, vom 23. März wieder. Thema war die Regelung der Grundlagen der Beziehungen zwischen der Bundesrepublik und der DDR.

72 25.03. **Aufzeichnung des Staatssekretärs Bahr, Bundeskanzleramt** S. 322

Bahr resümiert seine Vier-Augen-Gespräche mit dem Staatssekretär beim Ministerrat der DDR, Kohl, vom 22./23. März. Erörtert wurden Aspekte der Beziehungen zwischen der Bundesrepublik und der DDR, insbesondere der Beitritt der DDR zu internationalen Organisationen sowie der Allgemeine Verkehrsvertrag.

73 25.03. **Botschafter Pauls, Washington, an das Auswärtige Amt** S. 327

Pauls berichtet über das Interesse der amerikanischen Regierung an der Ratifizierungsdebatte zum Moskauer und zum Warschauer Vertrag.

74 27.03. **Aufzeichnung des Ministerialdirigenten van Well** S. 331

Van Well faßt eine Unterredung des Staatssekretärs Frank mit dem sowjetischen Botschafter Falin über die Einbeziehung von Berlin (West) in einen Handelsvertrag mit der UdSSR zusammen.

75	27.03.	Aufzeichnung des Vortragenden Legationsrats I. Klasse Menne	S. 334
		Menne unterrichtet über die SALT-Konsultation im Ständigen NATO-Rat am 25. März in Brüssel.	
76	27.03.	Botschaftsrat Nowak, Beirut, an das Auswärtige Amt	S. 337
		Nowak informiert über ein Treffen des SPD-Abgeordneten Wischnewski mit Präsident Frangieh und dem libanesischen Außenminister Abu Hamad. Gesprochen wurde über die Wiederaufnahme diplomatischer Beziehungen zwischen der Bundesrepublik und dem Libanon.	
77	28.03.	Aufzeichnung des Ministerialdirektors von Staden	S. 339
		Staden analysiert spanisch-französisch-italienische Gespräche am 15. März in Paris und ihre Bedeutung für die Europäische Politische Zusammenarbeit.	
78	30.03.	Ministerialdirigent Forster an die Botschaft in Rom	S. 341
		Forster erörtert die Behandlung des Themas Südtirol im Hinblick auf die Beziehungen mit Italien.	
79	30.03.	Bundesminister Scheel, z. Z. Hinterthal, an Bundeskanzler Brandt, z. Z. Sardinien	S. 344
		Scheel äußert sich zum Besuch des SPD-Abgeordneten Wischnewski im Libanon und zur Vortragsreise des Schriftstellers Günter Grass nach Griechenland.	
80	01.04.	Aufzeichnung des Staatssekretärs Bahr, Bundeskanzleramt	S. 347
		Bahr resümiert ein Gespräch mit dem Sicherheitsberater des amerikanischen Präsidenten, Kissinger, dem Abteilungsleiter im amerikanischen Außenministerium, Hillenbrand, und dem Mitarbeiter des Nationalen Sicherheitsrats, Sonnenfeldt, am 28. März in Washington.	
81	01.04.	Aufzeichnung des Staatssekretärs Bahr, Bundeskanzleramt	S. 349
		Bahr vermerkt das Ergebnis eines Gesprächs mit dem Sicherheitsberater des amerikanischen Präsidenten, Kissinger, am 28. März in Washington.	
82	01.04.	Staatssekretär Bahr, Bundeskanzleramt, an den Sicherheitsberater des amerikanischen Präsidenten, Kissinger	S. 351
		Bahr gibt eine Einschätzung der sowjetischen Position zur Sicherheit und Zusammenarbeit in Europa.	

83	03.04.	Botschafter Allardt, Moskau, an das Auswärtige Amt	S. 354

Allardt unterrichtet über Gespräche mit sowjetischen Politikern anläßlich seines bevorstehenden Abschieds als Botschafter in Moskau. Im Mittelpunkt stand das Ratifikationsverfahren zum Moskauer und zum Warschauer Vertrag.

84	04.04.	Aufzeichnung des Botschafters Bahr, Bundeskanzleramt	S. 356

Bahr stellt Überlegungen an für ein Gespräch des Bundeskanzlers Brandt mit Politikern von CDU und CSU zur Ratifizierung des Moskauer und des Warschauer Vertrags.

85	04.04.	Aufzeichnung des Ministerialdirektors von Staden	S. 359

Staden befaßt sich mit den Beziehungen zu Rumänien auf den Gebieten Finanzhilfe, Familienzusammenführung und Wiedergutmachung.

86	04.04.	Aufzeichnung des Ministerialdirigenten van Well	S. 366

Van Well vermerkt, daß in Gesprächen des Staatssekretärs Frank mit dem sowjetischen Botschafter Falin Einigung über den Wortlaut einer Berlin-Klausel für Verträge zwischen der Bundesrepublik und der UdSSR erzielt wurde.

87	05.04.	Botschafter Pauls, Washington, an Bundesminister Scheel	S. 368

Pauls berichtet von einem Gespräch mit dem amerikanischen Außenminister Rogers über den Stand des Ratifikationsverfahrens zum Moskauer und zum Warschauer Vertrag.

88	05.04.	Ministerialdirigent Heipertz, Prag, an das Auswärtige Amt	S. 370

Heipertz teilt mit, daß er dem tschechoslowakischen Stellvertretenden Außenminister Goetz ein Schreiben des Staatssekretärs Frank mit Formulierungsvorschlägen für ein Abkommen zwischen der Bundesrepublik und der ČSSR übergeben habe, und übermittelt dessen Reaktion.

89	07.04.	Aufzeichnung des Vortragenden Legationsrats Eitel, Bundeskanzleramt	S. 375

Eitel gibt Gespräche des Staatssekretärs Bahr, Bundeskanzleramt, mit dem Staatssekretär beim Ministerrat der DDR, Kohl, vom 5./6. April über einen Allgemeinen Verkehrsvertrag wieder.

			April
90	07.04.	Aufzeichnung des Staatssekretärs Bahr, Bundeskanzleramt	S. 377
		Bahr resümiert seine Vier-Augen-Gespräche mit dem Staatssekretär beim Ministerrat der DDR, Kohl, vom 5./6. April über Fragen eines Allgemeinen Verkehrsvertrags.	
91	10.04.	Aufzeichnung des Ministerialdirigenten van Well	S. 383
		Van Well erläutert beabsichtigte Maßnahmen der Drei Mächte gegen die Tätigkeit der NPD in Berlin (West).	
92	11.04.	Aufzeichnung des Vortragenden Legationsrats I. Klasse Redies	S. 386
		Redies teilt mit, von britischer Seite sei die Zusammenarbeit mit Israel auf dem Verteidigungssektor zur Sprache gebracht und darauf hingewiesen worden, daß ihr Bekanntwerden das Verhältnis zu den arabischen Staaten belasten würde.	
93	12.04.	Gespräch des Bundesministers Scheel mit dem sowjetischen Botschafter Falin	S. 388
		Erörtert werden die Ausreise von Deutschen aus der UdSSR, die bevorstehenden Wahlen zum baden-württembergischen Landtag und das geplante Gespräch des Bundeskanzlers Brandt mit führenden Politikern von CDU und CSU.	
94	12.04.	Ministerialdirigent van Well an die Botschaft in Moskau	S. 393
		Van Well nimmt Stellung zur Zurückweisung der Ratifikationsurkunde der Bundesrepublik zum Astronautenbergungsabkommen am 17. Februar durch die sowjetische Regierung.	
95	13.04.	Aufzeichnung des Bundeskanzleramts	S. 395
		Es wird dargelegt, daß im Gespräch des Staatssekretärs Bahr, Bundeskanzleramt, mit dem Staatssekretär beim Ministerrat der DDR, Kohl, am 12. April in Ost-Berlin weitgehende Einigung über die Bestimmungen eines Allgemeinen Verkehrsvertrags erzielt wurde.	
96	13.04.	Botschafter Pauls, Washington, an das Auswärtige Amt	S. 397
		Pauls analysiert die Haltung der amerikanischen Regierung zur Europäischen Sicherheitskonferenz und zu MBFR.	
97	14.04.	Gespräch des Staatssekretärs Bahr, Bundeskanzleramt, mit Vertretern der Drei Mächte	S. 401
		Bahr informiert über Gespräche mit dem Staatssekretär beim Ministerrat der DDR, Kohl, am 12. April in Ost-Berlin zu einem Allgemeinen Verkehrsvertrag.	

98	14.04.	Aufzeichnung des Staatssekretärs Bahr, Bundeskanzleramt	S. 404
		Bahr resümiert die Vier-Augen-Gespräche mit dem Staatssekretär beim Ministerrat der DDR, Kohl, am 12. April in Ost-Berlin zu Fragen eines Allgemeinen Verkehrsvertrags.	
99	14.04.	Bundesminister Ehmke an Staatssekretär Frank	S. 409
		Ehmke äußert sich zu den noch offenen Fragen in den Beziehungen zu Jugoslawien auf den Gebieten Wiedergutmachung und Kapitalhilfe.	
100	15.04.	Aufzeichnung des Vortragenden Legationsrats I. Klasse Blech	S. 411
		Blech legt eine Aufzeichnung vor zum Stand der Gespräche des Staatssekretärs Bahr, Bundeskanzleramt, mit dem Staatssekretär beim Ministerrat der DDR, Kohl, über einen Allgemeinen Verkehrsvertrag.	
101	18.04.	Aufzeichnung des Ministerialdirigenten Diesel	S. 415
		Diesel weist auf britische Bedenken hin, daß die Bundesregierung in einem Vertrag mit der ČSSR einer moralischen Verurteilung des Münchener Abkommens von 1938 zustimmen könne.	
102	19.04.	Gespräch des Staatssekretärs Frank mit dem griechischen Botschafter Delivanis	S. 418
		Frank und Delivanis erörtern die Umstände der Ausreise des griechischen Professors Mangakis in die Bundesrepublik.	
103	19.04.	Generalkonsul Scheel, Helsinki, an das Auswärtige Amt	S. 424
		Scheel berichtet über ein Gespräch mit Präsident Kekkonen zur finnischen Deutschlandpolitik und zur Europäischen Sicherheitskonferenz.	
104	20.04.	Gespräch des Bundeskanzlers Brandt mit Premierminister Heath in London	S. 427
		Im Mittelpunkt stehen die Ostpolitik der Bundesregierung, der Stand des Ratifikationsverfahrens zum Moskauer und zum Warschauer Vertrag und Fragen der Europäischen Politischen Zusammenarbeit.	
105	20.04.	Aufzeichnung des Staatssekretärs Bahr, Bundeskanzleramt	S. 444
		Bahr resümiert Gespräche mit dem Staatssekretär beim Ministerrat der DDR, Kohl, vom 19./20. April, in deren Verlauf der Text eines Allgemeinen Verkehrsvertrags weitgehend fertiggestellt wurde.	

106	20.04.	Aufzeichnung des Staatssekretärs Bahr, Bundeskanzleramt	S. 447

Bahr faßt seine Vier-Augen-Gespräche mit dem Staatssekretär beim Ministerrat der DDR, Kohl, vom 19./20. April zusammen. Erörtert wurde der Entwurf eines Allgemeinen Verkehrsvertrags.

107	20.04.	Aufzeichnung des Ministerialdirigenten Sanne, Bundeskanzleramt	S. 454

Sanne gibt eine Unterredung des Staatssekretärs Bahr, Bundeskanzleramt, mit dem Staatssekretär beim Ministerrat der DDR, Kohl, wieder. Gesprochen wurde über die Schlußbestimmung eines Allgemeinen Verkehrsvertrags, einen begleitenden Notenwechsel und über eine bei der Paraphierung bzw. der Unterzeichnung abzugebende Erklärung.

108	20.04.	Aufzeichnung des Ministerialdirigenten Sanne, Bundeskanzleramt	S. 456

Sanne vermerkt das Ergebnis eines Gesprächs des Staatssekretärs Bahr, Bundeskanzleramt, mit dem Staatssekretär beim Ministerrat der DDR, Kohl. Thema war der Beitritt der Bundesrepublik und der DDR zu den Eisenbahnabkommen CIM und CIV.

109	21.04.	Gespräch des Bundeskanzlers Brandt mit Premierminister Heath in London	S. 458

Im Vordergrund stehen die vorgesehene europäische Gipfelkonferenz im Oktober, die internationale Währungs- und Umweltpolitik sowie die Haltung westlicher Staaten gegenüber der Volksrepublik China.

110	24.04.	Aufzeichnung des Ministerialdirigenten van Well	S. 471

Van Well befürwortet eine Einbeziehung von Berlin (West) in einen Allgemeinen Verkehrsvertrag mit der DDR.

111	24.04.	Aufzeichnung des Vortragenden Legationsrats I. Klasse Thomas	S. 474

Thomas faßt ein Gespräch des Staatssekretärs Frank mit dem Unterstaatssekretär im britischen Außenministerium, Brimelow, vom 20. April zusammen, in dem u.a. das Ratifikationsverfahren zum Moskauer und zum Warschauer Vertrag, die Europäische Sicherheitskonferenz sowie die Verhandlungen zwischen Bundesrepublik und DDR über einen Allgemeinen Verkehrsvertrag behandelt wurden.

112	26.04.	Aufzeichnung des Ministerialdirigenten Sanne, Bundeskanzleramt — S. 478

Sanne resümiert Gespräche des Staatssekretärs Bahr, Bundeskanzleramt, mit dem Staatssekretär beim Ministerrat der DDR, Kohl, am 25./26. April in Ost-Berlin zur Formulierung eines Allgemeinen Verkehrsvertrags.

113   26.04.   Aufzeichnung des Ministerialdirigenten von Schenck   S. 481

Schenck erläutert mögliche Folgen der Ratifizierung des Moskauer und des Warschauer Vertrags für die Neuordnung der katholischen Kirchenprovinzen östlich von Oder und Neiße.

114   26.04.   Botschafter Sahm, Moskau, an das Auswärtige Amt   S. 488

Sahm informiert über ein Gespräch mit dem Vorsitzenden des Präsidiums des Obersten Sowjet, Podgornyj, anläßlich der Überreichung seines Beglaubigungsschreibens.

115   28.04.   Aufzeichnung des Staatssekretärs Bahr, Bundeskanzleramt   S. 493

Bahr äußert sich zu den Chancen für eine Zustimmung des Bundestags zum Moskauer und zum Warschauer Vertrag.

116   28.04.   Aufzeichnung des Ministerialdirektors von Staden   S. 496

Staden würdigt die politische Bedeutung des Allgemeinen Verkehrsvertrags zwischen der Bundesrepublik und der DDR.

117   01.05.   Aufzeichnung des Bundesministers Ehmke   S. 500

Ehmke vermerkt das Ergebnis eines Gesprächs zwischen Vertretern der Regierungskoalition und der CDU/CSU-Fraktion am 28. April. Thematisiert wurden die Folgen der Patt-Situation im Bundestag und die weitere Behandlung des Moskauer und des Warschauer Vertrags.

118   04.05.   Aufzeichnung des Vortragenden Legationsrats I. Klasse Blech   S. 510

Blech resümiert die Beratungen der interfraktionellen Arbeitsgruppe „Freizügigkeit" über notwendige Forderungen an die DDR zu Erleichterungen im Reiseverkehr.

119   05.05.   Aufzeichnung des Staatssekretärs Bahr, Bundeskanzleramt   S. 513

Bahr faßt ein Gespräch mit dem Staatssekretär beim Ministerrat der DDR, Kohl, in Ost-Berlin zusammen, in dem eine stärkere Formalisierung der Zusagen der DDR bezüglich Erleichterungen im Reiseverkehr erörtert wurde.

120	05.05.	Aufzeichnung des Vortragenden Legationsrats I. Klasse Hofmann	S. 516
		Hofmann mahnt einen restriktiveren Umgang mit den Gesprächsaufzeichnungen aus dem Bundeskanzleramt an.	
121	06.05.	Gespräch des Bundesministers Scheel mit dem sowjetischen Botschafter Falin	S. 517
		Die Gesprächspartner befassen sich mit dem Stand des Ratifikationsverfahrens und der geplanten Entschließung des Bundestags zum Moskauer und zum Warschauer Vertrag.	
122	08.05.	Aufzeichnung des Ministerialdirektors von Staden	S. 522
		Staden erläutert mögliche Reaktionen auf eine vorzeitige Anerkennung der DDR durch Indien.	
123	08.05.	Aufzeichnung des Vortragenden Legationsrats Schlange-Schöningen	S. 526
		Anläßlich der Verhandlungen mit der UdSSR zu Abkommen über wissenschaftlich-technische bzw. kulturelle und wissenschaftliche Zusammenarbeit weist Schlange-Schöningen auf Probleme bei der Zuständigkeitsabgrenzung zwischen den beteiligten Referaten und Ressorts hin.	
124	09.05.	Aufzeichnung des Vortragenden Legationsrats Stabreit	S. 530
		Stabreit erläutert das Zustandekommen der Aufzeichnungen über die Verhandlungen des Staatssekretärs Bahr, Bundeskanzleramt, 1970 in Moskau.	
125	09.05.	Vortragende Legationsrätin I. Klasse Finke-Osiander an die Handelsvertretung in Warschau	S. 531
		Finke-Osiander berichtet über ein Gespräch des Bundesministers Scheel mit dem Leiter der polnischen Handelsvertretung, Piątkowski. Im Mittelpunkt stand der Entwurf einer Entschließung des Bundestags zum Moskauer und zum Warschauer Vertrag.	
126	10.05.	Aufzeichnung des Staatssekretärs Bahr, Bundeskanzleramt	S. 535
		Bahr äußert sich zu Unstimmigkeiten mit der CDU/CSU-Fraktion wegen des Entwurfs einer Entschließung des Bundestags zum Moskauer und zum Warschauer Vertrag.	
127	10.05.	Aufzeichnung des Ministerialdirigenten Müller	S. 537
		Müller vermerkt das Interesse von Ägypten und Syrien an einem Besuch des SPD-Abgeordneten Wischnewski und an Gesprächen über die Wiederaufnahme diplomatischer Beziehungen mit der Bundesrepublik.	

128 11.05. Drahterlaß des Ministerialdirektors von Staden   S. 540

Staden unterrichtet über ein Gespräch des Staatssekretärs Frank mit dem Abteilungsleiter im amerikanischen Außenministerium, Hillenbrand. Themen waren die Situation in Vietnam, SALT, die Unterzeichnung des Schlußprotokolls zum Vier-Mächte-Abkommen über Berlin, die Europäische Sicherheitskonferenz und MBFR.

129 12.05. Aufzeichnung des Vortragenden Legationsrats Schilling, Bundeskanzleramt   S. 545

Schilling faßt eine Unterredung des Bundeskanzlers Brandt mit dem sowjetischen Botschafter zusammen. Es wurde eine Erklärung abgestimmt, die Falin bei der Entgegennahme der Entschließung des Bundestags zum Moskauer und zum Warschauer Vertrag abzugeben beabsichtigt.

130 12.05. Gespräch des Staatssekretärs Frank mit dem sowjetischen Botschafter Falin   S. 547

Die Gesprächspartner erörtern das Vorgehen bei Übergabe der Entschließung des Bundestags zum Moskauer und zum Warschauer Vertrag.

131 12.05. Botschafter Pauls, Washington, an das Auswärtige Amt   S. 550

Vor dem Hintergrund der zunehmenden militärischen Auseinandersetzungen in Vietnam und der Debatte über die Ratifizierung des Moskauer und des Warschauer Vertrags in der Bundesrepublik berichtet Pauls von Sorgen der amerikanischen Regierung hinsichtlich der Auswirkungen auf die amerikanisch-sowjetischen Beziehungen.

132 12.05. Vortragende Legationsrätin I. Klasse Finke-Osiander an die Handelsvertretung in Warschau   S. 552

Finke-Osiander informiert über ein Gespräch des Bundesministers Scheel mit dem Leiter der polnischen Handelsvertretung, Piątkowski, in dem Scheel Erläuterungen zur Entschließung des Bundestags zum Moskauer und zum Warschauer Vertrag gab.

133 12.05. Botschafter Krapf, Brüssel (NATO), an das Auswärtige Amt   S. 555

Mit Blick auf die NATO-Ministerratstagung am 30./31. Mai legt Krapf die Standpunkte der Bündnispartner zur Europäischen Sicherheitskonferenz und zu MBFR dar.

134 14.05. Ministerialdirigent van Well, z. Z. Washington, an das Auswärtige Amt   S. 561

Van Well unterrichtet über die Sitzung der Bonner Vierergruppe auf Direktorenebene am 12./13. Mai. Erörtert wurden die Ost-West-Beziehungen, der Stand des Ratifikationsverfahrens zum Moskauer und zum Warschauer Vertrag, die Unterzeichnung des Schlußprotokolls zum Vier-Mächte-Abkommen über Berlin, der Beitritt der Bundesrepublik und der DDR zur UNO und der Luftverkehr in Berlin.

| 135 | 15.05. | **Aufzeichnung des Ministerialdirektors von Staden** | S. 567 |

Staden resümiert ein Gespräch zwischen Vertretern aller im Bundestag vertretenen Fraktionen zur Vorbereitung der Abstimmung über den Moskauer und den Warschauer Vertrag. Thematisiert wurde insbesondere die Entschließung des Bundestags zu den Verträgen.

| 136 | 16.05. | **Botschafter Sahm, Moskau, an Bundesminister Scheel** | S. 574 |

Sahm bittet um Informationen über die Absprachen mit dem sowjetischen Botschafter Falin hinsichtlich des Ratifikationsverfahrens zum Moskauer Vertrag.

| 137 | 18.05. | **Vortragender Legationsrat I. Klasse Heimsoeth an die Botschaft in Reykjavik** | S. 575 |

Heimsoeth berichtet von einem Gespräch des Staatssekretärs Frank mit dem isländischen Botschafter Tryggvasson über die beabsichtigte isländische Erklärung zum Aufnahmeantrag der DDR in die WHO.

| 138 | 18.05. | **Leitlinien der Bundesregierung für die Europäische Sicherheitskonferenz** | S. 578 |

In den vom Kabinett verabschiedeten Leitlinien werden die auf der Europäischen Sicherheitskonferenz zu erörternden Themen dargelegt und insbesondere das Interesse an einer Einbeziehung von MBFR und an einer Verbesserung der Kontaktmöglichkeiten zwischen West und Ost erläutert.

| 139 | 19.05. | **Bundeskanzler Brandt an den Ersten Sekretär des ZK der PVAP, Gierek** | S. 584 |

Brandt informiert über die Zustimmung des Bundestags zum Warschauer Vertrag und bringt die Hoffnung auf eine baldige Aufnahme diplomatischer Beziehungen zum Ausdruck.

| 140 | 19.05. | **Bundeskanzler Brandt an den Generalsekretär des ZK der KPdSU, Breschnew** | S. 585 |

Brandt teilt mit, daß der Bundestag dem Moskauer Vertrag zugestimmt habe, und schlägt den Austausch der Ratifikationsurkunden für Ende Mai vor.

141	21.05.	Botschafter z. b. V. Northe, z. Z. Santiago de Chile, an das Auswärtige Amt	S. 587
		Northe skizziert die Ergebnisse der Dritten Welthandelskonferenz.	
142	23.05.	Botschafter Sahm, Moskau, an das Auswärtige Amt	S. 590
		Sahm nennt Themen, die nach der Ratifikation des Moskauer Vertrags mit der UdSSR aufgegriffen werden sollten.	
143	24.05.	Aufzeichnung des Ministerialdirektors von Staden	S. 597
		Staden befürwortet eine Zusammenarbeit mit dem nigrischen Sicherheitsdienst.	
144	25.05.	Aufzeichnung des Staatssekretärs Bahr, Bundeskanzleramt	S. 599
		Bahr erörtert mögliche Reaktionen auf die Bemühungen der DDR um Mitwirkung in internationalen Organisationen.	
145	25.05.	Botschafter von Hase, London, an das Auswärtige Amt	S. 604
		Hase berichtet von britischen Überlegungen zur Deutschlandpolitik der Drei Mächte.	
146	26.05.	Aufzeichnung des Staatssekretärs Bahr, Bundeskanzleramt	S. 607
		Bahr faßt sein Vier-Augen-Gespräch mit dem Staatssekretär beim Ministerrat der DDR, Kohl, zusammen. Hauptthema war die Beteiligung der DDR an internationalen Organisationen.	
147	26.05.	Botschafter Gehlhoff, New York (UNO), an das Auswärtige Amt	S. 611
		Gehlhoff informiert über eine Besprechung mit Ministerialdirigent van Well über mögliche Verfahren beim Beitritt der Bundesrepublik und der DDR zur UNO.	
148	29.05.	Aufzeichnung des Vortragenden Legationsrats I. Klasse Hansen	S. 615
		Hansen resümiert die Diskussion auf der Außenministerkonferenz der EG-Mitgliedstaaten und -Beitrittsstaaten am 26./27. Mai über eine institutionelle Stärkung der Europäischen Gemeinschaften und über Fortschritte bei der politischen Zusammenarbeit.	

149	30.05.	Gespräch des Bundeskanzlers Brandt mit dem amerikanischen Außenminister Rogers	S. 621
		Themen sind der Besuch des Präsidenten Nixon vom 22. bis 30. Mai in der UdSSR, die Europäische Sicherheitskonferenz und MBFR.	
150	30.05.	Aufzeichnung des Ministerialdirektors von Staden	S. 625
		Staden befaßt sich mit der Diskussion der EG-Mitgliedstaaten und -Beitrittsstaaten über den Sitz des Sekretariats für die Europäische Politische Zusammenarbeit.	
151	30.05.	Aufzeichnung des Ministerialdirektors Oncken	S. 627
		Oncken stellt Überlegungen zur Taktik bei den Verhandlungen mit der DDR über einen Grundlagenvertrag an.	
152	30.05.	Vortragender Legationsrat I. Klasse Munz an die Botschaft in Athen	S. 630
		Munz berichtet über ein Gespräch des Bundesministers Scheel mit dem Staatssekretär im griechischen Außenministerium, Xanthopoulos-Palamas. Themen waren insbesondere die Abberufung des Botschafters Limbourg aus Athen, die Klage gegen die Professoren Mangakis und Tsatsos, die Wirtschaftsbeziehungen und die NATO-Verteidigungshilfe.	
153	30.05.	Drahterlaß des Vortragenden Legationsrats I. Klasse Thomas	S. 634
		Thomas faßt eine Unterredung des Bundesministers Scheel mit dem britischen Außenminister Douglas-Home zusammen. Im Mittelpunkt standen die Ostpolitik der Bundesrepublik, die bevorstehenden Gespräche mit der DDR über einen Grundlagenvertrag und die Europäische Sicherheitskonferenz.	
154	30.05.	Vortragender Legationsrat I. Klasse Blumenfeld an die Botschaft in Moskau	S. 637
		Blumenfeld unterrichtet über ein Gespräch des Staatssekretärs Frank mit dem sowjetischen Botschafter Falin über den Text der Ratifikationsurkunde zum Moskauer Vertrag.	
155	31.05.	Gespräch des Staatssekretärs Frank mit dem sowjetischen Botschafter Falin	S. 639
		Die Gesprächspartner erörtern den Text der Ratifikationsurkunde zum Moskauer Vertrag.	
156	31.05.	Aufzeichnung des Staatssekretärs Bahr, Bundeskanzleramt	S. 643
		Bahr vermerkt das Ergebnis seines Vier-Augen-Gesprächs mit dem Staatssekretär beim Ministerrat der DDR, Kohl, über die	

Inkraftsetzung der zwischen der Bundesrepublik und der DDR geschlossenen Abkommen.

157 01.06. Aufzeichnung des Vortragenden Legationsrats Reitberger S. 647

Reitberger gibt ein Gespräch des Bundesministers Scheel mit dem portugiesischen Außenminister Patricio wieder. Themen waren die Verteidigungshilfe an Portugal und die Nutzung des Stützpunkts Beja durch die Bundeswehr.

158 02.06. Aufzeichnung des Ministerialdirigenten van Well S. 651

Van Well resümiert eine Unterredung des Staatssekretärs Frank mit dem sowjetischen Botschafter Falin über den Austausch der Ratifikationsurkunden zum Moskauer Vertrag.

159 02.06. Runderlaß des Ministerialdirektors von Staden S. 653

Staden informiert über die NATO-Ministerratstagung vom 30./31. Mai. Erörtert wurden die Europäische Sicherheitskonferenz und MBFR, die Koordinierung der Konsultationen zwischen den EG-Mitgliedstaaten und der NATO, der Besuch des Präsidenten Nixon vom 22. bis 30. Mai in der UdSSR sowie die Ost- und Deutschlandpolitik der Bundesrepublik und der Drei Mächte.

160 03.06. Gespräch des Bundesministers Scheel mit dem sowjetischen Außenminister Gromyko S. 664

Themen sind der Ausbau der politischen und wirtschaftlichen Beziehungen zwischen der Bundesrepublik und der UdSSR sowie der kulturelle und wissenschaftliche Austausch.

161 04.06. Gespräch des Bundeskanzlers Brandt mit dem sowjetischen Außenminister Gromyko S. 667

Gromyko äußert sich zum Besuch des Präsidenten Nixon vom 22. bis 30. Mai in der UdSSR und gibt eine Einschätzung der dabei abgeschlossenen Abkommen. Besprochen werden ferner die Europäische Sicherheitskonferenz und MBFR sowie die Gespräche mit der DDR über eine Regelung des Grundverhältnisses.

162 05.06. Aufzeichnung des Vortragenden Legationsrats I. Klasse Blech S. 678

Blech legt einen Problemkatalog zur Deutschlandpolitik vor, in dem er auf einen Grundlagenvertrag mit der DDR, den UNO-Beitritt der Bundesrepublik und der DDR, die Mitwirkung der DDR in internationalen Organisationen und die Doppelpräsenz der beiden deutschen Staaten im Ausland eingeht.

163	06.06.	Aufzeichnung des Staatssekretärs Frank	S. 683
		Frank unterbreitet Vorschläge für die Anbahnung von Gesprächen mit der Volksrepublik China über die Aufnahme diplomatischer Beziehungen.	
164	07.06.	Gesandter Baron von Stempel, Genf (Internationale Organisationen), an das Auswärtige Amt	S. 684
		Stempel berichtet von den Sondierungen über eine Zurücknahme der Kandidaturen der UdSSR und der Bundesrepublik für den Vorsitz im Verwaltungsrat der ILO.	
165	07.06.	Botschafter Krapf, Brüssel (NATO), an das Auswärtige Amt	S. 687
		Krapf faßt eine Diskussion im Ständigen NATO-Rat zusammen, in der die Grundsatzerklärung vom 29. Mai über die amerikanisch-sowjetischen Beziehungen erörtert wurde.	
166	08.06.	Ministerialdirigent van Well an die Botschaft in Bern	S. 689
		Van Well erläutert die Haltung der Bundesregierung zur möglichen Zulassung einer Handelsvertretung der DDR in der Schweiz.	
167	09.06.	Generalkonsul Scheel, Helsinki, an das Auswärtige Amt	S. 691
		Scheel unterrichtet über ein Gespräch mit dem finnischen Außenminister, in dem Sorsa eine Erklärung zur finnischen Deutschlandpolitik abgab.	
168	09.06.	Botschafter Scholl, Kopenhagen, an das Auswärtige Amt	S. 696
		Scholl übermittelt die dänische Position hinsichtlich einer Anerkennung der DDR.	
169	13.06.	Gespräch des Staatssekretärs Bahr, Bundeskanzleramt, mit Vertretern der Drei Mächte	S. 698
		Gegenstand ist der Zusammenhang zwischen einer Regelung des Grundverhältnisses mit der DDR, dem Beitritt der Bundesrepublik und der DDR zur UNO sowie der Vier-Mächte-Verantwortung für Deutschland als Ganzes.	
170	15.06.	Gespräch des Staatssekretärs Bahr, Bundeskanzleramt, mit dem Staatssekretär beim Ministerrat der DDR, Kohl, in Ost-Berlin	S. 701
		Die Gesprächspartner stecken den Rahmen für den Meinungsaustausch über einen Grundlagenvertrag ab. Erörtert werden insbesondere eine von Kohl abgegebene Grundsatzerklärung zur Normalisierung des Verhältnisses zwischen der Bundesrepublik und der DDR und ein erster Vertragsentwurf der DDR.	

171	15.06.	Botschafter Meyer-Lindenberg, Madrid, an das Auswärtige Amt	S. 729

Meyer-Lindenberg resümiert Gespräche des Bundesministers Scheel mit dem spanischen Außenminister López Bravo. Themen waren die Beziehungen zwischen Spanien und den Europäischen Gemeinschaften, die Lage im Mittelmeerraum, die Ost- und Deutschlandpolitik, die Gewährung von Überflugrechten über spanisches Territorium sowie die Einführung des Farbfernsehsystems PAL durch Spanien.

172	16.06.	Aufzeichnung des Staatssekretärs Bahr, Bundeskanzleramt	S. 734

Bahr vermerkt das Ergebnis seines Vier-Augen-Gesprächs mit dem Staatssekretär beim Ministerrat der DDR, Kohl, am Vortag in Ost-Berlin.

173	16.06.	Botschafter Ruete, Paris, an Bundesminister Scheel	S. 736

Ruete berichtet über ein Gespräch mit Staatspräsident Pompidou über die geplante europäische Gipfelkonferenz, das Sekretariat für die Europäische Politische Zusammenarbeit sowie den Besuch des sowjetischen Außenministers Gromyko in Paris.

174	19.06.	Vortragende Legationsrätin I. Klasse Finke-Osiander an die Botschaft in Belgrad	S. 742

Finke-Osiander informiert über ein Gespräch des Staatssekretärs Frank mit dem jugoslawischen Botschafter Čačinović. Themen waren ein Attentat auf das jugoslawische Generalkonsulat in München sowie die Wiedergutmachungsfrage und die Aufnahme von Verhandlungen über Kapitalhilfe.

175	20.06.	Gespräch des Staatssekretärs Bahr, Bundeskanzleramt, mit Vertretern der Drei Mächte	S. 746

Bahr gibt eine Einschätzung des ersten Gesprächs mit dem Staatssekretär beim Ministerrat der DDR, Kohl, über einen Grundlagenvertrag. Erörtert wird zudem das Vorgehen im Vorfeld des UNO-Beitritts der Bundesrepublik und der DDR.

176	20.06.	Aufzeichnung des Vortragenden Legationsrats Hartmann	S. 751

Hartmann faßt Informationen des Mitglieds der amerikanischen SALT-Delegation, Garthoff, über die Abkommen mit der UdSSR zur Begrenzung strategischer Waffen bzw. der Raketenabwehrsysteme (ABM) zusammen.

177	21.06.	Aufzeichnung des Staatssekretärs Bahr, Bundeskanzleramt	S. 755

Bahr resümiert eine Besprechung mit Bundesminister Scheel und Staatssekretär Frank über die Mitwirkung der DDR in in-

		ternationalen Organisationen und ihre Beziehungen zu Drittstaaten.	
178	21.06.	Gespräch des Staatssekretärs Bahr, Bundeskanzleramt, mit dem Staatssekretär beim Ministerrat der DDR, Kohl	S. 758
		Die Gesprächspartner erörtern den von Kohl am 15. Juni übergebenen Entwurf der DDR für einen Grundlagenvertrag.	
179	21.06.	Aufzeichnung des Staatssekretärs Bahr, Bundeskanzleramt	S. 768
		Bahr gibt sein Vier-Augen-Gespräch mit dem Staatssekretär beim Ministerrat der DDR, Kohl, wieder.	
180	21.06.	Aufzeichnung des Referats III A 8	S. 771
		Thema sind die Ergebnisse der UNO-Umweltkonferenz in Stockholm.	
181	22.06.	Gespräch des Staatssekretärs Bahr, Bundeskanzleramt, mit dem Staatssekretär beim Ministerrat der DDR, Kohl	S. 779
		Bahr und Kohl nehmen Stellung zum Entwurf der DDR vom 15. Juni für einen Grundlagenvertrag. Bahr nennt seinerseits Elemente für einen solchen Vertrag.	
182	26.06.	Gespräch des Staatssekretärs Bahr, Bundeskanzleramt, mit Vertretern der Drei Mächte	S. 801
		Bahr unterrichtet über seine Gespräche mit dem Staatssekretär beim Ministerrat der DDR, Kohl, zu einem Grundlagenvertrag.	
183	26.06.	Aufzeichnung des Ministerialdirigenten van Well	S. 804
		Van Well vermerkt das Ergebnis einer Ressortbesprechung über das weitere Vorgehen bei der Beantwortung des NATO-Fragebogens zur Verteidigungsplanung.	
184	26.06.	Runderlaß des Ministerialdirigenten van Well	S. 807
		Van Well informiert über das Gespräch des Bundesministers Scheel mit dem französischen Außenminister Schumann am 23. Juni. Erörtert wurden der Besuch des sowjetischen Außenministers Gromyko in Frankreich, die Gespräche zwischen der Bundesrepublik und der DDR über einen Grundlagenvertrag, die Mitwirkung der DDR in internationalen Organisationen, die Errichtung eines französischen Handelsbüros in Ost-Berlin und die Zulassung von Deutsch als Konferenzsprache auf der Europäischen Sicherheitskonferenz.	

185	26.06.	Botschafter Gehlhoff, New York (UNO), an das Auswärtige Amt S. 813

Gehlhoff berichtet von einem Gespräch mit dem UNO-Generalsekretär, in dem Waldheim die Absicht erläuterte, in Genf mit dem Außenminister der DDR, Winzer, zusammenzutreffen.

186   27.06.   Gespräch des Bundeskanzlers Brandt mit Ministerpräsidentin Meir in Wien   S. 815

Im Mittelpunkt stehen die israelische Militäraktion gegen den Libanon und die Haltung der europäischen Staaten im Nahost-Konflikt.

187   27.06.   Gespräch des Bundeskanzlers Brandt mit dem finnischen Außenminister Sorsa in Wien   S. 818

Besprochen werden die finnische Deutschlandpolitik und die Beziehungen zwischen Finnland und den Europäischen Gemeinschaften.

188   27.06.   Gespräch des Bundeskanzlers Brandt mit Ministerpräsident Mintoff in Wien   S. 821

Themen sind die europäische Mittelmeerpolitik und der Nahost-Konflikt, die Beziehungen zwischen Malta und den Europäischen Gemeinschaften sowie die bilateralen Beziehungen.

189   27.06.   Aufzeichnung des Botschafters Roth   S. 823

Roth stellt Überlegungen zur weiteren MBFR-Politik der Bundesregierung an.

190   28.06.   Gespräch des Staatssekretärs Bahr, Bundeskanzleramt, mit dem Staatssekretär beim Ministerrat der DDR, Kohl, in Ost-Berlin   S. 827

Bahr und Kohl setzen die Gespräche über Elemente für einen Grundlagenvertrag fort und erörtern insbesondere die Frage der Einheit der Nation.

191   28.06.   Aufzeichnung des Staatssekretärs Bahr, Bundeskanzleramt   S. 852

Bahr faßt ein Gespräch mit dem Außenminister der DDR, Winzer, über die Einheit der Nation zusammen.

192   29./30.06.   Gespräche des Staatssekretärs Frank mit dem tschechoslowakischen Stellvertretenden Außenminister Goetz in Prag   S. 855

Im Mittelpunkt der Gespräche über eine Verbesserung des bilateralen Verhältnisses steht die Frage der Ungültigkeit des Münchener Abkommens.

193	30.06.	Gespräch des Staatssekretärs Bahr, Bundeskanzleramt, mit Vertretern der Drei Mächte	S. 872
		Nach einem Bericht von Bahr über die Gespräche mit dem Staatssekretär beim Ministerrat der DDR, Kohl, und dem Außenminister der DDR, Winzer, vom 28. Juni wird das weitere Vorgehen besprochen.	
194	30.06.	Aufzeichnung des Staatssekretärs Bahr, Bundeskanzleramt	S. 877
		Bahr vermerkt die Ergebnisse seines Vier-Augen-Gesprächs mit dem Staatssekretär beim Ministerrat der DDR, Kohl, am 28. Juni in Ost-Berlin.	
195	30.06.	Aufzeichnung des Vortragenden Legationsrats Bräutigam	S. 879
		Bräutigam erläutert den Stand der Gespräche mit der DDR über einen Grundlagenvertrag und das weitere Vorgehen.	
196	03./ 04.07.	Gespräche des Bundeskanzlers Brandt mit Staatspräsident Pompidou	S. 883
		Thematisiert werden die europäische Gipfelkonferenz, die Währungskrise sowie die Probleme für die Wirtschafts- und Währungsunion, die Europäische Politische Zusammenarbeit, die europäische Agrarpolitik, die Gespräche zwischen der Bundesrepublik und der DDR über einen Grundlagenvertrag, die Europäische Sicherheitskonferenz, MBFR und SALT sowie die bilaterale Zusammenarbeit bei der Erforschung des Weltraums und auf dem Gebiet der Luftfahrtindustrie.	
197	05.07.	Gespräch des Staatssekretärs Frank mit dem Abteilungsleiter im amerikanischen Außenministerium, Abshire	S. 910
		Themen sind MBFR, die amerikanische Truppenpräsenz und die Verbesserung des amerikanisch-europäischen Dialogs.	
198	05.07.	Gespräch des Bundeskanzlers Brandt mit dem sowjetischen Außenhandelsminister Patolitschew	S. 913
		Die Gesprächspartner erörtern Möglichkeiten der wirtschaftlichen Zusammenarbeit.	
199	07.07.	Aufzeichnung des Vortragenden Legationsrats Steger	S. 916
		Steger faßt das Gespräch des Bundesministers Scheel mit dem französischen Außenminister Schumann am 3. Juli über MBFR und die Europäische Sicherheitskonferenz zusammen.	

200	12.07.	Botschafter Sahm, Moskau, an das Auswärtige Amt	S. 919

Sahm berichtet über Schwierigkeiten bei der Vertretung der Interessen von Berlin (West) durch die Bundesrepublik.

201	12.07.	Ministerialdirigent van Well an die Botschafter Sonnenhol, Ankara, und Freiherr von Mirbach, Ottawa	S. 928

Van Well übermittelt Argumente für eine Einbeziehung des Selbstbestimmungsrechts der Völker in eine Erklärung der Europäischen Sicherheitskonferenz über Prinzipien zwischenstaatlicher Beziehungen.

202	13.07.	Botschafter Ritzel, Oslo, an Staatssekretär Frank	S. 932

Ritzel informiert über ein Gespräch mit dem Unterabteilungsleiter im kubanischen Außenministerium, in dem Hernandez Gispert das Interesse der kubanischen Regierung an einer Verbesserung des Verhältnisses zur Bundesrepublik darlegte.

203	20.07.	Aufzeichnung des Vortragenden Legationsrats I. Klasse Blech	S. 934

Blech legt die bisher erzielten Formulierungen der Bonner Vierergruppe zu einem Ersuchen der Bundesregierung an die Drei Mächte vor, mit der UdSSR Gespräche über eine Vier-Mächte-Erklärung zum UNO-Beitritt der Bundesrepublik und der DDR aufzunehmen.

204	20.07.	Botschafter Sachs, Brüssel (EG), an das Auswärtige Amt	S. 936

Sachs unterrichtet über die Außenministerkonferenz der EG-Mitgliedstaaten und -Beitrittsstaaten zur Vorbereitung der europäischen Gipfelkonferenz.

205	21.07.	Botschafter Pauls, Washington, an das Auswärtige Amt	S. 939

Pauls resümiert die Gespräche des Bundesministers Schmidt in den USA über währungspolitische Fragen.

206	25.07.	Generalkonsul Scheel, Helsinki, an das Auswärtige Amt	S. 943

Scheel faßt ein Treffen mit dem Staatssekretär im finnischen Außenministerium, Tötterman, zusammen. Im Mittelpunkt stand die finnische Absicht, Verhandlungen mit der Bundesrepublik und der DDR über die Aufnahme diplomatischer Beziehungen zu beginnen.

207	25.07.	Botschafter Sahm, Moskau, an das Auswärtige Amt	S. 947

Sahm berichtet von einer Unterredung mit dem sowjetischen Außenminister Gromyko über die Rückführung von Deutschen aus der UdSSR, über die Gespräche zwischen der Bundesrepublik und der DDR sowie ihren UNO-Beitritt und über die Sondierungen zwischen der Bundesrepublik und der ČSSR über eine Verbesserung des bilateralen Verhältnisses.

208 26.07. **Aufzeichnung des Ministerialdirektors Herbst** S. 951

Herbst äußert sich zu den Verhandlungen zwischen der EURATOM und der IAEO sowie über den Entwurf für ein Verifikationsabkommen zum Nichtverbreitungsvertrag.

209 27.07. **Aufzeichnung des Referenten Schollwer** S. 957

Schollwer erörtert die Frage, ob die Bundesregierung Angriffen in der Presse der Warschauer-Pakt-Staaten gegen die Reise des CDU-Abgeordneten Schröder in die Volksrepublik China entgegentreten solle.

210 28.07. **Botschafter Sahm, Moskau, an das Auswärtige Amt** S. 962

Sahm gibt das Gespräch mit dem sowjetischen Außenminister Gromyko am 25. Juli über des Verhältnis zwischen der Bundesrepublik und der DDR wieder.

211 28.07. **Staatssekretär Bahr, Bundeskanzleramt, an Bundeskanzler Brandt, z. Z. Gudbransdal** S. 964

Bahr übermittelt ein Schreiben des Generalsekretärs des ZK der KPdSU, Breschnew, sowie die ihm dazu mündlich gegebenen Erläuterungen.

212 29.07. **Botschafter Gehlhoff, New York (UNO), an das Auswärtige Amt** S. 969

Gehlhoff leitet Informationen des UNO-Generalsekretärs Waldheim über dessen Gespräche mit dem Außenminister der DDR, Winzer, in Genf sowie mit Ministerpräsident Kossygin und dem sowjetischen Außenminister Gromyko in Moskau weiter.

213 31.07. **Gespräch des Staatssekretärs Bahr, Bundeskanzleramt, mit Vertretern der Drei Mächte** S. 973

Themen sind die bevorstehende Entscheidung der Bundesregierung zur Aufnahme von Verhandlungen mit der DDR über einen Grundlagenvertrag sowie die Vier-Mächte-Erklärung anläßlich des UNO-Beitritts der Bundesrepublik und der DDR.

214 01.08. **Bundeskanzler Brandt an den Generalsekretär des ZK der KPdSU, Breschnew** S. 978

Brandt informiert über Sondierungen zur Aufnahme diplomatischer Beziehungen mit der Volksrepublik China.

215	02.08.	Gespräch des Staatssekretärs Bahr, Bundeskanzleramt, mit dem Staatssekretär beim Ministerrat der DDR, Kohl	S. 979
		Erörtert werden grundsätzliche Positionen in den bevorstehenden Verhandlungen über einen Grundlagenvertrag.	
216	02.08.	Aufzeichnung des Staatssekretärs Freiherr von Braun	S. 983
		Braun resümiert ein Gespräch des Bundesministers Scheel mit dem CDU-Abgeordneten Schröder über dessen Reise in die Volksrepublik China.	
217	02.08.	Aufzeichnung des Ministerialdirektors von Staden	S. 986
		Staden vermerkt den Stand der Beratungen zu einer Erklärung der Vier Mächte anläßlich des Beitritts der Bundesrepublik und der DDR zur UNO und erläutert die Position der Bundesregierung.	
218	03.08.	Gespräch des Staatssekretärs Bahr, Bundeskanzleramt, mit dem Staatssekretär beim Ministerrat der DDR, Kohl	S. 992
		Die Gesprächspartner befassen sich mit dem von der DDR am 15. Juni vorgelegten Entwurf für einen Grundlagenvertrag.	
219	03.08.	Gespräch des Staatssekretärs Frank mit dem finnischen Generalkonsul Väänänen	S. 1001
		Im Mittelpunkt steht die Absicht der finnischen Regierung, diplomatische Beziehungen mit der Bundesrepublik und der DDR aufzunehmen.	
220	03.08.	Aufzeichnung des Staatssekretärs Bahr, Bundeskanzleramt	S. 1005
		Bahr faßt die Vier-Augen-Gespräche mit dem Staatssekretär beim Ministerrat der DDR, Kohl, vom 2./3. August zusammen.	
221	04.08.	Aufzeichnung des Vortragenden Legationsrats Bräutigam	S. 1009
		Bräutigam gibt die Gespräche des Staatssekretärs Bahr, Bundeskanzleramt, mit dem Staatssekretär beim Ministerrat der DDR, Kohl, vom 2./3. August wieder.	
222	04.08.	Ministerialdirektor von Staden an die Ständige Vertretung bei der NATO in Brüssel	S. 1011
		Staden übermittelt Vorschläge zur Ausarbeitung von Richtlinien für MBFR-Explorationen.	

		August	
223	07.08.	Aufzeichnung des Ministerialdirektors von Staden	S. 1019
		Zur Vorbereitung einer Kabinettsentscheidung gibt Staden einen Überblick über den Stand der Gespräche mit der DDR sowie über die Beratungen mit den Drei Mächten zur Frage eines UNO-Beitritts der Bundesrepublik und der DDR.	
224	07.08.	Botschafter Pauls, Washington, an das Auswärtige Amt	S. 1021
		Pauls berichtet über amerikanische Positionen zur Frage der Aufnahme diplomatischer Beziehungen zwischen der Bundesrepublik und der Volksrepublik China.	
225	08.08.	Aufzeichnung des Ministerialdirektors Herbst	S. 1023
		Herbst formuliert Grundsätze einer Erdölpolitik der Bundesrepublik.	
226	08.08.	Aufzeichnung des Vortragenden Legationsrats I. Klasse Munz	S. 1026
		Vor dem Hintergrund der gegenwärtigen Beziehungen zu Griechenland befürwortet Munz eine Reise des Staatssekretärs Frank nach Athen.	
227	09.08.	Richtlinien für die Verhandlungen mit der DDR	S. 1029
		Der Kabinettsbeschluß enthält Richtlinien zur formellen Aufnahme von Verhandlungen mit der DDR über einen Grundlagenvertrag.	
228	09.08.	Botschafter Böker, Rom (Vatikan), an das Auswärtige Amt	S. 1031
		Böker informiert über Gespräche mit dem Unterstaatssekretär im Staatssekretariat des Heiligen Stuhls, Casaroli, zur kirchlichen Neuordnung in den ehemaligen Ostgebieten des Deutschen Reiches.	
229	10.08.	Aufzeichnung des Vortragenden Legationsrats I. Klasse Berendonck	S. 1039
		Berendonck faßt ein Gespräch des Bundesministers Scheel mit dem chinesischen Journalisten Wang Shu zusammen. Thema war die Einleitung von Vorgesprächen zur Aufnahme diplomatischer Beziehungen zwischen der Bundesrepublik und der Volksrepublik China.	
230	10.08.	Bundeskanzler Brandt an den Generalsekretär des ZK der KPdSU, Breschnew	S. 1043
		Brandt äußert sich zu den Vorbereitungen für eine Europäische Sicherheitskonferenz, den Stand der Verhandlungen mit der DDR sowie die Beziehungen zu Polen und der ČSSR.	

231 12.08. Aufzeichnung des Vortragenden Legationsrats I. Klasse Dietrich S. 1046

Vor dem Hintergrund der Probleme mit Urlaubsflügen von Berlin (West) nach Bulgarien erläutert Dietrich die Einbeziehung von Berlin (West) in den internationalen Luftverkehr.

232 14.08. Botschafter Pauls, Washington, an das Auswärtige Amt S. 1052

Anläßlich der bevorstehenden europäischen Gipfelkonferenz legt Pauls die Haltung der amerikanischen Regierung gegenüber den Europäischen Gemeinschaften dar.

233 16.08. Gespräch des Staatssekretärs Bahr, Bundeskanzleramt, mit dem Staatssekretär beim Ministerrat der DDR, Kohl, in Ost-Berlin S. 1057

Die Gesprächspartner formulieren Überlegungen für einen Grundlagenvertrag. Vorgelegt wird außerdem ein neuer Entwurf der DDR.

234 17.08. Gespräch des Staatssekretärs Bahr, Bundeskanzleramt, mit dem Staatssekretär beim Ministerrat der DDR, Kohl, in Ost-Berlin S. 1073

Die Diskussion über die jeweiligen Standpunkte wird fortgesetzt.

235 17.08. Aufzeichnung des Staatssekretärs Bahr, Bundeskanzleramt S. 1086

Bahr faßt seine Vier-Augen-Gespräche mit dem Staatssekretär beim Ministerrat der DDR, Kohl, am 16./17. August in Ost-Berlin zusammen.

236 17.08. Aufzeichnung des Vortragenden Legationsrats I. Klasse Blech S. 1089

Blech vermerkt das Ergebnis einer Sitzung der Bonner Vierergruppe vom Vortag über die Modalitäten eines UNO-Beitritts der Bundesrepublik und der DDR.

237 18.08. Aufzeichnung des Vortragenden Legationsrats Bräutigam S. 1093

Bräutigam resümiert die Gespräche des Staatssekretärs Bahr, Bundeskanzleramt, mit dem Staatssekretär beim Ministerrat der DDR, Kohl, am 16./17. August in Ost-Berlin.

238 18.08. Generalkonsul Scheel, Helsinki, an das Auswärtige Amt S. 1095

Scheel gibt Gespräche im finnischen Außenministerium wieder. Im Mittelpunkt standen die Verhandlungen zwischen Finnland und der DDR.

239	21.08.	Gespräch des Ministerialdirektors von Staden mit dem chinesischen Journalisten Wang Shu	S. 1098
		Themen sind Termin und Ablauf eines Besuchs des Bundesministers Scheel in der Volksrepublik China, die Befugnisse zukünftiger Botschaften, die Vertretung von Berlin (West) durch die Bundesrepublik sowie technische Fragen.	
240	23.08.	Deutsch-französisches Regierungsgespräch	S. 1103
		Erörtert werden Währungsprobleme, die Europäische Politische Zusammenarbeit sowie der Sitz eines Sekretariats für die Politische Zusammenarbeit.	
241	23.08.	Aufzeichnung des Vortragenden Legationsrats Bräutigam	S. 1115
		Bräutigam faßt ein Gespräch des Staatssekretärs Bahr, Bundeskanzleramt, mit Vertretern der Drei Mächte vom Vortag zusammen. Im Mittelpunkt standen die Verhandlungen zwischen der Bundesregierung und der DDR über einen Grundlagenvertrag, Gespräche der Botschafter Henderson (Großbritannien) und Hillenbrand (USA) mit dem sowjetischen Botschafter in Ost-Berlin, Jefremow, sowie Fragen im Zusammenhang mit dem Vier-Mächte-Abkommen über Berlin.	
242	24.08.	Gespräch des Ministerialdirektors von Staden mit dem chinesischen Journalisten Wang Shu	S. 1119
		Besprochen werden die Vorbereitung eines Besuchs des Bundesministers Scheel in der Volksrepublik China, die Befugnisse der zu errichtenden Botschaften und die Vertretung von Berlin (West) durch die Bundesrepublik.	
243	24.08.	Aufzeichnung des Ministerialdirigenten van Well	S. 1126
		Van Well legt die sowjetische Haltung in der Frage der Bindungen von Berlin (West) an die Bundesrepublik seit Inkrafttreten des Vier-Mächte-Abkommens über Berlin dar.	
244	24.08.	Aufzeichnung des Legationsrats I. Klasse Kastrup	S. 1133
		Kastrup notiert das Ergebnis einer Ressortbesprechung im Auswärtigen Amt zur Einbeziehung von Berlin (West) in Verträge der Bundesrepublik.	
245	24.08.	Aufzeichnung des Referats II A 1	S. 1136
		Der Stand der Beratungen in der Bonner Vierergruppe über die Modalitäten eines UNO-Beitritts der Bundesrepublik und der DDR wird dargelegt.	

246 28.08. Gespräch des Ministerialdirektors von Staden mit dem chinesischen Journalisten Wang Shu S. 1139

Themen sind die Vorbereitungen für einen Besuch des Bundesministers Scheel in der Volksrepublik China, die Vertretung von Berlin (West) durch die Bundesrepublik sowie Grundlagen der Deutschlandpolitik der Bundesregierung.

247 28.08. Aufzeichnung des Vortragenden Legationsrats I. Klasse Ruth S. 1148

Ruth resümiert ein Gespräch des Ministerialdirektors von Staden mit dem Unterstaatssekretär im britischen Außenministerium, Brimelow, über MBFR.

248 30.08. Gespräch des Bundesministers Scheel mit dem italienischen Außenminister Medici in München S. 1150

Im Mittelpunkt stehen die Vorbereitung der europäischen Gipfelkonferenz, Währungsfragen, die Europäische Politische Zusammenarbeit und der Sitz eines Sekretariats für die Politische Zusammenarbeit.

249 30.08. Gespräch des Staatssekretärs Bahr, Bundeskanzleramt, mit dem Staatssekretär beim Ministerrat der DDR, Kohl S. 1155

Die Gesprächspartner formulieren einzelne Artikel eines Grundlagenvertrags.

250 31.08. Gespräch des Staatssekretärs Bahr, Bundeskanzleramt, mit dem Staatssekretär beim Ministerrat der DDR, Kohl S. 1160

Die Diskussion über die Formulierung einzelner Artikel eines Grundlagenvertrags wird fortgesetzt.

251 01.09. Aufzeichnung des Staatssekretärs Bahr, Bundeskanzleramt S. 1163

Bahr faßt ein Gespräch mit dem Abgeordneten im tschechoslowakischen Parlament Šverčina zusammen. Gegenstand war die Wiederaufnahme der Gespräche zwischen der Bundesrepublik und der ČSSR über eine Verbesserung des bilateralen Verhältnisses.

252 01.09. Aufzeichnung des Vortragenden Legationsrats Bräutigam S. 1166

Bräutigam äußert sich zum Stand der Verhandlungen zwischen Staatssekretär Bahr, Bundeskanzleramt, und dem Staatssekretär beim Ministerrat der DDR, Kohl, über einen Grundlagenvertrag.

L

September

253 02.09. Aufzeichnung des Staatssekretärs Bahr, Bundeskanzleramt S. 1170

Bahr resümiert seine Vier-Augen-Gespräche mit dem Staatssekretär beim Ministerrat der DDR, Kohl, vom 30./31. August.

254 04.09. Gespräch des Ministerialdirektors von Staden mit dem chinesischen Journalisten Wang Shu S. 1175

Die Gesprächspartner erörtern die Modalitäten der Aufnahme diplomatischer Beziehungen, insbesondere die Vertretung von Berlin (West) durch die Bundesrepublik.

255 04.09. Botschafter Emmel, Warschau, an das Auswärtige Amt S. 1183

Emmel legt den Stand der Verhandlungen mit Polen über ein Sozialversicherungsabkommen und die damit verbundene Problematik einer Berlin-Klausel dar.

256 05.09. Aufzeichnung des Vortragenden Legationsrats Schilling, Bundeskanzleramt S. 1187

Schilling vermerkt Kontakte des Bundeskanzlers Brandt mit der ägyptischen Regierung im Zusammenhang mit dem Attentat auf die israelische Olympiamannschaft.

257 05.09. Aufzeichnung des Vortragenden Legationsrats Niemöller S. 1188

Niemöller referiert ein Gespräch mit einem libanesischen Geschäftsmann über eine mögliche Wiederaufnahme diplomatischer Beziehungen zwischen der Bundesrepublik und dem Irak.

258 05.09. Runderlaß des Ministerialdirigenten van Well S. 1190

Van Well informiert über ein Gespräch des Bundesministers Scheel mit dem finnischen Generalkonsul Väänänen. Thema war der Abschluß der Verhandlungen zwischen Finnland und der DDR über die Aufnahme diplomatischer Beziehungen.

259 07.09. Botschafter Steltzer, Kairo, an das Auswärtige Amt S. 1193

Steltzer unterrichtet über Spannungen zwischen der Bundesrepublik und Ägypten vor dem Hintergrund des Attentats auf die israelische Olympiamannschaft in München.

260 08.09. Gespräch des Bundeskanzlers Brandt mit Ministerpräsident Lynch in Feldafing S. 1197

Im Vordergrund stehen die Lage in Nordirland und die aktuellen Vorhaben der Europäischen Gemeinschaften.

261	08.09.	Ministerialdirektor von Staden an die Handelsvertretung in Warschau	S. 1201

Staden übermittelt Weisungen für die Gespräche über die Aufnahme diplomatischer Beziehungen zwischen der Bundesrepublik und Polen.

262	09.09.	Gespräch des Bundeskanzlers Brandt mit Staatspräsident Pompidou in Feldafing	S. 1205

Themen sind das Attentat auf die israelische Olympiamannschaft in München, die Vorbereitung der EG-Gipfelkonferenz, die europäische Währungs- und Finanzpolitik und die Weltraumforschung.

263	11.09.	Aufzeichnung des Staatssekretärs Bahr, Bundeskanzleramt	S. 1214

Bahr gibt ein Gespräch mit dem Ersten Sekretär des ZK der SED, Honecker, am 7. September in Ost-Berlin wieder. Erörtert wurden Fragen in Zusammenhang mit einem Grundlagenvertrag zwischen der Bundesrepublik und der DDR.

264	12.09.	Gespräch des Staatssekretärs Bahr, Bundeskanzleramt, mit Vertretern der Drei Mächte	S. 1228

Besprochen wird der Stand der Verhandlungen zwischen der Bundesrepublik und der DDR über einen Grundlagenvertrag.

265	12.09.	Botschafter Naupert, Tunis, an Staatssekretär Frank	S. 1231

Naupert berichtet über ein Gespräch mit dem tunesischen Präsidenten Bourguiba zu dem Attentat auf die israelische Olympiamannschaft in München.

266	13.09.	Gespräch des Bundesministers Scheel mit dem polnischen Außenminister Olszowski	S. 1234

Erörtert werden Fragen im Zusammenhang mit der Aufnahme diplomatischer Beziehungen zwischen der Bundesrepublik und Polen.

267	13.09.	Gespräch des Bundeskanzlers Brandt mit dem israelischen Botschafter Ben-Horin	S. 1243

Im Mittelpunkt steht das Attentat auf die israelische Olympiamannschaft in München.

268	13.09.	Gespräch des Bundesministers Scheel mit dem polnischen Außenminister Olszowski	S. 1247

Hauptthemen sind die Aufnahme diplomatischer Beziehungen zwischen der Bundesrepublik und Polen, die wirtschaftliche Zusammenarbeit, die Familienzusammenführung und Wiedergutmachungsforderungen polnischer Staatsbürger.

269 13.09. Gespräch des Staatssekretärs Bahr, Bundeskanzleramt, mit dem Staatssekretär beim Ministerrat der DDR, Kohl, in Ost-Berlin — S. 1256

Die Gesprächspartner diskutieren die Formulierung der Artikel eines Grundlagenvertrags.

270 13.09. Aufzeichnung des Staatssekretärs Freiherr von Braun — S. 1262

Braun gibt ein Gespräch mit dem französischen Außenminister Schumann über Pläne zur Eröffnung eines amtlichen französischen Handelsbüros in Ost-Berlin wieder.

271 13.09. Aufzeichnung des Ministerialdirektors Herbst — S. 1263

Herbst äußert sich zum Handel zwischen der Bundesrepublik und der DDR in Zusammenhang mit einem Grundlagenvertrag.

272 13.09. Ministerialdirigent van Well an die Ständige Vertretung bei der NATO in Brüssel — S. 1271

Van Well übermittelt die Position der Bundesregierung zur finnischen Deutschlandpolitik.

273 14.09. Gespräch des Bundeskanzlers Brandt mit dem polnischen Außenminister Olszowski — S. 1274

Besprochen werden die Aufnahme diplomatischer Beziehungen sowie weiterhin offene Fragen zwischen der Bundesrepublik und Polen.

274 14.09. Runderlaß des Vortragenden Legationsrats I. Klasse Heimsoeth — S. 1280

Heimsoeth informiert über die Sitzung der EG-Außenminister und der EG-Wirtschafts- und Finanzminister am 11./12. September in Rom.

275 15.09. Botschafter Ruete, Paris, an das Auswärtige Amt — S. 1284

Ruete berichtet über einen algerischen Vorstoß zur gemeinsamen Auswertung von Uranvorkommen in Algerien.

276 15.09. Vortragende Legationsrätin I. Klasse Finke-Osiander an die Botschaft in Belgrad — S. 1287

Finke-Osiander unterrichtet über die weitere Behandlung der Wiedergutmachungsfrage in den Beziehungen der Bundesrepublik zu Jugoslawien.

277 16.09. Aufzeichnung des Vortragenden Legationsrats Bräutigam — S. 1289

Bräutigam resümiert Gespräche des Staatssekretärs Bahr, Bundeskanzleramt, mit dem Staatssekretär beim Ministerrat der

DDR, Kohl, über einen Grundlagenvertrag am 13./14. September in Ost-Berlin.

278 18.09. Aufzeichnung des Bundeskanzleramts S. 1295

Wiedergegeben werden die Formulierungen für einzelne Artikel eines Grundlagenvertrags, die in den Gesprächen des Staatssekretärs Bahr, Bundeskanzleramt, mit dem Staatssekretär beim Ministerrat der DDR, Kohl, am 13./14. September in Ost-Berlin vereinbart wurden.

279 18.09. Aufzeichnung des Vortragenden Legationsrats I. Klasse Ruth S. 1306

Ruth faßt die Ergebnisse der Gespräche des Sicherheitsberaters des amerikanischen Präsidenten, Kissinger, über MBFR und KSZE vom 10. bis 14. September in Moskau zusammen.

280 19.09. Botschafter Steltzer, Kairo, an Staatssekretär Frank S. 1311

Steltzer gibt Informationen weiter, die er zur Organisation „Schwarzer September" erhalten hat.

281 19.09. Staatssekretär Frank an Staatssekretär Bahr, Bundeskanzleramt S. 1312

Frank übermittelt einen Entwurf des Auswärtigen Amts für einen Grundlagenvertrag zwischen der Bundesrepublik und der DDR.

282 20.09. Aufzeichnung des Ministerialdirigenten van Well S. 1318

Für ein Gespräch des Statssekretärs Frank mit dem sowjetischen Botschafter Falin resümiert van Well jüngste Ereignisse im Zusammenhang mit der Einbindung von Berlin (West) in die Beziehungen zwischen der Bundesrepublik und der UdSSR.

283 21.09. Gespräch des Ministerialdirektors von Staden mit dem chinesischen Journalisten Wang Shu S. 1328

Die Gespräche über die Aufnahme diplomatischer Beziehungen zwischen der Bundesrepublik und der Volksrepublik China werden fortgesetzt.

284 21.09. Aufzeichnung des Ministerialdirigenten van Well S. 1335

Für eine Sitzung des Bundessicherheitsrats nimmt van Well Stellung zu den amerikanischen und sowjetischen ABM- und SALT-Vereinbarungen.

285	22.09.	Gespräch des Staatssekretärs Frank mit dem sowjetischen Botschafter Falin	S. 1344
		In einer Zwischenbilanz der Beziehungen zwischen der Bundesrepublik und der UdSSR erörtert Frank Probleme der Einbeziehung von Berlin (West).	
286	22.09.	Aufzeichnung des Staatssekretärs Frank	S. 1351
		Frank äußert sich zu einem Schreiben des Ministerpräsidenten Štrougal zu den Gesprächen zwischen der Bundesrepublik und der ČSSR über eine Verbesserung des bilateralen Verhältnisses.	
287	22.09.	Botschafter Schirmer, Wien, an das Auswärtige Amt	S. 1353
		Schirmer berichtet über die österreichische Absicht, mit der DDR die Errichtung von Handelsvertretungen zu vereinbaren.	
288	25.09.	Gespräch des Ministerialdirektors von Staden mit dem chinesischen Journalisten Wang Shu	S. 1354
		Erörtert werden Einzelfragen im Zusammenhang mit der Aufnahme diplomatischer Beziehungen zwischen der Bundesrepublik und der Volksrepublik China.	
289	25.09.	Botschafter von Puttkamer, Tel Aviv, an das Auswärtige Amt	S. 1360
		Puttkamer berichtet über den Stand der Beziehungen zwischen der Bundesrepublik und Israel nach dem Attentat auf die israelische Olympiamannschaft am 5. September in München.	
290	26.09.	Gespräch des Staatssekretärs Bahr, Bundeskanzleramt, mit dem Staatssekretär beim Ministerrat der DDR, Kohl, in Ost-Berlin	S. 1363
		Bahr und Kohl erörtern Elemente eines Grundlagenvertrags zwischen der Bundesrepublik und der DDR.	
291	26.09.	Runderlaß des Vortragenden Legationsrats I. Klasse Blech	S. 1368
		Blech informiert über den Stand der Überlegungen zu einer Vier-Mächte-Erklärung anläßlich eines UNO-Beitritts der Bundesrepublik und der DDR.	
292	27.09.	Gespräch des Staatssekretärs Bahr, Bundeskanzleramt, mit dem Staatssekretär beim Ministerrat der DDR, Kohl, in Ost-Berlin	S. 1374
		Kohl legt eine schriftliche Fixierung des am Vortag erreichten Verhandlungsstandes für einen Grundlagenvertrag vor.	

293	27.09.	Aufzeichnung des Ministerialdirigenten Simon	S. 1379

Simon gibt ein Gespräch des Bundesministers Scheel mit Prinz Juan Carlos und dem spanischen Außenminister López Bravo am 25. September wieder. Im Mittelpunkt standen die spanischen Beziehungen zu den Europäischen Gemeinschaften, Probleme der Mittelmeerpolitik und die innenpolitische Entwicklung in Spanien.

294	27.09.	Aufzeichnung des Vortragenden Legationsrats Martius	S. 1383

Martius thematisiert den Ausschluß Rhodesiens von den Olympischen Sommerspielen in München.

295	27.09.	Botschafter Ritzel, Oslo, an das Auswärtige Amt	S. 1396

Nach dem negativen Ergebnis der norwegischen Volksabstimmung über einen EG-Beitritt äußert sich Ritzel zu den zukünftigen Beziehungen zwischen Norwegen und den Europäischen Gemeinschaften.

296	27.09.	Runderlaß des Vortragenden Legationsrats I. Klasse Blech	S. 1400

Blech erläutert das geplante Vorgehen hinsichtlich der Registrierung des Vier-Mächte-Abkommens über Berlin und der zugehörigen Anlagen bei der UNO.

297	28.09.	Gespräch des Staatssekretärs Bahr, Bundeskanzleramt, mit dem Staatssekretär beim Ministerrat der DDR, Kohl, in Ost-Berlin	S. 1402

Im Mittelpunkt stehen der Notenaustausch zur Inkraftsetzung des Verkehrsvertrags und die Arbeitsmöglichkeiten für Journalisten. Zudem werden Artikel 5 und die Erwähnung des bilateralen Handels im Grundlagenvertrag erörtert.

298	28.09.	Aufzeichnung des Staatssekretärs Bahr, Bundeskanzleramt	S. 1409

Bahr resümiert seine Vier-Augen-Gespräche mit dem Staatssekretär beim Ministerrat der DDR, Kohl, in der Zeit vom 26. bis 28. September in Ost-Berlin.

299	28.09.	Aufzeichnung des Staatssekretärs Bahr, Bundeskanzleramt	S. 1414

Bahr notiert Überlegungen des Ersten Sekretärs des ZK der SED, Honecker, zum Fortgang der Verhandlungen über einen Grundlagenvertrag.

300	28.09.	Aufzeichnung des Referats II A 1	S. 1415

Es wird Stellung genommen zum Entwurf des Auswärtigen Amts vom 19. September für einen Grundlagenvertrag, zum

Oktober

Formulierungsvorschlag des Staatssekretärs Bahr, Bundeskanzleramt, für die Präambel sowie zur Bedeutung des Austauschs von Bevollmächtigten zwischen der Bundesrepublik und der DDR nach Vertragsschluß.

301 29.09. Gespräch des Ministerialdirektors von Staden mit dem chinesischen Journalisten Wang Shu   S. 1418

Die Gesprächspartner paraphieren das Kommuniqué über die Aufnahme diplomatischer Beziehungen.

302 29.09. Aufzeichnung des Vortragenden Legationsrats Bräutigam   S. 1421

Bräutigam legt den Stand der Verhandlungen über einen Grundlagenvertrag dar und äußert sich zur weiteren Vorgehensweise.

303 29.09. Botschafter Oncken, Athen, an das Auswärtige Amt   S. 1425

Oncken berichtet über den Besuch des Staatssekretärs Frank am 26./27. September in Griechenland.

304 03.10. Aufzeichnung des Staatssekretärs Bahr, Bundeskanzleramt   S. 1429

Bahr resümiert ein Gespräch mit Bundesminister Scheel über den Stand der Verhandlungen mit der DDR für einen Grundlagenvertrag, über seine bevorstehende Reise nach Moskau und über die Gespräche mit der ČSSR über eine Verbesserung des bilateralen Verhältnisses.

305 03.10. Aufzeichnung des Vortragenden Legationsrats I. Klasse Blech   S. 1431

Blech vermerkt, daß Vertreter der Bundesregierung gegenüber indischen Gesprächspartnern unterschiedliche Positionen zum Vorhaben Indiens, diplomatische Beziehungen zur DDR aufzunehmen, eingenommen haben.

306 03.10. Ministerialdirektor von Staden an die Handelsvertretung in Helsinki   S. 1432

Staden übermittelt Instruktionen zum Vorgehen gegenüber Finnland angesichts des finnischen Beschlusses, diplomatische Beziehungen mit der DDR aufzunehmen.

307 03.10. Ministerialdirektor von Staden an Bundesminister Scheel, z. Z. New York, und an Staatssekretär Frank, z. Z. Ankara   S. 1435

Staden erbittet Weisung zum weiteren Prozedere in den Gesprächen mit der ČSSR über eine Verbesserung des bilateralen Verhältnisses.

308 04.10. Gespräch des Staatssekretärs Bahr, Bundeskanzleramt, S. 1437
mit den Botschaftern Henderson (Großbritannien),
Hillenbrand (USA) und Sauvagnargues (Frankreich)

Bahr unterrichtet über den Stand der Verhandlungen mit der DDR zu einem Grundlagenvertrag und über seine bevorstehende Reise nach Moskau.

309 04.10. Aufzeichnung des Vortragenden Legationsrats S. 1439
Bräutigam

Bräutigam notiert die Ergebnisse einer Besprechung des Bundeskanzlers Brandt mit den Bundesministern Franke, Genscher und Scheel sowie mit Staatssekretär Bahr, Bundeskanzleramt, über Richtlinien für die weiteren Verhandlungen mit der DDR zu einem Grundlagenvertrag.

310 04.10. Bundesminister Scheel, z. Z. New York, an S. 1441
Ministerialdirektor von Staden

Scheel erteilt Weisung, nicht in formelle Verhandlungen mit der ČSSR über einen Vertrag zur Verbesserung des bilateralen Verhältnisses einzutreten.

311 04.10. Ministerialdirektor van Well, z. Z. New York, an das S. 1442
Auswärtige Amt

Van Well berichtet von einem Gespräch des Bundesministers Scheel mit dem indischen Außenminister Swaran Singh in New York über die indische Absicht, die DDR diplomatisch anzuerkennen.

312 04.10. Ministerialdirektor van Well, z. Z. New York, an das S. 1444
Auswärtige Amt

Van Well informiert über eine Unterredung des Bundesministers Scheel mit dem amerikanischen Außenminister Rogers in New York. Themen waren das Verhältnis zur Volksrepublik China, ein Gespräch zwischen Rogers und dem sowjetischen Außenminister Gromyko, KSZE, MBFR sowie der internationale Terrorismus.

313 04.10. Botschafter Sonnenhol, Ankara, an das Auswärtige Amt S. 1448

Sonnenhol resümiert Konsultationen des Staatssekretärs Frank am 2./3. Oktober in Ankara. Erörtert wurden türkische Vorstellungen zu KSZE und MBFR, zur Europäischen Politischen Zusammenarbeit und zum Projekt einer Mittelmeerkonferenz sowie bilaterale Fragen.

314 05.10. Aufzeichnung des Ministerialdirigenten von Schenck S. 1455

Schenck erläutert die Frage der Ungültigkeit des Münchener Abkommens von 1938, insbesondere ihre Bedeutung für einen

Vertrag mit der ČSSR über eine Verbesserung des bilateralen Verhältnisses.

315	05.10.	Ministerialdirektor von Staden an Bundesminister Scheel, z. Z. New York, und an Staatssekretär Frank, z. Z. Ankara	S. 1461

Staden äußert sich zu einer Antwort auf den Vorschlag des Ministerpräsidenten Štrougal vom 19. September, Verhandlungen über eine Verbesserung des bilateralen Verhältnisses aufzunehmen.

316	05.10.	Ministerialdirektor van Well, z. Z. New York, an das Auswärtige Amt	S. 1463

Van Well informiert über ein Gespräch des Bundesministers Scheel mit dem finnischen Außenminister Karjalainen in New York über eine Aufnahme diplomatischer Beziehungen Finnlands zur Bundesrepublik und zur DDR.

317	09.10.	Gespräch des Staatssekretärs Bahr, Bundeskanzleramt, mit dem sowjetischen Außenminister Gromyko in Moskau	S. 1465

Im Mittelpunkt stehen die in den Verhandlungen mit der DDR noch offenen Punkte eines Grundlagenvertrags sowie bilaterale Fragen.

318	09.10.	Botschafter Steltzer, Kairo, an das Auswärtige Amt	S. 1476

Steltzer berichtet über die Reaktionen in Ägypten auf die arabische Bürger betreffenden Sicherheitsmaßnahmen der Bundesrepublik.

319	09.10.	Drahterlaß des Vortragenden Legationsrats I. Klasse Blech	S. 1482

Blech unterrichtet über die Haltung der Drei Mächte zu Vorschlägen der Bundesregierung für eine Erweiterung des Stimmrechts der Vertreter von Berlin (West) in Bundestag und Bundesrat.

320	10.10.	Aufzeichnung des Staatssekretärs Bahr, Bundeskanzleramt	S. 1485

Bahr faßt ein Gespräch mit dem Generalsekretär des ZK der KPdSU, Breschnew, in Moskau zusammen, dem er ein Schreiben des Bundeskanzlers Brandt zu den Verhandlungen mit der DDR über einen Grundlagenvertrag übergab und erläuterte.

321	10.10.	Staatssekretär Frank an Bundesminister Scheel, z. Z. Peking	S. 1491

Frank nimmt Stellung zum sowjetischen Vorschlag, die Gespräche über eine Vier-Mächte-Erklärung anläßlich des Beitritts der Bundesrepublik und der DDR zur UNO in Bonn stattfinden und die UdSSR durch Botschafter Falin vertreten zu lassen.

322	11.10.	Gespräch des Staatssekretärs Bahr, Bundeskanzleramt, mit dem Staatssekretär beim Ministerrat der DDR, Kohl	S. 1495

Bahr und Kohl besprechen die Inkraftsetzung des Verkehrsvertrags durch Notenaustausch am 17. Oktober. Anschließend erörtern sie ungeklärte Fragen eines Grundlagenvertrags.

323	11.10.	Botschafter Krapf, Brüssel (NATO), an das Auswärtige Amt	S. 1503

Krapf vermerkt das Ergebnis der Diskussion im Politischen Ausschuß des Ständigen NATO-Rats über den zur Erörterung auf einer KSZE vorgelegten Schweizer Vorschlag eines Systems friedlicher Streitschlichtung und die österreichische Initiative für ein System kollektiver Sicherheit in Europa.

324	11.10.	Botschafter Böker, Rom (Vatikan), an das Auswärtige Amt	S. 1506

Böker informiert über Gespräche mit dem Unterstaatssekretär im Staatssekretariat des Heiligen Stuhls, Casaroli, zu einer möglichen Neuordnung der Diözesen in der DDR nach einem Grundlagenvertrag.

325	12.10.	Gespräch des Staatssekretärs Bahr, Bundeskanzleramt, mit dem Staatssekretär beim Ministerrat der DDR, Kohl	S. 1512

Vorgelegt wird ein gemeinsam erarbeitetes Papier über die Arbeitsmöglichkeiten von Journalisten in der Bundesrepublik und der DDR nach dem Inkrafttreten eines Grundlagenvertrags.

326	12.10.	Aufzeichnung des Staatssekretärs Bahr, Bundeskanzleramt	S. 1516

Bahr faßt Vier-Augen-Gespräche mit dem Staatssekretär beim Ministerrat der DDR, Kohl, vom 10.,11. und 12. Oktober zusammen.

327	12.10.	Gespräch des Staatssekretärs Frank mit den Botschaftern Henderson (Großbritannien), Hillenbrand (USA) und Sauvagnargues (Frankreich)	S. 1518

Erörtert wird der sowjetische Vorschlag, die Gespräche über eine Vier-Mächte-Erklärung zum Beitritt der Bundesrepublik und der DDR zur UNO in Bonn stattfinden und die UdSSR durch Botschafter Falin vertreten zu lassen.

| 328 | 12.10 | Ministerialdirektor van Well, z. Z. Peking, an das Auswärtige Amt | S. 1525 |

Van Well informiert über den ersten Tag des Besuchs des Bundesministers Scheel in der Volksrepublik China, an dem die Vereinbarung zur Aufnahme diplomatischer Beziehungen unterzeichnet wurde.

| 329 | 12.10. | Ministerialdirektor van Well, z. Z. Peking, an das Auswärtige Amt | S. 1527 |

Van Well resümiert Gespräche des Bundesministers Scheel mit dem chinesischen Außenminister Chi Peng-fei in Peking zu Fragen der Entspannungs- und Europapolitik.

| 330 | 13.10. | Aufzeichnung des Vortragenden Legationsrats Bräutigam | S. 1529 |

Bräutigam legt den Stand der Verhandlungen mit der DDR über einen Grundlagenvertrag dar.

| 331 | 13.10 | Ministerialdirektor van Well, z. Z. Peking, an das Auswärtige Amt | S. 1532 |

Van Well berichtet über ein Gespräch des Bundesministers Scheel mit Ministerpräsident Chou En-lai in Peking. Themen waren der Begriff der Nation, die europäische Einigung und die Haltung der Volksrepublik China gegenüber der UdSSR.

| 332 | 13.10. | Botschafter von Puttkamer, Tel Aviv, an das Auswärtige Amt | S. 1534 |

Puttkamer faßt eine Unterredung mit Ministerpräsidentin Meir über ihre Rede zum Attentat auf die israelische Olympiamannschaft am 5. September in München zusammen.

| 333 | 14.10. | Ministerialdirektor van Well, z. Z. Hongkong, an das Auswärtige Amt | S. 1538 |

Van Well resümiert die abschließenden Gespräche des Bundesministers Scheel in Peking, in deren Mittelpunkt die Errichtung von Botschaften stand, sowie über ein Arbeitsgespräch des Botschafters Hermes im chinesischen Außenhandelsministerium zu den Themen bilateraler Handel, Luftfahrt und industrielle Zusammenarbeit.

| 334 | 17.10 | Aufzeichnung des Vortragenden Legationsrats I. Klasse Blech | S. 1541 |

Blech nimmt Stellung zum Vorschlag des Staatssekretärs Bahr, Bundeskanzleramt, vom 11. Oktober, statt eines Grundlagenvertrags einen „Normalisierungsvertrag" mit der DDR abzuschließen.

335 18.10. Gespräch des Bundeskanzlers Brandt mit Premierminister Heath in Paris S. 1544

Die Gesprächspartner erörtern die auf der europäischen Gipfelkonferenz am 19./20. Oktober in Paris zu behandelnden Themen.

336 19.10. Aufzeichnung des Staatssekretärs Bahr, Bundeskanzleramt S. 1548

Bahr übermittelt eine Nachricht des Ersten Sekretärs des ZK der SED an Bundeskanzler Brandt, in der Honecker sein Interesse an einem Erfolg der Verhandlungen zu einem Grundlagenvertrag zum Ausdruck bringt.

337 19.10. Aufzeichnung des Ministerialdirektors van Well S. 1553

Van Well informiert über ein Gespräch mit dem stellvertretenden japanischen Außenminister Hogen am 16. Oktober in Tokio. Im Mittelpunkt standen die Beziehungen der Bundesrepublik und Japans zur Volksrepublik China.

338 19.10. Aufzeichnung des Vortragenden Legationsrats I. Klasse Blech S. 1556

Blech vermerkt die Reaktion der Bonner Vierergruppe auf den Vorschlag, anstelle eines Grundlagenvertrags einen „Normalisierungsvertrag" mit der DDR abzuschließen.

339 19.10. Botschafter Sahm, Moskau, an das Auswärtige Amt S. 1559

Sahm unterrichtet über eine Demarche der Botschafter der Drei Mächte, Beam (USA), Killick (Großbritannien) und Seydoux (Frankreich), zur Aufnahme von Gesprächen mit der UdSSR über eine Vier-Mächte-Erklärung anläßlich des UNO-Beitritts der Bundesrepublik und der DDR.

340 20.10. Aufzeichnung des Gesandten Heimsoeth S. 1560

Heimsoeth analysiert die Möglichkeiten der DDR, durch den Beitritt zu den Unter- und Sonderorganisationen der UNO einen Beobachterstatus bei der UNO zu erhalten.

341 23.10. Aufzeichnung des Vortragenden Legationsrats I. Klasse Blech S. 1566

Blech gibt ein Gespräch mit dem Abteilungsleiter im Presseamt beim Vorsitzenden des Ministerrats der DDR wieder. Von Berg äußerte sich zur Haltung der DDR und der UdSSR zum Grundlagenvertrag.

342	23.10.	Botschafter Ruhfus, Nairobi, an das Auswärtige Amt	S. 1569
		Ruhfus übermittelt die Bitte der kenianischen Regierung um zusätzliche Ausrüstungshilfe angesichts von Veränderungen im militärischen Kräfteverhältnis zwischen den ostafrikanischen Staaten.	
343	24.10.	Botschafter Böker, Rom (Vatikan), an Staatssekretär Frank	S. 1573
		Böker faßt ein Gespräch mit Papst Paul VI. zu kirchenrechtlichen Gesichtspunkten der Ostverträge zusammen.	
344	24.10.	Runderlaß des Vortragenden Legationsrats I. Klasse Dohms	S. 1576
		Dohms teilt die Ergebnisse der europäischen Gipfelkonferenz am 19./20. Oktober in Paris mit.	
345	26.10.	Gespräch des Staatssekretärs Frank mit dem sowjetischen Botschafter Falin	S. 1581
		Die Gesprächspartner erörtern die Einbeziehung von Berlin (West) in zukünftige Abkommen zwischen der Bundesrepublik und der UdSSR.	
346	26.10.	Aufzeichnung des Vortragenden Legationsrats Eitel, Bundeskanzleramt	S. 1584
		Eitel resümiert die Gespräche des Staatssekretärs Bahr, Bundeskanzleramt, mit dem Staatssekretär beim Ministerrat der DDR, Kohl, vom 24. bis 26. Oktober über einen Grundlagenvertrag. Im Mittelpunkt standen das Zusatzprotokoll zu Artikel 7, der Briefwechsel über die Arbeitsmöglichkeiten für Journalisten sowie die Aufnahme eines Friedensvertragsvorbehalts und des Ziels der deutschen Einheit in den Vertragstext.	
347	26.10.	Aufzeichnung des Vortragenden Legationsrats Bräutigam	S. 1596
		Bräutigam referiert ein Gespräch des Staatssekretärs Bahr, Bundeskanzleramt, mit Vertretern der Drei Mächte am 25. Oktober. Themen waren eine Vier-Mächte-Erklärung anläßlich des UNO-Beitritts der Bundesrepublik und der DDR sowie die Verhandlungen mit der DDR über einen Grundlagenvertrag.	
348	26.10.	Botschafter Steltzer, Kairo, an Staatssekretär Frank	S. 1600
		Steltzer unterbreitet Vorschläge zur Verbesserung der Beziehungen zwischen der Bundesrepublik und Ägypten.	

349 27.10. Aufzeichnung des Staatssekretärs Bahr, Bundeskanzleramt   S. 1603

Bahr erläutert den Stand der Verhandlungen mit dem Staatssekretär beim Ministerrat der DDR, Kohl, über einen Grundlagenvertrag.

350 28.10. Botschafter von Hase, London, an das Auswärtige Amt   S. 1606

Hase informiert über Gespräche des Bundesministers Scheel mit dem britischen Außenminister Douglas-Home am 25./26. Oktober in London. Themen waren die Verhandlungen mit der DDR über einen Grundlagenvertrag, der Besuch von Scheel in der Volksrepublik China, die Europäische Politische Zusammenarbeit, die Lage im Nahen Osten, die Gespräche zwischen der Bundesrepublik und der ČSSR über eine Verbesserung des bilateralen Verhältnisses sowie MBFR.

351 30.10. Aufzeichnung des Vortragenden Legationsrats Bräutigam   S. 1612

Bräutigam äußert sich zu den noch offenen Fragen in den Verhandlungen über einen Grundlagenvertrag.

352 30.10. Botschafter von Puttkamer, Tel Aviv, an Staatssekretär Frank   S. 1615

Puttkamer berichtet von einem Gespräch mit dem israelischen Außenminister Eban über die mit der Entführung einer Lufthansa-Maschine am 29. Oktober erzwungene Freilassung der Attentäter auf die israelische Olympiamannschaft.

353 31.10. Aufzeichnung des Vortragenden Legationsrats Bräutigam   S. 1618

Bräutigam gibt eine Unterredung des Staatssekretärs Bahr, Bundeskanzleramt, mit Vertretern der Drei Mächte am 28. Oktober über eine Vier-Mächte-Erklärung anläßlich des UNO-Beitritts der Bundesrepublik und der DDR wieder.

354 01.11. Ministerialdirektor von Staden, z. Z. Berlin (West), an Staatssekretär Frank   S. 1624

Staden unterrichtet über die Verhandlungen der Vier Mächte über eine Erklärung anläßlich des UNO-Beitritts der Bundesrepublik und der DDR.

355 02.11. Aufzeichnung des Vortragenden Legationsrats Vergau   S. 1632

Vergau resümiert eine Hausbesprechung zu organisatorischen Fragen der Teilnahme der Bundesrepublik an der Europäischen Sicherheitskonferenz.

356 02.11. Botschafter Jaenicke, Belgrad, an das Auswärtige Amt S. 1635

Jaenicke analysiert das Verhalten der jugoslawischen Regierung während der Entführung einer Lufthansa-Maschine am 29. Oktober.

357 02.11. Botschafter Pauls, Washington, an das Auswärtige Amt S. 1638

Pauls übermittelt die amerikanische Bewertung der europäischen Gipfelkonferenz am 19./20. Oktober in Paris.

358 03.11. Aufzeichnung des Vortragenden Legationsrats Eitel, Bundeskanzleramt S. 1643

Eitel referiert die Gespräche des Staatssekretärs Bahr, Bundeskanzleramt, mit dem Staatssekretär beim Ministerrat der DDR, Kohl, über den Grundlagenvertrag am 2./3. November in Ost-Berlin. Es erfolgte die Schlußredaktion der unstrittigen Vertragsteile.

359 03.11. Aufzeichnung des Vortragenden Legationsrats Kroneck S. 1651

Kroneck legt den Stand der Vorbereitungen für die exploratorische Phase der MBFR-Verhandlungen dar.

360 03.11. Vertrag über die Grundlagen der Beziehungen zwischen der Bundesrepublik und der DDR (Entwurf) S. 1656

Vorgelegt wird ein Entwurf des Grundlagenvertrags.

361 04.11. Aufzeichnung des Staatssekretärs Bahr, Bundeskanzleramt S. 1665

Bahr faßt die Vier-Augen-Gespräche mit dem Staatssekretär beim Ministerrat der DDR, Kohl, vom 1. bis 3. November in Ost-Berlin zusammen.

362 04.11. Aufzeichnung des Staatssekretärs Bahr, Bundeskanzleramt S. 1667

Bahr hält die Positionen der UdSSR und der DDR in den Verhandlungen zum Grundlagenvertrag fest.

363 05.11. Ministerialdirektor von Staden, z. Z. Berlin (West), an Staatssekretär Frank S. 1669

Staden berichtet vom Abschluß der Verhandlungen der Vier Mächte über eine Erklärung anläßlich des UNO-Beitritts der Bundesrepublik und der DDR.

364 06.11. Gespräch des Staatssekretärs Bahr, Bundeskanzleramt, S. 1672
mit dem Staatssekretär beim Ministerrat der DDR,
Kohl, in Ost-Berlin

Bahr und Kohl schließen die Verhandlungen zum Grundlagenvertrag mit der Ausformulierung der Präambel und einiger Protokollerklärungen ab.

365 06.11. Aufzeichnung des Vortragenden Legationsrats Scholl S. 1678

Scholl resümiert den Stand der Verhandlungen mit Jugoslawien über Kapitalhilfe.

366 06.11. Staatssekretär Frank an die Handelsvertretung in S. 1680
Helsinki

Frank übermittelt Instruktionen für die Verhandlungen mit Finnland über die Aufnahme diplomatischer Beziehungen.

367 08.11. Botschafter von Puttkamer, Tel Aviv, an das S. 1685
Auswärtige Amt

Puttkamer unterrichtet über ein Gespräch mit Ministerpräsidentin Meir im Zusammenhang mit der Entführung einer Lufthansa-Maschine am 29. Oktober und der dadurch erzwungenen Freilassung der Attentäter auf die israelische Olympiamannschaft.

368 09.11. Aufzeichnung des Vortragenden Legationsrats S. 1688
Bräutigam

Bräutigam äußert sich zu den Vorgängen bei der Paraphierung des Grundlagenvertrags und der Begleitdokumente am Vortag.

369 10.11. Staatssekretär Bahr, Bundeskanzleramt, an S. 1690
Staatssekretär Frank

Bahr übermittelt eine Aufzeichnung des Ministerialdirektors Sanne, Bundeskanzleramt, über ein Gespräch mit dem Abteilungsleiter beim Ministerrat der DDR, Seidel. Im Mittelpunkt stand der Beitritt der DDR zur UNESCO.

370 10.11. Botschafter Böker, Rom (Vatikan), an das Auswärtige S. 1694
Amt

Böker berichtet über den Besuch von Vertretern des polnischen Episkopats bei Papst Paul VI.

371 13.11. Aufzeichnung des Vortragenden Legationsrats I. Klasse S. 1696
Schilling, Bundeskanzleramt

Schilling resümiert eine Unterredung mit dem sowjetischen Botschafter, in der Falin ihn über ein bevorstehendes Gespräch mit dem CDU/CSU-Fraktionsvorsitzenden Barzel unterrichtete.

372 13.11. Aufzeichnung des Staatssekretärs Frank   S. 1699

Frank nimmt Stellung zum bayerischen Ersuchen, an Libyen einen Auslieferungsantrag für die drei am Attentat auf die israelische Olympiamannschaft am 5. September in München beteiligten Terroristen zu richten.

373 14.11. Generalkonsul Scheel, Helsinki, an das Auswärtige Amt   S. 1701

Scheel gibt ein Gespräch mit dem finnischen Außenminister Karjalainen über die Aufnahme diplomatischer Beziehungen zwischen der Bundesrepublik und Finnland wieder.

374 14.11. Ministerialdirektor van Well an die Botschaft in Neu Delhi   S. 1705

Van Well legt die künftige Linie der Politik gegenüber Indien dar.

375 15.11. Sitzung des Ständigen NATO-Rats in Brüssel   S. 1708

Erörtert wird eine Vorabunterrichtung über die amerikanische Position bei der Fortsetzung der Gespräche über eine Begrenzung strategischer Waffen (SALT II).

376 16.11. Aufzeichnung des Ministerialdirektors von Staden   S. 1715

Staden macht darauf aufmerksam, daß die Position der Bundesregierung in der Berlin-Frage gegenüber Ostblock-Staaten beeinträchtigt werde, falls der Regierende Bürgermeister von Berlin, Schütz, einer Einladung in die UdSSR Folge leiste.

377 16.11 Botschafter Lahr, Rom, an das Auswärtige Amt   S. 1717

Aus einem Gespräch mit Außenminister Medici informiert Lahr über die italienische Absicht, möglichst bald nach der Ratifizierung des Grundlagenvertrags diplomatische Beziehungen zur DDR aufzunehmen.

378 17.11. Botschafter Krapf, Brüssel (NATO), an das Auswärtige Amt   S. 1719

Krapf berichtet von der Diskussion im Ständigen NATO-Rat über Dokumente zur Europäischen Sicherheitskonferenz, die im Rahmen der Europäischen Politischen Zusammenarbeit erstellt wurden.

379 18.11. Gesandter Noebel, Washington, an das Auswärtige Amt   S. 1721

Noebel analysiert die amerikanische Europapolitik.

380 21.11. Aufzeichnung des Vortragenden Legationsrats I. Klasse Blech S. 1727

Blech resümiert eine Besprechung der Bonner Vierergruppe über Zeitpunkt und Modalitäten einer Anerkennung der DDR durch die Drei Mächte und die übrigen NATO-Mitgliedstaaten.

381 23.11. Aufzeichnung des Staatssekretärs Bahr, Bundeskanzleramt S. 1730

Bahr äußert sich zur zukünftigen Entwicklung der Swing-Regelung im Handel mit der DDR und legt eine Aufzeichnung zu diesem Thema vor.

382 23.11. Aufzeichnung des Ministerialdirektors von Staden S. 1733

Staden faßt die Erörterung der Außenministerkonferenz der EG-Mitgliedstaaten und -Beitrittsstaaten am 20. November in Den Haag über den Zeitpunkt einer Anerkennung der DDR zusammen.

383 27.11. Vortragender Legationsrat I. Klasse Thomas an die Handelsvertretung in Helsinki S. 1735

Thomas informiert über eine Unterredung des Staatssekretärs Frank mit dem finnischen Generalkonsul Väänänen über die Aufnahme diplomatischer Beziehungen zwischen der Bundesrepublik und Finnland sowie organisatorische Fragen der Europäischen Sicherheitskonferenz.

384 27.11. Vortragender Legationsrat Fleischhauer an die Botschaft in Reykjavik S. 1740

Fleischhauer unterrichtet über ein Gespräch des Staatssekretärs Frank mit dem isländischen Botschafter Tryggvason. Anlaß waren Konflikte zwischen Fischdampfern aus der Bundesrepublik und der isländischen Küstenwache nach der Ausdehnung der isländischen Fischereizone auf fünfzig Seemeilen.

385 28.11. Aufzeichnung des Vortragenden Legationsrats I. Klasse Blech S. 1743

Blech befaßt sich mit der Vorbereitung der deutschlandpolitischen Themen für die NATO-Ministerratstagung am 7./8. Dezember in Brüssel.

386 28.11. Botschaftsrat Sikora, Warschau, an das Auswärtige Amt S. 1748

Sikora berichtet über ein Gespräch mit dem polnischen Außenminister Olszowski zur Frage der Konsultationen zwischen der Bundesrepublik und Polen.

Dezember

387 29.11. Aufzeichnung des Ministerialdirigenten Diesel S. 1751

Diesel nimmt Stellung zu einer europäischen Beteiligung an Radio Free Europe und Radio Liberty.

388 01.12. Aufzeichnung des Ministerialdirektors von Staden S. 1753

Staden erörtert den Briefwechsel zwischen der Bundesrepublik und den Drei Mächten zum UNO-Beitritt der Bundesrepublik und der DDR.

389 01.12. Aufzeichnung des Vortragenden Legationsrats I. Klasse Fleischhauer S. 1755

Fleischhauer notiert Überlegungen der Bonner Vierergruppe zur Erstreckung der UNO-Charta auf Berlin (West).

390 01.12. Ministerialdirektor von Staden an Botschafter Stoecker, Stockholm S. 1758

Staden erteilt Weisung für eine Demarche bei der schwedischen Regierung bezüglich der Anerkennung der DDR.

391 04.12. Aufzeichnung des Vortragenden Legationsrats I. Klasse Meyer-Landrut S. 1760

Meyer-Landrut unterrichtet über ein Gespräch des Staatssekretärs Frank mit dem sowjetischen Botschafter Falin über die Einbeziehung von Berlin (West) in Abkommen zwischen der Bundesrepublik und der UdSSR.

392 04.12. Aufzeichnung des Vortragenden Legationsrats I. Klasse Meyer-Landrut S. 1763

Meyer-Landrut informiert über eine Unterredung des Staatssekretärs Frank mit dem sowjetischen Botschafter Falin zu den Gesprächen mit der ČSSR über eine Verbesserung des bilateralen Verhältnisses.

393 04.12. Aufzeichnung des Vortragenden Legationsrats I. Klasse Dietrich S. 1766

Dietrich resümiert ein Gespräch des Staatssekretärs Frank mit dem sowjetischen Botschafter Falin über ein Zusatzabkommen zum Luftverkehrsabkommen mit der UdSSR.

394 05.12. Ministerialdirektor von Staden, z. Z. Brüssel, an das Auswärtige Amt S. 1769

Staden berichtet über die Sitzung der Bonner Vierergruppe auf Direktorenebene zur Einbeziehung von Berlin (West) in den UNO-Beitritt der Bundesrepublik.

395 06.12. Gespräch des Bundesministers Scheel mit den Mitgliedern der EG-Kommission, Dahrendorf und Haferkamp S. 1772

Im Mittelpunkt steht die Besetzung der erweiterten EG-Kommission.

396 06.12. Vortragender Legationsrat Bräutigam an Vortragenden Legationsrat I. Klasse Blech, z.Z. Brüssel S. 1776

Bräutigam vermerkt die Haltung der einzelnen NATO-Mitgliedstaaten zu einer Anerkennung der DDR.

397 06.12. Botschafter Krapf, Brüssel (NATO), an das Auswärtige Amt S. 1779

Krapf resümiert den Verlauf der Ministersitzung der Eurogroup vom 5. Dezember. Hauptthema war die Rüstungskooperation.

398 07.12. Ministerialdirektor von Staden, z.Z. Brüssel, an das Auswärtige Amt S. 1782

Staden unterrichtet über das Treffen des Bundesministers Scheel mit den Außenministern Douglas-Home, Rogers und Schumann. Im Mittelpunkt standen die Beziehungen der Drei Mächte und der NATO-Mitgliedstaaten zur DDR nach Unterzeichnung des Grundlagenvertrags.

399 08.12. Botschafter Krapf, Brüssel (NATO), an das Auswärtige Amt S. 1786

Krapf berichtet über die NATO-Ministerratstagung am 7./8. Dezember 1972. Diskutiert wurden die Verteidigungsfähigkeit des Bündnisses, die zukünftigen Beziehungen zur DDR sowie Fragen der KSZE und MBFR.

400 11.12. Vortragender Legationsrat I. Klasse Redies an die Botschaften in Tunis und Tripolis S. 1794

Redies informiert über ein Gespräch mit dem libyschen Botschafter Daghely im Vorfeld der Reise des Staatssekretärs Frank nach Tunesien und Libyen.

401 12.12. Aufzeichnung des Ministerialdirektors von Staden S. 1796

Staden faßt ein Gespräch des Bundesministers Scheel mit dem französischen Außenminister Schumann am 7. Dezember 1972 in Brüssel zusammen. Im Mittelpunkt standen die Beziehungen zwischen Frankreich und der DDR, die Erstreckung der UNO-Charta auf Berlin (West), die bevorstehende Reise des Staatspräsidenten Pompidou in die UdSSR sowie Fragen der KSZE und MBFR.

Dezember

402 13.12. Botschafter Krapf, Brüssel (NATO), an das Auswärtige Amt S. 1798

Krapf resümiert die Diskussion im Ständigen NATO-Rat am 13. Dezember 1972 zur Aufnahme diplomatischer Beziehungen der NATO-Mitgliedstaaten mit der DDR.

403 14.12. Aufzeichnung des Botschafters Roth S. 1801

Roth legt ein Strategiepapier für die erste Phase von MBFR-Verhandlungen vor.

404 14.12. Botschafter Oncken, Athen, an das Auswärtige Amt S. 1811

Oncken berichtet über ein Gespräch mit König Konstantin II. in Rom. Erörtert wurden die innenpolitische Lage in Griechenland und die Möglichkeiten zur Rückkehr des Königs nach Athen.

405 15.12. Sitzung des Ständigen NATO-Rats in Brüssel S. 1817

Anhand eines amerikanischen Berichts über den bisherigen Verlauf der Verhandlungen über eine Begrenzung strategischer Waffen (SALT II) werden grundlegende Positionen der NATO-Mitgliedstaaten erörtert.

406 15.12. Ministerialdirigent Brunner, z.Z. Helsinki, an das Auswärtige Amt S. 1826

Brunner faßt die Ergebnisse der ersten Sitzungsperiode der Multilateralen Vorbereitungskonferenz für die KSZE zusammen.

407 15.12. Runderlaß des Ministerialdirektors von Staden S. 1830

Staden informiert über eine Sitzung der Bonner Vierergruppe. Themen waren die Haltung der Drei Mächte gegenüber der DDR, die Frage der Notwendigkeit eines „Berlin-Disclaimers" sowie eine gemeinsame Stellungnahme gegenüber den übrigen NATO-Mitgliedstaaten.

408 17.12. Botschafter Hermes, z.Z. Peking, an das Auswärtige Amt S. 1834

Hermes berichtet über die Verhandlungen zu einem Handelsvertrag mit der Volksrepublik China, in deren Mittelpunkt die Frage der Einbeziehung von Berlin (West) stand.

409 18.12. Botschafter Krapf, Brüssel (NATO), an das Auswärtige Amt S. 1836

Krapf gibt eine Sitzung des Ständigen NATO-Rats wieder, in der die Forderungen Maltas nach zusätzlichen finanziellen Hilfen erörtert wurden.

410	18.12.	Staatssekretär Frank an die Handelsvertretung in Helsinki	S. 1839
		Frank erteilt Weisungen für das weitere Vorgehen gegenüber Finnland in der Frage der Aufnahme diplomatischer Beziehungen.	
411	18.12.	Runderlaß des Ministerialdirektors von Staden	S. 1842
		Staden legt den Stand der Beratungen in der Bonner Vierergruppe zur Einbeziehung von Berlin (West) in den UNO-Beitritt der Bundesrepublik dar.	
412	18.12.	Botschafter Stoecker, Stockholm, an das Auswärtige Amt	S. 1844
		Stoecker berichtet über die Verleihung des Literaturnobelpreises an den Schriftsteller Heinrich Böll.	
413	19.12.	Aufzeichnung des Vortragenden Legationsrats Bräutigam	S. 1847
		Bräutigam befaßt sich mit organisatorischen Aspekten der Einrichtung der Ständigen Vertretung der Bundesrepublik in der DDR.	
414	19.12.	Bundeskanzler Brandt an den Generalsekretär des ZK der KPdSU, Breschnew	S. 1851
		Brandt erläutert seine Vorstellungen zu künftigen außenpolitischen Aufgaben.	
415	20.12.	Botschafter Böker, Rom (Vatikan), an das Auswärtige Amt	S.1853
		Böker informiert über ein Gespräch mit dem Unterstaatssekretär im Staatssekretariat des Heiligen Stuhls, Casaroli, über das Verhältnis des Vatikans zur DDR.	
416	20.12.	Botschafter Pauls, Washington, an das Auswärtige Amt	S. 1858
		Pauls analysiert den Stand der Bemühungen um einen Waffenstillstand in Vietnam.	
417	21.12.	Gespräch des Bundeskanzlers Brandt mit dem polnischen Botschafter Piątkowski	S. 1861
		Im Mittelpunkt stehen die Familienzusammenführung sowie die Frage eines Besuchs des Bundeskanzlers Brandt in Polen.	

418	21.12.	Gespräch des Bundesministers Bahr mit dem Außenminister der DDR, Winzer, und dem Mitglied des Politbüros der SED, Verner, in Ost-Berlin	S. 1862
		Themen sind der Grundlagenvertrag und die Einbeziehung von Berlin (West), die künftige Gestaltung der bilateralen Beziehungen, Probleme im Reiseverkehr und bei der Familienzusammenführung sowie Abrüstungsfragen.	
419	21.12.	Aufzeichnung des Ministerialdirektors von Staden	S. 1871
		Staden äußert sich zum Zeitpunkt der Aufnahme der Bundesrepublik in die UNO durch die Generalversammlung.	
420	21.12.	Aufzeichnung des Vortragenden Legationsrats I. Klasse Fleischhauer	S. 1873
		Fleischhauer erläutert die Rechtslage in der Frage möglicher Reparations- und Wiedergutmachungsforderungen westlicher Staaten an die DDR.	
421	21.12.	Ministerialdirigent Simon an die Botschaft in Paris	S. 1877
		Simon erteilt Weisung für ein Gespräch im französischen Außenministerium über eine Lockerung der WEU-Rüstungsbeschränkungen für den Bau von U-Booten in der Bundesrepublik.	
422	22.12.	Aufzeichnung des Vortragenden Legationsrats I. Klasse Redies	S. 1880
		Redies faßt die Gespräche des Staatssekretärs Frank in Libyen und Tunesien zusammen, in deren Mittelpunkt die Folgen des Attentats auf die israelische Olympiamannschaft am 5. September in München standen.	
423	27.12.	Aufzeichnung des Ministerialdirektors Herbst	S. 1883
		Herbst legt die Ergebnisse der Europäischen Weltraumkonferenz in Brüssel dar.	
424	29.12.	Aufzeichnung des Ministerialdirektors von Staden	S. 1886
		Staden gibt ein Gespräch des Staatssekretärs Frank mit dem sowjetischen Botschafter Falin wieder. Thema waren sowjetische Einwände gegen die Einbeziehung von Berlin (West) in die Gesetze zum Grundlagenvertrag sowie zum UNO-Beitritt.	

Literaturverzeichnis

AAPD	Akten zur Auswärtigen Politik der Bundesrepublik Deutschland, hrsg. im Auftrag des Auswärtigen Amts vom Institut für Zeitgeschichte. Jahresband 1949/50. Jahresband 1951. Jahresband 1952. Jahresband 1953 (Teilbände I–II). Jahresband 1963 (Teilbände I–III). Jahresband 1964 (Teilbände I–II). Jahresband 1965 (Teilbände I–III). Jahresband 1966 (Teilbände I–II). Jahresband 1967 (Teilbände I–III). Jahresband 1968 (Teilbände I–II). Jahresband 1969 (Teilbände I–II). Jahresband 1970 (Teilbände I–III). Jahresband 1971 (Teilbände I–III), München 1994–2002.
ADAP, D	Akten zur deutschen auswärtigen Politik 1918–1945. Serie D (1937–1945). Band II: Deutschland und die Tschechoslowakei (1937–1938), Baden-Baden 1953.
ADENAUER, Erinnerungen	Konrad Adenauer, Erinnerungen 1953–1955, Stuttgart 1966.
AdG	Archiv der Gegenwart, zusammengestellt von Heinrich von Siegler, Bonn/Wien/Zürich 1955 ff.
ALLARDT, Tagebuch	Helmut Allardt, Moskauer Tagebuch. Beobachtungen, Notizen, Erlebnisse, Frankfurt am Main/Berlin 1980.
AMTSBLATT DER EUROPÄISCHEN GEMEINSCHAFTEN	Amtsblatt der europäischen Gemeinschaften (EGKS, EWG, EURATOM), Brüssel 1958 ff.
ANNUARIO PONTIFICIO	Annuario Pontificio per l'anno 1970, 1971, 1972, Città del Vaticano 1970, 1971 bzw. 1972.
AUSSENPOLITIK DER DDR	Dokumente zur Außenpolitik der Regierung der Deutschen Demokratischen Republik. Band I: Von der Gründung der Deutschen Demokratischen Republik am 7. Oktober 1949 bis zur Souveränitätserklärung am 25. März 1954, hrsg. vom Deutschen Institut für Zeitgeschichte, Berlin [Ost] 1954. Dokumente zur Außenpolitik der Deutschen Demokratischen Repulik. Band XIX: 1971. Band XX: 1975, hrsg. vom Institut für Internationale Beziehungen der Akademie für Staats- und Rechtswissenschaft der DDR in Zusammenarbeit mit der Abteilung Rechts- und Vertragswesen des Ministeriums für Auswärtige Angelegenheiten der Deutschen Demokratischen Republik, Berlin [Ost] 1971 f.

AUSWÄRTIGE POLITIK DER BUNDESREPUBLIK DEUTSCHLAND	Die Auswärtige Politik der Bundesrepublik Deutschland, hrsg. vom Auswärtigen Amt unter Mitwirkung eines wissenschaftlichen Beirats, Köln 1972.
BAHR, Zeit	Egon Bahr, Zu meiner Zeit, München 1996.
BARZEL, Drahtseil	Rainer Barzel, Auf dem Drahtseil, München 1978.
BARZEL, Tür	Rainer Barzel, Die Tür blieb offen. Mein persönlicher Bericht über Ostverträge, Mißtrauensvotum, Kanzlersturz, Bonn 1998.
BARZEL, Streit	Rainer Barzel, Im Streit und umstritten. Anmerkungen zu Konrad Adenauer, Ludwig Erhard und den Ostverträgen, Frankfurt am Main/Berlin 1986.
BERICHT DER DELEGATIONSLEITER	Bericht der Delegationsleiter an die Außenminister. Regierungsausschuß, eingesetzt von der Konferenz von Messina, hrsg. vom Sekretariat, Brüssel 1956.
BONN UND OST-BERLIN	Heinrich Potthoff, Bonn und Ost-Berlin 1969–1982. Dialog auf höchster Ebene und vertrauliche Kanäle. Darstellung und Dokumente, Bonn 1997.
BRANDT, Begegnungen	Willy Brandt, Begegnungen und Einsichten. Die Jahre 1960–1975, Hamburg 1976.
BRANDT, Erinnerungen	Willy Brandt, Erinnerungen, Frankfurt am Main/Zürich 1989.
BRANDT, Reden	Bundeskanzler Brandt, Reden und Interviews, hrsg. vom Presse- und Informationsamt der Bundesregierung, Bd. I: Melsungen 1971. Bd. II: Melsungen 1973.
BRESCHNEW, Wege	Leonid Breschnew, Auf dem Wege Lenins. Reden und Aufsätze, Berlin [Ost] 1973.
BR DRUCKSACHEN	Verhandlungen des Bundesrates, Drucksachen, Bonn 1949–1990.
BR STENOGRAPHISCHE BERICHTE	Verhandlungen des Bundesrates. Stenographische Berichte, Bonn 1963ff.
BT ANLAGEN	Verhandlungen des Deutschen Bundestages. Anlagen zu den Stenographischen Berichten, Bonn 1950ff.
BT STENOGRAPHISCHE BERICHTE	Verhandlungen des Deutschen Bundestages. Stenographische Berichte, Bonn 1950ff.
BULLETIN	Bulletin des Presse- und Informationsamtes der Bundesregierung, Bonn 1951ff.
BULLETIN DER EG	Bulletin der Europäischen Gemeinschaften, hrsg. vom Generalsekretariat der Kommission der Europäischen Gemeinschaften, Brüssel 1968–1993.

BUNDESANZEIGER	Bundesanzeiger, hrsg. vom Bundesminister der Justiz, Bonn 1949 ff.
BUNDESGESETZBLATT	Bundesgesetzblatt, hrsg. vom Bundesminister der Justiz, Bonn 1949 ff.
BUNDESREPUBLIK DEUTSCHLAND UND CHINA	Bundesrepublik Deutschland und China 1949 bis 1995. Politik – Wirtschaft – Wissenschaft – Kultur. Eine Quellensammlung, hrsg. von Mechthild Leutner, Berlin 1995.
BUNDESVERFASSUNGSGERICHT, ENTSCHEIDUNGEN	Entscheidungen des Bundesverfassungsgerichts, hrsg. von den Mitgliedern des Bundesverfassungsgerichts, Tübingen 1953–1990.
CHARTER OF THE UNITED NATIONS	Charter of the United Nations. Commentary and Documents, hrsg. von Leland M. Goodrich, Edvard Hambro und Anne Patricia Simons, 3. Auflage, New York/London 1969.
CONGRESSIONAL RECORD	Congressional Record. Proceedings and Debates of the 89th Congress, Second Session, Band 112, Teil 16 (August 29, 1966 to September 12, 1966). Proceedings and Debates of the 91st Congress, First Session, Band 115, Teil 27 (November 26, 1969 to December 4, 1969). Proceedings and Debates of the 92nd Congress, First Session, Band 117, Teil 11 (May 6, 1971 to May 14, 1971) und Teil 33 (November 22, 1971 to December 1, 1971), hrsg. vom United States Government Printing Office, Washington D.C. 1966, 1969, 1971.
DBPO	Documents on British Policy Overseas. Serie III, Band I: Britain and the Soviet Union, 1968–1972, hrsg. von G. Bennet und K. A. Hamilton, London 1997.
DEPARTMENT OF STATE BULLETIN	The Department of State Bulletin. The Official Weekly Record of United States Foreign Policy, Washington D.C. 1940 ff.
DEUTSCHES VERMÖGEN IM AUSLAND	Deutsches Vermögen im Ausland. Internationale Vereinbarungen und ausländische Gesetzgebung. Mit Unterstützung des Bundesministeriums der Finanzen, des Bundesministeriums für Wirtschaft, des Bundesministeriums für den Marschallplan und der Bank Deutscher Länder, hrsg. vom Bundesministerium der Justiz, bearbeitet von Otto Böhmer, Konrad Duden und Hermann Jansen, Köln 1951.
DOCUMENTI DIPLOMATICI ITALIANI	I Documenti Diplomatici Italiani. 10. Serie (1943–1948), Bd. I: 09. September 1943–11. Dezember 1944, hrsg. vom Ministero degli Affari Esteri, Rom 1972.

DOCUMENTS ON DISARMAMENT	Documents on Disarmament, hrsg. von der United States Arms Control and Disarmament Agency, Washington D.C. 1960 ff.
DOCUMENTS OF THE UN CONFERENCE	Documents of the United Nations Conference on International Organization, San Francisco 1945. Vol. VI: Commission I, General Provisions, hrsg. von den United Nations Information Organizations, London/New York 1945.
DOKUMENTE DER SED IX	Dokumente der Sozialistischen Einheitspartei Deutschlands. Beschlüsse und Erklärungen des Zentralkomitees sowie seines Politbüros und seines Sekretariats, Band IX, hrsg. vom Zentralkomitee der Sozialistischen Einheitspartei Deutschlands, Berlin [Ost] 1965.
DOKUMENTE DES GETEILTEN DEUTSCHLAND	Dokumente des geteilten Deutschland. Quellentexte zur Rechtslage des Deutschen Reiches, der Bundesrepublik Deutschland und der Deutschen Demokratischen Republik. Band 1, hrsg. von Ingo von Münch, 2. Auflage, Stuttgart 1976.
DOKUMENTE ZUR BERLIN-FRAGE 1944–1966	Dokumente zur Berlin-Frage 1944–1966, hrsg. vom das Forschungsinstitut der Deutschen Gesellschaft für Auswärtige Politik e.V., Bonn, in Zusammenarbeit mit dem Senat von Berlin, 3. Auflage, München 1967.
DOKUMENTE ZUR BERLIN-FRAGE 1967–1986	Dokumente zur Berlin-Frage 1967–1986, hrsg. für das Forschungsinstitut der Deutschen Gesellschaft für Auswärtige Politik e.V., Bonn, in Zusammenarbeit mit dem Senat von Berlin von Hans Heinrich Mahnke, München 1987.
DRITTER GESAMTBERICHT 1969	Dritter Gesamtbericht über die Tätigkeit der Gemeinschaften 1969, hrsg. von der Kommission der Europäischen Gemeinschaften, Brüssel 1970.
DzD I	Dokumente zur Deutschlandpolitik. I. Reihe: Vom 3. September 1939 bis 8. Mai 1945. Band 3: 1. Januar bis 31. Dezember 1942. Britische Deutschlandpolitik, hrsg. vom Bundesministerium für innerdeutsche Beziehungen, bearbeitet von Rainer A. Blasius, Frankfurt am Main 1989.
DzD II	Dokumente zur Deutschlandpolitik. II. Reihe: Vom 9. Mai 1945 bis 4. Mai 1955. Band 1: Die Konferenz von Potsdam, 3 Teilbände, hrsg. vom Bundesministerium des Innern, bearbeitet von Gisela Biewer, Neuwied/Frankfurt am Main 1992. Band 2: Die Konstituierung der Bundesrepublik Deutschland und der Deutschen Demokratischen Republik. 7. September bis 31. Dezember 1949, 2 Teilbände, hrsg. vom Bundesministerium des Innern unter Mitwirkung

Literaturverzeichnis

	des Bundesarchivs, bearbeitet von Hanns Jürgen Küsters unter Mitarbeit von Daniel Hofmann, München 1996. Band 3: 1. Januar bis 31. Dezember 1950, 2 Teilbände, hrsg. vom Bundesministerium des Innern unter Mitwirkung des Bundesarchivs, bearbeitet von Hanns Jürgen Küsters, Daniel Hofmann und Carsten Tessmer, München 1997.
DzD III	Dokumente zur Deutschlandpolitik. III. Reihe: Vom 5. Mai 1955 bis 9. November 1958. 4 Bände, hrsg. vom Bundesministerium für gesamtdeutsche Fragen, Frankfurt am Main 1961–1969.
DzD IV	Dokumente zur Deutschlandpolitik. IV. Reihe: Vom 10. November 1958 bis 30. November 1966. 12 Bände, hrsg. vom Bundesministerium für innerdeutsche Beziehungen, Frankfurt am Main 1971–1981.
DzD V	Dokumente zur Deutschlandpolitik. V. Reihe: Vom 1. Dezember 1966 bis 20. Oktober 1969. Band 1: 1. Dezember 1966 bis 31. Dezember 1967, 2 Teilbände. Band 2: 1. Januar bis 31. Dezember 1968, 2 Teilbände, hrsg. vom Bundesministerium für innerdeutsche Beziehungen, bearbeitet von Gisela Oberländer, Frankfurt am Main 1984 bzw. 1987.
EHMKE, Mittendrin	Horst Ehmke, Mittendrin. Von der Großen Koalition zur Deutschen Einheit, Berlin 1994.
EUROPA-ARCHIV	Europa-Archiv, Zeitschrift für Internationale Politik, Bonn 1946–1994.
EUROPA YEARBOOK	The Europa Yearbook 1972. A world survey. Volume 1: International Organizations, Europe, Volume 2: Africa, The Americas, Asia, Australasia, London 1972.
FALIN, Erinnerungen	Valentin Falin, Politische Erinnerungen, München 1993.
FRUS 1961–1963	Foreign Relations of the United States 1961–1963. Band VI: Kennedy–Khrushchev Exchanges, Washington D.C. 1998.
FRUS 1969–1976	Foreign Relations of the United States 1969–1976. Band III: Foreign Economic Policy, 1969–1972, International Monetary Policy, 1969–1972, Washington D.C. 2001.
DE GAULLE, Mémoires de guerre	Charles de Gaulle, Mémoires de guerre. Band 2: L'Unité 1942–1944, Paris 1956.
GEMEINSAMES MINISTERIALBLATT	Gemeinsames Ministerialblatt, hrsg. vom Bundesministerium des Innern, Berlin/Köln 1950ff.

GESETZBLATT DER DDR	Gesetzblatt der Deutschen Demokratischen Republik, Berlin [Ost] 1949 ff.
GESETZ- UND VERORDNUNGSBLATT FÜR BERLIN	Gesetz- und Verordnungsblatt für Berlin, hrsg. vom Senator für Justiz, Berlin 1951 ff.
HANDBUCH DER VEREINTEN NATIONEN	Handbuch der Vereinten Nationen, hrsg. von Prof. Dr. Rüdiger Wolfrum, 2. Auflage, München 1991.
HANSARD, Commons	The Parliamentary Debates (Hansard). House of Commons, Official Report. Fifth Series. Band 834 (Session 1971–1972), London 1972.
HOHLFELD, Dokumente	Dokumente der Deutschen Politik und Geschichte von 1848 bis zur Gegenwart. Band IV: Die Zeit der nationalsozialistischen Diktatur 1933–1945. Aufbau und Entwicklung 1933–1938, hrsg. von Johannes Hohlfeld, Berlin/München 1953.
HONECKER, Reden	Erich Honecker, Reden und Aufsätze. Band 1 und 2. hrsg. vom Institut für Marxismus-Leninismus beim ZK der SED, Berlin [Ost] 1975.
INTERNATIONAL TELECOMMUNICATION CONVENTION	International Telecommunication Convention. Final Protocol to the Convention, Montreux 1965, hrsg. vom General Secretariat of the International Telecommunication Union, Geneva 1969.
JOURNAL OFFICIEL ASSEMBLÉE NATIONALE	Journal Officiel de la République Française. Débats parlementaires, Assemblée Nationale, Paris 1947 ff.
KEWORKOW, Kanal	Wjatscheslaw Keworkow, Der geheime Kanal, Moskau, der KGB und die Bonner Ostpolitik, Berlin 1995.
KISSINGER, Memoiren	Henry A. Kissinger, Memoiren 1968–1973, München 1979.
LEAGUE OF NATIONS, OFFICIAL JOURNAL	League of Nations, Official Journal, Genf 1922 ff.
LNTS	League of Nations Treaty Series. Publication of Treaties and International Engagements registered with the Secretariat of the League, hrsg. vom Publications Sales Department of the League of Nations, Genf 1920–1946.
MENDÈS FRANCE, Oeuvres	Pierre Mendès France, Oeuvres complètes, Band V: Préparer l'avenir 1963–1973, Paris 1989.
MOSKAU–BONN	Moskau–Bonn, Die Beziehungen zwischen der Sowjetunion und der Bundesrepublik Deutschland 1955–1973. Dokumentation, hrsg. und eingeleitet von Boris Meissner, Köln 1975.
MÜNCH, Völkerrecht	Ingo von Münch, Völkerrecht, Berlin 1971.

Literaturverzeichnis

NATO FINAL COMMUNIQUES	Texts of Final Communiques 1949–1974, issued by Ministerial Sessions of the North Atlantic Council, the Defence Planning Committee and the Nuclear Planning Group, Brüssel o. J.
NORDEN, Fragen	Albert Norden, Fragen des Kampfes gegen den Imperialismus, hrsg. von der Abteilung Propaganda des ZK der SED, Berlin [Ost] 1972.
OLYMPIC RULES	Olympic Rules, hrsg. vom International Olympic Committee, Lausanne 1971.
PARKINSON, Parkinson neues Gesetz	C. Northcote Parkinson, Parkinsons neues Gesetz, 2. Auflage, Düsseldorf/Wien 1982.
PARTEIPROGRAMME	Parteiprogramme. Grundsatzprogramatik und aktuelle politische Ziele von SPD, CDU, CSU, FDP, DKP, NPD, hrsg. von Siegfried Hergt, 9. Auflage, Leverkusen-Opladen 1976.
LA POLITIQUE ETRANGÈRE	La Politique Etrangère de la France. Textes et Documents. 1971 (2 Teilbände), 1972 (2 Teilbände), hrsg. vom Ministère des Affaires Etrangères, Paris 1972–1973.
PREUSSISCHE GESETZESSAMMLUNG 1929	Preußische Gesetzessammlung 1929, hrsg. vom Preußischen Staatsministerium, Berlin 1929.
PROGRAMMATISCHE DOKUMENTE	Programmatische Dokumente der Nationalen Front des demokratischen Deutschland, hrsg. und eingeleitet von Helmut Neef, Berlin [Ost] 1967.
PUBLIC PAPERS, NIXON	Public Papers of the Presidents of the United States. Richard Nixon. Containing the Public Messages, Speeches and Statements of the President. January 20 to December 31, 1969. 1970. 1971. 1972, Washington D.C. 1970–1974.
REICHSGESETZBLATT	Reichsgesetzblatt, hrsg. vom Reichsministerium des Innern, Berlin 1901, 1905, 1910, 1911, 1913 bzw. 1919–1945.
REPORT	Report of the United Nations Conference on the Human Environment, Stockholm, 5–16 June 1972, hrsg. von den United Nations, New York 1973.
RULES OF PROCEDURE	Rules of Procedure of the General Assembly (embodying amendments and additions adopted by the General Assembly up to 31 December 1971), hrsg. von den United Nations, New York 1972.
SAHM, Diplomaten	Ulrich Sahm, Diplomaten taugen nichts. Aus dem Leben eines Staatsdieners, Düsseldorf 1994.
SAHM, Erinnerungen	Heinrich Sahm, Erinnerungen aus meinen Danziger Jahren 1919–1930, Marburg 1955.

SCHAPS-ABRAHAM, Seerecht	Schaps-Abraham, Das Deutsche Seerecht. Kommentar und Materialsammlung, dritte umgearbeitete und erweiterte Auflage von Hans-Jürgen Abraham, Band 2, Berlin 1962.
SCHEEL, Reden	Walter Scheel, Reden und Interviews, hrsg. vom Presse- und Informationsamt der Bundesregierung, München 1972.
SCHRÖDER, Mission	Gerhard Schröder, Mission ohne Auftrag. Die Vorbereitung der diplomatischen Beziehungen zwischen Bonn und Peking, Bergisch Gladbach 1988.
SCHUSCHNIGG, Kampf	Kurt von Schuschnigg, Im Kampf gegen Hitler. Die Überwindung der Anschlussidee, Wien/München/Zürich 1969.
SECURITY COUNCIL, OFFICIAL RECORDS, SUPPLEMENTS	United Nations, Security Council, Official Records, Supplements, hrsg. von den United Nations, New York 1946 ff.
SICHERHEIT UND ZUSAMMENARBEIT	Sicherheit und Zusammenarbeit in Europa (KSZE). Analyse und Dokumentation, hrsg. von Hans-Adolf Jacobsen, Wolfgang Mallmann und Christian Meier, Köln 1973.
SPAAK, Memoiren	Paul-Henri Spaak, Memoiren eines Europäers, Hamburg 1969.
SPD JAHRBUCH 1970-1972	Jahrbuch 1970–1972 SPD, hrsg. vom Vorstand der Sozialdemokratischen Partei Deutschlands, Bonn 1973.
TEXTE ZUR DEUTSCHLANDPOLITIK	Texte zur Deutschlandpolitik, hrsg. vom Bundesministerium für innerdeutsche Beziehungen, Bd. 9: 4. September 1971–8. Februar 1972, Bonn 1972. Bd. 11: 2. Juni 1972–22. Dezember 1972, Bonn 1973.
ÜBERFALL	Der Überfall auf die israelische Olympiamannschaft. Dokumentation der Bundesregierung und des Freistaates Bayern, hrsg. vom Presse- und Informationsamt der Bundesregierung, Bonn 1972.
UN GENERAL ASSEMBLY, 27th Session, Plenary Meetings	United Nations. Official Records of the General Assembly. Twenty-Seventh Session. Plenary Meetings. Verbatim Records of Meetings. 19 September–19 December 1972, 3 Bände, New York 1976.
UNITED KINGDOM TREATY SERIES	United Kingdom Treaty Series Nr. 56 (1947), London [1947]; Nr. 15 (1948), London [1948].
UNITED NATIONS RESOLUTIONS I	United Nations Resolutions. Series I: Resolutions Adopted by the General Assembly, hrsg. von Dusan J. Djonovich, New York 1972 ff.

UNITED NATIONS RESOLUTIONS II	United Nations Resolutions. Series II: Resolutions and Decisions Adopted by the Security Council, hrsg. von Dusan J. Djonovich, New York 1988 ff.
UNTS	United Nations Treaty Series. Treaties and International Agreements. Registered or Filed and Recorded with the Secretariat of the United Nations, [New York] 1946/1947 ff.
VEDOMOSTI VERCHONOGO SOVETA	Vedomosti Verchovnogo Soveta Sojuza Sovetskich Socialističeskich Respublik, Moskau 1954 ff.
VERORDNUNGSBLATT FÜR GROSS-BERLIN 1950	Verordnungsblatt für Groß-Berlin, hrsg. vom Magistrat von Groß-Berlin, Berlin 1950.
VIERTER GESAMTBERICHT	Vierter Gesamtbericht über die Tätigkeit der Gemeinschaften 1970, hrsg. von der Kommission der Europäischen Gemeinschaften, Brüssel 1970.
WELTPOSTHANDBUCH	Weltposthandbuch. Verträge des Weltpostvereins, Tokio 1969, hrsg. und bearbeitet vom Bundesministerium für das Post- und Fernmeldewesen, Berlin 1971.
WISCHNEWSKI, Leidenschaft	Hans-Jürgen Wischnewski, Mit Leidenschaft und Augenmaß. In Mogadischu und anderswo. Politische Memoiren, München 1989.
WÖRTERBUCH DES VÖLKERRECHTS	Wörterbuch des Völkerrechts. 3 Bände, begr. von Karl Strupp, hrsg. von Dr. iur. Hans-Jürgen Schlochauer, 2. Auflage, Berlin 1960–1962.
YEARBOOK OF THE UNITED NATIONS	Yearbook of the United Nations. 1947–48, hrsg. vom Department of Public Information. United Nations, New York 1949. 1972, hrsg. vom Office of Public Information, United Nations, New York 1974.
ZEHN JAHRE DEUTSCHLANDPOLITIK	Zehn Jahre Deutschlandpolitik. Die Entwicklung der Beziehungen zwischen der Bundesrepublik Deutschland und der Deutschen Demokratischen Republik 1969–1979. Bericht und Dokumentation, hrsg. vom Bundesministerium für innerdeutsche Beziehungen, [Melsungen] 1980.

Abkürzungsverzeichnis

AA	Auswärtiges Amt	BGS	Bundesgrenzschutz
ABC-Waffen	atomare, biologische und chemische Waffen	BK	Bundeskanzler
		BKA	Bundeskanzleramt
ABM	Anti-Ballistic Missile	BKC/L	Berlin Kommandatura Commandant/Letter
Abt.	Abteilung		
AD	Alliance Defense	BK/L	Berlin Kommandatura/ Letter
ADN	Allgemeiner Deutscher Nachrichtendienst		
		BK/O	Berlin Kommandatura/ Order
ADR	Accord européen relatif au transport international des marchandises dangereuses par route	BM	Bundesminister/ium
		BMB	Bundesminister/ium für innerdeutsche Beziehungen
AFP	Agence France Press		
AIM	Accord concernant le transport international des marchandises par chemins de fer	BMBW	Bundesminister/ium für Bildung und Wissenschaft
		BMF	Bundesminister/ium der Finanzen
AIV	Accord concernant le transport international des voyageurs et des bagages par chemin de fer	BMI	Bundesminister/ium des Innern
		BMJ	Bundesminister/ium der Justiz
AM	Außenminister		
Anl./Anlg.	Anlage/Anlagen	BMV	Bundesminister/ium für Verkehr
ARD	Arbeitsgemeinschaft der öffentlich-rechtlichen Rundfunkanstalten der Bundesrepublik Deutschland	BMV(t)g	Bundesminister/ium der Verteidigung
		BMWF	Bundesminister/ium für Wirtschaft und Finanzen
AP	Associated Press	BMWi	Bundesminister/ium für Wirtschaft
AUA	Austrian Airlines		
AVV	Allgemeiner Verkehrsvertrag	BMZ	Bundesminister/ium für wirtschaftliche Zusammenarbeit
AZ	Aktenzeichen	BND	Bundesnachrichtendienst
B	Belgien	BPA	Presse- und Informationsamt der Bundesregierung
BDI	Bundesverband der deutschen Industrie		
		BR I	Botschaftsrat I. Klasse
BDKJ	Bund der Kommunisten Jugoslawiens	BRD	Bundesrepublik Deutschland
BEG	Bundesentschädigungsgesetz	BSP	Bruttosozialprodukt

Abkürzungsverzeichnis

BSR	Bundessicherheitsrat	DEG	Deutsche Entwicklungsgesellschaft
BT	Bundestag	Dg	(Ministerial-)Dirigent
CCD	Conference of the Committee on Disarmament	DGB	Deutscher Gewerkschaftsbund
CCMS	Committee on the Challenges of modern Society	DK	Dänemark
CDU	Christlich-Demokratische Union Deutschlands	DKP	Deutsche Kommunistische Partei
CETS	Conférence Européenne de Télécommunications par Satellites	DLV	Deutscher Leichtathletik-Verband
		DM	Deutsche Mark
ChVN	Charter der Vereinten Nationen	dpa	Deutsche Presseagentur
CIA	Central Intelligence Agency	DPC	Defense Planning Committee
CIM	Convention internationale concernant le transport des marchandises par chemins de fer	D Pol	Direktor Politische Abteilung
		DPQ	Defense Planning Questionnaire
CIO	Comité International Olympique	DRK	Deutsches Rotes Kreuz
		DRV	Demokratische Republik Vietnam
CIV	Convention internationale concernant le transport des voyageurs et des bagages par chemins de fer	DSB	Deutscher Sport-Bund
		DSF	Gesellschaft für deutsch-sowjetische Freundschaft
CM	Council of Ministers	DTSB	Deutscher Turn- und Sport-Bund
CND	Canada		
COMECON	Council for Mutual Economic Aid/Assistance	DVP	Deutsche Volkspartei (Baden-Württemberg)
CSCE	Conference on Security and Cooperation in Europe	EAG	Europäische Atomgemeinschaft
ČSR	Československá Republika	ECE	Economic Commission for Europe
ČSSR	Československá Socialistická Republika	ECOSOC	Economic and Social Council
CSU	Christlich-Soziale Union	EDIP	European Defense Improvement Program
D	(Ministerial-)Direktor		
DAI	Deutsches Archäologisches Institut	EFTA	European Free Trade Association
DB	Drahtbericht	EG	Europäische Gemeinschaften
DDR	Deutsche Demokratische Republik		
DE	Drahterlaß	EGKS	Europäische Gemeinschaft für Kohle und Stahl

ELDO	European Space Vehicle Launcher Development Organization	GRT	General Relations Treaty
		GUPA	Generalunion Palästinensischer Arbeiter
EP	Europa-Parlament	GUPS	Generalunion Palästinensischer Studenten
ESC	European Space Conference		
		GV	Gewaltverzicht bzw. Grundlagenvertrag
ESF	Europäischer Sozialfond		
ESRO	European Space Research Organization	HMG	Her Majesty's Government
		I	Italien
EURATOM	Europäische Atomgemeinschaft	IAA	Internationales Arbeitsamt
		IAEO	Internationale Atomenergieorganisation
EWG	Europäische Wirtschaftsgemeinschaft		
		ICAO	International Civil Aviation Organization
Ex.	Exemplar		
FAO	Food and Agriculture Organization	ICBM	Intercontinental Ballistic Missile
FAZ	Frankfurter Allgemeine Zeitung	IDB	Interamerican Development Bank
FBS	Forward Based Systems	IFA	Industrieverwaltung Fahrzeugbau
FCO	Foreign and Commonwealth Office		
		IGH	Internationaler Gerichtshof
FDGB	Freier Deutscher Gewerkschaftsbund		
		IGV	Internationale Gesundheitsvorschriften
FDP	Freie Demokratische Partei		
		IHK	Industrie- und Handelskammer
FLA	Force Limitation Agreement		
		IKRK	Internationales Komitee vom Roten Kreuz
FRG	Federal Republic of Germany		
		ILO	International Labour Office/Organization
FS	Fernschreiben		
FÜ S	Führungsstab der Streitkräfte	IMCO	Intergovernmental Maritime Consultative Organization
GATT	General Agreement on Tariffs and Trade	IOC	International Olympic Committee
GB	Great Britain	IPU	Interparlamentarische Union
GDR	German Democratic Republic		
		IRA	Irish Republican Army
geh.	geheim	IRBM	Intermediate-Range Ballistic Missile
GG	Grundgesetz		
GK	Generalkonsul bzw. Gipfelkonferenz	IRK	Internationales Rotes Kreuz

Abkürzungsverzeichnis

ITU	International Telecommunication Union	Mio.	Million/en
IWS	Internationales Währungssystem	MIRV	Multiple Independently Targetable Reentry Vehicles
IWF	Internationaler Währungsfonds	MITI	Ministerium für Internationalen Handel und Industrie
KfW	Kreditanstalt für Wiederaufbau	MLBM	Modern Large Ballistic Missile
KH	Kapitalhilfe	MM	Mittelmeer
KPČ	Kommunistische Partei der ČSSR	MMK	Mittelmeerkonferenz
KPD	Kommunistische Partei Deutschlands	MR	Ministerialrat
		MRBM	Medium-Range Ballistic Missile
KPdSU	Kommunistische Partei der Sowjetunion	MRCA	Multi Role Combat Aircraft
KPI	Kommunistische Partei Italiens	Mrd.	Milliarde/n
KSE	Konferenz für Sicherheit in Europa	MV	Multilaterale Vorbereitung/Vorgespräche
KSZE	Konferenz für Sicherheit und Zusammenarbeit in Europa	NASA	National Aeronautics and Space Administration
		NATO	North Atlantic Treaty Organization
KZ	Konzentrationslager	ND	Neues Deutschland
L	Luxemburg	NfD	Nur für den Dienstgebrauch
LPl	Leiter Planungsstab		
LR I	Legationsrat I. Klasse	NL	Niederlande
LS	Legationssekretär	NOK	Nationales Olympisches Komitee
LSA	Londoner Schuldenabkommen	NPD	Nationaldemokratische Partei Deutschlands
LV	Landesvertretung		
MB	Ministerbüro	NPG	Nuclear Planning Group/Nukleare Planungsgruppe
MBFR	Mutual and Balanced Force Reduction		
MC	Military Committee	NS	Nationalsozialismus
MCG	Military Commando Group	NV	Nichtverbreitung
MD	Ministerialdirektor	NVA	Nationale Volksarmee
MdB	Mitglied des Bundestages	NVV	Nichtverbreitungsvertrag
MDg	Ministerialdirigent	OAE	Organisation der afrikanischen Einheit
MfAA	Ministerium für Auswärtige Angelegenheiten	OAS	Organization of American States

OECD	Organization for Economic Cooperation and Development	RIC	Regolamento internazionale Carozzo
OK	Olympisches Komitee	RID	Règlement international concernant le transport des marchandises dangereuses par chemin de fer
ONU	Organisation des Nations Unies		
OUA	Organisation de l'Unité africaine	RIV	Regolamento Internazionale Veicoli
PAL	Phase Alternating Line	RK	Rotes Kreuz
PD	Politische(r) Direktor/en	RL	Radio Liberty
PEN	International Association of Poets, Playwrights, Editors, Essayists and Novelists	SACEUR	Supreme Allied Commander Europe
		SALT	Strategic Arms Limitation Talks
PIH	Protokoll über den innerdeutschen Handel	SAM	Sowjetisches Außenministerium bzw. Surface-to-Air Missile
PIM	Prescriptions internationales colis express	SAS	Scandinavian Airlines Systems
PIV	Prescriptions communes d'execution pour le transport des voyageurs et des bagages en service international	SBZ	Sowjetische Besatzungszone
		SECAM	Système en couleur avec mémoire
PK	Politisches Komitee	SED	Sozialistische Einheitspartei Deutschlands
PM	Premierminister		
PRK	Polnisches Rotes Kreuz	SF	Sozialistische Volkspartei (Dänemark)
Prot.	Protokoll		
PStS	Parlamentarischer Staatssekretär	SFB	Sender Freies Berlin
		SHAPE	Supreme Headquarters Allied Powers Europe
PVAP	Polnische Vereinigte Arbeiterpartei	SHB	Sozialdemokratischer Hochschulbund
PZ	Politische Zusammenarbeit	SKWT	Sowjetisches Staatskomitee für Wissenschaft und Technik
RA	Rechtsanwalt		
R.D.A.	République Démocratique Allemande		
		SL	Sudetendeutsche Landsmannschaft
R.F.A.	République Fédérale d'Allemagne	SLBM	Shiplaunched Ballistic Missile
RFE	Radio Free Europe	SPC	Senior Political Committee
RGW	Rat für gegenseitige Wirtschaftshilfe	SPD	Sozialdemokratische Partei Deutschlands
RIAS	Radio in the American Sector	SR	Sicherheitsrat

Abkürzungsverzeichnis

SS	Schutzstaffel	UNIDO	United Nations Industrial Development Organization
SS	Surface to Surface [Missile]	UNO	United Nations Organization
str.geh.	streng geheim		
StS	Staatssekretär	UPI	United Press International
SU	Sowjetunion	UPU	Union Postale Universelle
SUN	Satzung der United Nations	US	United States
SVN	Satzung der Vereinten Nationen	USA	United States of America
		USSR	Union of Socialist Soviet Republics
SZR	Sonderziehungsrechte		
TA	Transitabkommen	VAE	Vereinigte Arabische Emirate
TASS	Telegrafnoe Agentstvo Sovetskogo Sojuza	VAR	Vereinigte Arabische Republik
Tgb.	Tagebuch	VE	Verrechnungseinheit bzw. Vierer-Erklärung
TIR	Transport international des marchandises par la route		
		VEB	Volkseigener Betrieb
TO	Tagesordnung	VLR I	Vortragender Legationsrat I. Klasse
TR	Türkei		
TSI	Treuhandstelle für den Interzonenhandel	VME	Vier-Mächte-Erklärung
		VMR	Vier-Mächte-Rechte
TTD	Temporary Travel Document	VN	Vereinte Nationen
		VR	Volksrepublik
UAR	United Arab Republic	VRCh	Volksrepublik China
UdSSR	Union der Sozialistischen Sowjetrepubliken	VRB	Völkerrechtsberater des Auswärtigen Amts
UIT	Union Internationale des Télécommunications	VRV	Vier-Mächte-Rechte und -Verantwortlichkeiten
UK	United Kingdom	VS	Verschlußsache
UN	United Nations	VS-v	VS-vertraulich
UNCTAD	United Nations Conference on Trade and Development	VV	Vollversammlung
		WDR	Westdeutscher Rundfunk
UNDP	United Nations Development Programme	WEU	Westeuropäische Union
		WG	Wiedergutmachung
UNESCO	United Nations Educational, Scientific and Cultural Organization	WHK	Welthandelskonferenz
		WHO	World Health Organization
UNFICYP	United Nations Peace-Keeping Force in Cyprus	WP	Warschauer Pakt
UNICEF	United Nations Children's Fund	WMO	World Meteorological Organization

WWU	Wirtschafts- und Währungsunion	z.g.K.	zur gefälligen Kenntnisnahme
z.b.V.	zur besonderen Verwendung	ZK	Zentralkomitee
ZDF	Zweites Deutsches Fernsehen		

Dokumente

1

Aufzeichnung der Ministerialdirektoren Herbst und von Staden

III E 1-81.00/0 VS-NfD
I A 1-80.00/0

5. Januar 1972[1]

Betr.: Institutionelle Entwicklung der Europäischen Gemeinschaften und der Zusammenarbeit der Mitgliedstaaten

I. Die Ausgangslage

1) Die gegenwärtige Lage der Diskussion über die institutionelle Entwicklung ist dadurch gekennzeichnet,

– daß einerseits unter den Sechs Einvernehmen über das Ziel eines „vereinten Europa" besteht, das „seine Verantwortung in der Welt von morgen übernehmen kann" (Haager Kommuniqué)[2], das „mit einer Stimme" sprechen soll (Luxemburger Bericht)[3] und von einer parlamentarisch kontrollierten Europäischen Regierung geführt wird (Präsident Pompidou am 21.1.1971[4], Bundeskanzler am 23.2.1971[5]),

---

[1] Die Aufzeichnung wurde von Vortragendem Legationsrat I. Klasse Ruyter und von den Vortragenden Legationsräten Massion und Steger konzipiert.
Hat Bundesminister Scheel vorgelegen, der Gesandten Poensgen um Rücksprache bat und handschriftlich vermerkte: „Für Konsultationen Paris 10./11.2."
Hat Staatssekretär Frank vorgelegen.

[2] Am 1./2. Dezember 1969 fand in Den Haag eine Konferenz der Staats- und Regierungschefs der EG-Mitgliedstaaten statt. In Ziffer 3 des Kommuniqués wurde ausgeführt, daß die Europäischen Gemeinschaften an einem „Wendepunkt ihrer Geschichte" angelangt seien: „Der Eintritt in die Endphase des Gemeinsamen Marktes heißt ja nicht nur die Unumstößlichkeit des bisher von den Gemeinschaften Erreichten anerkennen, sondern einem vereinten Europa den Weg bahnen, das seine Verantwortung in der Welt von morgen übernehmen und den Beitrag leisten kann, der seiner Tradition und Aufgabe entspricht." Vgl. EUROPA-ARCHIV 1970, D 43.
Zur Konferenz in Den Haag vgl. ferner AAPD 1969, II, Dok. 385.

[3] Am 27. Oktober 1970 wurde in Luxemburg der Bericht der Außenminister der EG-Mitgliedstaaten vom 20. Juli 1970 über mögliche Fortschritte auf dem Gebiet der politischen Einigung (Davignon-Bericht) verabschiedet. In Ziffer 8 des Ersten Teils wurde festgestellt: „Die praktische Durchführung der bereits verfolgten oder im Werden begriffenen gemeinsamen Politik in bestimmten Teilbereichen erfordert entsprechende Entwicklungen im eigentlichen politischen Bereich, um den Zeitpunkt näherzurücken, in dem Europa mit einer Stimme sprechen kann; darum ist es wichtig, den Bau Europas in aufeinanderfolgenden Stufen zu betreiben und nach und nach die geeignetste Methode und die geeignetsten Instrumente zu entwickeln, die ein gemeinsames politisches Vorgehen ermöglichen." Vgl. EUROPA-ARCHIV 1970, D 521.

[4] Korrigiert aus: „21.1.1970".
Staatspräsident Pompidou führte am 21. Januar 1971 auf einer Pressekonferenz in Paris aus: „Dernière question qui me vient à l'esprit, c'est celle de l'Assemblée parlementaire. Eh bien, il me paraît évident que le jour où il y aura un véritable gouvernement européen il faudra qu'il y ait un véritable parlement européen. Cela posera d'ailleurs de nombreuses questions, ne serait-ce qu'à cause des opinions et des habitudes différentes qui existent dans les différents pays de la Communauté, quant aux rapports entre Gouvernement et Parlement. Mais, en attendant, les spéculations sur l'Assemblée parlementaire européenne me paraissent complètement inutiles. On ne peut imaginer d'accroître considérablement ses pouvoirs que lorsqu'il y aura apparition d'un véritable pouvoir exécutif en face d'elle." Vgl. LA POLITIQUE ETRANGÈRE 1971, I, S. 53f. Für den deutschen Wortlaut vgl. EUROPA-ARCHIV 1971, D 133.

[5] Bundeskanzler Brandt erklärte am 23. Februar 1971 vor dem „Aktionskomitee für die Vereinigten Staaten von Europa" (Monnet-Komitee): „Wenn ich an den zuweilen etwas abstrakten Meinungs-

– daß andererseits sowohl die Anhänger eines bundesstaatlich als auch die Verfechter eines konföderal strukturierten vereinten Europas darauf verzichten, eine geschlossene und detaillierte Konzeption für das Endziel und für den Übergang dorthin vorzulegen.

2) Institutionelle Fragen der Zusammenarbeit in Westeuropa werden, nachdem die Grundsatzentscheidungen über die Erweiterung sowie über das Realignment inzwischen gefallen sind, eine stetig wachsende Rolle spielen. Die Gründe hierfür sind vielfältig:

In den Europäischen Gemeinschaften geht es darum

– unter Beachtung der Notwendigkeit, den von den neuen Mitgliedern formell akzeptierten „acquis communautaire" zu sichern, Verfahren zur Straffung der Arbeit in einer sich weiter entwickelnden erweiterten Gemeinschaft einzuführen,

– eine Klärung der umstrittenen institutionellen Organisation der „neuen Gebiete" herbeizuführen, die – ohne im Vertrag[6] geregelt zu sein – in einem direkten sachlichen Zusammenhang zu den Gemeinschaftsmaterien stehen.

Im Rahmen der politischen Zusammenarbeit sind nicht nur durch strukturelle Verbesserungen und eine Heranführung der politischen Zusammenarbeit an die EG Fortschritte anzustreben, um die Grundlage für eine Interaktion zwischen der PZ und den EG zu schaffen, sondern wir stehen auch vor der Aufgabe, bis Ende 1972 einen weiteren Bericht vorzulegen, in dem Fortschritte in Richtung auf die „Politische Union" aufzuweisen sein werden.[7]

In der öffentlichen Meinung gewinnt die Auffassung an Raum, daß am Vorabend der Erweiterung der Europäischen Gemeinschaften, am Vorabend aber auch einer gesamteuropäischen Konferenz für Sicherheit und Zusammenarbeit

---

Fortsetzung Fußnote von Seite 3

streit denke, den Föderalisten und Konföderalisten in vergangenen Jahren ausgetragen haben, so scheint mir eine stärkere Hinwendung zum eigentlichen Ziel feststellbar zu sein: Wie immer die Zuständigkeiten abgegrenzt werden – und dabei mögen sogar Erfahrungen einzubringen sein, die wir in der Bundesrepublik mit dem in der Verfassung verankerten Instrument der ‚konkurrierenden Gesetzgebung' gemacht haben –, das Ziel ist doch offensichtlich eine vernünftig organisierte europäische Regierung, die auf den Gebieten der gemeinsamen Politik die erforderlichen Entscheidungen treffen kann und deren Amtsführung parlamentarisch kontrolliert wird." Vgl. BULLETIN 1971, S. 294.

[6] Für den Wortlaut der Römischen Verträge vom 25. März 1957 vgl. BUNDESGESETZBLATT 1957, Teil II, S. 753–1223.

[7] Im Dritten Teil des am 27. Oktober 1970 auf der EG-Ministerratstagung in Luxemburg verabschiedeten Berichts der Außenminister der EG-Mitgliedstaaten vom 20. Juli 1970 über mögliche Fortschritte auf dem Gebiet der politischen Einigung (Davignon-Bericht) wurde ausgeführt: „1) Um die Kontinuität des begonnenen Werks zu gewährleisten, wollen die Minister weiter prüfen, wie am besten Fortschritte in der politischen Einigung erzielt werden können; sie beabsichtigen, einen zweiten Bericht vorzulegen. 2) Diese Prüfung erstreckt sich auch auf die Verbesserung der außenpolitischen Zusammenarbeit und die Suche nach weiteren Gebieten, auf denen Fortschritte erzielt werden könnten. Sie wird die im Rahmen der Europäischen Gemeinschaften unternommenen Arbeiten berücksichtigen müssen, vor allem solche, die darauf gerichtet sind, deren Strukturen zu festigen und sie erforderlichenfalls auf diesem Wege instand zu setzen, der Ausweitung und Entwicklung ihrer Aufgaben gerecht zu werden." Ziffer 5 sah vor: „Unbeschadet der Möglichkeit, Zwischenberichte vorzulegen, falls sie dies für zweckmäßig halten und der Stand der Untersuchungen es zuläßt, legen die Außenminister ihren zweiten Gesamtbericht spätestens zwei Jahre nach Beginn der außenpolitischen Konsultation vor. Dieser Bericht soll eine Wertung der durch die Konsultation erzielten Ergebnisse enthalten." Vgl. EUROPA-ARCHIV 1970, D 523.

und im Augenblick des Ringens um die Ratifikation der Ostverträge[8] die institutionellen Leitlinien der zukünftigen „Konstruktion Europas" präzisiert werden sollten; hierbei scheint das Gefühl dafür zu wachsen, daß die Zeit über die „klassischen Europa-Vorstellungen" etwa der fünfziger Jahre hinausgegangen ist, weil die politische Dynamik für die Einigung Europas auch in absehbarer Zukunft noch in erster Linie von den nationalen Staaten und damit den Regierungen auszugehen hat. Von einem „europäischen Staatsvolk" sind wir noch weit entfernt.

Auch eine Auseinandersetzung mit den zwar in der Folge nie wirklich präzisierten, aber in ihren Grundtendenzen doch deutlichen Darlegungen des französischen Staatspräsidenten vom 21.1.71 erscheint zumindest insoweit angezeigt, als der besonders von Minister Schumann vertretenen Behauptung, mangels Widerspruchs der Fünf seien Pompidous Äußerungen als Arbeitshypothese akzeptiert und darüber hinaus sei durch die Erweiterung die Entscheidung für eine konföderale Organisationsform gefallen[9], begegnet werden sollte.

Für eine Präzisierung unseres Standpunktes in naher Zukunft sprechen

– unser Interesse an einer frühzeitig anlaufenden Vorbereitung für eine zu erwartende institutionelle Diskussion auf der Gipfelkonferenz der Zehn[10],

---

[8] Für den Wortlaut des Vertrags vom 12. August 1970 zwischen der Bundesrepublik und der UdSSR vgl. BULLETIN 1970, S. 1094.
Für den Wortlaut des Vertrags vom 7. Dezember 1970 zwischen der Bundesrepublik und Polen über die Grundlagen der Normalisierung ihrer gegenseitigen Beziehungen vgl. BULLETIN 1970, S. 1815.
Am 13. Dezember 1971 leitete die Bundesregierung dem Bundesrat die Entwürfe der Ratifikationsgesetze zum Moskauer Vertrag vom 12. August 1970 bzw. zum Warschauer Vertrag vom 7. Dezember 1970 zu. Enthalten waren ein Schreiben des Bundeskanzlers Brandt vom 11. Dezember 1971 an den Präsidenten des Bundesrats, der Entwurf für ein Vorblatt zum Vertragsgesetz, der Entwurf eines Gesetzes zum Moskauer Vertrag vom 12. August 1970 sowie eine dazugehörige Begründung. Ferner wurde eine Denkschrift der Bundesregierung zum Moskauer Vertrag vom 12. August 1970 übermittelt. In zwei Anlagen zu dieser Denkschrift wurden Äußerungen des sowjetischen Außenministers Gromyko vom 29. Juli 1970 gegenüber Bundesminister Scheel hinsichtlich der Anerkennung der Grenzen, der Frage einvernehmlicher Grenzänderungen, der Wiedervereinigung Deutschlands und der Frage eines Interventionsanspruchs veröffentlicht. Die Dokumente zum Warschauer Vertrag vom 7. Dezember 1970 beinhalteten ebenfalls ein Schreiben des Bundeskanzlers Brandt vom 11. Dezember 1971 an den Präsidenten des Bundesrats, ein Vorblatt zum Vertragsgesetz, den Entwurf eines Gesetzes zum Warschauer Vertrag vom 7. Dezember 1970 mit dazugehöriger Begründung sowie eine Denkschrift der Bundesregierung. Für den Wortlaut vgl. BULLETIN 1971, S. 2013–2020.

[9] Nach einem Treffen der Außenminister der EG-Mitgliedstaaten am 1. März 1971 in Brüssel erklärte der französische Außenminister Schumann, daß „der Idee des Staatenbundes keine andere Doktrin entgegengehalten worden sei". Vgl. AAPD 1971, I, Dok. 111.

[10] Die französische Regierung unterbreitete am 18. August 1971 den EG-Mitgliedstaaten sowie den Beitrittskandidaten den Vorschlag, eine Europäische Gipfelkonferenz abzuhalten. Für den Wortlaut des Kommuniqués vgl. LA POLITIQUE ÉTRANGÈRE 1971, II, S. 76 f.
Staatspräsident Pompidou wiederholte diesen Vorschlag auf einer Pressekonferenz am 23. September 1971. Für den Wortlaut vgl. LA POLITIQUE ÉTRANGÈRE 1971, II, S. 121. Für den deutschen Wortlaut vgl. EUROPA-ARCHIV 1971, D 510 f.
Auf der Konferenz der Außenminister der EG-Mitgliedstaaten am 5. November 1971 in Rom sprachen sich alle Teilnehmer „für Abhaltung Gipfelkonferenz im Jahr 1972" aus. Vgl. den Runderlaß des Vortragenden Legationsrats I. Klasse Heimsoeth vom 8. November 1971; Referat I A 1, Bd. 735. Vgl. dazu ferner AAPD 1971, III, Dok. 387.

– die sich bei der deutsch-französischen Gipfelkonsultation im Februar[11] bietende Gelegenheit, in der Perspektive der Gipfelkonferenz die institutionelle Problematik anzusprechen.

II. Elemente eines deutschen Vorschlags

1) Wir machen klar, daß für den institutionellen Aufbau des vereinten Europa aus den Gemeinschaften und aus den außergemeinschaftlichen Bereichen nicht Dogmen, sondern die Handlungsfähigkeit oberstes Ziel ist. Ausgangspunkt für die weitere Entwicklung muß die Sicherung des acquis communautaire in der schwierigen Periode der Erweiterung sein.

2) Der Vokabel „Konföderation" setzen wir die „Politische Union" entgegen und stellen fest, daß wir den Zeitpunkt als gekommen ansehen, in dieser Richtung voranzuschreiten.

3) Wir stellen als erstes wesentliche Fortschritte
– in der Verwirklichung der Materien der EG-Verträge einschließlich der für die Weiterentwicklung getroffenen Optionen,
– in der gemeinschaftsbezogenen Bearbeitung der sogenannten „neuen Gebiete",
– in der Politischen Zusammenarbeit (strukturelle Verbesserungen und Annäherung an die Gemeinschaften)

als notwendige Forderung heraus, wobei wir davon ausgehen, daß institutionelle Neuerungen nicht vor Verwirklichung der Erweiterung eingeführt werden sollten.

4) Wir sind bereit, den Gedanken eines Europaministers[12] aufzugreifen, wenn die damit verbundenen Probleme der innerstaatlichen Organisation und die institutionellen Risiken durch eine Weiterentwicklung der Gemeinschaften und der Politischen Zusammenarbeit aufgewogen werden.

Den in Brüssel ansässigen Europaministern müßte in allen Mitgliedstaaten einvernehmlich als Aufgabe übertragen werden:
– als Ratsmitglieder die Regierungen der Mitgliedstaaten in denjenigen Fragen zu vertreten, deren Aufschub bis zu einem „allgemeinen" oder „Fachministerrat" nicht in Betracht kommt,
– die Gesamtschau der Tätigkeit des „allgemeinen" Rats und der „Fachministerräte" zu gewährleisten,
– den ständigen politischen Dialog mit den Kommissionsmitgliedern, die eine feste Stellung in der Politik ihrer Heimatländer mit Sachkunde in europäi-

---

[11] Für die deutsch-französischen Konsultationsbesprechungen am 10./11. Februar 1972 in Paris vgl. Dok. 28, Dok. 29 und Dok. 31.

[12] Staatspräsident Pompidou führte am 21. Januar 1971 auf einer Pressekonferenz in Paris aus: „Il est possible que dans un temps plus ou moins proche – ou plus ou moins lointain – les gouvernements éprouvent le besoin d'avoir en leur sein des ministres chargés spécialement des questions européennes, ne serait-ce que parce que les questions qui seront débattues à l'échelle européenne seront de plus en plus nombreuses et les réunions de plus en plus fréquentes. On peut même penser ou imaginer, que dans une phase ultime ces ministres n'auront plus que des attributions strictement européennes et ne feront plus partie des gouvernements nationaux." Vgl. LA POLITIQUE ÉTRANGÈRE 1971, I, S. 53. Für den deutschen Wortlaut vgl. EUROPA-ARCHIV 1971, D 132.

schen Angelegenheiten verbinden, sowie mit dem Europäischen Parlament zu sichern,
- die ständige Verbindung in der Tagesarbeit zwischen den EG und der PZ herzustellen. Sowohl die Ständigen Vertreter als auch die in einem „Standing Committee" der Politischen Zusammenarbeit in Brüssel tätigen nationalen Beamten könnten in diesem Rahmen[13] den Europaministern zuarbeiten.

5) Da durch die Einsetzung von Europaministern institutionell gesehen das Gewicht des Rats gestärkt werden würde, sollten parallel vertragskonforme Maßnahmen zu einer Aufwertung der übrigen Organe der Gemeinschaften ergriffen werden.

III. Begründung aus unserer Interessenlage heraus

1) Mit dem Endziel der Integrationspolitik verbinden wir bundesstaatliche Vorstellungen, wobei wir Übergangsphasen in Kauf nehmen. Handlungsfähigkeit und parlamentarische Kontrolle der europäischen Organe müssen gewährleistet sein.

Institutionelle Änderungen oder Gewichtsverlagerungen innerhalb der Europäischen Gemeinschaften, die formell oder materiell die Verträge ändern, erscheinen uns im Zeitpunkt der Erweiterung nicht vertretbar.

Die Entwicklung auf das integrationspolitische Endziel hin muß breit und harmonisch angelegt sein. Einzelne Bereiche der vergemeinschafteten Politik sollten nicht „zurückbleiben". Als Mitgliedsland, in dem im Rahmen der neuen Finanzverfassung auch nach der Erweiterung das Aufkommen an Eigenmitteln der EG am größten ist, haben wir überdies ein auch finanzielles Interesse an der möglichst weitgehenden Einschaltung der Gemeinschaften überall dort, wo gemeinsam Politiken und Arbeiten betrieben werden, die in einem direkten sachlichen Zusammenhang mit Gemeinschaftsmaterien stehen. Aber auch im „politischen Bereich", soweit er außerhalb der Gemeinschaften liegt, müssen wir aus unserer Sicht spätestens mit dem Beginn der Übertragung wirtschafts- und währungspolitischer Kompetenzen auf Gemeinschaftsorgane integrationspolitische Fortschritte erzielen. Deshalb sollten wir uns für die Entwicklung einer „politischen Union" einsetzen, auf die die Gemeinschaften ebenso wie die Politische Zusammenarbeit bereits angelegt sind.

Das wesentlichste Hindernis, an dem die Verhandlungen über die Politische Union von 1961/62 scheiterten[14], ist aus dem Wege geräumt: Großbritannien hat seinen Eintritt nach Europa vollzogen. Auch in anderer Beziehungen ist die außenpolitische Übereinstimmung, die von Frankreich stets als Voraussetzung für einen politischen Zusammenschluß Westeuropas gefordert wurde, heute größer denn je (Übereinstimmung in der Entspannungspolitik gegenüber dem Osten, Abmilderung der Gegensätze in der Politik gegenüber den USA).

---

[13] Die Wörter „in diesem Rahmen" wurden von Ministerialdirektor von Staden handschriftlich eingefügt.
[14] Auf der Konferenz der Außenminister der EWG-Mitgliedstaaten in Paris am 17. April 1962 weigerten sich die Vertreter Belgiens und der Niederlande, dem vorliegenden Vertragsentwurf über eine Europäische Politische Union zuzustimmen, solange Großbritannien der EWG noch nicht beigetreten sei. Vgl. dazu AAPD 1963, I, Dok. 136.

2) Allerdings scheint Frankreich nach der zufriedenstellenden Regelung der für es selbst wichtigen Wirtschaftsfragen im Rahmen der EG für das gemeinsame Vorgehen in allen neuen Gebieten – unabhängig davon, ob sie in einem sachlichen Zusammenhang mit den EG stehen oder nicht – eine möglichst lockere zwischenstaatliche Organisationsform anzustreben. Die Ausschaltung eines von nationalen Weisungen unabhängigen Organs würde die Aufgabe einer wichtigen Errungenschaft der europäischen Nachkriegspolitik und eine Schwächung der übrigen Mitgliedstaaten der EG im Verhältnis zu den durch ständigen Sitz im[15] Sicherheitsrat und durch atomare Waffen privilegierten Partnerstaaten in der erweiterten Gemeinschaft bedeuten.[16]

Die Gipfelkonferenz der Zehn, die in eine für Akzentverschiebungen günstige Periode der Anpassung an neue Bedingungen fällt, könnte die Plattform für den Versuch abgeben, eine nicht in unserem Interesse liegende Weichenstellung vorzunehmen.

3) Wenn wir, um dem angeblichen Mangel an einer deutschen Stellungnahme abzuhelfen, mit einem eigenen Vorschlag hervortreten, so betrachten wir uns nicht als treibende Kraft für institutionelle Veränderungen in den EG oder für eine überstürzte Gipfelkonferenz. Unser Vorschlag schöpft die gegenwärtigen institutionellen Möglichkeiten aus, ohne materiell oder formell die Gemeinschaftsverträge zu ändern. Uns geht es um einen Impuls, der zu Fortschritten nicht nur im Bereich der Gemeinschaften, sondern auch in der europäischen Einigungspolitik im weitesten Sinne führt.

Bei einem deutschen Vorschlag knüpfen wir an das von Frankreich verwendete Vokabular an und entwickeln mit ihm unsere Vorstellungen, wobei – ohne eine Konfrontation zu fördern – deutlich werden muß, wo unsere Grenzen liegen.

Einziger für eine Verwirklichung in absehbarer Zukunft gedachter Bestandteil der Darlegungen von Präsident Pompidou ist der Europaminister. Wir haben – ebenso wie die Regierungen der übrigen EG-Staaten – unsere Reserven bekundet, jedoch als einen ersten Schritt den Gedanken einer Anhebung der beamteten Ständigen Vertreter in den Rang von Staatssekretären geäußert.[17] Wenn wir nun gegenüber dem Gedanken der Konföderation den der „Politischen Union" herausstellen, so gehört zu den ersten Maßnahmen bei der Inangriffnahme einer Politischen Union die Gewährleistung der Verbindung zwischen der Politischen Zusammenarbeit und den Europäischen Gemeinschaften in der Tagesarbeit. Für die Wahrnehmung dieser Verbindungsaufgabe – in Vertretung des Außenministers – wäre die Berufung eines Europaministers im Auswärtigen Amt gerechtfertigt. Dabei wäre darauf zu achten, daß der der Politischen Zusammenarbeit eigentümliche Vorteil, die außenpolitischen Administrationen in direkten Kontakt zu bringen und hierdurch eine gemeinsame Willensbildung zu erreichen, nicht aufs Spiel gesetzt wird. Vor allen Dingen müßte

---

15 An dieser Stelle wurde von Staatssekretär Frank handschriftlich eingefügt: „VN".
16 Dieser Satz wurde von Staatssekretär Frank hervorgehoben. Dazu vermerkte er handschriftlich: „Der ‚Klassenunterschied' zwischen atomaren u[nd] nicht-atom[aren] Ländern wird sich zu einem Spaltpilz entwickeln."
17 Bundesministers Scheel schlug auf der EG-Ministerratstagung am 1. März 1971 in Brüssel vor, die Ständigen Vertreter bei den Europäischen Gemeinschaften in den Rang von Regierungsmitgliedern zu erheben. Gedacht wurde dabei an die Ernennung zu Staatssekretären. Vgl. dazu AAPD 1971, I, Dok. 79 und Dok. 111.

sichergestellt sein, daß keine neue „Ebene" in den Mechanismus der außenpolitischen Konsultationen einbezogen wird. Am besten wäre dies dadurch gewährleistet, daß der Europaminister langfristig gesehen seinen Platz in der entstehenden Politischen Union findet. In einem deutschen Vorschlag sollte – was die institutionelle Seite angeht – der Europaminister im Vordergrund stehen; der Gedanke der Anhebung der beamteten Ständigen Vertreter in den Rang von Staatssekretären im Auswärtigen Dienst als Vorstufe bleibt uns als Rückfallposition.

In unserem Interesse liegt es, daß die sechs Außenminister diese Fragen bei der Vorbereitung der Gipfelkonferenz behandeln. Die deutsch-französischen Konsultationen am 10./11. Februar 1972 bieten jedoch eine Gelegenheit, die vorstehenden Gedankengänge als erste deutsche Vorstellungen ins Gespräch zu bringen.

Herbst
Staden

Ministerbüro, Bd. 497

2

Botschafter Emmel, Warschau, an das Auswärtige Amt

Z B 6-1-10026/72 geheim   Aufgabe: 5. Januar 1972, 16.15 Uhr[1]
Fernschreiben Nr. 6   Ankunft: 5. Januar 1972, 17.31 Uhr

Betr.: Umsiedlung
hier: Gespräch mit Vizeaußenminister Willmann vom 4.1.1972
Bezug: FS Nr. 467 vom 23. Dezember 1971
Gespräch Staatssekretär Frank mit Leiter polnischer Handelsvertretung[2]

I. Am 4. Januar hatte Vizeaußenminister Willmann mich für den späten Nachmittag zu sich gebeten. In 2½-stündigem Gespräch erklärte er im Auftrage seines Ministers[3], wie überrascht die Leitung des Außenministeriums über Art und Ton der Erklärung StS Frank in dem Gespräch mit Herrn Piątkowski am 22.12. gewesen sei. Das Gespräch zeige außerdem, daß StS Frank die bisherige Entwicklung auf dem Gebiete der Umsiedlung nicht von der richtigen Seite sehe.

---
[1] Hat Bundesminister Scheel am 6. Januar 1972 vorgelegen.
[2] Ministerialdirektor von Staden unterrichtete die Handelsvertretung in Warschau über ein Gespräch des Staatssekretärs Frank mit dem Leiter der polnischen Handelsvertretung in Köln, Piątkowski, vom Vortag. Vgl. VS-Bd. 8298 (V 6); B 150, Aktenkopien 1971.
Zum Gespräch zwischen Frank und Piątkowski vgl. AAPD 1971, III, Dok. 448.
[3] Stefan Olszowski.

Nach dem Bericht von Piątkowski habe StS Frank behauptet, kein Deutscher ohne Familienangehörige in der Bundesrepublik habe bisher Polen verlassen. Dies sei jedoch nicht zutreffend, schon während der Rot-Kreuz-Verhandlungen[4] wäre von polnischer Seite erklärt worden, daß eine Anzahl von Personen dieses Personenkreises ausgereist wäre; auch die deutsche Presse habe dies mehrfach bestätigt.

Energisch müsse jeglicher Kritik an den bisherigen Zahlen der Umsiedler entgegengetreten werden. 25 240 Umsiedler seien im Jahre 1971 als Realisierung aller polnischer Zusagen anzusehen. Die Zusagen würden auch weiterhin gemäß den Erklärungen erfüllt werden. Seiner Meinung nach würde die Aktion der Umsiedlung in der Bundesrepublik falsch eingeschätzt.

Er wiederholte unter Hinweis auf die vertrauliche Vereinbarung[5] die polnische Auffassung, nach der eine Begrenzung der Aktion sowohl hinsichtlich der Zeit als auch hinsichtlich der Zahl bestehe.[6]

---

[4] Vom 18. bis 21. November 1971 fanden in Warschau Gespräche des Deutschen Roten Kreuzes mit dem Polnischen Roten Kreuz über Fragen der Umsiedlung und Familienzusammenführung statt. Dazu vermerkte Vortragender Legationsrat Boldt am 24. November 1971, das Deutsche Rote Kreuz sei bemüht gewesen, „der polnischen Seite den eigenen Standpunkt zu verdeutlichen, ohne auf der Behandlung kontroverser Fragen zu bestehen und ohne die vom DRK vorbereiteten Unterlagen über spezifische Mißstände (u. a. Druck auf Antragsteller, Nichtannahme von Ausreiseanträgen, berufliche Benachteiligungen usw.) zu übergeben. Gravierende Probleme, wie z. B., ob Ausreisewillige ohne Angehörige im Bundesgebiet mit dem Ausreiseantrag eine Einladung vorweisen müssen (womit die Ausreise dieses Personenkreises praktisch unterbunden wird), und die Entlassung von Antragstellern aus dem Arbeitsverhältnis, ohne daß die Ausreise genehmigt werde (dem DRK sind zahlreiche derartige Fälle bekannt), wurden nur am Rande gestreift." Vom Polnischen Roten Kreuz sei erklärt worden, die „Informationen" der polnischen Regierung über humanitäre Maßnahmen würden loyal realisiert. Vgl. Referat 513, Bd. 1672.

[5] Im Zusammenhang mit der Paraphierung des Warschauer Vertrags am 18. November 1970 übergab die polnische Regierung eine „Information" über Maßnahmen zur Lösung humanitärer Probleme. Der vertrauliche Teil lautete: „1) Die polnische Regierung bringt ihre Bereitschaft zum Ausdruck, bei Bedarf in Kontakt mit der Bundesregierung einzelne Probleme zu untersuchen in bezug auf die Ausreisewünsche derjenigen Personen, die aus Polen ausreisen wollen und sich als Deutsche bezeichnen. 2) Die polnischen Behörden werden bei der Familienzusammenführung folgende Kriterien anwenden: Verwandte in der aufsteigenden und absteigenden Linie, Ehegatten und in Fällen, die nach Abwägung aller subjektiven und objektiven Gesichtspunkte begründet sind, Geschwister. Dies schließt die Prüfung von Härtefällen nicht aus. 3) Die Aktion, die nach der Unterzeichnung des Vertrages beginnt, soll in ein bis zwei Jahren nach dem Inkrafttreten des Vertrages durchgeführt sein. Nach polnischer Berechnung werden einige Zehntausende von Personen ausreisen können. Es ist jedoch keine zeitliche Begrenzung für die Ausreise von Personen vorgesehen, die die Ausreise wünschen und den angegebenen Kriterien entsprechen. Personen, die einen Antrag auf Ausreise in die Bundesrepublik Deutschland stellen, werden ebenso behandelt werden wie Personen, die einen Antrag auf Ausreise in andere Länder stellen. Aus der Tatsache der Antragstellung erwachsen den Antragstellern keine Schäden. Die Ermächtigung des Polnischen Roten Kreuzes erstreckt sich auf die Anträge aller Personen, die zu einer der in Ziffer 2 genannten Gruppen gehören. 4) Die polnische Regierung hat klargestellt, daß die polnischen Konsularbehörden ermächtigt sind, Ermäßigungen sowohl in bezug auf die Höhe der Visagebühren als auch in bezug auf die Höhe der Pflichtumtauschquote in Fällen zu gewähren, die verdienen, anerkannt zu werden, und zwar in gleichem Maße wie bei anderen westeuropäischen Ländern. Für den Pflichtumtausch von Devisen für Reisende aus der BRD nach Polen werden dieselben Vorschriften wie für Reisende aus anderen Ländern Westeuropas gelten. 5) Die Frage der Überweisung von rechtlich begründeten Sozialleistungen an in der Volksrepublik Polen lebende Personen wird von den zuständigen Stellen beider Staaten geprüft werden." Vgl. VS-Bd. 8963 (II A 5); B 150, Aktenkopien 1970.
Für den veröffentlichten Teil der „Information" vgl. BULLETIN 1970, S. 1696 f.

[6] Dieser Absatz wurde von Bundesminister Scheel hervorgehoben. Dazu vermerkte er handschriftlich: „Wo?"

Besonders empfindlich reagierte Willmann auf eine Stelle in dem Bericht Piątkowskis, in dem es etwa hieß, daß die früheren Erklärungen Winiewiczs und Willmanns zur loyalen Erfüllung der Verpflichtungen keine Bestätigung durch die Praxis erfahren haben. Diese ungewöhnliche Behauptung würde schon allein durch die Zahl der erfolgten Umsiedlungen widerlegt. Ein weiterer Punkt, der Willmann tief berührte, sei der deutsche Hinweis, daß die bilateralen Konsultationen im Juni[7] und im Oktober[8] sowie der Besuch Winiewiczs im November in Bonn[9] das Ergebnis des guten Willens der Bundesregierung gewesen seien. Eine derartige einseitige Auffassung entspreche nicht der Tonart internationaler Gespräche.

Piątkowski habe ferner berichtet, daß für uns die Familienzusammenführung „das" Problem der Normalisierung seit der Unterschrift des Vertrages[10] sei. Auf seine Frage, wie es mit der Normalisierung auf dem Gebiet der Wirtschaft, der Kompetenz der Handelsvertretungen, der wissenschaftlich-technischen Zusammenarbeit und des Überprüfens der Schulbücher stünde, sei dies als eine polnische Forderung vor der Ratifizierung des Vertrages bezeichnet worden. Willmann frage nun an, ob diese Auffassung als eine Abweichung von dem gemeinsamen Kommuniqué anläßlich des Brandt-Besuches im Dezember 1970[11] anzusehen sei.

Als eine Drohung müsse Willmann die deutsche Erklärung zurückweisen, daß der Vertrag in Gefahr gerate, wenn die Umsiedlung nicht verbessert werde. Die Ratifizierung läge im beiderseitigen Interesse.

II. In Kenntnis des Bezugs-Fernschreibens wies ich darauf hin, daß in der Berichterstattung Piątkowskis in einigen Punkten erhebliche Abweichung gegenüber meinen Unterlagen bestünde. Das treffe beispielsweise zu für die Äuße-

---

[7] Korrigiert aus: „Juli".
Die deutsch-polnischen Konsultationen fanden am 21./22. Juni 1971 in Warschau statt. Vgl. dazu AAPD 1971, II, Dok. 220.

[8] Die deutsch-polnischen Konsultationen fanden am 25./26. Oktober 1971 statt. Vgl. dazu AAPD 1971, III, Dok. 363 und Dok. 364.

[9] Der polnische Stellvertretende Außenminister Winiewicz hielt sich vom 24. bis 30. November 1971 zu einer privaten Reise in der Bundesrepublik auf und traf am 25. November 1971 mit Staatssekretär Frank zusammen. Dazu vermerkte Frank am 26. November 1971: „Winiewicz war offensichtlich daran interessiert, den privaten Charakter dieses Gesprächs zu unterstreichen, indem er vorwiegend auf allgemeine Themen (Vereinte Nationen, Entwicklung in Asien, EWG) zu sprechen kam. Erst am Schluß ergab sich die Gelegenheit, Winiewicz unter Hinweis auf die Konsultationsgespräche mit Willmann auf die Bedeutung einer reibungslosen Durchführung der Rückführungsaktion hinzuweisen. Winiewicz betonte, daß die Rückführung für die polnische Regierung ein schwieriges innenpolitisches Problem darstelle, daß sie aber dennoch gewillt sei, die ‚Information' loyal durchzuführen." Vgl. Referat II A 5, Bd. 1362.

[10] Für den Wortlaut des Vertrags vom 7. Dezember 1970 zwischen der Bundesrepublik und Polen über die Grundlagen der Normalisierung ihrer gegenseitigen Beziehungen vgl. BULLETIN 1970, S. 1815.

[11] Im Kommuniqué über den Besuch des Bundeskanzlers Brandt vom 6. bis 8. Dezember 1970 in Warschau wurde erklärt: „Der durch die Unterzeichnung des Vertrages begonnene Normalisierungsprozeß soll nach Auffassung beider Seiten den Weg zur Beseitigung der noch bestehenden Probleme im Bereich der zwischenstaatlichen und menschlichen Beziehungen ebnen. Beide Seiten haben ihre Entschlossenheit bekräftigt, geleitet von den Bestimmungen des von ihnen unterzeichneten Vertrages, weitere Schritte zur vollen Normalisierung und umfassenden Entwicklung ihrer Beziehungen zu unternehmen. Dies gilt insbesondere auf wirtschaftlichem, wissenschaftlich-technischem, wissenschaftlichem und kulturellem Gebiet." Vgl. BULLETIN 1970, S. 1878.

rungen über die Deutschen ohne Familienangehörige. Auch die Erwähnung der Gespräche mit den Herren Winiewicz und Willmann sei in Verbindung mit dem Wunsche zu sehen, das Verständnis dieser Zusicherungen zu klären. Es könne dem Gespräch in keiner Weise der Gedanke einer Drohung zugrunde gelegt werden, sondern es sei vielmehr unsere Besorgnis hinsichtlich der Umsiedlung – auch in Verbindung mit der Gefährdung des gemeinsamen Vertrages. Es sei unser Recht, uns eine eigene Meinung über die Zahl der Umsiedler zu bilden. Ich wiederholte noch einmal unsere Auffassung unter Hinweis auf Information und vertrauliche Vereinbarung, daß Zeit und Zahl der Aktion nicht begrenzt seien.

Die früheren Zusagen der Minister Willmann und Winiewicz nahm ich weiter zum Anlaß, unseren Vorschlag zu Regierungsverhandlungen gemäß unserem Aide-mémoire vom 12. November 1971[12] zu wiederholen. Die polnische Seite sollte dazu noch eher bereit sein, da sie ständig die loyale Erfüllung ihrer Verpflichtungen betont habe. Es sei mir unverständlich, wie der Hinweis auf eine eventuelle Gefährdung des Vertrages als Drohung zu verstehen sei. Es sei außerdem eine Sorge und Verantwortung, die beide Seiten gemeinsam tragen und auch tragen sollten. Auch in diesem Zusammenhang wiederholte ich, daß das heutige Gespräch ein weiterer Beweis für die Notwendigkeit von Regierungsbesprechungen sei, da nicht nur grundsätzliche Probleme, sondern auch eine Reihe von dringenden praktischen Fragen ständig erörtert werden müßten, um Mißverständnisse zu vermeiden oder zu beseitigen.

Als Beispiele hierfür erwähnte ich die restriktive Behandlung der Ausreiseanträge durch die Paßbehörden, die Diskriminierung am Arbeitsplatz und die unterschiedliche Auslegung des Begriffes „unbestreitbare deutsche Volkszugehörigkeit" etc. (DB Nr. 607 vom 19.10.[13]).

---

[12] In dem Aide-mémoire stellte die Bundesregierung fest, daß die Fragen der Familienzusammenführung bislang noch nicht abschließend hätten geklärt werden können: „Es hat sich auch gezeigt, daß die Behandlung der Probleme im Rahmen des allgemeinen politischen Meinungsaustauschs nicht ausreicht. Nach Auffassung der Bundesregierung ist es vielmehr erforderlich, daß die offenen Fragen zwischen den Regierungen umfassend und wo erforderlich in allen Einzelheiten erörtert werden können, wenn Mißverständnisse und eine weitere Erschwerung der Probleme vermieden werden sollen. Aus diesen Erwägungen hat Herr Staatssekretär Frank Herrn Vizeminister Willmann bei den Gesprächen in Bonn vorgeschlagen, daß beide Seiten alsbald Regierungsvertreter benennen mit dem Auftrag, die Probleme gemeinsam zu behandeln. Die Bundesregierung unterstreicht nochmals, daß sie eine baldige Erörterung dieser Probleme zwischen Beauftragten der Regierungen für notwendig hält, und wäre für entsprechende polnische Vorschläge dankbar." Vgl. den am 8. November konzipierten und am 10. November 1971 an die Handelsvertretung in Warschau übermittelten Drahterlaß Nr. 407; Referat 513, Bd. 1672.

[13] Vortragender Legationsrat I. Klasse Sikora, Warschau, informierte darüber, daß der Handelsvertretung zahlreiche Beschwerden von Ausreisewilligen zugegangen seien. Diese hätten berichtet, daß von den polnischen Behörden seit September 1971 nur noch Ablehnungen ausgesprochen worden seien. Ausreisewilligen sei mitgeteilt worden, daß die Ausreiseaktion abgeschlossen sei oder die Quoten bereits erschöpft seien. In zahlreichen Fällen hätten Antragsteller ihren Arbeitsplatz verloren. Die Ausreise sei ihnen anschließend verweigert worden. Der Referatsleiter im polnischen Außenministerium, Raczkowski, habe dazu ausgeführt, daß es keine zahlenmäßige Begrenzung oder Quote gebe, und eine „gesteuerte Ablehnungsaktion" bestritten. Entlassungen aus dem Arbeitsverhältnis seien nicht korrekt und verstießen gegen die Verfassung. Raczkowski habe bestätigt, daß auch Personen ohne Angehörige in der Bundesrepublik Polen verlassen könnten. Sikora erläuterte dazu: „In allen offiziellen Gesprächen der letzten Monate zeigt sich der gute Wille, die Zusagen der ‚Information' einzuhalten und notfalls gegenüber den anderen Ressorts und

Willmann wiederholte dennoch erneut sein Erstaunen über die Verbindung der Gespräche mit ihm und Winiewicz mit der angeblichen Praxis. Er wehrte sich noch einmal gegen die angebliche Behauptung, daß die Konsultationen lediglich ein Ergebnis des guten deutschen Willens gewesen seien. Er sagte dann schließlich, es sollte alles vermieden werden, was als Drohung gegenüber dem polnischen Vertreter in Köln aufgefaßt werden könne. Ich habe noch einmal die Absicht einer Drohung energisch bestritten.

Beim Verlassen des Hauses wurde ich durch den Deutschland-Referenten Kucza, der sich teilweise als Dolmetscher betätigt hatte, begleitet. Dieser teilte mir mit, daß Piątkowski über das Gespräch am 22. zunächst ein Fernschreiben geschickt hatte. Die Ministerrunde im Außenministerium habe daraufhin einen Schriftbericht angefordert, der erneut innerhalb der Ministerrunde beraten wurde und der Anlaß des heutigen Gesprächs gewesen sei.

III. Ganz abgesehen von der Frage, inwieweit Piątkowski in der Lage war, den nach dieser Auskunft später angefertigten Schriftbericht getreu den Gesprächen anzufertigen oder nicht, zeigt dieses Gespräch erneut, wie mimosenhaft empfindlich und überdies mißtrauisch die polnische Regierung reagiert. Dies trifft selbst für das Außenministerium zu, mit dem sonst die besten Arbeitsbeziehungen bestehen.

IV. Dieses Gespräch bestätigt den mehrfach berichteten Eindruck der Handelsvertretung, daß auf polnischer Seite die Entscheidungen über die weitere Durchführung der Umsiedlung gefallen sind und es schwer sein wird, hier eine Änderung herbeizuführen. Diese Entscheidungen sind

1) Zahl der Aussiedler annähernd 100 000;

2) Beschränkung der Aktion auf zwei Jahre nach Ratifikation – (Mein Hinweis auf Ziffer III Satz 3 der „vertraulichen Erläuterungen", daß „keine zeitliche Begrenzung" vorgesehen sei, trifft nach polnischer Auslegung nicht auf die derzeitige Aktion zu.)

Da diese polnische Beschränkung bei der unvergleichlich größeren Zahl der Umsiedlungswilligen auf Widerstand sowohl bei uns als auch bei den abgelehnten Antragstellern stoßen wird, wird wie folgt taktiert:

a) die Wiederholung der Zahl von bisher 25 000 Umsiedlern sei als Zeichen des guten Willens, der Vorleistung oder auch als loyale Erfüllung von Verpflichtungen anzusehen;

b) jeglicher Hinweis auf praktische Behinderung sei eine Einmischung in innere polnische Angelegenheiten;

c) eine Beeinflussung der Bevölkerung durch Presse und Rundfunk, wobei einseitig wiedergegebene Passagen aus der deutschen Presse zu Hilfe genommen werden.

Fortsetzung Fußnote von Seite 12
den örtlichen Behörden durchzusetzen. Andererseits ist nicht zu verkennen, daß die ‚Information' durch die örtlichen Stellen zum Teil willkürlich ausgelegt wird und daß ausgesprochene Mißstände, z. B. Arbeitsentlassungen, zu beklagen sind, daß die Auskünfte örtlicher Behörden im Widerspruch zu Inhalt und Geist der ‚Information' und den Zusicherungen des Außenministeriums stehen." Vgl. Referat 513, Bd. 1672.

Trotz dieser starren polnischen Haltung darf der Vorschlag aus DB 769 vom 30.12.71 (letzter Absatz[14]) insofern wiederholt werden, als die darin erwähnten Konsultationen, Rot-Kreuz-Verhandlungen oder sonstigen Gespräche möglichst bald stattfinden sollten.[15]

[gez.] Emmel

VS-Bd. 10073 (Ministerbüro)

---

[14] Botschafter Emmel, Warschau, übermittelte einen Überblick zum Stand der Familienzusammenführung aus Polen und schlug vor: „Bei zukünftigen Verhandlungen (Regierungen, Rot-Kreuz-Gesellschaften) und Gesprächen [...] sollte Augenmerk insbesondere auf polnische Absichten hinsichtlich zahlenmäßiger Beschränkung (100 000), zeitlicher Beschränkung (weitere zwei Jahre) und kategorienmäßiger Beschränkung (Familienzusammenführung mit ‚Mehrheitskriterium') gerichtet werden." Vgl. Referat II A 5, Bd. 1355.

[15] Ministerialdirigent van Well teilte der Handelsvertretung in Warschau am 11. Januar 1972 mit: „Wir halten es nicht für zweckmäßig, eine formelle Fortsetzung Ihres Gesprächs mit Vizeminister Willmann zu suchen." Zum Gespräch des Staatssekretärs Frank mit dem Leiter der polnischen Handelsvertretung in Köln, Piątkowski, am 22. Dezember 1971 führte van Well aus: „Wir können Verständnis dafür haben, daß die Größenordnung der Umsiedlungsanträge für die polnische Seite innenpolitische, psychologische und wirtschaftliche Schwierigkeiten bereitet, soweit die polnische Seite solche Gesichtspunkte geltend macht. Wir müssen jedoch nachdrücklich den polnischen Versuch zurückweisen, die vereinbarten Kriterien beiseite zu schieben und – entgegen Wortlaut und Sinn der Vereinbarung – mit einer angeblichen zeitlichen und zahlenmäßigen Begrenzung der Umsiedlung zu argumentieren." Vgl. den Drahterlaß Nr. 16; VS-Bd. 9037 (II A 5); B 150, Aktenkopien 1972.
Botschafter Emmel, Warschau, berichtete am 14. Januar 1972: „Zuverlässiger Gewährsmann berichtet H[andels]v[ertretung]: Höchste Regierungs- und Parteistellen hätten 7. Januar 1972 neuen Grundsatzbeschluß zur weiteren Durchführung der Umsiedlung gefaßt. Grundsatzbeschluß soll deutschen Wünschen entgegenkommen und großzügigere Praxis der Paßbehörden einleiten. Grundsatzbeschluß und spätere neue Richtlinien sollen Bundesregierung jedoch offiziell nicht mitgeteilt werden. Deutsche Seite würde aber schon bald Auswirkungen feststellen können. Neue Entscheidung soll nicht zuletzt auf deutsche Demarchen zurückzuführen sein." Ob „wirklich eine Änderung in der Praxis eintritt und Mitteilung über neue Grundsatzentscheidung zutrifft", müsse jedoch abgewartet werden. Vgl. den Drahtbericht Nr. 25; VS-Bd. 10073 (Ministerbüro); B 150, Aktenkopien 1972.

3

Gesandter Lüders, Moskau, an das Auswärtige Amt

Z B 6-1-10035/72 VS-vertraulich   Aufgabe: 6. Januar 1972, 17.00 Uhr[1]
Fernschreiben Nr. 36   Ankunft: 6. Januar 1972, 15.33 Uhr
Citissime

Betr.: Transitabkommen[2] Westberlin–Bundesrepublik
       hier: Sowjetische Antwort auf die Note der Westmächte vom
       16.12.1971[3]
Bezug: DB 2744 vom 11.12.1971 – II A 1-83

Amerikanische Botschaft hat Mitarbeiter soeben Ablichtung der sowjetischen Note vom 5. Januar 1972 überreicht, die gestern abend den Botschaften der drei Westmächte in Beantwortung der identischen Noten, die diese am 16. Dezember 1971 der Sowjetregierung zur Frage der Gültigkeit des Transitabkommens zwischen der Bundesrepublik und Westberlin für Westberliner übergeben hatten.[4] Der westlichen Auffassung, daß es nur einer Weisung der drei Schutzmächte an den Berliner Senat bedürfe, entsprechend dem Transitabkommen zu verfahren, wird von sowjetischer Seite ausdrücklich widersprochen. Die Note legt dar, daß bei dem Abschluß des Transitabkommens zwischen der Bundesrepublik und der DDR diese „in Übereinstimmung mit den allgemeinen Normen des Völkerrechts nur handeln konnte und gehandelt hat

---

[1] Hat Ministerialdirektor von Staden am 7. Januar 1972 vorgelegen.
Hat Vortragendem Legationsrat Meyer-Landrut am 10. Januar 1972 vorgelegen, der handschriftlich vermerkte: „Mit II A 1 aufgenommen, die Antwort mit Alliierten konsultiert."

[2] Für den Wortlaut des Abkommens vom 17. Dezember 1971 zwischen der Regierung der Bundesrepublik und der Regierung der DDR über den Transitverkehr von zivilen Personen und Gütern zwischen der Bundesrepublik und Berlin (West) vgl. EUROPA-ARCHIV 1972, D 68–76.

[3] Korrigiert aus: „16.1.1971".
Mit Note vom 11. Dezember 1971 übermittelte das sowjetische Außenministerium den Drei Mächten Noten der DDR zur Inkraftsetzung des Transitabkommens vom 17. Dezember 1971 und teilte dazu mit: „In accordance with the request of the government of the German Democratic Republic, the ministry has the honour also to state that the GDR government would consent to apply the settlement of the agreement on the transit of civilians and freight between the FRG and Berlin (West) also to permanent residents of the Western sectors of Berlin and to freight from the Western sectors of Berlin in the event that the Senat for its part gives assurance that it will observe the obligations arising from the said agreement. The GDR government in this event expects appropriate notification from the Senat." Unter Hinweis auf das Vier-Mächte-Abkommen über Berlin vom 3. September 1971 antworteten die Drei Mächte am 16. Dezember 1971: „As the agreement is to be in force in the W[estern] S[ectors of] B[erlin] from the date of signature of the final quadripartite protocol and will require certain action to be taken there, the Allied authorities are authorizing and directing the Senat of Berlin to participate as appropriate in the implementation in the W[estern] S[ectors of] B[erlin] of the agreement." Vgl. den Drahterlaß Nr. 190 des Vortragenden Legationsrats I. Klasse Blech vom 13. Januar 1972 an die Botschaften in London, Paris und Washington sowie die Ständige Vertretung bei der NATO in Brüssel; VS-Bd. 8551 (II A 1); B 150, Aktenkopien 1972. Für den deutschen Wortlaut der Noten vgl. DOKUMENTE ZUR BERLIN-FRAGE 1967–1986, S. 261 f.
Zur Einbeziehung von Berlin (West) in das Transitabkommen vgl. auch AAPD 1971, III, Dok. 432.

[4] Unvollständiger Satz in der Vorlage.

im eigenen Namen und im Rahmen ihrer staatlichen Kompetenzen, die sich wie bekannt nur auf Bürger und Güter der Bundesrepublik erstrecken."

Nach sowjetischer Auffassung ist es zur Einbeziehung Westberliner Personen und Waren in das Transitabkommen notwendig, daß der Senat seinerseits eine Erklärung abgibt, die Verpflichtung des Transitabkommens einhalten zu wollen.

Text der Note liegt dortiger amerikanischer Botschaft seit heute früh vor. Inoffizielle Übersetzung des hier vorhandenen russischen Textes folgt mit gesondertem Drahtbericht.[5]

[gez.] Lüders

VS-Bd. 8551 (II A 1)

---

[5] Die sowjetische Note vom 5. Januar 1972 an die Drei Mächte wurde am 6. Januar 1972 von Gesandtem Lüders, Moskau, übermittelt. Darin bekräftigte die sowjetische Regierung, daß die Kompetenz der Bundesregierung bei Abschluß des Transitabkommens vom 17. Dezember 1971 mit der DDR sich „bekanntlich nur auf Bürger und Güter der BRD erstreckt" habe, die DDR aber bereit sei, „die Regelungen des Abkommens über den Transitverkehr von zivilen Personen und Gütern zwischen der BRD und Berlin (West) auch auf Personen mit ständigem Wohnsitz in den Westsektoren Berlins und auf Güter aus den Westsektoren Berlins in dem Falle anzuwenden, wenn der Senat seinerseits die Versicherung abgibt, daß er die sich aus dem genannten Abkommen ergebenden Verpflichtungen einhalten wird". Vgl. den Drahtbericht Nr. 40; VS-Bd. 8551 (II A 1); B 150, Aktenkopien 1972.

Die Drei Mächte unterstrichen mit Note vom 19. Januar 1972 an die UdSSR ihrerseits die bereits am 16. Dezember 1971 geäußerte Auffassung und teilten mit: „The ministry may rest assured that the Senat of Berlin will observe the obligations flowing from that agreement. By a letter dated 18 December 1971, the Allied authorities authorized and directed the Senat to participate as appropriate in its implementation. On December 20, 1971, after signature of the agreements of that date in Berlin, Herr Mueller informed Herr Florin accordingly." Vgl. den Runderlaß Nr. 368 des Vortragenden Legationsrats I. Klasse Blech vom 24. Januar 1972; VS-Bd 8551 (II A 1); B 150, Aktenkopien 1972.

Zur Antwort der sowjetischen Regierung vom 28. Februar 1972 vgl. Dok. 25, Anm.17.

4

Botschafter Schnippenkötter, Genf
(Internationale Organisationen), an das Auswärtige Amt

Z B 6-1-10056/72 VS-vertraulich   Aufgabe: 7. Januar 1972, 14.30 Uhr[1]
Fernschreiben Nr. 11   Ankunft: 7. Januar 1972, 16.01 Uhr
Citissime

Betr.: Beteiligung der DDR an der Stockholmer Umweltkonferenz[2] und anderen internationalen Tagungen im ersten Halbjahr 1972

Bezug: Plurex Nr. 55 vom 6.1.1972 – I C 1-80.24 VS-NfD[3]
Drahtbericht Nr. 3 vom 6.1.1972 – I C 1-80.24 VS-vertraulich[4]
FS-Schriftbericht Nr. 27 der Botschaft Washington
vom 5.1.1972 – I C 1-84.02[5]
Drahtbericht Nr. 14 aus New York vom 6.1.1972 – VS-vertraulich[6]

---

1 Hat Vortragendem Legationsrat I. Klasse Heimsoeth am 10. Januar 1972 vorgelegen, der die Weiterleitung an Vortragenden Legationsrat Rötger verfügte.
Hat Rötger am 10. Januar 1972 vorgelegen.
2 Die UNO-Umweltkonferenz fand vom 5. bis 16. Juni 1972 in Stockholm statt. Vgl. dazu Dok. 180.
3 Vortragender Legationsrat Rötger teilte dem Beobachter bei der UNO in New York sowie der Vertretung bei den Internationalen Organisationen in Genf mit: „US-Vertreter Bonner Vierergruppe hat baldige Sitzung hiesiger Vierergruppe – möglichst noch in dieser Woche – über Stockholmer Umweltkonferenz und ECE-Umwelttagung hoher Regierungsberater vorgeschlagen, ausdrücklich mit dem Hinweis, dabei die Gesichtspunkte der Bundesregierung für das weitere Vorgehen zu erfahren. Inzwischen liegt bisher noch unbestätigte Meldung vor, daß Sowjetunion und ČSSR ihre Mitarbeit an Vorbereitung der Stockholmer Umweltkonferenz aufgekündigt hätten. Erbitte Drahtbericht mit Anregungen aus dortiger Sicht aufgrund dortiger letzter Entwicklung." Vgl. Referat I C 1, Bd. 680.
4 Botschafter Schnippenkötter, Genf (Internationale Organisationen), berichtete, daß in Genf derzeit, „die jugoslawische Anregung, die erste Tagung hoher Regierungsberater für Umweltfragen der ECE in Belgrad zu veranstalten, das wichtigste Thema" sei: „Im Hinblick auf die Beratungen der Vierergruppe in Bonn scheint es mir – unabhängig von der Frage des taktischen Vorgehens – der Prüfung Wert zu sein, ob nicht eine Modifizierung unserer bisherigen Zurückhaltung gegenüber der jugoslawischen Anregung in unserem Interesse liegt." Dies böte vor allem Vorteile für die Position der Bundesrepublik in der Frage einer Beteiligung der DDR an der UNO-Umweltkonferenz, weil ein wichtiger Präzedenzfall geschaffen würde: „Eine Beteiligung der DDR an der Tagung der Regierungsberater für Umweltfragen in Belgrad auf Einladung der Gastregierung würde die unseren Interessen zuwiderlaufende Alternative ‚Einladung durch den Generalsekretär' für die Stockholmer Konferenz mehr in den Hintergrund treten lassen." Anders als bei einer Einladung durch den Exekutivsekretär erhalte die DDR so keinen offiziellen Status, und durch ihre Beteiligung könne auch der Boykottdrohung der UdSSR für die UNO-Umweltkonferenz der Boden entzogen werden. Vgl. VS-Bd. 9837 (I C 1); B 150, Aktenkopien 1972.
5 Gesandter Noebel, Washington, berichtete, ihm sei im amerikanischen Außenministerium mitgeteilt worden, die amerikanische Regierung sehe „die Tagung internationaler Organisationen in den nächsten Monaten sehr stark im Zusammenhang. Nach amerikanischer Auffassung werde es deshalb entscheidend darauf ankommen, möglichst in allen Fällen eine einheitliche Linie beizubehalten. Wenn wir in einem Einzelfall, wie etwa möglicherweise bei dem Treffen der Regierungsberater für Umweltfragen der ECE, uns zu einer pragmatischen und flexiblen Behandlung entschließen sollten, werde es schwer sein, in anderen Fällen eine härtere Haltung mit Erfolg durchzusetzen." Vgl. Referat I C 1, Bd. 562.
6 Botschafter Gehlhoff, New York (UNO), teilte mit, daß die sowjetische und die tschechoslowakische Delegation nicht an der am 5. Januar 1972 begonnenen Sitzung der Regierungsarbeitsgruppe zur Vorbereitung einer Umwelterklärung, teilgenommen hätten: „Nach Verabschiedung Umweltresolution in von uns gewünschter Form hat sich westliche Verhandlungsposition gegenüber

1) Wie amerikanischer Gesprächspartner gegenüber Botschaft Washington (vgl. Bezugsbericht aus Washington) zu Recht betont hat, kommt es entscheidend darauf an, die Frage der Beteiligung der DDR an den Tagungen internationaler Organisationen in den nächsten Monaten im Zusammenhang zu sehen und eine „einheitliche", d. h. konsequente Linie zu verfolgen. Es geht hierbei außer um die Stockholmer Umweltkonferenz um die Tagung der ECE-Regierungsberater für Umweltfragen[7], die ECE-Jahresversammlung (17. bis 26.4.)[8], die Dritte Welthandelskonferenz in Santiago de Chile (13.4. bis 19.5.)[9] und die WHO-Versammlung (9. bis 26.5.)[10].

2) Für die Umweltkonferenz besteht aus hiesiger Sicht, auch nachdem die Sowjetunion durch Absage des Besuchs von Generalsekretär Strong in Moskau und Prag und durch Einstellung ihrer Mitarbeit in der Arbeitsgruppe des vorbereitenden Ausschusses einen Nervenkrieg begonnen hat, keine Veranlassung, unsere bisherige Haltung zu ändern. Nach dem Beschluß der VN-Vollversammlung über den Teilnehmerkreis[11] läßt sich die Beteiligung der DDR ohnehin nur über ein „Arrangement" bewerkstelligen, es sei denn, man würde den Beschluß der Vollversammlung revidieren, was mir gerade angesichts des sowjetischen Drucks ausgeschlossen erscheint. Das „Arrangement" sollte so gestaltet sein, daß es die sachliche Beteiligung der DDR an der Arbeit der Konferenz ermöglicht, ohne unsere Position in den übrigen Organisationen wesentlich zu beeinträchtigen. Dieses Ziel würde nur dann erreicht, wenn DDR-Vertreter auf Einladung der schwedischen Regierung – oder auch des schwedischen Konferenzpräsidenten – an der Konferenz teilnehmen mit der Möglichkeit, das Wort zu ergreifen, aber äußerlich klar getrennt von den Konferenz-Mitgliedern. Im Gegensatz zu der Auffassung der Beobachter-Mission New York scheint mir die Frage der einladenden Stelle wichtiger zu sein als die Bezeichnung der DDR-Vertreter als „Regierungsvertreter" oder „Regierungssachverständige". Wie bereits in früheren Berichten dargelegt, ist die Einladung durch die Gastgeber ein wesentlicher Faktor, um das Arrangement als Ausnahme qualifizieren zu können.

Fortsetzung Fußnote von Seite 17
Sowjets verbessert, sofern Sowjets nicht entschlossen sind, Stockholmer Umweltkonferenz zu boykottieren. Trotz [...] Fernbleibens Sowjetunion und Tschechoslowakei von Regierungsarbeitsgruppe erscheint uns keineswegs ausgemacht, daß Sowjets Stockholmer Umweltkonferenz fernbleiben werden. Sie würden sonst riskieren, VR China in Stockholm das Feld zu überlassen." Die UdSSR sei nun am Zuge und wisse, „daß westliche Bereitschaft für DDR-Arrangement fortbesteht. Auf diese Bereitschaft sollten unsere Hauptverbündeten bei sich bietender Gelegenheit Sowjets hinweisen; Beobachtermission verfährt in gleicher Weise." Vgl. VS-Bd. 9837 (I C 1); B 150, Aktenkopien 1972.

[7] Die ECE-Regierungsberater für Umweltfragen wurden auf Beschluß der 26. ECE-Jahresversammlung vom 19. bis 30. April 1971 eingesetzt. Ihre erste Tagung sollte 1972 stattfinden.
[8] Die 27. ECE-Jahresversammlung fand vom 17. bis 28. April 1972 in Genf statt.
[9] Die Dritte Konferenz für Handel und Entwicklung (United Nations Conference on Trade and Development – UNCTAD) fand vom 13. April bis 22. Mai 1972 in Santiago de Chile statt. Vgl. dazu Dok. 141.
[10] Die 25. WHO-Versammlung fand vom 9. bis 26. Mai 1972 in Genf statt.
[11] Am 20. Dezember 1971 verabschiedete die UNO-Generalversammlung mit 104 zu 9 Stimmen bei 7 Enthaltungen die Resolution Nr. 2850 zur UNO-Umweltkonferenz. Darin wurde u. a. ausgeführt: „The General Assembly [...] requests the Secretary-General to invite States Members of the United Nations or members of specialized agencies or of the International Atomic Energy Agency to participate in the Conference." Vgl. UNITED NATIONS RESOLUTIONS, Serie I, Bd. XIII, S. 428 f.

3) Eine der „jugoslawischen Anregung" entsprechende Verlegung der ersten Tagung der ECE-Regierungsberater für Umweltfragen nach Belgrad unter Beteiligung der DDR nach dem „Prager Modell"[12] ist, wie im Bezugsbericht näher ausgeführt, eine folgerichtige Weiterentwicklung unserer für die Umweltkonferenz in Stockholm eingenommenen Haltung, ein Zusammenhang, den amerikanischer Gesprächspartner der Botschaft Washington offenbar übersehen hat. Der Gesichtspunkt der Stockholmer Konferenz, der allein ein Eingehen auf die „jugoslawische Anregung" rechtfertigt, hat durch erste Ansätze zur Verwirklichung der östlichen Boykottdrohung noch stärkeres Gewicht erhalten.

Wie im Bezugsbericht im einzelnen dargelegt, ist eine entscheidende Schwächung unserer Position in der ECE und anderen Organisationen aus dem Eingehen auf die „jugoslawische Anregung" nicht zu befürchten. Die Präjudizwirkung eines „Arrangements" für Stockholm oder auch nur der von den Drei Mächten während der VN-Generalversammlung hierzu erklärten Bereitschaft[13] überschreitet bei weitem jede Präjudizwirkung, die von der Übernahme des „Prager Modells" auf die Tagung der Regierungsberater für Umweltfragen ausgehen könnte.[14]

4) Für die ECE-Jahresversammlung sollte, um Einbrüche in anderen Organisationen, insbesondere in der WHO, zu vermeiden, an der bisher verfolgten Linie – der Beachtung des ECE-Mandats in Genf – festgehalten werden. Diese Position dürfte sich ohne größere Schwierigkeiten dann durchhalten lassen, wenn der Osten auf seiner bisherigen Forderung nach offizieller Einladung der DDR aufgrund eines Beschlusses der Jahresversammlung beharrt. Schwieriger könnte die Situation werden, wenn der Osten auf ein „Arrangement" einzugehen bereit wäre, das den DDR-Vertretern die Beteiligung an der Diskussion

---

[12] Vom 2. bis 15. Mai 1971 sollte in Prag eine Umweltkonferenz der ECE stattfinden. Ein von Polen auf der 26. Jahresversammlung der ECE vom 19. bis 30. April 1971 in Genf eingebrachter Resolutionsentwurf, in dem die offizielle Teilnahme der DDR gefordert wurde, fand bei der Mehrzahl der ECE-Mitgliedstaaten keine Unterstützung und wurde zurückgezogen. Ein schließlich erzielter Kompromiß sah vor, die Umweltkonferenz durch ein Symposium von Experten zu ersetzen, das vom 3. bis 10. Mai 1971 in Prag stattfand. Vortragender Legationsrat I. Klasse von Hassell vermerkte dazu am 10. Mai 1971: „Durch diese Lösung wurde es möglich, entsprechend einer seit längerem für ECE-Seminare und Symposien im Ostblock geübten Praxis Experten aus der DDR als Gäste der gastgebenden tschechoslowakischen Regierung an dem Symposium zu beteiligen. [...] Der Osten war eher bereit, eine Herabstufung der Umweltkonferenz zu einem Symposium hinzunehmen, als in seinem Einflußgebiet eine VN-Veranstaltung durchzuführen, von der die DDR ausgeschlossen gewesen wäre. Der Westen konnte den östlichen Vorschlag, ein Symposium anstelle der ursprünglich geplanten Konferenz durchzuführen, akzeptieren, weil damit weder eine Statusverbesserung der DDR im Rahmen der ECE erzielt wurde, noch davon schädliche Wirkungen im Hinblick auf unsere Position während der gegenwärtigen Weltgesundheitsversammlung ausgingen." Vgl. den Drahterlaß Nr. 2399; Referat I C 1, Bd. 504.
[13] Während der XXVI. UNO-Generalversammlung vom 21. September bis 22. Dezember 1971 führten die USA Gespräche mit der UdSSR über ein Arrangement zur Beteiligung der DDR an der geplanten UNO-Umweltkonferenz in Stockholm. Vgl. dazu AAPD 1971, III, Dok. 425.
[14] Die erste Tagung der ECE-Regierungsberater für Umweltfragen wurde auf der 27. ECE-Jahresversammlung vom 17. bis 28. April 1972 abgesagt, nachdem keine Einigung über eine Beteiligung der DDR erzielt werden konnte. Botschafter Schnippenkötter, Genf (Internationale Organisationen), berichtete dazu am 24. April 1972, das Angebot der westlichen Delegationen, daß die DDR „genauso wie beim Prager Umweltsymposium dabeisein" könnte, sei den Vertretern der Ostblock-Staaten nicht weit genug gegangen: „Ohne eine gleichberechtigte Beteiligung der DDR könne es keine Lösung der Umweltprobleme geben." Vgl. den Drahtbericht Nr. 528; Referat I C 1, Bd. 682.

ermöglichen würde. Für diesen Fall wäre zu erwägen, ob wir nicht einer Erklärung des DDR-Vertreters allein zum Punkt „Umweltfragen" zustimmen könnten. Ein derartiges Entgegenkommen würde unsere Kompromißbereitschaft beweisen, was für die Unterstützung im westlichen Kreis von Bedeutung werden kann, ohne daß unmittelbar nachteilige Wirkungen für unsere Grundsatzposition zu befürchten wären. Die „Gefahr", daß die östliche Seite eine sektoral begrenzte DDR-Beteiligung akzeptiert, ist freilich nicht groß. Für den Fall der Annahme jedoch ist allerdings nicht zu erkennen, daß wir uns dann genötigt sehen könnten, den DDR-Vertretern auf der folgenden Jahresversammlung 1973[15] die Redemöglichkeit auch zu anderen Punkten der Tagesordnung einzuräumen. Das gleiche dürfte für die zweite Tagung der Regierungsberater für Umweltfragen gelten.

5) Ich gebe zu erwägen, ob für die Leitung der deutschen Delegation bei der kommenden 26. Jahresversammlung nicht Frau PStS Dr. Focke gewonnen werden sollte. Das 25jährige Jubiläum der ECE, das bei der 27.[16] Jahresversammlung gefeiert werden soll, legt die Anwesenheit einer hochrangigen Persönlichkeit der Bundesregierung nahe. Frau Dr. Focke hat mit Exekutivsekretär[17] Stanovnik im Anschluß an dessen Besuch in Bonn[18] gerade über die 26. Jahresversammlung bereits einen Briefwechsel geführt. Überdies würde die Darlegung unserer Haltung zur Beteiligung der DDR durch eine Persönlichkeit der nächsten Umgebung und des besonderen Vertrauens des Herrn Bundeskanzlers ihren Eindruck nicht verfehlen und die Durchsetzung unserer Position erheblich erleichtern.

6) Auch auf der Dritten Welthandelskonferenz in Santiago läßt sich eine Beteiligung der DDR wegen der eindeutigen Bestimmung des Teilnehmerkreises durch die Entschließung 1995 (XIX)[19] nur über ein „Arrangement" erzielen. Solange ein derartiges „Arrangement" für die Stockholmer Konferenz nicht in Sicht ist, besteht für uns kein Anlaß, hierauf in Santiago einzugehen. Andererseits wird sich eine faktische Beteiligung der DDR an der Dritten Welthandelskonferenz in Santiago letztlich nicht vermeiden lassen, wenn eine derartige Lösung für Stockholm in greifbare Nähe gerückt ist. Aus diesem Grunde würde ich einer möglichst späten „Formalisierung" einer etwaigen Einigung mit der Sowjetunion über ein „Arrangement" für Stockholm den Vorzug geben. Um die präjudiziellen Wirkungen für die normale Arbeit der WHK in den nachgeordneten Organen möglichst zu begrenzen, müßte auch hierbei darauf geachtet werden, daß DDR-Vertreter nur auf Einladung der chilenischen Gastregierung an der Konferenz in Santiago und äußerlich klar getrennt von den Mitgliedsländern und Beobachtern teilnehmen. Im Fall, daß es zu einem der-

---

15 Die 28. ECE-Jahresversammlung fand vom 8. bis 18. Mai 1973 in Genf statt.

16 Korrigiert aus: „26."

17 Der Passus „Ich gebe ... mit Exekutivsekretär" wurde von Vortragendem Legationsrat Rötger hervorgehoben. Dazu vermerkte er handschriftlich: „Diese Frage wird vom B[undes]K[anzler]A[mt] geklärt."

18 Der Exekutivsekretär der ECE, Stanovnik, hielt sich am 18./19. März 1971 in der Bundesrepublik auf.

19 In Resolution Nr. 1995 der UNO-Generalversammlung vom 30. Dezember 1964 hieß es: „The members of the United Nations Conference on Trade and Development [...] shall be those States which are Members of the United Nations or members of the specialized agencies or of the International Atomic Energy Agency." Vgl. UNITED NATIONS RESOLUTIONS, Serie I, Bd. X, S. 71.

artigen „Arrangement" kommt, dürfte es freilich noch schwieriger werden, einen Antrag des Ostens auf der Konferenz selbst oder auf der 12.[20] WHK-Ratstagung (August/September 1972[21]) zu Fall zu bringen, der der VN-Vollversammlung empfehlen würde, die DDR in die WHK aufzunehmen.

7) Bisher ist in der Weltgesundheitsorganisation (WHO) jede Statusveränderung der DDR verhindert worden, auch eine Einladung der DDR als Beobachter zu Weltgesundheitsversammlungen ist bisher unterblieben.

Bei der 1970 und 1971 vertagten Behandlung des Aufnahmeantrags der DDR[22] werden wir auch im Mai 1972 erneut auf eine Vertagung hinarbeiten müssen. Nachdem die Berlin-Vereinbarungen[23] ausgehandelt sind, dürfte der Versuch, eine Ablehnung des DDR-Antrags zu erreichen, sich weniger in unsere eigene Politik zur Frage der Aufnahme der DDR in die internationalen Organisationen einfügen und überdies die Bereitschaft zahlreicher Länder, uns weiter zu unterstützen, gefährden. Da wir bereits von 1970 auf 1971 acht Stimmen verloren, die DDR acht gewonnen hat (Abstimmungsergebnis 1971 war 62:34:19, 1970 hingegen 70:26:19), sollten wir im Gegenteil dieses Risiko von uns aus verringern helfen und daran denken, in Übereinstimmung mit den Drei in der Weltgesundheitsversammlung selbst (und zwar nur dort) vorzuschlagen, daß der WHO-Generaldirektor[24] der DDR die internationalen Gesundheitsvorschriften (IGV)[25] notifiziert und die DDR auf diese Weise in diese Regelung einbezogen wird (vgl. Drahtbericht Nr. 653 vom 5.6.1971 – I C 1-81.16[26]).[27] Eine Gefährdung unserer Position kann auch von einer weltweiten

---

20 Korrigiert aus: „13."
21 Die zwölfte Tagung des Handels- und Entwicklungsrats fand vom 3. bis 24. Oktober 1972 in Genf statt.
22 Die 23. WHO-Versammlung beschloß am 14. Mai 1970, die Entscheidung über den Antrag der DDR vom 17. März 1970 auf Aufnahme in die Weltgesundheitsorganisation um ein Jahr zu vertagen. Vgl. dazu AAPD 1970, I, Dok. 147, und AAPD 1970, II, Dok. 216.
Am 13. Mai 1971 entschied die 24. WHO-Versammlung in Genf, die Behandlung des Aufnahmeantrags der DDR erneut um ein Jahr zu verschieben. Vgl. dazu den Drahtbericht Nr. 562 des Botschafters Schnippenkötter, Genf (Internationale Organisationen), vom 15. Mai 1971; Referat I C 1, Bd. 560.
23 Für den Wortlaut des Vier-Mächte-Abkommens über Berlin vom 3. September 1971 vgl. EUROPA-ARCHIV 1971, D 443–453.
Für den Wortlaut des Abkommens vom 17. Dezember 1971 zwischen der Regierung der Bundesrepublik und der Regierung der DDR über den Transitverkehr von zivilen Personen und Gütern zwischen der Bundesrepublik und Berlin (West) vgl. EUROPA-ARCHIV 1972, D 68–76.
24 Marcolino Gomes Candau.
25 Für den Wortlaut der Internationalen Gesundheitsvorschriften vom 25. Juli 1969 vgl. UNTS, Bd. 764, S. 3–105. Für den deutschen Wortlaut vgl. BUNDESGESETZBLATT 1971, Teil II, S. 868–923.
26 Botschafter Schnippenkötter, Genf (Internationale Organisationen), befaßte sich mit den Aussichten für eine Verhinderung der Aufnahme der DDR in die WHO im Jahr 1972: „Sollten wir 1972 mit einer Niederlage rechnen müssen, so könnte eine Beteiligung der DDR an den I[nternationalen] G[esundheits]V[orschriften] – von unserer Seite zum taktisch richtigen Zeitpunkt in die Diskussion geworfen – dazu dienen, einen wichtigen Teil der Argumente für das Beitr[itts]begehren zu entkräften und in diesem Augenblick die Aufnahme noch einmal zu verhindern." Zwar brächte eine Beteiligung an den Internationalen Gesundheitsvorschriften „die DDR ‚als Staat' erstmals in ein offizielles Verhältnis zu einer VN-Sonderorganisation". Die Bundesrepublik aber werde dadurch von dem Vorwurf entlastet, daß ihr „Widerstand gegen die Aufnahme der DDR in die WHO eine gesundheitspolitische Lücke bestehen lasse, die nicht länger zu verantworten sei". Vgl. VS-Bd. 4475 (II A 1); B 150, Aktenkopien 1971.
27 Zur Erörterung eines Beitritts der DDR zu den Internationalen Gesundheitsvorschriften in der Bonner Vierergruppe am 31. Januar 1972 vgl. Dok. 16, Anm. 6.

Euphorie nach der Ratifizierung der Ostverträge ausgehen, besonders wenn die entscheidende Abstimmung im Bundestag kurz vor der in der WHO (voraussichtlich um den 18. Mai) stattfindet.

[gez.] Schnippenkötter

VS-Bd. 9837 (I C 1)

5

Botschafter Krapf, Brüssel (NATO), an das Auswärtige Amt

Z B 6-1-10118/72 geheim	Aufgabe: 12. Januar 1972, 19.00 Uhr
Fernschreiben Nr. 32	Ankunft: 12. Januar 1972, 21.24 Uhr
Citissime	

Betr.: Malta[1]

Bezug: Drahtbericht Nr. 24 vom 11.1.1972 – 20-94.35-2-95/72 geheim[2]

I. Der NATO-Rat befaßte sich im Rahmen seiner Sitzung vom 12.1.72 erneut mit dem o. a. Thema. Das Ergebnis der Erörterungen läßt sich wie folgt zusammenfassen:

---

[1] Am 30. Juni 1971 erklärte die neue maltesische Regierung unter Ministerpräsident Mintoff das britisch-maltesische Abkommen vom 21. September 1964 über Verteidigung und gegenseitige Hilfe für ungültig. Seitdem fanden Verhandlungen zwischen Malta, Großbritannien sowie den übrigen NATO-Mitgliedstaaten über eine Neuregelung der Stationierung von britischen und NATO-Streitkräften statt. Vgl. dazu AAPD 1971, II, Dok. 255, Dok. 258 und Dok. 316.
Am 24. Dezember 1971 forderte Mintoff von der britischen Regierung die sofortige Zahlung von 4,25 Mio. Pfund oder den Abzug der britischen Truppen bis zum 31. Dezember 1971. Nachdem er ein Angebot des britischen Verteidigungsministers Lord Carrington zu erneuten Gesprächen abgelehnt hatte, wies die britische Regierung am 29. Dezember 1971 ihre auf Malta stationierten Truppen an, den sofortigen Abzug vorzubereiten. Vgl. dazu den Artikel „Großbritannien leitet den Abzug seiner Truppen von Malta ein"; DIE WELT vom 30. Dezember 1971, S. 1.
Mit Schreiben vom 31. Dezember 1971 an Premierminister Heath verlängerte Mintoff das Ultimatum für den Abzug der britischen Truppen bis zum 15. Januar 1972. Vgl. dazu den Artikel „Die NATO ist nicht auf Malta angewiesen"; FRANKFURTER ALLGEMEINE ZEITUNG vom 3. Januar 1972, S. 2.
Am 4. Januar 1972 übergab der britische Hochkommissar für Malta, Watson, eine Note. Dazu wurde in der Presse berichtet: „London hat die maltesische Regierung offiziell davon unterrichtet, daß es sich an das bis zum 15. Januar verlängerte Ultimatum von Regierungschef Mintoff nicht gebunden fühle und weiterhin der Ansicht sei, mit der Räumung seiner Stützpunkte an der Mittelmeerinsel bis zum 31. März Zeit zu haben. [...] In der Note sichert London zu, den Abzug der Streitkräfte im Rahmen des Möglichen zu beschleunigen. Auch wird der Wunsch der britischen Regierung unterstrichen, mit der maltesischen Regierung zusammenzuarbeiten, um den Abzug so reibungslos und ordnungsgemäß wie möglich zu bewerkstelligen." Vgl. die Meldung „Britische Note in La Valletta übergeben"; FRANKFURTER ALLGEMEINE ZEITUNG vom 6. Januar 1972, S. 1.
[2] Botschafter Krapf, Brüssel (NATO), berichtete über eine Sitzung des Ständigen NATO-Rats, in der sich die USA, Italien und die Bundesrepublik für eine Erhöhung des Barangebots an Malta ausgesprochen hätten. NATO-Generalsekretär Luns habe von einem Gespräch mit Premierminister Heath in Chequers am Vortag berichtet: „Heath habe den britischen Standpunkt nochmals eingehend erläutert. Dabei sei vor allem hervorgehoben worden, daß Mintoff in der Vergangenheit wie-

- Alle Bündnispartner sind grundsätzlich damit einverstanden, daß auf der Basis der britischen Bedingungen vor Ablauf des 15.1.72 ein Versuch zur Wiederaufnahme der britisch-maltesischen Verhandlungen über ein Verteidigungsabkommen gemacht wird.
- Das Barangebot beträgt z. Zt. 11,75 Mio. Pfund jährlich, nachdem die USA, Italien und wir die Beiträge um je 750 000 Pfund erhöht haben. Ein britischer Beitrag zur Erhöhung des Angebots ist nicht beabsichtigt; kleine Beiträge anderer Allianzpartner sind noch möglich.
- Die italienische Regierung wird gebeten, Mintoff vor Ablauf des 15.1. über die Möglichkeit einer Wiederaufnahme der Verhandlungen zu unterrichten.
- Der NATO-Rat wird sich in einer auf den 13.1.72 einberaumten Ratssitzung mit Einzelheiten der Vermittlungsaktion befassen.

II. 1) Der amerikanische Sprecher erklärte, wenn Mintoff ein neues Angebot gemacht werden solle, so müsse die Vermittlungsaktion vor dem 15.1.72 stattfinden. Angesichts der Bereitschaft der Bundesrepublik, Italiens und der USA zur Erhöhung ihrer Beiträge um je 750 000 Pfund soll von der sich damit ergebenden Gesamtsumme von 11,75 Mio. Pfund ausgegangen werden. Dieser Betrag sei als Kompromiß anzusehen und werde eine wenn auch zurückhaltend zu bewertende Chance auf Wiederaufnahme der Verhandlungen über ein Verteidigungsabkommen eröffnen.

Seine Regierung akzeptiere die dafür von der britischen Regierung gewünschten Bedingungen.

Hinsichtlich der Frage, in welcher Form Mintoff unterrichtet werden solle, sei die amerikanische Regierung nicht festgelegt. Sie halte insbesondere nicht an dem Vorschlag eines Briefes Ellsworth/Mintoff fest.[3] Einer Vermittlung durch

---

Fortsetzung Fußnote von Seite 22

derholt Versprechungen gegenüber der britischen Regierung nicht eingehalten habe. [...] Premierminister Heath habe erklärt, daß eine grundsätzliche britische Bereitschaft zur Wiederaufnahme der Gespräche über ein Verteidigungsabkommen noch bestehe. Die britische Regierung sei auch bereit, dies Mintoff ausdrücklich zu erklären; jedoch müsse eindeutig feststehen, daß mit dem Ziel eines befriedigenden Abkommens verhandelt werde und sofortige Barleistungen vor Abschluß des Abkommens weder von Mintoff gefordert noch von einzelnen Bündnispartnern gewährt werden. Malta habe Finanzreserven in Höhe von rund 17 Millionen Pfund Sterling. Eine sofortige Barleistung sei deshalb nicht erforderlich. Im übrigen würden die britischen Aufwendungen für Malta bereits nach dem bisherigen Verhandlungsstand so hoch sein, daß an eine Erhöhung des britischen Beitrages zu den jährlichen Barleistungen nicht gedacht werde." Vgl. VS-Bd. 8799 (III A 5); B 150, Aktenkopien 1972.

[3] Botschafter Krapf, Brüssel (NATO), teilte am 11. Januar 1972 mit, der amerikanische Vertreter habe den Ständigen NATO-Rat über den Vorschlag seiner Regierung informiert, „das Barangebot auf 13 Millionen jährlich zu erhöhen. Er hob hervor, daß nach amerikanischer Ansicht jetzt der Zeitpunkt gekommen sei, um die Verhandlungen mit Mintoff wiederaufzunehmen. Seine Regierung sei wegen Malta sehr besorgt. Die Bündnispartner müßten sich jetzt darüber klarwerden, ob man die Entwicklung laufen lassen wolle oder ob ein letzter Einigungsversuch gemacht werden solle. Für das weitere Verfahren könne entscheidend sein, auf welche Weise Mintoff auf die Möglichkeit neuer Verhandlungen aufmerksam gemacht werde." Die amerikanische Regierung schlage daher einen Brief des ehemaligen amerikanischen NATO-Botschafters Ellsworth an Mintoff vor. Krapf berichtete weiter, der britische NATO-Botschafter Peck habe den amerikanischen Vorschlag als nicht überzeugend bezeichnet und ausgeführt, die in dem Entwurf des Schreibens von Ellsworth an Mintoff enthaltene Anregung einer Reise des britischen Verteidigungsministers Lord Carrington zu Verhandlungen nach Malta „sei überholt": „Aufgrund der jüngsten Entwicklung stehe Lord Carrington für Gespräche mit Mintoff nur noch in London oder an einem dritten Ort zur Verfügung." Vgl. den Drahtbericht Nr. 24; VS-Bd. 8799 (III A 5); B 150, Aktenkopien 1972.

die italienische Regierung werde seine Regierung zustimmen. Auch eine Vermittlung durch den Erzbischof von La Valletta[4] sei möglich.

2) Ich erklärte unsere Unterstützung für den amerikanischen Vorschlag. Ich hob hervor, daß nach unserer Meinung ein Beitrag anderer Allianzpartner, wenn auch nur in geringer Höhe, politisch von großer Bedeutung sei.

Weiterhin betonte ich die Bedeutung der Modalitäten einer Übermittlung eines neuen Angebots an Mintoff. Wir könnten einer italienischen Vermittlung zustimmen. Der Vermittler müsse bei der Unterrichtung Mintoffs vor allem im Auge behalten, daß Mintoff die Möglichkeit gegeben werde „sein Gesicht zu wahren".

3) Der italienische Botschafter[5] erklärte ebenfalls sein Einverständnis mit dem amerikanischen Vorschlag unter besonderem Hinweis auf die Annehmbarkeit der britischen Bedingungen auch für die italienische Regierung. Hinsichtlich der Frage einer italienischen Vermittlung unterstrich er nachdrücklich, daß er hierzu keine Weisung habe und im Augenblick nur die sofortige Übermittlung einer entsprechenden Bitte der Bündnispartner nach Rom zusagen könne.

4) Der niederländische Botschafter[6] erklärte, das niederländische Außenministerium sei bereit, dem Kabinett eine Erhöhung des niederländischen Beitrags zu dem Barangebot vorzuschlagen. Er könne z. Zt. jedoch insoweit noch keinerlei verbindliche Zusage machen. Eine Entscheidung werde seiner Regierung erheblich erleichtert, wenn auch andere Allianzpartner „mittlerer Größe" zu einer Erhöhung ihrer Beiträge bereit wären.

5) Der belgische Botschafter[7] kritisierte erneut die unglückliche Lancierung des amerikanischen Vorschlags. Angesichts der ungeklärten innenpolitischen Lage in Belgien[8] könne er im Augenblick keinerlei Zusage für eine Erhöhung des Beitrags zum Barangebot abgeben.

6) Der kanadische Botschafter[9] hob hervor, daß ein Beitrag seiner Regierung zu dem Barangebot aus verfassungsrechtlichen Gründen nicht möglich sei. Die kanadische Regierung könne lediglich einen Beitrag im Rahmen von Wirtschaftshilfe leisten. Sie stehe insoweit zu dem bisherigen Angebot, sofern ein befriedigendes Abkommen zwischen Großbritannien und Malta zustande komme.

Im übrigen wies er darauf hin, daß das Bündnis nunmehr seine Wandlungsfähigkeit auch angesichts der kurzen für eine Vermittlungsaktion verbleibenden Frist unter Beweis stellen müsse. Das Bündnis habe in der Vergangenheit bei der Behandlung des Malta-Problems erhebliche Fehler gemacht. „We are

---

[4] Michael Gonzi.
[5] Felice Catalano di Melilli.
[6] Dirk Pieter Spierenburg.
[7] André de Staercke.
[8] Nach der vorzeitigen Auflösung des belgischen Parlaments am 25. September 1971 fanden am 7. November 1971 Neuwahlen statt. Premierminister Eyskens reichte am 8. November 1971 seinen Rücktritt ein, blieb jedoch geschäftsführend im Amt und wurde am 22. November 1971 von König Baudouin mit der Regierungsbildung beauftragt. Am 21. Januar 1972 wurde die neue Regierung vereidigt.
[9] Ross Campbell.

the authors for the present impasse". Die Spekulation auf eine Lösung der Malta-Krise durch innenpolitische Schwierigkeiten Mintoffs habe sich als falsch erwiesen. Als Vermittler halte er den Erzbischof von La Valletta nicht für geeignet. Eine Vermittlung durch Italien sei dagegen erfolgversprechend.

7) Der luxemburgische Botschafter[10] ließ eine gewisse Bereitschaft seiner Regierung zur Erhöhung des Beitrags zum Barangebot erkennen, insbesondere für den Fall, daß sich eine Solidarität der Beneluxländer in dieser Frage abzeichne.

8) Der türkische Sprecher und der griechische Botschafter[11] unterstützten einen Versuch zur Wiederaufnahme der Verhandlungen. Sie hoben die große Bedeutung Maltas hervor, wiesen jedoch gleichzeitig auf ihre bescheidenen finanziellen Möglichkeiten hin. Die Regierungen in Ankara und Athen scheinen die Möglichkeit einer Erhöhung ihrer jeweiligen Beiträge noch zu prüfen; negative Entscheidungen sind in dieser Frage offensichtlich noch nicht getroffen worden.

9) Der dänische Sprecher hob hervor, daß seine Regierung niemals eine Beteiligung an der Barleistung in Aussicht gestellt habe und deshalb auch jetzt zu einem Beitrag in dieser Form nicht bereit sei.

10) Der norwegische Botschafter[12] erklärte, die Möglichkeit seiner Regierung, eine Beteiligung an der Barleistung zu erwägen, sei durch die Tatsache, daß sich Großbritannien an der Erhöhung nicht beteilige, und angesichts der vorzeitigen Veröffentlichung des amerikanischen Vorschlages entfallen.

11) Der kanadische Botschafter stellte die Frage, warum Frankreich sich an dieser Aktion nicht beteilige, obwohl es sich z.Zt. in Malta nicht mehr um die Erhaltung einer gemeinsamen Verteidigungseinrichtung des Bündnisses, sondern um ein allgemeines strategisches Anliegen handele. Der italienische Botschafter fügte hinzu, daß auch seine Regierung einen französischen Beitrag im Rahmen der „solidarité méditerranéenne" sehr begrüßen würde. Der französische Sprecher beschränkte sich darauf, auf die grundsätzliche französische Bereitschaft zur Wirtschaftshilfe zu verweisen.

III. 1) Der britische Botschafter[13] verwies auf den „spirit of solidarity", der sich aus der heutigen Erörterung des Rates ergeben habe. Insbesondere habe sich dabei erneut die grundsätzliche Einigkeit in den Zielen der Allianzpartner gegenüber Malta gezeigt. Aus den bekannten Gründen sehe sich seine Regierung allerdings nach wie vor nicht in der Lage, einen Beitrag zu der Erhöhung des Barangebots zu leisten. Er begrüßte die Annahme der britischen Bedingungen für eine Wiederaufnahme der Verhandlungen, nämlich

– Ausschluß jeder sofortigen Zahlung;
– keinerlei finanzielle Leistung vor Abschluß eines befriedigenden Abkommens;

---

[10] Lambert Schaus.
[11] Phedon Annino Cavalierato.
[12] Rolf Trygve Busch.
[13] Edward Peck.

- Aufgabe des Abzugstermins vom 15.1.1972;
- Ende der maltesischen Provokationen („harrassments").

Hinsichtlich der Modalitäten der Vermittlung sprach der britische Botschafter sich dafür aus, Mintoff gegenüber auf keinen Fall einen festen Erhöhungsbetrag zu nennen. Im Augenblick sei wichtig, daß die Verhandlungen über ein Verteidigungsabkommen wieder in Gang kämen. Es werde genügen, daß Mintoff dafür „some more money later" in Aussicht gestellt werde. Eine Vermittlung durch den Erzbischof von La Valletta könne er nicht befürworten; eine italienische Vermittlung solle nach Möglichkeit nicht auf hohem Niveau stattfinden. Wesentlich sei für seine Regierung, daß der Vermittler Mintoff lediglich unterrichten wird, ohne in Verhandlungen einzutreten.

2) Der amerikanische Sprecher warnte davor, Mintoff über die zu erwartende Erhöhung der Barleistungen im unklaren zu lassen. Das werde nur zu unerfüllbaren Erwartungen führen. Eine Wiederaufnahme der Verhandlungen könne Mintoff auch dadurch nähergebracht werden, daß er erneut auf die bereits konkretisierte Bereitschaft einiger Bündnispartner zu Wirtschaftshilfe hingewiesen werde.

Verschiedene Delegationen unterstützten den Standpunkt des amerikanischen Sprechers, daß Mintoff der genaue Betrag des neuen Angebots mitgeteilt werden solle. Nach längerer Diskussion neigte jedoch die Mehrheit zu der Ansicht, daß dem Vermittler überlassen bleiben müsse, ob er gegenüber Mintoff nur generell eine Erhöhung des Barangebots in Aussicht stellen oder eine konkrete Summe nennen wolle.

IV. Der belgische Botschafter unterrichtete den Rat, daß der belgische Botschafter in London[14] am Nachmittag des 11.1. in London den Erzbischof von La Valletta aufgesucht habe. Der Erzbischof habe erklärt, Mintoff habe ihm vor seiner Reise nach London „strikteste Weisung" gegeben, den Briten gegenüber zu erklären, daß Mintoff keinesfalls eine Barleistung unter 18 Mio. Pfund akzeptieren würde und fest mit dem Angebot dieser Summe rechne. Der Erzbischof sei von der festen Haltung Premierminister Heaths stark beeindruckt gewesen. Nach der Meinung des Erzbischofs werde Mintoff in Kürze eine Reihe von Notstandsmaßnahmen einleiten und in diesem Rahmen auch das Parlament auflösen. Die Notstandssituation werde Mintoff in kurzer Zeit dazu zwingen, sowjetische Hilfe anzunehmen, so daß eine direkte Einflußnahme der Sowjetunion auf Malta nahezu unvermeidlich sei.

Abschießend habe der Erzbischof dem belgischen Botschafter erklärt, er sei trotz seines hohen Alters „plus actif que toute l'opposition maltaise".

V. Zusammenfassend wies der Stellvertretende Generalsekretär[15] darauf hin, daß nach Möglichkeit bis zu der morgen anberaumten Ratssitzung geklärt werden müsse,

- ob noch ein höherer Erhöhungsbeitrag als 2,25 Mio. Pfund zustande kommen könne;

---

[14] Jean van den Bosch.
[15] Paolo Pansa Cedronio.

– ob die italienische Regierung zu einer Vermittlung bereit sei;
– ob und welche Instruktionen für die Vermittlung im einzelnen festgelegt werden sollten.

Die Ratssitzung wird am 13.1. um 11.00 Uhr stattfinden.[16]

Ich bitte um Weisung.

[gez.] Krapf

VS-Bd. 8799 (III A 5)

---

[16] Botschafter Krapf, Brüssel (NATO), berichtete am 13. Januar 1972, in der Sitzung des Ständigen NATO-Rats sei beschlossen worden, daß die italienische Regierung unverzüglich einen Vermittler nach Malta entsenden möge. Er solle Ministerpräsident Mintoff die Bereitschaft des britischen Verteidigungsministers Lord Carrington zu einem Treffen noch vor Ablauf des maltesischen Ultimatums übermitteln. An dem Treffen könnten sowohl NATO-Generalsekretär Luns als auch ein Vertreter der italienischen Regierung teilnehmen. Vgl. den Drahtbericht Nr. 37; VS-Bd. 8799 (III A 5); B 150, Aktenkopien 1972.
Am 15. Januar 1972 trafen Mintoff, Carrington, Luns sowie der italienische Außenminister Moro in Rom zusammen. Dazu wurde in der Presse berichtet, Mintoff habe das Ultimatum an die britische Regierung zum Rückzug ihrer Truppen zurückgenommen. Die Gesprächspartner hätten sich darauf verständigt, am 19. Januar 1972 erneut zusammenzukommen. Vgl. dazu den Artikel „Malta soll der NATO als Stützpunkt erhalten bleiben"; FRANKFURTER ALLGEMEINE ZEITUNG vom 17. Januar 1972, S. 1.
Botschafter Krapf, Brüssel (NATO), berichtete am 24. Januar 1972, der Ständige NATO-Rat sei am 22. Januar 1972 über den Verlauf der britisch-maltesischen Verhandlungen vom 19. bis zum 21. Januar 1972 in Rom unterrichtet worden. Mintoff scheine weiterhin „dem Abschluß eines Verteidigungsabkommens mit Großbritannien den Vorzug vor einer Hilfeleistung durch Libyen zu geben. Insgesamt schien jedoch bei den Beteiligten der Eindruck zu bestehen, daß die Chancen für den Abschluß eines Abkommens noch nicht wesentlich besser sind als zu Beginn der Gespräche am 19.1.1972. Allerdings scheint Großbritannien die Erfolgsaussichten aus taktischen Gründen herunterzuspielen. Die bilateralen britisch-maltesischen Verhandlungen sollen am 24.1. in La Valletta fortgesetzt werden. In einem weiteren Gespräch zwischen Lord Carrington und Ministerpräsident Mintoff soll voraussichtlich am 28.1. versucht werden, die noch bestehenden Meinungsverschiedenheiten zu klären." Mintoff sei zwar offenbar bereit, grundsätzlich eine Barleistung in Höhe von 14 Mio. Pfund jährlich zu akzeptieren, jedoch nur unter bestimmten Bedingungen: „Diese finanziellen Bedingungen sind im Verlaufe der Verhandlungen in Rom nicht eindeutig klar geworden." Mintoff habe auf einer zusätzlichen einmaligen Leistung von 10 Mio. Pfund für das erste Jahr des Verteidigungsabkommens bestanden; nur dann könne er auf eine Rückdatierung des Abkommens verzichten. Vgl. den Drahtbericht Nr. 70; VS-Bd. 9813 (I A 4); B 150, Aktenkopien 1972.

6

Aufzeichnung des Ministerialdirigenten van Well

I B 5-82.00-92.08-13/72 geheim 13. Januar 1972[1]

Betr.: Diplomatische Beziehungen zwischen der Bundesrepublik Deutschland und der Volksrepublik China

Über Herrn Staatssekretär[2] Herrn Minister

mit der Bitte um Zustimmung, daß unser Botschafter in Paris[3] angewiesen wird, beim dortigen chinesischen Botschafter[4] zu sondieren, ob ein Angebot der Bundesregierung, mit der chinesischen Regierung in Verhandlungen über die Aufnahme diplomatischer Beziehungen einzutreten, auf ein positives Echo stoßen würde.

I. Wenn wir in den letzten sieben Jahren in Richtung auf die Volksrepublik China keine Initiative mehr ergriffen haben, so bestand der Grund hierfür erklärtermaßen darin, daß die Schwerpunkte unserer Politik in Europa und im Rahmen des Atlantischen Bündnisses liegen und daß die China-Frage angesichts der Haltung wichtiger verbündeter und befreundeter Regierungen kontrovers war. Diese Gesichtspunkte können jedoch unter den heutigen Umständen unsere bisherige Zurückhaltung China gegenüber nicht mehr rechtfertigen. Im Gegenteil müssen wir damit rechnen, daß wir bald in den EG und im Verhältnis zu den Vereinigten Staaten vor die Notwendigkeit gestellt werden, ein eigenes aktives Interesse an China zu nehmen. China selbst hat an der EWG Interesse gezeigt, weil es hier eine Möglichkeit sieht, der Hegemonialstellung der beiden Supermächte entgegenzuarbeiten. Es ist damit zu rechnen, daß es seine Handelsbeziehungen zu europäischen Ländern auch durch Kontakte mit der EWG ausbaut, ja sogar Antrag auf Aufnahme von Beziehungen zur Gemeinschaft stellt. Von den Mitgliedern der EWG unterhalten Frankreich[5], Belgien[6], Italien[7] und die Niederlande[8] diplomatische Beziehungen zur

---

[1] Die Aufzeichnung wurde von Vortragendem Legationsrat I. Klasse Berendonck und von Vortragendem Legationsrat Thönnes konzipiert.
Hat Ministerialdirigent van Well am 26. Januar 1972 erneut vorgelegen.
Hat Ministerialdirigent Müller am 27. Januar 1972 vorgelegen.

[2] Hat Staatssekretär Freiherr von Braun am 15. Januar 1972 vorgelegen.
Hat Staatssekretär Frank am 18. Januar 1972 vorgelegen, der handschriftlich vermerkte: „W[ieder]v[or]l[age] 25.1. (n[ach] Rückkehr aus Neu Delhi)."
Hat Frank erneut am 25. Januar 1972 vorgelegen, der handschriftlich für Ministerialdirektor von Staden vermerkte: „Der Herr Minister hat entschieden, daß mit einer derartigen Initiative noch abzuwarten sei. W[ieder]v[or]l[age] etwa 1.6.72."
Hat Staden am 26. Januar 1972 vorgelegen, der handschriftlich vermerkte: „Herr Ruete muß m. E. persönl[ich] unterrichtet werden. Ebenso Herr Gehlhoff."

[3] Hans Ruete.

[4] Huang Chen.

[5] Frankreich und die Volksrepublik China nahmen am 27. Januar 1964 diplomatische Beziehungen auf.

[6] Belgien und die Volksrepublik China nahmen am 25. Oktober 1971 diplomatische Beziehungen auf.

[7] Italien und die Volksrepublik China nahmen am 6. November 1970 diplomatische Beziehungen auf.

VR China. Luxemburg hat seine amtlichen Beziehungen zu Taiwan aufgegeben. Was die übrigen europäischen Staaten – abgesehen von den kommunistischen – betrifft, so haben Großbritannien[9], Island[10], Norwegen[11], Schweden[12], Finnland[13], Dänemark[14], Österreich[15], die Schweiz[16] und die Türkei[17] die VR China diplomatisch anerkannt. Taiwan ist nur noch in Spanien, Portugal, dem Vatikan, Malta, Zypern und Griechenland vertreten.

Von den fünfzehn Ländern des Atlantischen Bündnisses haben zehn die VR China anerkannt. Mit dem China-Besuch Präsident Nixons[18] wird im Dreiecksverhältnis USA–UdSSR–China eine Entwicklung eingeleitet, die für unsere Lebensinteressen von großer Bedeutung werden kann und die wir auch im Verhältnis zu China genau beobachten und unserem Einfluß zugänglich machen sollten.

II. Die Aufnahme Chinas in die VN[19] ist für die Überprüfung unserer Haltung ein weiteres wichtiges Faktum. Die Frage der Aufnahme beider Staaten in Deutschland in die VN wird zunehmendes Gewicht erhalten und zu gegebener Zeit einer sorgfältigen diplomatischen Vorbereitung bedürfen, die China als ständiges Mitglied des Sicherheitsrats einschließen muß.

Außerdem ist zu berücksichtigen, daß die VR China auch die Mitgliedschaft in den Sonderorganisationen der VN anstrebt. Da diese rechtlich selbständig sind, hat die Entscheidung der Vollversammlung über den Repräsentanzwechsel Chinas hier keine automatische Wirkung. Die Mitglieder aller Sonderorganisationen, also auch die Bundesrepublik, haben über die rechtmäßige Vertretung Chinas in denselben zu befinden. Es wäre sinnvoll, wenn bei diesem Gesamtkomplex auf uns zukommender Aufgaben einschließlich der späteren Zusammenarbeit in den Gremien auch auf bilaterale amtliche Beziehungen zurückgegriffen werden könnte.

Fortsetzung Fußnote von Seite 28
8 Die Niederlande erkannten die Volksrepublik China am 27. März 1950 an.
9 Großbritannien und die Volksrepublik China nahmen am 6. Januar 1950 Beziehungen auf Geschäftsträgerebene auf. Am 13. März 1972 wurden die Beziehungen auf Botschafterebene gehoben.
10 Island und die Volksrepublik China nahmen am 8. Dezember 1971 diplomatische Beziehungen auf.
11 Norwegen erkannte die Volkrepublik China am 6. Januar 1950 an.
12 Schweden erkannte die Volksrepublik China am 15. Januar 1950 an.
13 Finnland erkannte die Volksrepublik China am 13. Januar 1950 an.
14 Dänemark erkannte die Volksrepublik China am 9. Januar 1950 an.
15 Österreich und die Volksrepublik China nahmen am 28. Mai 1971 diplomatische Beziehungen auf.
16 Die Schweiz erkannte die Volksrepublik China am 17. Januar 1950 an.
17 Die Türkei und die Volksrepublik China nahmen am 4. August 1971 diplomatische Beziehungen auf.
18 Präsident Nixon besuchte die Volksrepublik China vom 21. bis 28. Februar 1972. Vgl. dazu Dok. 47, Anm. 6 und 7.
19 Am 25. Oktober 1971 stimmte die UNO-Generalversammlung mit 76 gegen 35 Stimmen bei 17 Enthaltungen und drei abwesenden Mitgliedstaaten für die Aufnahme der Volksrepublik China in die UNO als einzig rechtmäßige Vertretung Chinas. Zuvor hatten die Vertreter der Republik China (Taiwan) die UNO-Generalversammlung bereits verlassen. Abgelehnt wurde der von den USA eingebrachte Vorschlag, sowohl der Volksrepublik China als auch der Republik China (Taiwan) die Mitgliedschaft zu ermöglichen. Vgl. dazu AAPD 1971, III, Dok. 371.

III. Das Fehlen amtlicher Beziehungen hat der günstigen Entwicklung der deutsch-chinesischen Handelsbeziehungen zunächst nicht im Wege gestanden. Die Bundesrepublik Deutschland ist seit Jahren nach Japan und Hongkong drittgrößter Handelspartner der VR China. Deutsche Wirtschaftskreise hätten die Formalisierung unserer Handelsbeziehungen zwar begrüßt, hielten sie aber noch im Mai 1971 nicht für erforderlich (Erklärung des Ostausschusses der Deutschen Wirtschaft gegenüber dem Auswärtigen Amt).

Der Umsatz ist indes rückläufig. Vom Januar bis September 1971 weisen die deutschen Ausfuhren nach China im Vergleich zu dem entsprechenden Zeitraum des Vorjahres einen Rückgang von 28% auf. Unsere Einfuhren aus China erhöhten sich um rund 1%. Im China-Geschäft zeichnet sich mehr und mehr ein Preiskampf mit härterem Wettbewerb und zäher werdenden Verhandlungen ab. Durch die Anerkennungswelle drängen jetzt mehr Lieferländer auf den chinesischen Markt, dessen Aufnahmefähigkeit allerdings nur geringfügig steigt.

Es ist anzunehmen, daß die chinesische Regierung denjenigen Ländern, die ihre Beziehungen zur VR China normalisiert haben, auch einen größeren Marktanteil einräumt. Diese Gesichtspunkte sind, neben den politischen, wiederholt in der deutschen Öffentlichkeit erörtert worden.

IV. Wir sind nicht sicher, ob Peking unser Verhandlungsangebot positiv aufgreifen wird.

Bekanntlich war nie eine chinesische Reaktion erfolgt, wenn wir in amtlichen Erklärungen auch in Ansehung der VR China auf die Regierungserklärung vom 28.10.1969 (Teil XII, Abs. 12) hinwiesen, wonach wir bereit sind, mit allen Staaten der Welt, die unseren Wunsch nach friedlicher Zusammenarbeit teilen, diplomatische Beziehungen zu unterhalten.[20] Offenbar hatte für China, das in erster Linie an der Mitgliedschaft in der UNO und an der Anbahnung eines Dialogs mit den USA interessiert war, eine Deutschland-Politik einen geringeren Stellenwert. Vielleicht wirkten auch noch die 1964 in Genf gemachten Erfahrungen nach: Wir hatten damals die Absicht, ein deutsch-chinesisches Warenabkommen mit Berlin-Klausel zu schließen, die VR China jedoch weiterhin diplomatisch nicht anzuerkennen und auch unseren Handel sonst nicht zu formalisieren. Dieses wurde von den grundsätzlich am Handel mit uns sehr interessierten Chinesen abgelehnt.[21] Schließlich dürfte bei den Chinesen noch eine gewisse Rücksichtnahme auf die DDR mitgespielt haben, der sie eine Art „nuisance value" in ihrer Politik gegenüber der Sowjetunion beimessen.

Die Haltung der Chinesen gegenüber der Bundesrepublik Deutschland ist dagegen keinesfalls negativ. Deutsche Geschäftsleute berichten über korrekte Abwicklung ihrer Kontrakte. Wegen unseres Handels mit Taiwan waren sie im

---

[20] Bundeskanzler Brandt führte in der Regierungserklärung am 28. Oktober 1969 aus: „Wir unterstreichen die grundsätzliche Bereitschaft, mit allen Staaten der Welt, die unseren Wunsch nach friedlicher Zusammenarbeit teilen, diplomatische Beziehungen zu unterhalten und die bestehenden Handelsbeziehungen zu verstärken." Vgl. BT STENOGRAPHISCHE BERICHTE, Bd. 71, S. 31.

[21] Erste Sondierungsgespräche der Bundesrepublik mit der Volksrepublik China über eine Formalisierung der Handelsbeziehungen wurden vom 25. Mai bis 23. November 1964 in der Schweiz geführt. Vgl. dazu AAPD 1964, I, Dok. 143, und AAPD 1964, II, Dok. 206 und Dok. 236.

Gegensatz zu den Japanern keinen Diskriminierungen ausgesetzt. Im Herbst 1970 war die Haltung des parteiamtlichen Peking zur Bundesrepublik noch durch die Kritik am Moskauer Vertrag bestimmt.[22] Die Kritik war aber mehr gegen Moskau als gegen uns gerichtet. Seit Frühjahr/Sommer 1971 ließ die Polemik gegen die Bundesrepublik nach und schien einer gelasseneren Einschätzung unserer Ostpolitik Platz zu machen.

Die bisher nur in sehr knapper Form am Berlin-Abkommen[23] geübte Kritik ist dagegen ausschließlich an die sowjetische Adresse gerichtet.

Für die Aufnahme diplomatischer Beziehungen zu Peking fällt günstig ins Gewicht, daß wir es bisher vermieden haben, amtliche Beziehungen zu Taiwan herzustellen.

V. Unsere bisherige Zurückhaltung in der China-Frage hing auch mit unseren Entspannungsbemühungen im Verhältnis zu unseren osteuropäischen Nachbarn zusammen. Im Hinblick auf die von uns gewünschte Verbesserung unserer Beziehungen zur Sowjetunion schien es ratsam, jede Maßnahme zu unterlassen, die dem Abbau der bisherigen Belastung des Verhältnisses Bonn/Moskau hätte hinderlich sein können.

Bei den Gesprächen in Oreanda[24] versicherte der Bundeskanzler, daß eine Aufnahme von Beziehungen zu China nicht gegen die Sowjetunion gerichtet sein werde. Die Sowjets machten deutlich, daß sie eine solche Beziehungsaufnahme nicht für die unmittelbare Zukunft erwarten. In Anbetracht der inzwischen eingetretenen Entwicklung (Aufnahme der VR China in die VN und Übernahme des ständigen Sicherheitsratssitzes) dürften die sowjetischen Bedenken an Gewicht verloren haben. Als zusätzliches Argument wäre anzuführen, daß die Aufnahme von Beziehungen zu China der Kritik der Opposition wegen einer angeblichen Orientierung an den Wünschen Moskaus entgegenwirken und möglicherweise die Position der Bundesregierung in der Ratifizierungsdebatte[25] erleichtern würde. Die Sowjets müßten allerdings entspre-

---

[22] Die chinesische Nachrichtenagentur „Hsinhua" kommentierte am 12. September 1970 den Moskauer Vertrag vom 12. August 1970: „Dies ist ein neuer ernster Schritt des sowjetischen revisionistischen Sozialimperialismus in seinem Zusammengehen und Wetteifern mit dem US-Imperialismus in Europa, ein Hofieren des westdeutschen Militarismus und ein Verrat an den Interessen der Völker Deutschlands, der Sowjetunion und ganz Europas." Die „sowjetrevisionistische Herrschaftsclique" habe dabei nicht nur auf die völkerrechtliche Anerkennung der DDR als Vorbedingung verzichtet, sondern „stillschweigend das Recht Westdeutschlands auf Annexion der DDR" anerkannt, der DDR „die ‚Rechte' der sogenannten ‚vier Mächte'" aufgezwungen und der „de-facto-Besetzung Westberlins durch den US-Imperialismus und Westdeutschland stillschweigend zugestimmt. [...] Es ist ganz offenkundig, daß der sowjetisch-westdeutsche Vertrag in Wirklichkeit ein großer Schwindel ist." Vgl. BUNDESREPUBLIK DEUTSCHLAND UND CHINA, S. 134–137.

[23] Für den Wortlaut des Vier-Mächte-Abkommens über Berlin vom 3. September 1971 vgl. EUROPA-ARCHIV 1971, D 443–453.

[24] Bundeskanzler Brandt hielt sich vom 16. bis 18. September 1971 zu Gesprächen mit dem Generalsekretär des ZK der KPdSU, Breschnew, in Oreanda auf. Vgl. dazu AAPD 1971, II, Dok. 310, Dok. 311, Dok. 314 und Dok. 315.

[25] Zum Stand des Ratifikationsverfahrens vgl. Dok. 1, Anm. 8.
Am 14. Januar 1972 fand eine erste Erörterung des Moskauer und des Warschauer Vertrags im Justizausschuß des Bundesrats statt. Dazu wurde in der Presse berichtet, es sei darüber beraten worden, „ob die Präambel des Grundgesetzes mit ihrem ‚Wiedervereinigungsgebot' den Ostverträgen entgegenstehe, da diese den gegebenen Teilungszustand fixierten. Dieser Standpunkt ist in einem ausführlichen Gutachten näher begründet worden, das im Auftrag der CDU/CSU-Länder

chend der Zusage des Bundeskanzlers gegenüber Breschnew[26] zu gegebener Zeit, und zwar vor der formellen Aufnahme von Beziehungen, unterrichtet werden.

VI. Vor Einleitung des Sondierungsgesprächs sind vereinbarungsgemäß[27] Konsultationen mit den Japanern zu führen.

VII. Was das Procedere betrifft, so wird vorgeschlagen, daß unser Botschafter in Paris baldmöglich ein Sondierungsgespräch mit dem dortigen chinesischen Botschafter führt, um das chinesische Interesse an der Aufnahme von Verhandlungen zur Herstellung diplomatischer Beziehungen zu ermitteln. Das Gespräch sollte möglichst so rechtzeitig vor der Nixon-Reise nach Peking geführt werden, daß Chinesen und Amerikaner ihre Besprechungen in Kenntnis der Aufnahmebereitschaft der Bundesregierung durchführen.

van Well

VS-Bd. 9878 (I B 5)

Fortsetzung Fußnote von Seite 31

erarbeitet worden ist." Die Vertreter der Bundesregierung hätten dagegen „besonderen Nachdruck darauf gelegt, daß die Verträge das Selbstbestimmungsrecht und damit den Weg zu einem vereinigten Deutschland nicht ausschließen". Ferner sei erörtert worden, ob das Gesetz zur Inkraftsetzung der Verträge der Zustimmung des Bundesrats bedürfe oder nur mit einem Einspruch bedacht werden könne. Vgl. dazu den Artikel „Vorbehalte der Union gegen die Verträge präzisiert"; FRANKFURTER ALLGEMEINE ZEITUNG vom 15. Januar 1972, S. 1 und S. 6.

[26] Bundeskanzler Brandt sicherte dem Generalsekretär des ZK der KPdSU, Breschnew, am 18. September 1971 in Oreanda zu, ihn vorab über eventuelle Gespräche mit der Volksrepublik China über die Aufnahme diplomatischer Beziehungen zu unterrichten. Vgl. dazu AAPD 1971, II, Dok. 314.

[27] In einem Gespräch mit Ministerpräsident Sato am 10. Mai 1967 versicherte Bundesminister Brandt bezüglich einer Aufnahme diplomatischer Beziehungen mit der Volksrepublik China, „daß es keinen Schritt der deutschen Regierung in dieser Frage geben werde, über den nicht vorher mit der japanischen Regierung gesprochen worden sei". Vgl. den Drahtbericht Nr. 197 des Botschafters Krapf, Tokio, vom 12. Mai 1967; Referat I B 5, Bd. 339 B.

7

Botschafter Ruete, Paris, an das Auswärtige Amt

Z B 6-1-10130/72 geheim   Aufgabe: 13. Januar 1972, 12.21 Uhr[1]
Fernschreiben Nr. 103   Ankunft: 13. Januar 1972, 13.26 Uhr

Betr.: Stationierung französischer Atomwaffen in der Bundesrepublik

Bezug: Schriftbericht I A 7-1/72 VS-v vom 4.1.72
Drahtbericht Pol I A 7-1195/72 geh. vom 29.11.71[2]

Anläßlich eines Zusammenseins mit Gesandtem Blomeyer brachte Jurgensen den Artikel von Roger Quercy im „Combat" vom 12.1.[3] zur Sprache, den er als unangenehm für das deutsch-französische Verhältnis bezeichnete. Vieles in dem Artikel sei völlig falsch, anderes falsch interpretiert. Frankreich habe bekanntlich weder die Absicht, die beiden in Deutschland stationierten Divisionen mit nuklearen Sprengköpfen auszurüsten, noch auch habe es in dieser Hinsicht einen Versuchsballon gestartet. Das von der Presse behauptete deutsche „Nein" stoße also insoweit ins Leere.

Auf der anderen Seite sei das Problem der Umrüstung der französischen Truppen in Deutschland auf Pluton aktuell und diskussionswürdig.

Wie er schon öfters betont habe, gebe es sowohl am Quai als auch im Verteidigungsministerium zwei Richtungen. Die gegenwärtige französische Entscheidung, die Gefechtsköpfe in Frankreich zu belassen und damit freie Hand hinsichtlich der Entscheidung über einen eventuellen Einsatz zu bewahren, entspreche der Auffassung Debrés und seiner Anhängerschaft. Die Gegenmeinung, der er, Jurgensen, angehöre und die nur knapp unterlegen sei, habe einer Vereinbarung über Lagerung und Einsatz mit der BRD das Wort geredet in der Überzeugung, daß hierin ein wesentlicher integrierender Faktor für die gemeinsame Verteidigung Europas liege. Die Rolle Frankreichs im Rahmen der Verteidigung eines sich vereinigenden Europas müsse erkannt und akzeptiert werden. So gesehen sei das von der Presse jetzt gegebene Bild völlig irreführend. Das wohlverstandene Interesse Deutschlands verlange eine Vereinbarung mit Frankreich über Stationierung und vor allem Einsatz französischer

---

[1] Hat Ministerialdirigent van Well am 13. Januar 1972 vorgelegen, der die Weiterleitung an Botschafter Roth verfügte.
Hat Roth am 14. Januar 1972 vorgelegen, der die Weiterleitung an Vortragenden Legationsrat I. Klasse Menne und Vortragenden Legationsrat Ruth verfügte und handschriftlich vermerkte: „Müßte nicht neben einer bilateralen Vereinbarung über den Einsatz die Forderung nach Eingliederung in (SACEURs) S[ingle] I[ntegrated] O[perational] P[lan] erhoben werden (auch im Zusammenhang mit MBFR und SALT)?"
Hat Menne am 14. Januar 1972 vorgelegen, der handschriftlich vermerkte: „Ich wurde bereits mündlich befaßt."
Hat Ruth am 17. Januar 1972 vorgelegen.
[2] Korrigiert aus: „26.11.1971".
Für den Drahtbericht Nr. 3475 des Botschafters Ruete, Paris, vom 29. November 1971 vgl. AAPD 1971, III, Dok. 421.
[3] Vgl. dazu den Artikel von Roger Quercy: „Bonn a degonflé sans tarder le ballon d'essai lancé par Paris"; COMBAT vom 12. Januar 1972, S. 7.

Nuklearwaffen, soweit die entsprechenden Träger sich in Deutschland befänden. Eine strikte deutsche Ablehnung spiele der von Debré verfolgten Politik einer unabhängigen französischen Verteidigung zu Lasten Deutschlands in die Hand. Die von der Presse behauptete deutsche negative Reaktion gegenüber französischen Absichten der Stationierung von Nuklearwaffen in Deutschland sei in doppelter Hinsicht unglücklich:

1) Die Umrüstung der französischen Truppen auf Pluton sei im Zweifel ebenso wenig angreifbar wie die Ausrüstung deutscher Verbände mit der „Sergant-Rakete".

2) Wenn man sich der Lagerung von nuklearen Sprengköpfen in der Nähe des Abschußgeräts widersetze, bewirke man nur, daß dieses zwar in Deutschland bleibe, die Sprengköpfe jedoch in Frankreich gelagert würden, ohne daß sich die Möglichkeit ergäbe, Frankreich zum Abschluß einer Vereinbarung über Lagerung und Einsatz zu nötigen.

Gesandter Jurgensen war mit Gesandtem Blomeyer der Meinung, daß in nächster Zeit eine Diskussion dieses heiklen Problems in der Öffentlichkeit kaum mehr zu vermeiden sein werde.

Diese Diskussion dürfte heikle Fragen im deutsch-französischen Verhältnis berühren.[4] Um so mehr erscheint es mir erforderlich, daß wir sobald wie möglich intern zu einer Entscheidung über unsere Haltung in dieser Frage gelangen und eine auch der Presse gegenüber verwendbare Sprachregelung erarbeiten.

Für eine Weisung wäre ich dankbar.

[gez.] Ruete

VS-Bd. 1843 (201)

---

[4] Zu einer möglichen Ausrüstung der französischen Streitkräfte in der Bundesrepublik mit Atomwaffen berichtete die Presse am 25. März 1972: „The West Germans are insisting on some kind of double-key arrangement that would give them a say in any French use of Pluton in West Germany. French Defense Minister Michel Debré, however, has refused to allow any West German participation, insisting that Pluton stay under French orders alone." Die Kontroverse gehe mittlerweile so weit, daß der Vorsitzende des Verteidigungsausschusses der französischen Nationalversammlung, Sanguinetti, den Abzug der französischen Streitkräfte aus der Bundesrepublik vorgeschlagen habe. Die Bundesrepublik habe demgegenüber großes Interesse am Verbleib der französischen Streitkräfte und auch an ihrer Ausrüstung mit Atomwaffen. Bundesminister Schmidt habe ein Arrangement ähnlich demjenigen mit der NATO vorgeschlagen, nämlich eine Beteiligung an der Entscheidung über den Einsatz der Atomwaffen: „For Michel Debré, French defense minister, however, this is integrated command, the reason the French pulled out of NATO." Vgl. den Artikel „Deploying Pluton"; INTERNATIONAL HERALD TRIBUNE vom 25. März 1972, S. 4.

8

Botschafter von Puttkamer, Tel Aviv, an das Auswärtige Amt

Z B 6-1-10289/72 VS-vertraulich	Aufgabe: 18. Januar 1972, 15.42 Uhr[1]
Fernschreiben Nr. 17	Ankunft: 19. Januar 1972, 14.43 Uhr

Betr.: Besuch bei Abba Eban;
hier: bilaterale Beziehungen

Ich habe heute angekündigten Besuch bei Außenminister gemacht. Unterredung dauerte 45 Minuten.

Ich eröffnete Gespräch mit ein paar Bemerkungen über die Kulturwoche und drückte aus, daß ich nicht den Eindruck hätte, daß aus den Ereignissen Belastungen für das bilaterale Verhältnis resultierten.[2] Gleichwohl mache sich gelegentlich eine größere Vorsicht auf israelischer Seite bemerkbar, und die Position, die Minister Allon in der Knesset im Zusammenhang mit dem Jugendaustausch bezogen habe[3], mache mir etwas Sorge.

Abba Eban stellte in seiner Antwort entschieden in Abrede, daß sich hier etwa ein neuer Trend zeige oder etwas ähnliches. Die Ereignisse während der Kulturwoche müßten als solche gewertet werden. Sie hätten mit den bestehenden deutsch-israelischen Beziehungen nichts zu tun. Für manche der Unmutsäußerungen müßten wir Verständnis haben, andere seien zu bedauern. Auch israelische Innenpolitik sei im Spiel gewesen. Was den Jugendaustausch angehe, seien die Ankündigungen Allons nur administrativ gemeint. Von dem Stop für 1972 nicht betroffen sei der Austausch von Sport- und politischen Jugendgruppen und in keiner Weise die Einreise deutscher Jugendlicher. Im übrigen sei

---

[1] Hat Vortragendem Legationsrat Bente am 24. Januar 1972 vorgelegen, der die Weiterleitung über Ministerialdirigent Müller an Ministerialdirektor von Staden verfügte.
Hat Müller und Staden vorgelegen.

[2] Im Rahmen der „Deutschen Kulturwoche" vom 6. bis 23. November 1971 in Jerusalem, Tel Aviv und Haifa kam es bei einzelnen Veranstaltungen zu Störungen und Protestkundgebungen verschiedener israelischer Gruppen sowie zu kritischen Berichten in der israelischen Presse. So meldete die Nachrichtenagentur „dpa" am 12. November 1971: „Begleitet von lärmenden Demonstrationen und Schlägereien ist am Donnerstag im Jerusalemer Kongreßgebäude anläßlich der Deutschen Kulturwoche eine Aufführung des Berliner Schiller-Theaters über die Bühne gegangen. Etwa 300 Demonstranten hatten vor dem Gebäude die eintreffenden Zuschauer mit Sprechchören wie ‚Mörder', ‚Nazis' und ‚Verräter' empfangen. Die Aufführung von Lessings ‚Emilia Galotti' wurde mehrfach unterbrochen. Die Demonstranten bewarfen Zuschauer und Schauspieler mit Eiern und verteilten Flugblätter." Vgl. VS-Bd. 10099 (Ministerbüro); B 150, Aktenkopien 1971.
Botschafter von Puttkamer, Tel Aviv, berichtete am 23. November 1971: „Noch enttäuschender als ein Teil der Presse wirkte die völlige Passivität der offiziellen Stellen wie des Außenministeriums, das erst die Veranstaltung der Kulturwoche begrüßt hatte, dann von nichts mehr wissen wollte und schließlich in einem Leserbrief an die Jerusalem Post dementierte, jemals seine Kenntnis von der Deutschen Kulturwoche abgestritten zu haben." Vgl. den Schriftbericht Nr. 1335; Referat IV 6, Bd. 1552.

[3] Am 4. Januar 1972 übermittelte Botschafter von Puttkamer, Tel Aviv, den Artikel „Der dornenvolle Weg des deutsch-israelischen Jugendaustausches" aus der deutschsprachigen Tageszeitung „Jedioth Chadashoth" vom 24. Dezember 1971. Darin wurde über die Äußerungen des isralischen Ministers für Erziehung und Kultur, Allon, berichtet: „Er gab sehr deutlich zu verstehen, wie wenig glücklich er überhaupt darüber sei, daß Israelis nach Deutschland fahren". Vgl. den Schriftbericht Nr. 7; Referat I B 4, Bd. 547.

sein Ministerium nach wie vor für eine Verbreiterung des Jugendaustausches, und er setze große Hoffnungen auf den neuen Ausschuß unter Vizeminister Yadlin, der jetzt gegründet werde.

Abba Eban sagte dann, er habe einige Bemerkungen zu machen. Was die Aufnahme der diplomatischen Beziehungen zu den arabischen Staaten angehe, so halte sich Israel an das Wort der Bundesregierung, daß diese nicht zu Lasten der deutsch-israelischen Beziehungen gehe, wie das auch für die Ost-Politik gelte. Israel habe auch keinen Grund, an den Worten des Bundesministers oder des Bundeskanzlers zu zweifeln. Deswegen nehme man Zeitungsmeldungen auch nicht ernst, aber man müsse sehen, daß arabische Blätter versuchten, „to poison the water".

So seien in Kairo Berichte über die Briefe des Bundeskanzlers und des Außenministers zum Jahreswechsel[4] erschienen, in denen Äußerungen zur UN-Resolution 242[5] wiedergegeben wurden, die mit denen des Bundesministers vom Frühjahr 1971 in Jerusalem[6] nicht übereinstimmten. „Ein Dementi aus Bonn haben wir leider nicht gehört."

Auf die EWG-Probleme eingehend, sagte Abba Eban, er hoffe sehr, daß Bundesregierung ihren Einfluß bei Partnern geltend machen werde,

a) eine ägyptische Erklärung zur Boykott-Frage nicht offiziell zur Kenntnis zu nehmen und

b) Israel mit der Begründung der Markterweiterung schon jetzt die Möglichkeit zu neuen Verhandlungen zu geben.

---

[4] Am 3. Januar 1972 berichtete Gesandter Jesser, Kairo, über das Echo in der ägyptischen Presse auf die Neujahrsglückwünsche des Bundeskanzlers Brandt an Präsident Sadat: „Durch wörtliches Zitat wird die Erwartung des Bundeskanzlers hervorgehoben, daß die ‚gemeinsamen Anstrengungen zur Verbesserung der Beziehungen im Interesse beider Völker im neuen Jahr ‚erfolgreich' sein würden." Erwähnt worden sei auch ein Telegramm des Bundesministers Scheel an den kuweitischen Außenminister al-Jaber über die Wiederaufnahme diplomatischer Beziehungen. Vgl. den Drahtbericht Nr. 1; Referat I B 4, Bd. 525.
Am 6. Januar 1972 übermittelte Jesser die englische Übersetzung eines Artikels aus der Wochenzeitung „Al Akhbar el Yom" vom 1. Januar 1972 über die Beziehungen zwischen der Bundesrepublik und Ägypten, in dem über Kontakte zwischen Scheel und dem Generalsekretär der Arabischen Liga, Hassouna, im August und September 1971 berichtet wurde. Aus diesen ergäben sich u. a. als Leitlinien der Nahostpolitik der Bundesregierung: „3) The German Governement, in its consideration of the Middle East problem, accepts and supports the Security Council's resolution No. 242, but does not interpret it. 4) The German Government rejects the principle of occupying territories by means of military power." Vgl. die Anlage zum Schriftbericht Nr. 8; Referat I B 4, Bd. 525.

[5] Resolution Nr. 242 des UNO-Sicherheitsrats vom 22. November 1967 (Auszug): „The Security Council [...] Emphasizing further that all Member States in their acceptance of the Charter of the United Nations have undertaken a commitment to act in accordance with Article 2 of the Charter, Affirms that the fulfilment of Charter principles requires the establishment of a just and lasting peace in the Middle East which should include the application of both the following principles: I) Withdrawal of Israel armed forces from territories occupied in the recent conflict; II) Termination of all claims or states of belligerency and respect for and acknowledgement of the sovereignty, territorial integrity and political independence of every State in the area and their right to live in peace within secure and recognized boundaries free from threats or acts of force". Vgl. UNITED NATIONS RESOLUTIONS, Serie II, Bd. VI, S. 42. Für den deutschen Wortlaut vgl. EUROPA-ARCHIV 1969, D 578 f.

[6] Bundesminister Scheel hielt sich vom 7. bis 10. Juli 1971 in Israel auf. Vgl. dazu AAPD 1971, II, Dok. 237, Dok. 238, Dok. 241, Dok. 243 und Dok. 244.

Außenminister machte einige Bemerkungen der Befriedigung über Entwicklung der Wirtschaftsbeziehungen und sagte unter Hinweis auf wachsende Schwierigkeiten Israels durch den überraschend hohen Strom von Neueinwanderern, es bestünde großes Interesse an weiterer Ausweitung des Volumens.

Eban bestätigte, daß er im Frühjahr höchstwahrscheinlich eine Europareise unternehmen werde (er nannte März, April). „Wenn es im Augenblick auch keine Probleme zwischen uns gibt, wird es mich freuen, bei dieser Gelegenheit einen Gegenbesuch in Bonn zu machen. Wir werden deswegen rechtzeitig in Verbindung treten."

Unter Hinweis, daß Frau Meir den Brief des Bundeskanzlers befriedigt aufgenommen habe[7], sagte Abba Eban: „Wir hoffen sehr, daß der Bundeskanzler 1972 Israel besuchen kann."

Aus dieser Formulierung schließe ich, daß israelische Seite in dieser Sache in Bonn bereits vorgefühlt hat.[8]

[gez.] Puttkamer

VS-Bd. 9864 (I B 4)

---

[7] Mit Schreiben vom 2. November 1971, das der Schriftsteller Grass am 10. November 1971 übergab, dankte Bundeskanzler Brandt Ministerpräsidentin Meir für die Glückwünsche zum Friedensnobelpreis. Er „verfolge aufmerksam, ob und wie sich Ansätze zu einer dauerhaften Friedensregelung in Ihrer Region erkennen lassen". Er habe den Eindruck, daß die UdSSR interessiert daran sei, gemeinsam mit den USA „nach Wegen zu suchen, um eine weitere Zuspitzung der Lage zu vermeiden. Sie wissen, wie begrenzt der Einfluß der Bundesrepublik in diesen Zusammenhängen ist; aber wenn immer Sie meinen, daß ich für meine Überlegungen und Gespräche etwas wissen sollte, was über die offiziellen Verlautbarungen hinausgeht, zögern Sie bitte nicht, es mich wissen zu lassen." Vgl. Referat I B 4, Bd. 458.
Am 29. November 1971 dankte Meir Brandt für das Schreiben und führte zur Situation im Nahen Osten aus: „I must tell you frankly that I am not very optimistic of the possibility of the Great Powers solving our problems. [...] I appreciate very much your willingness to be informed and to help. [...] As things look now, Sadat is not willing to continue talks under the aegis of Dr. Jarring unless we give a prior commitment of moving to 1967 borders and he has refused to discuss the special Suez arrangement unless we give the same commitment. All this, of course, leads nowhere and what we hear now is that he has decided to go to war again." Vgl. Referat I B 4, Bd. 544.
[8] Zur Einladung des Bundeskanzlers Brandt nach Israel vgl. Dok. 28, Anm. 28.

9

Aufzeichnung des Ministerialdirigenten van Well

I A 5-83.00-94.06-151/72 VS-vertraulich 19. Januar 1972[1]

Herrn Staatssekretär[2] mit der Bitte um Vorlage bei dem Herrn Bundesminister ggf. zur Unterrichtung des Herrn Bundeskanzlers[3] und des Kabinetts

Betr.: Entwurf eines zweiten Zwischenbescheides auf die finnische Deutschland-Initiative vom 10. September 1971[4]

Zweck der Vorlage: Genehmigung des Entwurfs einer Weisung an den Leiter der Handelsvertretung in Helsinki[5] und des weiteren Procedere

Anlg.: 1

In einem Brief des finnischen Außenministers vom 9. Dezember 1971 an seinen schwedischen Kollegen[6] wurden – zur Weiterleitung an den sich gerade in Stockholm aufhaltenden Herrn Bundeskanzler[7] – „informative und exploratorische Gespräche auf Beamtenebene" mit der Bundesregierung angeregt, um „möglicherweise unseren Vorschlag berührende Sachfragen" zu klären. Weiter schrieb Außenminister Mattila: „Es wäre äußerst bedauerlich, wenn Bonn eine negative Antwort auf unseren Vorschlag gäbe. Die Regierung Finnlands würde

---

[1] Die Aufzeichnung wurde von Vortragendem Legationsrat Weil konzipiert.
 Hat Ministerialdirektor von Staden am 21. Februar 1972 vorgelegt, der handschriftlich für Ministerialdirigent van Well vermerkte: „Die Besonderheit des finn[isch]-sowj[etischen] Vertrages u[nd] seiner Bezugnahme auf Deutschland wird in einem weiteren Durchgang wohl auch zu behandeln sein. Denn daher stammt wohl das finnische Interesse am bil[ateralen] Gewaltverzicht."
 Hat van Well erneut am 22. Februar 1972 vorgelegen. Vgl. den Begleitvermerk; VS-Bd. 9819 (I A 5); B 150, Aktenkopien 1972.

[2] Hat Staatssekretär Frank am 25. Januar 1972 vorgelegen, der die Weiterleitung an Bundesminister Scheel verfügte.
 Hat Scheel am 31. Januar 1972 vorgelegen.

[3] Die Wörter „Unterrichtung des Herrn Bundeskanzlers" wurden von Staatssekretär Frank hervorgehoben. Die Aufzeichnung wurde am 1. Februar 1972 von Vortragendem Legationsrat I. Klasse Hofmann an Vortragenden Legationsrat Schilling, Bundeskanzleramt, „mit der Bitte um Unterrichtung des Herrn Bundeskanzlers" geleitet. Vgl. das Begleitschreiben; VS-Bd. 9819 (I A 5); B 150, Aktenkopien 1972.
 Vortragender Legationsrat I. Klasse Dröge, Bundeskanzleramt, leitete die Aufzeichnung am 16. Februar 1972 an Vortragenden Legationsrat I. Klasse Schönfeld zurück und vermerkte dazu: „Der Herr Bundeskanzler hat von der Vorlage zustimmend Kenntnis genommen." Vgl. das Begleitschreiben; VS-Bd. 9819 (I A 5); B 150, Aktenkopien 1972.

[4] Am 10. September 1971 schlug die finnische Regierung sowohl der Bundesrepublik als auch der DDR die Aufnahme von Verhandlungen über einen grundlegenden Vertrag zur Regelung der Beziehungen vor und legte einen entsprechenden Vertragsentwurf vor. Neben der Aufnahme diplomatischer Beziehungen war u. a. auch die Frage der Entschädigung für Kriegsschäden als Verhandlungsgegenstand vorgesehen. Eine erste Stellungnahme der Bundesregierung wurde am 27. September 1971 übergeben. Vgl. dazu AAPD 1971, II, Dok. 304, Dok. 305 und Dok. 317, sowie AAPD 1971, III, Dok. 442. Für Auszüge aus dem Vertragsentwurf der finnischen Regierung vgl. Anm. 20 und 24.

[5] Detlev Scheel.

[6] Krister Wickman.

[7] Bundeskanzler Brandt hielt sich am 11./12. Dezember 1971 in Stockholm auf.

dann in eine völlig neue Situation kommen und vor neuen Entscheidungen stehen."[8]

In einem kurzen, zur Weiterleitung nach Helsinki bestimmten Schreiben an den schwedischen Außenminister antwortete der Herr Bundeskanzler, daß er die Angelegenheit im einzelnen mit dem Bundesminister des Auswärtigen erörtern möchte. Dieser werde sich dann in sachdienlicher Form mit seinem finnischen Kollegen in Verbindung setzen. Im übrigen erklärte der Bundeskanzler, daß die Bundesregierung Finnland nicht die Entscheidung für Fragen überlassen könne, die teils mit der DDR direkt und zum anderen Teil zwischen den drei Westmächten und der Sowjetunion geregelt werden müssen.

Außenminister Mattila hat wiederholt angeregt, daß man sich gemeinsam um die Formulierung einer vorläufigen deutschen Antwort auf die finnische Initiative bemühe, die eine für beide Seiten vorteilhafte Fortsetzung des Dialogs ermöglichen würde.

Es ist anzunehmen, daß die finnische Diplomatie versucht, aus der Verlegenheit, in die sie durch Präsident Kekkonens Initiative vom 10. September 1971 geraten ist, durch ein kontinuierliches Gespräch mit uns herauszukommen. Die Finnen könnten so besonders den Sowjets beweisen, daß sie nicht untätig warten, bis wir uns zu Verhandlungen über die gleichzeitige Aufnahme diplomatischer Beziehungen bereit finden. In Berücksichtigung dieses finnischen Wunsches und unseres eigenen Interesses daran, daß der außenpolitische Spielraum erhalten bleibt und schließlich der Erkenntnis, daß auf absehbare Zeit keine Konstellation vorstellbar ist, in der wir auf die finnische Initiative als solche eine positive[9] Antwort geben könnten, sollten wir das Gespräch mit der finnischen Regierung nunmehr anhand eines ausführlicheren Zwischenbescheides intensivieren. Während sich unser erster Zwischenbescheid vom 27. September 1971 auf eine Analyse der finnischen Vorschläge beschränkte, sollte der Meinungsaustausch jetzt durch unsere Vertretung in Helsinki routinemäßig fortgeführt werden, indem an die finnische Seite zu gewissen Teilen der Initiative Fragen gestellt, zu anderen Klarstellungen der deutschen Haltung gegeben werden. Insbesondere sollten wir uns ein besseres Bild über die Motive der finnischen Initiative vom 10. September 1971 verschaffen, soweit sie die Themen Neutralität und Gewaltverzicht betreffen und ein Zusammenhang mit ähnlichen KSZE-Überlegungen besteht, und andererseits den Finnen einen tieferen Einblick in unsere deutschlandpolitischen Vorstellungen vermitteln. Ein kontinuierliches Gespräch würde dazu dienen, den Finnen die Sorge zu nehmen, daß sie durch den Gang der innerdeutschen Gespräche überrascht und überholt werden könnten.

Eine Änderung in der negativen Haltung der Bundesregierung gegenüber dem Vorschlag der gleichzeitigen Aufnahme diplomatischer Beziehungen zwischen Finnland und den beiden deutschen Staaten kann nicht in Aussicht gestellt werden, da auf unabsehbare Zeit eine Zustimmung zur gleichzeitigen Aufnahme diplomatischer Beziehungen Finnlands zu den beiden deutschen Staaten

---

[8] Für das Schreiben vgl. Ministerbüro, Bd. 345.
[9] Der Passus „auf absehbare Zeit ... eine positive" wurde von Ministerialdirektor von Staden durch Ausrufezeichen hervorgehoben.

nicht einmal implicite vorstellbar ist. Dennoch wäre ein Dialog zumindest über die beiderseitigen Prioritäten und Belange sinnvoll. Dabei wird jeder Eindruck von Parallelität in den finnischen Gesprächen mit den beiden Staaten in Deutschland zu vermeiden sein; es kann nur ein Gespräch über bilaterale Fragen zwischen uns und Finnland geben. Ein Dreiecksarrangement zur gleichzeitigen Aufnahme diplomatischer Beziehungen mit beiden deutschen Staaten ist für uns nicht akzeptabel. Dagegen versprechen wir uns von einer vertraulichen Darlegung unserer Vorstellungen vom innerdeutschen Grundverhältnis und der Möglichkeiten, die wir im Rahmen der KSZE-Vorbereitungen für die noch immer ausstehende völkerrechtliche Anerkennung der finnischen Neutralität sehen, ein größeres Verständnis der finnischen Seite für unseren Standpunkt.

Eine solche Fortführung des Gesprächs würde, zusammen mit dem finnischen Interesse an der Akzeptierung ihrer KSZE-Gastgeberrolle durch uns und unsere Verbündeten, Tendenzen in Helsinki entgegenwirken, die Haltung in der Deutschlandfrage gegen unsere Interessen zu ändern. Bei den norwegisch-finnischen KSZE-Besprechungen am 13./14.1.1972 in Helsinki wurden die Finnen auf die Position der NATO-Länder in dieser Frage mit aller Deutlichkeit hingewiesen: „The Norwegian side underlined that the Brussels Communiqué[10] should be understood to mean that most NATO countries had a preference for Helsinki, but that it should not be taken as a formal acceptance of Helsinki as the venue for preparatory talks. Allied countries did not wish to prejudice the question of site for such talks before the final Berlin Protocol[11] had been signed. Furthermore, it was pointed out that the latest Finnish initiative in the German question had entailed a certain reserve on the part of some NATO countries. One reason that several countries looked upon Helsinki as an appropriate site for the talks was precisely because of Finland's neutral relationship with the two German states, and because of their level of representation in Helsinki. A change in this situation was likely to create complica-

---

10 In Ziffer 11 des Kommuniqués der NATO-Ministerratstagung am 9./10. Dezember 1971 in Brüssel wurde ausgeführt: „Ministers also took note of the invitation of the Finnish Government to the effect that heads of mission of the countries concerned accredited in Helsinki should undertake multilateral conversations. They stated that their Governments appreciated this initiative and that they will keep in touch with the Finnish Government in order to consult on this matter." Vgl. NATO FINAL COMMUNIQUES, S. 268. Für den deutschen Wortlaut vgl. EUROPA-ARCHIV 1972, D 99.

11 Dem Vier-Mächte-Abkommen über Berlin vom 3. September 1971 war ein am selben Tag paraphiertes Schlußprotokoll beigefügt, in dem die Vier Mächte folgende Übereinkunft trafen: „1) The four Governments, by virtue of this Protocol, bring into force the Quadripartite Agreement, which, like this Protocol, does not affect quadripartite agreements or decisions previously concluded or reached. 2) The four Governments proceed on the basis that the agreements and arrangements concluded between the competent German authorities (List of agreements and arrangements) shall enter into force simultaneously with the Quadripartite Agreement. 3) The Quadripartite Agreement and the consequent agreements and arrangements of the competent German authorities referred to in this Protocol settle important issues examined in the course of the negotiations and shall remain in force together. 4) In the event of a difficulty in the application of the Quadripartite Agreement or any of the above-mentioned agreements or arrangements which any of the four Governments considers serious, or in the event of non-implementation of any part thereof, that Government will have the right to draw the attention of the other three Governments to the provisions of the Quadripartite Agreement and this Protocol and to conduct the requisite quadripartite consultations in order to ensure the observance of the commitments undertaken and to bring the situation into conformity with the Quadripartite Agreement and this Protocol. 5) This Protocol enters into force on the date of signature." Vgl. EUROPA-ARCHIV 1971, D 453 f.

tions. The meetings ought to take place at the level of heads of missions and not of ‚plenipotentiaries' from capitals."

Der Entwurf einer Weisung an den Leiter unserer Handelsvertretung in Helsinki für die Vertiefung des Meinungsaustauschs und seine Ausdehnung auf den Zusammenhang zwischen den finnischen Wünschen einer deutschen Anerkennung der Neutralität und eines bilateralen Gewaltverzichts mit den KSZE-Themen ist beigefügt. Ferner wird unsere Haltung zur Reparationsfrage klargestellt.

van Well

[Anlage]

Entwurf einer Weisung an den Leiter der Handelsvertretung Helsinki (zweiter Zwischenbescheid auf die finnische Deutschland-Initiative vom 10. September 1971)

In ihrer Note vom 27. September 1971, mit der sie den finnischen Vorschlag vom 10. September 1971 zur künftigen Gestaltung der Beziehungen Finnlands zur Bundesrepublik zur Kenntnis nahm, hat sich die Bundesregierung bereit erklärt, diesen Vorschlag der finnischen Regierung mit der ihm zukommenden Aufmerksamkeit prüfen zu wollen. Sie hat sich dabei vorbehalten, die finnische Regierung um weitere Erläuterungen ihrer Initiative zu bitten. Seitdem hat es Kontakte zwischen beiden Regierungen in dieser Angelegenheit auf verschiedenen Ebenen gegeben. Die Bundesregierung möchte den Meinungsaustausch vertieft fortsetzen.

Sie ist der Auffassung, daß als Ergebnis solcher Gespräche mit der finnischen Regierung nicht nur sie selbst weitere Klarheit über die Implikationen des finnischen Vorschlags vom 10. September 1971 gewinnen, sondern auch der finnischen Regierung ein besseres Verständnis der komplexen Verhandlungssituation vermittelt werden kann, in der die Bundesregierung ihre Entscheidungen zu treffen hat. Die deutsche Seite hofft, dadurch die finnische Besorgnis zu zerstreuen, durch den Gang der innerdeutschen Verhandlungen überrascht zu werden. Die Bundesregierung legt Wert auf die Feststellung, daß sie die finnischen Interessen genau so zu respektieren willens ist, wie sie hofft, daß die finnische Regierung Verständnis für ihre Belange haben wird.

I. Zwischen der Bundesrepublik Deutschland und Finnland bestehen auf allen Gebieten enge Beziehungen. Es würde diesem Zustand entsprechen, diplomatische Beziehungen herzustellen. Die Bundesregierung weiß jedoch, daß sich die finnische Regierung hierzu nur bei gleichzeitiger Aufnahme diplomatischer Beziehungen zur DDR in der Lage sähe. Diese Grundsatzentscheidung der finnischen Regierung in ihrer seit langem verfolgten Politik gegenüber den beiden Staaten in Deutschland hat die Bundesregierung in ihre Überlegungen als Tatsache einzubeziehen. Dies bedeutet für die Bundesregierung aber, daß sie durch ein Eingehen auf den finnischen Vorschlag, mit ihr diplomatische Beziehungen aufzunehmen, gleichzeitig aktiv an der Herstellung diplomatischer Beziehungen zwischen Finnland und der DDR mitwirken würde. Sie würde sich damit in Widerspruch zu einer Grundentscheidung ihrer eigenen Deutschlandpolitik setzen, nämlich der Bitte an befreundete Staaten, den internatiolen Status der DDR nicht vorzeitig[12] durch einseitige Schritte aufzuwerten. Die Bundesregierung sieht den Zeitpunkt, diese ihre bekannte Haltung zu modifizieren, noch nicht gekommen. Ihre Bitte besteht weiter fort. Der Prozeß der Entspannung im West-Ost-Verhältnis in Europa ist in seinen ersten Anfängen. Soweit im Zuge dieser Entwicklung bisher Verträge ausgehandelt werden konnten (nämlich die Verträge von Moskau und Warschau[13], das Vier-Mächte-Abkommen über Berlin und die deutschen Zusatzvereinbarungen[14] hierzu), sind sie noch nicht in Kraft getreten. Die Vorbereitungen für eine Konferenz über die Sicherheit und Zusammenarbeit in Europa befinden sich, im West-Ost-Verhältnis, noch in der Phase bilateraler Sondierungen. Vorschläge über Verhandlungen über mehrseitige und ausgewogene Truppenreduzierungen liegen zwar vor und haben ein sowjetisches Echo gefunden; jedoch gibt es noch keinen West-Ost-Konsensus über Verhandlungsmodus und Verhandlungsmaterie.

In dieser delikaten Übergangsphase kann die Bundesregierung keine einseitige Änderung ihrer Grundsatzpositionen, die nur der Gegenseite zugute kommen würde, ins Auge fassen.

Die Unterzeichnung des Vier-Mächte-Abkommens über Berlin und der deutschen Zusatzvereinbarungen hierzu ändern an dieser Bewertung allein noch nichts. Gewiß bedeutet die Unterzeichnung dieser Abkommen und Vereinbarungen einen wichtigen Schritt auf dem Wege zur Entspannung und, so hofft die Bundesregierung, ein Schritt zu einem Modus vivendi zwischen den beiden Staaten in Deutschland.

Aber die Berlin-Regelung ist noch nicht in Kraft getreten. Die Sowjetunion hat die Unterzeichnung des Vier-Mächte-Schlußprotokolls von der Ratifizierung der Verträge von Moskau und Warschau abhängig gemacht. An der tatsächlichen Lage in und um Berlin hat sich noch nichts geändert. Schon die Logik verbietet daher eine Anhebung des Status der DDR, wodurch ja die tatsächliche Lage ebenfalls verändert würde.

---

[12] Dieses Wort wurde von Staatssekretär Frank gestrichen.

[13] Für den Wortlaut des Vertrags vom 12. August 1970 zwischen der Bundesrepublik und der UdSSR vgl. BULLETIN 1970, S. 1094.
Für den Wortlaut des Vertrags vom 7. Dezember 1970 zwischen der Bundesrepublik und Polen über die Grundlagen der Normalisierung ihrer gegenseitigen Beziehungen vgl. BULLETIN 1970, S. 1815.

[14] In Absatz 2 des Schlußprotokolls zum Vier-Mächte-Abkommen über Berlin vom 3. September 1971 wurden die gleichzeitig in Kraft tretenden, zwischen den zuständigen deutschen Behörden getroffenen Zusatzvereinbarungen genannt. Vgl. dazu ZEHN JAHRE DEUTSCHLANDPOLITIK, S. 189.
Zu den Zusatzvereinbarungen gehörte das Abkommen vom 17. Dezember 1971 zwischen der Regierung der Bundesrepublik und der Regierung der DDR über den Transitverkehr von zivilen Personen und Gütern zwischen der Bundesrepublik und Berlin (West). Für den Wortlaut vgl. EUROPA-ARCHIV 1972, D 68–76.
Ferner zählten dazu die Vereinbarungen vom 20. Dezember 1971 zwischen der Regierung der DDR und dem Senat von Berlin über Erleichterungen und Verbesserungen des Reise- und Besucherverkehrs bzw. über die Regelung der Frage von Enklaven durch Gebietsaustausch. Für den Wortlaut vgl. EUROPA-ARCHIV 1972, D 77–80. Vgl. ferner ZEHN JAHRE DEUTSCHLANDPOLITIK, S. 178f.
Unter die mit dem Vier-Mächte-Abkommen in Kraft tretenden Zusatzvereinbarungen fielen auch die Punkte 6 und 7 des Protokolls vom 30. September 1971 über Verhandlungen zwischen dem Bundesministerium für das Post- und Fernmeldewesen und dem Ministerium für Post- und Fernmeldewesen der DDR. Für den Wortlaut vgl. BULLETIN 1971, S. 1523.

Vor allem aber muß daran erinnert werden, daß die Haltung der Bundesregierung zum internationalen Status der DDR nicht in erster Linie von den Berlin-Verhandlungen, sondern von der Vereinbarung eines Modus vivendi zwischen den beiden deutschen Staaten abhängt. Ein solcher Modus vivendi wäre zwar ohne Berlin-Regelung und den entsprechenden deutschen Beitrag nicht vollständig, bedeutet aber doch noch wesentlich mehr: Eine vorläufige Ordnung der Beziehungen zwischen den beiden deutschen Staaten in Deutschland, solange der deutschen Nation auf Grund der objektiven Lage die Ausübung ihres Selbstbestimmungsrechtes nicht möglich ist, unter Berücksichtigung des besonderen Verhältnisses zwischen diesen beiden Staaten. Dieser Modus vivendi wird nur in einem möglicherweise langwierigen Evolutionsprozeß voll zu verwirklichen sein, und die Bundesregierung kann realistischerweise nicht erwarten, daß dritte Staaten ihre Haltung zum internationalen Status der DDR bis zum Abschluß dieser Entwicklung nicht ändern werden. Sie hält diese Bitte aber solange aufrecht, solange zwischen den beiden deutschen Staaten eine vereinbarte Feststellung über das zwischen ihnen bestehende besondere Verhältnis nicht getroffen ist. Dieses besondere Verhältnis wird von zwei Grundtatsachen gekennzeichnet:

– daß beide Staaten einer Nation angehören und
– daß bis zum Abschluß eines Friedensvertrages die Vier Mächte besondere Rechte und Verantwortlichkeiten für Deutschland als Ganzes und Berlin haben.

Ein Erfolg der Bemühungen der Bundesregierung ist noch nicht abzusehen. Am 20. Januar 1972 wurden die Verhandlungen über einen allgemeinen Verkehrsvertrag zwischen den Staatssekretären Bahr und Kohl aufgenommen.[15] Sie sollen zu Verbesserungen im Straßen-, Schienen- und Binnenschiffsverkehr, aber auch zu Erleichterungen der menschlichen Kontakte zwischen den beiden deutschen Staaten führen. Im Anschluß an diese Verhandlungen beabsichtigt die Bundesregierung, in Verhandlungen über das Grundverhältnis zwischen den beiden Staaten einzutreten, um die oben erläuterte gemeinsame Feststellung des zwischen ihnen bestehenden besonderen Verhältnisses zu erreichen.

Auch ist noch nicht abzusehen, ob die DDR zu solchen Verhandlungen bereit ist und ob diese, falls sie zustande kommen sollten, zu einem befriedigenden Abschluß gebracht werden können. Dabei dürfte die interne Willensbildung innerhalb der maßgeblichen Gremien der Partei- und Staatsführung der DDR eine Rolle spielen, in denen die Stellung der intransigenten Kräfte durch Erfolge auf internationalem Gebiet gestärkt würde. Hierfür gibt es Beispiele, wie z.B. die Anerkennung der DDR durch Algerien[16] und ihre Wirkung auf die Haltung der DDR in Kassel im Mai 1970.[17]

---

[15] Zum 34. Gespräch des Staatssekretärs Bahr, Bundeskanzleramt, mit dem Staatssekretär beim Ministerrat der DDR, Kohl, am 20./21. Januar 1972 in Ost-Berlin vgl. Dok. 12 und Dok. 13.
[16] Algerien und die DDR nahmen am 20. Mai 1970 diplomatische Beziehungen auf. Vgl. dazu AAPD 1970, II, Dok. 211.
[17] Am 21. Mai 1970 trafen in Kassel Bundeskanzler Brandt und der Vorsitzende des Ministerrats Stoph zusammen. Vgl. dazu AAPD 1970, II, Dok. 226.

Für die Bundesregierung ist eine vereinbarte Feststellung des besonderen Verhältnisses in Deutschland unerläßliche Vorbedingung nicht nur für eine Verbesserung der Beziehungen zwischen den beiden deutschen Staaten im Rahmen eines Modus vivendi, sondern auch für deren Aufnahme in die Vereinten Nationen. Die Bedeutung des letzteren Schrittes für die Entspannung in Europa ist wiederholt auch in deutsch-sowjetischen Verlautbarungen wie die Absichtserklärung Nr. 7 des sogenannten Bahr-Papiers[18] und das Kommuniqué von Oreanda[19] hervorgehoben worden. Der gesamteuropäische Entspannungsprozeß würde beeinträchtigt, wenn er nicht auch auf das West-Ost-Verhältnis in Deutschland ausgedehnt würde. Soll das West-Ost-Verhältnis in Europa insgesamt verbessert werden, so können die beiden Staaten im Zentrum Europas nicht in einander diametral entgegengesetzten, ideologisch bestimmten Maximalpositionen verharren. Die Bundesregierung hat dieser Tatsache dadurch Rechnung getragen, daß sie die Staatsqualität der DDR nicht länger in Frage stellt und sich zur Herstellung eines Modus vivendi mit der DDR bereit erklärt hat.

Die DDR hingegen hat ihre bekannten Maximalpositionen nicht nur beibehalten, sondern durch das Stichwort der „Abgrenzung" noch verhärtet. Es wäre verfehlt, diese hoffentlich taktisch bestimmte und nicht unwiderrufliche Position vorzeitig durch außenpolitische Erfolge zu honorieren.

Aus all diesen Gründen muß die Bundesregierung an die finnische Regierung die Bitte richten, jetzt keine diplomatischen Beziehungen zur DDR aufzunehmen. Im Hinblick auf die ihr bekannte finnische Haltung kann sie sich deshalb folgerichtig auch nicht bereit finden, ihrerseits zum gegenwärtigen Zeitpunkt diplomatische Beziehungen zu Finnland zu vereinbaren. Die Bundesregierung schlägt jedoch vor, mit der finnischen Regierung künftig laufend über die Entwicklungen in Deutschland Kontakt zu halten, so daß sie sich jederzeit ein vollständiges Bild über den Stand der Bemühungen der Bundesregierung machen und sich über die Chancen dieser Politik sowie der zeitlichen Abläufe ein eigenes Urteil bilden kann.

---

[18] Punkt 3 der „Absichtserklärungen" zum Vertrag vom 12. August 1970 zwischen der Bundesrepublik und der UdSSR, der wortgleich mit Leitsatz 7 vom 20. Mai 1970 („Bahr-Papier") war: „Die Regierung der Bundesrepublik Deutschland und die Regierung der Union der Sozialistischen Sowjetrepubliken bekunden ihre Bereitschaft, im Zuge der Entspannung in Europa und im Interesse der Verbesserung der Beziehungen zwischen den europäischen Ländern, insbesondere der Bundesrepublik Deutschland und der Deutschen Demokratischen Republik, Schritte zu unternehmen, die sich aus ihrer entsprechenden Stellung ergeben, um den Beitritt der Bundesrepublik Deutschland und der Deutschen Demokratischen Republik zur Organisation der Vereinten Nationen und zu deren Sonderorganisationen zu fördern." Vgl. BULLETIN 1970, S. 1098.

[19] Im Kommuniqué vom 18. September 1971 über den Besuch des Bundeskanzlers Brandt vom 16. bis 18. September 1971 in Oreanda wurde ausgeführt: „Die allgemeine Normalisierung der Beziehungen zwischen der Bundesrepublik Deutschland und der Deutschen Demokratischen Republik auf der Grundlage der vollen Gleichberechtigung, der Nichtdiskriminierung, der Achtung der Unabhängigkeit und der Selbständigkeit der beiden Staaten in Angelegenheiten, die ihre innere Kompetenz in ihren entsprechenden Grenzen betreffen, erscheint heute möglich und wird eine große Bedeutung haben. Einer der wichtigsten Schritte in dieser Richtung wird im Zuge der Entspannung in Europa der Eintritt dieser beiden Staaten in die Organisation der Vereinten Nationen und ihre Sonderorganisationen sein. Entsprechend ihrer früher erzielten Übereinkunft werden die Bundesrepublik und die Sowjetunion eine solche Lösung dieser Fragen in angemessener Weise fördern." Vgl. BULLETIN 1971, S. 1470.

II. Die Bundesregierung teilt den Wunsch Finnlands, zur Festigung der Sicherheit in Europa und damit auch im Ostseeraum beizutragen. Die im Vertragsentwurf zum Ausdruck kommenden Ziele Finnlands:
- als neutrale Macht anerkannt zu werden (Artikel 2)[20] und
- den Interessengegensätzen der großen Mächte fernzubleiben (Präambel)[21],

würdigt sie als Ausdruck des Bemühens der finnischen Außenpolitik um Ungebundenheit. Die Bundesregierung ist bereit, mit der finnischen Regierung Überlegungen darüber anzustellen, wie dem finnischen Interesse an der Sicherung der Unabhängigkeit Finnlands entsprochen werden kann.

Die Anerkennung Finnlands als neutrale Macht in einem bilateralen deutsch-finnischen Vertrag würde allerdings einen über das bisherige Ausmaß der internationalen Anerkennung der finnischen Neutralität weit hinausgehenden Schritt darstellen. Es stellt sich die Frage, ob nicht die ausdrückliche vertragliche Anerkennung Finnlands als neutraler Staat als Folge der Verbesserung des Ost-West-Verhältnisses im Ganzen einer Lösung näher gebracht werden sollte. Die völkerrechtlich verbindliche Anerkennung der finnischen Neutralität durch die Bundesrepublik könnte nach Auffassung der Bundesregierung besser im Rahmen eines größeren Zusammenhangs als dem des bilateralen deutsch-finnischen Verhältnisses geregelt werden, nämlich im Zuge des Abbaus der Ost-West-Spannungen als Folge einer KSZE.

Wir sehen die Frage der Bekräftigung des völkerrechtlichen Gewaltverbots nach den Gegebenheiten der europäischen Lage weniger als ein Spezifikum des bilateralen Verhältnisses zwischen der Bundesrepublik Deutschland und Finnland; diese Frage ist unserer Ansicht nach vielmehr ein allerdings sehr wichtiger Aspekt der künftigen Ost-West-Beziehungen, die durch die verstärkte Beachtung der Grundsätze, die für die Beziehungen zwischen Staaten maßgebend sein sollten, verbessert werden müssen. Dies würde auch im Sinne der Ziele und Grundsätze der Charta der Vereinten Nationen[22] liegen. Das Bedürfnis Finnlands, sich im Falle eines Krieges gegen Einbeziehung seines Territoriums in Kampfhandlungen zu schützen, kann unter den heutigen Verhältnissen nur durch sicherheitspolitische Regelungen zwischen den an der Gestaltung des Ost-West-Verhältnisses beteiligten Staaten, insbesondere durch beiderseitige, ausgewogene Reduzierungen von Truppen und Rüstungen (MBFR) befriedigt werden. Es wird eine der vornehmsten Aufgaben einer KSZE sein, über die Verwirklichung dieser Ziele und Grundsätze zwischen allen Staaten Europas und Nordamerikas Einvernehmen herzustellen und ihre allgemeine, vorbehaltlose Anwendung zu fördern.

---

[20] Artikel 2 des Vertragsentwurfs der finnischen Regierung, der am 10. September 1971 Generalkonsul Scheel, Helsinki, übergeben wurde: „The Federal Republic of Germany recognizes the policy of neutrality pursued by the Republic of Finland and undertakes to respect all the rights and obligations devolving upon the Republic of Finland by virtue of her neutrality." Vgl. den Drahtbericht Nr. 235 von Scheel vom 10. September 1971; VS-Bd. 8523 (Ministerbüro); B 150, Aktenkopien 1971.

[21] Für die Präambel des Vertragsentwurfs der finnischen Regierung, der am 10. September 1971 Generalkonsul Scheel, Helsinki, übergeben wurde, vgl. den Drahtbericht Nr. 235 von Scheel vom 10. September 1971; VS-Bd. 8523 (Ministerbüro); B 150, Aktenkopien 1971.

[22] Für den Wortlaut der UNO-Charta vom 26. Juni 1945 vgl. CHARTER OF THE UNITED NATIONS, S. 675–699.

Den finnischen Wunsch, den Interessengegensätzen zwischen den Großmächten fernzubleiben, würdigt die Bundesregierung im Hinblick auf
- die Gefühle der Solidarität Finnlands mit der westlichen Welt (wie sie z.B. Präsident Kekkonen 1961 in den USA zum Ausdruck brachte)[23],
- die Bemühungen Finnlands, ein vertrauensvolles Verhältnis zu seinem mächtigen Nachbarn zu unterhalten, sowie
- die besondere Rolle Finnlands bei den Vorbereitungen für eine KSZE, die seine unparteiische Position und seine Zurückhaltung in der Deutschlandfrage wesentlich gefördert hat.

Finnlands Bestreben, seine Sicherheit zu festigen, entspricht der Friedenspolitik des westlichen Bündnisses, durch eine echte Entspannung auf gerechter und dauerhafter Grundlage zu Frieden und Stabilität in Europa zu kommen. Dieses Ziel kann unter den gegebenen Verhältnissen am wirksamsten durch allgemeine Verbesserung des Ost-West-Verhältnisses erreicht und gesichert werden, da die Ursachen der Spannungen zwischen Ost und West in Europa umfassender sind als die deutsche Frage. Sie ergeben sich vielmehr aus dem beiderseitigen Mangel an Vertrauen, dem Stand der Truppen und Rüstungen sowie aus jenen wirtschaftlichen und ideologischen Gegensätzen, die auch für die fortdauernde Teilung Deutschlands verantwortlich sind.

Angesichts der Tatsache, daß die Probleme der finnischen Neutralität und des Gewaltverzichts ihrer Natur nach über das bilaterale deutsch-finnische Verhältnis weit hinausgreifen, wäre die Bundesregierung dankbar, wenn die finnische Regierung prüfen würde, ob ihren Zielen nicht besser gedient wäre, wenn sie diese im Rahmen der Vorbereitungen einer bevorstehenden Konferenz für Sicherheit und Zusammenarbeit in Europa verfolgen würde.

Die Bundesregierung ist im Rahmen ihrer Bündnisverpflichtungen bereit, gegenüber Finnlands Wünschen und Bestrebungen, insbesondere im Hinblick auf eine KSZE und ihre Vorbereitung, eine positive Haltung einzunehmen. Sie ist insbesondere bereit, mit der finnischen Regierung einen intensiven, vertraulichen Meinungsaustausch darüber zu führen, wie die Bundesregierung dazu beitragen kann, daß im Rahmen der KSZE-Entwicklung den wichtigen spezifischen Interessen Finnlands in der Frage der Anerkennung seiner Neutralität und des Gewaltverbots entsprochen werden kann.

III. Zu Art. 5 und 6 des Vertragsentwurfs[24] ist folgendes zu bemerken:

---

[23] Präsident Kekkonen besuchte die USA vom 16. Oktober bis 2. November 1961 und hielt sich vom 16. bis 18. Oktober 1961 zu Gesprächen in Washington auf. Im Kommuniqué wurde ausgeführt: „President Kekkonen expressed his appreciation for the long-standing friendship between Finland and the United States, and for the understanding shown in the United States for Finland. Asserting that the purpose of Finland's foreign policy is to safeguard the security and independence of the nation, the Finnish President reaffirmed his country's intention to remain neutral while maintaining the confidence and friendship of all nations." Vgl. DEPARTMENT OF STATE BULLETIN, Bd. 45 (1961), S. 761.

[24] Artikel 5 und 6 des Vertragsentwurfs der finnischen Regierung, der am 10. September 1971 Generalkonsul Scheel, Helsinki, übergeben wurde: „5) The contracting parties establish that the Federal Republic [of] Germany does not have any economic claims against the Republic of Finland with the relations between Finland and the former German Reich. 6) The contracting parties proceed to take measures in order to assess the damage caused to the Republic of Finland and to property situated on her territory through destructions undertaken by the troops of the German

Im Londoner Schuldenabkommen vom 27. Februar 1953 mußte sich die Bundesrepublik verpflichten, die Prüfung der aus dem Zweiten Weltkrieg herrührenden Forderungen gegen Deutschland bis zur endgültigen Regelung der Reparationsfrage zurückzustellen[25] und keine Schlechterstellung oder Bevorzugung von Gläubigern zuzulassen[26]. Diesem Abkommen ist Finnland mit Wirkung vom 20. Mai 1955 beigetreten.

Es wäre zu prüfen, ob diese Forderungen Finnlands gegen die Bundesrepublik überhaupt berechtigt sind oder wie weit diese gegebenenfalls mit Forderungen der Bundesrepublik gegen Finnland aufgerechnet werden können, denn es bestehen vermutlich erhebliche deutsche Ansprüche gegen Finnland, deren Höhe ebenfalls festzustellen wäre. Somit würde Art. 5 die Bundesrepublik gegenüber Finnland benachteiligen, das seinerseits auf der Feststellung aller Schadensforderungen besteht.[27]

VS-Bd. 9819 (I A 5)

Fortsetzung Fußnote von Seite 46

Reich in Finland in the years 1944–45. To settle these questions as well as to determine the amount of unsettled assets held by the Republic of Finland or her citizens on the territory of the former German Reich, the contracting parties establish a settlement commission whose composition and attributions will be agreed upon separately." Vgl. den Drahtbericht Nr. 235 von Scheel vom 10. September 1971; VS-Bd. 8523 (Ministerbüro); B 150, Aktenkopien 1971.

[25] In Artikel 5 Absatz 2 des Abkommens vom 27. Februar 1953 über deutsche Auslandsschulden (Londoner Schuldenabkommen) wurde dazu festgelegt: „Eine Prüfung der aus dem Zweiten Weltkriege herrührenden Forderungen von Staaten, die sich mit Deutschland im Kriegszustand befanden oder deren Gebiet von Deutschland besetzt war, und von Staatsangehörigen dieser Staaten gegen das Reich und im Auftrage des Reichs handelnde Stellen oder Personen, einschließlich der Kosten der deutschen Besatzung, der während der Besetzung auf Verrechnungskonten erworbenen Guthaben sowie der Forderungen gegen die Reichskreditkassen, wird bis zu der endgültigen Regelung der Reparationsfrage zurückgestellt." Vgl. BUNDESGESETZBLATT 1953, Teil II, S. 340.

[26] In Artikel 8 des Abkommens vom 27. Februar 1953 über deutsche Auslandsschulden (Londoner Schuldenabkommen) wurde dazu festgelegt: „Die Bundesrepublik Deutschland wird bei Erfüllung von Regelungsbedingungen gemäß diesem Abkommen und seinen Anlagen oder auch sonst eine Schlechterstellung oder Bevorzugung weder mit Bezug auf die verschiedenen Schuldenarten noch auf die Währung, in denen die Schulden zu bezahlen sind, noch in anderer Beziehung zulassen; die Gläubigerstaaten werden dies von der Bundesrepublik Deutschland auch nicht verlangen. Eine unterschiedliche Behandlung der verschiedenen Schuldenarten als Folge der Regelung gemäß den Bestimmungen dieses Abkommens und seiner Anlagen gilt nicht als Schlechterstellung oder Bevorzugung." Vgl. BUNDESGESETZBLATT 1953, Teil II, S. 342.

[27] Ministerialdirigent van Well wies Generalkonsul Scheel, Helsinki, am 17. Februar 1972 an, die zweite Antwort der Bundesregierung auf die Initiative der finnischen Regierung vom 10. September 1971 dem finnischen Außenminister Mattila vorzutragen. Vgl. dazu den Runderlaß Nr. 813; VS-Bd. 9819 (I A 5); B 150, Aktenkopien 1972.
Scheel berichtete am 21. Februar 1972, er habe die Antwort der Bundesregierung dem finnischen Außenminister vorgetragen: „Mattila stellte seiner Antwort die Versicherung voran, wie wichtig der finnischen Regierung die guten Beziehungen zur Bundesrepublik seien. Er verbarg allerdings nicht seine Enttäuschung über den Inhalt unserer Antwort. Der Ball, so sagte mir Mattila, sei jetzt also bei der finnischen Seite, und man werde uns sobald wie möglich eine Antwort zukommen lassen. Der mich begleitende Konsul von Ploetz entnahm den finnisch zu seinem Mitarbeiter gemachten Bemerkungen Mattilas, daß unsere Antwort in keiner Weise den finnischen Vorstellungen entspricht. Man hoffe, die Kontakte würden beiden Seiten helfen, Fortschritte zu erzielen und zu Ergebnissen zu kommen, die beide Seiten für sich als die besten ansähen." Scheel vermerkte dazu: „Ich kann mir kaum vorstellen, daß die finnische Seite sich allzu große Illusionen über unsere Antwort hat machen können. Wie weit Mattilas kundgegebene Enttäuschung daher echt ist, ist schwierig zu entscheiden." Vgl. den Drahtbericht Nr. 47; VS-Bd. 9819 (I A 5); B 150, Aktenkopien 1972.

10

Generalkonsul Enders, Dacca, an das Auswärtige Amt

Z B 6-1-10271/72 VS-vertraulich Aufgabe: 19. Januar 1972[1]
Fernschreiben Nr. 43 Ankunft: 19. Januar 1972, 9.51 Uhr
Citissime

Betr.: Gespräch mit Premierminister Sheikh Mujibur Rahman

Bezug: DB Nr. 04218 – VS-vertraulich

Premierminister Sheikh Mujibur Rahman bat mich heute – wie mit Bezugsbericht bereits angekündigt – wegen der Reaktion der Bundesregierung auf die im Abschlußkommuniqué zum Winzer-Besuch angekündigte Aufnahme diplomatischer Beziehungen zwischen Bangladesh und der DDR[2] zu sich.

Das Gespräch wurde zunächst unter vier Augen geführt. Ich beglückwünschte Mujib zu seiner glücklichen Heimkehr[3]; die Bundesregierung wie auch die deutsche Öffentlichkeit, vor allem aber der Herr Bundeskanzler persönlich, hätten großen Anteil an seinem Ergehen genommen. Mujib bedankte sich mit herzlichen Worten und bat mich, insbesondere dem Herrn Bundeskanzler seinen persönlichen Dank zu übermitteln. Nach seiner Freilassung habe er insbesondere von Mrs. Gandhi von der Initiative des Herrn Bundeskanzlers[4] erfah-

---

[1] Hat Vortragendem Legationsrat Thönnes am 19. Januar 1972 vorgelegen.

[2] Im Kommuniqué vom 15. Januar 1972 über den Besuch des Außenministers der DDR, Winzer, in Bangladesh wurde ausgeführt: „In Fortsetzung der erwähnten und sich entwickelnden Beziehungen zwischen der Deutschen Demokratischen Republik und der Volksrepublik Bangladesh sind beide Regierungen übereingekommen, diplomatische Beziehungen zwischen beiden Staaten entsprechend der Wiener Konvention vom 18. April 1961 herzustellen." Vgl. AUSSENPOLITIK DER DDR, Bd. XX/1, S. 638.
Generalkonsul Enders, Dacca, teilte am 17. Januar 1972 mit, er habe im Gespräch mit dem Generalsekretär des Außenministeriums von Bangladesh, Choudhury, der „Enttäuschung über Ergebnis Winzer-Besuchs Ausdruck gegeben". Choudhury habe argumentiert: „Bangladesh sei ein kleines Land, das auf Anerkennung und Hilfe, gleich von welcher Seite, dringend angewiesen sei." Vgl. den Drahtbericht Nr. 40; VS-Bd. 9885 (I B 5); B 150, Aktenkopien 1972.
Am 17. Januar 1972 übermittelte Vortragender Legationsrat I. Klasse Heimsoeth eine offizielle Stellungnahme vom Vortag zur Anerkennung der DDR durch Bangladesh: „Die Bundesregierung hat mit Bedauern davon Kenntnis genommen, daß die Regierung von Bangladesh die DDR anerkannt hat, obwohl ihr die Entspannungspolitik gegenüber der DDR und die mit diesen Bemühungen verbundenen Fragen zuvor dargelegt worden waren. Die Konsequenzen, die die Bundesrepublik daraus ziehen wird, werden von der Bundesregierung im Lichte ihrer Interessen geprüft werden." Vgl. den Runderlaß Nr. 5; Referat III B 7, Bd. 759.

[3] Gegen den Vorsitzenden der ostpakistanischen Awami League, Mujibur Rahman, der am 26. März 1971 die unabhängige Republik Bangladesh proklamiert hatte, lief seit dem 11. August 1971 in Pakistan ein Verfahren wegen Hochverrats. Am 22. Dezember 1971 wurde er aus der Haft entlassen und unter Hausarrest gestellt. Vgl. dazu den Artikel „Bangla Desh bereitet sich auf Frieden und Selbständigkeit vor"; DIE WELT vom 23. Dezember 1971, S. 6.
In der Nacht vom 7. auf den 8. Januar 1972 wurde Mujibur Rahman freigelassen und reiste zunächst nach London und von dort über Neu Delhi nach Dacca, wo er am 10. Januar 1972 eintraf. Vgl. dazu den Artikel „Mujib: Alle Bindungen zu Pakistan endgültig zerschnitten"; FRANKFURTER ALLGEMEINE ZEITUNG vom 11. Januar 1972, S. 1 und 4.

[4] Am 11. November 1971 kündigte Bundeskanzler Brandt im Gespräch mit Ministerpräsidentin Gandhi an, daß er sich in einem Schreiben an Ministerpräsident Yahya Khan für die Freilassung des Vorsitzenden der ostpakistanischen Awami League, Mujibur Rahman, verwenden werde. Vgl. dazu AAPD 1971, III, Dok. 391.

ren. Er würdigte dies um so mehr, als er ihm und dem deutschen Volk besonders in Westdeutschland große Sympathien entgegenbringe und er sehr dankbar sei für das, was Deutschland für sein Volk bisher getan habe. Nach dem schrecklichen Massaker und den Zerstörungen der letzten Monate müsse er nun praktisch von vorn anfangen. Zum Gelingen dieser gewaltigen Aufgabe benötige er die Hilfe aller befreundeten Staaten, aber auch deren Anerkennung. Er fragte mich, ob ich hierzu irgendwelche Weisungen hätte. Ich erwiderte, wie ihm sicher bekannt sei, befände sich die Bundesregierung zu diesem Problem in ständigem Meinungsaustausch mit den befreundeten Nationen (hierzu nickte Mujib zustimmend). Ich sei nach Dacca mit der Aufgabe zurückgekehrt, die Möglichkeiten für die Weiterführung unserer Hilfe auf humanitärem wie auch auf wirtschaftlichem Gebiet zu sondieren. Als ich dabei einige unserer Projekte erwähnte, äußerte sich Mujib sehr anerkennend, z.B. über das in der ersten Phase abgeschlossene Thakurgaon-Bewässerungsprojekt[5], die Savarfarm[6] und das Kraftwerk Ashuganj.[7] Leider seien wir jedoch durch die im Abschlußkommuniqué zum Winzer-Besuch angekündigte Aufnahme diplomatischer Beziehungen zur DDR mit einer neuen Lage konfrontiert; wie er wisse, habe die Bundesregierung in einer Erklärung hierüber bereits ihr Bedauern ausgesprochen und betont, sie werde die hieraus zu ziehenden Konsequenzen ihrer Interessen prüfen. Die Bundesregierung sei um so mehr enttäuscht, als ihre Haltung zu diesem Problem und die Zusammenhänge mit ihren Entspannungsbemühungen im Verhältnis zur DDR von einem Vertreter unserer Botschaft in New Delhi dem Leiter der dortigen Bangladesh-Mission, Mr. Choudhury, eingehend dargelegt worden sei.[8]

Mujib erwiderte hierauf, wie ich wisse, sei er erst vor ganz kurzer Zeit zurückgekehrt. Bisher sei es eine Revolutionsregierung gewesen; er müsse jetzt erst einmal die Dinge zurechtrücken. Er könne allerdings wegen der Bangladesh gewährten Unterstützung an Ländern wie Indien und der Sowjetunion nicht vorübergehen – was mich zu der von Mujib mit lautem Lachen quittierten Be-

---

[5] Im Rahmen des Bewässerungsprojekts Thakurgaon wurden zwischen 1965 und 1967 im Nordwesten von Ostpakistan mit Lieferantenkrediten, die durch Bundesbürgschaften abgesichert waren, 370 Tiefbrunnen installiert. Nachdem sich das Projekt „als sehr ertragreich erwiesen und zu einer spürbaren Verbesserung der Lebensverhältnisse der ländlichen Bevölkerung in dieser abgelegenen Bergregion geführt" hatte, wurde bereits vor dem Beginn der Unruhen in Ostpakistan im März 1971 beschlossen, das Vorhaben durch den Bau weiterer 300 Brunnen zu erweitern. Vgl. das Schreiben des Bundesministeriums für Wirtschaft vom 6. Dezember 1972 an die Mitglieder des Interministeriellen Referentenausschusses für Kapitalhilfe; Referat III B 7, Bd. 844.

[6] Die Tierzucht- und Milchwirtschaftsfarm Savar wurde seit Anfang der 60er Jahre aufgebaut und aufgrund eines Abkommens vom 24. Januar 1969 mit Pakistan von der Bundesrepublik gefördert. Am 4. Mai 1972 teilte Vortragender Legationsrat I. Klasse Herrmann in einer Note an das Politische Komitee im Rahmen der Europäischen Politischen Zusammenarbeit mit: „Die Farm war zu Beginn der Kriegshandlungen voll in Betrieb und soll in Kürze wieder in Betrieb genommen werden. Voraussichtlich wird erneute Entsendung von Experten und Materialversorgung erforderlich." Vgl. Referat III B 7, Bd. 843.

[7] Das Kraftwerk Ashuganj wurde von der Bundesregierung aufgrund eines Darlehensvertrags mit Pakistan vom 13. Oktober 1966 gefördert. Am 10. Januar 1972 berichtete Kanzler I. Klasse Kriegler, Dacca: „Nach Auskunft deutschen Ingenieurs von Titas-Erdgas ist Kraftwerk Ashuganj bis auf einige Karabiner-Einschüsse in Außenanlagen unbeschädigt. Nachdem Fernleitung nach Dacca provisorisch repariert, wird Kraftwerk ab 4. Januar mit Erdgas gefahren (40 MW)." Vgl. den Drahtbericht Nr. 20; Referat III B 7, Bd. 846.

[8] Zum Gespräch des Gesandten Behrends, Neu Delhi, mit dem Leiter der Bangladesh-Mission in Neu Delhi, Choudhury, am 11. Dezember 1971 vgl. AAPD 1971, III, Dok. 440.

merkung veranlaßte, die DDR bestreite jedoch stets ihre Identität mit der Sowjetunion. Seine Regierung habe noch keine Erfahrung in internationalen Dingen; viele seiner Beamten seien noch, schmerzlich entbehrt, in Westpakistan. Es werde nicht zu der Aufnahme diplomatischer Beziehungen kommen; er habe den DDR-Vertretern klargemacht, daß er keinen Botschafter nach Ostberlin entsenden könne.

Ich erwiderte darauf, daß er aber sicher sein könne, daß die DDR einen Botschafter nach Dacca entsenden werde, und zwar sehr bald. Soweit mir bekannt sei, seien bereits mehrere DDR-Diplomaten zur Vorbereitung der Errichtung einer Botschaft, z. B. Mieten entsprechender Häuser, in der Stadt. Mujib erwiderte, er habe den DDR-Vertretern klar erklärt, er werde keinen Botschafter in Dacca akzeptieren.

Im Vertrauen sage er mir als altem Freund, und dies auch nicht zur Weitergabe an meine Regierung bestimmt (womit er verhindern wollte, daß dies auf offiziellem Kanal an Außenminister Samad zurückgelangen könnte), er werde hier nur eine sehr kleine Vertretung (a very small mission) dulden. Ich gab zu bedenken, daß wir unsere eigenen Erfahrungen mit solchen „kleinen" Missionen hätten, im übrigen sei das raffinierte Vorgehen der DDR-Vertreter beim Bestehen auf der Aufnahme eines Hinweises auf die Wiener Konvention von 1961[9] in das Abschlußkommuniqué deutlich geworden.

Mujib bat mich dann eindringlich, der Bundesregierung seine Bitte zu übermitteln, aus dieser Angelegenheit keine falschen Schlüsse zu ziehen. Er benötige dringend unsere Unterstützung bei seiner Aufgabe, und je eher er unsere diplomatische Anerkennung erhielte, um so leichter würde es für ihn.

In diesem Augenblick kam Außenminister Samad hinzu. Er begrüßte mich überschwenglich und versicherte, wie dankbar man hier für die Initiative des Herrn Bundeskanzlers und die Hilfe sei. Es war interessant, wie Mujib nun Ton und Tenor seiner Ausführungen änderte. Er wiederholte etwa die Ausführungen des Generalsekretärs im Außenministerium, Faroq Choudhury, mir gegenüber (vgl. Drahtbericht 04218 – VS-vertraulich) hinsichtlich bilateraler Außenpolitik, frei von jeder Einmischung durch dritte Staaten. Zum Schluß bat er nochmals, die Bundesregierung möchte ihn bei der Lösung seiner Aufgabe unterstützen, wobei er mir so zuzwinkerte, daß Samad dies nicht sehen konnte, und er sagte: „You know what I mean." Auch er wiederholte, wir seien völlig frei in der Entscheidung über den Status unserer Vertretung in Dacca.

Zum Abschied sagte ich Mujib zu, seine Wünsche der Bundesregierung zu übermitteln. Er könne sicher sein, daß sie in Bonn sorgfältig geprüft würden.

Ich bitte um baldmöglichste Weisung, ob und mit welchem Ziel ich die Kontakte zu Mujib fortsetzen soll. Hierzu gebe ich folgendes zu überlegen: Es könnte uns vielleicht im Augenblick noch gelingen, die DDR-Vertretung auf den Status eines Generalkonsulats zu beschränken, obwohl ich hieran gewisse Zweifel hege. Das würde jedoch Mujib zusätzlichen Pressionen aussetzen, unserem Verhältnis zu ihm auf die Dauer wahrscheinlich wenig förderlich sein und dem hier vertretenen Ostblock, aber auch Mujibs zahlreichen Gegnern, Gelegenheit

---

[9] Für den Wortlaut des Wiener Übereinkommens vom 18. April 1961 über diplomatische Beziehungen vgl. BUNDESGESETZBLATT 1964, Teil II, S. 958–1005.

geben, uns imperialistischer Machenschaften und massiver Einmischung in die
Angelegenheit Bangladeshs zu bezichtigen. Es wäre voraussichtlich auch nur
ein kurzfristiger Erfolg, da sich das Problem nach einer eventuellen Anerkennung der DDR durch Indien oder beim fast mit Sicherheit zu erwartenden
Nachlassen des Einflusses Mujibs erneut stellt und dann kaum in unserem
Sinne entschieden werden wird. Schließlich würde dies der DDR die vielleicht
willkommene Gelegenheit geben, von ihren großsprecherischen Hilfsankündigungen zurückzutreten oder sie zumindest einzuschränken, während man von
uns Hilfe in einem Ausmaß erwartete, in dem wir sie vermutlich weder geben
können noch wollen. Dann wird man uns die angeblich entgangene DDR-Hilfe
vorhalten. Andererseits können wir jetzt den guten – wenn auch vielleicht
nicht durchschlagenden – Willen Mujibs voraussetzen; wir können ohne irgendwelchen Druck unsere Hilfe nach eigenem Ermessen gewähren und uns
im übrigen beim Aufbau unserer Beziehungen, solange das gegenwärtige Regime währt, auf die guten Kontakte zu vielen uns sehr verbundenen und jetzt
in leitenden Regierungsstellen tätigen Bengalen stützen. Schließlich sind wir
auch freier in der Anpassung der Entsendung von auf dem Gebiet der Entwicklungshilfe tätigem Personal an die hier herrschende „law and order situation".

[gez.] Enders

VS-Bd. 9880 (I B 5)

11

Ministerialdirigent van Well an die Botschaft in Madrid

II A 1-SL94.26-188/72 VS-vertraulich   Aufgabe: 20. Januar 1972, 18.36 Uhr[1]
Fernschreiben Nr. 28
Citissime

Betr.:   Beziehungen Spanien–DDR
        hier: Errichtung einer Vertretung der spanischen Handelskammer in
        Ost-Berlin

Bezug: DB Nr. 27 vom 13.1.1972 – I A 4-83.00-94.26-5/72 VS-v[2]

I. 1) Der Absicht der spanischen Regierung, in Ost-Berlin eine Vertretung zur
Wahrnehmung privatwirtschaftlicher Interessen errichten zu lassen, sollen im

---

[1] Der Drahterlaß wurde von Legationsrat I. Klasse Derix konzipiert.
Hat den Vortragenden Legationsräten I. Klasse Munz und Klarenaar sowie Vortragendem Legationsrat Scholl am 20. Januar 1972 zur Mitzeichnung vorgelegen.
[2] Botschafter Meyer-Lindenberg, Madrid, berichtete, der Staatssekretär im spanischen Außenministerium, Valderrama, habe mitgeteilt, „daß Spanien beabsichtige, in Ost-Berlin eine Vertretung der spanischen Handelskammern zur Wahrnehmung privatwirtschaftlicher Interessen einzurichten. Dies hätte – wie Valderrama hinzufügte – vermutlich zur Folge, daß dann auch die DDR eine Vertretung ihrer Kammer für Außenhandel in Madrid eröffnen würde. Zur Begründung führte

Grundsatz keine Widerstände entgegengesetzt werden. Bekanntlich erheben wir gegen die Erweiterung des Handelsaustauschs dritter Länder mit der DDR keine Einwände. Wir legen aber Wert darauf, daß die Institutionalisierung der Wirtschaftsbeziehungen so vorgenommen wird, daß objektiv keine Änderung des politischen Verhältnisses zur DDR erfolgt. Dabei wiegt die Errichtung einer Vertretung in Ost-Berlin wegen der damit verbundenen größeren Gefahr des politischen Mißbrauchs durch die DDR im Sinne ihrer Aufwertungsbestrebungen schwerer als der umgekehrte Fall, in dem das Gastland eher in der Lage ist, entsprechende DDR-Bestrebungen unter Kontrolle zu haben.

2) Wir vertreten deshalb gegenüber Verbündeten und befreundeten Staaten die Auffassung, daß sie zur Wahrung ihrer wirtschaftlichen Interessen nicht nur von der Errichtung amtlicher Handelsvertretungen absehen, sondern auch die Errichtung einer Vertretung eines wirtschaftlichen Zentralverbandes in Ost-Berlin zu verhindern suchen sollten. Die in Frage stehenden Interessen können vielmehr angemessen durch Büros der am DDR-Handel in erster Linie interessierten Firmen oder Firmengruppen ohne Gefahr politischer Implikationen vertreten werden.

Von den europäischen Verbündeten und Neutralen unterhalten bisher nur Österreich und Frankreich eine Vertretung in Ost-Berlin. Das französische „Bureau économique des industries françaises" wird nicht vom wirtschaftlichen Zentralverband (Patronat français) getragen, sondern von einzelnen am DDR-Handel besonders interessierten Firmen. Die Vertretung der österreichischen Bundeskammer der gewerblichen Wirtschaft in Ost-Berlin ist ein Sonderfall, da die österreichische Kammer schon Mitte der fünfziger Jahre in einer Vereinbarung mit der DDR-Handelskammer die beiderseitige Errichtung von Kammervertretungen vorgesehen hatte.

Weitere Länder, die die Errichtung einer Vertretung in Ost-Berlin erwägen, sind Großbritannien, Schweden und die Schweiz. Bisher sind aber noch in keinem Fall Vereinbarungen mit der DDR abgeschlossen worden.

II. 1) Wir bitten die spanische Regierung, unsere Gesichtspunkte bei ihren Überlegungen zu berücksichtigen. Wir würden es begrüßen, wenn sie uns ihre Vorstellungen zur Errichtung einer Kammervertretung in Ost-Berlin noch näher erläutern könnte. Vor allem wäre interessant zu wissen, ob vielleicht eine der örtlichen Handelskammern (z. B. Madrid) als Träger in Frage kommen könnte. Darüber hinaus wäre von Interesse, ob mit der Leitung der Vertretung

---

Fortsetzung Fußnote von Seite 51

Valderrama an, daß Spanien seinen bislang unbedeutenden Handel mit der DDR auf diesem Wege erweitern wolle." Meyer-Lindenberg führte dazu aus, das spanische Vorhaben sei nicht nur wirtschaftlich, sondern auch politisch motiviert. Spanien wolle seine Beziehungen zu den Staaten des Warschauer Pakts entwickeln. Eine verständnisvolle Haltung der Bundesregierung zu der nun von Spanien geäußerten Absicht könne „zu dem Versuch benutzt werden, die Spanier erneut auf eine Unterstützung unserer Deutschlandpolitik festzulegen. Dies gilt vor allem für die spanische Haltung in den internationalen Organisationen, aber auch für eine Förderung unserer deutschlandpolitischen Anliegen durch Spanien in den Ländern, zu denen Spanien besondere Beziehungen unterhält wie in Lateinamerika oder im arabischen Raum. [...] Durch ein Eingehen auf den jetzt von Spanien geplanten Schritt könnte für die absehbare Zukunft – zumindest solange international in der DDR-Frage keine neuen Entwicklungen eintreten – wohl am ehesten einer späteren Höherstufung der Handelskammervertretungen zu offiziellen Vertretungen vorgebeugt werden." Vgl. VS-Bd. 9815 (I A 4); B 150, Aktenkopien 1972.

in Ost-Berlin eine Persönlichkeit aus Unternehmerkreisen oder einer amtlichen Funktion betraut werden soll.

2) Gegen die Zulassung einer Vertretung der Außenhandelskammer der DDR in Madrid würden wir keine Einwände erheben. Wir würden sie der Errichtung einer entsprechenden spanischen Institution in der DDR vorziehen. Entsprechende Einrichtungen bestehen in den meisten westeuropäischen Staaten, darunter in Großbritannien, Frankreich, Belgien, Italien, den Niederlanden und skandinavischen Staaten. In allen Staaten werden die DDR-Kammervertretungen – ungeachtet der internen Unterstellung dieser Vertretungen unter das Amt für Außenwirtschaft mit den nichtsozialistischen Staaten und ungeachtet der Bezeichnungen, die sie sich und ihrem Personal selbst zulegen – als Privatbüros behandelt, denen keine besonderen Vorrechte und Befreiungen gewährt werden. Wir bitten die spanische Regierung, bei der Zulassung einer DDR-Vertretung in Madrid – sollte sie sich für diese Lösung entscheiden – über diesen Rahmen nicht hinauszugehen und den zu erwartenden Wünschen Ost-Berlins nach einer amtlichen Handelsvertretung, vielleicht sogar mit konsularischen Befugnissen, nicht nachzugeben. Die Zulassung einer DDR-Kammervertretung würde für Ost-Berlin bereits einen Gewinn darstellen, den die DDR im übrigen auch politisch zu nutzen verstünde, wie der Ausbau und die Tätigkeit ihrer Kammervertretungen in einigen westeuropäischen Staaten deutlich erkennen läßt.

III. Sie werden gebeten, Ihrem Gesprächspartner im spanischen Außenministerium vorstehende Gesichtspunkte darzulegen. Drahtbericht erbeten.[3]

van Well[4]

VS-Bd. 8573 (II A 1)

---

[3] Botschafter Meyer-Lindenberg, Madrid, teilte am 26. Januar 1972 mit, er habe erneut mit dem Staatssekretär im spanischen Außenministerium, Valderrama, über die Errichtung einer Vertretung der spanischen Handelskammern in Ost-Berlin gesprochen und dabei den Eindruck gewonnen, „daß in der Tat mit einer kurzfristigen Entscheidung der hiesigen Regierung nicht zu rechnen ist". Im spanischen Außenministerium seien offenbar hauptsächlich aus Gründen der inneren Sicherheit „gewisse Bedenken gegen ein Ost-Berliner Büro in Spanien" vorhanden. Es werde befürchtet, „daß eine Ost-Berliner Kammervertretung hier in innerspanischen Angelegenheiten nicht die gleiche Zurückhaltung üben wird, die sich die osteuropäischen Handelsvertretungen in Madrid anscheinend zur Regel gemacht haben". Vgl. den Drahtbericht Nr. 65; VS-Bd. 8573 (II A 1); B 150, Aktenkopien 1972.
Meyer-Lindenberg berichtete am 31. Januar 1972 ergänzend, er habe das Thema am 28. Januar 1972 mit dem spanischen Außenminister erörtert. López Bravo habe berichtet, daß die UdSSR Spanien „mit Nachdruck" geraten habe „in Richtung auf die DDR einen deutlichen Schritt zu tun, der geeignet sei, Spaniens Verhältnis zu Osteuropa mit einem Schlage zu bereinigen. Trotz dieser verlockenden Aussicht wolle er, López Bravo, jedoch der Loyalität gegenüber der Bundesregierung den Vorrang geben. Er sichere mir bindend zu, keinesfalls vor dem nächsten Konsultationstreffen mit Bundesminister Scheel (Mai 1972) Maßnahmen zur Errichtung einer spanischen Handelskammervertretung in Ost-Berlin einzuleiten." Auch die Zulassung eines DDR-Kammerbüros in Madrid solle nicht überstürzt werden. Ein solches Büro werde außerdem keine besonderen Vorrechte oder Befreiungen erhalten. Vgl. den Drahtbericht Nr. 82; VS-Bd. 8573 (II A 1); B 150, Aktenkopien 1972.
[4] Paraphe.

12

Aufzeichnung des Bundeskanzleramts

Geheim 21. Januar 1972[1]

Betr.: 34. Begegnung der Staatssekretäre Bahr/Kohl am 20./21. Januar 1972 in Ostberlin, Haus des Ministerrats, über einen Allgemeinen Verkehrsvertrag (AVV)

1) Am 20. Januar fanden ein Vier-Augen-Gespräch[2], zwei Delegationssitzungen und ein gemeinsames Mittagessen, am zweiten Tag, 21. Januar, eine Delegationssitzung und eine gemeinsame Fahrt nach Potsdam zur Besichtigung von Schloß Cecilienhof und Schloß Sanssouci statt.

2) Delegationssitzungen am 20. Januar 1972:

Staatssekretär Kohl übergab einen neuen Vertragsentwurf, in dem „das bisherige Verhandlungsergebnis fixiert ist und darauf aufbauend weitere Vorstellungen entwickelt werden".[3] Außerdem übergab er eine Protokollnotiz zu Artikel 12[4] und 26[5] des Entwurfs, betreffend die gleichberechtigte Mitgliedschaft an internationalen Verkehrs-Abkommen.[6] Er unterstrich die Bedeutung dieser Frage, wies auf die Erweiterung des neuen Entwurfs durch Bestimmungen über Luft- und Seeverkehr hin und erinnerte an das bestehende Einvernehmen

---

[1] Durchdruck.
Hat Staatssekretär Frank am 26. Januar 1972 vorgelegen.
[2] Vgl. dazu Dok. 13.
[3] Für den Wortlaut des Entwurfs der DDR vom 20. Januar 1972 für einen Vertrag über Fragen des Verkehrs vgl. VS-Bd. 8561 (II A 1); B 150, Aktenkopien 1972.
[4] Artikel 12 des Entwurfs der DDR vom 20. Januar 1972 für einen Vertrag über Fragen des Verkehrs: „1) Für die Beförderung von Reisenden und Gepäck gelten: das Internationale Übereinkommen über den Eisenbahnpersonen- und -gepäckverkehr (CIV); die Vorschriften für die internationale Personen- und Gepäckbeförderung auf der Eisenbahn (PIV); das Abkommen über die internationale Personen- und Gepäckbeförderung auf der Eisenbahn (AIV). 2) Für die Beförderung von Frachtgut und Expreßgut gelten: das Internationale Übereinkommen über den Eisenbahnfrachtverkehr (CIM); die Internationale Ordnung über den Transport gefährlicher Güter (RID); die Vorschriften für den internationalen Güterverkehr (PIM); das Abkommen über den internationalen Eisenbahngüterverkehr (AIM). 3) Für die Übergabe, Übernahme und Nutzung von Personen-, Gepäck- und Postwagen gilt das Übereinkommen über die gegenseitige Benutzung der Personen- und Gepäckwagen im internationalen Verkehr (RIC). 4) Für die Übergabe, Übernahme und Nutzung von Güterwagen, Behältern, Paletten und anderen Lademitteln gilt das Übereinkommen über die gegenseitige Benutzung der Güterwagen im internationalen Verkehr (RIV). 5) Postsendungen werden unter Verantwortung der Postverwaltungen der Vertragsstaaten entsprechend den international üblichen Vorschriften befördert." Vgl. VS-Bd. 8561 (II A 1); B 150, Aktenkopien 1972.
[5] Artikel 26 des Entwurfs der DDR vom 20. Januar 1972 für einen Vertrag über Fragen des Verkehrs: „Für Gütertransporte im Straßenverkehr gelten: das Zollübereinkommen vom 15. Januar 1959 über den internationalen Warentransport mit Carnets TIR; das Europäische Übereinkommen über die internationale Beförderung gefährlicher Güter auf der Straße (ADR) vom 30. September 1957." Vgl. VS-Bd. 8561 (II A 1); B 150, Aktenkopien 1972.
[6] Der Protokollvermerk lautet: „Beide Seiten unternehmen im Zusammenhang mit der Inkraftsetzung dieses Vertrages alle notwendigen Schritte, um die gleichberechtigte Mitgliedschaft der Deutschen Demokratischen Republik und der Bundesrepublik Deutschland in den in den Artikeln 12 und 26 dieses Vertrages genannten internationalen Übereinkommen zu gewährleisten." Vgl. VS-Bd. 8561 (II A 1); B 150, Aktenkopien 1972.

über die Ratifikationsbedürftigkeit des Vertrages. Anschließend erläuterte er die Artikel des neuen Entwurfs im einzelnen.

Staatssekretär Bahr äußerte Zweifel, ob es sinnvoll sei, die beiden neuen Komplexe im AVV zu regeln, versprach aber sorgfältige Prüfung. Die Einbeziehung von Luft- und Seeverkehr in die Verhandlungen werfe Probleme auf und werde Zeit kosten. Unsere Vorstellung sei dagegen, die Verhandlungen im bisherigen Rahmen zügig zu führen und in absehbarer Zeit abzuschließen, damit man sich dann auf neue Aufgaben konzentrieren könne.

Anschließend legte er zusammengefaßt die Punkte dar, die nach unserer Meinung im AVV geregelt werden müßten, wobei er das Schwergewicht auf die Einbeziehung Berlin (West) und auf die Intensivierung des Reiseverkehrs legte.[7] Zur Mitgliedschaft in internationalen Verträgen des Verkehrs erklärte er, daß es keine grundsätzlichen Gegensätze in dieser Frage gebe.

Staatssekretär Kohl verwehrte sich energisch gegen eine Ausdehnung des AVV auf Güter und Personen aus Berlin (West). Die DDR sei bereit, einen entsprechenden Vertrag mit dem Senat zu schließen, könne aber ein Auftreten der BRD für Berlin nicht akzeptieren.

Zum Reiseverkehr wies er jede Möglichkeit von der Hand, im AVV Erleichterungen zu vereinbaren. Das erlaube die zwischen den beiden Staaten bestehende Lage nicht. Die BRD mache der DDR Schwierigkeiten, wo sie nur könne, und verlange gleichzeitig Zugeständnisse.

3) Delegationssitzung am 21.1.1972:

Staatssekretär Bahr nahm zum Entwurf der DDR unter Vorbehalt weiterer Prüfung Stellung. Er schlug vor, Präambel und Schlußbestimmungen erst gegen Ende der Verhandlungen zu erörtern. Gegenwärtig könnten nur vier Artikel (9[8],

---

[7] Staatssekretär Bahr, Bundeskanzleramt, führte am 20. Januar 1972 zur Frage des Reiseverkehrs aus: „Wenn man von Verkehr spreche, müsse man auch an den Benutzer denken. Damit sei er beim Reiseverkehr, wo man sich Regelungen ansehen werde, die zwischen anderen Staaten getroffen worden seien. Es gehe nicht, sich nur auf die Formalien solcher Regelungen zu berufen ohne eine adäquate Berücksichtigung auch der Inhalte. Er denke hier an eine Modifizierung der Paß- und Visaerteilung; an die Möglichkeiten der Einreise in die DDR aus wirtschaftlichen, wissenschaftlichen, humanitären, kulturellen und touristischen Gründen; an eine Vereinfachung der Erteilung von Aufenthaltsgenehmigungen in dringenden Fällen; an die Abschaffung oder Reduzierung von Gebühren. Das alles natürlich auf der Basis der Gegenseitigkeit. Den grenznahen Verkehr habe er schon angesprochen. Hier solle man Grenzübertritte bei Unglücksfällen vereinbaren und Reisemöglichkeiten für die dort lebende Bevölkerung verbessern. Ferner solle die Wahl von Verkehrswegen und Verkehrsmitteln (z. B. privaten PKW) nicht beschränkt werden. Wenn er auch das Recht jeden Staates nicht bestreite, Grenzübergänge festzulegen, so sei dies jedoch einseitig schlecht möglich, wenn nämlich der andere Staat an dieser Stelle den Zutritt zur Grenze nicht ebenfalls gestatte. Es sollten daher die bestehenden Grenzübergangsstellen vermehrt und für weitere Verkehrsarten geöffnet werden. Es sei klar, daß dabei die Prinzipien der Effizienz und der Wirtschaftlichkeit durchaus zu beachten seien." Vgl. die Gesprächsaufzeichnung; VS-Bd. 8561 (II A 1); B 150, Aktenkopien 1972.

[8] Artikel 9 des Entwurfs der DDR vom 20. Januar 1972 für einen Vertrag über Fragen des Verkehrs: „1) Jeder Vertragsstaat gewährleistet, daß bei Unfällen und Havarien auf seinem Hoheitsgebiet, an denen Fahrzeuge und Bürger des anderen Vertragsstaates beteiligt sind, die notwendige Hilfe einschließlich Pannen- und Abschleppdienst, medizinischer Betreuung sowie Werft- und Werkstatthilfe geleistet wird. 2) Bei Havarien und Unfällen gelten für deren Untersuchung sowie für die Ausfertigung der erforderlichen Protokolle die Vorschriften des Staates, auf dessen Hoheitsgebiet sich die Havarie oder der Unfall ereignet hat. Die Vertragsstaaten übermitteln sich gegenseitig die Protokolle, die für die Schadensregulierung erforderlich sind." Vgl. VS-Bd. 8561 (II A 1); B 150, Aktenkopien 1972.

10^9, 11^{10} und 24^{11}) als grundsätzlich vereinbart gelten. Alle anderen müßten in Bonn von den Ressorts hinsichtlich Substanz und Formulierung geprüft werden. Bei Artikel 21^{12} gebe es eine grundsätzliche Meinungsverschiedenheit wegen des Grenzverlaufs auf der Elbe.^{13}

Staatssekretär Kohl legte den Standpunkt der DDR zu dieser Frage dar und schlug vor, sie bei dem nächsten Treffen weiter zu behandeln.

Staatssekretär Bahr ging nochmals ausführlich auf unseren Standpunkt in der Frage der Einbeziehung West-Berlins ein. Außerdem wies er erneut auf die große Bedeutung hin, die die Frage des Reiseverkehrs für uns hat.

---

[9] Artikel 10 des Entwurfs der DDR vom 20. Januar 1972 für einen Vertrag über Fragen des Verkehrs: „Die Vertragsstaaten kommen überein, sich gegenseitig übliche Informationen über den Straßenzustand, über Tauchtiefen, Pegelstände, Schleusenbetriebszeiten, Schiffahrtssperren sowie andere Nachrichten, die den Verkehrsablauf betreffen, zu übermitteln." Vgl. VS-Bd. 8561(II A 1); B 150, Aktenkopien 1972.

[10] Artikel 11 des Entwurfs der DDR vom 20. Januar 1972 für einen Vertrag über Fragen des Verkehrs: „1) Im Eisenbahnverkehr werden die Fahrpläne der Regel- und Bedarfszüge, die Zugbildung und die Wagengestellung für Reisezüge unter Berücksichtigung des Verkehrsaufkommens auf den internationalen Fahrplankonferenzen bzw. zwischen den zuständigen Organen bzw. Behörden der Vertragsstaaten vereinbart. 2) Bei außergewöhnlich umfangreichem Verkehrsaufkommen wird im Rahmen der betrieblichen Möglichkeiten der Eisenbahnen der Einsatz zusätzlicher Züge vereinbart." Vgl. VS-Bd. 8561 (II A 1); B 150, Aktenkopien 1972.

[11] Artikel 24 des Entwurfs der DDR vom 20. Januar 1972 für einen Vertrag über Fragen des Verkehrs: „Soweit Bau und Ausrüstung der Fahrzeuge den am Zulassungsort geltenden Vorschriften entsprechen, werden sie gegenseitig als ausreichend anerkannt. Kraftfahrzeuge und Anhänger, die einschließlich ihrer Ladung die vorgeschriebenen Maße oder Gewichte überschreiten, bedürfen einer Ausnahmegenehmigung der zuständigen Organe bzw. Behörden des anderen Vertragsstaates." Vgl. VS-Bd. 8561 (II A 1); B 150, Aktenkopien 1972.

[12] Artikel 21 des Entwurfs der DDR vom 20. Januar 1972 für einen Vertrag über Fragen des Verkehrs: „1) Die Vertragsstaaten gewährleisten einen reibungslosen Binnenschiffsverkehr auf dem Abschnitt zwischen km 472,6 bis km 566,3 der Elbe, auf dem die Grenze Mitte Talweg verläuft. Notwendige Arbeiten auf dem Grenzstreckenabschnitt wie Baggerungen, Längs- und Querpeilungen, Abflußmessungen, Eisaufbruch bedürfen der Zustimmung der zuständigen Organe bzw. Behörden des anderen Vertragsstaates, wenn dessen Hoheitsgebiet bei diesen Arbeiten berührt wird. 2) Die Vertragsstaaten kommen überein, daß entsprechend der bisherigen Praxis die Fahrrinne, d.h. das für die Schiffahrt günstigste Fahrwasser mit ausreichender Tauchtiefe, auf dem Grenzstreckenabschnitt nach den Bestimmungen der Binnenwasserstraßenverkehrsordnung der Deutschen Demokratischen Republik gekennzeichnet wird. 3) Bei Unfällen und Havarien im Grenzstreckenabschnitt sind für die Untersuchung sowie für die Ausfertigung der Protokolle die Aufsichts- und Kontrollorgane des Vertragsstaates zuständig, dessen Binnenschiff am Unfall bzw. an der Havarie beteiligt ist. Sind Binnenschiffe beider Vertragsstaaten am Unfall bzw. an der Havarie beteiligt, werden die Aufsichts- und Kontrollorgane beider Seiten die Untersuchung gesondert vornehmen und die Protokolle austauschen. 4) Binnenschiffe, die auf dem Grenzstreckenabschnitt im Binnenverkehr eingesetzt sind, werden mit einer grünen Flagge gekennzeichnet und unterliegen nicht der Grenzabfertigung." Vgl. VS-Bd. 8561 (II A 1); B 150, Aktenkopien 1972.

[13] Staatssekretär Bahr, Bundeskanzleramt, führte am 21. Januar 1972 zu Artikel 21 des Entwurfs der DDR vom 20. Januar 1972 für einen Vertrag über Fragen des Verkehrs aus: „Nach Auffassung der DDR verlaufe die Grenze in der Mitte, nach Auffassung der BRD aber am DDR-Ufer. Da diese Grenze seinerzeit von den Besatzungsmächten so festgelegt worden sei, halte sich die BRD an sie." Der Staatssekretär beim Ministerrat der DDR, Kohl, entgegnete darauf, „daß seit 1949 die beiden Staaten DDR und BRD entstanden seien und daß zwischen diesen Staaten die Grenze so bestimmt werden müsse, wie dies völkerrechtlich üblich sei; völkerrechtlich üblich sei aber die Grenzziehung in der Mitte des Tal-Weges. Eine Bezugnahme auf frühere Grenzen der Besatzungszonen müsse modifiziert werden. Die BRD berufe sich auch sonst nicht auf die drei Zonen, aus denen sie entstanden sei, oder auf die besonderen Verhältnisse des später hinzugekommenen Saargebietes. Im übrigen sei auch bei der Grenzfestlegung der Besatzungszone nicht bestimmt, daß diese Grenze auf dem rechten Elb-Ufer verlaufe." Vgl. die Gesprächsaufzeichnung; VS-Bd. 8561 (II A 1); B 150, Aktenkopien 1972.

Staatssekretär Kohl erwiderte kurz im Sinne seiner Ausführungen vom Vortage.

Staatssekretär Bahr sprach zum Schluß (als Problem der Durchführung des Transitabkommens) die Frage der Erteilung von Visagebühren für den Transit von Binnenschiffen an, die durch Ost-Berlin fahren müßten.

Staatssekretär Kohl versprach, die Frage prüfen zu lassen.

4) Die nächsten Sitzungen wurden für den 2. und 3. Februar in Bonn[14] und für den 9. und 10. März in Ostberlin[15] verabredet.

VS-Bd. 8561 (II A 1)

13

Aufzeichnung des Staatssekretärs Bahr, Bundeskanzleramt

Geheim 21. Januar 1972[1]

Betr.: Persönliches Gespräch mit Staatssekretär Kohl am 20. Januar 1972 in Ostberlin

1) Staatssekretär Kohl begann mit einem vorbereiteten, zum Teil abgelesenen Protest gegen die „Übergriffe im Nord-Ostsee-Kanal" im Zusammenhang mit dem Motorschiff „Eichsfeld".[2] Der Zwischenfall selbst, seine Begleitumstände und die Erklärungen dazu von amtlicher Seite der BRD hätten eine große Empörung bei der Regierung der DDR, aber auch darüber hinaus ausgelöst. Die DDR müsse mit aller Entschiedenheit Verwahrung einlegen und auf mögliche Folgen auch für das Transitabkommen aufmerksam machen.

---

14 Zum 35. Gespräch des Staatssekretärs Bahr, Bundeskanzleramt, mit dem Staatssekretär beim Ministerrat der DDR, Kohl, am 2./3. Februar 1972 vgl. Dok. 20, Dok. 21 und Dok. 25.

15 Zum 36. Gespräch des Staatssekretärs Bahr, Bundeskanzleramt, mit dem Staatssekretär beim Ministerrat der DDR, Kohl, am 9./10. März 1972 in Ost-Berlin vgl. Dok. 49–51.

1 Ablichtung.
Hat Staatssekretär Frank am 25. Januar 1972 vorgelegen, der handschriftlich vermerkte: „Dem Herrn Minister vorzulegen, besonders S. 5." Vgl. Anm. 11 und 14.
Hat Bundesminister Scheel vorgelegen.

2 Am 10. Januar 1972 wurde in der Presse gemeldet: „Beamte des Bundesgrenzschutzes haben am Sonntagvormittag Frau und Kind eines geflohenen DDR-Bürgers in Kiel-Holtenau gegen den Widerstand der Schiffsführung von dem DDR-Motorschiff ‚Eichsfeld' geholt. Das teilte ein Sprecher des Bundesinnenministeriums in Bonn mit. Der DDR-Bürger, der nicht zur Schiffsbesatzung gehörte, war am Vormittag im Nord-Ostsee-Kanal von dem Schiff geflüchtet. Nach der Flucht wurden seine Frau und sein Kind in eine Schiffskabine eingeschlossen. Daraufhin seien Beamte der Grenzschutzstelle Kiel-Holtenau an Bord des Motorschiffs gegangen, das sich in der Kiel-Holtenauer Schleuse befand, und hätten unter Anwendung körperlicher Gewalt gegen den Kapitän die Angehörigen des Flüchtlings befreit, erklärte der Sprecher. Die Offiziere des DDR-Schiffs hatten zwar gedroht, Schußwaffen zu gebrauchen, jedoch keine Waffen gezeigt. Wie der Sprecher mitteilte, ist die geflüchtete Familie in Sicherheit. Das Schiff habe gegen Mittag seine Fahrt fortgesetzt." Vgl. die Meldung „Bundesgrenzschutz holt Frau und Kind von DDR-Schiff"; FRANKFURTER ALLGEMEINE ZEITUNG vom 10. Januar 1972, S. 1.

Es handle sich um einen zweifelsfreien Rechtsbruch. Dies sei im Grunde wohl auch die Auffassung in Bonn, nachdem in einer Sendung des Informationsfunks vom 11. Januar 1972 darauf aufmerksam gemacht wurde, daß Behörden des Durchgangsstaates „gegebenenfalls" Hoheitsmaßnahmen ergreifen könnten. Die internationale Konvention über Küstenmeere aus dem Jahre 1958, § 19, gebe das Recht zum Eingreifen nur, wenn sich sonst Folgen auf den Küstenstaat erstrecken würden, die Ordnung im Küstenmeer gestört würde oder von Kapitänen Beistand verlangt wird.[3] Im Gegenteil sei Gewalt gegen den Kapitän angewendet worden. Die entsprechende Eintragung im Bordbuch über die Auslieferung unter Zwang sei von Beamten des Bundesgrenzschutzes gegengezeichnet worden. Das ganze sei ein neuerlicher Ausdruck dafür, daß die BRD an der Konzeption festhalte, daß Bürger der DDR dem Recht der BRD unterliegen, weil es eine einheitliche Staatsangehörigkeit geben soll. Dies sei so weit gegangen, daß es mit dieser Begründung eine Strafandrohung gegen den Kapitän gegeben habe, was grotesker Weise dazu führen würde, daß ein Kapitän der Strafandrohung durch die BRD unterliegt, der die Gesetze seines Staates befolgt. Der gesamte Vorgang und seine Begleiterscheinungen würden als Herausforderung empfunden. Dem Protest der DDR sollte eine entsprechende Beachtung geschenkt werden, auch in Beziehung auf eventuelle Weiterung.

Staatssekretär Kohl machte in anderem Zusammenhang noch auf die Konvention zur Behandlung blinder Passagiere aus dem Jahre 1952[4] aufmerksam, nach der blinde Passagiere nur an Kapitäne ausgeliefert werden dürften.

Ich habe Staatssekretär Kohl erklärt, daß ich mich in den wenigen Stunden seit der Rückkehr aus dem Urlaub nicht mit den Einzelheiten dieses Falles vertraut gemacht hätte. Ich würde seine Ausführungen im Sinne der zwischen uns eingeführten Übung auffassen, auch Themen erörtern zu können, die nichts mit dem Gegenstand unserer Verhandlungen zu tun hätten, um mögliche Schwierigkeiten zwischen unseren Regierungen zu lösen oder zu mildern. Im übrigen sei es so, daß in der Bundesrepublik jedermann um Asyl bitten könne, unabhängig von seiner Staatsangehörigkeit, wobei er, Kohl, wisse, wie die Staatsangehörigkeitsgesetze der BRD[5] sind.

---

[3] Artikel 19 der Genfer Territorialgewässerkonvention vom 29. April 1958 (Auszug): „1) The criminal jurisdiction of the coastal State should not be exercised on board a foreign ship passing through the territorial sea to arrest any person or to conduct any investigation in connexion with any crime committed on board the ship during its passage, save only in the following cases: a) If the consequences of the crime extend to the coastal State; or b) If the crime is of a kind to disturb the peace of the country or the good order of the territorial sea; or c) If the assistance of the local authorities has been requested by the captain of the ship or by the consul of the country whose flag the ship flies; or d) If it is necessary for the suppression of illicit traffic in narcotic drugs." Vgl. UNTS, Bd. 516, S. 216–218.

[4] Das Internationale Übereinkommen über Maßnahmen gegen das Einschleicherunwesen wurde am 10. Oktober 1957 abgeschlossen. Für den Wortlaut vgl. SCHAPS-ABRAHAM, Seerecht, Bd. 2, S. 858–861.

[5] Zur Frage der Staatsangehörigkeit war in Artikel 116 des Grundgesetzes vom 23. Mai 1949 festgelegt: „1) Deutscher im Sinne dieses Grundgesetzes ist vorbehaltlich anderweitiger gesetzlicher Regelung, wer die deutsche Staatsangehörigkeit besitzt oder als Flüchtling oder Vertriebener deutscher Volkszugehörigkeit oder als dessen Ehegatte oder Abkömmling in dem Gebiete des Deutschen Reiches nach dem Stande vom 31. Dezember 1937 Aufnahme gefunden hat. 2) Frühere deutsche Staatsangehörige, denen zwischen dem 30. Januar 1933 und dem 8. Mai 1945 die Staatsan-

Staatssekretär Kohl erwiderte, daß gerade der Bundesinnenminister in seinem Lob über die Haltung des BGS auf die Staatsangehörigkeits-Gesetzgebung und auf den innerdeutschen Charakter des Vorgangs abgehoben habe.[6] Dies sei nicht zu machen. Man müsse doch auch in Bonn verstehen, was derartige Vorgänge und ihre Begründung bedeuten. Er bat in aller Form, auf dieses Thema zurückzukommen. Seine Seite könne sie nicht einfach zu den Akten legen. Die Stellungnahmen aus Bonn seien praktisch eine Aufforderung zur Republikflucht gewesen. Im Transitabkommen hätte sich die BRD nicht ohne Erfolg für die Einschränkung gewisser souveräner Rechte der DDR eingesetzt. Damit sei es nicht zu vereinbaren, wenn gleichzeitig nach innerdeutschen Kriterien gehandelt wird. Wenn dies das Kriterium sei, wird es schwierig, einen allgemeinen Verkehrsvertrag über den Wechsel- und Transitverkehr auf der Basis der Gegenseitigkeit und Gleichberechtigung zu vereinbaren. Er bitte jedenfalls um eine befriedigende Stellungnahme der Bundesregierung zu dem Protest der DDR.

Ich habe ihm für die kommende Begegnung[7] eine Stellungnahme zugesagt.

2) Staatssekretär Kohl erklärte die Bereitschaft, die Aufhebung der Erlaubnisse und Permits im Binnenschiffahrts-Verkehr ohne große Formalien sofort zu vereinbaren. Durch die Pauschalierung sei im Grunde übereinstimmend der Sinn für besondere Genehmigungen für den Binnenschiffahrts-Verkehr und dementsprechend auch der Permits entfallen. Die DDR habe Weisung gegeben, ab 1. Januar 1972 die Vorlage der Genehmigungen nicht mehr zu verlangen. Die Binnenschiffer wiesen sie zuweilen freiwillig vor. An sich sei vorgesehen, daß Erlaubnisse und Permits mit Inkrafttreten des Transitabkommens entfallen. Dies könne seitens der DDR aber sofort geschehen.

Fortsetzung Fußnote von Seite 58
gehörigkeit aus politischen, rassischen oder religiösen Gründen entzogen worden ist, und ihre Abkömmlinge sind auf Antrag wieder einzubürgern. Sie gelten nicht als ausgebürgert, sofern sie nach dem 8. Mai 1945 ihren Wohnsitz in Deutschland genommen haben und nicht einen entgegengesetzten Willen zum Ausdruck gebracht haben." BUNDESGESETZBLATT 1949, S. 15 f.
Das Gesetz vom 22. Februar 1955 zur Regelung von Fragen der Staatsangehörigkeit regelte die Staatsangehörigkeitsverhältnisse deutscher Volkszugehöriger, denen die deutsche Staatsangehörigkeit aufgrund von Verträgen und Verordnungen zwischen 1938 und 1945 durch Sammeleinbürgerung verliehen worden war, von Personen, die gemäß Artikel 116 GG Deutsche waren, ohne die deutsche Staatsangehörigkeit zu haben, sowie deutscher Volkszugehöriger, die nicht Deutsche im Sinne des Grundgesetzes waren. Für den Wortlaut vgl. BUNDESGESETZBLATT 1955, Teil I, S. 65–68.
Weiterhin Gültigkeit hatte zudem das Reichs- und Staatsangehörigkeitsgesetz vom 22. Juli 1913. Für den Wortlaut vgl. REICHSGESETZBLATT 1913, S. 583–593.

6 Bundesminister Genscher erklärte am 11. Januar 1972 vor der Presse zum Vorfall auf dem Schiff „Eichsfeld", daß es sich „um die Ausübung eines Grundrechts durch einen Deutschen gehandelt hat. Aber die Gültigkeit unserer Rechtsordnung ist unverändert, ob es sich um ein Schiff der DDR handelt oder etwa ein polnisches Schiff oder ein mexikanisches Schiff. Und auch dort würden wir einzuschreiten haben, wenn im Zuständigkeitsbereich unserer Gesetze jemand daran gehindert wird, sich frei zu bewegen, z. B. wenn jemand eingesperrt wird. Dazu ist außerdem noch bei dem Verschleppungstatbestand zu prüfen, ob er möglicherweise in ein Gebiet verbracht werden soll, wo ihm aus politischen Gründen Strafen oder Ungerechtigkeiten, wie es im Gesetz heißt, drohen. Aber wenn jemand gegen seinen Willen irgendwo festgehalten wird, in unserem Zuständigkeitsbereich, ist es Pflicht der staatlichen Organe, einzuschreiten. Aber das ganz spezielle Recht aller Deutschen auf Freizügigkeit im Bundesgebiet ist natürlich noch eine spezifische Sache gewesen, auf die hier besonders abgestellt wurde." Vgl. Bundespresseamt, Pressekonferenz vom 11. Januar 1972, S. 21 f.
7 Zum 35. Gespräch des Staatssekretärs Bahr, Bundeskanzleramt, mit dem Staatssekretär beim Ministerrat der DDR, Kohl, am 2./3. Februar 1972 vgl. Dok. 20, Dok. 21 und Dok. 25.

Ich habe eine Prüfung mit der Absicht, zu einem positiven Ergebnis zu kommen, zugesagt.

3) Staatssekretär Kohl erinnerte an die von unserer Seite noch ausstehende Stellungnahme zu einer Reihe von Gesetzen und Verordnungen, die seit der Tätigkeit der jetzigen Bundesregierung erlassen worden sind und Formulierungen enthalten, die nicht mit der Politik der Bundesregierung übereinstimmen. Im November und Dezember habe es weitere Beispiele gegeben. Die von ihm angeführten Beispiele sind in der Anlage enthalten.[8]

Er erinnerte außerdem an die ausstehende Stellungnahme betreffs der internationalen Gesundheitskonventionen[9], die für die Verhandlungen über einen Verkehrsvertrag von Bedeutung seien.

4) Ich habe darauf hingewiesen, daß es für die Bundesregierung bei dem Verkehrsvertrag in besonderem Maße darum gehe, in seinem Zusammenhang auch die praktischen Fragen der Erweiterung des Reiseverkehrs von West nach Ost zu vereinbaren. Dies entspreche nicht nur den Erwartungen der Öffentlichkeit, sondern unserem ihm bekannten Prinzip, daß auch materielle Inhalte und nicht nur die Form für die Beurteilung eines Vertrages ausschlaggebend seien.

Die Vereinbarungen zwischen dem Senat und der Regierung der DDR[10] hätten für West-Berliner Besuchsmöglichkeiten geschaffen, die besser seien als der gegenwärtige Zustand für Bundesbürger, und er selbst, Kohl, sei sicher nach wie vor kein Verfechter der Diskriminierung.

Gegenwärtig würden etwa jährlich jeweils etwas über 1 Mio. Menschen Besuche in beiden Richtungen unternehmen. Die Ziffern von West nach Ost seien nur geringfügig größer. Diese Situation zu verbessern sei ein Ziel, von dessen[11] Erreichung die Beurteilung des Verkehrsvertrages entscheidend abhänge, der der Zustimmung der gesetzgebenden Körperschaft bedürfe.

Obwohl ich mir der Schwierigkeit der Sache und der Kompetenzen bewußt sei, wolle ich außerdem auch Erleichterungen in den Besuchsmöglichkeiten von Ost nach West anregen. Eine Herabsetzung des Rentenalters würde sowohl von den Betroffenen in beiden Staaten begrüßt als auch sicher international als Beitrag zur Entspannung gewertet werden.

---

8 Dem Vorgang beigefügt. Aufgeführt waren die 24. Verordnung vom 10. November 1971 über Ausgleichsleistungen nach dem Lastenausgleichsgesetz vom 14. August 1952, der Erlaß des Bundesministers für Jugend, Familie und Gesundheit vom 1. Dezember 1971 (Durchführungserlaß für den 23. Bundesjugendplan), die 20. Verordnung des Bundesministers für Verkehr vom 20. Dezember 1971 über Umlagen und Meldebeiträge zur Deckung der Kosten der Bundesanstalt für den Güterfernverkehr sowie das zweite Gesetz vom 24. Dezember 1971 zur Änderung des Güterkraftverkehrsgesetzes vom 17. Oktober 1952. Vgl. VS-Bd. 8563 (II A 1); B 150, Aktenkopien 1972.

9 Für den Wortlaut der Internationalen Gesundheitsvorschriften vom 25. Juli 1969 vgl. UNTS, Bd. 764, S. 3–105. Für den deutschen Wortlaut vgl. BUNDESGESETZBLATT 1971, Teil II, S. 868–923.
Zur Erörterung eines Beitritts der DDR zu den Gesundheitsvorschriften in der Bonner Vierergruppe am 31. Januar 1972 vgl. Dok. 16, Anm. 6.

10 Für den Wortlaut der Vereinbarung vom 20. Dezember 1971 zwischen der Regierung der DDR und dem Senat von Berlin über Erleichterungen und Verbesserungen des Reise- und Besucherverkehrs vgl. EUROPA-ARCHIV 1972, D 77–80.

11 Beginn der Seite 5 der Aufzeichnung. Vgl. Anm. 1.

Staatssekretär Kohl erklärte, er sei überrascht von der Entschiedenheit, mit der ich diese Überlegungen formuliert hätte. Sie seien bisher nicht Gegenstand unserer Verhandlungen über einen AVV gewesen; ich bedürfe sicher auch nicht der Belehrung, daß es international absolut unüblich sei, Fragen des Reiseverkehrs in einem Verkehrsvertrag zu regeln.

Im übrigen sei die „allgemeine Gefechtslage" nicht so, daß man in der DDR Neigung verspüre, sich mit diesen Überlegungen zu beschäftigen. Staatssekretär Kohl erinnerte noch einmal an den „Eichsfeld"-Zwischenfall; auch sonst sei der Kurs der Bundesregierung gegen die DDR verschärft worden. Ob es um die ECE, Indien, Lateinamerika, die Umweltkonferenz[12], die als erfolgreich apostrophierte Scheel-Doktrin[13] gehe, überall versuche man, die DDR zu hindern und ihr zu schaden. Warum solle die DDR dann Entgegenkommen zeigen? Die DDR lasse sich nicht erpressen; sogenannte innerdeutsche Zugeständnisse könne man nicht von ihr erwarten. Er frage sich, warum amtlich niemals der[14] umgekehrte Weg versucht worden sei. Dies könnte auch die DDR dazu veranlassen, ihre Überlegungen zu revidieren.

In einer Unterhaltung am Tage danach kamen wir nochmals auf dieses Thema zurück. Ich hatte betont, welche Bedeutung die Frage des Reiseverkehrs in beiden Richtungen für die Bundesregierung habe. Staatssekretär Kohl präzisierte, daß es für uns keine Kompetenz gebe, eine Vereinbarung über Reisen von Bürgern der DDR zu treffen, daß es auch in der anderen Frage nicht möglich sei, im AVV derartiges zu regeln. Er sei aber bereit, unsere Vorstellungen zu hören.

5) Staatssekretär Kohl kündigte an, daß seine Seite einen redaktionell überarbeiteten Entwurf des Verkehrsvertrages vorlegen und dabei neu vorschlagen werde, auch den See- und Luftverkehr zu regeln.[15]

Ich habe Prüfung zugesagt; beide Seiten seien in der Tat frei, neue, bisher nicht erörterte Punkte vorzuschlagen. Angesichts dieser Situation würde ich es aber für sinnvoll halten, die kommende Woche verhandlungsfrei zu lassen.

Wir verständigten uns auf den 2. und 3. Februar 1972 in Bonn. Die nächste Verhandlung danach wurde für den 9. und 10. März in Berlin[16] in Aussicht genommen.

---

[12] Zu einer Beteiligung der DDR an der UNO-Umweltkonferenz vom 5. bis 16. Juni 1972 in Stockholm sowie an der geplanten Tagung der ECE-Regierungsberater für Umweltfragen vgl. Dok. 4. Zu einer möglichen Anerkennung der DDR durch Indien vgl. Dok. 14.

[13] Am 30. Oktober 1969 legte Bundesminister Scheel in einem Runderlaß den diplomatischen Vertretungen der Bundesrepublik die Grundsätze der künftigen Deutschlandpolitik dar und kündigte eine Neuregelung des Verhältnisses zur DDR an. Von dritten Staaten werde erwartet, „daß sie sowohl in ihrem bilateralen Verhältnis zur DDR wie auch als Mitglieder Internationaler Organisationen und als Partner multilateraler Verträge in die innerdeutschen Bemühungen nicht störend eingreifen. [...] Sollten dritte Staaten durch eine völkerrechtliche Anerkennung der DDR unsere Bemühungen um eine innerdeutsche Regelung stören, so würde dies gegen die Interessen der BRD verstoßen und unsere Beziehungen mit ihnen belasten. Die Bundesregierung wird ihre Haltung dann jeweils nach den deutschen Interessen bestimmen." Vgl. AAPD 1969, II, Dok. 337.

[14] Ende der Seite 5 der Aufzeichnung. Vgl. Anm. 1.

[15] Für den Entwurf der DDR vom 20. Januar 1972 für einen Vertrag über Fragen des Verkehrs vgl. VS-Bd. 8561 (II A 1); B 150, Aktenkopien 1972.

[16] Zum 36. Gespräch des Staatssekretärs Bahr, Bundeskanzleramt, mit dem Staatssekretär beim Ministerrat der DDR, Kohl, am 9./10. März 1972 in Ost-Berlin vgl. Dok. 49–51.

6) Zur Beurteilung:

Nach meinem Eindruck würde es verhältnismäßig unkompliziert sein, sich in den technischen Fragen eines Verkehrsvertrages zu verständigen.

Die politisch wichtigen Fragen, Erstreckung auf West-Berlin, Reiseverkehr und politische Grundsatzfragen, die im Zusammenhang mit der Anerkennung von Pässen aufgeworfen werden könnten, können allerdings zum Scheitern der Verhandlungen führen; mindestens ist nach der ersten Runde auch nicht im entferntesten eine zeitliche Prognose für die Dauer der Verhandlungen zu stellen.

Allgemeine Haltung der DDR erscheint positiv mit der Einschränkung, daß in den letzten vier Wochen durch den „Eichsfeld"-Vorgang und auf dem internationalen Felde Vorgänge eingetreten sind, die durch Verletzung des Prestiges zu einer Verhärtung geführt haben, von der nicht zu übersehen ist, wie weit sie auch durch die Sowjetunion geteilt wird.

Das persönliche Verhältnis einer gewissen kollegialen Aufgeschlossenheit zwischen den Delegationen hat sich erst am zweiten Tag wieder eingestellt.

Bahr

VS-Bd. 8563 (II A 1)

14

Staatssekretär Frank, z. Z. Neu Delhi, an das Auswärtige Amt

Z B 6-1-10341/72 VS-vertraulich Aufgabe: 21. Januar 1972, 10.00 Uhr[1]
Fernschreiben Nr. 120   Ankunft: 21. Januar 1972, 07.36 Uhr

Betr.: Deutsch-indische Konsultationen[2]

1) In der den Konsultationen vorangehenden Unterhaltung mit StS Haksar, bei der nur noch Botschafter Diehl anwesend war, gewann ich den bestimmten Eindruck, daß die indische Regierung trotz innenpolitischen Drucks bereit ist, Anerkennung der DDR bis nach der Ratifikationsdebatte über die Ostverträge[3]

---

[1] Hat Vortragendem Legationsrat Thönnes am 21. Januar 1972 vorgelegen.
[2] Staatssekretär Frank hielt sich am 20./21. Januar 1972 in Indien auf.
[3] Zum Stand des Ratifikationsverfahrens vgl. Dok. 6, Anm. 25.
Am 19. Januar 1972 befaßte sich der Ausschuß für auswärtige Angelegenheiten des Bundesrats mit dem Moskauer und dem Warschauer Vertrag. Dazu wurde in der Presse berichtet: „In rund einstündigen Ausführungen legten Bundeskanzler Brandt und Außenminister Scheel noch einmal ausführlich die Motive ihrer Ostpolitik und deren Zusammenhang mit der Ost-West-Entspannung dar. Im Vordergrund standen dabei der Zusammenhang der Ostverträge mit der DDR, die Rolle Berlins nach dem Vier-Mächte-Abkommen sowie die Funktion der NATO in der Entspannungspolitik. Auch der UNO-Beitritt beider deutscher Staaten wurde berührt." In der Debatte hätten die Vertreter der CDU/CSU-regierten Länder zahlreiche Fragen gestellt: „Die Antworten der Regierung wurden allerdings dem Vernehmen nach von den CDU/CSU-Ministerpräsidenten als weitgehend nicht befriedigend betrachtet, vor allem was die unterschiedliche Interpretation wichtiger

aufzuschieben.⁴ Danach wird sie die Lage erneut prüfen und unter Umständen je nach den Erfolgsaussichten für den Abschluß einer innerdeutschen Regelung auch dann noch geneigt sein, uns eine gewisse Frist zuzugestehen. Die indische Regierung sieht sich – nach Haksars Meinung – außerstande, die Anerkennung der DDR von dem vorherigen Beitritt beider deutscher Staaten in die VN abhängig zu machen.

2) Indischer Delegationsleiter T. N. Kaul betonte im Plenum der ersten Konsultationssitzung indisches Interesse, daß Bundesregierung innerhalb EG Führung zu baldiger Anerkennung Bangladeshs übernehme. Er sagte, daß ein solches Verhalten der Bundesregierung es Indien leichter machen würde, uns durch weitere Zurückhaltung in der Frage indischer DDR-Anerkennung entgegenzukommen.

3) Außenminister Swaran Singh empfing mich zu einer nahezu einstündigen Unterredung, an der außer den Botschaftern Kewal Singh und Diehl noch Europa-Direktor Sinha als Protokollführer teilnahm. Der Außenminister äußerte sich ungewöhnlich freundschaftlich über das deutsch-indische Verhältnis und betonte, wie groß das Ansehen sei, das der Herr Bundeskanzler in Indien genieße. Swaran Singh erläuterte die Motive, die die indische Regierung veranlaßt hätten, die Politik der Bundesregierung um Ausgleich und Entspannung von jeher zu unterstützen. Er sagte, die indische Regierung werde dies im Maße ihrer Möglichkeiten auch weiter tun. Swaran Singh vermied es, sich hinsichtlich des Zeitpunktes einer Anerkennung der DDR durch Indien festzulegen. Er fügte hinzu, daß im Kabinett die Frage der Anerkennung der DDR wiederholt beraten worden sei. Gesprächstenor und Gesprächsführung gaben aber dennoch die Gewißheit, daß Swaran Singh die gleichen oder ähnliche Vorstellungen hat, wie sie StS Haksar ohne indische Zeugen darlegte.⁵

4) Ich gewann aus den bisherigen Gesprächen den Eindruck, daß die indische Regierung daran interessiert ist, nach dem Sieg über Pakistan⁶ zu einem bes-

Fortsetzung Fußnote von Seite 62

Verträge durch Bonn und die Vertragspartner angehe." Ferner habe die Bundesregierung „den Ministerpräsidenten der CDU/CSU-Länder Einblick in die geheimen Aufzeichnungen der Bonner Unterhändler über die Vertragsverhandlungen" zugesichert. Vgl. den Artikel „Die Opposition erhält Einblick in die Geheimpapiere"; FRANKFURTER ALLGEMEINE ZEITUNG vom 20. Januar 1972, S. 1. Am 27. Januar 1972 beschloß der Ausschuß für auswärtige Angelegenheiten des Bundesrats mit sechs gegen fünf Stimmen die Empfehlung an das Plenum des Bundesrats, keine Einwendungen gegen die Ratifizierung des Moskauer und des Warschauer Vertrags zu erheben. Ein Antrag der CDU/CSU-regierten Länder, in dem empfohlen wurde, schwere Bedenken gegen die Verträge geltend zu machen, wurde abgelehnt. Vgl. dazu die Meldung „Keine Einwände gegen Ostverträge" bzw. den Artikel „Union befürchtet sowjetische Hegemonie"; FRANKFURTER ALLGEMEINE ZEITUNG vom 28. Januar 1972, S. 1 bzw. S. 5.

4 Am 31. Dezember 1971 berichtete Botschafter Diehl, Neu Delhi, daß eine Anerkennung der DDR durch Indien schon Ende Januar oder Anfang Februar 1972 erfolgen könnte. Vgl. AAPD 1971, III, Dok. 454.

5 Zu einer möglichen Anerkennung der DDR durch Indien teilte der indische Botschaftsrat Hashmi am 28. Januar 1972 mit, Ministerpräsidentin Gandhi „beabsichtige nicht, die DDR in absehbarer Zeit anzuerkennen. Sie würde am liebsten zuwarten, bis der innerdeutsche Dialog zu Ende geführt sei. Sie könne sich jedoch, wenn dieser Dialog sich allzu lange – über ein Jahr etwa – hinziehen würde, nicht dafür verbürgen, daß sie nicht innerpolitischem Druck nachgeben müsse. Jedenfalls werde sie, sollte der parlamentarische Druck nach der Ratifizierung nicht allzu stark sein, auf keinen Fall die Politik der Bundesregierung durch die Anerkennung der DDR stören." Vgl. die Aufzeichnung des Ministerialdirigenten Müller; Referat I B 5, Bd. 666.

6 Die Spannungen zwischen Indien und Pakistan wegen der Unabhängigkeitsbestrebungen in Ostpakistan eskalierten im Laufe des Jahres 1971, bis es am 3. Dezember 1971 zum Krieg kam. Am

seren Gleichgewicht ihrer Beziehungen zurückzukehren. Dies gilt sowohl für die Beziehungen zu den Vereinigten Staaten wie auch zu China und Pakistan. Die Zurückstellung einer Anerkennung von Bangladesh durch die westeuropäischen Staaten bis nach erfolgter Konsultation in New Delhi und der grundsätzliche Beschluß der westeuropäischen Staaten, in dieser Frage nur gemeinsam vorzugehen[7], haben hier ihre Wirkung nicht verfehlt. Wir werden allerdings nach meiner Rückkehr in der Frage der Anerkennung Bangladeshs bald eine Entscheidung treffen müssen.[8]

[gez.] Frank

VS-Bd. 9879 (I B 5)

Fortsetzung Fußnote von Seite 63
Dezember 1971 kapitulierten die westpakistanischen Streitkräfte in Ostpakistan, das bereits am 6. Dezember 1971 von Indien als Bangladesh anerkannt worden war. Am gleichen Tag ordnete die indische Regierung einen einseitigen Waffenstillstand an der Westfront an, der am folgenden Tag von Pakistan akzeptiert wurde. Vgl. dazu EUROPA-ARCHIV 1972, Z 7 f., Z 18 und Z 20.

[7] Vortragender Legationsrat I. Klasse Heimsoeth teilte am 17. Januar 1972 mit, die EG-Mitgliedstaaten hätten am 14. Januar 1972 in Luxemburg die Frage der Anerkennung von Bangladesh erörtert. Es habe „weitgehende Übereinstimmung" darüber bestanden, „daß der neue Staat Bangladesh in absehbarer Zeit anerkannt werden sollte. Hinsichtlich des Zeitpunkts traten gewisse Unterschiede hervor. [...] Alle Teilnehmer hielten eine gleichzeitige Anerkennung durch ihre Regierungen für wünschenswert. Es bestand ferner Einverständnis darüber, daß die Anerkennung von Bangladesh keinesfalls vor Abschluß der deutsch-indischen Konsultationen erfolgen soll." Vgl. den Runderlaß Nr. 5; Referat III B 7, Bd. 759.

[8] Staatssekretär Frank, z.Z. Neu Delhi, berichtete am 23. Januar 1972 ergänzend, daß der Staatssekretär im indischen Außenministerium, Kaul, in der abschließenden Sitzung der deutsch-indischen Konsultationen erneut Interesse an einer schnellen Anerkennung von Bangladesh durch die Bundesregierung betont und dabei angedeutet habe, „daß es Indien dabei auf Tage ankomme". Kaul habe versichert, „daß die indische Regierung nichts tun werde, was den Erfolg der Entspannungsbemühungen der Bundesregierung erschweren würde". Frank führte dazu aus: „Die indische Seite hat sich hinsichtlich der Zeitdauer ihrer weiteren Zurückhaltung gegenüber der DDR nicht festlegen lassen. Die Zusicherung, daß sich die indische Politik zunächst nicht ändern werde, wurde andererseits auch nicht ausdrücklich befristet. Sie geht jedoch davon aus, daß wir das indische Interesse an einer Stabilisierung Bangladeshs durch dessen baldige Anerkennung berücksichtigen." Vgl. den Drahtbericht Nr. 125; VS-Bd. 9879 (I B 5); B 150, Aktenkopien 1971.
Am 2. Februar 1972 beschloß das Politische Komitee im Rahmen der Europäischen Politischen Zusammenarbeit die Anerkennung von Bangladesh. Vgl. dazu die Meldung „EWG-Staaten beschließen die Anerkennung Bangla Deshs"; NEUE ZÜRCHER ZEITUNG, Fernausgabe vom 4. Februar 1972, S. 2.
Dazu teilte Vortragender Legationsrat I. Klasse Dohms am 3. Februar 1972 mit: „Synchronisierung konnte jedoch nur bedingt erreicht werden." Die Bundesrepublik und Großbritannien würden Bangladesh am 4. Februar 1972 anerkennen, Belgien, die Niederlande und Luxemburg „am gleichen Tag entsprechende Absichtserklärungen abgeben und Anerkennung in der darauffolgenden Woche vornehmen. Frankreich und Italien werden zu einem noch nicht festgelegten Zeitpunkt folgen." Vgl. den Runderlaß Nr. 9; Referat I B 5, Bd. 698.

15

Aufzeichnung des Vortragenden Legationsrats I. Klasse Hansen

I A 1-80.11/1-279/72 VS-vertraulich 24. Januar 1972

Betr.: Absicht der französischen Regierung, in Ostberlin ein Büro des „Centre National du Commerce Extérieur" einzurichten.

Gesandter de Beaumarchais teilte StS Dr. Frank im Anschluß an eine Informierung über dessen kürzliche Gespräche in Neu Delhi[1] heute folgendes mit:

Frankreich werde in Kürze ein Büro des „Centre National du Commerce Extérieur" in Ostberlin eröffnen. Die Regierung stehe bekanntlich schon seit längerem unter dem Druck industrieller und auch parlamentarischer Kreise, diesen Schritt zu tun. Es handele sich um keine wesentliche Änderung gegenüber dem bisherigen Zustand (Büro des französischen Arbeitgeberverbandes[2]). Das Centre verhandle und unterschreibe schon seit drei Jahren die Handelsverträge mit der DDR. Es sei keine Regierungsinstanz, sondern habe lediglich „parastatalen" Charakter. Eine Statusänderung für die Handelskammervertretung der DDR in Paris[3] sei damit nicht verbunden; dieser würden auch weiterhin trotz ihres Drängens keine konsularischen Befugnisse oder diplomatischen Privilegien zugebilligt.

StS führte – unter Vorbehalt einer endgültigen Antwort – folgendes aus:

Eine solche Änderung käme uns im jetzigen Augenblick außerordentlich ungelegen. Es sei sehr wesentlich, zu welchem Zeitpunkt derartige Schritte vorgenommen würden. Paris sei wohlbekannt, welchen Schwierigkeiten sich die Bundesregierung bei der Ratifizierung der Ostverträge[4] gegenübersehe. Es genüge unter Umständen wenig, um diese scheitern zu lassen. Man müsse unterscheiden zwischen unseren Absichten und denjenigen der DDR. Diese werde eine solche Änderung mit Sicherheit optisch mißbrauchen.

D Pol wies darauf hin, daß wir ein ähnliches Problem mit Italien hätten.[5] Ein derartiger Schritt Frankreichs werde eine Kettenreaktion – und das gerade in

---

[1] Staatssekretär Frank hielt sich am 20./21. Januar 1972 in Indien auf. Vgl. dazu Dok. 14.
[2] An dieser Stelle Fußnote in der Vorlage: „Bureau des industries françaises".
[3] Am 28. Januar 1970 wurde in Paris ein Handelsabkommen zwischen der DDR und Frankreich für den Zeitraum von 1970 bis 1974 paraphiert, in dessen Folge ein Büro der Außenhandelskammer der DDR in Paris eröffnet wurde.
[4] Zum Stand des Ratifizierungsverfahrens vgl. Dok. 14, Anm. 3.
[5] Botschafter Lahr, Rom, berichtete am 13. Dezember 1971, er habe sich im Gespräch mit dem Generalsekretär im italienischen Außenministerium, Gaja, vergewissert, daß sowohl die gegenwärtige als auch eine künftige italienische Regierung kein neues Verhältnis zu DDR anstrebe. Allerdings habe Gaja darauf hingewiesen, „daß es den Verantwortlichen in Regierung und Außenministerium nicht immer leicht ist, diesen Standpunkt gegenüber allen politisch interessierten Kreisen des Landes zu vertreten". So hätten 80 Politiker aller Parteien eine Erklärung unterzeichnet, die zur schrittweisen Verbesserung der Beziehungen zur DDR bis hin zur baldigen Anerkennung aufgerufen habe: „Bemühungen dieser Art reichen bis in die Regierung hinein, und namentlich ist es der Außenhandelsminister Zagari, der lieber heute als morgen eine Vertretung der amtlichen italienischen Außenhandels-Organisation, des I[stituto] N[azionale per il] C[ommercio con l'] E[stero], in Ost-Berlin errichten möchte." Vgl. den Schriftbericht; Referat III A 6, Bd. 461.

diesem ungünstigen Augenblick – auslösen. Kein anderer NATO-Verbündeter besitze eine solche „parastatale" Vertretung in Ostberlin.

Auf Frage StS, ob die Änderung von der DDR verlangt werde, erwiderte Beaumarchais, diese wünsche natürlich viel mehr, aber man lasse sich von Ostberlin nicht unter Druck setzen. Dieser komme aus Frankreich selbst.

StS bemerkte, daß in Frankreich die Stellung der Regierung gegenüber dem Parlament relativ stark sei. Er habe gerade kürzlich in Neu Delhi gesagt, daß wir eine mutige Politik führten, die Opfer verlange. Frankreich und wir verfolgten damit das gleiche Ziel. Man müßte die langfristigen Zielsetzungen gegenüber kurzfristigen Vorteilen abwägen.

Auf die Erwiderung Beaumarchais', Paris habe in der Sache schon Opfer gebracht und man habe uns stets loyal informiert, betonte StS, der Elysée-Vertrag verlange mehr als bloße Information.[6]

Beaumarchais stellte die Frage, ob Paris nicht unter Umständen in sechs Monaten oder in einem Jahr die gleichen Einwendungen unsererseits entgegengehalten würden. Je mehr wir uns dem Kern der Verhandlungen mit der DDR näherten, desto stärker würden wir damit argumentieren müssen, es sei notwendig, zuzuwarten. StS erwiderte, er wolle nicht ausschließen, daß wir auch nach der Ratifikation in diesem Sinne plädieren würden. Es sei jedoch auch denkbar, daß man dann der DDR mehr entgegenkommen könne. D Pol bemerkte ergänzend, der strategische Punkt sei wohl der Eintritt der beiden deutschen Staaten in die VN. Dies sei der Zeitpunkt, wo alle Länder ihre Beziehungen zur DDR neu regeln könnten. Wenn die DDR das Gefühl bekomme, schon vorher Vorteile zu erhalten, riskiere man, einen Modus vivendi sehr zu erschweren. Anknüpfend an die Bemerkung StS über die Stabilität der französischen Regierung wolle er bemerken, es gebe auch unter den Alliierten Regierungen, deren Stellung ihrem Parlament gegenüber weniger gefestigt sei; man müsse befürchten, daß diese nach einem derartigen französischen Schritt in ihrer Reaktion noch weitergingen.

StS: Wir werden Paris unsere Reaktion sobald wie möglich mitteilen. Beaumarchais: Eile sei geboten.[7]

---

[6] In Teil II Abschnitt A Satz 1 des deutsch-französischen Vertrags vom 22. Januar 1963 wurde ausgeführt: „Die beiden Regierungen konsultieren sich vor jeder Entscheidung in allen wichtigen Fragen der Außenpolitik und in erster Linie in den Fragen von gemeinsamem Interesse, um so weit wie möglich zu einer gleichgerichteten Haltung zu gelangen." Vorgesehen war die Konsultation u. a. für die „Ost-West-Beziehungen sowohl im politischen als auch im wirtschaftlichen Bereich". Vgl. BUNDESGESETZBLATT 1963, Teil II, S. 708.

[7] Ministerialdirigent van Well bat die Botschaft in Paris am 25. Januar 1972, im französischen Außenministerium auf eine Zurückstellung der Frage bis zu den deutsch-französischen Konsultationsbesprechungen am 10./11. Februar 1972 in Paris zu drängen. Vgl. dazu den Drahterlaß Nr. 397; VS-Bd. 8573 (II A 1); B 150, Aktenkopien 1972.

Botschafter Ruete, Paris, berichtete am 26. Januar 1972, er habe das Thema mit dem Generalsekretär im französischen Außenministerium erörtert, wobei das Gespräch „zum Teil recht bewegte Formen" angenommen habe. Alphand habe ausgeführt, daß die Frage einer Veränderung der Vertretung der französischen Wirtschaftsinteressen in Ost-Berlin wiederholt zwischen den Ministern Scheel und Schumann erörtert worden sei. Ursprünglich habe die französische Seite an die Errichtung einer offiziellen Handelsvertretung gedacht, sich dann aber auf Bitte von Bundesminister Scheel dazu bereit erklärt, derartige Überlegungen zurückzustellen: „In diesem Zusammenhang sei auch die Frage der Errichtung eines Büros des ‚Centre national du commerce extérieur' erwähnt worden, auf die eine deutsche Reaktion ausgeblieben sei. Was die französische Regierung

StS schloß mit der Bemerkung, er habe nicht erwartet, Beaumarchais gegenüber mit den gleichen Argumenten wie kürzlich in Neu Delhi operieren zu müssen.

Hiermit Herrn D Pol[8] vorgelegt.

Hansen

VS-Bd. 9791 (I A 1)

Fortsetzung Fußnote von Seite 66
jetzt beabsichtige, sei nichts Dramatisches. Es sei kein neuer diplomatischer Entschluß, sondern eine Entscheidung, die den Interessen der französischen Industrie stärker Rechnung trage. Man solle die Angelegenheit daher nicht dramatisieren oder aufblähen. Die französische Regierung habe uns seit Jahren in der Anerkennungsfrage auf das Loyalste unterstützt. Sie sei bereit, dem Bundeskanzler auch in Zukunft in seiner mutigen Ostpolitik Unterstützung zu gewähren. Keinesfalls beabsichtige sie, der Politik der DDR Vorschub zu leisten. Die interne Entscheidung der französischen Regierung sei gefallen. Die Thematik sei auch schon mit der DDR erörtert worden, und es sei klar, daß die DDR mit diesem Entgegenkommen nicht zufrieden sei." Alphand habe erklärt, nicht versichern zu können, daß die französische Regierung die Angelegenheit bis zu den deutsch-französischen Konsultationsbesprechungen am 10./11. Februar 1972 in Paris zurückstellen werde. Vgl. den Drahtbericht Nr. 241; VS-Bd. 8573 (II A 1); B 150, Aktenkopien 1972.
Ruete berichtete am 31. Januar 1972 ergänzend über ein Gespräch mit dem französischen Außenminister. Schumann sei bemüht gewesen, die Angelegenheit herunterzuspielen und habe erklärt, es handele sich nicht um eine Änderung der französischen Politik oder des Status der gegenwärtigen Vertretung in Ost-Berlin, sondern nur um eine Anpassung an die tatsächliche Lage. Schumann habe sich bereit erklärt, die Frage mit Scheel zu erörtern, jedoch hinzugefügt, „es dürfe sich nicht um ein Thema handeln, das auf die Tagesordnung der Gipfelkonferenz gesetzt werde. Die französische Regierung wünsche lebhaft, daß der Gipfel nicht durch solche Einzelfragen kompliziert werde." Vgl. den Drahtbericht Nr. 280; VS-Bd. 8573 (II A 1); B 150, Aktenkopien 1972.
Zur Behandlung der Frage während der deutsch-französischen Konsultationsbesprechungen am 10./11. Februar 1972 in Paris vgl. Dok. 28.

8 Hat Ministerialdirektor von Staden am 24. Januar 1972 vorgelegen, der handschriftlich vermerkte: „Sofort Herrn Staatssekretär zur R[ücksprache] mit dem Herrn BM am 25.1. wegen angebl[ichem] Gespräch BM–AM Schumann. Weisung an Paris müßte m. E. morgen erfolgen."
Hat Staatssekretär Frank am 25. Januar 1972 vorgelegen, der handschriftlich für Staden vermerkte: „Eilt. Der H[err] Minister hat entschieden, daß die Frage bei den Konsult[ationen] angesprochen werden soll. Franz[ösische] Regierung sollte gebeten werden, Entscheidung bis dahin zurückzustellen."
Hat Bundesminister Scheel am 25. Januar 1972 vorgelegen, der handschriftlich vermerkte: „Konsultationsthema."
Hat Staden erneut am 25. Januar 1972 vorgelegen, der die Weiterleitung an Ministerialdirigent van Well verfügte.
Hat van Well am 26. Januar 1972 vorgelegen, die die Weiterleitung an Ministerialdirigent Diesel und die Referate I A 3 und II A 1 verfügte.
Hat Diesel am 27. Januar 1972 vorgelegen.
Hat Vortragendem Legationsrat I. Klasse Blech am 27. Januar 1972 vorgelegen.

16

Aufzeichnung des Vortragenden Legationsrats Bräutigam

II A 1-85.50-53/72 geheim
25. Januar 1972[1]

Betr.: Verkehrsverhandlungen Bahr/Kohl
hier: Gespräch Staatssekretär Bahrs mit den alliierten Vertretern am 24.1.1972 im Bundeskanzleramt

Staatssekretär Bahr unterrichtete am 24. Januar die Botschafter Jackling und Sauvagnargues sowie den amerikanischen Geschäftsträger[2] über seine letzte Verhandlungsrunde in Ostberlin.[3] Aus dem Gespräch, an dem auch die alliierten Botschaftsräte sowie MDg Sanne und VLR Eitel teilnahmen, ist folgendes festzuhalten:

1) StS Bahr erklärte, er sei mit dem Eindruck aus Ostberlin zurückgekommen, daß eine Einigung in den verkehrstechnischen Fragen verhältnismäßig einfach sei. Ob dagegen auch die politisch relevanten Fragen lösbar seien, könne er heute noch nicht sagen. Jedenfalls gebe es in diesem Bereich erhebliche Schwierigkeiten. Die Frage, ob der allgemeine Verkehrsvertrag (AVV) überhaupt zustande kommen werde, könne er zur Zeit noch nicht beantworten.

2) Sein Vorschlag, die Reiseerleichterungen in die Verhandlungen einzubeziehen, sei, so sagte Bahr, von Kohl kategorisch abgelehnt worden. In dem persönlichen Gespräch habe Kohl in diesem Zusammenhang auf die Tatsache hingewiesen, daß die Bundesrepublik der DDR im Ausland Schwierigkeiten mache, wo sie nur könne.

Kohl habe rhetorisch gefragt, warum die DDR der Bundesrepublik entgegenkommen solle, wenn diese weiter fortfahre, ihr Schwierigkeiten zu machen.

Auf die Frage Jacklings, ob das „Nein" der DDR zu den Reiseerleichterungen endgültig sei, entgegnete Bahr, vielleicht sei dies nur eine Ausgangsposition, um über die Reiseerleichterungen Zugeständnisse im internationalen Bereich durchzusetzen. Auf die Frage Sauvagnargues, ob wir Möglichkeiten für Zugeständnisse im internationalen Bereich sähen, sagte Bahr, es gehe hier zunächst um bestimmte Konventionen, darunter auch die Internationalen Gesundheitsvorschriften der WHO[4], an die Kohl in dem persönlichen Gespräch erinnert habe. Dies müsse im einzelnen geprüft werden. Zu der Grundsatzfrage wolle er sich im einzelnen noch nicht äußern, da er zunächst mit dem Bundeskanzler darüber sprechen werde. Im übrigen sei auch Staatssekretär Frank mit dem Eindruck aus New Delhi zurückgekommen[5], daß es vielleicht an der Zeit sei, der DDR auf Teilgebieten im internationalen Bereich entgegenzu-

---

[1] Hat Staatssekretär Frank am 26. Januar 1972 vorgelegen.
[2] Frank E. Cash.
[3] Zum 34. Gespräch des Staatssekretärs Bahr, Bundeskanzleramt, mit dem Staatssekretär beim Ministerrat der DDR, Kohl, am 20./21. Januar 1972 in Ost-Berlin vgl. Dok. 12 und Dok. 13.
[4] Für den Wortlaut der Internationalen Gesundheitsvorschriften vom 25. Juli 1969 vgl. UNTS, Bd. 764, S. 3–105. Für den deutschen Wortlaut vgl. BUNDESGESETZBLATT 1971, Teil II, S. 868–923.
[5] Staatssekretär Frank hielt sich am 20./21. Januar 1972 in Indien auf. Vgl. dazu Dok. 14.

kommen (Zugeständnisse auf „Teilzahlung"). Unser Wunsch, daß die DDR möglichst durch das „Haupttor" in die internationalen Organisationen einziehe, bleibe weiter bestehen. Aber die Verwirklichung dieses Konzepts hänge selbstverständlich davon ab, daß es weiterhin gelänge, die Aufnahme der DDR in die Sonderorganisationen, insbesondere die WHO, zu verhindern, solange die UN-Frage noch nicht geklärt sei.

Botschafter Jackling erklärte, es scheine ihm wichtig, daß wir unsere Position in der WHO vorerst aufrechterhielten. Die Frage der Konventionen könne man dagegen prüfen. Staatssekretär Bahr bat darum, daß die Vierergruppe die Frage des Beitritts der DDR zu den Internationalen Gesundheitsvorschriften noch einmal prüfe. Er würde es begrüßen, wenn ein Modus gefunden werden könne, welcher der DDR eine Teilnahme ermöglicht.[6]

3) Die Einbeziehung des See- und Luftverkehrs in den Entwurf der DDR[7] habe uns, so sagte Bahr, überrascht. Dieser Vorschlag lege die Vermutung nahe, daß die DDR nicht an einem schnellen Abschluß der Verhandlungen interessiert sei. Kohl habe in seiner Erläuterung dieser Bestimmungen zu verstehen gegeben, daß er an eine Regelung des Verkehrs Leipzig–Frankfurt oder Leipzig–Hannover denke, nicht aber an eine Einbeziehung des Luftverkehrs Berlin. Auch ihm scheine es, daß diese beiden Komplexe getrennt werden könnten. Wenn man den Luftverkehr Berlin ausklammere, über den zu verhandeln die Bundesregierung ohnehin keine Kompetenz habe, stehe der Einbeziehung des Luftverkehrs eigentlich nichts mehr im Wege, aber dies müsse noch im einzelnen geprüft werden. Er bitte die Vierergruppe, sich auch dieses Themas anzunehmen.

Botschafter Jackling sagte, ihm scheine, daß eine solche Einbeziehung die Verhandlungen insgesamt sehr komplizieren würde. Audland fügte hinzu, daß die Schwierigkeiten mit dem Bericht der Vierergruppe über den Luftverkehr Berlin[8] durch eine solche Entwicklung noch vergrößert werden könnten. Bot-

---

[6] Vortragender Legationsrat I. Klasse Heimsoeth teilte der Ständigen Vertretung bei den Internationalen Organisationen in Genf am 18. Februar 1972 mit, Staatssekretär Bahr, Bundeskanzleramt, habe am 31. Januar 1972 mit Vertretern der Drei Mächte die Frage eines Beitritts der DDR zu den Internationalen Gesundheitsvorschriften (IGV) vom 25. Juli 1969 erörtert und dabei ausgeführt, „daß ein Beitritt der DDR zu den IGV für die Bundesregierung dann in Betracht käme, wenn die DDR zu Verbesserungen des Reiseverkehrs bereit sei. Die alliierten Vertreter entgegneten, daß ein Beitritt der DDR zu den IGV die Abstimmung über die Mitgliedschaft der DDR in der Weltgesundheitsversammlung im Mai ungünstig beeinflussen könne. Wenn man den Beitritt der DDR zu den IGV jetzt überhaupt ins Auge fassen wolle, so wäre es gut, eine Entscheidung zumindest bis nach der Weltgesundheitsversammlung aufzuschieben. StS Bahr sagte, er stimme mit den Alliierten darin überein, daß die westliche Position in der WHO nicht geschwächt werden solle. Er frage sich allerdings, ob es nicht von Vorteil wäre, wenn man der DDR den Beitritt zu den IGV gestatte. Man könne dann in der Weltgesundheitsversammlung darauf hinweisen, daß man guten Willen gezeigt habe, um der DDR die Mitarbeit auf humanitärem Gebiet zu ermöglichen. Dieser Hinweis auf praktische Maßnahmen könne es uns erleichtern, erneut eine Vertagung der Abstimmung über den DDR-Aufnahmeantrag zu verlangen." Die Vertreter der Drei Mächte hätten gegen diese Argumentation Bedenken erhoben und die Ansicht vertreten, daß ein Beitritt der DDR zu den IGV ihre Aussichten auf Aufnahme in die WHO verbessern würde. Vgl. dazu den Drahterlaß Nr. 66; VS-Bd. 9840 (I C 1); B 150, Aktenkopien 1972.

[7] Für den Entwurf der DDR vom 20. Januar 1972 für einen Vertrag über Fragen des Verkehrs vgl. VS-Bd. 8561 (II A 1); B 150, Aktenkopien 1972.

[8] Seit dem Herbst 1970 bekundeten mehrere westliche Fluggesellschaften Interesse an der Aufnahme eines Linienverkehrs mit dem Flughafen Berlin-Schönefeld. Demgegenüber bemühten sich

schafter Sauvagnargues meinte, auch er sehe Schwierigkeiten, da Auswirkungen auf den Luftverkehr Berlin schwer zu verhindern seien.

Bräutigam

VS-Bd. 8561 (II A 1)

17

Botschafter Scholl, Kopenhagen, an das Auswärtige Amt

Z B 6-1-10403/72 VS-vertraulich   Aufgabe: 25. Januar 1972, 18.30 Uhr[1]
Fernschreiben Nr. 41   Ankunft: 25. Januar 1972, 19.01 Uhr

Auch für Chef des Protokolls[2]

Betr.: Gespräch des Herrn Bundesministers mit dänischem Außenminister K.B. Andersen am 24.1.72

Der Herr Bundesminister hatte anläßlich seines Besuch in Kopenhagen zu den Feierlichkeiten für den verstorbenen dänischen König[3] am 24.1. ein einstündiges Gespräch mit Außenminister K.B. Andersen, in dessen Verlauf eine Reihe beide Seiten interessierender aktueller Fragen behandelt wurde.

Fortsetzung Fußnote von Seite 69
  die Bundesregierung und der Senat von Berlin um die Einbeziehung von Berlin (West) in diesen Luftverkehr. Nachdem Beratungen in der Bonner Vierergruppe zu keinem Ergebnis geführt hatten, wurde in einer Sondersitzung der Bonner Vierergruppe auf Direktorenebene am 17./18. November 1971 in Paris die Einsetzung einer Untergruppe zur Ausarbeitung einer Studie bis zum 15. Januar 1972 beschlossen. Vgl. dazu die Aufzeichnung des Vortragenden Legationsrats I. Klasse Dietrich vom 10. Januar 1972; VS-Bd. 8795 (III A 4); B 150, Aktenkopien 1972. Vgl. dazu ferner AAPD 1971, III, Dok. 400.
  Ministerialdirektor Herbst vermerkte dazu am 25. Januar 1972 für Staatssekretär Freiherr von Braun: „Die Vierergruppe wird die Studie am 28. Januar 1972 verabschieden, sofern von den beteiligten Regierungen keine weiteren Änderungen gewünscht werden, womit jedoch gerechnet werden muß." Mit der Grundsatzentscheidung der Drei Mächte über eine Verbesserung des Luftverkehrs mit Berlin (West) sowohl für Linien- als auch für Charterdienste durch Zulassung nichtalliierter Luftfahrtgesellschaften sei nicht vor Anfang Februar zu rechnen: „Nach einer – in der Studie vorgeschlagenen – Genehmigung erster Landungen im Nord-Süd-Verkehr für Liniendienste der SAS und AUA bedarf es noch einer Abstimmung der drei Alliierten a) mit den Sowjets über den Einflug in die ‚Berlin Control Zone', b) mit der Flugsicherheitskontrolle Schönefeld; auch müssen den nicht-alliierten Unternehmen Überflugrechte der DDR gewährt werden. [...] Für eine positive Grundsatzentscheidung der Alliierten fehlt es praktisch nur noch an der Zustimmung Großbritanniens. Nach Verabschiedung der Studie in der Bonner Vierergruppe empfiehlt es sich daher, daß die Bundesregierung ihr und des Berliner Senats besonderes Interesse an einer positiven Entscheidung alsbald der britischen Regierung erneut darlegt." Vgl. VS-Bd. 8796 (III A 4); B 150, Aktenkopien 1972.

[1] Hat Vortragendem Legationsrat Weil am 26. Januar 1971 vorgelegen.
  Hat Vortragendem Legationsrat I. Klasse Ruyter am 27. Januar 1972 vorgelegen.
[2] Max Graf von Podewils-Dürniz.
[3] Bundesminister Scheel begleitete Bundespräsident Heinemann zu den Trauerfeierlichkeiten für den am 14. Januar 1972 verstorbenen König Frederik IX. von Dänemark.

Bangladesh

K. B. Andersen erklärte auf Frage des Herrn Bundesministers, die dänische Regierung habe nur einen Grundsatzbeschluß gefaßt, Bangladesh anzuerkennen. Der Zeitpunkt der tatsächlichen Anerkennung sei noch nicht bestimmt, man könne noch zwei bis drei Wochen warten. Man sei in Kontakt mit verschiedenen Seiten, u. a. – ebenso wie auch die Norweger – mit den Sowjets. Der Bundesminister bat, mit uns Fühlung zu halten, es sei gerade in diesem Falle wünschenswert, daß die Konsultation innerhalb des Zehnerkreises[4] funktioniere.

EWG

K. B. Andersen erklärte, die Folketingsabstimmung am 16.12.71 habe die Regierung zwar mit großer Mehrheit zur Unterzeichnung ermächtigt, aber doch die 5/6-Mehrheit knapp verfehlt.[5] Nach dem aber durchaus befriedigenden Abstimmungsergebnis könne und wolle die Regierungspartei jetzt in den Propagandafeldzug für die Volksabstimmung eintreten.[6]

Aktuell sei die Frage nach dem Zeitpunkt der Volksabstimmung. Man habe bisher an Juni gedacht, der zu wählende Zeitpunkt müsse aber die Stimmung im Lande bedenken. Einmal seien die letzten Gallupumfragen nicht günstig. Die Stimmung im Lande hänge auch von der Lösung ab, die die EWG für Schweden treffe. Es sei zweifelhaft, ob eine die hiesige Öffentlichkeit befriedigende Schwedenregelung[7] bis Juni vorliege.

Der Bundesminister bemerkte zu dem Argument der Meinungsumfragen, er sei nicht von der Übereinstimmung zwischen Umfrageergebnissen und dem endgültigen Ergebnis der Abstimmung überzeugt. Die Stimmung folge im übrigen dem, der seine Meinung überzeugend zum Ausdruck bringe.

---

[4] Zu den Beratungen der EG-Mitgliedstaaten am 14. Januar 1972 in Luxemburg und zum Beschluß des Politischen Komitees im Rahmen der Europäischen Politischen Zusammenarbeit vom 2. Februar 1972, Bangladesh anzuerkennen, vgl. Dok. 14, Anm. 7 und 8.

[5] Das dänische Parlament ermächtigte die Regierung am 16. Dezember 1971 mit 141 gegen 32 Stimmen bei zwei Enthaltungen, die Verträge zum Beitritt Dänemarks zu den Europäischen Gemeinschaften zu unterzeichnen. Vgl. dazu EUROPA-ARCHIV 1972, Z 16.

[6] Die Volksabstimmung über den Beitritt Dänemarks zu den Europäischen Gemeinschaften fand am 2. Oktober 1972 statt.

[7] Ziffer 14 des Kommuniqués der Konferenz der Staats- und Regierungschefs der EG-Mitgliedstaaten am 1./2. Dezember 1969 in Den Haag sah vor, nach Beginn der Verhandlungen mit den beitrittswilligen Staaten „mit den anderen EFTA-Mitgliedstaaten, die diesen Wunsch äußern, Gespräche über ihr Verhältnis zur EWG" einzuleiten. Vgl. EUROPA-ARCHIV 1970, D 44.
Im Dezember 1971 begannen Verhandlungen der EG-Kommission mit den EFTA-Staaten – am 3. Dezember mit der Schweiz, am 4. Dezember mit Schweden, am 6. Dezember mit Österreich und am 10. Dezember 1971 mit Finnland – über Handelsregelungen. Die Gespräche wurden im Januar 1972 in Arbeitsgruppen weitergeführt. Über den Stand der Verhandlungen mit Schweden berichtete Botschafter Sachs, Brüssel (EG), am 22. März 1972, Hauptpunkte seien „Sonderregelungen für sensible Produkte, landwirtschaftliche Verarbeitungserzeugnisse, Agrarsektor". Zudem wünsche Schweden in das Handelsabkommen eine Bestimmung über Konsultationen aufzunehmen, um „über Gemeinschaftsvorhaben bei Abgaben und Maßnahmen gleicher Wirkung wie Zölle und mengenmäßige Beschränkungen, bei Erdölerzeugnissen, bei öffentlichen Aufträgen sowie bei technischen Handelshemmnisssen informiert zu werden". Die EG-Kommission habe dazu erklärt, „daß Mandat bisher Konsultationen auf diesem Gebiet nicht vorsehe, daß Gemeinschaft selbst eine Harmonisierung erst noch verwirklichen müsse und daß die schwedischen Wünsche schwierige institutionelle Fragen aufwürfen." Vgl. den Drahtbericht Nr. 1088; Referat III E 1, Bd. 1914.

Der Bundesminister fragte weiter nach dem Grund der negativen Haltung in einigen Gewerkschaften. K.B. Andersen erwiderte, ein maßgeblicher Gewerkschafter, der Vorsitzende der Gewerkschaft ungelernter Arbeiter, der größten mit 260 000 Mitgliedern, habe sich bei der 100-Jahrfeier der SPD im Juli v.J. voreilig für den Beitritt ausgesprochen[8], das sei ein taktischer Fehler gewesen. Er, K.B. Andersen, glaube, je längere Zeit verstreiche, um so mehr verlören die negativen Argumente an Gewicht. September sei deshalb wohl ein guter Termin.

Der Bundesminister bemerkte, ob dieser oder ein anderer Termin gewählt werde, sei zwar nicht entscheidend, solange er vor dem 1. Januar 1973 liege, aber ein gewisser Zusammenhang besteht mit dem Datum der Gipfelkonferenz. K.B. Andersen erwiderte, man hätte gern die Volksabstimmung vor der Gipfelkonferenz.[9]

Der Herr Minister erklärte, wir dächten an folgende Reihenfolge der anstehenden Termine:

– Ratifizierung der Ostverträge mit Unterzeichnung Berlin-Protokolls[10]
– Gipfelkonferenz
– multilaterale KSE-Gespräche.

Ein gutes Timing wäre wohl Volksabstimmung, Gipfelkonferenz, multilaterale KSE-Gespräche November/Dezember 1972, Gipfel-Konferenz selbst Frühjahr 1973.

KSZE

K.B. Andersen teilte mit, daß der Leiter der politischen Abteilung, Botschafter Oldenburg, im Februar in Helsinki im Rahmen von Artikel 10 des NATO-Protokolls vom Dezember 1971[11] bilaterale Gespräche mit der finnischen Regierung führen werde. Der Bundesminister bat, uns über das Ergebnis zu unterrichten.

Er bemerkte bei dieser Gelegenheit, wir seien dabei, uns mit der finnischen Regierung in der von ihr aufgeworfenen, beide deutsche Staaten betreffenden Frage zu arrangieren.[12]

---

8 Am 29. Juli 1971 berichtete Botschafter Scholl, Kopenhagen, über die Feier zum 100jährigen Bestehen der Sozialdemokratischen Partei Dänemarks am 21. Juli 1971 in Schloß Christiansborg: „Thomas Nielsen, Vorsitzender der Dänischen Gewerkschaften, gab in seiner Ansprache der persönlichen Auffassung Ausdruck, daß Dänemark der EWG beitreten solle. Diese Erklärung, die erste positive Stellungnahme eines maßgeblichen Gewerkschaftsführers, erregte erhebliches Aufsehen, auch weil er damit Seitenhiebe gegen Schweden verband". Vgl. den Schriftbericht Nr. 731; Referat I A 5, Bd. 354.

9 Zum Stand der Überlegungen für eine europäische Gipfelkonferenz vgl. Dok. 1, Anm. 10.

10 Zum Schlußprotokoll zum Vier-Mächte-Abkommen über Berlin vom 3. September 1971 vgl. Dok. 9, Anm. 11.

11 In Ziffer 9 des Kommuniqués der NATO-Ministerratstagung vom 9./10. Dezember 1971 in Brüssel bekräftigten die Teilnehmer die Bereitschaft zu multilateralen vorbereitenden Gesprächen für eine Europäische Sicherheitskonferenz. In Ziffer 10 wurde ausgeführt: „In this perspective, they propose to intensify their preparations and their bilateral contacts with other interested parties." Vgl. NATO FINAL COMMUNIQUÉS, S. 267. Für den deutschen Wortlaut vgl. EUROPA-ARCHIV 1972, D 99.

12 Zur Reaktion der Bundesregierung auf die Initiative der finnischen Regierung vom 10. September 1971 vgl. Dok. 9.

Eintritt in die VN

Bevor wir unsere Grundsatzhaltung bezüglich des VN-Eintritts änderten, sei eine gewisse Normalisierung unseres Verhältnisses zur DDR nötig. Der erste Schritt sei das Berlin-Abkommen.[13] Den zweiten Schritt hätten wir mit den soeben wieder aufgenommenen Bahr-Kohl-Gesprächen[14] getan. Ein VN-Eintritt erfordere eine Entscheidung des Bundestags. Seine eigene Partei, welche für die Mehrheit erforderlich sei, wünsche vor einer solchen Entscheidung weitere Erfolge in den Verhandlungen mit der DDR. Im übrigen setze angesichts des für Deutschland geltenden Vier-Mächte-Status ein VN-Beitritt die Festlegung gewisser Vorbehalte durch die Vier Mächte voraus. Diese Festlegung sei durch die beiden deutschen Staaten zu bestätigen. Zu bedenken sei auch die Mitgliedschaft Chinas im Sicherheitsrat. Die Frage erfordere also Zeit. Multilaterale KSE-Vorbereitungen und die Konferenz selbst aber würden dadurch nicht berührt.

MBFR

Auf die Frage des Herrn Bundesministers, welches die dänische Meinung zu MBFR sei, erklärte K.B. Andersen, man habe hierüber im Dezember in Kopenhagen mit Kossygin gesprochen.[15] Seine Erklärungen hätten aber nichts Konkretes erbracht. Der Bundesminister erwiderte, daß Kossygin offenbar nicht in allen Fragen – und das gelte für den fraglichen Komplex – so informiert sei wie in zunehmendem Maße etwa Breschnew, aber auch Gromyko.

K.B. Andersen brachte zwei spezielle Fragen zur Sprache (nach Benehmen mit Staatsminister Krag):

Umweltkonferenz

Man sei etwas nervös wegen der Stockholmer Umweltkonferenz.[16] Es handle sich um die Teilnahme der DDR. Es gebe in Dänemark z.Zt. keine Mehrheit für eine Veränderung des Status der DDR. Bei dem starken Echo des Konferenzthemas aber würde es sich unglücklich auswirken, wenn der Ostblock nicht teilnähme und behaupten würde, Bonn sei nicht flexibel genug.

Der Bundesminister erwiderte, wir versuchten, einen Weg zu finden, der der DDR die Teilnahme ohne Diskriminierung, aber ohne Aufwertung ihres Status erlaube. Man solle sich aber klar sein, daß die DDR auf der Konferenz lediglich ein politisches Ziel verfolge und nicht etwa einen Beitrag zum Konferenzthema liefern wolle. Auf dem ECE-Symposium in Prag[17] habe die DDR sachlich nichts geliefert. Es gebe viele Variationen, um die Teilnahmefrage zu lösen.[18]

---

[13] Für den Wortlaut des Vier-Mächte-Abkommens über Berlin vom 3. September 1971 vgl. EUROPA-ARCHIV 1971, D 443–453.

[14] Zum 34. Gespräch des Staatssekretärs Bahr, Bundeskanzleramt, mit dem Staatssekretär beim Ministerrat der DDR, Kohl, am 20./21. Januar 1972 in Ost-Berlin vgl. Dok. 12 und Dok. 13.

[15] Ministerpräsident Kossygin hielt sich vom 2. bis 5. Dezember 1971 in Dänemark auf.

[16] Zu einer Beteiligung der DDR an der UNO-Umweltkonferenz vom 5. bis 16. Juni 1972 in Stockholm vgl. Dok. 4.

[17] Das Umweltsymposium der ECE fand vom 3. bis 10. Mai 1971 statt. Vgl. dazu Dok. 4, Anm. 12.

[18] Vortragender Legationsrat I. Klasse Blech teilte der Ständigen Vertretung bei den Internationalen Organisationen in Genf und dem Beobachter bei der UNO in New York am 4. Februar 1972 mit, die Bonner Vierergruppe habe am Vortag die Frage einer Beteiligung der DDR an der UNO-Umweltkonferenz vom 5. bis 16. Juni 1972 in Stockholm erörtert. Angestrebt werde nach wie vor eine „Einladung durch gastgebende schwedische Regierung. Im äußersten Fall könnte eine Einladung

Im übrigen aber glaube er nicht, daß der Ostblock nicht teilnehmen werde. Die erste Erklärung[19] besage gar nichts. Zu bedenken sei auch das sowjetische Teilnahme-Interesse, weil jetzt auch China mit dabei sein wolle.[20] Wir wollten miteinander in Fühlung bleiben, um alle Möglichkeiten zu prüfen, die den Status der DDR nicht änderte. Letzten Endes, davon sei er überzeugt, kämen die Russen.

Griechenland

K. B. Andersen kam zurück auf die Griechenland-Kontroverse beim letzten NATO-Rat.[21] Die Frühjahrstagung werde in Bonn sein.[22] In Dänemark bestehe das beste Klima für die NATO vielleicht seit dem Beitritt im Jahre 1949. Die Griechenlandfrage habe er, K. B. Andersen, aber ansprechen müssen, schon weil der Staatsminister dies bei seiner Pressekonferenz in Bonn am 16.11. gesagt habe.[23] Er möchte die Frage auch nicht wieder aufwerfen, allerdings habe es ihm der Generalsekretär der NATO[24] nicht leicht gemacht. Es irritiere hier, wenn der Generalsekretär der dänischen Regierung quasi den Mund verbieten wolle. Er, K. B. Andersen, bitte, dies als Hintergrund dafür zu

Fortsetzung Fußnote von Seite 73

durch den schwedischen Konferenzpräsidenten hingenommen werden." Die DDR werde „im Ergebnis durch eine Regierungsdelegation vertreten sein. Der Rang ihrer Mitglieder wird sich nicht festlegen lassen." Zunächst solle eine getrennte Sitzordnung gefordert werden, allerdings könne die Bundesregierung in diesem Punkt flexibel sein, da sie bei der Identifizierung der Delegation darauf bestehen werde und müsse, „daß die Einladung durch die schwedische Regierung sichtbar hervorgehoben wird". In Listen und anderen Konferenzdokumenten solle die DDR auf jeden Fall am Schluß in einem besonderen Annex aufgeführt werden. Der Delegation der DDR solle im Prinzip ein Rederecht zugestanden werden, da dies mit dem von der Bundesregierung gewünschten Arrangement einer praktischen Mitarbeit untrennbar verbunden sei. Das Recht zur Zirkulierung von Dokumenten solle der DDR ebenfalls zugestanden werden, nicht aber das Recht, Anträge zu stellen. Auf keinen Fall dürfe die DDR ein Stimmrecht erhalten. Ebenso solle die Zeichnung einer Schlußresolution oder mehrseitiger Abkommen nur durch Vollmitglieder der Konferenz erfolgen dürfen. Offen sei geblieben, wann und wie diese gemeinsamen Positionen in Gesprächen mit der schwedischen und der sowjetischen Regierung eingeführt werden sollten. Vgl. den Drahterlaß Nr. 595; VS-Bd. 8540 (II A 1); B 150, Aktenkopien 1972.

19 Am 7. Januar gaben die UdSSR und die ČSSR die Einstellung ihrer Mitarbeit im Vorbereitenden Ausschuß für die UNO-Umweltkonferenz bekannt. Vgl. dazu den Artikel „Boykottiert der Ostblock die Umwelt-Konferenz?"; FRANKFURTER ALLGEMEINE ZEITUNG vom 7. Januar 1972, S. 1. Vgl. dazu auch Dok. 4, Anm. 3 und 6.

20 Botschafter Gehlhoff, New York (UNO), berichtete am 11. Januar 1972, daß sich die Anzeichen für eine Beteiligung der Volksrepublik China an der UNO-Umweltkonferenz vom 5. bis 16. Juni 1972 in Stockholm mehrten. Zwar habe die Volksrepublik China ihre Teilnahme noch nicht eindeutig und öffentlich erklärt, jedoch habe der Generalsekretär der Umweltkonferenz, Strong, ein Gespräch mit dem chinesischen UNO-Botschafter Huang Hua geführt, in dem dieser großes Interesse an der Konferenz bekundet habe. Vgl. dazu den Drahtbericht Nr. 23; Referat III A 8, Bd. 419.
Am 14. Januar 1972 teilte Gehlhoff mit, Strong habe am Vortag auf einer Pressekonferenz bekanntgegeben, daß die Volksrepublik China ihre Teilnahme zugesagt habe. Vgl. dazu den Drahtbericht Nr. 38; Referat III A 8, Bd. 419.

21 Die NATO-Ministerratstagung fand am 9./10. Dezember 1971 in Brüssel statt. Vgl. dazu AAPD 1971, III, Dok. 439.

22 Zur NATO-Ministerratstagung am 30./31. Mai 1972 vgl. Dok. 159.

23 Ministerpräsident Krag hielt sich vom 14. bis 16. November 1971 in der Bundesrepublik auf. Auf einer Pressekonferenz am 16. November 1971 antwortete er auf die Frage, ob sich die dänische Regierung angesichts von Menschenrechtsverletzungen in Griechenland weiterhin in Zusammenarbeit mit den westeuropäischen Regierungen innerhalb der NATO für eine Wende einsetzen werde: „Die Antwort lautet: Ja. Auf der nächsten Sitzung des NATO-Ministerrats wird der dänische Außenminister die Griechenland-Frage erörtern." Vgl. Bundespresseamt, Pressekonferenz Nr. 139/71, S. 8f.

24 Joseph Luns.

verstehen, daß die dänische Regierung wie auch die norwegische Regierung einen Besuch des Generalsekretärs in ihren Ländern im Einvernehmen miteinander abgesagt hätten.

Der Bundesminister beschränkte sich zu der Mitteilung betr. des Generalsekretärs darauf, zu erklären, daß er Kenntnis genommen habe. Im übrigen führte er aus, wir hätten gleiche Bedenken in bezug auf Griechenland und im Europarat seinerzeit den Suspensionsantrag entwickelt.[25] Auf der anderen Seite aber sei die NATO ohne Türkei und Griechenland bedeutungslos. Beide Komplexe müßten voneinander getrennt werden. Vielleicht könne man vor der nächsten NATO-Ratstagung noch einmal darüber sprechen.

Gesprächsnotiz zu Punkt 1 (Bangladesh) wegen zeitweiliger Abwesenheit Unterzeichneten nicht vollständig.

[gez.] Scholl

VS-Bd. 9817 (I A 5)

18

Bundeskanzler Brandt an Bundesminister Scheel

26. Januar 1972[1]

Lieber Herr Kollege,

mein Gespräch mit Herrn Dolanč[2] hat mich in der Überzeugung bestärkt, daß wir einen neuen Versuch machen sollten, die zwischen uns und Jugoslawien

---

[25] Am 12. Dezember 1969 fand in Paris eine Tagung des Ministerausschusses des Europarats statt, auf der Belgien, die Bundesrepublik, Dänemark, Großbritannien, Irland, Island, Italien, Luxemburg, die Niederlande, Norwegen und Schweden einen Antrag auf Suspendierung der Mitgliedschaft Griechenlands stellten. Der griechische Außenminister Pipinelis gab daraufhin den Austritt Griechenlands aus dem Europarat bekannt. Der Ministerausschuß interpretierte dies dahingehend, daß die griechische Regierung sich mit sofortiger Wirkung nicht mehr an den Tätigkeiten des Europarats beteiligen werde, und stellte das Suspendierungsverfahren ein. Vgl. dazu das Kommuniqué; EUROPA-ARCHIV 1970, D 25 f. Vgl. dazu auch AAPD 1969, II, Dok. 401.

[1] Hat Bundesminister Scheel am 27. Januar 1972 vorgelegen, der handschriftlich vermerkte: „Neue Vorschläge können ja nur erörtert werden, wenn die Kabinettsentscheidung aufgehoben wird." Ferner vermerkte er: „Antwort. Eilt."
Hat Vortragendem Legationsrat I. Klasse Hofmann am 31. Januar 1972 vorgelegen, der Vortragenden Legationsrat Hallier um Rücksprache bat.

[2] Der Sekretär des Exekutivbüros des BDKJ, Dolanč, hielt sich am 20./21. Januar 1972 in der Bundesrepublik auf und traf mit Bundeskanzler Brandt in dessen Eigenschaft als Vorsitzender der SPD zusammen. Botschafter Jaenicke, Belgrad, berichtete dazu am 27. Januar 1972, der jugoslawische Außenminister Tepavac habe mitgeteilt, im Gespräch zwischen Brandt und Dolanč sei ein Besuch des Bundeskanzlers in Jugoslawien in der zweiten Jahreshälfte 1972 „ins Auge gefaßt worden. Die Frage der Wiedergutmachung sei ebenfalls erörtert worden. Bundeskanzler habe die Notwendigkeit einer baldigen Lösung betont, aber noch um einige Monate Geduld gebeten. T[epavac] meinte, daß Fortschritte in der W[ieder]g[utmachungs]-Frage vor dem Besuch gut wären, aber betonte zweimal, Jugoslawien wünsche die Lösung der Frage nicht als Vorbedingung für den Besuch zu betrachten. Er stimmt mit mir darin überein, daß ein Besuch ohne Vorliegen einer

noch offenen bilateralen Fragen zu regeln. Ich würde es gerne sehen, wenn wir eine Einigung erreichen könnten, bevor ich im Herbst dieses Jahres Präsident Tito besuche.[3] Das ist aber nicht das Entscheidende.

Wichtiger ist für mich, daß mein Gespräch mit Präsident Nixon über die Situation in Jugoslawien[4] zu der gemeinsamen Überzeugung geführt hat, daß beide Regierungen alles tun sollten, Präsident Tito in seiner schwierigen Situation zu helfen. Eine Klärung der zwischen uns und Jugoslawien noch offenen bilateralen Fragen könnte zur Stabilisierung der jugoslawischen Situation beitragen.

Herr Kollege Ehmke hat mit Herrn Staatssekretär Frank schon kurz darüber gesprochen, daß die jugoslawische Seite offenbar neue Vorschläge entwickeln will. Dabei steht die Wiedergutmachungsfrage im Vordergrund, in der wir im Grundsatz seit langem im Wort sind.[5] Hinzu kommen die Fragen der wirtschaftlichen Hilfe und der Kooperation. Schließlich sollten wir versuchen, bei dieser Gelegenheit auch eine Regelung für die Pflege der deutschen Kriegsgräber in Jugoslawien[6] zu erreichen.

Fortsetzung Fußnote von Seite 75
  Lösung nicht zu Illusionen über die finanziellen Möglichkeiten der Bundesrepublik in der W[ieder]g[utmachungs]-Frage führen dürfe." Vgl. den Drahtbericht Nr. 34; VS-Bd. 9035 (II A 5); B 150, Aktenkopien 1972.
[3] Bundeskanzler Brandt führte am 18./19. April 1973 Gespräche mit Staatspräsident Tito in Brioni.
[4] Vgl. dazu das Gespräch des Bundeskanzlers Brandt mit Präsident Nixon am 28. Dezember 1971 in Key Biscayne; AAPD 1971, III, Dok. 450.
[5] Am 28. Juli 1969 sagte Bundesminister Brandt dem jugoslawischen Außenminister Tepavac zu, „das Problem der Wiedergutmachung so bald wie möglich in Angriff zu nehmen". Vgl. die Gesprächsaufzeichnung; Referat I A 5, Bd. 1345.
  Verhandlungen mit der jugoslawischen Regierung über dieses Thema wurden im Mai 1971 unterbrochen. Vgl. dazu AAPD 1971, II, Dok. 178.
  Am 7. Dezember 1971 sondierte der jugoslawische Botschafter Čačinović im Gespräch mit Staatssekretär Frank die Möglichkeit einer Wiederaufnahme der Gespräche über Wiedergutmachungszahlungen und übergab ein entsprechendes Memorandum. Darin begrüßte die jugoslawische Regierung „den Entschluß der Regierung der B[undes]R[epublik] Deutschland, die Verhandlungen über den Stabilisationskredit (300 plus 150 Mio. DM) von der Wiedergutmachungsfrage zu trennen" sowie „das offizielle Angebot der Regierung der BRD über die Wiedergutmachung (100 plus 300 Mio. DM Kapitalhilfe)". Für das Memorandum vgl. VS-Bd. 8949 (II A 5); B 150, Aktenkopien 1971. Vgl. dazu ferner AAPD 1971, III, Dok. 430.
  Am 14. Januar 1972 fand ein weiteres Gespräch zwischen Frank und Čačinović statt. Vortragende Legationsrätin I. Klasse Finke-Osiander vermerkte dazu am 17. Januar 1972, Čačinović habe erklärt, es sei für die jugoslawische Regierung „innenpolitisch unmöglich, ein Angebot über lediglich 100 Mio. eigentlicher Wiedergutmachung zu akzeptieren. Als absolutes Minimum dessen, was die jugoslawische Regierung vor ihrer Öffentlichkeit vertreten könnte, seien 400 Mio. anzusehen, wie sie Frankreich als größtes westliches Empfängerland erhalten habe. Auch dieser Betrag könne angesichts der größeren Zahl jugoslawischer Opfer nicht im eigentlichen Sinn angemessen gelten, er sei jedoch immerhin präsentabel. Herr Čačinović deutete an, daß die jugoslawische Regierung über eine Zahlung in Raten mit sich reden lassen würde." Čačinović habe unterstrichen, daß der von der Bundesregierung angebotene Kredit über 300 Mio. DM zusätzlich zu Wiedergutmachungsleistungen von 100 Mio. von der jugoslawischen Öffentlichkeit nicht als Wiedergutmachungsleistung gewertet werden würde, „wohl aber könne ein zusätzliches Angebot von Kapitalhilfe die Optik des deutschen Angebots insgesamt verbessern". Vgl. VS-Bd. 9036 (II A 5); B 150, Aktenkopien 1972.
[6] Am 25. Januar 1972 drückte Bundesminister Ehmke gegenüber dem Präsidenten des Volksbundes Deutsche Kriegsgräberfürsorge, Thiele, sein Bedauern darüber aus, „daß man auf jugoslawischer Seite – wenn schon nicht formell, so doch praktisch – eine Verbindung zwischen dem Wiedergutmachungsproblem und Fragen der Kriegsgräberfürsorge herzustellen scheint. Nach meiner Ansicht sollten wir von deutscher Seite alles daransetzen, um diese Fragen, die ja wirklich nichts miteinander zu tun haben, klar zu trennen". Vgl. das Schreiben; Referat II A 5, Bd. 1477.

Ich hielte es für richtig, wenn wir Herrn Kollegen Ehmke, Herrn Parlamentarischen Staatssekretär Hermsdorf, Herrn Staatssekretär Frank und Herrn Staatssekretär Schöllhorn beauftragen würden, zunächst ohne Mitwirkung der Apparate neue Lösungsmöglichkeiten zu prüfen.[7] Bitte lassen Sie mich wissen, ob Sie mit diesem Vorschlag einverstanden sind.

Mit freundlichen Grüßen

Ihr Willy Brandt

VS-Bd. 10073 (Ministerbüro)

19

Aufzeichnung des Botschafters Sachs, Brüssel (EG)

2. Februar 1972

Betr.: Arbeitsessen der sechs Außenminister der EWG in Brüssel am Dienstag, dem 1.2.1972

Auf Einladung des amtierenden Ratspräsidenten, Außenminister Thorn, fand anläßlich des Ministerrates am 1.2.[1] mittags ein Arbeitsessen statt, an welchem außer Herrn Thorn teilnahmen:
Bundesaußenminister Scheel, AM Schumann, AM Harmel, StS Pedini, StS Westerterpe.

Minister Thorn umriß zu Beginn das Diskussionsthema in folgender Form: Wie kann man am besten dafür Sorge tragen, daß die Zeit der luxemburgischen Präsidentschaft und darüber hinaus das ganze Jahr 1972 genutzt wird, um den Integrationsprozeß der Gemeinschaften in befriedigendem Rhythmus fortzusetzen. Es bestehe die Gefahr, daß man im Hinblick auf den bevorstehenden Beitritt der betreffenden Länder[2] eine abwartende Haltung einnehme. Letztere

---

[7] Am 9. März 1972 fand ein Gespräch des Bundesministers Ehmke mit Staatssekretär Frank, Parlamentarischem Staatssekretär Hermsdorf (Bundesministerium für Wirtschaft und Finanzen) und Staatssekretär Schöllhorn (Bundesministerium für Wirtschaft und Finanzen) statt. Vgl. dazu Dok. 56.

[1] Auf der EG-Ministerratstagung am 31. Januar und 1. Februar 1972 befaßten sich die Außenminister der EG-Mitgliedstaaten u. a. mit dem Mandat für Verhandlungen zwischen den Europäischen Gemeinschaften und den USA, der Konferenz für Handel und Entwicklung vom 13. April bis zum 22. Mai 1972 in Santiago de Chile und der Energiepolitik. Vgl. dazu BULLETIN DER EG 3/1972, S. 56f. und S. 130–133.
Am 1. Februar 1972 fand zudem „eine erste allgemeine, überwiegend politisch und auf die weitere Prozedur hin ausgerichtete Aussprache" über eine Aktivierung der Arbeiten an der Wirtschafts- und Währungsunion statt. Vgl. den Drahtbericht Nr. 364 des Botschafters Sachs, Brüssel (EG), vom 2. Februar 1972; Referat III A 1, Bd. 635.

[2] Am 22. Januar 1972 unterzeichneten Dänemark, Großbritannien, Irland und Norwegen den Vertrag über einen Beitritt zu den Europäischen Gemeinschaften mit Wirkung vom 1. Januar 1973. Für den Wortlaut vgl. EUROPA-ARCHIV 1972, D 123–125 (Auszug).

würde aber dazu führen, daß die Gemeinschaft nicht imstande sein würde, sich im Zeitpunkt des Beitritts in voller Funktionsfähigkeit zu präsentieren. Es müsse vermieden werden, daß man sich erst nach dem 1. Januar 1973 zu fragen beginne, wie man die zukünftige Arbeit eigentlich gestalten wolle.

Ausgehend von dieser allgemeinen Erwägung bezeichnete es Minister Thorn als vordringlich, sich über folgende Probleme Gedanken zu machen:

1) Rasche Verwirklichung der Wirtschafts- und Währungsunion[3],

2) Beschleunigter Abschluß der Verhandlungen mit den Rest-EFTA-Staaten[4],

3) Vorbereitung der Gipfelkonferenz[5],

4) Verbesserung der Funktionsfähigkeit des Ministerrates.

Die nachfolgende Diskussion beschränkte sich auf die unter Ziff. 1) bis 3) genannten Fragenkomplexe. Hierzu wurde folgendes festgestellt:

Zu 1): Wirtschafts- und Währungsunion

Es bestand weitgehende Übereinstimmung, daß der Termin des Ministerrates vom 28./29.2.[6] möglichst eingehalten werden solle, daß es darüber hinaus zwar wichtig sei, daß die Wirtschafts- und Finanzminister und ggf. auch die Agrarminister an den Beratungen über die Verstärkung der monetären und wirtschaftspolitischen Zusammenarbeit teilnehmen, daß die Außenminister aber hierbei ihre Verantwortungen für die positive Entwicklung des Integrationsprozesses, welche eine politische Aufgabe darstelle, nicht aus der Hand geben sollten.

Zu 2): Rest-EFTA-Länder

Es wurde allgemein festgestellt, daß dem raschen Abschluß der Verhandlungen mit Schweden eine besondere Bedeutung zukomme. Die Rolle Schwedens

---

[3] Auf der Konferenz der Staats- und Regierungschefs der EG-Mitgliedstaaten am 1./2. Dezember 1969 in Den Haag beschlossen die Teilnehmer die Ausarbeitung eines Stufenplans zur Verwirklichung einer Wirtschafts- und Währungsunion. Vgl. dazu AAPD 1969, II, Dok. 385.
Auf der Grundlage eines am 8. Oktober 1970 vorgelegten Berichts einer Arbeitsgruppe unter Vorsitz des luxemburgischen Ministerpräsidenten Werner („Werner-Bericht") nahm der EG-Ministerrat am 9. Februar 1971 in Brüssel eine Entschließung über die stufenweise Verwirklichung der Wirtschafts- und Währungsunion innerhalb eines Zeitraums von zehn Jahren, beginnend am 1. Januar 1971, an. Endziel war der freie Personen-, Güter-, Dienstleistungs- und Kapitalverkehr sowie die „vollständige und irreversible Konvertibilität der Währungen" als Voraussetzung der Schaffung einer einheitlichen Währung. In einer ersten, auf drei Jahre angelegten Stufe sollte die Wirtschafts- und Währungspolitik der Mitgliedstaaten u. a. durch Steuerharmonisierungen schrittweise koordiniert werden. Die EG-Kommission erklärte sich dazu bereit, bis zum 1. Mai 1973 einen Bericht über die bis dahin erzielten Fortschritte auszuarbeiten: „Der Rat und gegebenenfalls die Vertreter der Regierungen der Mitgliedstaaten legen auf Vorschlag der Kommission vor dem Ablauf der ersten Stufe von drei Jahren die Maßnahmen fest, die nach dem Übergang zur zweiten Stufe zur vollständigen Verwirklichung der Wirtschafts- und Währungsunion führen". Vgl. EUROPA-ARCHIV 1971, D 139–144. Vgl. dazu ferner AAPD 1971, I, Dok. 59.
Die Entschließung wurde am 22. März 1971 offiziell verabschiedet. Außerdem beschloß der EG-Ministerrat eine Verstärkung der Koordinierung der kurzfristigen Wirtschaftspolitik der EG-Mitgliedstaaten, die Verstärkung der Zusammenarbeit zwischen den Zentralbanken sowie die Einführung eines Mechanismus für den mittelfristigen finanziellen Beistand. Für den Wortlaut der Beschlüsse vgl. AMTSBLATT DER EUROPÄISCHEN GEMEINSCHAFTEN, Nr. L 73 vom 27. März 1971, S. 12–17. Vgl. dazu ferner BULLETIN DER EG 4/1971, S. 27 f.

[4] Zu den Verhandlungen zwischen der EG-Kommission und Finnland, Österreich, Schweden und der Schweiz über Handelsvereinbarungen vgl. Dok. 17, Anm. 7.

[5] Zum Stand der Überlegungen für eine europäische Gipfelkonferenz vgl. Dok. 1, Anm. 10.

[6] Zur EG-Ministerratstagung am 28./29. Februar 1972 in Brüssel vgl. Dok. 31, Anm. 14.

habe sich dadurch verstärkt, daß ein positiver Abschluß dieser Verhandlungen bis zum Sommer günstige Rückwirkungen auf die nunmehr für den Herbst vorgesehenen Volksabstimmungen in Dänemark[7] und Norwegen[8] haben würde. Es wurde zugegeben, daß die schwedische Regierung sich diesen Vorteil ihrer taktischen Lage – der Bundesaußenminister wies darauf hin, daß nach seinen Informationen die dänische Regierung den Termin der Volksbefragung auf schwedischen Wunsch hin verschoben habe – zunutze machen werde. Einigkeit bestand darüber, daß man es Schweden nicht gestatten dürfe, die Verhandlungen über Gebühr hinauszuziehen und durch ihre dilatorische Behandlung die innerpolitische Lage in Dänemark und Norwegen zusätzlich zu erschweren.

Aus ihren mit den betreffenden Regierungschefs in letzter Zeit geführten Gesprächen hatten:

AM Schumann den Eindruck, daß Ministerpräsident Palme persönlich dem europäischen Gedanken gegenüber aufgeschlossen sei[9], aber mit Rücksicht auf seine innerpolitische Situation äußerst vorsichtig manövrieren müsse, während die Regierung als Ganzes eher bestrebt sein werde, auf Dänemark und Norwegen im Sinne eines Nichtbeitritts einzuwirken,

AM Thorn den Eindruck, daß Ministerpräsident Krag im Grunde weniger europäisch gesonnen sei, als man im allgemeinen annehme. Er habe den Gedanken einer Verschiebung der Volksabstimmung auf den Herbst offensichtlich nur zu gern und sofort aufgegriffen,

alle den Eindruck, daß Ministerpräsident Bratteli[10] der „europäischste" Regierungschef der skandinavischen Länder sei.

Zu 3): Gipfelkonferenz

Die Außenminister waren sich darüber einig, daß im Hinblick auf die nunmehr für September 1972 angesetzten Volksabstimmungen in Dänemark und Norwegen der teilweise bestehende Wunsch, die Gipfelkonferenz noch in der ersten Jahreshälfte abzuhalten, nicht mehr zu verwirklichen sei. Obwohl AM Schumann darauf hinwies, daß Frankreichs Vorstellungen auf Ende des Jahres 1972 als Termin hinzielten, widersprach er nicht, als allgemein festgestellt wurde, die Gipfelkonferenz solle möglichst rasch nach den erwähnten Abstimmungen stattfinden, und der Monat Oktober allgemein als der geeignetste Termin bezeichnet wurde.

Eine lange Diskussion entspann sich um die Frage, ob, wann und ggf. in welchem Umfange die Beitrittskandidaten an der Vorbereitung beteiligt werden sollen. Einigkeit bestand insofern, als eine Heranziehung Großbritanniens allgemein als wünschenswert und erforderlich betrachtet wurde. Diese Meinung teilt auch AM Schumann. Bezüglich der drei anderen Beitrittskandidaten verwies er dagegen auf den Umstand, daß im Gegensatz zu Großbritannien, wel-

---

[7] Die Volksabstimmung über den Beitritt Dänemarks zu den Europäischen Gemeinschaften fand am 2. Oktober 1972 statt.
[8] Am 25./26. September 1972 fand in Norwegen eine Volksabstimmung über den Beitritt zu den Europäischen Gemeinschaften statt.
[9] Der französische Außenminister Schumann hielt sich am 21./22. Juli 1971 in Schweden auf.
[10] Ministerpräsident Bratteli besuchte vom 5. bis 9. Januar 1972 Italien, Frankreich, Luxemburg, Belgien, die Niederlande und Großbritannien. Vgl. dazu EUROPA-ARCHIV 1972, Z 29.

ches seine eigentliche politische Entscheidung durch die Abstimmung im Unterhaus getroffen habe[11], bei den drei anderen Beitrittskandidaten der „point of no return" vorerst noch nicht erreicht sei. Man könne daher diese Regierungen höchstens informieren. Der Bundesaußenminister widersprach dieser Auffassung unter Hinweis darauf, daß eine Gipfelkonferenz, die von zehn Regierungen abgehalten werde, auch von diesen zehn Regierungen vorbereitet werden müsse. Auch die anderen Außenminister und Staatssekretäre neigten dieser Auffassung zu, wenngleich eine gewisse Sorge durchklang, ob Regierungen, die sich von politischen Implikationen des Rom-Vertrages[12] und von dem Gedanken einer Wirtschafts- und Währungsunion zunächst so deutlich distanziert hätten, wirklich konstruktiv bei den Vorbereitungen einer solchen Konferenz mitwirken könnten. Es wurde außerdem darauf hingewiesen, daß zunächst geklärt werden müsse, ob es diese Regierungen nicht im Hinblick auf das noch ausstehende Referendum in ihren Ländern selbst vorziehen würden, sich von diesen vorbereitenden Arbeiten fernzuhalten; jedenfalls müßten sie hierüber befragt werden. Obwohl in dieser Frage keine eigentliche abschließende Festlegung erfolgte, hat AM Schumann seine Reserve gegenüber einer Beteiligung der drei übrigen Beitrittskandidaten in dem späteren Teil der Diskussion nicht mehr ausdrücklich aufrechterhalten, und er widersprach nicht, als festgestellt wurde, man habe ja im Mai in Bonn die Gelegenheit, alle Beitrittskandidaten zu sehen und über ihre eigene Auffassung zu befragen.[13]

Die Minister beschlossen am Ende der Diskussion, sich bei den für Februar, März[14] und April[15] jeweils vorgesehenen Ratstagungen im gleichen Kreise zu einem Arbeitsessen zu treffen und die Gespräche fortzuführen.[16]

---

[11] Am 28. Oktober 1971 stimmte das britische Unterhaus mit 356 zu 244 Stimmen einem Grundsatzantrag der britischen Regierung für einen Beitritt Großbritanniens zu den Europäischen Gemeinschaften zu.

[12] Für den Wortlaut der Römischen Verträge vom 25. März 1957 vgl. BUNDESGESETZBLATT 1957, Teil II, S. 753–1223.

[13] Am 26./27. Mai 1972 fand in Luxemburg eine Konferenz der Außenminister der EG-Mitgliedstaaten und -Beitrittsstaaten statt. Vgl. dazu Dok. 148.

[14] Am 20./21. März 1972 fanden in Brüssel EG-Ministerratstagungen der Außenminister sowie der Wirtschafts- und Finanzminister statt. Vgl. dazu Dok. 31, Anm. 15.

[15] Am 24./25. April 1972 fand eine EG-Ministerratstagung in Luxemburg statt. Gleichzeitig kamen die Finanzminister sowie die Notenbankgouverneure in Rom zusammen. Vgl. dazu Dok. 109, Anm. 14.

[16] Am 8. Februar 1972 vermerkte Vortragender Legationsrat I. Klasse Ruyter, der italienische Botschaftsrat Solari Bozzi habe mitgeteilt, daß der italienische Außenminister Moro einer Nichtbeteiligung der EG-Beitrittsstaaten an den Außenministertreffen zur Vorbereitung der europäischen Gipfelkonferenz „nicht zustimmen könne, da es seiner Ansicht nach eine Diskriminierung mindestens Großbritanniens bedeutet und mit der britischen Regierung durch Schreiben des Ratspräsidenten gegebenen Zusage, daß Großbritannien von der Unterzeichnung des Beitrittsvertrags an gleichberechtigt bei der Vorbereitung des Gipfeltreffens beteiligt werden solle, nicht zu vereinbaren sei". Vgl. Referat III E 1, Bd. 1970.
Am selben Tag brachte auch der britische Gesandte Hibbert zum Ausdruck, daß die britische Regierung über ihre früheren Zusagen entgegenstehende Nichtbeteiligung „surprised and perturbed" sei: „Sie erwarte, daß das ihr gegebene Versprechen, das im Zusammenhang mit der Ratifizierung des Beitrittsvertrags auch innenpolitisch von großer Bedeutung sei, gehalten werde." Vgl. die Aufzeichnung des Ministerialdirigenten van Well vom 8. Februar 1972; Referat III E 1, Bd. 1970.
Am 15./16. Februar 1972 beschloß das Politische Komitee im Rahmen der Europäischen Politischen Zusammenarbeit, daß die Außenminister der Beitrittsstaaten zum Treffen der Außenminister der EG-Mitgliedstaaten am 28. Februar 1972 in Brüssel eingeladen würden. Vgl. dazu die Verbalnote der luxemburgischen Botschaft vom 18. Februar 1972; Referat III E 1, Bd. 1970.

Um eine gewisse Systematik in die kommenden Diskussionen zu bringen, schlug AM Thorn vor, daß die Diskussionen jeweils durch ein einführendes Exposé eines Ministers eingeleitet werden sollten. Hierzu wurden die Themen – wie folgt – verteilt:

1) Verbesserung der Funktionsfähigkeit des Rates (AM Schmelzer),

2) Probleme der politischen Integration (Bundesaußenminister),

3) Fragen der Wirtschafts- und Währungsunion (AM Schumann),

4) Die Außenbeziehungen der Gemeinschaft – insbesondere die USA, Japan und die Ostblockländer (StS Pedini).

5) Fragen der Entwicklungspolitik (AM Harmel),

6) Forschungspolitik und Technologie (AM Thorn).

Hierbei war man sich im klaren, daß sich die mit den Ziffern 1) und 2) zusammenhängenden Fragenkreise mindestens zum Teil überschneiden.

Es wurde festgelegt, daß diese drei Besprechungen zunächst eine rein informelle Vorphase darstellten und die eigentliche Vorbereitungszeit der Gipfelkonferenz erst von Monat Mai ab im Anschluß an die Bonner Konferenz beginnen solle. Deshalb sollen auch in diesem ersten Vorstadium keine anderen Gremien (politischer Ausschuß, ad-hoc-Ausschuß) herangezogen werden. Ebenso wurde festgelegt, daß die Kommission auch erst im Rahmen ihrer Zuständigkeit an der eigentlichen Vorbereitung im Mai beteiligt werden wird.[17] Schließlich ergibt sich aus dieser Konstruktion auch, daß in diesem Stadium die Beitrittskandidaten nicht herangezogen werden.

Sachs

Ministerbüro, Bd. 526

---

[17] Am 23. Februar 1972 notierte Staatssekretär Freiherr von Braun, der Präsident der EG-Kommission, Malfatti, habe um Unterstützung einer Demarche gebeten „mit dem Ziele der Teilnahme der Kommission an dem Außenminister-Treffen am Montag, 28. Februar, vormittags. Herr Malfatti halte es für unerläßlich, daß die Kommission an diesem Gespräch teilnehme, auf dem die Vorbereitung des Zehner-Gipfels erörtert werde; er habe darauf aufmerksam gemacht, daß die Kommission durch eine Nicht-Teilnahme eine erhebliche Einbuße an Ansehen erleiden würde." Die Botschaft in Brüssel sei angewiesen worden, Malfatti zu antworten, daß eine Intervention zugunsten einer Beteiligung der EG-Kommission an dem Minister-Treffen möglicherweise „eine ärgerliche Diskussion" hervorrufen werde, „die höchstens in einer unbefriedigenden (z. B. für eine beschränkte Frist) Zusicherung der Kommission enden könnte, aber eine Ratsdiskussion in schlechter Atmosphäre auslösen würde." Vgl. Ministerbüro, Bd. 471.
Zur Beteiligung der EG-Kommission an der Vorbereitung der europäischen Gipfelkonferenz vgl. weiter Dok. 31, Anm. 17.

20

Aufzeichnung des Staatssekretärs Bahr, Bundeskanzleramt

3. Februar 1972

Nur für Herrn Bundeskanzler[1]

Von Hand zu Hand

Ich habe Kohl am 2.2.[2] von unseren Erwägungen in Kenntnis gesetzt, die grundlegende Regelung der Beziehungen zwischen unseren Staaten so vorzunehmen, daß sie noch in diesem Jahr abgeschlossen, dem Bundestag zugeleitet und damit auch der Eintritt beider Staaten in die UNO vorgenommen werden kann.

Kohl zeigte sich zunächst sehr skeptisch. Er wies darauf hin, daß er mit einer derartigen Information bei sich zu Hause auf Unglauben, wenn nicht gar auf Gelächter stoßen würde. Ich hätte zwar nie öffentliche Termine genannt, aber die internen Terminvorstellungen von mir hätten sich oft als zu optimistisch erwiesen, aber die DDR zu Zugeständnissen verleitet. Außerdem stünden meine Ausführungen in einem eklatanten Gegensatz zu dem, was Bundeskanzler und Außenminister öffentlich erklärt hätten: UNO-Beitritt 1973[3] – mein Einwand, daß wir nach gemachten Erfahrungen uns nicht öffentlich unter einen Terminzwang setzen wollen, beschwichtigten seine Zweifel nicht.

Ich fügte hinzu, daß für die Bundesregierung die Ratifizierung des Moskauer und Warschauer Vertrages die erste Priorität hätte. Wir würden deshalb alles vermeiden, was die innenpolitische Diskussion belasten könnte. Dies führe zu einer Einstellung, in dieser Zeit unsere bisherige Haltung zur Frage der bilateralen Beziehungen der DDR zu Drittstaaten und zum Eintritt der DDR in internationale Organisationen nicht zu modifizieren. Dies habe insbesondere Folgen für die ECE, die WHO und den Weltpostverein. Diese Haltung könnte sich nach der Ratifizierung der Verträge ändern. Dies bedeute jedenfalls für den Verkehrsvertrag, daß wir, nicht ohne Komplikationen, CIM/CIV[4] regeln könn-

---

[1] Hat Bundeskanzler Brandt vorgelegen.

[2] Zum 35. Gespräch des Staatssekretärs Bahr, Bundeskanzleramt, mit dem Staatssekretär beim Ministerrat der DDR, Kohl, am 2./3. Februar 1972 vgl. auch Dok. 21.

[3] Bundeskanzler Brandt antwortete in einem Interview für die Illustrierte „Stern" am 6. Januar 1972 auf die Frage, ob er die Bundesrepublik und die DDR Ende 1972 in der UNO sehe: „Ich glaube, noch nicht Ende 1972." Vgl. BULLETIN 1972, S. 10.
Bundesminister Scheel antwortete am 16. Januar 1972 im Deutschlandfunk auf die Frage nach seinen Erwartungen für 1972 im Bereich der Deutschlandpolitik: „Die Beziehungen zwischen der Bundesrepublik und der DDR können normaler, vernünftiger werden. Sie werden sich dazu jedoch in das weltweite Konzept der Entspannung einfügen müssen. Am Ende dieses Prozesses wird schließlich – vielleicht schon im nächsten Jahr – die Aufnahme der beiden deutschen Staaten in die UNO stehen." Vgl. BULLETIN 1972, S. 63.

[4] Für den Wortlaut des Internationalen Übereinkommens vom 25. Februar 1961 über den Eisenbahnfrachtverkehr (CIM) vgl. BUNDESGESETZBLATT 1964, Teil II, S. 1520–1579.
Für den Wortlaut des Internationalen Übereinkommens vom 25. Februar 1961 über den Eisenbahn-Personen- und -Gepäckverkehr (CIV) vgl. BUNDESGESETZBLATT 1964, Teil II, S. 1898–1951.
Die beiden Abkommen wurden durch die Internationalen Übereinkommen vom 7. Februar 1970 über den Eisenbahnfrachtverkehr (CIM) bzw. über den Eisenbahn-Personen- und -Gepäckverkehr

ten, daß die Frage der Internationalen Gesundheitskonventionen vielleicht im Laufe der nächsten Wochen regelbar sei[5], die darüber hinausgehenden Wünsche der DDR für TIR[6] (ECE) und Weltpostverein negativ beantwortet werden müßten. Kohls Antwort lag im Zusammenhang mit der Mai-Tagung der WHO[7] und machte das Interesse der DDR deutlich, die Verkehrsverhandlungen mindestens in den Mai soweit hineinzuziehen, daß eine Entscheidung über die WHO-Mitgliedschaft vor Abschluß des Verkehrsvertrages fällt. Ich habe demgegenüber unser Interesse betont, noch im April den Verkehrsvertrag abzuschließen.

Im Verlauf des Gesprächs ließ Kohl einige Reserven fallen und erklärte, daß ich die Dinge zu eindeutig aus dem Interesse der BRD betrachte. Auch bei einem Widerstand der BRD werde die DDR über kurz oder lang die letzten internationalen Hürden überwinden. Es sei nicht einzusehen, warum sie Preise für etwas bezahlen solle, was sie ohnehin bekäme. Die Dinge kämen auf sie zu. Letztlich läge die Seligkeit nicht in der Teilnahme an irgendwelchen Organisationen. Die Welt gehe nicht unter, wenn dies etwas später geschehe und die Mitgliedsgebühren einige Monate für andere Zwecke disponiert werden könnten. Man sei der Auffassung, daß die BRD am Zustandekommen des Verkehrsvertrages kein geringeres Interesse als die DDR habe. Natürlich werde auch einmal ein Grundvertrag kommen, aber man könne sich die Lage in Ruhe überlegen, wenn der Verkehrsvertrag abgeschlossen sei.

Die Interessenlage der Bundesregierung sei, am Ruder zu bleiben. Die Regierung der DDR hätte die gegenwärtige Regierung lieber als jede andere. Sie würde in ihrer Unterstützung nicht so weit gehen, gegen ihre eigenen Interessen zu verstoßen. Die DDR rechnet im Mai/Juni, nach dem Inkrafttreten des Berlin-Abkommens[8] und der multilateralen Vorbereitung einer europäischen Konferenz, mit einem „Qualitätsumschwung in Europa". Nach Inkrafttreten aller Verträge würden auch die Absichtserklärungen[9] in Kraft treten. Dazu

Fortsetzung Fußnote von Seite 82
(CIV) ersetzt. Sie traten am 1. Januar 1975 in Kraft. Vgl. dazu BUNDESGESETZBLATT 1975, Teil II, S. 1130.
[5] Für den Wortlaut der Internationalen Gesundheitsvorschriften vom 25. Juli 1969 vgl. UNTS, Bd. 764, S. 3–105. Für den deutschen Wortlaut vgl. BUNDESGESETZBLATT 1971, Teil II, S. 868–923.
Zur Erörterung eines Beitritts der DDR zu den Internationalen Gesundheitsvorschriften in der Bonner Vierergruppe am 31. Januar 1972 vgl. Dok. 16, Anm. 1.
[6] Für den Wortlaut des Zollübereinkommens vom 15. Januar 1959 über den internationalen Warentransport mit Carnets TIR („TIR-Übereinkommen") vgl. UNTS, Bd. 348, S. 13–101. Für den deutschen Wortlaut vgl. BUNDESGESETZBLATT 1961, Teil II, S. 650–741.
[7] Die 25. WHO-Versammlung fand vom 9. bis 26. Mai 1972 in Genf statt.
Zu den Bemühungen der DDR um Aufnahme in die WHO vgl. Dok. 4, besonders Anm. 22.
Am 20. Januar 1972 informierte Botschafter Schnippenkötter, Genf (Internationale Organisationen), über ein Gespräch des Generaldirektors der WHO, Candau, mit dem Gesundheitsminister der DDR, Mecklinger, daß Candau „in der Frage der Beobachtereinladung der DDR gedrängt habe. Candau sei dies ‚unangenehmer' als im vorigen Jahr gewesen, weil mittlerweile das Abkommen über Berlin geschlossen sei und auch die Bundesregierung mit der Regierung der DDR vertragliche Regelungen getroffen habe. Die Staatsqualität der DDR trete nach Candau dadurch immer stärker in die Augen. Candau sehe dies im Zusammenhang mit den WHO-Bestimmungen über Aufnahme neuer Mitglieder und die Einladung von Antragstellern als Beobachter." Vgl. den Drahtbericht Nr. 55; Referat I C 1, Bd. 563.
[8] Für den Wortlaut des Vier-Mächte-Abkommens über Berlin vom 3. September 1971 vgl. EUROPA-ARCHIV 1971, D 443–453.
[9] Bei den Moskauer Verhandlungen vom 27. Juli bis 7. August 1970 wurden die Leitsätze 5 bis 10 vom 20. Mai 1970 für einen Vertrag mit der UdSSR („Bahr-Papier") als Leitsätze 1 bis 6 einer „Ab-

käme das Kommuniqué von Oreanda.¹⁰ Man werde dann nachdenken, „wie wir dann vorankommen". Auch die DDR habe ein Interesse an der Ratifizierung, aber es sei natürlich begrenzt, zumal die Bundesregierung den Kurs zur Störung der DDR international verschärft habe, die Beamten der BRD rotierten im Ausland, und es sei angesichts dieser Situation geradezu grotesk, Entgegenkommen und Verständnis von der DDR zu erwarten.

Im Ergebnis seien meine Ausführungen negativ wie früher; im wesentlichen, wie man es auch zuweilen von sowjetischen Freunden gehört habe, gingen sie in die Richtung: Wir können nicht oder noch nicht, aus innenpolitischen Gründen. Die Glaubwürdigkeit der Bundesregierung werde um so fraglicher, je mehr entgegengesetzte Informationen in Ost-Berlin vorlägen. Die Verbündeten der BRD unterhielten Kontakte, in denen gesagt werde: Sie würden vernünftig sein, aber von der BRD daran gehindert. Es handele sich dabei nicht um kleine Leute. Eine Andeutung ließ auf Kissinger schließen. Kohl bezog sich auf einen Vorschlag der IAEO mit Unterstützung der Amerikaner, der zu einer befriedigenden Mitarbeit der DDR[11] geführt hätte und der allein vom Vertreter der BRD zu Fall gebracht wurde.[12] Das gleiche Informationsbild ergebe sich bei

Fortsetzung Fußnote von Seite 83

sichtserklärung" zusammengefaßt. Für den Wortlaut vgl. BULLETIN 1970, S. 1097 f. Vgl. dazu ferner AAPD 1970, II, Dok. 221.

10 Zum Kommuniqué vom 18. September 1971 über die Gespräche des Bundeskanzlers Brandt mit dem Generalsekretär des ZK der KPdSU, Breschnew, vom 16. bis 18. September 1971 in Oreanda Dok. 9, Anm. 19.

11 Am 25. August 1970 teilte der Außenminister der DDR, Winzer, IAEO-Generaldirektor Eklund mit, daß die DDR zu Verhandlungen über ein Kontrollabkommen mit der IAEO gemäß Artikel III des Nichtverbreitungsvertrags vom 1. Juli 1968 bereit sei.
Die Bundesregierung und die Drei Mächte setzten sich für eine dilatorische Behandlung dieses Vorschlags durch die IAEO ein, da Artikel III des Nichtverbreitungsvertrags ausdrücklich von der Verpflichtung der Nichtkernwaffenstaaten zum Abschluß eines Kontrollabkommens sprach und die DDR daraus ein Argument für ihre völkerrechtliche Anerkennung durch die IAEO-Mitgliedstaaten herleiten und ihren internationalen Status verbessern könne. Vgl. dazu AAPD 1970, III, Dok. 422.
Die Verhandlungen zwischen der DDR und der IAEO über den Abschluß eines Kontrollabkommens begannen am 23. November 1971. Gesandter Ungerer, Wien (Internationale Organisationen), berichtete dazu am 25. November 1971, mit den Drei Mächten sei Einigkeit darüber erzielt worden, daß gegenüber der IAEO darauf aufmerksam gemacht worden sei, „a) daß die Westmächte sich generell das Recht vorbehalten, gegen einen Abkommensentwurf Einspruch zu erheben, der dem Gouverneursrat vorgelegt wird, b) daß das Abkommen dem Gouverneursrat nicht vor seiner Februarsitzung vorgelegt werden soll, selbst wenn in den z. Zt. stattfindenden Verhandlungen relativ schnell ein Übereinkommen gefunden werden wird, c) daß die DDR-Handelskammer in Wien nicht in die Verhandlungen einbezogen werden soll, d) daß nicht nur der Text des Abkommens, sondern auch die anläßlich der Verhandlungen der DDR-Delegation ausgehändigten Entwürfe der ‚subsidiary arrangements' und ‚facility attachment outlines' keine Formulierungen enthalten dürfen, die hinsichtlich des Status der DDR präjudizierend wirken können, e) daß Versuche der DDR, eine Ständige Vertretung bei der IAEO zu errichten, zurückgewiesen werden sollen." Vgl. den Drahtbericht Nr. 16 vom 25. November 1971; Referat 413, Bd. 105322.

12 Gesandter Ungerer, Wien, Internationale Organisationen, berichtete am 14. Januar 1972, daß die zweite Runde der Verhandlungen zwischen der DDR und der IAEO am 11. Januar 1972 stattgefunden habe. Nach Informationen des IAEO-Sekretariats sei es zur Einigung über den Text eines Kontrollabkommens gekommen, das am 13. Januar 1972 hätte paraphiert werden sollen: „Meine amerikanischen, britischen, französischen Kollegen und ich intervenierten daraufhin bei Generaldirektor Eklund und verlangten, daß Termin der Paraphierung verschoben wird und wir Gelegenheit erhalten, Text des Abkommens einzusehen. Dies wurde uns gewährt." Bei der Prüfung sei festgestellt worden, daß die IAEO in einigen wichtigen Punkten Zugeständnisse an die DDR gemacht habe. So sei z. B. die DDR als Vertragspartei des Nichtverbreitungsvertrages vom 1. Juli 1968 bezeichnet worden. Eklund habe nach gemeinsamer Demarche der Bundesrepublik und der Drei Mächte zugestanden, daß dieser Passus mit einem entsprechenden Disclaimer der IAEO ver-

der Umweltkonferenz.¹³ Das allgemeine Bild sei um so überzeugender, als es mit den öffentlichen Erklärungen der Bundesregierung und ihrer Vertreter im In- und Ausland übereinstimme und intern die Vertreter unserer Verbündeten sich nach dem Wiederaufleben alter Grundstücksrechte in Ost-Berlin für ihre späteren Vertretungen erkundigten.

Ich habe Kohl erklärt, daß es sicher nicht notwendig sei, ihm einen Vortrag über Taktik zu halten; die DDR und mit ihr befreundete Regierungen hätten da keine Nachhilfestunden nötig. Im übrigen sei es wohl ein unbestreitbares Faktum, daß von allen an der Ost-Politik interessierten Regierungen allein von der Bundesregierung ein gewisses Existenzrisiko eingegangen worden sei.

Ich bäte ihn, mit der notwendigen Vertraulichkeit an oberster Stelle die Frage zu klären, ob die Dinge zwischen DDR und BRD weit genug seien, daß man sich auf seiner Seite darauf verlassen würde, wenn auf unserer Seite – wohl auf diesem Wege – die Absicht erklärt würde, unsere Position in bezug auf die Stellung der DDR zu internationalen Organisationen nach der Ratifizierung zu ändern.

Kohl fragte nach der Garantie für eine solche Versicherung. Man würde erwarten, daß von seiten der BRD nach einigen Monaten um Verständnis gebeten wird, um weitere Geduld aus innenpolitischen Gründen; daß man die gute Absicht noch nicht verwirklichen könne. Er zweifle an der Neigung zu einem Experiment in einer Lage, in der die BRD der DDR mehr Schwierigkeiten international bereite als zur Zeit der Hallstein-Doktrin. Mein Vorschlag basiere auf der für die DDR nicht akzeptablen Prämisse, daß die Bundesregierung, was die DDR darf oder nicht darf.¹⁴ Gerade daß dies nicht so sei, wolle man beweisen.

Ich habe Kohl gesagt, ich würde in einem solchen Gespräch, wie wir es führten, nicht bestreiten, daß die Bundesregierung gewisse Barrieren international gegen die DDR hält. Es sei nun einmal die Realität, daß in vielen Fällen andere uns fragen und daß damit de facto die Haltung der Bundesregierung für andere den Ausschlag gibt. Ich sei mir persönlich bewußt, daß dies nicht immer so bleiben werde, d.h. mir sei das Endresultat bekannt. Aber die Haltung der DDR werfe die Frage auf, ob auf dem Wege dahin eine Kraftprobe beider Seiten stattfinden solle, die neben dem Aufwand an Kraft und Ärger den Gesamtprozeß der Entspannung um ein oder zwei Jahre verzögere. Wir würden es vorziehen, den Prozeß der Entspannung ohne Verzögerung voranzutreiben, und glaubten uns im Einklang mit anderen weltpolitischen Interessen und Entwicklungen. Kohl beeilte sich, einzuwerfen, daß auch seine Regierung die Entspannung fördere und nicht behindern wolle. Im übrigen ginge es bei der von mir gestellten Frage um etwas prinzipiell Neues: Im positiven Falle würde eine interne Verpflichtung entstehen, die nicht eingegangen würde ohne die Überzeugung, sie halten zu können.

Auf Fragen von Kohl präzisierte ich: Die Freigabe der internationalen Organisationen zwischen Ratifizierung und November, keine Gegenaktionen gegen bi-

Fortsetzung Fußnote von Seite 84
knüpft werde. Daraufhin habe die Paraphierung des Abkommens verschoben werden müssen. Vgl. den Drahtbericht Nr. 3; Referat 413, Bd. 105322.
13 Zu einer Beteiligung der DDR an der UNO-Umweltkonferenz vom 5. bis 16. Juni 1972 in Stockholm vgl. Dok. 4.
14 Unvollständiger Satz in der Vorlage.

laterale Beziehungen, Vollmitgliedschaft in der UN als Ergebnis der generellen Regelung unserer Beziehungen.

Eine Antwort wurde für Anfang März in Aussicht gestellt.

[Bahr]

Archiv der sozialen Demokratie, Depositum Bahr, Box 445

21

Aufzeichnung des Bundeskanzleramts

Geheim 3. Februar 1972[1]

Betr.: 35. Begegnung der Staatssekretäre Bahr und Kohl am 2./3. Februar im Bundeskanzleramt in Bonn zu Verhandlungen über einen Allgemeinen Verkehrsvertrag (AVV)

1) Am 2. Februar fanden ein Vier-Augen-Gespräch[2], zwei Delegationssitzungen, ein gemeinsames Mittagessen und ein Abendessen der beiden Staatssekretäre, am 3. Februar ein Vier-Augen-Gespräch[3], eine Delegationssitzung und ein gemeinsames Mittagessen statt.

2) Delegationssitzungen am 2. Februar:

StS Kohl wies auf die Prager Erklärung der Warschauer-Pakt-Staaten vom 26. Januar hin. Die Konferenz habe die positive Haltung der DDR im Zusammenhang mit dem Vier-Mächte-Abkommen besonders gewürdigt und herausgestellt, daß die Beziehungen zwischen der DDR und der BRD gemäß völkerrechtlicher Normen einen wichtigen Beitrag zur Entspannung in Europa bilden.[4]

---

[1] Ablichtung.
 Hat Staatssekretär Frank am 7. Februar 1972 vorgelegen, der die Weiterleitung an Bundesminister Scheel verfügte.
 Hat Scheel am 7. Februar 1972 vorgelegen.
[2] Vgl. dazu Dok. 20.
[3] Vgl. dazu Dok. 25.
[4] Am 25./26. Januar 1972 fand in Prag eine Tagung des Politischen Beratenden Ausschusses des Warschauer Pakts statt. In der dort verabschiedeten Deklaration über Frieden, Sicherheit und Zusammenarbeit in Europa wurde zum Verhältnis zwischen der Bundesrepublik und der DDR ausgeführt: „Die zunehmende internationale Anerkennung der Deutschen Demokratischen Republik ist ein wichtiger Faktor der Festigung des Friedens. Weitere Fortschritte in dieser Richtung, einschließlich der Herstellung von Beziehungen zwischen der Deutschen Demokratischen Republik und der Bundesrepublik Deutschland, entsprechend den Normen des Völkerrechts, werden ein wichtiger Beitrag zur Sache des Friedens, der Sicherheit und Zusammenarbeit in Europa sein. Die Teilnehmer der Tagung treten dafür ein, daß die Frage der Aufnahme der DDR und der BRD in die Organisation der Vereinten Nationen ohne weitere Verzögerung gelöst wird." Vgl. EUROPA-ARCHIV 1972, D 107 f.

StS Kohl erklärte, die vereinbarte Vertraulichkeit der Verhandlungen sei durch Indiskretionen von seiten der BRD verletzt worden.[5] Außerdem habe StS Ahlers unzutreffende Äußerungen getan.[6]

In einleitenden Bemerkungen zum Vertrag wies er die Feststellungen von StS Bahr zurück, daß der Entwurf der DDR[7] keine substantiellen Verbesserungen enthalte und daß es unzweckmäßig sein könnte, die Verhandlungen durch das Einführen der Teile Luft- und Seeverkehr zu belasten. Er unterstrich noch einmal die Notwendigkeit von Regelungen im internationalen Bereich, die zu wesentlichen Verbesserungen auch in den bilateralen Verbindungen zwischen der DDR und der BRD führen würden.

Anschließend kommentierte StS Kohl einzelne Artikel des Vertrages und ging dabei auf frühere Bemerkungen von StS Bahr ein. Den Wunsch nach freier Wahl des Verkehrsmittels (Pkw) wies er mit Nachdruck zurück.

– Die Rechtsauffassung der DDR über den Grenzverlauf auf der Elbe[8] begründete er noch einmal ausführlich.

– Die Beibehaltung von Beförderungsgenehmigungen sei international üblich; unser Wunsch nach einer Ausnahmeregelung im Verhältnis zur DDR beruhe auf dem völkerrechtswidrig von der BRD verwandten Inlandsbegriff.

– Über Präambel und Schlußbestimmungen müsse noch in dieser Runde gesprochen werden.

---

5 Am 26. Januar 1972 wurde in der Presse über Informationen „aus diplomatischen Kreisen in Bonn" berichtet, daß der Staatssekretär beim Ministerrat der DDR, Kohl, während der Gesprächsrunde am 20./21. Januar 1972 in Ost-Berlin den Entwurf für einen allgemeinen Verkehrsvertrag übergeben habe: „Die Bundesregierung und die Westmächte halten die Ostberliner Vorschläge für unannehmbar. Regierungssprecher Rüdiger von Wechmar lehnte jeden Kommentar zu diesen Informationen ab und erklärte lediglich: ‚Die Bundesregierung nimmt zu laufenden Verhandlungen nicht Stellung.' Wie jedoch zuverlässig bekannt wurde, hat Kohl Vertragsentwürfe vorgelegt, die die Forderung der ‚DDR' nach völkerrechtlicher Anerkennung durch Bonn erneut unterstreichen. Neben dem Entwurf für einen allgemeinen Verkehrsvertrag übergab er auch ein Projekt für ein Luftverkehrsabkommen zwischen der Bundesregierung und Ost-Berlin. In dem Kohl-Konzept für einen allgemeinen Verkehrsvertrag sind den Bonner Informationen zufolge die bereits vor Beginn der innerdeutschen Berlin-Verhandlungen zwischen den Unterhändlern vereinbarten technischen Detailfragen zusammengefaßt. Diese reinen Verkehrsprobleme wurden aber mit wesentlichen Elementen des Entwurfs zu einem Generalvertrag vermischt, den der ‚Staatsratsvorsitzende' Walter Ulbricht im Dezember 1969 brieflich Bundespräsident Heinemann gesandt hatte." Vgl. den Artikel „Kohl gab Bahr in Ost-Berlin Entwurf für Verkehrsvertrag. Regierung: Unannehmbar"; BERLINER MORGENPOST vom 26. Januar 1972, S. 1.

6 Staatssekretär Ahlers, Presse- und Informationsamt, führte am 20. Januar 1972 in der Sendung „Kurier am Mittag" des Norddeutschen Rundfunks hinsichtlich der Frage, ob Abkommen mit der DDR durch den Bundestag ratifiziert werden müßten, aus: „Man muß hier einen feinen Unterschied machen. Ratifiziert werden in der engen Interpretation dieses Begriffes völkerrechtliche Verträge. Die Verträge, die wir mit der DDR anstreben und abschließen, sind Verträge, die zwar den gleichen rechtlichen Charakter, die gleiche rechtliche Bedeutung haben werden wie völkerrechtliche Verträge, aber im eigentlichen strengen Sinne des Wortes wegen der besonderen Beziehungen zwischen den beiden deutschen Staaten keine völkerrechtlichen Verträge sind und deshalb auch nicht ratifiziert werden. Gleichwohl wird auch dieser Verkehrsvertrag unserem Parlament zur Zustimmung zugeleitet werden, so daß das Parlament darüber wird abstimmen müssen." Vgl. die Aufzeichnung des Interviews; Bundespresseamt.

7 Für den Wortlaut des Entwurfs der DDR vom 20. Januar 1972 für einen Vertrag über Fragen des Verkehrs vgl. VS-Bd. 8561 (II A 1); B 150, Aktenkopien 1972.

8 Zu den Rechtsauffassungen der Bundesrepublik und der DDR hinsichtlich des Grenzverlaufs an der Elbe vgl. Dok. 12, Anm. 13.

Man sei sich ja über die Ratifikationsbedürftigkeit des Vertrages einig. Sollte die Bemerkung von StS Ahlers, daß der AVV nicht im eigentlichen Sinne ein völkerrechtlicher Vertrag sei, nicht auf einem Irrtum beruhen, so werde ein schwerwiegendes Moment der Spannung in die Verhandlungen hineingetragen.

StS Bahr antwortete, es bestehe Einigkeit darüber, daß die Verbindlichkeit von Verträgen zwischen den beiden Staaten nicht bezweifelt werden dürfe. „Völkerrechtlich" sei aber für uns ein schwieriges Wort.

Zur Frage der Indiskretionen wies er auf Mitteilungen verschiedener Journalisten hin, daß Beamte der DDR ihnen gegenüber in letzter Zeit Bemerkungen machten, nach denen Ost-Berlin demnächst einen weiteren Einzelvertrag mit der BRD verhandeln wolle, aber an einem Grundvertrag kein Interesse hätte. Es entstehe der Verdacht einer gezielten Indiskretion.

StS Bahr registrierte mit Befriedigung, daß StS Kohl diese Auslegung bestritt.

Zum Inhalt des Vertragsentwurfs beharrte StS Bahr auf seiner Meinung, er enthalte höchstens marginale Verbesserungen gegenüber dem bestehenden Zustand.[9] Hinsichtlich des Seeverkehrs seien wir nicht grundsätzlich gegen eine Regelung, bei Luftverkehr könne man vielleicht eine Absichtserklärung vereinbaren. Die Frage der Internationalen Organisationen wolle er einem Vier-Augen-Gespräch vorbehalten.

Anschließend kommentierte StS Bahr einzelne Artikel des DDR-Entwurfs. Dabei schlug er vor, daß jeder Staat selbst bestimmen soll, welches Dokument seine Bürger bei der Aus- und Einreise mit sich führen müßten. Im Vertrag könne man eine neutrale Formulierung wählen, in der von Pässen nicht die Rede sei.
– Zum Grenzverlauf auf der Elbe wies StS Bahr darauf hin, daß dieser nicht von den beiden Staaten festgelegt sei, also könnten sie auch nicht über ihn beschließen.

StS Kohl erwiderte, auch die Siegermächte hätten sich seinerzeit auf einen Grenzverlauf „Mitte Talweg" geeinigt. Er habe Karten, die das bewiesen. Es komme darauf an, künftige Zwischenfälle auszuschließen.

StS Bahr bestätigte das letztere und unterstrich, daß es seit einigen Jahren keine Zwischenfälle mehr gegeben habe. Das spreche für eine befriedigende Praxis.

Gegen Ende der Sitzung verlangte StS Kohl, man müsse das Grundübel – die Auffassungen der BRD zum Staatsbürgerrecht[10] – ausräumen, sonst bleibe das Gespräch an der Oberfläche. StS Bahr warnte, daraus eine conditio sine qua non zu machen. Andernfalls werde es keinen Vertrag geben.

---

[9] Staatssekretär Bahr, Bundeskanzleramt, führte am 2. Februar 1972 zum Entwurf der DDR vom 20. Januar 1972 für einen Vertrag über Fragen des Verkehrs aus: „Wenn im A[llgemeinen] V[erkehrs]V[ertrag] an vielen Punkten an der bisherigen Situation nichts verändert werde, dann seien die von StS Kohl genannten Verbesserungen doch nur marginaler Art. Man könne im persönlichen Gespräch über die Gewichtung der einzelnen Verbesserungen noch weiter sprechen. Die von StS Kohl genannten Verbesserungen jedenfalls halte er nicht für ausreichend, um bei den gesetzgebenden Körperschaften der BRD, deren Zustimmung der AVV natürlich bedürfe, begeisterte Zustimmung hervorzurufen." Vgl. die Gesprächsaufzeichnung; VS-Bd. 8561 (II A 1); B 150, Aktenkopien 1972.

[10] Zur Staatsangehörigkeitsgesetzgebung in der Bundesrepublik vgl. Dok. 13, Anm. 5.

3) Delegationssitzung am 3. Februar:

StS Kohl nahm Stellung zu Bemerkungen, die StS Bahr am Vortag zu einzelnen Artikeln gemacht hatte. Es ergab sich grundsätzliche Übereinstimmung in einer Reihe von Bestimmungen. In anderen Punkten wiederholte er seine abweichenden Vorstellungen oder stellte Fragen. Ausführlich legte er dar, daß es nach Meinung seiner Regierung wegen des schlechten politischen Klimas zwischen DDR und BRD keine bessere Regelung des Grenzverkehrs geben könne. Ein derartiger Zusammenhang bestehe auch bei Reiseverkehr. Die Freizügigkeit der internationalen Betätigung müsse für die DDR gewährleistet, ein Preis für diesen legitimen Anspruch dürfe nicht gefordert werden.

Er, Kohl, könne dem Vorschlag von StS Bahr hinsichtlich der Pässe nicht folgen. Es sei nicht einzusehen, warum die BRD nicht DDR-Pässe ebenso behandeln könne wie die anderer Staaten.

Zur Frage der Definition des Begriffs „Staatsschiffe" erläuterte StS Kohl den bekannten Standpunkt der sozialistischen Staaten.[11]

In seiner Erwiderung kündigte StS Bahr an, daß er auf die Präambel in der nächsten Sitzung[12] eingehen werde. Grundsätzlich wies er noch einmal auf die Notwendigkeit hin, im AVV ein Gleichgewicht zwischen den für die DDR interessanten Aspekten und unseren Wünschen nach mehr Substanz, z.B. bei Reiseverkehr, herzustellen.

StS Kohl unterstrich in seinen abschließenden Bemerkungen noch einmal, es sei für die DDR unannehmbar, daß Berlin (West) von der BRD in einen Verkehrsvertrag mit eingeschlossen werde.[13]

VS-Bd. 8561 (II A 1)

---

[11] Der Staatssekretär beim Ministerrat der DDR, Kohl, führte am 3. Februar 1972 zur Definition des Begriffs „Staatsschiffe" aus, „daß aus dem Prinzip der souveränen Gleichheit dann die Exemtion eines jeden Staates von der Rechtsordnung anderer Staaten folge. Natürlich schließe das nicht die aus der Pflicht zum friedlichen Nebeneinanderleben folgende Einhaltung der völkerrechtlichen Vorschriften aus. Die Exemtion eines Staates von der inneren Rechtsordnung anderer Staaten erstrecke sich nicht nur auf Behörden und Vertreter der staatlichen Ordnung, sondern u. a. auch auf im Eigentum des Staates stehende Schiffe. Strupp-Schlochauer, die in der westdeutschen Völkerrechtslehre so gern zitiert würden, definierten im dritten Band den Begriff ‚Staatsschiffe' als solche Schiffe, die im Eigentum oder ausschließlichen Dienst eines Staates stünden. Zu diesem ausschließlichen Dienst müsse auch die außenwirtschaftliche Tätigkeit gezählt werden, denn sie könne nicht von der außenpolitischen Tätigkeit getrennt werden. Entsprechende Vorbehalte zu den Art. 20 und 21 in der Genfer Konvention über das Küstenmeer vom 29.4.1958 seien von zahlreichen Staaten, darunter der UdSSR und Mexiko, angemeldet worden. Von einem solchen Begriff der Staatsschiffe solle man daher auch beim A[llgemeinen]V[erkehrs]V[ertrag] ausgehen und ihn aufnehmen." Vgl. die Gesprächsaufzeichnung; VS-Bd. 8561 (II A 1); B 150, Aktenkopien 1972.
Vgl. dazu WÖRTERBUCH DES VÖLKERRECHTS, Bd. 3, S. 334–337.

[12] Zum 36. Gespräch des Staatssekretärs Bahr, Bundeskanzleramt, mit dem Staatssekretär beim Ministerrat der DDR, Kohl, am 9./10. März 1972 in Ost-Berlin vgl. Dok. 49–51.

[13] Vortragender Legationsrat Bräutigam vermerkte am 4. Februar 1972 zum Ergebnis des 35. Gesprächs des Staatssekretärs Bahr, Bundeskanzleramt, mit dem Staatssekretär beim Ministerrat der DDR, Kohl, am 2./3. Februar 1972: „Die Verhandlungsrunde hat den Eindruck verstärkt, daß die Regelung der technischen Verkehrsfragen keine besonderen Schwierigkeiten bereitet; Reiseerleichterungen möglicherweise nur bei substantiellen Zugeständnissen im Bereich der internationalen Organisationen (z. B. ECE) zu erreichen sind; die DDR entscheidenden Wert auf die Form eines ratifikationsbedürftigen Staatsvertrages legt. Es fiel auf, daß Kohl diesem letzteren Gesichtspunkt besondere Bedeutung beimaß, und zwar in einer Weise, als sei diese Formfrage für die DDR eine conditio sine qua non für den Vertragsabschluß. Dahinter könnte die Absicht stehen,

89

22

Gespräch des Staatssekretärs Frank
mit dem japanischen Botschafter Kai

II A 4-83.01/94.29 (92.20)-409/72 VS-vertraulich 4. Februar 1972[1]

Unterredung zwischen Herrn Staatssekretär Dr. Frank und dem japanischen Botschafter Kai am 4.2.72 um 11 Uhr

Themen:

1) Unterrichtung über den Stand der deutsch-chinesischen Beziehungen

2) Unterrichtung über die bevorstehende Reise des Präsidenten der EG-Kommission Malfatti nach Japan[2]

3) Information über die Reise des sowjetischen Außenministers Gromyko nach Tokio Ende Januar 1972[3]

An der Unterredung nahm ferner teil VLR I Dr. Blumenfeld.

Zu 1) Botschafter *Kai* bat um Unterrichtung über den Stand der Beziehungen zwischen der Bundesrepublik Deutschland und der Volksrepublik China. BM Scheel habe sinngemäß im Fernsehen erwähnt, es gebe Anzeichen aus Peking, daß die VR China bereit sei, ihre Beziehungen zur Bundesrepublik zu normalisieren.[4] StS *Frank* erwiderte, dies sei ein großes Mißverständnis. Bei dem Pressegespräch, das der Minister gemeinsam mit Herrn Schröder geführt habe, sei er von einem Journalisten gefragt worden, ob er eine Reise nach Peking

---

Fortsetzung Fußnote von Seite 89

den Abschluß eines förmlichen Staatsvertrages mit einer vom Bundespräsidenten ausgefertigten Ratifikationsurkunde zum Testfall für den Grundvertrag zu machen. Man kann aber auch nicht ausschließen, daß ein solcher Verkehrsvertrag als Nachweis völkerrechtlicher Beziehungen zwischen der Bundesrepublik und der DDR ein Ersatz für einen Grundvertrag sein könnte." Vgl. VS-Bd. 8561 (II A 1); B 150, Aktenkopien 1972.

[1] Die Gesprächsaufzeichnung wurde von Vortragendem Legationsrat I. Klasse Blumenfeld am 4. Februar 1972 gefertigt.
Hat laut Vermerk des Legationsrats I. Klasse Vergau Staatssekretär Frank vorgelegen.

[2] Der Präsident der EG-Kommission, Malfatti, hielt sich vom 12. bis 18. Februar 1972 in Japan auf.

[3] Der sowjetische Außenminister Gromyko besuchte Japan vom 23. bis 28. Januar 1972.

[4] In einem Interview für das ZDF führte Bundesminister Scheel am 23. Januar 1972 aus, die Bundesregierung lege Wert darauf, die „Beziehungen mit China institutionell weiterzuentwickeln bis hin zu den diplomatischen Beziehungen. Nur dazu bedarf es auch des richtigen Zeitpunktes und natürlich des Partners. Denn auch China hat seinerseits eine Politik Europa gegenüber, eine Politik, in der die verschiedenen europäischen Länder bisher einen ganz bestimmten Platz eingenommen haben, darunter auch die Bundesrepublik, darunter aber auch die DDR, so daß man also, ich glaube beiderseits, auf den Punkt zugehen muß, zu dem dann eine Weiterentwicklung unserer Beziehung möglich ist." Auf die Frage, ob Signale aus der Volksrepublik China zur Aufnahme diplomatischer Beziehungen vorhanden seien, antwortete Scheel: „Wenn es Signale in diesem diplomatischen Spiel gibt, so sind es Signale, die im allgemeinen nicht öffentlich vermerkt werden können. Und es ist nicht zweckmäßig, darüber zu sprechen. Man kann nur sagen, welche Absichten man verfolgt. Und vor allen Dingen muß man in der Politik ein gewisses Maß an Geduld aufbringen, um den richtigen Zeitpunkt für die richtigen Entscheidungen zu finden." Auf die Frage, ob es noch im Jahr 1972 zu einer Reise des Bundesministers des Auswärtigen oder eines anderen Kabinettsmitglieds in die Volksrepublik China kommen könne, entgegnete Scheel: „Darüber kann man natürlich keine Voraussage machen. Auch das wird die Entwicklung erst zeigen müssen." Vgl. SCHEEL, Reden, S. 514 f.

ausschließe. Der Minister habe darauf selbstverständlich mit Nein geantwortet. Die Presse habe daraus Kontakte gemacht. Es gebe weder von uns noch von China Kontakte. Wir schlössen zwar nicht aus, daß es eines Tages Kontakte geben könnte. Wir stünden aber zu unserer Zusage, in einem solchen Falle die japanische Regierung zu unterrichten.[5]

Zu 2) Botschafter *Kai* kündigte an, daß der Präsident der EWG-Kommission Malfatti in etwa zehn Tagen nach Japan reisen wolle. Japan habe noch kein Handelsabkommen mit der EWG. Es sei bemüht, seine Beziehungen zur EWG und das gegenseitige Verständnis zu verbessern und Institutionen für die Zusammenarbeit ins Leben rufen.

StS *Frank* erwiderte, dies sei im Einklang mit den Gesprächen, die der Bundeskanzler mit Präsident Nixon geführt hatte.[6] Dabei sei auch dieses Thema besprochen worden, und Nixon habe den Wunsch nach engen Beziehungen zwischen Japan und der EWG geäußert. Er werde über diese Frage mit Staatssekretär von Braun sprechen. Botschafter Kai wollte seinerseits Herrn von Braun unterrichten.

Zu 3) Botschafter *Kai* verlas sinngemäß ein Informationstelegramm aus Tokio. Gromyko habe mit Ministerpräsident Sato am 27.1. vormittags, mit Außenminister Fukuda am 24.1. und am 27.1.1972 vor der Abreise sowie mit dem Minister für Industrie und Außenhandel, Tanaka, über Industrieprojekte in Sibirien, mit dem Landwirtschaftsminister[7] über Fischereifragen und mit dem Umweltschutzminister[8] über Wandervögel gesprochen.

Gromyko habe bei Gesprächen und Ansprachen den Wunsch nach Verbesserung der Beziehungen betont. Im Vergleich zu seinem ersten Besuch im Jahre 1966[9] sei eine starke Wandlung in der Einstellung zu Japan festzustellen. Allerdings habe der Besuch nicht sehr viele konkrete Ergebnisse gebracht. Diese könnten in vier Punkten zusammengefaßt werden:

a) Es wurden jährliche Konsultationen der Außenminister vereinbart (dies war bereits vor fünf Jahren vereinbart, aber bisher nicht verwirklicht worden).

b) Es wurden gegenseitige Besuche von Staats- bzw. Regierungschefs vereinbart (bisher war Ministerpräsident Hatoyama einmal in Moskau gewesen[10] ohne sowjetischen Gegenbesuch). Termine sollen noch abgesprochen werden.

c) Es wurde Übereinstimmung über die Aufnahme von Verhandlungen für einen Friedensvertrag erzielt, wobei die Vorbereitung noch in diesem Jahr beginnen soll.

d) Zur Frage der Rückgabe der Südkurilen[11] hätten Sato und Fukuda betont,

---

5 Zur Zusage des Bundesminister Brandt vom 10. Mai 1967 gegenüber Ministerpräsident Sato vgl. Dok. 6, Anm. 27.

6 Für die Gespräche des Bundeskanzlers Brandt mit Präsident Nixon am 28./29. Dezember 1971 in Key Biscayne vgl. AAPD 1971, III, Dok. 450 und Dok. 452.

7 Munenori Akagi.

8 Buichi Oishi.

9 Der sowjetische Außenminister Gromyko hielt sich vom 24. bis 30. Juli 1966 in Japan auf.

10 Ministerpräsident Hatoyama hielt sich vom 13. bis 19. Oktober 1956 zum Abschluß der Verhandlungen über die Aufnahme diplomatischer Beziehungen in der UdSSR auf.

11 Im Friedensvertrag von San Francisco vom 8. September 1951 verzichtete Japan auf alle Rechte und darauf bezogene Ansprüche an den Kurilen und Südsachalin. Allerdings wurde die Bezeichnung

eine Konsolidierung der sowjetisch-japanischen Freundschaft und der Abschluß eines Friedensvertrages hätten ohne Regelung dieser Frage keine Aussicht auf Erfolg. Gromyko habe vermieden, den bisherigen sowjetischen Standpunkt zu wiederholen, daß diese Frage ein für alle Mal geklärt sei, und sich auch nicht auf das sowjetische Memorandum aus dem Jahre 1960 bezogen, wo es hieß, die Inseln Habomai und Sikotan könnten nicht zurückgegeben werden, solange ausländische Truppen in Japan stationiert seien.[12] Andererseits habe er auch keinen konkreten Hinweis auf eine Änderung der bisherigen sowjetischen Einstellung zur Inselfrage gegeben. Der Friedensvertrag habe, wie Gromyko sagte, von den Realitäten auszugehen.

Mit dem Außenminister sei die Frage der regelmäßigen Konsultationen der Außenminister und der gegenseitigen Besuche der Staats- und Regierungschefs in größerem Detail besprochen worden. Bei letzteren denke die Sowjetunion nicht nur an Ministerpräsidenten, sondern auch an Staatsoberhäupter und andere Persönlichkeiten. Japan sei einverstanden.

StS *Frank* warf ein, daß offensichtlich Breschnew nach Tokio kommen wolle.

Botschafter *Kai* erwiderte, auch seine Regierung habe diesen Eindruck. Die erwähnten vorbereitenden Gespräche für einen Friedensvertrag sollten noch in diesem Jahr in Moskau oder in Tokio aufgenommen werden. Konkrete Termine stünden ebensowenig fest wie die Verhandlungsmethoden (diplomatische Kanäle oder Sonderbotschafter).

Man habe auch über das japanische Verhältnis zu den USA und China gesprochen. Die japanische Seite habe sich stark auf die Rückgabe von Okinawa durch die Amerikaner[13] bezogen und betont, wie sehnsüchtig das japanische Volk eine Rückgabe der Südkurilen erhoffe.

Gromyko habe erwidert, die Sowjetunion hege den starken Wunsch nach weiterer Entwicklung der japanisch-sowjetischen Beziehungen. Es sei notwendig, daß kein Staat sich davon durch äußere Einflüsse abbringen lasse. Chou En-lai habe gesagt, er halte freundschaftliche Beziehungen zwischen Japan und der

Fortsetzung Fußnote von Seite 91
„Kurilen" nicht genauer definiert. Nach japanischer Auffassung gehörten dazu nur die nördlich von Etorofu gelegenen Inseln, nicht jedoch die ebenfalls von der UdSSR 1945 besetzten, nordöstlich von Hokkaido gelegenen Inseln Kunaschiri, Etorofu sowie die Gruppe der Habomai-Inseln.
12 In dem Memorandum vom 27. Januar 1960 wurde ausgeführt: „Die sowjetische Regierung erachtet es als unmöglich, ihr Versprechen über die Rückgabe der Inseln Habomai und Shikotan an Japan zu halten, denn sie könnte nicht dulden, daß durch die Rückgabe dieser Inseln das von fremden Truppen verwendete japanische Gebiet vergrößert würde. Infolgedessen kann die Sowjetregierung diese Inseln erst zurückgeben, wenn alle in Japan stationierten fremden Truppen zurückgezogen sind und nachdem ein sowjetisch-japanischer Friedensvertrag unterzeichnet ist. [...] Der von Japan und den Vereinigten Staaten abgeschlossene Vertrag über Zusammenarbeit und gegenseitige Sicherheit ist gegen die Sowjetunion und die Chinesische Volksrepublik gerichtet und bedroht den Frieden im Fernen Osten." Vgl. den Artikel „Sowjetisches Memorandum an Japan"; NEUE ZÜRCHER ZEITUNG, Fernausgabe vom 30. Januar 1960, S. 3.
13 Am 17. Juni 1971 unterzeichneten der amerikanische Außenminister Rogers in Washington und der japanische Außenminister Aichi in Tokio ein Abkommen zur Rückgabe der seit dem Zweiten Weltkrieg unter amerikanischer Militärverwaltung stehenden Insel Okinawa an Japan. Die USA behielten jedoch weiterhin das Recht zur Stationierung von Truppen. Für den Wortlaut des Abkommens und der begleitenden Dokumente vgl. DEPARTMENT OF STATE BULLETIN, Bd. 65 (1971), S. 35–41.
Das Abkommen trat am 15. Mai 1972 in Kraft. Am gleichen Tag fand die Übergabezeremonie statt. Vgl. dazu DEPARTMENT OF STATE BULLETIN, Bd. 66 (1972), S. 809 f.

Sowjetunion für unerwünscht. Deswegen – so Gromyko – dürfe diese dritte Macht den japanisch-sowjetischen Beziehungen nicht im Wege stehen. Die japanisch-sowjetischen Beziehungen dürften nur von Japan und der Sowjetunion bestimmt werden. Gromyko habe gemeint, die Einstellung der USA zu den japanisch-sowjetischen Beziehungen sei nicht eindeutig. Außenminister Fukuda habe erwidert, Nixon habe in San Clemente[14] die Rückgabe der Südkurilen an Japan und einen Friedensvertrag mit der Sowjetunion gewünscht und eine Verbesserung der sowjetisch-japanischen Beziehungen von Herzen begrüßt.

Was die japanischen Beziehungen zur VR China anbelange, so hielte die japanische Regierung es für notwendig, diese Beziehungen zu normalisieren. Die japanische Regierung habe den Chinesen eine Kontaktaufnahme auf Regierungsebene vorgeschlagen, und zwar indirekt. Die VR China bestehe aber darauf, daß Japan vor einer solchen Kontaktaufnahme drei Bedingungen erfülle:

a) Kündigung des Sicherheitsvertrages mit den USA[15]

b) Kündigung des Sicherheitsvertrages mit Taiwan

c) Anerkennung der Souveränität der VR China über Taiwan.

Die japanische Regierung könne dem nicht zustimmen. Sie sei aber einverstanden, daß diese Fragen bei den Regierungsverhandlungen behandelt würden. Es würde daher noch bis zu solchen Verhandlungen eine geraume Zeit vergehen. Gromyko habe dazu gesagt, die sowjetische Regierung habe niemals versucht, Japan und China gegeneinander aufzuhetzen. Sie sei aber dagegen, daß Großmächte Vereinbarungen träfen, die gegen die Interessen der Sowjetunion gerichtet seien. Falls künftige chinesisch-japanische Vereinbarungen gegen die Interessen der Sowjetunion verstießen, so würde das sowjetisch-japanische Verhältnis gestört werden.

Botschafter Kai meinte, aus diesen Äußerungen spreche ein starkes Mißtrauen und eine große Besorgnis gegenüber den chinesischen Ambitionen in bezug auf Japan.

Zu den Wirtschaftsfragen berichtete Botschafter Kai folgendes: Man sei übereingekommen, über eine gemeinsame Erschließung der Öl- und Gasvorkommen auf Sachalin und von Nickelvorkommen in Sibirien zu sprechen. Erst werde sich im Februar das gemeinsame japanisch-sowjetische Wirtschaftskomitee, in dem keine japanischen Regierungsvertreter säßen, mit dieser Angelegenheit beschäftigen, dann die Regierungsvertreter. Die japanische Seite habe betont, daß für eine Erweiterung der Wirtschaftsbeziehungen ein Friedensvertrag unbedingt notwendig sei. Ohne einen solchen Vertrag sei es für Japan sehr schwer, sich so tief und so weit zu engagieren, wie dies die sowjetische Seite wünsche. Ein Friedensvertrag dagegen würde diese Aussichten wesentlich verbessern. Gromyko habe besonders Projekte der Öl- und Gasbohrung auf Sachalin, eine Pipeline für Gas und Öl aus Tjumen zum Stillen Ozean und die Erzeugung von Kokskohle in Südjakutien genannt. In Anbetracht der Größe dieser Projekte

---

[14] Präsident Nixon und Ministerpräsident Sato kamen am 6./7. Januar 1972 in San Clemente, Kalifornien, zusammen.

[15] Für den Wortlaut des Abkommens vom 19. Januar 1960 zwischen Japan und den USA über beiderseitige Zusammenarbeit und Sicherheit vgl. UNTS, Bd. 373, S. 180–205. Für den deutschen Wortlaut vgl. EUROPA-ARCHIV 1960, D 253–276.

sei eine Zustimmung der Regierungen erforderlich. Darüber sei man sich einig gewesen. Die sowjetische Seite habe gesagt, falls die japanische Regierung Schwierigkeiten habe, so große Projekte wie das von Tjumen allein durchzuführen, so sei die sowjetische Seite mit einer Mitfinanzierung durch andere Länder einverstanden. Dabei müsse Japan jedoch der Hauptpartner sein.

StS *Frank* dankte für die Unterrichtung und sagte, daß wir in unseren Gesprächen mit den Sowjets ganz ähnliche Probleme hätten.

Botschafter *Kai* sagte, die Russen seien hinsichtlich der Gebietsfragen keinerlei Verpflichtungen eingegangen. Gromyko habe nur indirekt angedeutet, daß die Sowjets bereit seien, darüber zu sprechen. Ob sie bereit seien, die Gebiete zurückzugeben, sei eine andere Frage.

StS *Frank* wiederholte, der Tenor entspreche dem, was die Sowjetunion uns sage. Sie wolle eine wirtschaftliche Zusammenarbeit, aber erst nach Normalisierung der Lage. Auch uns gegenüber hätten sie keine Einwände, wenn wir andere Länder an Projekten beteiligen wollten. Spreche man allerdings über konkrete Projekte, dann wolle die Sowjetunion stets mit Rohstofflieferungen bezahlen.

Botschafter *Kai* sagte, Japan sei gewiß eher dazu in der Lage als die Bundesrepublik.

StS *Frank* sagte, Frankreich und Italien täten sich in dieser und in anderer Hinsicht sehr schwer bei den Durchführungen ihrer mit der Sowjetunion vereinbarten Großprojekte.

Botschafter *Kai* meinte, die Reise Gromykos nach Tokio nach fünfjähriger Pause sei ein Gegengewicht gegen die beabsichtigte Reise Nixons nach China.[16]

StS *Frank* fügte hinzu, es sei interessant, daß Gromyko nicht die Aufnahme der Beziehungen Japans zu China insgesamt beanstandet, sondern nur bestimmte Aspekte ins Treffen geführt habe.

VS-Bd. 9027 (II A 4)

---

[16] Präsident Nixon besuchte die Volksrepublik China vom 21. bis 28. Februar 1972. Vgl. dazu Dok. 47, Anm. 6 und 7.

23

Gesandter Boss, Brüssel (NATO), an das Auswärtige Amt

Z B 6-1-10553/72 VS-vertraulich Aufgabe: 4. Februar 1972, 19.30 Uhr
Fernschreiben Nr. 130 Ankunft: 4. Februar 1972, 21.07 Uhr
Citissime

Betr.: Malta[1]

Bezug: Plurex Nr. 591 vom 3.2.1972 – III A 5-84.04-94.35-248/72 VS-v[2]

I. Die Sitzung des NATO-Rats am 4.2.1972 hatte folgendes Ergebnis:

1) Generalsekretär Luns wird an der Fortsetzung der Gespräche zwischen Lord Carrington und Ministerpräsident Mintoff, die für den 7.2.1972 vorgesehen ist, teilnehmen.

2) Auf den jüngsten Vorschlag Mintoffs, zusätzlich zu den 14 Mio. Pfund Sterling jährlich eine einmalige „cash-down" Zahlung in Höhe von 5 Mio. Pfund Sterling zu leisten, wird nicht eingegangen.

3) Sofern die für Beginn nächster Woche vorgesehene Verhandlungsrunde grundsätzlich positiv verläuft, ist der Generalsekretär ermächtigt, als letzte

---

[1] Zu den Verhandlungen über Unterstützungszahlungen Großbritanniens und anderer NATO-Mitgliedstaaten an Malta im Rahmen eines Verteidigungsabkommens vgl. Dok. 5.
Nach einer ersten Gesprächsrunde vom 19. bis 21. Januar 1972 in Rom trafen Ministerpräsident Mintoff und der britische Verteidigungsminister Lord Carrington am 28./29. Januar 1972 erneut in Rom zusammen. Botschafter Krapf, Brüssel (NATO), berichtete dazu am 31. Januar 1972: „Die Gespräche hatten folgendes Ergebnis: Von der zusätzlichen Barforderung Mintoffs in Höhe von 10,25 Mio. Pfund wird nicht mehr gesprochen; Mintoff gegenüber ist angedeutet worden, daß die Laufzeit des Abkommens zurückdatiert und vielleicht auf siebeneinhalb Jahre verlängert werden kann; die bilaterale Wirtschaftshilfe scheint für Mintoff zu einem wesentlichen Bestandteil des ‚Pakets' geworden zu sein; hinsichtlich der ‚international aspects' eines Verteidigungsabkommens wurde im wesentlichen Übereinstimmung erzielt; wesentliche Meinungsverschiedenheiten bestehen nach wie vor im bilateralen britisch-maltesischen Bereich; die Aussicht, zum Abschluß eines Verteidigungsabkommens zu kommen, wird jetzt günstiger beurteilt als nach der letzten Gesprächsrunde in Rom." Großbritannien wünsche vor Unterzeichnung eines Verteidigungsabkommens konkrete Zusagen der zum Barangebot beitragenden NATO-Mitgliedstaaten über die Zahlungsmodalitäten. Krapf berichtete weiter, er habe darauf hingewiesen, „daß die Bundesregierung in ihrer ersten Reaktion über den Gedanken einer erneuten Verlängerung der Laufzeit des Abkommens nicht glücklich gewesen sei. Für uns werfe dies ein schwieriges Problem auf." Vgl. den Drahtbericht Nr. 100; VS-Bd. 9813 (I A 4); B 150, Aktenkopien 1972.

[2] Ministerialdirigent Robert nahm Stellung zum Bericht des Botschafters Krapf, Brüssel (NATO), über die britisch-maltesischen Verhandlungen. Zur Frage der Zahlungsmodalitäten für die Hilfe an Malta führte er unter Ziffer II aus: „2) Für die nach dem Abschluß eines Abkommens von Großbritannien an Malta zu erbringenden laufenden Zahlungen bietet sich eine Zahlung in zwei Halbjahresbeträgen jeweils zu Beginn des 4. und 10. Vertragsmonats an; beispielsweise wären bei einem Vertragsbeginn zum 1.10. die Halbjahresraten jeweils am 1. Januar und 1. Juli fällig. Sollte dies nicht durchzusetzen sein, könnten wir allenfalls einer vierteljährlichen Vorauszahlung zustimmen. Im übrigen kommen weitere Zahlungen an Malta vor Abschluß des Abkommens nicht in Betracht. 3) Bei der Zahlung des deutschen Anteils sowie der Anteile der übrigen beteiligten NATO-Staaten könnte die von britischer Seite vorgeschlagene Einschaltung des Ausschusses für den NATO-Militärhaushalt möglicherweise gewisse Schwierigkeiten bereiten. Seitens des BMWF würden jedoch keine schwerwiegenden Bedenken bestehen, falls eine Mehrheit sich für diese Lösung aussprechen sollte." Vgl. VS-Bd. 8799 (III A 5); B 150, Aktenkopien 1972.

zum Abschluß des Abkommens führende Konzession der Bündnispartner im finanziellen Bereich eine Verlängerung der Laufzeit des Abkommens auf siebeneinhalb Jahre zuzugestehen.

4) Der Generalsekretär ist nicht ermächtigt, erneut eine schriftliche Erklärung über den Umfang der bilateralen Wirtschaftshilfe der Bündnispartner abzugeben.

5) Die jährlichen Zahlungen an Mintoff sollen grundsätzlich vierteljährlich im voraus erfolgen, jedoch sind die Bündnispartner einverstanden, gewisse Modifizierungen dieser Zahlungsweise, die im Verlauf der nächsten Verhandlungsrunde notwendig würden, hinzunehmen.

6) Die Mehrheit der an der Barzahlung Beteiligten wünscht eine Abwicklung durch den Militärhaushaltsausschuß der NATO.

II. 1) Im Mittelpunkt der Erörterungen stand eine Kritik vor allem des belgischen[3] und des niederländischen Botschafters[4] an der amerikanischen Weigerung, die in Aussicht gestellte Wirtschaftsdelegation bereits vor dem für Anfang nächster Woche vorgesehenen Fortgang der Gespräche Lord Carrington/Mintoff nach Malta zu entsenden. Der belgische Botschafter bezog sich auf die Darstellung des stellvertretenden Generalsekretärs[5] über das letzte Zusammentreffen mit Mintoff. Danach habe die berechtigte Aussicht auf den endgültigen Abschluß eines Verteidigungsabkommens bestanden, wenn einer Verlängerung der Laufzeit des Abkommens auf siebeneinhalb Jahre zugestimmt werde und die zu bilateraler Wirtschaftshilfe bereiten Länder einen erneuten klaren Hinweis auf diese Wirtschaftshilfe gegenüber Mintoff geben würden. Es habe nunmehr den Anschein, daß zwar einer Verlängerung der Laufzeit des Abkommens zugestimmt werde, daß aber insbesondere die Vereinigten Staaten den von Mintoff gewünschten Hinweis auf ihre Bereitschaft zur Wirtschaftshilfe durch die weitere Verschiebung der Entsendung einer Wirtschaftskommission nicht gegeben hätten. Der belgische Botschafter hob hervor, daß hier erneut mangelnde Koordination der Bündnispartner vorliege, wie sie sich im Gesamtverlauf der Gespräche mit Mintoff bereits mehrfach ergeben habe.

Der amerikanische Sprecher erklärte, seine Regierung habe die für eine baldige Entsendung einer Wirtschaftsdelegation sprechenden Umstände durchaus gewürdigt, gleichzeitig hätten sich jedoch schwerwiegende Gesichtspunkte ergeben, die gegen die Entsendung der Delegation zu diesem Zeitpunkt gesprochen hätten. Deshalb habe die Entsendung der Wirtschaftsdelegation zurückgestellt werden müssen.

Der Generalsekretär stellte die Frage, ob er angesichts der Tatsache, daß einige Bündnispartner Mintoff gegenüber ihre Bereitschaft zur Wirtschaftshilfe nicht erneut erklärt hätten, ermächtigt werden könne, Mintoff erneut schriftlich den Umfang der von den Bündnispartnern beabsichtigten Wirtschaftshilfe zu bestätigen.

---

[3] André de Staercke.
[4] Dirk Pieter Spierenburg.
[5] Paolo Pansa Cedronio.

In diesem Zusammenhang wies ich darauf hin, daß wir über die bereits erfolgte schriftliche Fixierung der bilateralen Wirtschaftshilfe durch den Generalsekretär wenig glücklich seien. Unseres Erachtens handele es sich hier um eine bilaterale Angelegenheit. Einer erneuten schriftlichen Festlegung der Wirtschaftshilfe würden wir deshalb nicht zustimmen. Die Bundesregierung habe die Absicht, über den deutschen Botschafter in La Valletta[6] die Modalitäten der von uns in Aussicht gestellten Wirtschaftshilfe erneut zu konkretisieren, dies werde jedoch nicht vor dem 7. Februar erfolgen können.

2) Der belgische Botschafter hob hervor, daß seine Regierung eine Verlängerung der Laufzeit des Abkommens auf siebeneinhalb Jahre nur akzeptieren könne, wenn damit ein Schlußpunkt unter die Verhandlungen gesetzt werden könne. Ich hob hervor, daß wir unter Zurückstellung erheblicher Bedenken der Verlängerung der Laufzeit des Abkommens zustimmen würden. Darüber hinaus sei jedoch keinerlei weitere finanzielle Konzession von seiten der Bundesregierung zu erwarten. Auch der niederländische Sprecher akzeptierte die Verlängerung der Laufzeit des Abkommens um sechs Monate nur mit diesen Einschränkungen.

Der Generalsekretär hob ausdrücklich hervor, daß er die Bereitschaft der Bündnispartner zu einer Verlängerung der Laufzeit erst dann Mintoff gegenüber erwähnen werde, wenn dies sich in der allerletzten Phase der Verhandlungen als letzte Konzession notwendig erweisen würde, um endgültig zu einem befriedigendem Abkommen zu gelangen.

3) Der britische Botschafter[7], der sich zunächst an der Erörterung nicht beteiligt hatte, erklärte schließlich, er halte es für unglücklich, daß der Vorschlag auf Verlängerung der Laufzeit des Abkommens überhaupt bereits gemacht worden sei. Mintoff sei jetzt offensichtlich „on the downward slope", und es sei an der Zeit, ihm gegenüber eine feste Haltung einzunehmen. Auch hinsichtlich bilateraler Wirtschaftshilfe habe Mintoff eine schriftliche Erklärung des Generalsekretärs bereits erhalten, und es sei nicht einzusehen, warum diese nochmals von einzelnen Bündnispartnern bestätigt werden müsse.

III. Zur Frage der Zahlungsmodalitäten nahm der deutsche Sprecher gemäß II, Ziffer 2 und 3 der Bezugsweisung Stellung. Die Mehrheit der betroffenen Bündnispartner sprach sich jedoch für vierteljährliche Vorauszahlungen aus, allerdings mit der Maßgabe, daß in diesem Punkte Generalsekretär Luns und Lord Carrington für die nächste Verhandlungsrunde mit Mintoff ein gewisser Spielraum eingeräumt sei.

Der amerikanische Sprecher brachte zum Ausdruck, daß seine Regierung einer Zahlung in Jahresraten nicht zustimmen könne.

Hinsichtlich der Abwicklung der Zahlungen sprachen sich, außer uns, alle anderen betroffenen Bündnispartner für die Einschaltung des NATO-Militärhaushaltsausschusses aus.

---

[6] York Alexander Freiherr von Wendland.
[7] Edward Peck.

IV. Generalsekretär Luns erklärte, er werde auf jeden Fall am 8.2. abends aus Rom zurückkehren und den NATO-Rat am 9.2. über den Verlauf der Gespräche mit Mintoff unterrichten.⁸

In Vertretung
[gez.] Boss

VS-Bd. 8799 (III A 5)

24

Gespräch des Bundeskanzlers Brandt mit Präsident Amin

7. Februar 1972¹

Am 7. Februar 1972 empfing der Bundeskanzler um 16.00 Uhr Präsident Amin zu einem einstündigen Gespräch.² Anwesend waren außerdem auf ugandischer Seite Außenminister J.G. Wanume-Kibedi sowie Botschafter J.P. Barigye und auf deutscher Seite StS Freiherr von Braun, Botschafter Dr. Kopf, VLR I Dr. Schauer sowie VLR Dr. Schilling.

Der *Präsident* dankte zunächst dem Bundeskanzler für die in den letzten Jahren erhaltene deutsche Entwicklungshilfe.³ Anschließend erläuterte er die

---

⁸ Gesandter Boss, Brüssel (NATO), berichtete am 9. Februar 1972, der Ständige NATO-Rat sei über die Gespräche zwischen Ministerpräsident Mintoff und dem britischen Verteidigungsminister Lord Carrington am 7./8. Februar 1972 in Rom unterrichtet worden, an denen auch NATO-Generalsekretär Luns und der italienische Außenminister Moro teilgenommen hätten: „1) Ministerpräsident Mintoff hat auf die Darlegung des finanziellen Angebots der NATO-Partner durch Generalsekretär Luns (Ablehnung einer Sonderzahlung von 5 Mio. Pfund Sterling; Möglichkeit einer Verlängerung der Laufzeit auf 7½ Jahre) äußerst heftig reagiert. 2) Bei der Erörterung der ‚bilateralen' und ‚internationalen' Aspekte eines britisch-maltesischen Verteidigungsabkommens sind kaum Fortschritte erzielt worden. 3) Die Gespräche sind am 8.2. mittags abgebrochen worden, ohne eine Erklärung der Beteiligten darüber, ob und wann sie wieder aufgenommen werden sollen; nach dem Eindruck der britischen und italienischen Gesprächspartner Mintoffs ist eine Fortsetzung der Gespräche jedoch wahrscheinlich." Vgl. den Drahtbericht Nr. 152; VS-Bd. 9813 (I A 4); B 150, Aktenkopien 1972.
Gesandter Noebel, Washington, teilte am 17. Februar 1972 mit, der maltesische Botschafter Attard-Kingswell habe gegenüber dem ehemaligen amerikanischen NATO-Botschafter Ellsworth geäußert, daß Mintoff „einen Brief an Premierminister Heath abgesandt habe, mit dem Malta das gesamte Angebot ablehne". Vgl. den Drahtbericht Nr. 433; VS-Bd. 8799 (III A 5); B 150, Aktenkopien 1972.

¹ Ablichtung.
Die Gesprächsaufzeichnung wurde von Vortragendem Legationsrat I. Klasse Schauer, Bundeskanzleramt, am 8. Februar 1972 gefertigt und an das Auswärtige Amt geleitet. Vgl. den Begleitvermerk; Ministerbüro, Bd. 471.
Hat Legationsrat I. Klasse Vergau am 8. Februar 1972 vorgelegen.
² Präsident Amin hielt sich vom 7. bis 11. Februar 1972 in der Bundesrepublik auf.
³ Referat III B 5 vermerkte am 6. Januar 1972: „Im Rahmen unserer Entwicklungshilfe wurden Uganda bisher ca. 70 Mio. DM zugesagt. Davon ca. 63 Mio. DM Kapitalhilfe für folgende Projekte: Straßenbau, Wasserversorgung, DEG-Beteiligung an ugandischer Entwicklungsbank, Bau landwirtschaftlicher Zentrallager. Für ein bedeutendes Salzgewinnungsprojekt am Katwe-See wurden

Umstände, die ihn im Januar 1971 bewogen hätten, die Regierungsgewalt in Uganda zu übernehmen.[4] Er unterstrich, daß er keine Feindschaft gegenüber dem irregeführten Obote empfinde und großen Wert auf ein gutes Verhältnis zu Tansania und den anderen Nachbarstaaten lege.[5]

Er kam sodann auf einzelne Entwicklungsprojekte zu sprechen, für deren Verwirklichung die ugandische Regierung deutsche Hilfe benötige. Der Präsident nahm dabei auf das mit Verbalnote der hiesigen ugandischen Botschaft vom 4. Februar übermittelte Memorandum[6] Bezug und erwähnte die besondere Notwendigkeit deutscher Unterstützung auf dem Gebiet der Gesundheitsfürsorge, der Erziehung, der Landwirtschaft (Traktoren!) sowie bei der Steigerung des Kaffee-Exports. Zusammenfassend sagte er, daß sich Uganda zur Implementierung seines dritten Fünfjahresplans eine Unterstützung der Bundesrepublik in Höhe von 200 Mio. Shilling erhoffe.

Anschließend erbat er deutsche Hilfe bei Ausrüstung und Ausbildung von Heer und Luftwaffe. Besonderen Wert lege er auf die Ausbildung von Piloten und Heeresoffizieren in der Bundesrepublik.

Der *Bundeskanzler* wies in seiner Erwiderung zunächst auf die relativ begrenzten Hilfsmöglichkeiten einer mittleren Macht wie der Bundesrepublik, die vielen Staaten gegenüber Verpflichtungen habe, hin. Er betonte jedoch, daß wir die ugandischen Wünsche sorgfältig prüfen und ihnen, soweit das möglich

---

Fortsetzung Fußnote von Seite 98

1970 12 Mio. DM belegt und inzwischen Studien im Wege der Technischen Hilfe durchgeführt. Nach Vorliegen eines positiven Ergebnisses der KfW-Prüfung soll die Finanzierung endgültig zugesagt werden. An Technischer Hilfe wurden insgesamt ca. 7 Mio. DM zugesagt für Materiallieferung und Entsendung von Experten u. a. für Planungsaufgaben, Veterinärdienste und Fernsehen." Vgl. Referat III B 5, Bd. 991.

[4] Vortragender Legationsrat I. Klasse Eger vermerkte am 25. Januar 1971, daß während des Aufenthalts des Präsidenten Obote in Singapur Teile der Armee unter Führung des Oberbefehlshabers der Armee, Amin, wichtige Punkte in Kampala sowie den Flughafen in Entebbe besetzt hätten. Vgl. Referat I B 3, Bd. 826.
Botschafter Eick, Kampala, berichtete am 3. Februar 1972, Amin habe am Vortag das Parlament aufgelöst, Teile der Verfassung außer Kraft gesetzt und eine Kabinettsliste vorgelegt. Amin selbst sei nun Staatsoberhaupt, Regierungschef, Verteidigungsminister sowie Oberbefehlshaber der Streitkräfte. Vgl. dazu den Drahtbericht Nr. 24; Referat I B 3, Bd. 826.

[5] Nach dem Militärputsch vom 25. Januar 1971 kam es zu Spannungen zwischen Uganda und verschiedenen Nachbarstaaten, vor allem Tansania und Sudan. Legationsrat I. Klasse Zeller, Kampala, berichtete dazu am 23. April 1971, Ursachen des Konflikts mit Tansania seien „die fortdauernde Weigerung Tansanias, mit der neuen Regierung Ugandas – vor allem innerhalb der Ostafrikanischen Gemeinschaft – wenigstens auf der Ebene der Minister und Staatssekretäre zusammenzuarbeiten, eine kaum nachlassende Propaganda in Presse und Radio Tansanias gegen Uganda, die Tatsache, daß Expräsident Obote weiterhin die offizielle Gastfreundschaft Tansanias genießt" sowie ferner Gerüchte über die Rekrutierung ugandischer Freiwilliger in Tansania zur Ausbildung für einen möglichen Gegenschlag Obotes. Das Verhältnis zum Sudan habe sich durch verschiedene Grenzübergriffe sudanesischer Truppen sowie Gerüchte um die Rekrutierung desertierter ugandischer Soldaten verschlechtert. Vgl. den Schriftbericht Nr. 381; Referat I B 3, Bd. 827.
Zwischen Juli und November 1971 wurden schließlich die Grenzen Ugandas zu Tansania geschlossen. Vgl. dazu den Schriftbericht Nr. 944 des Botschafters Kopf, Kampala, vom 22. November 1971; Referat I B 3, Bd. 827.

[6] In dem Memorandum wurden Projektwünsche und -anregungen der ugandischen Regierung zu den Bereichen Landwirtschaft, Fischerei, Rechtswesen, Verwaltung, Verkehr, Städtebau, Bergbau, Wasserwirtschaft, Straßenbau, Bildungswesen, Gesundheitswesen sowie Fernsehen aufgeführt. U. a. bat die ugandische Regierung um die Bereitstellung von 250 Traktoren sowie um Unterstützung des Wunsches, nach dem britischen EG-Beitritt unbegrenzt Kaffee in die Europäischen Gemeinschaften einführen zu dürfen. Ferner sollten Mittel zur Bekämpfung von Lepra und Tuberkulose bereitgestellt werden. Vgl. Referat III B 5, Bd. 991.

sein sollte, entgegenkommen wollten. Vielleicht ließen sich schon während des Besuchs erste Feststellungen darüber treffen, wo wir helfen könnten. Im übrigen müsse aber wohl das Votum der Experten abgewartet werden.[7]

Der Bundeskanzler erläuterte sodann die grundsätzlichen Bedenken, die einer Ausrüstungshilfe der Bundesrepublik an Staaten der Dritten Welt entgegenstehen. Er fügte an, daß die Mittel für 1972 ohnehin bereits mehr oder weniger vollständig verplant seien. Trotzdem wollten wir uns aber auch auf diesem Gebiet aufgeschlossen und kooperativ zeigen.

Der *Präsident* unterstrich in seiner Erwiderung die Notwendigkeit, für eine gute und effektive Verteidigung seines Landes zu sorgen. Nur in militärisch gesicherten Verhältnissen könne die dringend erforderliche wirtschaftliche Aufbauarbeit vollzogen werden.

Außer militärischer Ausrüstung und Flugzeugen benötige er auch deutsche Techniker. Im übrigen lege er aus politischen Gründen Wert darauf, seine Waffen aus NATO-Ländern zu beziehen.

Nach einer Erläuterung der Organisation seines Heeres ging der Präsident noch einmal auf einige wirtschaftliche Fragen ein und erwähnte dabei, daß Uganda auch deutsche Hilfe bei der Erz- und Öl-Exploration benötige.

Sodann lud der Präsident den Bundeskanzler zu einem Besuch Ugandas ein und gratulierte ihm zur Verleihung des Friedensnobelpreises.[8]

Der *Bundeskanzler* bedankte sich für die Glückwünsche und sagte, er werde der Einladung gern folgen, könne jedoch über den Zeitpunkt noch nichts sagen. Der Bundeskanzler brachte sodann seine Genugtuung darüber zum Ausdruck, daß der Präsident auch Berlin besuchen werde.[9] Er schloß daran eine kurze Erläuterung des Deutschlandproblems und der Bedeutung des Berlin-Abkommens.[10]

Ministerbüro, Bd. 471

---

[7] Am 6. März 1972 wurde in Kampala ein Abkommen über Kapitalhilfe unterzeichnet. Die Bundesregierung ermöglichte Uganda darin, bei der Kreditanstalt für Wiederaufbau in Frankfurt/Main einen Kredit in Höhe von 13,7 Mio. DM für die Errichtung landwirtschaftlicher Zentrallager aufzunehmen. Für den Wortlaut vgl. BUNDESGESETZBLATT 1972, Teil II, S. 335.
[8] Das Nobelpreis-Komitee des norwegischen Parlaments gab am 20. Oktober 1971 die Verleihung des Friedensnobelpreises 1971 an Bundeskanzler Brandt bekannt. Brandt nahm den Preis am 10. Dezember 1971 in Oslo entgegen.
[9] Präsident Amin hielt sich am 9. Februar 1972 in Berlin (West) auf.
[10] Für den Wortlaut des Vier-Mächte-Abkommens über Berlin vom 3. September 1971 vgl. EUROPA-ARCHIV 1971, D 443–453.

25

Aufzeichnung des Staatssekretärs Bahr, Bundeskanzleramt

Geheim 8. Februar 1972[1]

Betr.: Persönliche Gespräche mit StS Kohl am 2.[2] und 3. Februar 1972 in Bonn

1) Ich übergab eine schriftliche Fixierung zu den Fragen der DDR betreffs der Nomenklatur von Gesetzen und Verordnungen seit Oktober 1969, die angeblich nicht mit der Politik der Bundesregierung übereinstimmen.[3] Kohl sagte eine Prüfung zu und stellte bei dem Gespräch am 3. Februar eine ausführliche und grundsätzliche Stellungnahme in Aussicht. Nach seinem ersten Eindruck bleibe unsere Position unbefriedigend. Es ginge doch nicht nur darum, Termini zu verändern. Dahinter stünde, wenn man z. B. von den Grenzen des Jahres 1937 spreche, eine politische Konzeption, die im Widerspruch zum Gewaltverzicht stehe. Die gesetzgeberische Fortsetzung einer solchen Konzeption sei ernster, als daß sie mit dem bloßen Hinweis auf die Unüblichkeit der Änderung alter Gesetzestexte beantwortet werden könnte.

Kohl machte im übrigen darauf aufmerksam, daß sich der Spannungszustand kaum verringern wird, solange sich unser Standpunkt zur Staatsbürgerschaft[4] nicht verändert. Es sei doch wohl objektiv so, daß gerade, wenn im Ergebnis vertraglicher Regelungen die Kontakte zunehmen, dann auch der Konfliktstoff gerade in bezug auf diese Frage zunehmen müßte. Die DDR sei auf diesem Gebiet durchaus auch zu Repressalien fähig, was sie aber nicht wolle.

Ich habe Kohl in Erinnerung auch an ein früheres Gespräch in aller Offenheit erklärt, daß die Frage der Staatsbürgerschaft eine Verfassungsänderung erfordere. Dafür gebe es weder in dieser noch in der nächsten Legislaturperiode eine Mehrheit. Ich zweifelte auch daran, ob es einen Willen geben werde, dort Änderungen vorzunehmen. Die DDR müsse jedenfalls von dem Faktum ausgehen, daß selbst bei einer grundsätzlichen Regelung der Beziehungen zwischen den beiden Staaten keine Änderung unseres Standpunktes möglich sei, wir aber einen praktischen Weg finden müßten, diese Frage zu regeln. Dies müsse nach meiner Meinung auch möglich sein, ohne daß ich jetzt einen Weg sagen könnte.

2) Zu der von mir aufgeworfenen Frage, ob die zeitweilig durch Ost-Berlin fahrenden Schiffe im Transitverkehr nach West-Berlin von der Pauschalierungsvereinbarung[5] eingeschlossen sind, erklärte Kohl, daß er hier große Schwierig-

---

[1] Ablichtung.
Hat Staatssekretär Frank vorgelegen.
[2] Zum Vier-Augen-Gespräch am 2. Februar 1972 vgl. auch Dok. 20.
[3] Zu der vom Staatssekretär beim Ministerrat der DDR, Kohl, am 21. Januar 1972 vorgelegten Liste vgl. Dok. 13, Anm. 8.
[4] Zur Staatsangehörigkeitsgesetzgebung in der Bundesrepublik vgl. Dok. 13, Anm. 5.
[5] In Artikel 18 des Abkommens vom 17. Dezember 1971 zwischen der Regierung der Bundesrepublik und der Regierung der DDR über den Transitverkehr von zivilen Personen und Gütern zwischen der Bundesrepublik und Berlin (West) war festgelegt: „1) Abgaben, Gebühren und andere Kosten, die den Verkehr auf den Transitwegen betreffen, einschließlich der Instandhaltung der entsprechenden Wege, Einrichtungen und Anlagen, die für diesen Verkehr genutzt werden, werden von

keiten habe. Die Stimmung bei ihm sei angesichts der Aktionen der BRD gegen die DDR auf internationalem Feld erbittert. Diese Aktionen seien heftiger und zum Teil erfolgreicher als während der Zeiten der Hallstein-Doktrin. Es bestünde keinerlei Neigung, der BRD in einer solchen Lage generell oder partiell entgegenzukommen. Er sehe die Möglichkeit, meine Frage im positiven Sinne beantworten zu können, wenn sie als eine untergeordnete technische erscheint, die mit einer ähnlichen gekoppelt wird.

Er bat um Prüfung des Verkehrs von Binnenschiffen der DDR zwischen dem gemeinsamen Abschnitt der Elbe und der DDR. Hier gebe es seitens der BRD zwei Kontrollpunkte. Man habe bei ihm überlegt, ob auch die DDR einen zweiten Kontrollpunkt errichten sollte. Es handele sich um den Verkehr aus den Elbhäfen Dömitz und Boizenburg. Aus Dömitz seien im Jahre 1970 25 Schiffe mit einer Ladung von 11 000 t Getreide elbaufwärts gefahren. Im Jahre 1971 sei der Wasserstand zu niedrig gewesen. Bei Boizenburg handele es sich im wesentlichen um die Überführung von Neubauten. Insgesamt sei das ganze ein Binnenverkehr. Auf seiten der BRD gebe es ähnliches. Die DDR-Schiffe seien durch eine grüne Flagge gekennzeichnet. Man könne sich vielleicht auf Gegenseitigkeit einigen, diesen Verkehr nicht zu kontrollieren.

Ich habe eine Prüfung zugesagt mit dem Bemerken, nach Ansicht einer von Kohl mitgebrachten Karte, daß mir dieser Vorschlag auf Anhieb vernünftig erscheine. Kohl hat am 3. Februar hinzugefügt: Eine Einigung über beide Fragen unter der Hand sei möglich.

3) Ich habe Kohl unseren Wunsch nach Abschaffung der Inventarlisten bei Binnenschiffen erläutert. Er zeigte sich völlig uninformiert und sagte Prüfung zu.

4) Ich habe Kohl gegenüber unterstrichen, daß eine Vereinbarung über den Reiseverkehr für uns eine wichtige Komponente des Verkehrsvertrages sei. Hier würde ich beim nächsten Mal[6] Vorstellungen im einzelnen vortragen. Kohl erwiderte, die bekannte Haltung seiner Regierung habe sich nicht verändert.

5) Ich wiederholte unsere Forderung auf Einbeziehung Berlins in die Abmachungen des Verkehrsvertrages. Kohl lehnte auch diesmal kategorisch ab. Ich verwies auf die sachlichen Regelungen im TA[7], z. B. über Führerscheine. Es sei logisch, daß die Komplexe, die sich aus den Vereinbarungen zwischen Senat

---

Fortsetzung Fußnote von Seite 101
 der Bundesrepublik Deutschland an die Deutsche Demokratische Republik in Form einer jährlichen Pauschalsumme gezahlt. 2) Die von der Bundesrepublik Deutschland zu zahlende Pauschalsumme umfaßt: a) die Straßenbenutzungsgebühren, b) die Steuerausgleichsabgabe, c) die Visagebühren, d) den Ausgleich der finanziellen Nachteile der Deutschen Demokratischen Republik durch den Wegfall der Lizenzen im Linienverkehr mit Autobussen und der Erlaubniserteilung im Binnenschiffsverkehr sowie entsprechender weiterer finanzieller Nachteile. Die Pauschalsumme wird für die Jahre 1971 bis 1975 auf 234,9 Millionen DM pro Jahr festgelegt." Vgl. EUROPA-ARCHIV 1972, D 75.

6 Zum 36. Gespräch des Staatssekretärs Bahr, Bundeskanzleramt, mit dem Staatssekretär beim Ministerrat der DDR, Kohl, am 9./10. März 1972 in Ost-Berlin vgl. Dok. 49–51.

7 Für den Wortlaut des Abkommens vom 17. Dezember 1971 zwischen der Regierung der Bundesrepublik und der Regierung der DDR über den Transitverkehr von zivilen Personen und Gütern zwischen der Bundesrepublik und Berlin (West) vgl. EUROPA-ARCHIV 1972, D 68–76.

und DDR⁸ ergeben, auch zwischen diesen beiden Kontrahenten geregelt werden. Alle anderen Fragen seien, ausgenommen die des Status und der Sicherheit, nach den Ergebnissen der Vier-Mächte-Verhandlungen durch die Bundesregierung zu regeln.⁹ Wenn die DDR wie ein anderer Staat behandelt werden wolle, so sei dies außerdem logisch.

Kohl erwiderte, in diesem Falle müsse er doch das von ihm sonst nicht beliebte Wort aufgreifen, daß die DDR in einer besonderen Lage sei. Außerdem sei es ihre grundsätzliche Haltung, eine Politik der Einbeziehung Berlins ebenso zurückzuweisen wie das Ziel, die Grenzen durchlässig zu machen. Nur bei völkerrechtlichen Vereinbarungen mit ausländischen Staaten sei die Möglichkeit im Vier-Mächte-Abkommen vorgesehen, Berlin ausdrücklich in die Regelungen einzubeziehen; das schaffe die Kriterien „völkerrechtlich + Ausland". Aber auch in diesem Falle hänge das vom Willen der einzelnen ab. Die DDR wolle nicht. Wenn sie wolle, müßte sie es sagen. Ein solcher Schritt gehe nur einvernehmlich. Es bleibe bei seinem Nein.

Ich habe Kohl auf die Unlogik seiner Haltung aufmerksam gemacht, ohne seinen Standpunkt auch nur modifiziert ändern zu können: Die DDR will nicht, auch nicht, wenn diese Haltung als ein Nachweis der besonderen Lage in Deutschland bezeichnet wird.

6) Ich habe Kohl darauf hingewiesen, daß die Bundesregierung ihre Haltung zur Mitgliedschaft ECE und WHO für die anstehenden Sitzungen im April und Mai nicht ändern werde.¹⁰ Er erwiderte u. a., daß dies Informationen bestätige, wonach die Bundesregierung sich bemühe, selbst ihre Verbündeten von einer Politik der Vernunft abzuhalten. Während man sich dort sogar nach Gebäuden in Berlin erkundige und die Amerikaner zusammen mit der Behörde der IAEO

---

⁸ Am 20. Dezember 1971 wurde zwischen der Regierung der DDR und dem Senat von Berlin eine Vereinbarung über Erleichterungen und Verbesserungen des Reise- und Besucherverkehrs geschlossen. Für den Wortlaut vgl. EUROPA-ARCHIV 1972, D 77–80.

⁹ In Anlage IV A des Vier-Mächte-Abkommens über Berlin vom 3. September 1971 teilten die Drei Mächte der UdSSR mit: „1) The Governments of the French Republic, the United Kingdom and the United States of America maintain their rights and responsibilities relating to the representation abroad of the interests of the Western Sectors of Berlin, and their permanent residents, including those rights and responsibilities concerning matters of security and status, both in international organizations and in relations with other countries. 2) Without prejudice to the above and provided that matters of security and status are not affected, they have agreed that a) The Federal Republic of Germany may perform consular services for permanent residents of the Western Sectors of Berlin. b) In accordance with established procedures, international agreements and arrangements entered into by the Federal Republic of Germany may be extended to the Western Sectors of Berlin provided that the extension of such agreements and arrangements is specified in each case. c) The Federal Republic of Germany may represent the interests of the Western Sectors of Berlin in international organizations and international conferences. d) Permanent residents of the Western Sectors of Berlin may participate jointly with participants from the Federal Republic of Germany in international exchanges and exhibitions. Meetings of international organizations and international conferences as well as exhibitions with international participation may be held in the Western Sectors of Berlin. Invitations will be issued by the Senat or jointly by the Federal Republic of Germany and the Senat." Vgl. EUROPA-ARCHIV 1971, D 450 f.
In Anlage IV B nahm die UdSSR diese Mitteilung der Drei Mächte zur Kenntnis und verpflichtete sich, dagegen keine Einwände zu erheben. Für den Wortlaut vgl. EUROPA-ARCHIV 1971, D 451–453. Für einen Auszug vgl. Dok. 37, Anm. 4.

¹⁰ Zur Haltung der Bundesrepublik hinsichtlich einer Beteiligung der DDR an der 27. ECE-Jahresversammlung vom 17. bis 28. April 1972 in Genf bzw. an der 25. WHO-Versammlung vom 9. bis 26. Mai 1972 in Genf vgl. Dok. 4.

passable Vorschläge machten (für die Teilnahme der DDR)[11], sei die Bundesregierung total negativ. Seine Regierung werde sich darauf einstellen. Das gelte auch für die Umweltkonferenz, die ohne die gleichberechtigte Teilnahme der DDR nicht mit Beteiligung anderer sozialistischer Länder stattfinden werde. Kohl fragte, wie wir unter diesen Umständen überhaupt einen Verkehrsvertrag abschließen wollten.

Ich wies darauf hin, daß die gleichberechtigte Teilnahme bei CIM/CIV[12] schwierig genug sei.

Auf seine Frage nach den Internationalen Gesundheitskonventionen[13] erwiderte ich, daß unsere Konsultationen mit den Drei Mächten noch nicht abgeschlossen seien.[14] Ich hielte es bei einem positiven Gang unserer Verhandlungen für möglich, zu einem befriedigenden Ergebnis zu gelangen, auch wenn ich dafür keine Garantie übernehmen könne.

7) Kohl beklagte sich, daß unsere Absprachen über die Einbeziehung Berlins[15] nicht korrekt gehalten worden seien. Auch die Sowjetunion habe sich beschwert, die Drei Mächte hätten aber darauf eine befriedigende Antwort über die Verpflichtungen des Senats gegeben.[16] Es ginge jedenfalls nicht, den Trick zu benutzen, daß Müller am 20.12.71 mündlich eine entsprechende Mitteilung gemacht habe. Die besprochene Mitteilung des Senats stehe noch aus.[17]

Bahr

VS-Bd. 8561 (II A 1)

---

[11] Zu den Verhandlungen zwischen der DDR und der IAEO über ein Kontrollabkommen gemäß Artikel III des Nichtverbreitungsvertrags vom 1. Juli 1968 vgl. Dok. 20, Anm. 11 und 12.
[12] Für den Wortlaut des Internationalen Übereinkommens vom 25. Februar 1961 über den Eisenbahnfrachtverkehr (CIM) vgl. BUNDESGESETZBLATT 1964, Teil II, S. 1520–1579.
Für den Wortlaut des Internationalen Übereinkommens vom 25. Februar 1961 über den Eisenbahn-Personen- und -Gepäckverkehr (CIV) vgl. BUNDESGESETZBLATT 1964, Teil II, S. 1898–1951.
[13] Für den Wortlaut der Internationalen Gesundheitsvorschriften vom 25. Juli 1969 vgl. UNTS, Bd. 764, S. 3–105. Für den deutschen Wortlaut vgl. BUNDESGESETZBLATT 1971, Teil II, S. 868–923.
[14] Zur Erörterung eines Beitritts der DDR zu den Internationalen Gesundheitsvorschriften in der Bonner Vierergruppe am 31. Januar 1972 vgl. Dok. 16, Anm. 6.
[15] Zu den Absprachen des Staatssekretärs Bahr, Bundeskanzleramt, mit dem Staatssekretär beim Ministerrat der DDR, Kohl, über die Einbeziehung von Berlin (West) in das Transitabkommen vom 17. Dezember 1971 vgl. AAPD 1971, III, Dok. 432.
[16] Zum Notenwechsel zwischen den Drei Mächten und der UdSSR über die Einbeziehung von Berlin (West) in das Transitabkommen vom 17. Dezember 1971 vgl. Dok. 3.
[17] Am 29. Februar 1972 berichtete Botschaftsrat I. Klasse Peckert, Moskau, daß die UdSSR den Drei Mächten am Vortag auf deren Note vom 19. Januar 1972 geantwortet habe. Sie halte an ihrem Rechtsstandpunkt fest, werde die Versicherung der Drei Mächte, „daß der Senat von Berlin (West) die Verpflichtungen des Transitverkehrs-Abkommens vom 17. Dezember 1971 einhalten wird", jedoch der DDR zur Kenntnis geben. Peckert zog den Schluß: „Anscheinend gehen die Sowjets damit von ihrer Forderung in der Note vom 5. Januar ab, wonach der Senat seinerseits eine entsprechende Versicherung abgeben müsse, und begnügen sich mit der alliierten Zusicherung, daß er die Verpflichtungen des Transitabkommens befolgen wird." Vgl. den Drahtbericht Nr. 519; VS-Bd. 8551 (II A 1); B 150, Aktenkopien 1972.

26

Aufzeichnung des Vortragenden Legationsrats I. Klasse Menne

II B 1-81.14/0-88/72 geheim 8. Februar 1972[1]

Niederschrift über den SALT-Gedankenaustausch von Experten interessierter europäischer NATO-Staaten am 2.2.1972

Teilnehmer

Belgien: M. Willot; Deutschland: Herr Menne; Frankreich: –[2]. Großbritannien: Mr. Rose, Mr. Mumford, Mr. Thomsen; Italien: Herr Petrignani; Luxemburg: Herr Hostert; Niederlande: Herr Carsten.

Der Gedankenaustausch wendete sich naturgemäß der soeben beendeten SALT-Konsultation im NATO-Rat[3] zu und behandelte folgende Fragen:

1) Aussichten für ein amerikanisch-sowjetisches Übereinkommen

Die Ausführungen Botschafter Smith's über ein mögliches sowjetisches Einlenken in einer Reihe von Punkten wurden mit leichter Skepsis kommentiert. Gleichwohl wurden die Aussichten für eine Einigung bis zum Nixon-Besuch in Moskau[4] positiv beurteilt: Nixon lege zweifellos Wert darauf, von Moskau nicht mit leeren Händen zurückzukommen; Moskau werde es sich nicht leisten kön-

---

[1] Hat Botschafter Roth am 11. Februar 1972 vorgelegen.
 Hat Ministerialdirektor von Staden am 14. Februar 1972 vorgelegen, der die Weiterleitung an Staatssekretär Frank verfügte und handschriftlich vermerkte: „Deutlicher als bisher läßt dieser Vermerk erkennen, worum es in der zweiten Phase für Europa gehen kann. Das Thema steht für Gymnich zwar nicht direkt auf der T[ages]o[rdnung], ist aber doch eng damit verbunden."
 Hat Frank am 21. Februar 1972 vorgelegen.

[2] An dieser Stelle Fußnote in der Vorlage: „M. Mistral nahm nicht teil. Er hatte, wie Herr Petrignani berichtete, kurz zuvor mit dem Hinweis auf eine Kabinettsentscheidung abgesagt, wonach französische Vertreter nicht an multilateralen Beratungen über nuklearstrategische Fragen teilnehmen sollen. Er hat ferner, wie Mr. Rose mitteilte, eine Einladung der Briten zum Mittagessen in diesem Kreise mit der Begründung abgelehnt, daß er bereits mit dem Mittagszug nach Paris zurückkehre."

[3] Am 2. Februar 1972 fand im Ständigen NATO-Rat in Brüssel eine Unterrichtung der Mitgliedstaaten über die seit dem 15. November 1971 in Wien laufende sechste Verhandlungsrunde über eine Begrenzung strategischer Waffen (SALT) durch den amerikanischen Delegationsleiter Smith statt. Vortragender Legationsrat I. Klasse Menne vermerkte dazu am 3. Februar 1972, der britische NATO-Botschafter Peck habe die Frage aufgeworfen, ob angesichts der substantiellen Unterschiede zwischen beiden Seiten das Datum des 28. März 1972 für die Wiederaufnahme der Gespräche frühzeitig genug angesetzt sei, um die Fertigstellung eines Abkommens bis zum Besuch des Präsidenten Nixon vom 22. bis 30. Mai 1972 in der UdSSR zu ermöglichen. Smith habe dazu erklärt: „Die Sowjets scheinen zu erkennen, daß sie Zugeständnisse machen müssen. Worin diese bestehen würden, ist schwer zu sagen. Vielleicht geben sie, gegen einen gewissen Preis, ihren Widerstand gegen die Einschließung der SLBMs auf. Vielleicht kommen sie unseren Vorstellungen vom ICBM-Schutz entgegen. Vielleicht werden sie etwas präziser hinsichtlich der MLBMs (Modern Large Ballistic Missiles; in diese Kategorie gehören die SS-9), hinsichtlich der Beziehung zwischen defensiven und offensiven Waffen und hinsichtlich des Rücktrittsrechts. Es gibt substantiellen Spielraum in den nächsten sechs Wochen für solche Entwicklungen, die näher an unsere Ansichten heranführen könnten. Botschafter Semjonow hat eine allgemeine Andeutung in dieser Richtung gemacht." Vgl. VS-Bd. 3604 (II B 1); B 150, Aktenkopien 1972.

[4] Präsident Nixon besuchte die UdSSR vom 22. bis 30. Mai 1972. Vgl. dazu Dok. 149 und Dok. 161.

nen, nach der durch den Peking-Besuch[5] verkörperten amerikanisch-chinesischen Annäherung den Nixon-Besuch ungenutzt vorbeigehen zu lassen. Im übrigen werde auch die amerikanische Seite zu einer SALT-Einigung beitragen: Es wurde allgemein damit gerechnet, daß die Vereinigten Staaten letztlich auf den Einschluß der SLBM in das Einfrieren offensiver Systeme verzichten würden. In Entsprechung zu dieser Vermutung wird nicht mehr damit gerechnet, daß es in der bis zum Abschluß der vorgesehenen Abkommen verbleibenden Periode zu einer substantiellen Erörterung der Problematik nicht-zentraler Systeme kommt.

2) Voraussichtlicher weiterer SALT-Zeitplan

Es wird angenommen, daß die Gespräche solange unterbrochen werden[6], bis die erwarteten ersten Abkommen ratifiziert werden. Aus diesem Grund, aber auch wegen der Präsidentschaftswahlen im Oktober[7], ist mit einer Erarbeitung der amerikanischen Verhandlungsposition für die zweite SALT-Phase, in der ein spezifisches Begrenzungsabkommen für offensive Systeme angestrebt wird, vor Ende des Jahres nicht zu rechnen. Da aber erst für die zweite SALT-Phase erneutes Drängen der Sowjets auf Begrenzung der amerikanischen nicht-zentralen Systeme, der FBS, zu erwarten ist, verbleibt der Zeitraum von Ende Mai bis Jahresende für europäisch-amerikanische Beratungen über die Problematik der nicht-zentralen Systeme. Dementsprechend verbleibt der Zeitraum Februar bis Mai für die Harmonisierung der europäischen Auffassungen zu diesem Thema. Hierfür besteht angesichts von Meinungsverschiedenheiten, die sich in der Diskussion erneut bestätigten, ein Bedürfnis.

3) Meinungsverschiedenheit hinsichtlich einer Begrenzung der westlichen nicht-zentralen Systeme

Der Auffassung der Mehrheit (D, GB, I, L, NL), wonach eine Begrenzung der amerikanischen nicht-zentralen Systeme, der FBS, auch dann nicht angestrebt werden sollte, wenn damit eine Begrenzung der sowjetischen nicht-zentralen Systeme (das ist das sowjetische Mittelstreckenpotential) herbeigeführt werden kann, steht als Minderheitsauffassung diejenige Belgiens gegenüber. M. Willot vertritt die Meinung, daß zwei Gründe für die Begrenzung der FBS sprechen:

– die damit zu bewerkstelligende Begrenzung des sowjetischen Mittelstreckenpotentials sei vielleicht nicht militärisch, wohl aber aus politico-psychologischen Gründen erstrebenswert: es würde vermieden, daß die Amerika bedrohenden Systeme begrenzt sein würden, die Europa bedrohenden aber nicht;

– eine Begrenzung der amerikanischen FBS könnte sich als Verbot der Nichtvermehrung politico-psychologisch dahin auswirken, daß die Amerikaner auch zögern würden, diese Systeme zu vermindern.

---

[5] Präsident Nixon besuchte die Volksrepublik China vom 21. bis 28. Februar 1972. Vgl. dazu Dok. 47, Anm. 6 und 7.

[6] Nachdem die sechste Verhandlungsrunde über eine Begrenzung strategischer Waffen (SALT) in Wien am 4. Februar 1972 beendet worden war, wurden die Gespräche am 27. März 1972 in Helsinki fortgesetzt.

[7] Die Präsidentschaftswahlen in den USA fanden am 7. November 1972 statt.

Herr Petrignani bemerkte hierzu, daß die Meinungsverschiedenheit sich als weitgehend akademisch erweisen dürfte, da es zu gegebener Zeit unvermeidbar werden dürfte, auf das sowjetische Drängen nach Begrenzung der FBS zu reagieren. Eben darüber aber, wie dann reagiert werden sollte, gebe es keine Meinungsverschiedenheit, nämlich

1) in SALT (evtl. separat; keinesfalls in MBFR),

2) zweitens durch ein Instrument nach Art des „generalized approach".

Zu 2) offenbarte sich eine Nichtübereinstimmung innerhalb der britischen Teilnehmer. Während Mr. Mumford damit rechnete, daß die Sowjets anläßlich des Aushandelns eines spezifischen Abkommens zur Begrenzung offensiver Systeme bemüht sein würden, auch die FBS spezifisch und nicht nur generell zu begrenzen, hielt Mr. Rose das zwar nicht für unmöglich, aber doch für kaum wahrscheinlich.

M. Willot wurde gebeten, seine Sicht der Frage der nicht-zentralen Systeme schriftlich zu fixieren; er sagte das zu.

Auf der Grundlage dieser Fixierung soll der Versuch unternommen werden, die Meinungsverschiedenheit mit dem Blick auf ihre relative Geringfügigkeit schriftlich zu definieren und Überbrückungsmöglichkeiten zu skizzieren. Diese Aufgabe übernahm der Unterzeichnete.[8] Es wurde ins Auge gefaßt, gelegentlich der nächsten SALT-Konsultation im NATO-Rat (voraussichtlich zweite Hälfte März) erneut zusammenzukommen und die Diskussion dann fortzusetzen.[9]

4) Von den Sowjets angestrebtes Verbot der Übertragung von Raketen (non-transfer)

M. Willot vertrat die Auffassung, daß ein Streben nach solchen Verboten allgemein erwartet werden müsse, da andernfalls Umgehungen der Begrenzungen kaum zu vermeiden wären.

Mr. Mumford widersprach dem nicht, hob aber hervor, daß man sich jetzt einem Vorschlag gegenübersehe, der einerseits formuliert, andererseits aber begrenzt sei (auf ABM-Raketen). In dieser Kategorie sei ein non-transfer, der in der Praxis wohl auch den Transfer von Konstruktionsplänen (blueprints) –

---

[8] Am 23. Februar 1972 übermittelte Vortragender Legationsrat I. Klasse Menne der Ständigen Vertretung bei der NATO in Brüssel eine Aufzeichnung über die unterschiedlichen Standpunkte einzelner NATO-Mitgliedstaaten zur Frage nicht-zentraler nuklearer Systeme: „The majority does not deny that a limitation of the Soviet non-central systems would be beneficial to NATO. So far majority and minority are in agreement. Furthermore, both parties agree that such limitation could only be obtained against a parallel limitation of the United States non-central systems. This quid pro quo, however, while acceptable to the minority is not acceptable to the majority for two reasons: advantage is seen in limiting the Soviet medium range potential but it is judged to be relatively small; relatively big advantage is seen in not limiting the American FBS. In comparison, the minority considers that the advantage of limiting the Soviet non-central systems is not so small; there may be advantage in not limiting the American non-central systems; still it is considered to be not very substantial and as eventually turning into a disadvantage." Vgl. den Drahterlaß Nr. 907; VS-Bd. 3604 (II B 1); B 150, Aktenkopien 1972.

[9] Zur Erörterung von SALT im Ständigen NATO-Rat sowie im Expertenkreis am 25. März 1972 vgl. Dok. 75.

ja sogar solcher für nicht vom non-transfer erfaßte Systeme (Polaris z. B.) – unmöglich machen werde, nicht besonders nachteilig. In der NATO habe ja ein Konsensus bestanden, daß ABM-Systeme für Europa praktisch nicht in Betracht kommen. Gleichwohl sei es mißlich, daß durch einen ABM-non-transfer ein Präzedenzfall für solche Regelungen in anderen Kategorien gesetzt werde.

M. Willot bezeichnete es als notwendig, daß ein Übertragungsverbot, wo und wann immer es dazu komme, stets auf das engste mit seiner raison d'être, d. h. der angestrebten Praktikabilität (viability) der Verträge, verbunden werden müßte. Es solle kein Eigenleben führen dürfen und müsse bei Wegfall des Grundes für seine Stipulation selbst auch hinfällig werden.

Herr Petrignani schlug vor, bei der nächste Konsultation im NATO-Rat an die in der Ratssitzung am 2. Februar britischerseits gestellten Fragen zum ABM-non-transfer[10] anzuknüpfen und abgestimmte Stellungnahmen abzugeben.

Menne

VS-Bd. 9381 (II B 1)

---

[10] Vortragender Legationsrat I. Klasse Menne vermerkte am 3. Februar 1972, der britische NATO-Botschafter Peck habe in der Sitzung des Ständigen NATO-Rats vom Vortag ausgeführt: „Ich verstehe, daß der sowjetische Wunsch nach einem Übertragungsverbot nur für defensive Systeme gilt. Falls aber die SLBMs in das Einfrieren offensiver Systeme eingeschlossen werden, ist dann nicht anzunehmen, daß die Sowjets sich bemühen werden, das Übertragungsverbot auf SLBMs auszudehnen?" Der amerikanische Delegationsleiter bei den Gesprächen über eine Begrenzung der strategischen Waffen, Smith, habe darauf entgegnet: „Die Sowjets betrachten das Einfrieren (der offensiven Systeme) als ein Vorhaben von kurzer Dauer (1½ bis zwei Jahre). Im Hinblick darauf dürften die Sowjets dabei bleiben, das Übertragungsverbot nur auf defensive Systeme zu beziehen, selbst wenn sie dem Einschluß der SLBMs in das Einfrieren zustimmen sollten." Vgl. VS-Bd. 3604 (II B 1); B 150, Aktenkopien 1972.

27

**Bundeskanzler Brandt
an den Generalsekretär des ZK der KPdSU, Breschnew**

9. Februar 1972[1]

Sehr geehrter Herr Generalsekretär,

für Ihren Brief zum Jahresbeginn 1972[2] danke ich Ihnen sehr.

Ich teile Ihre Auffassung, daß wir im vergangenen Jahr bedeutsame Fortschritte in der Entwicklung der beiderseitigen Beziehungen erreicht haben. Zweifellos hat die Wendung zum Besseren in den Beziehungen der Bundesrepublik Deutschland mit der UdSSR auch über die Grenzen unserer Länder hinausgehende positive Wirkungen, die sich auf das Klima in Europa im Sinne der Entspannung und der Friedenssicherung auswirken werden.

Die zentrale Bedeutung, die in der von uns gemeinsam gezeichneten Entwicklung einer breitgefächerten Zusammenarbeit das Inkrafttreten des Vertrages vom 12. August 1970[3] einnimmt, steht außer Frage. Sie werden über den Verlauf des Ratifizierungsverfahrens[4] unterrichtet sein. Die bisherigen Debatten in den parlamentarischen Gremien haben meine Überzeugung bestärkt, daß

---

[1] Ablichtung.
[2] Für das Schreiben vom 18. Januar 1972 vgl. VS-Bd. 9017 (II A 4).
Vortragender Legationsrat I. Klasse Blumenfeld stellte am 4. Februar 1972 dazu fest: „Der Brief Breschnews an den Herrn Bundeskanzler zum Jahreswechsel 1971/72, in freundlichem Ton gehalten, hat werbenden Charakter. Es wird darin versucht, die Vorzüge einer abgestimmten Politik, einer Zusammenarbeit und der baldigen Verwirklichung der in den Absichtserklärungen niedergelegten bzw. auf der Krim vereinbarten Vorhaben herauszustellen, ohne daß gedrängt oder gar gedroht wird. Offenkundig erscheint die zeitliche Priorität, die dem Inkrafttreten der Verträge von Moskau und Warschau gegenüber anderen Vorhaben der Sowjetunion (KSE) eingeräumt wird. Sowjetische Wünsche, die von unseren Zeitvorstellungen abweichen, werden bei der Behandlung des Beitritts der beiden Teile Deutschlands zu den Vereinten Nationen erkennbar. An der Redaktion des Schreibens scheint Botschafter Falin mitgewirkt zu haben." Vgl. VS-Bd. 9017 (II A 4); B 150, Aktenkopien 1972.
[3] Für den Wortlaut des Vertrags vom 12. August 1970 zwischen der Bundesrepublik und der UdSSR vgl. BULLETIN 1970, S. 1094.
[4] Zum Stand des Ratifikationsverfahrens vgl. Dok. 14, Anm. 3.
Am 9. Februar 1972 befaßte sich der Bundesrat mit dem Moskauer Vertrag vom 12. August 1970 und dem Warschauer Vertrag vom 7. Dezember 1970. Zur Abstimmung kam schließlich ein gemeinsamer Antrag der Länder Baden-Württemberg, Bayern, Rheinland-Pfalz, Saarland und Schleswig-Holstein. In diesem wurden die Voraussetzungen einer „Politik des Friedens, der Verständigung und des Ausgleichs" aufgeführt. Dazu wurde erklärt: „Ausgehend von diesen Grundsätzen wird das schwierige Werk des Ausgleichs mit unseren östlichen Nachbarn nur dann auf die Dauer Frieden und Entspannung fördern, wenn es auf der Grundlage gesicherter Gleichberechtigung der Vertragsteile beruht, von einem ausgewogenen Verhältnis von Leistung und Gegenleistung getragen ist und beharrlich und ohne Hektik betrieben wird. Die Verträge von Moskau und Warschau lassen ernsthaft daran zweifeln, ob diese Voraussetzungen erfüllt sind." Die Antragsteller benannten eine Reihe von „schwerwiegenden politischen und rechtlichen Bedenken" und konstatierten: „Sollten diese Fragen im weiteren Verlauf des Gesetzgebungsverfahrens nicht eindeutig geklärt werden, so wird der Bundesrat die Vertragsgesetze aus politischen und verfassungsrechtlichen Gründen ablehnen." Der Antrag wurde mit 21 gegen 20 Stimmen angenommen. Vgl. BR STENOGRAPHISCHE BERICHTE, 376. Sitzung, S. 453 und S. 465 f.

109

wir das Verfahren trotz aller Schwierigkeiten bis zur Jahresmitte 1972 erfolgreich werden abschließen können.[5]

Ebenso wie Sie bin ich der Meinung, daß mit der Unterzeichnung des Vier-Mächte-Abkommens vom 3. September 1971 und der ergänzenden Vereinbarungen zwischen den Regierungen der Bundesrepublik Deutschland und der DDR beziehungsweise dem Senat von Berlin und der DDR[6] ein wichtiger Schritt auf dem Wege der Entspannung im Zentrum Europas getan wurde. Eine weitere Strecke dieses Weges wird zurückgelegt sein, wenn die in diesem Abkommen gefundenen Regelungen angewandt werden. Es ist bekannt, wie ernst die Berlinfrage von der Gesamtheit unseres Volkes betrachtet wird und welche Bedeutung sie in der gegenwärtigen Diskussion hat.

Sie unterstreichen in Ihrem Schreiben, Herr Generalsekretär, die Bedeutung der Verbesserung der Beziehungen zwischen der Bundesrepublik Deutschland und der DDR. Ich teile diese Auffassung nicht nur, sondern betrachte die Herstellung eines Modus vivendi mit der DDR auf der Grundlage der in Ihrem Brief noch einmal aufgezählten Prinzipien als zentrale Aufgabe unserer Politik. Das bisherige Fehlen einer grundlegenden Verständigung mit der DDR macht sich als großer Mangel in der weiteren Ausgestaltung der beiderseitigen Beziehungen wie auch im internationalen Rahmen bemerkbar. Ich hoffe daher, daß es in den laufenden Verhandlungen bald möglich sein wird, auch in den grundsätzlichen Fragen Fortschritte zu erzielen.

Wir sollten besonderes Gewicht auf den weiteren Ausbau unserer wirtschaftlichen Beziehungen legen, ohne natürlich unsere beiderseitigen vertraglichen Bindungen zu verletzen. Die von uns während des Treffens in Oreanda vorgesehene Kommission zur Förderung der Wirtschaftsbeziehungen[7] wird beim Aufzeigen neuer, erfolgversprechender Felder der Zusammenarbeit eine wichtige Funktion zu erfüllen haben. Die Bundesregierung hat die deutschen Mitglieder ausgewählt, und ich hoffe, daß die Kommission ihre Tätigkeit bald auf-

---

[5] Vortragender Legationsrat I. Klasse Heimsoeth vermerkte am 11. Februar 1972 zum Stand des Ratifizierungsverfahrens: „Der bisherige Verlauf der parlamentarischen Debatte zeigt eine deutliche Verschiebung der Schwerpunkte. Während die Opposition zunächst die verfassungsrechtlichen Bedenken in den Mittelpunkt stellte und ihre Kritik unmittelbar gegen Bestimmungen der Verträge richtete, traten diese Gesichtspunkte in der abschließenden Plenardebatte des Bundesrats zurück. Stattdessen verlagerte die Opposition ihr Vorbringen auf mögliche Konsequenzen der Verträge. Die Auseinandersetzung geht damit zunehmend um die grundsätzliche Frage der Bewertung der Chancen der Ost- und Deutschlandpolitik der Bundesregierung." Die Opposition befürchte, „die Verträge könnten die Stellung der Sowjetunion stärken und ihr wachsende Einflußmöglichkeiten in der Bundesrepublik und in Westeuropa eröffnen und damit zur Quelle neuer Spannungen und Auseinandersetzungen werden, während der Rückhalt der Bundesrepublik im Westen gelockert werde." In der Bundesratsdebatte am 9. Februar 1972 habe die Opposition jede Festlegung auf ein Nein vermieden und ihr endgültiges Votum im Hinblick auf die bevorstehende Bundestagsdebatte und die noch andauernde interne Diskussion bei CDU und CSU offengelassen. Vgl. den Runderlaß Nr. 13; Referat II A 4, Bd. 1511.

[6] Zu den im Schlußprotokoll zum Vier-Mächte-Abkommen über Berlin vom 3. September 1971 genannten ergänzenden Vereinbarungen zwischen der DDR und der Bundesrepublik bzw. dem Senat von Berlin vgl. Dok. 9, Anm. 14.

[7] Im Kommuniqué vom 18. September 1971 über den Besuch des Bundeskanzlers Brandt vom 16. bis 18. September 1971 in Oreanda wurde bekanntgegeben, daß zum Ausbau der wirtschaftlichen Zusammenarbeit zwischen der Bundesrepublik und der UdSSR eine Gemischte Kommission geschaffen werden solle. Für den Wortlaut vgl. BULLETIN 1971, S. 1470. Vgl. dazu ferner AAPD 1971, II, Dok. 311.

nimmt.⁸ Als mögliche Schwerpunkte wirtschaftlicher Zusammenarbeit sind von Ministerpräsident Kossygin und Bundesaußenminister Scheel im November vorigen Jahres Elektronik, Chemie und Verkehr genannt worden.⁹ Mir scheint dies ein guter Vorschlag zu sein. Bundesverkehrsminister Leber, der mit dem Eröffnungsflug der Lufthansa Mitte Februar nach Moskau kommt, könnte Vorgespräche über die mögliche Kooperation auf dem Gebiet des Verkehrswesens, wenn dies von Ihrer Seite gewünscht wird, aufnehmen.¹⁰

Das von Ihnen angesprochene System zwischenstaatlicher Beziehungen zur Überwindung der Konfrontation in Europa – von mir einmal als Zielvorstellung ein europäischer Friedensbund genannt¹¹ – soll auch meiner Meinung nach durch eine Konferenz über Sicherheit und Zusammenarbeit in Europa, an der die Vereinigten Staaten und Kanada teilnehmen, gefördert werden.

---

8 Referat III A 6 vermerkte am 7. Februar 1972, Bundesminister Scheel habe am 26. Januar 1972 das Kabinett über die Konzeption der Bundesregierung in der Frage der deutsch-sowjetischen Kommission für wirtschaftliche und wissenschaftlich-technische Zusammenarbeit unterrichtet: „Die wesentlichen Aufgaben der Wirtschaftskommission sollen nach unserer Auffassung darin bestehen, die Entwicklung der Beziehungen im wirtschaftlichen und wissenschaftlich-technischen Bereich laufend zu verfolgen, Möglichkeiten einer weiteren Intensivierung zu prüfen und Impulse zu ihrer Verwirklichung zu geben sowie Vorschläge für die Lösung auftauchender Probleme zu entwickeln. Nicht Aufgabe der Wirtschaftskommission soll es sein, laufend konkrete Kooperationsgeschäfte zu vermitteln. Von ihrer Bildung bleiben die in dem noch abzuschließenden Handels- und Kooperationsabkommen sowie dem wissenschaftlich-technischen Abkommen vorgesehenen Gemischten Kommissionen unberührt, die in erster Linie für die Durchführung der Abkommen zuständig sein sollen." Von seiten der Bundesrepublik sei vorgesehen, daß Bundesminister Schiller den Vorsitz übernehme. Als Stellvertreter solle Ministerialdirektor Herbst fungieren. Weitere Mitglieder seien Ministerialdirigent Loosch (Bundesministerium für Bildung und Wissenschaft), der Vorsitzende des Ostausschusses der deutschen Wirtschaft, Wolff von Amerongen, der Vorsitzende des Außenhandelsbeirats beim Bundesminister für Wirtschaft und Finanzen, Münchmeyer, sowie der Vorsitzende des Aufsichtsrats der Fried. Krupp GmbH in Essen, Beitz. Vgl. Referat III A 6, Bd. 508.
Die Kommission trat am 19. April 1972 zu ihrer konstituierenden Sitzung zusammen. Vgl. dazu Dok. 114, Anm. 12.

9 Bundesminister Scheel hielt sich vom 25. bis 30. November 1971 in der UdSSR auf. Für das Gespräch mit Ministerpräsident Kossygin am 29. November 1971 in Moskau vgl. AAPD 1971, III, Dok. 419.

10 Bundesminister Leber hielt sich vom 12. bis 18. Februar 1972 in der UdSSR auf und führte am 14. Februar 1972 ein Gespräch mit dem stellvertretenden Vorsitzenden des sowjetischen Staatskomitees für Wissenschaft und Technik, Gwischiani. Dazu berichtete Botschafter Allardt, Moskau, am 17. Februar 1972: „Herr Gwischiani zeigte sich an der von Bundesminister Leber vorgetragenen deutschen Verkehrsplanung sehr interessiert. Das Angebot, das deutsche Projekt einer Magneteisenbahn mit Linearmotor zu studieren, fand erneut großes Interesse und führte zu der Anregung der sowjetischen Seite, eine Unter-Kommission der in Bildung begriffenen deutsch-sowjetischen Kommission mit dem Studium dieses Projektes zu beauftragen. Bundesminister Leber stellte Prüfung dieses Vorschlags in Aussicht." Vgl. den Drahtbericht Nr. 398; Referat II A 4, Bd. 1515.

11 Bundeskanzler Brandt erklärte am 11. Dezember 1971 anläßlich der Verleihung des Friedensnobelpreises in Oslo zum Thema „Friedenspolitik in unserer Zeit": „Europa, das seine ungebrochene Lebenskraft nach dem letzten Krieg bewies, hat seine Zukunft nicht hinter sich. Es wird sich im Westen über die Wirtschaftsgemeinschaft hinaus – im Sinne Jean Monnets – in einer Union zusammenfinden, die auch ein Stück weltpolitischer Verantwortung übernehmen kann, unabhängig von den USA, aber – wie ich sicher bin – fest mit Ihnen verbunden. Gleichzeitig gibt es Chancen für gesamteuropäische Kooperation und Friedenssicherung, vielleicht so etwas wie eine europäische Partnerschaft für den Frieden; wenn ich nicht wüßte, welche praktischen und ideellen Hindernisse noch zu überwinden sind, würde ich hier sogar von einem europäischen Friedensbund sprechen." Vgl. BULLETIN 1971, S. 1990.

Nehmen Sie abschließend die Versicherung, daß wir ebenso wie Sie alles in unseren Kräften Stehende tun werden, um eine Entwicklung zum Besseren in zweiseitigen wie multilateralen Beziehungen herbeizuführen.

Für Ihre freundlichen Wünsche für das Jahr 1972 bedanke ich mich aufrichtig und wünsche Ihnen meinerseits persönliches Wohlergehen und Erfolge in Ihrem verantwortungsvollen Amt.

Genehmigen Sie den Ausdruck meiner Hochachtung

Ihr sehr ergebener
Willy Brandt

VS-Bd. 9017 (II A 4)

28

Gespräch des Bundeskanzlers Brandt mit Staatspräsident Pompidou in Paris

Z A 5-10.A/72 geheim 10. Februar 1972[1]

Der Herr Bundeskanzler führte am 10. Februar 1972 um 11.00 Uhr in Paris[2] ein erstes Gespräch unter vier Augen mit dem französischen Staatspräsidenten Pompidou.

Eingangs erbat Präsident *Pompidou* eine kurze Darstellung der Situation des Ratifizierungsverfahrens.[3] Der Herr *Bundeskanzler* erläuterte den Stand und die zeitlichen Erwartungen. Er bemerkte noch, möglicherweise werde das Thema im Laufe der Monate den Leuten zum Hals heraus hängen, da keine neuen Argumente hinzu kämen.

In der Zwischenzeit seien bei den beiden Vertragspartnern Rußland und Polen ein paar praktische Fortschritte möglich gewesen. Vor allem die Behandlung unserer Probleme in der Presse dieser Länder sei sachlicher geworden.

Das bekannte Problem mit der Tschechoslowakei bestehe fort. Die Bundesregierung dränge hier auch nicht. Er selbst wäre nicht traurig, wenn eine Lösung erst nach der Ratifizierung erfolgte. Im gleichen Zusammenhang erwähnte der Herr Bundeskanzler die sehr positive Formulierung von der „guten Nachbarschaft mit der Bundesrepublik", die Präsident Svoboda anfangs dieses Monats gebraucht habe.[4]

---

[1] Durchdruck.
[2] Bundeskanzler Brandt hielt sich am 10./11. Februar 1972 zu den deutsch-französischen Konsultationsbesprechungen in Paris auf.
[3] Zum Stand des Ratifikationsverfahrens zum Moskauer Vertrag vom 12. August 1970 und zum Warschauer Vertrag vom 7. Dezember 1970 vgl. Dok. 27, Anm. 4.
[4] In einem Interview mit der Tageszeitung „Rude Pravo" vom 31. Januar 1972 führte Präsident Svoboda aus: „Die Tschechoslowakei wünscht z. B. aufrichtig nicht nur, wie man sagt, normale,

Mit Polen bestehe immer noch das Rückführungsproblem[5], bei dem Polen einige interne Probleme habe. Insgesamt würden aber gute Fortschritte erzielt.

Der Herr Bundeskanzler äußerte dann seine große Besorgnis hinsichtlich Jugoslawiens. Die Bundesregierung versuche, so kooperativ wie möglich zu sein, um es Tito zu erlauben, mit seinen Schwierigkeiten fertigzuwerden, denn es wäre sicherlich eine große Belastung für die europäische Entwicklung, wenn Jugoslawien in eine Krise geriete oder zerbreche.

Der Herr Bundeskanzler fuhr fort, sehr besorgt sei er wegen Berichten über angebliche Äußerungen von Herrn Luns in Washington, einige Stellen in Frankreich, vor allem in der Verteidigung, sähen die Gefahr, die Politik der Bundesregierung könne zu einer Finnlandisierung der BRD führen.[6] Es gebe auch andere Gerüchte. So habe er gestern in einer bayerischen Zeitung gelesen, Brandt und Breschnew hätten über eine Neutralisierung der Bundesrepublik gesprochen.[7] All dies sei reine Erfindung. Er würde es bedauern, wenn ernstzunehmende Stellen in Frankreich seine Politik auf diese Weise falsch auslegen würden.

Die innerdeutschen Bemühungen liefen mühsam an. Zuerst solle ein allgemeines Verkehrsabkommen geschlossen werden, dessen besondere Bedeutung aber darin liege, daß erstmals ein mit der DDR geschlossener Vertrag ratifizie-

Fortsetzung Fußnote von Seite 112
sondern tatsächlich gutnachbarliche Beziehungen zur D[eutschen]B[undes]R[epublik] und würdigt mit Befriedigung jede positive Äußerung seitens ihrer Vertreter. Was wären das jedoch für nachbarliche und gleichberechtigte Beziehungen, wenn die andere Seite vom Standpunkt ausgeht, daß die Beschneidung unseres Gebietes durch Hitlerdeutschland – wenn auch nur vorübergehend – gültig und legal gewesen sei? Gerade deswegen halten wir die Anerkennung der Ungültigkeit des Münchener Abkommens von Anbeginn für eine Frage, die weder ausgeklammert noch umgangen werden kann. Wir sind aufrichtig erfreut, daß unsere Verbündeten und Freunde auf der Prager Sitzung erneut ihre volle Unterstützung unserer prinzipiellen Einstellung bestätigt haben." Vgl. den Drahtbericht Nr. 61 des Ministerialdirigenten Heipertz, Prag, vom 31. Januar 1972; Referat 214, Bd. 1492.

5 Vgl. dazu Dok. 2.
6 NATO-Generalsekretär Luns hielt sich am 31. Januar und 1. Februar 1972 in den USA auf. Botschafter Pauls, Washington, berichtete dazu am 2. Februar 1972, Thema eines Gespräch mit Präsident Nixon am 31. Januar 1972 sei u. a. ein Bericht von Luns über seine Gespräche in Paris vom 11. bis 13. Januar 1972 gewesen: „Luns sei, wie er weiter ausgeführt habe, in Paris auch wachsenden Sorgen wegen des ‚Wunschdenkens gewisser deutscher Persönlichkeiten' begegnet, das, wenn es weiter um sich greifen sollte, zur ‚Finnlandisierung Mitteleuropas' führen könne; er habe jedoch ausdrücklich klargestellt, daß es sich hierbei nicht um den Bundeskanzler und die Bundesminister des Auswärtigen und der Verteidigung handele." Vgl. den Drahtbericht Nr. 293; VS-Bd. 8593 (II A 3); B 150, Aktenkopien 1972.
Zum Aufenthalt von Luns in den USA und Kanada vgl. auch Dok. 42.
7 In einem vorab veröffentlichten, ungezeichneten Artikel der Wochenzeitung „Bayernkurier" vom 12. Februar 1972 wurde ausgeführt, über „zuverlässige Quellen" aus „östlichen Kanälen" sei über den Verlauf des Besuchs des Bundeskanzlers Brandt vom 16. bis 18. September 1971 in Oreanda verlautet, „Brandt habe als deutschen Beitrag zur dauernden Befriedung und Sicherheit Europas Breschnew die Zusage gemacht, auf der geplanten europäischen Sicherheitskonferenz von sich aus den Vorschlag zu unterbreiten, die Bundesrepublik zu einer bündnisfreien neutralen Macht zu erklären und den Abzug aller ausländischen Truppen von ihrem Territorium zu fordern. Die Sowjetunion würde sich ihrerseits bereit erklären, zusammen mit den Westmächten die Unverletzlichkeit des Gebietes der Bundesrepublik zu garantieren und sich zur Nichteinmischung in deren innere Angelegenheiten verpflichten. Sollte es bis Ende 1973 nicht gelingen, die Sicherheitskonferenz abzuhalten oder sollte sich bis dahin herausstellen, daß mit einer Durchführung in absehbarer Zeit nicht zu rechnen ist, würde Brandt – falls er noch an der Spitze der Bundesregierung steht – selbst die Initiative für die Realisierung der Zusagen ergreifen." Vgl. den Artikel „Brandts Zusagen an Breschnew"; BAYERNKURIER vom 12. Februar 1972, S. 1.

rungsbedürftig sei. Des weiteren wolle die Bundesregierung, wenn möglich, einen Grundvertrag schließen, der drei Elemente enthalten solle:

a) eine Bezugnahme auf die Rechte der Vier Mächte,

b) Modalitäten für die Mitwirkung der beiden deutschen Staaten in internationalen Organisationen,

c) die Frage, wie Verbesserungen im Verkehr auch von Personen sowie evtl. gewisse kulturelle und andere Beziehungen in Gang gesetzt werden können.

Es stehe immer noch nicht fest, ob die DDR einen solchen Vertrag wolle. Die Russen schienen dafür zu sein, während sich die DDR immer noch zu widersetzen scheine. Wolle sie keinen solchen Vertrag, so werde im Frühsommer erneut geprüft werden müssen, ob sich an den Verkehrsvertrag einige weitere konkrete Verträge anschließen müßten. Zunächst versuche die Bundesregierung jedoch, an dem Gedanken eines Grundvertrages festzuhalten.

Eine weitere Frage sei, wann das Berlin-Abkommen[8] in Kraft treten werde. Gelinge die Ratifizierung der Verträge Anfang Mai, könnte das Vier-Mächte-Abkommen ebenfalls im Mai in Kraft gesetzt werden. Dies hätte große Auswirkungen nicht nur für uns, sondern auch für die KSE, weil der NATO-Rat Ende Mai in Bonn tage[9] und von ihm das Inkrafttreten der Berlin-Regelung als Ausgangspunkt der Multilateralisierung bezeichnet worden sei[10]. Die Frage sei auch deswegen interessant, weil Nixon im selben Monat nach Moskau reisen werde.[11]

Präsident *Pompidou* bezeichnete zunächst das jugoslawische Problem als besorgniserregend. Jugoslawien stecke jetzt in großen finanziellen und wirtschaftlichen Schwierigkeiten. Tito unternehme gewiß in Bonn die gleichen Demarchen wie in Paris, wobei er jedesmal unterstreiche, wenn er vom Westen keine Hilfe erhalte, bliebe nur die sowjetische Hilfe übrig. Er (Pompidou) habe veranlaßt, daß Tito nach Kräften geholfen werden solle. Das wirkliche Problem

---

[8] Für den Wortlaut des Vier-Mächte-Abkommens über Berlin vom 3. September 1971 vgl. EUROPA-ARCHIV 1971, D 443–453.

[9] Zur NATO-Ministerratstagung am 30./31. Mai 1972 vgl. Dok. 159.

[10] In Ziffer 9 des Kommuniqués der NATO-Ministerratstagung am 3./4. Juni 1971 in Lissabon wurde ausgeführt: „Ministers, having reviewed the prospects for the establishment of multilateral contacts relating to the essential problems of security and co-operation in Europe, again emphasized the importance they attach to the successful conclusion of the negotiations on Berlin. They noted with satisfaction that these negotiations have entered into a more active phase and have enabled progress to be registered in recent weeks. They hope that before their next meeting the negotiations on Berlin will have reached a successful conclusion and that multilateral conversations intended to lead to a conference on security and co-operation in Europe may then be undertaken. In this spirit they invited the Council in Permanent Session to continue, in the framework of its normal consultations on the international situation, its periodic review of the results achieved in all contacts and talks relative to security and co-operation in Europe so that it could without delay take a position on the opening of multilateral talks." Vgl. NATO FINAL COMMUNIQUES, S. 259f. Für den deutschen Wortlaut vgl. EUROPA-ARCHIV 1971, D 351f.
In Ziffer 9 des Kommuniqués der NATO-Ministerratstagung vom 9./10. Dezember 1971 in Brüssel hieß es: „Ministers recalled that at their meeting in Lisbon they declared their readiness to undertake multilateral conversations intended to lead to a Conference on Security and Co-operation in Europe as soon as the negotiations on Berlin had reached a successful conclusion. In the light of the encouraging developments referred to above they affirmed their readiness to initiate such conversations on this basis as soon as possible." Vgl. NATO FINAL COMMUNIQUES, S. 267. Für den deutschen Wortlaut vgl. EUROPA-ARCHIV 1972, D 99.

[11] Präsident Nixon besuchte die UdSSR vom 22. bis 30. Mai 1972. Vgl. dazu Dok. 149 und Dok. 161.

bestehe allerdings nicht nur darin, Tito zu helfen, sondern zu wissen, was nach Titos Weggang geschehen werde. Er scheine zwar unbestrittener Herr der Lage zu sein, werde aber doch inzwischen recht alt, so daß man die Nach-Tito-Zeit ins Auge fassen müsse. Vor allem Italien sei sehr beunruhigt. Aber auch Deutschland und Frankreich würden die Auswirkungen recht unmittelbar zu spüren bekommen. Geriete Jugoslawien einfach in den Bannkreis Moskaus, so würde damit dem Gleichgewicht in Europa ein schwerer Schlag versetzt. Natürlich handle es sich im Augenblick vor allem um eine Frage der Einschätzung. Er habe die rumänischen führenden Persönlichkeiten und insbesondere den Außenminister dazu befragt.[12] Diese seien zuversichtlich und meinten, Jugoslawien sei zwar ein völkisch uneinheitlicher Staat, doch sei die nationale Einheit im Kampf geschmiedet worden und werde wohl fortdauern. Frankreich jedenfalls tue sein Bestes, um Tito und eines Tages seinem Nachfolger oder seinen Nachfolgern zu helfen.

Zu den Ausführungen des Herrn Bundeskanzlers über die Gerüchte französischer Befürchtungen einer Finnlandisierung der Bundesrepublik sagte Pompidou, Frankreich wünsche nie und nimmer eine solche Finnlandisierung, noch glaube es, daß die Politik der Bundesregierung darauf hinauslaufe. Auf die Frage eines deutschen Journalisten, ob seines Erachtens der Bundeskanzler Geheimversprechungen gegenüber Breschnew gemacht habe, habe er erwidert, er glaube dies ganz und gar nicht. Leider sei das Presseklima nicht gerade glänzend. Die Presse vermittle den Eindruck, als trauten die Franzosen den Deutschen und die Deutschen den Franzosen nicht. Dies entspreche nicht den Tatsachen und jedenfalls nicht der französischen Denkweise. Gewiß werde die Sowjetunion anläßlich der MBFR, KSE und sonstiger Verhandlungen den Versuch machen, Deutschland nach Möglichkeit zu neutralisieren, und gewiß gehöre dies zu ihren Hintergedanken. Er (Pompidou) nehme nicht eine Sekunde an, daß dies die Politik irgendeiner deutschen Regierung sein könnte. Etwaige Befürchtungen solcher Art könne der Herr Bundeskanzler getrost fallenlassen. Wie schon Nixon und Breschnew gegenüber sage er dem Herrn Bundeskanzler jetzt, wenn er irgendwelche Sorgen hätte, würde er es frei heraus äußern.

Zum Terminkalender, den man angesichts der Verfassungsvorschriften nicht ändern könne, wolle er deutlich sagen, es wäre ihm sehr lieb, wenn der Bundesrat die Sache nicht um weitere zwei Monate verzögern würde. Je früher der Abschluß erfolge, desto besser sei es für alle, denn die deutsche Öffentlichkeit bekomme die Diskussion über und die internationale Öffentlichkeit warte ungeduldig auf die Ratifizierung, die von den Russen zur Vorbedingung der ebenfalls ersehnten Unterzeichnung des Berlin-Abkommens gemacht worden sei.[13]

---

12 Der rumänische Außenminister Manescu hielt sich vom 15. bis 19. November 1971 in Frankreich auf.
13 Im Gespräch mit Bundeskanzler Brandt am 17. September 1971 in Oreanda erklärte der Generalsekretär des ZK der KPdSU, Breschnew, erstmals, daß die UdSSR das Schlußprotokoll zum Vier-Mächte-Abkommen über Berlin vom 3. September 1971 erst nach Ratifizierung des Moskauer Vertrags vom 12. August 1970 durch die Bundesrepublik unterzeichnen werde. Dieses sogenannte „Gegenjunktim" wurde am 27. September 1971 durch den sowjetischen Außenminister Gromyko gegenüber Bundesminister Scheel in New York bekräftigt. Vgl. dazu AAPD 1971, II, Dok. 311 und Dok. 323.

Zum innerdeutschen Verhältnis (das Pompidou mit „interallemand" also „zwischendeutsch" bezeichnete) bemerkte Pompidou, man spüre hier eine gewisse Verhärtung seitens der DDR und gewinne sogar den Eindruck, daß die sowjetische Regierung etwas weniger Druck ausübe. Dies sei wohl weitgehend auf den Stand der Ratifizierungsdebatte zurückzuführen. Breschnew stehe parlamentarischen Verfahren wohl so fremd gegenüber, daß er dahinter möglicherweise Manöver wittere. Er selbst habe versucht, Breschnew zu sagen, daß in demokratischen Ländern parlamentarische Verfahren immer sehr kompliziert und langwierig seien, sich daran aber nichts ändern lasse. Die Frage sei natürlich, wie sich dies auf den Terminplan für die weiteren Punkte auswirke, nämlich die Vorbereitung der KSE und die Mitwirkung der DDR in internationalen Instanzen mit all den komplizierten Fragen, die dabei z.B. für die Stockholmer Konferenz[14] und die anderen Organisationen aufträten. Das UNO-Verfahren sei ja das komplizierteste von allen. In diesem Zusammenhang betonte Pompidou, wenn jemand sage, Frankreich bereite die Anerkennung vor, dann könne er trotzdem ruhig schlafen, denn dies sei eine Frage, die in erster und lebenswichtiger Weise die Bundesrepublik berühre, weshalb Frankreich nur nach Absprache mit der Bundesregierung etwas täte.

Der Herr *Bundeskanzler* erläuterte ausführlich die Schwierigkeiten, den deutschen Standpunkt in der Frage der DDR-Mitwirkung in der UNO und ihren Organisationen verständlich zu machen, und erklärte den Standpunkt selbst. Zum Beispiel der Stockholmer Konferenz sagte er, es wäre schade, wenn diese beeinträchtigt würde. Die Notwendigkeit der Teilnahme aller werde überall anerkannt, aber nicht jeder verstehe die Bezüge zur großen Politik. Er hoffe immer noch, daß man eine Formel finden könne, die eine Teilnahme der DDR und damit auch der Sowjetunion und anderer ermögliche. Da China seine Teilnahme zugesagt habe[15], werde sich die Sowjetunion zweimal überlegen, ob sie wegbleiben solle. Vielleicht gelinge es aber (und die schwedische Regierung sei nach anfänglichem Zögern zum Mitmachen bereit), die Sowjets zu beeinflussen, der DDR eine Teilnahme nahezulegen, wenn die Gastregierung sie einlade.[16] Dabei solle die DDR keineswegs am Katzentisch sitzen, sondern unter ihrer eigenen Bezeichnung am Verhandlungstisch selbst, nicht aber wie ein Mitglied im gleichen Sinne wie die übrigen Teilnehmer; sie hätte somit formal kein Stimmrecht, aber da auf der Konferenz ohnehin nicht abgestimmt werde, wäre dies ein künstliches Problem.

Der Herr Bundeskanzler würdigte die Tatsache, daß Frankreich der Bundesrepublik hinsichtlich der Beziehungen mit der DDR den Vortritt lasse. Ein kleines Problem, das von den Außenministern näher behandelt werde, sei die Anhebung des Charakters des französischen Büros in Ostberlin.[17] Gegen eine

---

[14] Zu einer Beteiligung der DDR an der UNO-Umweltkonferenz vom 5. bis 16. Juni 1972 in Stockholm vgl. Dok. 4.
[15] Zur Beteiligung der Volksrepublik China an der UNO-Umweltkonferenz vom 5. bis 16. Juni 1972 in Stockholm vgl. Dok. 17, Anm. 20.
[16] Zu entsprechenden Überlegungen der Bonner Vierergruppe vom 3. Februar 1972 vgl. Dok. 17, Anm. 18.
[17] Zur Errichtung eines französischen Handelsbüros in Ost-Berlin vgl. Dok. 15.
Vortragender Legationsrat I. Klasse Hansen vermerkte am 11. Februar 1972, Bundesminister Scheel habe im Gespräch mit dem französischen Außenminister Schumann am Vortag in Paris auf

Erweiterung des Büros erhebe er keine Einwände, wie er ganz allgemein nichts dagegen habe, wenn unsere Freunde den von ihnen für richtig erachteten Handel mit der DDR trieben. Eine Anhebung auf quasi-Regierungsebene könnte jedoch von anderen Ländern mißverstanden werden, die weniger fest seien und denen von gewisser Seite zugeredet werde; sie könnten dann nicht etwa ihre Büros nur anheben, sondern sich schon in das Vorfeld diplomatischer Beziehungen begeben.

Hinsichtlich der UNO-Mitgliedschaft der beiden deutschen Staaten sagte der Herr Bundeskanzler, er erhöbe keinen Einwand dagegen, wenn dies noch in diesem Jahr geschähe, halte es aber aus Gründen des Terminkalenders für realistischer im Jahre 1973. Er wisse natürlich, daß es auch Druck von außerhalb geben könnte, und die Bundesregierung würde es sehr ungern sehen, wenn man in eine Lage käme, die der Amerikas in Zusammenhang mit China ähnlich wäre. Andererseits gehe er realistischerweise davon aus, daß vom Augenblick der Antragstellung an (also zwischen Ende 1972 und Herbst 1973) eine Reihe von Regierungen erklären würden, man solle den effektiven UNO-Beitritt nicht abwarten, sondern schon jetzt eine Regelung des Verhältnisses suchen. Indien nehme hier eine gewisse Schlüsselposition ein. Nachdem Frau Gandhi bei ihrem Besuch im Herbst[18] noch in Eile zu sein schien, habe sie es jetzt offensichtlich weniger eilig, so daß man vielleicht eine Atempause gewinne.

Präsident *Pompidou* wiederholte, Frankreich lasse der Bundesrepublik in der Frage der Anerkennung und des UNO-Beitritts den Vortritt und sei bereit, seine Haltung nach der deutschen und nach den Fortschritten in den innerdeutschen Gesprächen zu richten. Die Stockholmer Konferenz habe er nur zur Illustration genannt, weil sie z. Zt. in aller Munde sei. Er halte diese Sache weder für dramatisch noch für sehr dringlich. Zur UNO verstehe er das Anliegen des Herrn Bundeskanzlers, nicht in eine mit dem Beitritt Chinas[19] vergleichbare Lage zu geraten. Dies sei das einzige Problem, weil in der UNO jederzeit

Fortsetzung Fußnote von Seite 116
die mit der Errichtung eines französischen Handelsbüros in Ost-Berlin verbundenen Implikationen hingewiesen: „Gegen alle Erwartungen sei es uns bisher gelungen, Statusverbesserung DDR in dritten Ländern weitgehend zu verhindern. Eines unserer wesentlichen Argumente dabei sei gewesen, daß wir mit unseren wichtigen Verbündeten (vor allem den drei Mächten, dann den übrigen Allianzpartnern) feste Vereinbarungen hätten, jetzt keine Statusverbesserung zuzulassen. Auch geringfügige Änderungen würden leider wohl dahin interpretiert, daß wir selbst unseren Verbündeten ein Zeichen in Richtung auf Statusanhebung gegeben hätten. Gefahr Kettenreaktion, überdies während Ratifizierungsdebatte. Von Frankreich beabsichtigte Modifizierung würde Zustand der Labilität herbeiführen. Er frage sich, wie derartiger Effekt vermieden werden könne. Zuwarten oder andere Lösung (z. B Ausweitung Handels mit DDR in sonstiger Weise?)" Schumann habe erwidert,, man stehe vor folgendem Problem: Einerseits sei die Erreichung eines Modus vivendi wohl erst 1973 möglich. Andererseits müßten jedoch vorher gewisse praktische Probleme gelöst werden. Frankreich stehe zur ‚Scheel-Doktrin'. [...] Französischer Handelsaustausch mit DDR sei zwar relativ gering, weite sich jedoch aus. Es gelte, diesen Handel praktisch zu handhaben (gérer). Dies sei durch das derzeitige Büro, das nur von einigen Firmen getragen werde, nicht möglich." Das geplante Büro sei keine Regierungsorganisation. Scheel habe daraufhin den Vorschlag einer Zwischenlösung ähnlich dem Ostausschuß der deutschen Wirtschaft unterbreitet, der ein rein privates Organ sei, jedoch enge Kontakte zur Regierung habe. Außenminister Schumann habe Prüfung zugesagt. Vgl. Referat I A 1, Bd. 723.

18 Ministerpräsidentin Gandhi hielt sich vom 10. bis 12. November 1971 in der Bundesrepublik auf. Für die Gespräche mit Bundeskanzler Brandt am 10./11. November 1971 vgl. AAPD 1971, III, Dok. 389 und Dok. 391.
19 Zur Aufnahme der Volksrepublik China in die UNO am 25. Oktober 1971 vgl. Dok. 6, Anm. 19.

eine Mehrheit gegen Frankreich, wie gegen England und Amerika, zustande kommen könne. Er halte diesen Punkt im Augenblick aber nicht für erreicht. Die Frage des französischen Büros in Ostberlin wolle er den Außenministern überlassen. Was wirtschaftlich geschehe, liege völlig außerhalb des Regierungsrahmens und sei das Ergebnis französischer Bemühungen, insbesondere seitens der Industriellen, etwas in den DDR-Markt einzudringen, mit dem bislang lediglich der Sowjetblock und die Bundesrepublik Handel treibe.

Präsident Pompidou kam dann auf die KSE zu sprechen, die wohl nicht mehr 1972 zusammentreten werde, da zuerst die amerikanischen Wahlen[20] stattfinden müßten. Des weiteren bestehe ein Interesse an der Regelung des DDR-Problems vor Zusammentritt der Konferenz. Anfänglich hätte die KSE in der russischen Vorstellung vor allem dem Ziel gedient, die DDR an den Tisch zu bringen. Dieses ursprüngliche Ziel sei wegen der innerdeutschen Abkommen[21], der Paraphierung des Berlin-Abkommens und der weiteren Gespräche mit der DDR jetzt weniger bedeutsam. Wenn die KSE zusammentrete, werde die DDR zwar am Tisch sitzen, aber dies sei dann keine Neuheit mehr. Seines Erachtens liege das Interesse einer KSE darin, alle an einen Tisch zu bringen, ohne daß sich die Thematik um das deutsche Problem ranke.

Den Gedanken der Finnlandisierung halte er für ebenso absurd wie der Herr Bundeskanzler. Es sei jedoch keineswegs sicher, daß solche Überlegungen den Sowjets ebenfalls völlig fremd seien. In voller Erkenntnis des fundamentalen nationalen Strebens Deutschlands oder der Deutschen nach Wiedervereinigung könnte es schon sein, daß die Sowjets sagen könnten, Deutschland könne in einer gewissen Neutralisierung einen Ausweg finden. Bringe man alle an einen Tisch und löse die Blöcke – also auch den Sowjetblock – in etwa auf, dann würde eine Annäherung aller Völker in Ost und West – also auch der beiden deutschen Staaten – in einer Atmosphäre und Politik der Zusammenarbeit und Entspannung und nicht in einer Politik der Neutralisierung Mitteleuropas und insbesondere Deutschlands möglich. Hier sehe er das Hauptinteresse der KSE. Die Staaten des Sowjetblocks würden dabei eine gewisse Liberalisierung – über deren Ausmaß er sich keinerlei Illusionen hingebe – erfahren, und eine Annäherung würde möglich, ohne daß man der Gefahr ausgesetzt sei, wie sie z. B. im nuklearen Bereich der Rapacki-Plan[22] beinhaltet hätte, wonach das

---

[20] Am 7. November 1972 fanden in den USA die Präsidentschaftswahlen sowie Wahlen zum Repräsentantenhaus, Teilwahlen zum Senat und zu den Gouverneursämtern statt.

[21] Am 30. September 1971 wurde das Protokoll über Verhandlungen zwischen dem Bundesministerium für das Post- und Fernmeldewesen und dem Ministerium für Post- und Fernmeldewesen der DDR unterzeichnet. Für den Wortlaut vgl. BULLETIN 1971, S. 1522 f.
Am 17. Dezember 1971 wurde das Abkommen zwischen der Regierung der Bundesrepublik und der Regierung der DDR über den Transitverkehr von zivilen Personen und Gütern zwischen der Bundesrepublik und Berlin (West) unterzeichnet. Für den Wortlaut vgl. EUROPA-ARCHIV 1972, D 68–76.

[22] Am 2. Oktober 1957 unterbreitete der polnische Außenminister Rapacki vor der UNO-Generalversammlung in New York den Vorschlag, eine aus Polen, der ČSSR und den beiden Teilen Deutschlands bestehende kernwaffenfreie Zone zu schaffen. Am 14. Februar 1958 erläuterte er seine Vorstellungen ausführlich in einem Memorandum. Weitere modifizierte Versionen des Rapacki-Planes, in denen der Gedanke einer Verminderung der konventionellen Streitkräfte hinzutrat, wurden am 4. November 1958 und am 28. März 1962 vorgelegt. Für den Wortlaut der letztgenannten Fassung vgl. DOCUMENTS ON DISARMAMENT 1962, S. 201–205.
Am 14. Dezember 1964 wiederholte Rapacki seine Vorschläge vor der UNO-Generalversammlung in

deutsche Problem nur durch Neutralisierung gelöst werden könnte. Wie der Herr Bundeskanzler ständig sage, müsse sich der Westen stärken, und er könne dies nicht ohne die Bundesrepublik tun, die ein fundamentales Element sei. Zum anderen sei es auch ein fundamentales Anliegen der Bundesrepublik, fest in Westeuropa verankert zu sein, weil sie sonst ihre Persönlichkeit gegen die progressive und bedrohliche Unterjochung durch die Sowjetunion nicht verteidigen könne. Aus diesen Gründen nehme Frankreich zur KSE eine sehr positive Haltung ein. Er erwarte von ihr keine ungewöhnlichen Ergebnisse, sondern eine andere Atmosphäre in Europa, die nicht mehr durch ständige Zusammenstöße und den kalten Krieg gekennzeichnet wäre. Schüfe man in Mitteleuropa eine neutralisierte Zone, so erhielte die Sowjetunion eine Art Vorfeld, sozusagen einen Pufferstaat, und könnte sich ihrer Asien- und Nahostpolitik zuwenden, die jetzt ihr erstes Anliegen sei.

Präsident Pompidou kam dann auf sein Treffen mit Präsident Nixon[23] zu sprechen und sagte, dieser habe in seiner Haltung zur großen Politik eine gewisse Lust am Pokerspiel erkennen lassen. Natürlich habe er auch innenpolitische Sorgen, die in Amerika stärker seien als andernorts. Daher rühre wohl auch der Drang zur sensationellen Nachricht. Seiner Politik lägen jedoch wohl die Ideen zugrunde, die Kissinger schon lange in seinen Büchern vertreten habe, daß die Vereinigten Staaten nicht mehr nur mit der Sowjetunion verhandeln könnten, weil inzwischen andere auf der Weltbühne aufgetreten seien, daß es für die Vereinigten Staaten eine zu große Last bedeute, überall in der Welt der Sowjetunion entgegenzutreten, und daß – gebe man das Vorhandensein mehrerer Entscheidungszentren zu – die Vereinigten Staaten ein bißchen zwischen diesen balancierten. Die Reise nach Peking[24], die anfänglich mit der innenpolitischen Lage und dem Vietnam-Krieg in Zusammenhang gestanden habe, dürfe nicht getrennt von der Moskau-Reise gesehen werden, solle vielmehr den Russen zeigen, daß die Russen nicht allein seien; jetzt aber komme bei der Moskau-Reise wohl noch der Gedanke hinzu, möglicherweise einige Absprachen mit der Sowjetunion zu treffen. Nixon habe ihn gefragt, was seines Erachtens bei den Sorgen der sowjetischen Führung an erster Stelle stehe: China, die Vereinigten Staaten oder Deutschland? Er habe erwidert, gewiß sei dies China. Deutschland gegenüber sei bei den Russen sicher noch immer die Erinnerung an den Krieg und die deutsche Macht lebendig, so daß sie sich keineswegs sicher fühlten. Sähen sie aber in den Spiegel, dann müßten sie sich sagen, daß sich das Kräfteverhältnis verschoben habe, und vielleicht empfänden sie die Vereinigten Staaten in gewissem Sinne als Komplizen, mit denen man Abmachungen treffen könne. Zu diesen Ausführungen habe Nixon nicht nein gesagt. Er (Pompidou) wäre nicht erstaunt, wenn die Moskau-Reise positivere Ergebnisse als die Peking-Reise erbringen würde.

Der Herr *Bundeskanzler* bemerkte, er habe das Gefühl, daß Nixon mit den Russen in der Nahost-Frage voranzukommen hoffe. Er sehe im Berlin-Abkom-

Fortsetzung Fußnote von Seite 118
New York und empfahl die Einberufung einer Europäischen Sicherheitskonferenz. Vgl. dazu auch AAPD 1964, II, Dok. 398, und AAPD 1965, I, Dok. 152.
23 Staatspräsident Pompidou und Präsident Nixon trafen am 13./14. Dezember 1971 in Angra do Heroismo auf der Azoreninsel Terceira zusammen.
24 Präsident Nixon besuchte die Volksrepublik China vom 21. bis 28. Februar 1972. Vgl. dazu Dok. 47, Anm. 6 und 7.

men ein Zeichen, das besage, wenn man in einer so schwierigen und vorher so hart umstrittenen Sache eine gewisse Regelung finden könne, bestehe auch die Chance, an anderer Stelle etwas zu erreichen. Er (der Herr Bundeskanzler) fürchte, daß man die anderen Faktoren, die hinsichtlich des Nahen Ostens im Spiel seien, manchmal übersehe. Dennoch glaube er, daß Nixon in der Nahost-Frage mehr als in irgendeinem anderen Spannungsgebiet auf gewisse Fortschritte hoffe. Auch er meine, Nixon werde in Moskau zu konkreteren Abmachungen bereit sein, während die Peking-Reise im Allgemeineren bleiben werde. Amerikanischerseits werde ständig betont, die amerikanische Regierung beabsichtige nicht, in bilateralen Gesprächen Entscheidungen über Europa zu treffen. Sicherlich entspreche dies Nixons Absichten, aber die Versuchung sei natürlich stets gegeben. Zudem sei Kissinger wohl der Auffassung, daß alles in der Welt besser wäre, wenn alle wichtigen Dinge zwischen Washington und Moskau geregelt würden. Das funktioniere nur nicht. Gewiß meine es Nixon aufrichtig mit seinen Erklärungen über ständige Konsultation und Abstimmung. Dennoch gebe es wegen spezifisch amerikanischer Gründe auch die andere Tendenz, so daß man sich mit den Äußerungen über den Konsultationswillen allein nicht voll zufrieden geben könne. Selbst in der Krise auf dem indischen Subkontinent sei nach seinem Eindruck der Kontakt zwischen Nixon und Breschnew intensiver gewesen, als er ursprünglich angenommen habe.

Präsident *Pompidou* sagte, der Kontakt sei wohl recht häufig gewesen, doch habe er den Eindruck, als hätten die Russen die Amerikaner etwas übers Ohr gehauen, denn als er selbst in Amerika gewesen sei[25], habe Kissinger mehrmals geglaubt, von den Russen eine Zustimmung erhalten zu haben, die in Wirklichkeit nicht vorhanden gewesen sei. Die Russen hätten sehr geschickt gespielt. Er sei überzeugt, daß die Russen in der Nahost-Frage ein großes Interesse an einer Interimslösung hätten. Damit würde der Suezkanal wieder eröffnet werden können[26], und außerdem wüßten die Russen, daß die Ägypter allein einen wirklichen Krieg gegen Israel nicht führen könnten, sondern die Russen mit eigenen Leuten daran teilnehmen müßten, was sie aber nicht wollten. Zudem habe sich die sowjetische Israelpolitik etwas verändert. Er wisse nicht, warum die Sowjets die sowjetischen Juden ausreisen ließen.[27] Vielleicht wollten sie sie loswerden, könnten aber doch nicht übersehen, daß sie damit Israel stärkten.

Der Herr *Bundeskanzler* sagte, er befinde sich in einer schwierigen Lage, weil er sich der unter etwas seltsamen Umständen ergangenen Einladung von Mi-

---

[25] Staatspräsident Pompidou besuchte die USA vom 23. Februar bis 3. März 1970 und hielt sich vom 23. bis 26. Februar 1970 zu Gesprächen in Washington auf.

[26] Am 5. Juni 1967 griffen israelische Streitkräfte ägyptische Truppen auf der Sinai-Halbinsel an und nahmen einen Tag später den Gaza-Streifen und den jordanischen Teil von Jerusalem ein. Am folgenden Tag ordnete das Oberkommando der ägyptischen Streitkräfte die Sperrung des Suez-Kanals an. Die Kampfhandlungen fanden am 10. Juni 1967 mit der Besetzung der Sinai-Halbinsel und des Gebietes westlich des Jordans durch Israel ein vorläufiges Ende. Vgl. dazu auch AAPD 1967, II, Dok. 207 und Dok. 208.

[27] Seit September 1971 stieg die Zahl der aus der UdSSR nach Israel ausreisenden Juden erheblich an. Im gesamten Jahr 1971 erfolgten nach einem Bericht des Intergovernmental Committee for European Migration vom April 1972 knapp 12 700 Ausreisen, im Januar und Februar 1972 bereits etwas mehr als 3800. Vgl. dazu den Schriftbericht des Gesandten Baron von Stempel, Genf (Internationale Organisationen), vom 11. Mai 1972; Referat I B 4, Bd. 543.

nisterpräsidentin Meir²⁸ praktisch nicht entziehen könne und also ein passendes Datum in der zweiten Jahreshälfte für diesen Besuch finden und gleichzeitig sehen müsse, wie er das auf arabischer Seite ausbalancieren könne.²⁹ Er wisse nicht, ob die Russen in der Israelfrage eine ganz klare Politik verfolgten. Erstaunlich sei, daß vor allem junge Leute und auch Techniker die Ausreisegenehmigung nach Israel erhielten, wenngleich es sich vor allem um Personen handele, die sich betont in der jüdischen Gemeinschaft engagiert hätten. Langfristig bedeute das eine Stärkung Israels, kurzfristig jedoch eine recht erkleckliche Belastung. Es seien aber nicht nur die Genehmigung zur Emigration, sondern auch andere Anzeichen zu erkennen, so z. B. die Entsendung einer russischen Delegation für die Gründung einer sowjetisch-israelischen Gesellschaft.³⁰ Dies könnte darauf hinweisen, daß man sich für die Aushandlung einer Regelung eine Position auf israelischer Seite einrichten und gleichzeitig den Arabern einen Wink mit dem Zaunpfahl geben wolle. Eine ganz klare Politik könne er jedoch nicht erkennen. Er gehöre auch nicht zu denen, die den Russen immer in allen Gebieten eine klare Politik zuschreiben. Man habe ge-

---

28 Am 30. Januar 1972 wurde in der israelischen Presse gemeldet, daß in Kürze eine Einladung der Ministerpräsidentin Meir an Bundeskanzler Brandt zu einem Besuch in Israel ausgesprochen werde. Die Meldung wurde von der israelischen Regierung jedoch nicht bestätigt. Vgl. dazu den Drahtbericht Nr. 36 des Gesandten Hensel, Tel Aviv; Referat I B 4, Bd. 545.
Botschafter von Puttkamer bestätigte am 31. Januar 1972 vor der Presse in Hamburg, daß eine Einladung vorliege. Pressemeldungen zufolge bekräftigte Staatssekretär Ahlers, Presse- und Informationsamt, am selben Tag jedoch, daß noch keine Einladung erfolgt sei: „Zu Berichten über entsprechende Pläne in Jerusalem sagte Ahlers: ‚Wir wissen es nicht.'" Vgl. die Meldung „Bonn hat keine Einladung von Golda Meir"; FRANKFURTER ALLGEMEINE ZEITUNG vom 1. Februar 1972, S. 1.
Vortragender Legationsrat I. Klasse Redies teilte der Botschaft in Tel Aviv am 4. Februar 1972 dazu mit: „Dieser Sachverhalt trifft weiterhin zu. Allerdings ist wohl in nächster Zeit mit Übergabe zu rechnen. Die in Hamburg gemachten Äußerungen Botschafter von Puttkamers beruhten auf dessen irrtümlicher, auf die israelischen Pressemeldungen zurückgehender Annahme, daß Einladung bereits übergeben sei." Vgl. den Drahterlaß Nr. 31; Referat I B 4, Bd. 545.
Am 8. Februar 1972 übergab der israelische Botschafter Ben Horin ein Schreiben von Meir vom 6. Februar 1972, in dem Brandt zu einem Besuch nach Israel eingeladen wurde: „A considerable time has elapsed since we had the pleasure of your last visit to Israel. [...] I feel it might well be of interest to you to acquaint yourself with the changes that have occured in the interval and to derive impressions on the spot of what has been achieved and of the problems which confront us." Vgl. Referat I B 4, Bd. 545.
29 Vortragender Legationsrat I. Klasse Redies gab am 8. Februar 1972 eine Meldung der Nachrichtenagentur AFP an die Vertretungen in den arabischen Staaten weiter, daß Bundeskanzler Brandt gegenüber ausländischen Pressevertretern mitgeteilt habe, er habe die Einladung der Ministerpräsidentin Meir angenommen, der Termin müsse jedoch noch vereinbart werden: „Eingehend auf die mögliche Beeinträchtigung, die diese Einladung auf den Normalisierungsprozeß zwischen den arabischen Staaten und der Bundesrepublik verursachen könnte, unterstrich Brandt, daß die Bundesrepublik ebenso interessiert sei, mit Israel sowie mit den arabischen Staaten gute Beziehungen zu unterhalten. Seine Regierung werde im Verhältnis zu arabischen Staaten und Israel eine ausgewogene Politik weiterhin verfolgen." Vgl. den Runderlaß Nr. 676; Referat I B 4, Bd. 545.
Mit Schreiben vom 9. März 1972 an Meir bestätigte Brandt die Annahme der Einladung und führte aus: „Die Innenpolitik, insbesondere die Ratifikationsverfahren der Verträge mit der Sowjetunion und Polen, erlauben mir im Augenblick noch nicht, endgültige Termine vorzuschlagen." Vgl. Referat I B 4, Bd. 545.
30 Am 21./22. Januar 1972 fand in Tel Aviv eine Tagung der israelischen Liga für die Freundschaft mit der Sowjetunion statt. Gesandter Hensel, Tel Aviv, berichtete am 2. Februar 1972, daß dabei der Anwesenheit einer sowjetischen Delegation „große Aufmerksamkeit geschenkt" worden sei, „dies nicht zuletzt auch deswegen, weil sie die erste war, die Israel seit dem Sechstagekrieg besuchte". Die Delegation habe anschließend eine Rundreise durch Israel gemacht. Vgl. den Schriftbericht Nr. 184; Referat I B 4, Bd. 547.

legentlich den Eindruck, daß eine Politik in der russischen Führung nicht voll durchentschieden sei.

Präsident *Pompidou* bezeichnete dies als möglich.

Der Herr *Bundeskanzler* kam dann auf die KSZE zurück. Auch er halte ihre Einberufung für den Herbst nicht für realistisch; vielmehr müsse man wohl eher an Frühjahr 1973 denken, was auch genügend Zeit für Vorbereitung lasse. Seines Erachtens enthalte das kürzliche Kommuniqué des Warschauer Pakts[31] ein paar Fortschritte. Einige Punkte der Tagesordnung seien konkreter gefaßt als früher, und es gebe ein paar weitere Berührungspunkte nach den Gesprächen Pompidous[32] und anderer mit Breschnew. Auch er halte es für gut, wenn hier ein Rahmen geschaffen würde, in dem die einzelnen Staaten ein wenig ihre eigene Rolle spielen könnten und nicht einfach auf die Generallinie der Gruppierung festgelegt seien. Darin sehe er einen Hauptwert einer solchen Zusammenkunft, abgesehen von ein paar praktischen Punkten, die objektiv behandelt werden sollten, weil sie über die regionalen Gruppierungen hinausreichten. Das Thema MBFR sollte uns dabei nicht sehr beschweren. Aus den letzten Gesprächen mit den Amerikanern, aber auch zwischen den deutschen und französischen Sachverständigen[33] gehe hervor, daß man in der Sache we-

---

[31] Zu der auf der Tagung des Politischen Beratenden Ausschusses des Warschauer Pakts am 25./26. Januar 1972 in Prag verabschiedeten Deklaration über Frieden, Sicherheit und Zusammenarbeit in Europa vgl. bereits Dok. 21, Anm. 4.
Die Teilnehmer der Tagung sprachen sich außerdem für die „schnellstmögliche Durchführung der gesamteuropäischen Konferenz zu Fragen der Sicherheit und Zusammenarbeit aus, an der alle europäischen Staaten auf gleichberechtigter Basis sowie die USA und Kanada teilnehmen". Als „Grundprinzipien der europäischen Sicherheit und der Beziehungen der Staaten in Europa" führten sie die Unverletzbarkeit der Grenzen, den Gewaltverzicht, die friedliche Koexistenz, die Grundlagen gutnachbarlicher Beziehungen und Zusammenarbeit im Interesse des Friedens, gegenseitig vorteilhafte Beziehungen zwischen den Staaten, Abrüstung sowie die Unterstützung der UNO auf: „Indem die gesamteuropäische Konferenz diese hohen Prinzipien und Ziele den Beziehungen der Staaten in Europa zugrunde legt, wird sie eine Entscheidung von großer historischer Tragweite treffen. Das wird der Beginn einer gemeinsamen fruchtbaren Arbeit sein, die geeignet ist, ein wahrhaft friedliches Europa zu gestalten. Auf der gesamteuropäischen Konferenz könnte man auch die konkreten Richtungen der weiteren Entwicklung gegenseitig vorteilhafter Beziehungen zwischen den europäischen Staaten auf allen Gebieten und der Beseitigung jeglicher Diskriminierung, Ungleichheit oder künstlicher Barrieren abstimmen. [...] Es wäre zweckmäßig, auf der gesamteuropäischen Konferenz ein ständiges Organ aller interessierten Teilnehmerstaaten der Konferenz zu schaffen, in dem nach der Konferenz die gemeinsame Arbeit an der Abstimmung weiterer Schritte in dieser Richtung fortgesetzt werden könnte." Die Einberufung der gesamteuropäischen Konferenz könne noch im Jahre 1972 erfolgen. Dazu sei es erforderlich, mit der vorgesehenen multilateralen Vorbereitung „in allernächster Zeit" zu beginnen. Vgl. EUROPA-ARCHIV 1972, D 108–110.

[32] Der Generalsekretär des ZK der KPdSU, Breschnew, hielt sich vom 25. bis 30. Oktober 1971 in Frankreich auf. Vgl. dazu AAPD 1971, III, Dok. 354.

[33] Am 25. Januar 1972 fand eine Sitzung der deutsch-französischen Studiengruppe für die Probleme der Sicherheit Europas in den siebziger Jahren statt. Dazu vermerkte Legationsrat I. Klasse Roßbach am 26. Januar 1972, der stellvertretende Abteilungsleiter im französischen Außenministerium, Jurgensen, habe dargelegt, daß die französische Haltung zu MBFR im wesentlichen unverändert sei: „Frankreich stehe in der MBFR-Frage abseits." Die französische Grundeinstellung zu MBFR „sei bekannt: Frankreich sei der Meinung, daß es von östlicher Seite erst politischer Konzessionen bedürfte, bevor man an das Problem der Reduzierung von Streitkräften herangehen könne. Doch sei der Gedanke interessant, sich zunächst auf flankierende Maßnahmen der militärischen Sicherheit zu beschränken." Das von der Bundesregierung am 30. August 1971 in der NATO vorgelegte Arbeitspapier über Bewegungsbeschränkungen sei „das interessanteste und konzentrierteste Papier [...], das die französische Seite seit langem im Sicherheitsbereich und in der NATO zur Kenntnis genommen hätte". Jurgensen habe ausgeführt, daß derartige Überlegungen

niger weit auseinander sei, als es ursprünglich geschienen habe. In einer KSZE müsse man natürlich auch über Sicherheit sprechen. Dabei könne man eine realisierbare Perspektive geringerer Rüstungsanstrengung und der Verlagerung gewisser Verteidigungsausgaben auf andere Gebiete nicht vernachlässigen. Wer immer sich jedoch mit dem Thema näher befaßt habe, der wisse, daß man sehr behutsam vorgehen müsse, wenn es sich um Verteidigungsanstrengungen handele. Die Bundesregierung habe für ihre eigenen Zwecke eine Art Stufenplan vorbereitet. Sie würde sich auf der Konferenz auf zwei Punkte konzentrieren: erstens auf eine Grundsatzerklärung, denn man müsse auch die Hoffnung für die Zukunft erwähnen, und für diese Grundsatzerklärung gebe es wohl gemeinsame Elemente unter den westeuropäischen Staaten; zweitens einige bescheidene Vorstellungen, sozusagen zum Ausprobieren, hinsichtlich der Beschränkung der Bewegungsfreiheit der Truppen.³⁴ Hier hätten die Sachverständigen eine Menge aufgeschrieben, was keine wirkliche Verringerung darstellen würde. Alles übrige müsse sorgfältig geprüft werden, wobei man freilich auch immer daran denken müsse, daß eine ohnehin eintretende amerikanische Verringerung möglichst nicht einseitig stattfinden, sondern in etwas eingebracht werden sollte, das auch die andere Seite betreffe. Er neige jedoch, wie gesagt, zu einer sehr behutsamen Verhaltensweise, denn wenn das amerikanische Engagement noch mehr vermindert werden sollte als erwartet, dann müßte Westeuropa mehr und nicht weniger Anstrengungen unternehmen, wobei die Bundesrepublik immer darauf achten müsse, daß ihr spezifisches Gewicht innerhalb des Westens nicht zu groß werde.

Zur allgemeinen Orientierung teilte der Herr Bundeskanzler die Meinung von Präsident Pompidou, daß es für die Russen immer eine Versuchung sei, etwas im Sinne einer Neutralisierung anzustreben. Er sei aber nicht sicher, daß dies – bei aller Vorsicht, die man immer walten lassen müsse – ihre derzeitige Politik sei. Er wäre nicht überrascht, wenn die Russen für die unmittelbare Zukunft glaubten, mit einem Fortbestand der NATO einschließlich einer gewissen amerikanischen Präsenz in Europa seien sie besser dran. Die Gefahr eines Nachlassens des Zusammenhalts im Warschauer Pakt gehe mit einer Auflockerung im Westen Hand in Hand. Auch die Vorstellung, die Deutschen mit einem Wiedervereinigungsangebot verlocken zu können, beinhalte für die Russen immer die Frage, wie sie ihren Block zusammenhalten könnten, wenn es an einem entscheidenden Punkt wie Deutschland zu einer wesentlichen Änderung käme. Er meine daher, die Russen hätten zwar diese Vorstellung stets mit im Auge, dächten aber für den Zeitraum, mit dem man es jetzt zu tun habe, stärker an die Erhaltung des Status quo als Grundlage ihrer praktischen Politik.

Fortsetzung Fußnote von Seite 122
auf der Europäischen Sicherheitskonferenz erörtert werden sollten. Er stelle die Frage, „ob es nicht doch möglich sei, Verhandlungen über militärische Aspekte der Sicherheit abzutrennen von MBFR". Vgl. VS-Bd. 9401 (II B 2); B 150, Aktenkopien 1972.

34 Die Bundesregierung legte am 30. August 1971 in der NATO einen Entwurf für eine gemeinsame Erklärung über Ziele und allgemeine Grundsätze künftiger Verhandlungen über beiderseitige und ausgewogene Truppenverminderungen in Europa sowie ein Arbeitspapier über Einschränkungen der Bewegungsfreiheit der Streitkräfte von NATO und Warschauer Pakt vor. Vgl. dazu AAPD 1971, II, Dok. 266 und Dok. 289.

Präsident *Pompidou* erklärte, er teile die Auffassung des Herrn Bundeskanzlers voll und ganz. Die Russen hielten sich alle Möglichkeiten offen und sorgten sich ständig in erster Linie um die Entwicklung ihrer eigenen Macht und Präsenz. In diesem Geiste müsse man die jeweiligen Gegebenheiten sehen. Auffallend sei die derzeit in Rußland, aber auch in anderen Ländern des Ostens feststellbare ideologische Verhärtung. Sie sei wahrscheinlich auf ein gewisses Aufbegehren im eigenen Lager, aber auch auf die Erkenntnis zurückzuführen, daß sich das Verhältnis zu Westeuropa entwickeln werde und man deswegen möglichst wenig anfällig für die westliche Propaganda sein müsse.

Der Herr *Bundeskanzler* warf ein, er habe ein ähnliches Problem im kleinen Maßstab. Nach dem deutsch-sowjetischen Vertrag[35] habe er ein ziemlich langes Dokument in seiner Partei ausarbeiten lassen, um den Parteimitgliedern nachzuweisen, daß sich am grundsätzlichen Gegensatz zum Kommunismus nichts geändert habe.[36] Eine ähnliche Operation werde er nach der Ratifizierung erneut vornehmen müssen. Für die sowjetische Führung sei diese Notwendigkeit noch viel größer. Deshalb seien zwei Mitglieder des Politbüros eigens zur ideologischen Absicherung abgestellt worden.

Präsident *Pompidou* erklärte zu MBFR, nach den deutsch-französischen Gesprächen gebe es keineswegs den grundsätzlichen Gegensatz, von dem die Presse spreche. Es bestehe sogar in der Zielsetzung Einigkeit. Wie Deutschland wolle auch Frankreich seine Verteidigungskraft nicht schwächen gegenüber Truppen des Warschauer Pakts, die ihrerseits nicht schwächer geworden seien. Der einzige Unterschied bestehe darin, daß nach französischer Auffassung – er spreche jetzt nicht von den Bewegungsbeschränkungen – jede quantitative Maßnahme bedeuten würde, daß der Westen auf der ganzen Linie verlöre. Der Herr Bundeskanzler sage, die Amerikaner würden ihre Präsenz in Europa ohnehin verringern, und darum sei es besser, wenn auch ein gewisser Abbau auf sowjetischer Seite erfolge. Er habe den Eindruck gewonnen, daß Nixon jetzt weniger an eine Verringerung der Truppenstärke in Europa denke als vor einem Jahr; vielmehr wolle Nixon die Europäer und insbesondere die Deutschen mehr zahlen lassen. Wenn einmal der Vietnamkrieg zu Ende sei, würden sich in der amerikanischen Öffentlichkeit voraussichtlich Stimmen erheben, die sagten, es seien aber noch GIs in Europa. Wahrscheinlich werde da-

---

[35] Für den Wortlaut des Vertrags vom 12. August 1970 zwischen der Bundesrepublik und der UdSSR vgl. BULLETIN 1970, S. 1094.

[36] Am 14. September 1970 verabschiedete der Parteivorstand der SPD die „Feststellungen zum Vertrag mit der Sowjetunion". Darin wurde ausgeführt: „Das ernste Bemühen um Entspannung und um eine bessere Zusammenarbeit mit den Staaten des Warschauer Paktes ändert nichts an den grundsätzlichen Gegensätzen zwischen Sozialdemokraten und Kommunisten. Die Kommunisten gehen selbst davon aus, daß eine ‚ideologische Koexistenz' unmöglich sei. Aus der Sicht der SPD bleibt es gleichwohl anzustreben, daß Auseinandersetzungen um die bessere gesellschaftliche Ordnung versachlicht werden. Auf deutschem Boden wird dies dadurch zusätzlich erschwert, daß die SED hinter den in einigen anderen Ländern gewonnenen Erkenntnissen zurückbleibt." Vgl. SPD, JAHRBUCH 1970–1972, S. 554.
Ferner verabschiedete der Parteirat der SPD am 26. Februar 1971 die Erklärung „Zum Verhältnis von Sozialdemokratie und Kommunismus". Für den Wortlaut vgl. SPD, JAHRBUCH 1970–1972, S. 557–564.

mit eine Entwicklung in der amerikanischen Öffentlichkeit eintreten, die sich früher oder später dann auch im Vorgehen der Regierung niederschlagen werde. Dies stehe jedoch nicht unmittelbar bevor. Bei einem Vergleich der konventionellen Rüstung schließe der Westen miserabel ab, so daß ohnehin der nukleare Schirm letzten Endes den Ausschlag gebe. Deswegen würden MBFR-Gespräche neben den eigentlichen amerikanisch-sowjetischen Verhandlungen, also SALT, immer Nebensache bleiben. Bisher hätten die Amerikaner in der Frage der atomaren Verteidigung Europas immer viele Zusicherungen gemacht. Es sei aber verständlich, daß jeder amerikanische Präsident allmählich sein Augenmerk auf mögliche Erleichterungen dieses schrecklichen Engagements richten werde.

Auf eine entsprechende Frage des Herrn Bundeskanzlers erwiderte Präsident Pompidou, auch er glaube, daß Nixon in Moskau die beiden ersten SALT-Abmachungen treffen werde. Offen sei nur noch die Frage der U-Boote.

Präsident Pompidou betonte, eine beträchtliche Entwicklung des Verhältnisses zwischen dem Westen und dem Osten Europas sei unausweichlich. Man könne sich nicht länger gegenseitig ignorieren und tue es jetzt schon nicht mehr. Der Prozeß sei wirtschaftlich schon in Gang gesetzt, werde sich aber auch menschlich, kulturell und sogar politisch entwickeln. Die große Frage scheine ihm daher zu lauten, wer sich vom anderen korrumpieren lassen werde. Er glaube an die Freiheit, weil sie verlockender sei als der Totalitarismus. Man müsse aber auch sehen – und deswegen heiße es in einigen Gebieten äußerst vorsichtig sein –, daß das totalitäre System brutale und schnelle Aktionen vornehmen könne, während die Freiheit Zeit benötige. Deswegen müßten die Europäer äußerst vorsichtig und äußerst geschlossen sein. Damit könnten die Kontakte und die Entspannung am besten erleichtert werden. Er wisse, welcher Unterschied zwischen dem diskreten Gespräch und der effektiven Handlungsfähigkeit eines Landes zu machen sei. Dennoch erlebe man in den Gesprächen mit der westlichen Führungsschicht den ungeheuren Wunsch dieser Länder nach mehr Spielraum und mehr Möglichkeit einer Zuwendung zu anderen. Für Rußland sei China ein alles überschattendes Thema.

Der Herr *Bundeskanzler* fügte an, die Russen versuchten dies zwar zu kaschieren und gäben vor, nicht die machtpolitische, sondern die spalterische Tätigkeit Chinas mache ihnen Sorgen. Aber es beschäftige sie doch sehr. Unabhängig davon, wie ernst die Führungsschicht die Möglichkeit eines Konflikts nehme, bestehe seines Erachtens in der russischen Bevölkerung eine tiefe Sorge und ein unheimliches Gefühl angesichts dieser volkreichen Nation, die an ein sehr dünn besiedeltes östliches Rußland angrenze.

Präsident *Pompidou* fragte den Herrn Bundeskanzler, ob auch er eine jener schwer bewertbaren Informationen erhalten habe, wonach die Russen z.Zt. ihre Panzerherstellung ganz erheblich verstärken. Der Herr Bundeskanzler verneinte dies und verwies auf das Anwachsen der Seestreitkräfte.

Präsident Pompidou sagte, an einen Präventivkrieg Rußlands gegen China glaube er nicht, doch rüsteten sich die Russen für alle Fälle. Auch die Chinesen täten dies in gewaltigem Umfang. Er erinnere an die riesigen Schutzbauten in China.

Präsident Pompidou sagte dann vertraulich, Gierek werde Ende des Jahres nach Frankreich kommen.[37]

Der Herr *Bundeskanzler* unterrichtete Pompidou von dem Herrn Wehner gegenüber ausgesprochenen Wunsch Giereks, den Bundeskanzler in Polen zu treffen.[38] Dies könne er jedoch nicht tun, denn zunächst müßte die Sache mit den Verträgen fertiggestellt sein. Aus gewissen Mitteilungen habe er herausgehört, daß Breschnew in die Bundesrepublik kommen möchte.

Präsident *Pompidou* meinte, die Tendenz werde immer stärker erkennbar, daß der Erste Parteisekretär nicht nur faktisch, sondern auch offiziell immer stärker den ersten Platz einnehme.

Pompidou sagte dann noch, die Polen würden sich gerne etwas lösen, lägen aber zu nahe an der Sowjetunion. Der Herr *Bundeskanzler* bemerkte, am freiesten schienen die Ungarn, ohne daß sie großes Aufheben davon machten.

Es schloß sich noch ein kurzes Gespräch über Bangladesh an, bei dem Präsident Pompidou vor allem zum Ausdruck brachte, wenn alle europäischen Länder auf einen Schlag Bangladesh anerkannt hätten, wäre das für Pakistan vielleicht zu hart gewesen. Frankreich werde in den nächsten Tagen die beabsichtigte Anerkennung ankündigen.[39] Die Russen würden große Bemühungen um eine Annäherung mit Pakistan vornehmen. Dasselbe würden die Amerikaner mit Bangladesh und Indien machen. Alles zusammengenommen sei das ein ziemlicher Aufwand.

Das Gespräch endete um 13.15 Uhr.

Bundeskanzleramt, AZ: 21-30 100 (56), Bd. 36

---

[37] Der Erste Sekretär des ZK der PVAP, Gierek, besuchte Frankreich vom 2. bis 6. Oktober 1972.

[38] Der SPD-Fraktionsvorsitzenden Wehner hielt sich vom 5. bis 10. Februar 1972 in Polen auf. Dazu wurde in der Presse berichtet: „Die Möglichkeit eines Treffens zwischen Bundeskanzler Brandt und dem polnischen Parteichef Gierek noch in diesem Jahr wird vom SPD-Fraktionsvorsitzenden im Bundestag, Wehner, nicht ausgeschlossen. ‚Ich hoffe, daß diese Zusammenkunft 1972 stattfinden wird', sagte Wehner am Donnerstag nach der Rückkehr von einem sechstägigen Polen-Aufenthalt auf dem Frankfurter Flughafen. Er sei nach Warschau geflogen, um einen direkten Draht zwischen Gierek und dem Kanzler zu ziehen. Es seien aber auch bereits konkrete Beschlüsse über die künftige Zusammenarbeit gefaßt worden, die er aber erst dem Kanzler berichten wolle." Es sei außerdem eine Fortsetzung des Gedankenaustauschs vereinbart worden. Vgl. den Artikel „Wehner hofft auf Treffen Brandt – Gierek"; FRANKFURTER ALLGEMEINE ZEITUNG vom 11. Februar 1972, S. 1.

[39] Frankreich erkannte Bangladesh am 12. Februar 1972 an.

29

Deutsch-französische Konsultationsbesprechung in Paris

Z A 5-9.A/72 geheim
10. Februar 1972[1]

Der Präsident der Französischen Republik empfing am 10. Februar 1972 um 17.00 Uhr den Herrn Bundeskanzler zur Fortführung des am Vormittag begonnenen Gesprächs[2], zu dem ab 18.15 Uhr auch Premierminister Chaban-Delmas, Außenminister Schumann, Wirtschafts- und Finanzminister Giscard d'Estaing sowie die Bundesminister Scheel und Schiller hinzukamen.

Präsident *Pompidou* nahm zunächst zur Kenntnis, was der Herr Bundeskanzler über den Verlauf seines Gesprächs mit Premierminister Chaban-Delmas, hier insbesondere über die bilateralen Fragen[3], berichtete. Er regte an, nunmehr über die großen anstehenden Probleme zu sprechen. Sowohl der Herr Bundeskanzler als auch er selbst hätten in der Zwischenzeit mit Präsident Nixon Gespräche geführt.[4] Man habe gesehen, was in Washington vor sich gehe. Es sei davon auszugehen, daß seit dem Washingtoner Abkommen[5] die Entwicklung nicht so verlaufen sei, wie dies wünschenswert gewesen wäre. Die amerikanische Regierung habe die Vorlage des Gesetzes über die Dollar-Abwertung an den Kongreß verzögert. Man spreche nunmehr davon, das Gesetz werde erst im nächsten Monat eingebracht. Umlaufende Gerüchte sprächen von einer noch stärkeren Abwertung des Dollar. Die Niedrigzins-Politik der amerikanischen Regierung verzögere den Rückfluß des US-Kapitals aus Europa. Eingeleitete Maßnahmen stünden im Widerspruch zu der Politik, die man verkündet habe. Aus all dem ergebe sich der Eindruck, daß die in Washington

---

[1] Durchdruck.
Die Gesprächsaufzeichnung wurde von Vortragendem Legationsrat Merten am 15. Februar 1972 gefertigt.

[2] Vgl. Dok. 28.

[3] In dem Gespräch am 10. Februar 1972 in Paris erörterten Bundeskanzler Brandt und Ministerpräsident Chaban-Delmas die Vorbereitung der UNO-Umweltkonferenz vom 5. bis 16. Juni 1972 in Stockholm, die Zusammenarbeit beim Bau und Vertrieb ziviler Großraumflugzeuge, verkehrspolitische Fragen, die wirtschaftliche Lage in Frankreich und der Bundesrepublik sowie Probleme der beruflichen Bildung. Vgl. Bundeskanzleramt, AZ: 21-30 100 (56), Bd. 36; B 150, Aktenkopien 1972.

[4] Staatspräsident Pompidou und Präsident Nixon trafen am 13./14. Dezember 1971 in Angra do Heroismo auf der Azoreninsel Terceira zusammen und erörterten vor allem Währungsprobleme. Für die dazu getroffenen Absprachen vgl. FRUS 1969–1972, III, S. 597–599.
Für die Gespräche des Bundeskanzlers Brandt mit Präsident Nixon am 28./29. Dezember 1971 in Key Biscayne vgl. AAPD 1971, III, Dok. 450 und Dok. 452.

[5] Am 17./18. Dezember 1971 kam es auf der Konferenz der Wirtschafts- und Finanzminister sowie der Notenbankpräsidenten der Zehnergruppe in Washington zu einer Einigung über die Neuordnung des Weltwährungssystems („Smithsonian Agreement"). So wurde u.a. eine Aufwertung der DM um 4,61 % sowie eine Abwertung des US-Dollar um 7,89 % vereinbart, während der Kurs des französischen Franc unverändert blieb. Die USA erklärten sich zur Rücknahme der von Präsident Nixon am 15. August 1971 verkündeten zehnprozentigen Importabgabe bereit. Ferner beschlossen die Teilnehmer eine Erweiterung der Bandbreiten für Währungskursschwankungen auf 2,25 % nach beiden Seiten und die Aufnahme von Verhandlungen über die langfristige Reform des Weltwährungssystems. Vgl. dazu das Kommuniqué; DEPARTMENT OF STATE BULLETIN, Bd. 66 (1972), S. 32–34. Für den deutschen Wortlaut vgl. EUROPA-ARCHIV 1972, D 23 f.
Vgl. dazu ferner AAPD 1971, III, Dok. 447.

festgelegten Paritäten zunächst nur provisorischen Charakter hätten. Zwar sei dies nur ein Eindruck, in Währungsfragen seien Eindrücke jedoch sehr wichtig. In den nächsten Monaten könne man noch nicht mit einer Beruhigung der Lage an der Währungsfront rechnen, es sei denn, daß endlich kurzfristiges amerikanisches Kapital nach den USA zurückfließe.

Er habe, wie wohl auch der Herr Bundeskanzler, Präsident Nixon gegenüber zu erkennen gegeben, daß das geschlossene Abkommen nur ein erster Schritt auf dem einzuhaltenden Wege sei. Eines Tages müsse man das ganze System überdenken, denn es könne kein neues System geben, solange der Dollar nicht konvertibel sei. Gleichfalls müsse der Gedanke einer Reservewährung aufgegeben werden, denn es dürfe kein Privileg für eine und stärkere Belastungen für andere Währungen geben. Gegenüber all diesen Fragen müsse es zu einer europäischen Reaktion kommen, was in Washington nicht der Fall gewesen sei. Das Problem der Paritäten zwischen den Währungen Europas sei zumindest so wichtig wie deren Parität zum amerikanischen Dollar. Die Paritäten seien z. Zt. einigermaßen normal, was jedoch nicht so bleiben müsse. Die italienische Lira erweise sich z. Zt. als ein bißchen schwach. Wenn sich aber die politische Lage Italiens stabilisiere[6], müßte sich auch die Lage der italienischen Währung bessern. Man könne nicht untätig warten. Tue man nichts, gerate man wieder unter den Einfluß amerikanischer Politik und sei gezwungen, alles für den Dollar und in Abhängigkeit von ihm zu tun. Dies bedeute, daß man die Nichtkonvertibilität des Dollar anerkenne. Ein vollkommen, möglichst in Gold konvertibler Dollar könnte von Frankreich akzeptiert werden. Der nichtkonvertible Dollar jedoch schaffe keine gesunde Lage und führe zu der Unzumutbarkeit, daß Europa aus eigenen Mitteln die amerikanische Wirtschaft finanziere.

Es sei auch vorauszusehen, daß die USA, die sich beim Ausgleich ihrer Zahlungsbilanz sehr schwer täten, sich jetzt schon auf eine Handelsschlacht einrichteten. Er halte dies für ungerecht, denn der gemeinsame Außentarif der Gemeinschaft liege niedriger als der Tarif der USA. Die USA stellten dies so dar, als ob ihre mißliche Export- und Importsituation Schuld der anderen sei. Ein starkes Volk pflege gemeiniglich auf diese Art und Weise zu reagieren; mit den Reaktionen eines starken Volkes müsse man leben.

Es sei der Zeitpunkt gekommen, den Prozeß der europäischen Wirtschafts- und Währungsunion wieder aufzugreifen. Dies müsse natürlich umsichtig und pragmatisch geschehen, aber in der Weise, daß deutlich werde, daß Europa seine eigene wirtschaftliche und währungsmäßige Persönlichkeit hat. Neben der Frage des Verhältnisses zu den USA ergebe sich für Europa noch das Problem der Beziehungen zu Japan und der unterentwickelten Welt. Nehme man dies alles zusammen, ergebe sich daraus ein Plädoyer für eine gemeinsame Position Europas.

---

[6] Am 15. Januar 1972 trat die italienische Regierung unter Ministerpräsident Colombo zurück. Am 17. Februar 1972 wurde eine christlich-demokratische Regierung unter Giulio Andreotti gebildet, die jedoch bereits am 26. Februar 1972 nach einer verlorenen Vertrauensabstimmung im italienischen Senat wieder zurücktrat. Staatspräsident Leone löste am 28. Februar 1972 das Parlament auf und setzte für den 7. Mai 1972 Neuwahlen an.

Da das monetäre Problem das wichtigste sei und Beschlüsse darüber prinzipiell gefaßt seien, die jedoch noch nicht Realität angenommen hätten, müsse man nunmehr mit den Sechs und Großbritannien über die erste Etappe des Prozesses einer europäischen Wirtschafts- und Währungsunion sprechen. Praktische Fragen könnten dabei den Technikern überlassen bleiben. Wesentlich sei, daß das Prinzip verabschiedet werde.

Er glaube, man sollte auch für eine Verengung der Bandbreiten innerhalb der Gemeinschaft eintreten. Allerdings dürfe diese Verengung der Bandbreiten nicht zu stark sein, weil man sonst das Gefüge zum Einsturz bringe. Diese Gefahr sei z. B. gegeben, wenn man auf die ursprünglich vorgesehenen 0,65 zurück wolle. Die von der Kommission vorgeschlagenen 2%[7] stellten seines Erachtens ein Minimum dar, der Wert von 2,25% sei andererseits ein Maximum. Gehe man darüber hinaus, werde das Gefälle im Verhältnis zum Dollar zu groß. Bliebe man etwas über 2,25 oder 2,20, hätte dies auch den Vorteil, daß die Banken dann in europäischer Währung, nicht jedoch in Dollars intervenierten. Komme es zu einer Verengung der Bandbreiten, könnte es dann zu Schwierigkeiten kommen, wenn spekulatives Kapital nach Europa zurückkomme. Es sei deshalb erforderlich, Regeln für die Kontrolle kurzfristiger Kapitalbewegungen auszuarbeiten. Während alle großen Länder, auch Großbritannien, über Rechtsgrundlagen dafür verfügten, gebe es diese in der Bundesrepublik nicht. Zwar verfüge die Bundesrepublik über das Instrument des Bardepots[8], was aber keine Antwort auf die Frage darstelle, ob z. B. die Bundesbank autoritär auf die Außenverbindlichkeiten der deutschen Banken einwirken könnte? Deutsche Meinungen darüber seien geteilt, dies sei aber Sache der Bundesregierung. Er habe Verständnis dafür, daß Minister Schiller, der an die Marktgesetze glaube, mit den Mitteln der Zinspolitik hier arbeiten wolle. Er glaube, daß dies für die Alltagspraxis genüge, nicht jedoch für brutal einsetzende Kapitalbewegungen. Er halte die Schaffung von Rechtsgrundlagen für

---

[7] Am 12. Januar 1972 legte die EG-Kommission den Entwurf einer Entschließung vor, wonach der EG-Ministerrat beschließen sollte, „die Zentralbanken aufzufordern, die Bandbreite der Wechselkurse zwischen den Mitgliedstaaten in der Begrenzung von 2% zu halten und die Zentralbanken zu bitten, hierzu die notwendigen technischen Maßnahmen zu treffen". Außerdem sollte der EG-Ministerrat „sich binden, so früh wie möglich eine fortschreitende Verringerung der Bandbreite vorzunehmen und von einer de facto-Regelung zu einer juristisch fixierten Regelung überzugehen". Vgl. den Drahtbericht Nr. 97 des Botschafters Sachs, Brüssel (EG), vom 13. Januar 1972; Referat III A 1, Bd. 635.
Dazu erläuterte der Vizepräsident der EG-Kommission, Barre, den Ständigen Vertretern bei den Europäischen Gemeinschaften in Brüssel am 26. Januar 1972: „Die von der Kommission vorgeschlagenen 2 v[om] H[undert] stellten das Maximum dessen dar, was im Interesse des Funktionierens des gemeinsamen Agrarmarktes und damit unter der Zielsetzung, daß die innergemeinschaftlichen Bandbreiten Agrarausgleichsabgaben nicht mehr erforderlich machen dürften, noch vertretbar sei. Aber auch der gewerbliche Markt erfordere die Verminderung der Bandbreiten, zumal in einer Situation allgemeiner konjunktureller Abschwächung mit ihren Folgen auf den Wettbewerb für den Export." Vgl. den Drahtbericht Nr. 296 von Sachs; Referat III A 1, Bd. 635.
[8] Durch das Gesetz vom 23. Dezember 1971 zur Änderung des Außenwirtschaftsgesetzes vom 28. April 1961 (Bardepotgesetz) wurde zur Abwehr spekulativer Kapitalzuflüsse aus dem Ausland festgelegt, „daß Gebietsansässige einen bestimmten Vom-Hundert-Satz der Verbindlichkeit aus den von ihnen unmittelbar oder mittelbar bei Gebietsfremden aufgenommenen Darlehen oder sonstigen Krediten während eines bestimmten Zeitraums zinslos auf einem Konto bei der Deutschen Bundesbank in Deutscher Mark zu halten haben (Depotpflicht)." Vgl. BUNDESGESETZBLATT 1971, Teil I, S. 2141.

eine quantitative Kontrolle der Außenverbindlichkeiten der Banken, insbesondere im Zusammenhang mit dem Problem kurzfristiger Kapitalbewegungen, für erforderlich. Wenn dies eingeräumt werde, müsse man auch prüfen, ob für eine solche Kontrolle eine Organisation geschaffen werden könnte. Ein ständiges Sekretariat des Rats der Gouverneure z. B. könnte schnelle Konsultationen und Entscheidungen herbeiführen. Vielleicht könnte man auch an einen gemeinsamen Interventionsfonds denken, wobei sich die Frage erhebe, wie dieser zusammengesetzt sein solle. Ferner sei die Frage des erforderlichen Saldenausgleichs zu prüfen. Die Techniker hätten genug Stoff.

Auch wenn man sich mit Großbritannien völlig einige, werde es zu monatelangen Verhandlungen kommen. Dies halte er auch für erforderlich. Er wisse auch, daß die Bundesregierung die Parallelität zwischen dem wirtschaftlichen und dem monetären Aspekt betone. Frankreich stimme dem auch zu, nur müsse man wissen, was eine Wirtschafts- und Währungsunion bedeute, welches ihre Sofortziele, welches ihre weiteren Projekte seien. Französischerseits sei man bereit, alle Vorschläge dazu zu prüfen. Man müsse jedoch praktisch vorgehen, Sektor um Sektor der Industrie prüfen, auch in völliger Klarheit darüber, daß es eine Währungsunion ohne eine Wirtschaftsunion nicht geben könne. Die Union könne nur dann stabil sein, wenn sie auf einer bestimmten Einheit der Wirtschaften beruhe. Er stehe hier allen Vorschlägen offen gegenüber. Stärker noch aus politischen als aus wirtschaftlich-finanziellen Gründen glaube er aber, daß Europa, komme es in den nächsten Wochen zum Beginn einer Wirtschafts- und Währungsunion, mehr Gewicht in die Diskussionen über ein internationales Währungssystem einbringen könne.

Man könne natürlich noch über das Japan-Problem sprechen, dies sei aber kein Sofortproblem. Es komme auf uns zu, wenn die USA die japanischen Importe nach Europa umleiten wollten. Er halte die japanische Exportpolitik für eine Gefahr. Er könne sich keine Welt vorstellen, die völlig von japanischen Exporten überschwemmt sei.

Bevor Minister Schiller zu dem Gespräch hinzukomme, und um von diesem nicht gleich attackiert zu werden, wolle er noch folgende Bemerkung machen: Er glaube nicht, daß der wirtschaftliche Liberalismus total sein könne. Ein totaler wirtschaftlicher Liberalismus bedeute jeweils den Triumph des Stärksten. Man möge sich unter diesem Aspekt einmal das Verhältnis Europas zu Japan, den USA und der unterentwickelten Welt ansehen, wobei er jetzt die Frage des Verhältnisses zum Osten außer Betracht lasse. Komme es unter dem Aspekt des totalen Wirtschaftsliberalismus zum Handelskrieg, müsse der Stärkste gewinnen. Die unterentwickelte Welt habe darunter in entsetzlicher Weise zu leiden. Da ferner die USA, wie auch andere Länder, in der Produktivität hinter den Japanern einherhinkten, müsse mit einer neuen Welle des Protektionismus gerechnet werden, wie es ihn auf dem Gebiet der Agrarerzeugung gebe. Die ganze Welt betreibe Agrarprotektionismus, die USA noch in stärkerem Maße als die EWG. Die Erklärung dafür sei einfach: Die Produktivität der gesamten Agrarwirtschaft reiche nicht aus, um alle Landwirte leben zu lassen. Wolle man auf ein Gleiches in der gewerblichen Wirtschaft hinsteuern? Frankreich habe größere Produktivitätsprobleme als Deutschland, Deutschland größere als Japan. Gelänge es nicht, diese Fragen zu regeln, käme es

10. Februar 1972: Deutsch-französische Konsultationsbesprechung 29

überall erneut zu Zollbarrieren. Es sei sinnlos, um der schönen Optik des Liberalismus wegen sterben zu wollen.

Der Herr *Bundeskanzler* erwiderte, was die USA anbelange, komme man deutscherseits zu einer etwas optimistischeren Einschätzung. Präsident Nixon habe etwas sehr Interessantes gesagt: Während das Kriegsrisiko abnehme, nehme die Gefahr der wirtschaftlichen Rivalität zu. Dies sei eine interessante Formulierung, denn sie bedeute, daß die Gefahr der Wirtschaftsrivalität u. a. als denen zunehme[9], die gestern noch mit dem Risiko eines untereinander zu führenden Krieges behaftet gewesen seien.

Aus unserer Interessenlage heraus seien wir stärker interessiert als Frankreich, bei allen Interessengegensätzen doch zu einem angemessenen Ausgleich zu kommen, freilich bei entsprechenden Gegenleistungen. In dieser Hinsicht verstehe man durchaus die französischen Bedenken gegenüber den Verhandlungen mit dem amerikanischen Bevollmächtigten Eberle.[10] Die Erfahrungen der letzten Zeit hätten ihn in der Auffassung bestärkt, daß man den Dialog mit den USA nicht dem Zufall überlassen dürfe. Dieser Dialog müsse unter Kontrolle nicht nur der Kommission, sondern auch der Regierungen, und zwar auf genügend hoher Ebene, geführt werden. Er verstehe durchaus, daß viele der amerikanischen Vorwürfe nicht gerechtfertigt seien. In einem Beitrag, den er kürzlich für die Zeitschrift „Foreign Affairs" redigiert habe, habe er dies auch zum Ausdruck gebracht.[11] Auf die japanischen Probleme wolle er, wie der Präsident, nicht eingehen; es sei klar, daß hier der amerikanische Wunsch nach Umleitung der japanischen Exportströme zutage trete.

---

9 So in der Vorlage.
10 Am 21. Dezember 1971 begannen in Brüssel Verhandlungen zwischen der EWG und den USA über Probleme ihrer Handelsbeziehungen, die auf amerikanischer Seite durch den Sonderbotschafter des amerikanischen Präsidenten für Handelsangelegenheiten, Eberle, geführt wurden. Am 4. Februar 1972 wurde eine Einigung über handelspolitische Zugeständnisse erzielt, die in einem Briefwechsel vom 11. Februar 1972 niedergelegt wurden. Für den Wortlaut vgl. EUROPA-ARCHIV 1972, D 220 f.
Ferner erklärten beide Seiten, „daß eine umfassende Überprüfung der gesamten internationalen Wirtschaftsbeziehungen vorgenommen werden muß, um die Verbesserungen auszuhandeln, die im Zusammenhang mit den in den letzten Jahren eingetretenen Strukturveränderungen daran vorzunehmen sind. Die Überprüfung wird sich unter anderem auf alle Handelsfaktoren einschließlich der Maßnahmen erstrecken, die die Handelsströme von Agrarerzeugnissen, Rohstoffen und gewerblichen Erzeugnissen behindern oder verlagern. Besondere Aufmerksamkeit wird den Problemen der Entwicklungsländer gewidmet. Die Vereinigten Staaten und die Gemeinschaft verpflichten sich, im Rahmen des GATT umfassende multilaterale Verhandlungen einzuleiten und aktiv zu unterstützen; diese Verhandlungen werden (vorbehaltlich der gegebenenfalls erforderlichen internen Genehmigung) 1973 beginnen und die Ausweitung und zunehmende Liberalisierung des Welthandels sowie die Anhebung des Lebensstandards der Völker zum Ziel haben, was unter anderem durch die fortschreitende Beseitigung der Handelshemmnisse und die Verbesserung des internationalen Rahmens für die Welthandelsbeziehungen erreicht werden kann. [...] Diese multilateralen Verhandlungen werden auf der Grundlage gegenseitiger Vorteile und gegenseitiger Verpflichtungen geführt werden, die eine vollständige Reziprozität bewirken, und sie werden sich sowohl auf den Agrarhandel als auch auf den Handel mit gewerblichen Erzeugnissen erstrecken. An den Verhandlungen müßten sich möglichst viele Länder aktiv beteiligen." Vgl. EUROPA-ARCHIV 1972, D 221 f.
11 Vgl. Willy BRANDT, Germany's „Westpolitik", in: Foreign Affairs 50 (1972), S. 416–426.

131

Was unsere Politik gegenüber der Wirtschafts- und Währungsunion anbelange, glaube er, daß ein Rückgriff auf die Entscheidungen vom März 1971[12] die einfachste und überzeugendste Form darstelle. Diese Entscheidungen seien noch im Lichte der Entwicklung von Experten zu prüfen, enthielten aber alle wesentlichen Elemente vor allem für die erste Etappe der Währungs- und Wirtschaftsunion. Zwei Punkte seien dabei mit zu bedenken: Zunächst, dies habe der Präsident von sich aus schon gesagt, seien Konsultationen mit Großbritannien wünschenswert, weil dies das Verfahren erleichtere. Was zweitens die Parallelität zwischen dem wirtschaftlichen und monetären Aspekt anbelange, sollte man folgendes ins Auge fassen: Unabhängig von den Sachfragen sollte man prozedural so verfahren, daß einmal der Rat der Gouverneure Vollmachten und Aufträge erhielte. Dies wäre durchaus im Sinne der Bundesregierung. Sodann könne man innerhalb der Gemeinschaft an die Bildung einer Art Lenkungssauschuß denken, nicht auf Ministerebene, sondern auf der Ebene der Staatssekretäre, die sich auch an dem einen oder anderen Tag durch Abteilungsleiter vertreten lassen könnten. Dies böte die Gewähr dafür, daß auf genügend hohem Niveau die Entscheidungen der Regierungen rascher als bisher bekanntwerden und man sich darauf einstellen kann. Die viel zitierte Parallelität bekäme so einen doppelten Ausdruck, ohne daß ein großer Apparat dafür in Brüssel erforderlich wäre. Ein bis zwei Vertreter jeder Regierung könnten die konjunkturpolitischen Entscheidungen miteinander abstimmen.

Man dürfe die Entscheidung, die Wirtschafts- und Währungsunion ernsthaft in Gang zu setzen, nicht mehr vor sich herschieben, sondern müsse sie im Ministerrat Anfang März treffen.[13] Es blieben dann noch etwa 14 Tage Zeit, um das damalige Dokument an die Entwicklung anzupassen. Für den zeitlichen Ablauf sei nun das Agrarproblem noch von großer Bedeutung für uns. Im Wirtschaftsjahr 1970/71 sei das Einkommen der in der Agrarwirtschaft tätigen Bevölkerung pro Kopf um 10% gesunken, während in der gewerblichen Wirtschaft ansehnliche Einkommensgewinne zu verzeichnen seien. Für das Jahr 1971/72 ergebe sich ein günstigeres Bild, allerdings nur im Hinblick auf das Aufholen des im Jahre 1970/71 Verlorenen. Am heutigen Tage fänden in vielen deutschen Städten Demonstrationen der Bauern statt, die sich freilich nicht gegen die Politik der Bundesregierung, sondern gegen Brüssel richteten. Für ihn als Bundeskanzler sei es wichtig, daß sich in der Agrarpreisfrage etwas tue. Die deutschen Landwirte hielten die Brüsseler Vorschläge[14] für zu unbedeutend. Die Landwirtschaftsminister der Bundesrepublik[15] und Frankreichs[16]

---

[12] Zur Entschließung des EG-Ministerrats vom 9. Februar 1971 über die stufenweise Verwirklichung der Wirtschafts- und Währungsunion sowie zu den Beschlüssen des EG-Ministerrats vom 22. März 1971 vgl. Dok. 19, Anm. 3.

[13] Zur EG-Ministerratstagung am 6./7. März 1972 in Brüssel vgl. Dok. 31, Anm. 15.

[14] Am 2. Februar 1972 übermittelte die EG-Kommission dem EG-Ministerrat Vorschläge für die Festsetzung der Preise für verschiedene landwirtschaftliche Erzeugnisse für das Wirtschaftsjahr 1972/73 sowie für die Gewährung einer Einkommensbeihilfe für bestimmte Gruppen landwirtschaftlicher Betriebsinhaber. Die Vorschläge sahen eine Anhebung des Agrarpreisniveaus um durchschnittlich acht Prozent vor. Landwirten ab dem 40. Lebensjahr, die in benachteiligten oder sich modernisierenden Betrieben tätig waren, sollte eine direkte Einkommensbeihilfe gewährt werden. Vgl. dazu BULLETIN DER EG 4/1972, S. 70f.

[15] Josef Ertl.

[16] Michel Cointat.

hätten über diese Frage bereits in Berlin und in Brüssel gesprochen; er habe den Eindruck, daß die Auffassungen nicht weit auseinanderklafften. Es gehe für ihn um die Frage, wie sich das offizielle Feststellen der Paritäten auf die Grenzausgleichsabgabe[17] und die Rechnungseinheiten und das allgemeine Funktionieren des Agrarmarktes in einem Zeitpunkt auswirke, da die Washingtoner Beschlüsse festgeschrieben würden. Hier habe man nur ganz wenig Spielraum. Ginge es nur um die formelle Umwandlung der Mittelkurse, wäre das Problem schon da; die Verengung der Bandbreiten macht es aber noch schlimmer.

Minister Schiller sei nicht gegen diese Verengung der Bandbreiten, da dies auch schon Bestandteil der Beschlüsse über die Wirtschafts- und Währungsunion gewesen sei. Die deutschen Landwirte würden am liebsten weiter mit der Grenzausgleichsabgabe leben. Die Zahlen ließen erkennen, daß trotz dieser Abgabe die Exporte weiter angestiegen sind. Demgegenüber beklage sich die Verwaltung darüber, daß diese Abgabe sehr kompliziert zu handhaben sei. Diese gesamte Frage müsse gründlich geprüft werden. Sei die Grenzausgleichsabgabe als Lösung nicht mehr haltbar, stehe er vor der Frage, wie man dann eine Lösung finden könne, die ihn nicht in eine unhaltbare Lage gegenüber seiner landwirtschaftlichen Bevölkerung bringe. Könne man dann an eine geringfügige Veränderung der Rechnungseinheiten denken, oder an Kompensationen über die Mehrwertsteuer? Letzteres könne man natürlich nur als Gemeinschaftsregelung ins Auge fassen. Er sei aber auf diese Lösung gar nicht wild, weil sie kostspielig sei und den Finanzminister vor Probleme stelle. Irgendeine Kompensation müsse aber gefunden werden.

Zum anderen Hauptpunkt, dem des Interventionsmechanismus gegen unerwünschten spekulativen Kapitalzufluß, wolle er folgendes sagen: Er glaube nicht, daß es in kurzer Zeit gelingen könnte, Wirtschaftstheorien, die in einem Land stärker zum Zuge kommen als im anderen, abzubauen. Gewiß sei es etwas verwirrend, daß Leute, die man Sozialisten nenne, sich hier als Liberale erwiesen. Man könne es sich in dieser Frage jedoch leichter machen, wenn man pragmatisch vorgehe und möglichst viel an vereinbarten Regeln vorformuliere, so daß dann möglichst wenig für unvorhergesehene Maßnahmen übrig bliebe. Das meiste von dem, das eintreten könne, sei bekannt. Man sollte den Gouverneuren einen Katalog vereinbarter Regeln an die Hand geben und wäre auch gut beraten, die Gouverneure zu beauftragen, uns Vorschläge zu machen.

Die Frage, ob unsere eigenen nationalen Gesetze ausreichen, könne man unterschiedlich beurteilen. Das Instrument des Bardepots sei eine Art „fleet in being", die jederzeit eingesetzt werden könne. Die Bundesbank mit ihrem eigenen Status könne bei der Verteidigung der Währung durchaus mithelfen. Der Rat der Gouverneure könne andererseits auch etwas darüber sagen, was mit

---

[17] Am 12. Mai 1971 beschloß der EG-Ministerrat, daß die Bundesrepublik und die Niederlande, die nach der EG-Ministerratstagung vom 8./9. Mai 1971 in Brüssel den Wechselkurs ihrer Währung vorübergehend freigegeben hatten, für die Dauer der Wechselkursfreigabe Ausgleichsbeträge bei der Einfuhr landwirtschaftlicher Erzeugnisse erheben bzw. bei der Ausfuhr gewähren durften, wenn der Wechselkurs mehr als 2,5 % von der offiziellen Parität abwich. Vgl. dazu BULLETIN DER EG 7/1971, S. 60.

dem Fonds zu geschehen habe, der schon im März-Programm 1971, freilich mehr aus politischen als aus wirtschaftlichen Gründen, drinstand.[18]

Im übrigen glaube er, daß die größeren Bandbreiten gegenüber dem Dollar nicht unterschätzt werden sollten, sondern als ein Instrument vielleicht nur partieller Verteidigung der eigenen Interessen verstanden werden könnten.

Nach dem Hinzutreten der anderen Minister unterrichtete Staatspräsident *Pompidou* diese zunächst über den bisherigen Verlauf des Gesprächs.

Bundesminister *Schiller* knüpfte daran einige Bemerkungen zum Thema Wirtschafts- und Währungsunion an. Er glaube, man sei allgemein der Auffassung, daß nach dem realignment vom 18.12. nunmehr der Zeitpunkt gekommen sei, die Entwicklung zur Wirtschafts- und Währungsunion wieder aufzugreifen. Er glaube gleichfalls, daß man sich klar darüber sei, daß im Sinne der Evidenz, die Staatspräsident Pompidou zitiert habe, die wirtschaftliche und währungsmäßige Entwicklung parallel verlaufen müsse. Dies bedeute, daß eine stärkere monetäre Konvergenz mit einer stärkeren wirtschaftlichen und finanziellen Koordinierung einhergehen müsse. Des weiteren seien sowohl sein französischer Kollege als auch er selbst von den bisherigen Formeln der Koordinierung der Wirtschafts- und Finanzpolitik in Brüssel etwas enttäuscht.

Beide seien der Auffassung, daß es eine eigentliche Koordinierung noch gar nicht gegeben habe. Der neue Jahresbericht der Gemeinschaft[19] sei zwar wiederum ein schönes Werk, stelle aber nur die Addition nationaler Orientierungen ohne Abstimmung dar. Er selbst habe heute an einen alten deutschen Vorschlag erinnert, daß nämlich neben den sehr verdienten Ständigen Vertretern ein Ausschuß von Staatssekretären oder zuständigen Direktoren, also Leuten, die jahraus, jahrein die Konjunktur- und Finanzpolitik ihrer Länder mitgestalten, die diesbezüglichen Orientierungen vorbereiten, mit dem Ziel tätig werden sollte, eine stärkere Koordinierung zu ermöglichen. Was die europäische Währungspolitik anbelange, glaube auch er – und stimme mit seinem französischen Kollegen darin überein – daß man sich weitere Schritte überlegen sollte. Beide Regierungen seien bisher noch nicht in der Frage der Verengung der Bandbreiten und gemeinsamer Interventionen gegenüber kurzfristigen Kapitalbewegungen im Detail festgelegt. Man befinde sich noch im Stadium des Nachdenkens. Dies sei gut so, weil man noch keine Positionen bezogen habe, die dem jeweils anderen das Leben schwermachen könnten. Zur Frage der Verengung der Bandbreiten wolle er nur soviel sagen: Er glaube, man könne ein System finden, daß die Möglichkeit gebe, die Währungen der Mitgliedsländer enger aneinander zu binden. Minister Giscard d'Estaing und er selbst seien der Auffassung, daß 2% zu restriktiv seien. Vielleicht könne man an 2,25% denken.

---

[18] In der am 9. Februar 1971 vorgelegten und am 22. März 1971 verabschiedeten Entschließung des EG-Ministerrats zur Wirtschafts- und Währungsunion wurde ausgeführt: „Der Rat ersucht den Währungsausschuß und den Ausschuß der Zentralbankpräsidenten, bis spätestens 30. Juni 1972 in enger Zusammenarbeit einen Bericht über Errichtung, Aufgaben und Satzungen eines Europäischens Fonds für währungspolitische Zusammenarbeit zu erstellen, damit dieser Fonds, sofern die Erfahrungen mit der Verringerung der Bandbreiten und der zunehmenden Angleichung der Wirtschaftspolitik der einzelnen Staaten dies rechtfertigen, gegebenenfalls während der ersten Stufe geschaffen werden kann". Vgl. EUROPA-ARCHIV 1971, D 143.

[19] Vgl. FÜNFTER GESAMTBERICHT ÜBER DIE TÄTIGKEIT DER GEMEINSCHAFTEN 1971, hrsg. von der Kommission der Europäischen Gemeinschaften, Brüssel/Luxemburg 1972.

Wenn aber die Bandbreite nach innen immer enger gestaltet werde, müsse dies auch so erfolgen, daß man nach außen hin die volle Washingtoner Bandbreite ausnutze. Die nach Washington gegebene größere Flexibilität verhindere exzessive Kapitalbewegungen und beruhige die Situation. Man habe auch darüber diskutiert, warum nicht größere Kapitalrückflüsse nach den USA bisher zu verzeichnen seien. Hier liege auf der Hand, daß nach einer Entscheidung des Kongresses das Vertrauen in die neue Parität stärker werde. Diese Frage sei auch in Abhängigkeit von der Zinspolitik der USA zu sehen. Was die Interventionen anbelange, müsse man ein System finden, bei dem die Länder verpflichtet wären, in kürzeren Abständen einen Saldenausgleich vorzunehmen, weil sonst die Gefahr gegeben sei, daß einzelne Länder ein großes Portefeuille an schwachen Währungen führten. Bei letzteren denke er weder an den Franc noch an die DM.

Er glaube, daß man in der Gesamtthematik nunmehr bilateral als auch zu sechst und dann zu zehnt weiter verhandeln könne.

Minister *Giscard d'Estaing* pflichtete seinem deutschen Kollegen in der Bewertung der bisher erfolgten Koordinierung der Wirtschafts- und Finanzpolitik in Brüssel zu. Man sei dort sehr an der Oberfläche geblieben; Frankreich und Deutschland seien praktisch die einzigen Länder gewesen, die in diese Koordinierung mit Überzeugung gegangen seien. Die anderen hätten mehr versucht, daß, was es an Präzisen gegeben habe, wieder vom Tisch zu bringen. Dieses Problem müsse gelöst werden. Was die Frage neu zu schaffender Gremien im Bereich der Währungs- und Wirtschaftspolitik anbelange, verweise er darauf, daß es bereits ein Komitee dafür gebe, das z. Zt. freilich nicht aktiv sei. Andererseits sei eine Auftragserteilung an den Rat der Gouverneure nur als Ausdruck orthodoxer Politik zu werten. Man könne aber darüber nachdenken, ob man nicht ein gemischtes Gremium aus den Gouverneuren und Vertretern der Finanz- und Wirtschaftsministerien ins Leben rufen wolle. Solchen Vorschlägen gegenüber sei man nicht verschlossen. Zur Frage der eigentlichen Währungspolitik habe sein Kollege Schiller bereits alles Wesentliche gesagt. In der Frage der Bandbreiten gehe es nur noch um die Streitfrage, ob man 2,20 oder 2,25 zugrunde legen solle. Diese Frage errege aber keinesfalls Leidenschaften.

Präsident *Pompidou* wiederholte dazu seine schon gemachte Bemerkung, daß es nämlich bei 2,25 den Banken leichter sei, in europäischer Währung zu intervenieren. Was technische Fragen, z. B. den Saldenausgleich anbelange, lägen die beiderseitigen Auffassungen nicht weit auseinander. Die Fachleute sollten hier in Kontakt miteinander bleiben. Zur Frage der Kontrolle der kurzfristigen Kapitalbewegungen wolle er daran erinnern, daß es eine Empfehlung der Kommission gegeben habe, die von fünf Ländern der Gemeinschaft gebilligt worden sei.[20] Es sei wünschenswert, daß auch die Bundesrepublik diese Empfehlung

---

20 Am 23. Juni 1971 legte die EG-Kommission den Entwurf einer „Richtlinie zur Steuerung der internationalen Finanzströme und zur Neutralisierung der unerwünschten Wirkungen auf die binnenwirtschaftliche Liquidität" vor. Danach sollten die EG-Mitgliedstaaten unverzüglich Vorkehrungen ergreifen, damit den Währungsbehörden folgende Instrumente zur Verfügung stehen: „a) Für die effektive Steuerung der internationalen Finanzströme: Vorschriften für Geldmarktanlagen und die Verzinsung der Einlagen von Gebietsfremden; Regulierung der nicht mit Handelsgeschäften oder der Erbringung von Dienstleistungen verbundenen Kreditaufnahme von Gebietsansässigen im Ausland [...]. b) Zur Neutralisierung der als unerwünscht betrachteten Wirkungen, welche die

billige, sehe sie doch in ihrem Artikel 2 einen Mechanismus vor, der Minister Schiller offensichtlich zusagen könnte. In diesem Zusammenhang wolle er an Minister Schiller noch eine Frage richten, die er bereits dem Herrn Bundeskanzler vorgelegt habe: Könne die Deutsche Bundesbank die Außenverbindlichkeiten der Banken kontrollieren?

Minister *Schiller* entgegnete, die Bundesbank könne durchaus über ihre Mindestreservepolitik die Außenverbindlichkeiten der Banken berühren. Dabei ergebe sich das Problem, daß neben Kapitalbewegungen, die über Banken laufen und somit kontrollierbar sind, es auch Beziehungen zu Nicht-Banken gebe. Für deren Kontrolle habe man das marktwirtschaftliche Mittel des Bardepots vorgesehen, das man erforderlichenfalls einsetzen könne. Zum Prinzipiellen wolle er noch sagen, daß er sich mit seinem französischen Kollegen darin einig sei, daß man beim Wiederaufgreifen der Wirtschafts- und Währungsunion nicht mit festen Terminen, sondern pragmatisch und experimentell vorgehen wolle. Man sei schließlich in der ersten Stufe des Werner-Plans, die dort auch als Stufe des Experimentierens bezeichnet werde.[21]

Minister *Giscard d'Estaing* erklärte dazu, diese erste Phase, über die man noch zu sechst beschließen könne, sei in der Tat eine Phase des Experimentierens. Eine Anlaufzeit sei ohnehin erforderlich. Wenn in einigen Monaten eine europäische Gipfelkonferenz stattfinde[22], könne man dann mit den Erfahrungen aufwarten, die man haben müsse, um dann sorgfältig und vorsichtig weiter arbeiten zu können. Es gebe jedoch noch eine Schwierigkeit. Die Kontrollen, die es in der Bundesrepublik über Ausländerguthaben, Anleihen von Nicht-Banken im Ausland und der Außenverbindlichkeiten der Banken gebe, erschienen ihm noch nicht so, daß damit eine konstante Kontrolle gegeben sei. Die seinerzeitige Empfehlung der Kommission sei von fünf Ländern, nicht jedoch von der Bundesrepublik akzeptiert worden. In dieser Empfehlung gebe es Vorschläge

---

Fortsetzung Fußnote von Seite 135

internationalen Finanzströme auf die binnenwirtschaftliche Liquidität ausüben: Regulierung der Nettoauslandsposition der Kreditinstitute; Festsetzung von Mindestreservesätzen, namentlich für Guthaben von Gebietsfremden." Vgl. den Drahtbericht Nr. 1980 des Ministerialrats Kittel, Brüssel (EG), vom 25. Juni 1971; Referat III A 1, Bd. 594.

Am 1./2. Juli 1971 erörterten die Wirtschafts- und Finanzminister der EG-Mitgliedstaaten in Brüssel den Entwurf. Die Bundesregierung setzte sich über die in der Richtlinie vorgesehenen administrativen Maßnahmen hinaus dafür ein, im Internationalen Währungsfonds (IWF) gemeinsam eine Erweiterung der Bandbreiten der Wechselkurse anzustreben und diese im Außenverhältnis der EG-Mitgliedstaaten anzuwenden. Im Innenverhältnis sollten gleichzeitig die Bandbreiten entsprechend den Vereinbarungen im Bericht an Rat und Kommission über die stufenweise Verwirklichung der Wirtschafts- und Währungsunion vom 8. Oktober 1970 schrittweise verringert werden. Dazu teilte das Bundesministerium für Wirtschaft und Finanzen am 2. Juli 1971 mit, daß der Richtlinienentwurf zwar bei allen Delegationen Zustimmung gefunden habe, „der von fünf Delegationen und der Kommission bejahte Zusammenhang zwischen beiden Themen wurde jedoch von französischer Seite nicht anerkannt". Vgl. Referat III A 1, Bd. 594.

21 Im Bericht vom 8. Oktober 1970 an Rat und Kommission über die stufenweise Verwirklichung der Wirtschafts- und Währungsunion in den Europäischen Gemeinschaften („Werner-Bericht") wurde ausgeführt: „Schon zu Beginn der ersten Stufe sollten die Zentralbanken versuchsweise durch abgestimmtes Verhalten die Wechselkursschwankungen zwischen ihren Währungen ‚de facto' innerhalb engerer Bandbreiten halten als denen, die sich aus der Anwendung der für den Dollar zum Zeitpunkt der Einführung des Systems bestehenden Bandbreiten ergeben. Dieses Ziel könnte durch eine abgestimmte Aktion gegenüber dem Dollar erreicht werden. Nach dieser Experimentierperiode könnte die Verringerung der Bandbreiten amtlich verkündet werden." Vgl. EUROPA-ARCHIV 1970, D 541.

22 Zum Stand der Überlegungen für eine europäische Gipfelkonferenz vgl. Dok. 19.

für die Beilegung dieser Fragen. Hinsichtlich dessen, was Minister Schiller vorgeschlagen habe, müßte der Rat der Gouverneure wohl prüfen, ob die deutschen Maßnahmen den vorgeschlagenen äquivalent seien.

Minister *Schiller* erklärte dazu, er habe den Eindruck, man gehe ein bißchen zu weit in der Frage der Wiederaufrüstung der Bundesrepublik mit allen möglichen Kontrollen. Man verfüge über das Instrument des Bardepots, der Mindestreserven und des Ausländerzinsverbots. Damit sei man gut ausgerüstet. Eine totale Reglementierung der Auslandspositionen der Banken sei nicht möglich. Er wolle hier auch eine Warnung aussprechen: Seines Erachtens könne eine Wirtschafts- und Währungsunion nicht darin bestehen, eine Serie von Kontrollen zu errichten. Im übrigen halte man bei uns Kapitalbewegungen für etwas Gutes, da es den Welthandel fördere. Kontrollen verrieten auch keinen Gemeinschaftsgeist und müßten Mißtrauen erwecken. Daher habe man in der Bundesrepublik auch nicht lange über das Bardepot gesprochen und habe es auch nicht in Kraft gesetzt. Dies sei gut gewesen, weil sonst der Eindruck erweckt worden sei, man habe kein Vertrauen in die neuen Wechselkurse. Im übrigen sei bekannt, daß Spekulationen, die sich auf ein bestimmtes Land ausrichten, von Kontrollen nicht gebremst werden können.

Man könne die Wirtschafts- und Währungsunion als solche auch nicht nur auf diese Aspekte abstellen. Man brauche das Gesamtpaket: Eine bessere Politik im Wirtschafts- und Währungsbereich. Eine monetäre Annäherung alleine hieße neue Ungleichgewichte produzieren.

Präsident *Pompidou* bemerkte dazu, man könne die theoretische Debatte heute nicht mehr weiterführen. Er wolle nur folgende Bemerkungen noch anknüpfen:

Er könne sich drei verschiedene Lagen denken, in die man geraten könne. Die erste sei völlig normal. Wenn man dann über das verfüge, was Minister Schiller Waffen genannt habe, sei klar, daß man für alle Fälle gewappnet sei. Gerate man dann in eine völlig anormale Lage, also in eine Lage, in der der Währungskurs überhaupt nicht mehr stimme, komme es zu Aufwertungen oder Abwertungen. Er könne sich aber auch eine Lage vorstellen, die zwischen den beiden genannten liege. Er halte es für bedenklich, in einer solchen Zwischensituation versuchen zu wollen, die Zeit zwischen Ruhe und Sturm dazu zu benutzen, sich Waffen für den Ernstfall zu besorgen. Dies hieße in einer solchen Lage, die Spekulation anheizen. Es sei besser, vorher dafür zu sorgen, daß man jeder Lage gerecht werden könne, wie dies die Fünf und auch Großbritannien bereits getan hätten. Im übrigen gehe es darum, Möglichkeiten vorzusehen. Dies zwinge nicht, diese Möglichkeiten anzuwenden.

Minister *Schumann* griff mit der Bemerkung in die Debatte ein, auch er halte die Instrumente, über die die Bundesrepublik zur Abschreckung unerwünschter Kapitalzuflüsse verfüge, für nicht ausreichend. Auch er halte eine mögliche Kontrolle über die Auslandsverbindlichkeiten der Banken für erforderlich. An diese Bemerkungen schloß er zwei Fragen an: Sei man darin einverstanden, auf der Grundlage der Beschlüsse vom März 1971 im nächsten Ministerrat schon über die Verengung der Bandbreiten zu beschließen, sei das Problem der Grenzausgleichsabgaben für landwirtschaftliche Erzeugnisse so zu lösen, daß neben einem schrittweisen Abbau der Grenzausgleichsabgabe ein begrenzter Preisanstieg ins Auge gefaßt werde?

Minister *Schiller* entgegnete auf diese Darlegungen, was die Regulierung der Auslandspositionen anbelange, müsse er ehrlich sagen, daß es bisher bei uns stärkste Bedenken dagegen gebe. Man habe dies im Sommer auch nicht verlangt. Im übrigen helfe dieses Mittel auch nicht in dem Falle, in dem die Kapitalströme an den Banken vorbeigingen. Zur Frage der Verengung der Bandbreiten gebe er folgendes zu bedenken: Die Kursbewegungen in der Gemeinschaft gegenüber dem Dollar ließen erkennen, daß die DM eine mittlere Kursentwicklung einhalte, der holländische Gulden und der belgische Franc weit über der Mitte lägen, darunter lägen der französische Franc und die Lira. Wenn man nun sehr schnell an eine Verengung der Bandbreiten herangehe, bedeute dies, daß die DM ihren Kurs beibehalte, der Gulden und der belgische Franc leicht ab-, der französische Franc und die Lira leicht aufgewertet würden. Italien wäre wohl nicht bereit, dem zuzustimmen. Eine schnelle Lösung dieser Art würde für Italien eine ziemlich schwere Entscheidung bedeuten. Man müsse bei all dem auch an die anderen Länder denken.

Der Herr *Bundeskanzler* legte dazu dar, es sei entscheidend, daß in der nächsten Ministerratssitzung das Gesamtprogramm bestätigt werde. Es müsse politisch klar werden, daß wir uns nunmehr auf den Weg zur Wirtschafts- und Währungsunion begeben.

Präsident *Pompidou* erklärte, leider und Gott sei Dank müsse man nun abbrechen. Es sei festzuhalten, daß die Grundsatzentscheidung, die erste Etappe der Wirtschafts- und Währungsunion, nach den Beschlüssen vom Februar/März 1971 nunmehr in Gang gesetzt werde. Die nächste Tagung des Ministerrats solle man so vorbereiten, daß bis Ende März präzise Entscheidungen möglich seien.[23] Er schlug abschließend vor, die Herren Minister zu dem für morgen anberaumten Gespräch[24] ab 10.30 Uhr wieder hinzuziehen.

Bundeskanzleramt, AZ: 21-30 100 (56), Bd. 36

---

[23] Zur EG-Ministerratstagung vom 20./21. März 1972 vgl. Dok. 31, Anm. 15.
[24] Vgl. Dok. 31.

30

Botschaftsrat Nowak, Beirut, an das Auswärtige Amt

Z B 6-1-10629/72 geheim
Fernschreiben Nr. 30

Aufgabe: 10. Februar 1972, 18.00 Uhr[1]
Ankunft: 10. Februar 1972, 19.11 Uhr

Auf FS Nr. 9 vom 20. Januar 1972 geheim[2]

Betr.: Libanesische Deutschlandpolitik

I. Außenminister wurde gestern unter nochmaliger Darlegung unserer Deutschlandpolitik im Sinne Bezugserlasses unterrichtet. Abu Hamad nahm Ausführungen mit Verständnis, zum Teil mit Zustimmung entgegen. Aus seiner Entgegnung ist folgendes hervorzuheben:

1) Die Neuordnung der Beziehungen zu Deutschland werde im März erfolgen.

2) Die Suspendierung des Deutschlandbeschlusses der Arabischen Liga von 1965[3] bleibe für eine Normalisierung der Beziehungen zu uns Voraussetzung. Minister führte dazu aus, daß Möglichkeit bestünde, in gleicher Weise wie Algerien und Sudan ohne Befassung Arabischer Liga Beziehungen mit uns aufzunehmen.[4] Innenpolitische Deckung für solchen Schritt wäre vorhanden. Eine Reihe von Abgeordneten habe ihn zu einer solchen Initiative aufgefordert. Dennoch halte er es für in unserem Interesse liegend, wenn er erst die Suspendie-

---

[1] Hat Vortragendem Legationsrat I. Klasse Redies am 10. Februar 1972 vorgelegt, der handschriftlich vermerkte: „Büronote (offen) an Beirut: Es wird gebeten, künftige Vorgänge in der Angelegenheit als VS-v einzustufen."

[2] In dem am 7. Januar 1972 konzipierten und am 20. Januar 1972 übermittelten Drahterlaß wies Ministerialdirigent van Well Botschaftsrat Nowak, Beirut, an, gegenüber dem libanesischen Außenminister Abu Hamad darzulegen, daß die Bundesregierung weiterhin darum bitte, „von allen die DDR aufwertenden Schritten abzusehen, solange die innerdeutschen Gespräche nicht abgeschlossen seien und eine mit diesem Abschluß verbundene Aufnahme beider deutscher Staaten in die Vereinten Nationen nicht erfolgt sei. [...] Gegen einen der Wiederaufnahme der Beziehungen vorausgehenden Austausch von Generalkonsulaten zwischen dem Libanon und der DDR hätten wir uns schon deshalb wenden müssen, weil die Wiederaufnahme in diesem Falle als indirektes Einverständnis unsererseits mit einem solchen Schritt gewirkt und sicherlich in dritten Staaten, gerade auch im arabischen Raum, zu Mißdeutungen hinsichtlich unserer deutschlandpolitischen Haltung geführt hätte." Die Bundesregierung habe außerdem stets die Auffassung vertreten, „daß es Sache der einzelnen arabischen Regierungen sein müsse, zu entscheiden, ob sie vor einer Wiederaufnahme der Beziehungen eine Liga-Erörterung für erforderlich hielten oder nicht". Vgl. VS-Bd. 9862 (I B 4); B 150, Aktenkopien 1972.

[3] Als Reaktion auf das Angebot der Bundesregierung vom 7. März 1965 an Israel zur Aufnahme diplomatischer Beziehungen beschlossen die Außenminister der Arabischen Liga am 14./15. März 1965 in Kairo die Abberufung ihrer Botschafter aus Bonn. Für den Fall einer tatsächlichen Aufnahme diplomatischer Beziehungen zwischen der Bundesrepublik und Israel sollten die diplomatischen Beziehungen abgebrochen werden. Außerdem wurde mit dem Abbruch der Wirtschaftsbeziehungen gedroht. Vgl. dazu das Kommuniqué; EUROPA-ARCHIV 1965, D 241 f. Vgl. dazu ferner AAPD 1965, I, Dok. 129.
Nach Bekanntgabe der Aufnahme diplomatischer Beziehungen zwischen der Bundesrepublik und Israel am 12. Mai 1965 brachen neun arabische Staaten die diplomatischen Beziehungen zur Bundesrepublik ab, nämlich Irak am 12. Mai, die VAR, Jordanien, Saudi-Arabien und Syrien am 13. Mai, Algerien, der Libanon sowie die Arabische Republik Jemen am 14. Mai und der Sudan am 16. Mai 1965. Vgl. dazu AAPD 1965, II, Dok. 203.

[4] Die Bundesrepublik nahm die diplomatischen Beziehungen mit Algerien am 21. bzw. mit dem Sudan am 23. Dezember 1971 wieder auf. Vgl. dazu AAPD 1971, III, Dok. 435 und Dok. 446.

rung des Deutschlandbeschlusses des Ligarats betreibe. Dies eröffne weiteren arabischen Staaten die Möglichkeit einer Wiederaufnahme der Beziehungen mit uns.

Abuhamad wies darauf hin, daß die Normalisierungsfrage im Gespräch zwischen arabischen Politikern als heißes Eisen behandelt werde. Wie er wisse, seien sämtliche arabische Staaten, vielleicht mit Ausnahme Iraks, an einer Regelung des Verhältnisses zu uns interessiert. Untereinander wage man jedoch darüber nicht zu sprechen. Die Deutschland-Erörterungen auf den Ligasitzungen im November[5] und Dezember[6] seien auf Initiative des Libanon erfolgt und auf den Widerstand verschiedener Staaten gestoßen. Bliebe er selbst nicht stets am Ball, würde es kaum zu einem neuen Ligabeschluß zur Neuordnung des Verhältnisses mit Deutschland kommen.[7]

II. Zur Frage des künftigen Verhältnisses zur DDR äußerte sich Minister nicht näher. Er erkundigte sich jedoch, wann wir intern mit einem Eintritt der beiden deutschen Staaten in die Vereinten Nationen rechneten. Ich führte dazu aus, daß wegen beträchtlichen Unsicherheitsfaktors Vorhersagen nicht möglich seien. Auch bei zügigem Fortschritt der innerdeutschen Verhandlungen bestehe keine Sicherheit, daß eine Gesamtregelung unseres Verhältnisses zur DDR noch im laufenden Jahr zustande käme. Frage des Ministers zeigt, daß er unseren Wunsch, er möge sich mit DDR erst zu uns genehmem späteren Zeitpunkt ins Benehmen setzen, in Rechnung stellt. In Anbetracht seiner diesmal gezeigten Zurückhaltung in dieser Frage müssen wir jedoch damit rechnen, daß auch er künftig eine Anerkennung der DDR ohne weitere Kontaktnahmen mit uns stärker in Erwägung ziehen wird. Ob die Aufwertung der DDR auf den konsularischen Bereich beschränkt bleiben wird, ist dabei fraglich.

III. Besorgt äußerte sich Abu Hamad über negativen Effekt eines Bundeskanzlerbesuchs in Israel. Er führte aus, daß Stellungnahme des Regierungssprechers, wonach Bundeskanzler keine israelische Einladung vorliege, diese Einladung geradezu provoziert habe.[8] Eine größere Zurückhaltung hätte unsere Stellung bei den arabischen Staaten erleichtert. Es sei zu befürchten, daß die Angelegenheit bei der Deutschland-Diskussion des Ligarats von den Gegnern einer Normalisierung vorgebracht wird. Er erwäge, das Timing der israelischen Einladung in einer öffentlichen Stellungnahme als bewußtes Manöver

---

[5] Am 13./14. November 1971 fand eine Tagung des Rats der Arabischen Liga statt. Gesandter Jesser, Kairo, berichtete dazu am 16. November 1971, der Punkt „deutsch-arabische Beziehungen" sei von der Tagesordnung abgesetzt und allein der Nahost-Konflikt erörtert worden. Der Verlauf der Veranstaltung sei „konfus" gewesen: „Mangelnde Vorbereitung und mangelnde Koordination bestimmen stets das Bild derartiger Treffen." Vgl. den Drahtbericht Nr. 858; Referat I B 4, Bd. 404.

[6] Am 27. Dezember 1971 fand eine Tagung des Rats der Arabischen Liga statt. Gesandter Jesser, Kairo, teilte dazu am 28. Dezember 1971 mit: „Die arabischen Außenminister haben auf ihrem gestrigen Treffen im Rahmen der Arabischen Liga keinen sachlichen Beschluß über die Frage der Wiederherstellung der deutsch-arabischen diplomatischen Beziehungen getroffen. Die Sache wurde – wie in der Außenministersitzung vom 14. November – auf die nächste ordentliche Ratstagung der Liga im März nächsten Jahres verschoben." Vgl. den Drahtbericht Nr. 970; Referat I B 4, Bd. 378.

[7] Der Rat der Arabischen Liga beschloß am 14. März 1972, „daß es jedem Mitgliedstaat, der seine diplomatischen Beziehungen zur Bundesrepublik Deutschland noch nicht aufgenommen hat, freistehen soll, nach seinem Ermessen zu verfahren". Vgl. das Schreiben des Generalsekretärs der Arabischen Liga, Hassouna, vom 23. März 1972 an Bundesminister Scheel; Ministerbüro, Bd. 508.

[8] Zu den Äußerungen des Staatssekretärs Ahlers, Presse- und Informationsamt, vom 31. Januar 1972 und zur Einladung an Bundeskanzler Brandt zu einem Besuch in Israel vgl. Dok. 28, Anm. 28.

Tel Avivs zur Störung der deutsch-arabischen Normalisierung zu kennzeichnen, sofern libanesische Presse fortfahre, israelischen Schritt im antideutschen Sinn zu kommentieren.

Minister bat, Besuch, wenn nur irgend möglich, nicht vor Deutschland-Beschlußfassung im Ligarat stattfinden zu lassen, da dies mit Sicherheit negative Auswirkungen auf Normalisierungsvorgang hätte. Sobald Neuregelung unseres Verhältnisses zu arabischen Regierungen erfolgt sei, wäre Besuch für unsere Araber-Politik relativ unerheblich.

Ich wies Minister demgegenüber darauf hin, daß mit baldigem Antritt des Besuches erfahrungsgemäß nicht zu rechnen sei. Im übrigen sei Bundeskanzler eine der Persönlichkeiten in Deutschland, die den Israelis mit Offenheit und Unvoreingenommenheit gegenübertreten könnten, was für Araber positive Seiten beinhalte.

[gez.] Nowak

VS-Bd. 9862 (I B 4)

31

Deutsch-französische Konsultationsbesprechung in Paris

Z A 5-11.A/72 geheim 11. Februar 1972[1]

Der Präsident der Französischen Republik empfing am 11. Februar 1972 um 10.00 Uhr den Herrn Bundeskanzler zu einem dritten Gespräch unter vier Augen.[2] Ab 10.35 Uhr kamen Premierminister Chaban-Delmas, Außenminister Schumann, Wirtschafts- und Finanzminister Giscard d'Estaing sowie die Herren Bundesminister Scheel und Schiller zu diesem Gespräch hinzu. Auf die Frage des Herrn *Staatspräsidenten*, worüber man sprechen wolle, bevor die Minister zu der Gesprächsrunde hinzukämen, bemerkte der Herr *Bundeskanzler*, er halte es für zweckmäßig, noch ein paar Bemerkungen zur Thematik des Gipfeltreffens der Zehn und zur Effizienz der Gemeinschaftsorgane zu unterbreiten. Hinsichtlich der zweiten Frage sei ein Schlüsselpunkt wohl in dem zu sehen, was im gestrigen Gespräch bereits angeklungen sei. Es müsse zu einer Art permanenten Rats kommen, in dem die Außen- und Wirtschaftsminister vertreten seien. Für Sonderfälle müßten auch die Landwirtschaftsminister und andere Fachminister vertreten sein; es gäbe aber so viele politische Details zu besprechen, daß die Ständigen Vertreter einfach überfordert seien. Im Rat seien wegen Zeitmangels bereits hundert unerledigte Fragen anhängig. Daher habe es auch schon eine Empfehlung ergeben, der Rat solle sich einmal eine Woche lang zusammensetzen, um den Tisch abzuräumen.

---

[1] Durchdruck.
[2] Für die Gespräche am 10. Februar 1972 in Paris vgl. Dok. 28 und Dok. 29.

Über die Ernennung von Europaministern³ habe man schon gesprochen. Großbritannien habe in dieser Frage für die erste Zeit wohl Hemmungen.⁴ Präsident Pompidou wolle darüber aber noch einmal mit Premierminister Heath sprechen.⁵ Ob es nun zur Ernennung von Europaministern komme oder nicht, die Möglichkeit, in Brüssel einen permanenten Rat einzurichten, solle man nicht außer Auge lassen. Gewiß sei die Frage, wie man diesen einzuordnen habe, mit Schwierigkeiten verbunden. Ein Präsidialsystem tue sich in dieser Hinsicht leichter als andere Regierungen.

Eine weitere Frage sei die, wie man eine möglichst gute fachliche Zusammensetzung der Kommission vom 1. Januar 1973 ab gewährleisten könne. Des weiteren hätten die Außenminister gestern über die politische Zusammenarbeit gesprochen.⁶ Er glaube, daß ein kleines administratives Sekretariat dafür von Vorteil wäre, damit die außenpolitische Zusammenarbeit aus den Verhältnissen eines ambulanten Gewerbes rauskäme.

Präsident *Pompidou* erwiderte, die beiderseitigen Auffassungen zu all diesen Fragen lägen eng beieinander. Er selbst habe den Gedanken der Ernennung von Europaministern lanciert. Er räume ein, daß seine Verwirklichung in dieser Form verfrüht wäre, weil die Außenminister die Kontrolle über die Außenpolitik behalten wollen und auch, weil Premierminister Heath keinen spezialisierten Minister ernennen wolle, sondern häufige Kontakte zwischen allen

---

3 Zum Vorschlag des Staatspräsidenten Pompidou vom 21. Januar 1971 zur Einsetzung von Europaministern vgl. Dok. 1, Anm. 12.
4 Premierminister Heath führte Presseberichten zufolge am 22. Januar 1972 in einem Gespräch mit britischen Journalisten in Brüssel aus: „Mr Heath said he would ensure that there was a steady flow of ministers to Brussels this year. He deprecated President Pompidou's suggestion that each member country should have a single European minister, an idea also being advocated by Bonn. Mr Heath thought this would lead to other ministers leaving everything European to the European minister. [...] He regretted that the projected summit meeting of the Ten would probably not take place before early autumn. He would have preferred a meeting before the summer parliamentary recess." Vgl. den Artikel "Mr Heath says that ‚Whitehall must become European'"; THE TIMES vom 24. Januar 1972, S. 1.
5 Staatspräsident Pompidou und Premierminister Heath trafen am 18./19. März 1972 in Chequers zusammen. Vgl. dazu Dok. 104, Anm. 52.
6 Vortragender Legationsrat I. Klasse Hansen vermerkte am 11. Februar 1972, Bundesminister Scheel habe im Gespräch mit dem französischen Außenminister Schumann am Vortag in Paris angesichts „gewisser Schwächen" der derzeitigen Konstruktion der Politischen Zusammenarbeit deren „institutionelle Stärkung" angeregt, „ohne dabei bereits die Richtung der künftigen Struktur Europas festzulegen. Dies könne sich in einfachen Formen vollziehen. Wir dächten bekanntlich an ein ‚bescheidenes Sekretariat' oder ein ‚standing committee' an einem ‚bestimmten Ort'. Damit könnten ständige Migration vermieden und Kontinuität der P[olitischen] Z[usammenarbeit] gefördert werden. AM erklärte sich offen für den Gedanken eines ständigen Sekretariats. Der gute Stand der PZ und ihre bisher gezeigten Erfolge könnten eine Prüfung der eventuellen Schaffung eines permanenten Sekretariats rechtfertigen. Vom irreversiblen Stand der PZ ausgehend, sollte im Bereich der Institutionen möglichst schnell das Mögliche getan werden. Die PZ habe sich z. T. als ermutigend erwiesen, z. T. als enttäuschend erwiesen; der ermutigende Aspekt sei jedoch so stark, daß die Schaffung des Sekretariats ins Auge gefaßt werden könne. [...] Auf Anregung BM erklärte Schumann, daß auch die vier beitrittswilligen Staaten an allen Vorhaben der Entwicklung Europas, vor allem im politischen Bereich, frühzeitig in Meinungsbildungsprozeß eingeschaltet sein sollten. Die Frage könne somit auf der Gipfelkonferenz der Zehn endgültig entschieden werden. Damit zeichne sich schon eine erstes Ergebnis der Gipfelkonferenz ab. BM erklärte sich bereit, zur Frage der PZ und der institutionellen Probleme erste Gedanken zu entwickeln, die auf der Gipfelkonferenz, die ja die Leitlinien für die nächsten Jahre setzen solle, behandelt werden können. AM wies beiläufig darauf hin, er habe präzise Vorstellungen über eine ‚construction confédérale'." Vgl. Referat I A 1, Bd. 723.

seinen Ministern und den Brüsseler Behörden wünsche. Eine mittlere Lösung könnte darin erblickt werden, daß Staatssekretäre unter der Kontrolle der Außenminister permanent in Brüssel mit den Ständigen Vertretern zusammenarbeiteten. Die Frage, ob diese Staatssekretäre Entscheidungsbefugnis haben sollten oder Entscheidungen nur ad referendum treffen sollten, könne man diskutieren. Im Grundgedanken sei er aber mit dem Bundeskanzler einverstanden.[7]

Zur Zusammensetzung der Kommission habe er bereits gesagt, daß die beiden derzeitigen französischen Kommissare[8] gute Arbeit leisten. Hinsichtlich der anderen Kommissare wisse man, was z. B. Herr Dahrendorf und Herr Mansholt tun. Von den anderen höre man weniger, was nicht von vornherein darauf schließen lasse, daß sie schlechte Arbeit leisten. Nach dem Ausscheiden Herrn Malfattis als Präsident[9] falle die Präsidentschaft turnusgemäß Frankreich zu. Er habe dann die Absicht, einen französischen Vertreter mit Ministerrang zu benennen. Bei alldem gelte es zu beachten, daß die Kommission nicht aus ihrer Rolle heraustreten dürfe. Sie sei nicht das Embryo einer europäischen Regierung, dies sei vielmehr der Ministerrat. Die Kommission solle aber die Beschlüsse und Entscheidungen überwachen und ausführen. Damit habe sie schon viel zu tun; sie benötige Leute von hoher Qualität. Im übrigen müsse man darauf achten, daß dies alles nicht zu teuer werde. Jede internationale Verwaltung habe die Tendenz, ihren Lebensstandard an amerikanischen Verhältnissen zu messen. Dies sei recht kostspielig.

Für die außenpolitische Zusammenarbeit könne man seines Erachtens ein „leichtes" Sekretariat ins Auge fassen, das den Konsultationen einen permanenten Charakter gebe. Dies gelte vor allem für die Zeit, von der ab der Rat der Außenminister einmal weniger hektisch arbeite, weil er durch die Tätigkeit der vorgesehenen Staatssekretäre entlastet sei. Es bliebe dann auch mehr Zeit für häufigere politische Konsultationen. Diese Frage solle man bilateral, aber auch mit den Partnern und den vier Beitrittsländern, vor allem mit Großbritannien weiterbesprechen.

Er sei davon überzeugt, daß man weiterkommen müsse, dabei aber nichts überstürzen dürfe. Komme es zu einem ständigen Rat der Staatssekretäre, zu einem Sekretariat für die außenpolitische Zusammenarbeit und einem Sekretariat der Zentralbanken, käme viel zusammen. Man solle dies alles so vorbereiten, daß anläßlich der Gipfelkonferenz[10] Beschlüsse gefaßt werden könnten.

Die Effizienz der Gemeinschaftsorgane werde mit Sicherheit eines der zwei oder drei großen Themen der Gipfelkonferenz bilden.

Der Herr *Bundeskanzler* stimmte dem mit der Bemerkung zu, die anderen großen Themen seien dann wohl die Wirtschafts- und Währungsunion.

---

[7] Zum Vorschlag der Bundesregierung, Staatssekretäre für Europafragen einzusetzen, vgl. Dok. 1, Anm. 17.

[8] Raymond Barre und Jean-François Deniau.

[9] Die Amtszeit des Präsidenten der EG-Kommission, Malfatti, lief am 30. Juni 1972 aus. Am 2. März 1972 gab Malfatti seinen vorzeitigen Rücktritt zum 22. März 1972 bekannt, um sich am Wahlkampf in Italien beteiligen zu können. Vgl. dazu den Artikel „Franco Malfatti gibt sein EWG-Amt in Brüssel auf"; DIE WELT vom 3. März 1972, S. 6.

[10] Zum Stand der Überlegungen für eine europäische Gipfelkonferenz vgl. Dok. 19.

Präsident *Pompidou* stimmte dem zu. Mit Sicherheit werde man über die Wirtschafts- und Währungsunion sprechen. Er hoffe, daß bis zur Gipfelkonferenz in dieser Hinsicht einiges geschehen sei. Man könne dann Bilanz ziehen und der ersten Etappe mehr Realitäten mitgeben. Dies alles erfordere eine sehr gründliche Vorbereitung, damit es beim Gipfeltreffen möglichst nicht zu zehn verschiedenen Auffassungen komme. Die Frage der Außenbeziehungen der Gemeinschaft halte er ebenfalls für sehr bedeutsam. Seines Erachtens solle man diese unterteilen in die Beziehungen zu den USA, zu Japan, die Ost-West-Beziehungen und die Beziehungen zur dritten, unterentwickelten Welt.

Der Herr *Bundeskanzler* führte aus, er wolle zu aktuellen Auseinandersetzungen über die Rolle der Gemeinschaft noch zwei Bemerkungen machen. In der deutschen Presse habe man lesen können, es gebe so etwas wie eine Kontroverse zwischen Paris und Bonn hinsichtlich der Rolle der Gemeinschaft bei der KSZE. Solche Darstellungen halte er für überflüssig. Es handele sich um ein Thema, das von der Opposition hochgespielt worden sei. Von Regierungsseite habe jedermann, der um ein nicht zu kühles Verhältnis zur Opposition bemüht sei, der Opposition etwas Erfreuliches gesagt. Es sei aber klar, daß die KSZE eine Konferenz der Regierungen, der Staaten sei. Immerhin könnte es Fragen geben, bei denen man den Rat der Kommission brauche, wie etwa dann, wenn bei der KSZE auch Handelsfragen anklingen sollten. Dabei müsse man dann die größere Kompetenz der Gemeinschaft mitbeachten.

Eine zweite Frage betreffe die Gerüchte, nach denen China sich um Kontakte zur Gemeinschaft bemühe. Jemand habe für China gesagt, der in Brüssel akkreditierte bilaterale Botschafter solle auch Kontakte zur Gemeinschaft wahrnehmen. Sollte dieses Gerücht zutreffen, werfe es eine interessante Frage auf: Es gäbe dann einen Staat, der Beziehungen zur Gemeinschaft unterhalte, nicht jedoch mit allen ihren Mitgliedsländern. Er sage dies nicht, um die Dinge aufhalten zu wollen, man müsse das Problem jedoch sehen. Unsere Beziehungen zu China könnten auch erleichtert werden, wenn man die Chinesen diskret wissen lasse, wie man die Sachlage sehe.

Zum ersten Punkt erwiderte Präsident *Pompidou*, er gehöre nicht zu den Leuten, die es für ihre Aufgabe hielten, die Kommission ständig zu ärgern. Er halte es also für möglich, daß so verfahren werde, wie der Bundeskanzler dies dargelegt habe. Im Gegensatz zu China aber wolle die Sowjetunion um keinen Preis Beziehungen zur Gemeinschaft anknüpfen. Er glaube nicht, daß man daraus eine neue Vorbedingung für die KSZE machen solle. Wenn die Sowjetunion bei einer solchen Konferenz entschieden ablehne, die Gemeinschaft als solche anzuerkennen, sollte man dies seines Erachtens nicht zu einer Grundsatzfrage machen. Am Rande einer KSZE könne es dennoch zu Treffen der Zehn mit den Gemeinschaftsorganen kommen. Zu bedenken sei auch, daß andere Ostländer schon Beziehungen zur Gemeinschaft aufgenommen haben oder dies noch tun wollen. Gegenüber der Sowjetunion solle man nicht den Anschein erwecken, als wolle man ständig neue Hindernisse aufbauen. Eine KSZE werde für alle Beteiligten, wie er glaube, sehr nützlich sein. Man solle sie daher erleichtern, nicht komplizieren.

Wenn der Herr Bundeskanzler glaube, daß die Kontakte zwischen China und der Gemeinschaft die Aufnahme von Beziehungen seitens der Bundesrepublik erleichtern könnten, wolle man gerne in dieser Richtung tätig werden. Wenn der Herr Bundeskanzler jedoch glaube, daß diese Kontakte ein Hindernis darstellten, wolle man gerne abwarten.

Der Herr *Bundeskanzler* erwiderte, er glaube nicht, daß in diesen Kontakten ein Hindernis zu erblicken sei. Es wäre aber gut, den Chinesen zu sagen, es sei normal, daß ein Staat, der Beziehungen zur Gemeinschaft unterhalte, dies auch mit den Mitgliedsländern tun sollte.

Die Chinesen hätten uns wissen lassen, man solle die Frage der Aufnahme von Beziehungen nicht zu früh stellen. Die Dinge entwickelten sich aber jetzt rasch. Nach der Sommerpause rechne man mit der Aufnahme von Kontakten.

Der Herr Staatspräsident und der Herr Bundeskanzler einigten sich sodann auf folgende Daten:

1) Gipfelkonferenz der Zehn – zweite Hälfte Oktober

Staatspräsident *Pompidou* erklärte dazu, er würde dieses Datum auch Premierminister Heath vorschlagen.

2) Deutsch-Französische Konsultationen in Bonn – 3. und 4. Juli 1972[11]

Der Herr *Bundeskanzler* erklärte sich mit diesem Vorschlag mit der Bemerkung einverstanden, vielleicht habe der Herr Staatspräsident auch Lust, die Olympischen Sommerspiele in München[12] zu besuchen. Präsident *Pompidou* erklärte, er werde Möglichkeiten dafür prüfen. Er sei gerne bereit, ohne Protokoll auf einen Sprung nach München zu kommen.[13] Freilich sei die Olympische Atmosphäre wohl nichts für eine Konferenz.

Nach dem Hinzutreten der anderen Minister unterrichtete Staatspräsident Pompidou die Herren zunächst über den bisherigen Verlauf des Gespräches, insbesondere über die vorgesehenen Daten und die vorgesehene Tagesordnung der Gipfelkonferenz.

Minister *Schiller* schnitt eine weitere Datenfrage an. Geplant sei eine Ministerratssitzung für den 28. und 29. Februar.[14] Es gebe ferner den Plan einer Konferenz der Finanzminister. Sollte Minister Giscard d'Estaing, wie verlau-

---

[11] Die deutsch-französischen Konsultationsbesprechungen fanden am 3./4. Juli 1972 statt. Vgl. dazu Dok. 196 und Dok. 199.
[12] Die XX. Olympischen Sommerspiele fanden vom 26. August bis 11. September 1972 in München statt.
[13] Bundeskanzlers Brandt und Staatspräsident Pompidou trafen am 9. September 1972 in Feldafing zusammen. Vgl. dazu Dok. 262.
[14] Am 28./29. Februar 1972 fanden in Brüssel EG-Ministerratstagungen der Landwirtschaftsminister sowie der Außenminister statt. Der EG-Ministerrat nahm die von der EG-Kommission am 16. Februar 1972 vorgelegte „Synoptische Übersicht über den Stand der Arbeiten, die während der ersten Stufe der Wirtschafts- und Währungsunion durchzuführen sind", entgegen. Der Vizepräsident der EG-Kommission, Barre, erläuterte dazu, „daß die Kommission mit der Vorlage ihres Dokuments ‚Gesamtüberblick ...' habe zeigen wollen, daß die von ihr gemachten Vorschläge zu den Währungs- und Finanzbeziehungen (Bandbreitenfrage etc.) mit anderen – wirtschaftspolitischen – Fortschritten zusammenhingen". Barre nahm zudem Stellung zu Vorschlägen der Bundesregierung hinsichtlich einer Richtlinie zur Förderung von Stabilität und Wachstum sowie hinsichtlich eines konjunkturpolitischen Lenkungsausschusses „von persönlichen Vertretern der zuständigen Minister, die in der Lage wären, in Kenntnis der Haltungen ihrer Minister zu agieren und insbesondere Beschlüsses des Rates intensiv und schnell vorzubereiten". Vgl. den Drahtbericht Nr. 737 des Ministerialdirigenten Bömcke, Brüssel (EG), vom 29. Februar 1972; Referat III A 1, Bd. 635. Für die „Synoptische Übersicht" vgl. BULLETIN DER EG 4/1972, S. 27–38.

tete, am 28./29. vielleicht verhindert sein, könne man daran denken, die geplanten Diskussionen über die Wirtschafts- und Währungsunion auf die Konferenz der Finanzminister zu vertagen. Demgegenüber wandte Minister *Schumann* ein, die Ministerratssitzung vom 28./29. habe dann keinen Sinn. Minister *Giscard d'Estaing* erklärte, hier gehe es nicht um eine Frage der persönlichen Bequemlichkeit. Wenn man am 28./29. Beschlüsse fassen könne, habe die Konferenz der Finanzminister keinen Sinn. Die Frage müsse lauten, ob die Partner in der Lage seien, in der ersten Ministerratssitzung, die nunmehr folge, schon Beschlüsse zu fassen.

Minister *Schiller* erklärte, es sei sehr schwer, vor der Ratssitzung noch Zeit für eine Ministerkonferenz zu finden. Denkbar sei, daß man dem Vorschlag des luxemburgischen Ministerpräsidenten Werner folge, d.h. am 28. vormittags die Ministerkonferenz zusammentreten zu lassen und ab nachmittags als Ministerrat zu tagen. Im übrigen wisse er sich mit Minister Giscard d'Estaing darin einig, daß es nun darum gehe, die Dinge bilateral vorzubereiten, nachzudenken und die Kollegen zu orientieren. Dazu bemerkte Minister *Giscard d'Estaing*, es hänge eben alles auch von den Partnern ab. Die Erfahrungen im Ministerrat bewiesen, daß Sitzungen ohne vorherige Abstimmungen schlecht verliefen. Man laufe dann Gefahr, vor der internationalen Öffentlichkeit mit einem halben Mißerfolg dazustehen. Er glaube, man habe ein Interesse daran, das Thema zu sechst in einer Ministerkonferenz zu erörtern, dann nachzudenken und der politischen Ebene Entscheidungen möglich zu machen. Im folgenden Ministerrat könnten dann Entscheidungen getroffen werden.[15]

Minister *Schumann* bemerkte zu dem vorgeschlagenen Datum für die Gipfelkonferenz der Zehn, er halte diesen Vorschlag für gut, weil in der zweiten Oktoberhälfte die drei noch ausstehenden Volksabstimmungen[16] erledigt seien. Andererseits gebe es aber eine Erklärung des britischen Premierministers, nach der dieser eine Gipfelkonferenz so rasch wie möglich wünsche. Er halte es demnach nicht für zweckmäßig, das hier erörterte Datum an die Öffentlichkeit zu bringen.

---

[15] Am 6./7. März 1972 fand in Brüssel eine EG-Ministerratstagung der Finanz- und Wirtschaftsminister sowie der Notenbankgouverneure statt. Botschafter Sachs, Brüssel (EG), berichtete dazu am 8. März 1972, die Teilnehmer hätten sich auf eine Entschließung verständigt, in der sie den „politischen Willen" ausgedrückt hätten, „die Arbeiten zur Durchführung der ersten Stufe der Wirtschafts- und Währungsunion in voller Breite und in konstruktivem Geiste wiederaufzunehmen". Wesentliche Punkte seien die „Einsetzung einer hochrangigen wirtschafts- und finanzpolitischen Koordinierungsgruppe des Rates sowie die zunächst versuchsweise Verengung der Bandbreiten der Währungen der Mitgliedstaaten auf 2,25 v.H. ab spätestens 1. Juli 1972 unter gleichzeitiger Festsetzung von Grundsätzen für die Durchführung der notwendigen Interventionen auf den Devisenmärkten durch die Zentralbanken. Die Entscheidung ist insgesamt vom Prinzip der effektiven Parallelität zwischen wirtschaftspolitischen und währungspolitischen Fortschritten getragen, das bereits in der Ratsentschließung über den Stufenplan vom 22. März 1971 zum Ausdruck kommt und das erneut von allen Delegationen bekräftigt wurde." Vgl. den Drahtbericht Nr. 871; Referat III E 1, Bd. 1994.
Die Entschließung wurde auf der EG-Ministerratstagung am 21. März 1972 angenommen. Für den Wortlaut vgl. EUROPA-ARCHIV 1972, D 337-339.

[16] Volksabstimmungen über den Beitritt zu den Europäischen Gemeinschaften fanden am 10. Mai 1972 in Irland, am 25./26. September 1972 in Norwegen sowie am 2. Oktober 1972 in Dänemark statt.

Präsident *Pompidou* stimmte dem mit dem Bemerken zu, auch darüber nichts zu sagen, daß Paris als Tagungsort vorgeschlagen worden sei. Auch dies müsse man mit den Partnern absprechen.[17]

Der Herr *Bundeskanzler* ging noch einmal auf die Agrarfrage ein. Bei allem Respekt vor der Gemeinschaft gebe es für ihn hier eine einfache Faustregel. Er habe den deutschen Landwirten versprochen, daß sie aus den währungspolitischen Entscheiden keine Einkommenseinbußen erleiden würden. 1969 habe man mit Haushaltsmitteln etwas tun können.[18] Dies sei jetzt nicht mehr möglich. Er hielte es für falsch, darauf zu dringen, möglichst hohe Preise zu erzielen. Am besten wäre es, wenn die Partner sich mit einer Fortführung der Grenzausgleichsabgabe bis zum 1.1.1974 einverstanden erklären könnten.

Minister *Scheel* bemerkte dazu, man solle das genannte Datum möglichst nicht im Zusammenhang mit dieser Frage nennen.

Präsident *Pompidou* erwiderte, er verstehe die Sorgen der Bundesregierung in dieser Hinsicht. Man müsse über diese Frage weiter diskutieren. Persönlich sei er der Auffassung, daß man bei einer Entscheidung über die Preise und die Rechnungseinheiten vermeiden müsse, daß aus einer kombinierten Lösung für die deutsche Agrarwirtschaft Einkommensvorteile trotz der Aufwertung der DM[19] entstünden. Im übrigen laute der Vorschlag auf Erhöhung der Agrarpreise auf 7% für die Dauer von zwei Jahren. Für das erste Jahr könne man somit mit 4% rechnen. Ziehe man diese 4% von den 5%igen Einbußen der deutschen Landwirte ab, ergebe sich nur noch ein Nettoverlust von 1%.

Minister *Scheel* erklärte dazu, die Preiserhöhungen in der Gemeinschaft müsse man hier außer Ansatz lassen, weil es in der Bundesrepublik auch ein Gefälle

---

[17] Die Außenminister der EG-Mitgliedstaaten und -Beitrittsstaaten nahmen am 28. Februar 1972 als Datum für die europäische Gipfelkonferenz die Woche vom 16. bis 22. Oktober, „und hierbei vorzugsweise die Tage vom 19. bis 21. Oktober" 1972 in Aussicht und stimmten zu, daß die Konferenz in Paris stattfinden sollte. Ferner wurde beschlossen, daß die EG-Kommission an der Vorbereitung der Tagesordnungspunkte „Wirtschafts- und Währungsunion und soziale Fortschritte in der Gemeinschaft" sowie „Äußere Beziehungen der Gemeinschaft und ihre Verantwortung in der Welt" beteiligt werden sollte; keine Einigung wurde über ihre Beteiligung beim Thema „Institutionelle Verstärkung der Gemeinschaft und Fortschritte im politischen Bereich" erzielt. Vgl. den Drahtbericht Nr. 713 des Botschafters Sachs, Brüssel (EG), vom 28. Februar 1972; Referat III E 1, Bd. 1970.

[18] Der EG-Ministerrat beschloß am 27. Oktober 1969 in Luxemburg, den Wert der Rechnungseinheit und die im Rahmen der gemeinsamen Agrarpolitik festgesetzten Preise nicht zu ändern. Die Rechnungseinheit sollte für die Bundesrepublik für bestimmte Waren ausgesetzt bleiben. Ferner sollte für die Dauer von sechs Wochen ein System von Schutzmaßnahmen an den Grenzen der Bundesrepublik eingeführt werden. Die EG-Kommission präzisierte diese Entscheidung am 30. Oktober 1969 und ermächtigte die Bundesrepublik, bis zum 7. Dezember 1969 „die Interventions- oder Ankaufspreise zu erhöhen, Ausgleichbeträge bei der Einfuhr zu erheben und Subventionen bei der Ausfuhr zu gewähren". Nach dieser Übergangsregelung sollte für die Bundesrepublik wieder das normale System der gemeinsamen Preise gelten. Am 10. und 11. November 1969 beschloß der EG-Ministerrat, daß den landwirtschaftlichen Erzeugern in der Bundesrepublik eine Beihilfe in Höhe von 1,7 Mrd. DM für jedes Haushaltsjahr von 1971 bis 1973 gewährt werden durfte, an deren Finanzierung sich die Europäischen Gemeinschaften beteiligten. Vgl. BULLETIN DER EG 12/1969, S. 38.
Vgl. dazu ferner die Beschlüsse des EG-Ministerrats vom 12. Mai 1971; Dok. 29, Anm. 17.

[19] Am 24. Oktober 1969 beschloß die Bundesregierung eine Aufwertung der DM um 8,5% mit Wirkung vom 27. Oktober 1969. Vgl. dazu AAPD 1969, II, Dok. 323.
Zur Aufwertung im Rahmen der Einigung über eine Neuordnung des Weltwährungssystems auf der Konferenz der Wirtschafts- und Finanzminister sowie der Notenbankpräsidenten der Zehnergruppe am 17./18. Dezember 1971 in Washington („Smithsonian Agreement") vgl. Dok. 29, Anm. 5.

zwischen Agrarwirtschaft und Industrie gebe. Zum Ausgleich der Verluste aus den währungspolitischen Entscheidungen könne man seines Erachtens nur die Grenzausgleichsabgabe und eine Modifizierung der Rechnungseinheit heranziehen. Dann seien die europäischen Mittel erschöpft. Deshalb plädiere er noch einmal dafür, die Grenzausgleichsabgabe bis zu dem Datum, das man nicht nennen solle, beizubehalten.

Minister *Schiller* legte dar, das Problem sei dadurch verschärft, daß unsere Bauern nicht nur um die Entwicklung ihrer Einkommen im Verhältnis zur eigenen Industrie, sondern auch um die Entwicklung des eigenen Einkommens im Verhältnis zur Landwirtschaft anderer Länder besorgt seien. Gehe man davon aus, daß die Preiserhöhung und die Modifizierung der Rechnungseinheit zu einem Ergebnis von 7% führe, dann sei die Rechnungseinheit daran mit 2,7% beteiligt. Für die deutschen Bauern laute das Ergebnis dann 4,3%, und dieses werde verglichen. Die Bauern sagten dann, daß man in Italien eine Erhöhung von 7%, in Deutschland jedoch nur 4,3% zu verzeichnen habe. Wie solle man diese Differenz ausgleichen? Hier stehe man unter Druck. Vom rein ökonomischen Standpunkt sei das Argument des französischen Kollegen Giscard d'Estaing, daß eine Wirtschaft die Wirkung der Aufwertung der eigenen Währung auffangen müsse, sicher richtig. Bei der seinerzeitigen Abwertung des französischen Franc[20] habe es aber auch zwei Jahre hindurch eine Grenzausgleichsabgabe gegeben. Dies sei zwar mehr eine Streckung der Preise, im Prinzip jedoch halt eine Ausgleichsabgabe gewesen. Man habe damals Verständnis dafür gehabt, weil man in Frankreich Preissteigerungen nicht sofort habe in Kauf nehmen wollen. Dies sei gewiß aus Stabilitätsgründen geschehen. Nunmehr gehe es für die Deutschen darum, die Preise nicht sofort zu senken. Man müsse Zeit haben.

Präsident *Pompidou* erklärte, wenn er Minister Schiller richtig verstanden habe, sei es wohl sehr schwierig, die Phänomene einer Aufwertung und einer Abwertung richtig zu erklären. Es gehe aber wesentlich darum, ob wir das Problem aus einer doppelten Sorge heraus regeln wollen. Ersten gehe es darum, das weitere Funktionieren des Gemeinsamen Marktes zu gewährleisten. Zweitens müsse man die politische Bedeutung dieses Problems, hier für die Bundesregierung, berücksichtigen. Wenn man bona fide an die Prüfung der Frage herangehe, müßte man eine Lösung finden können. Was die geplanten Preiserhöhungen anbelange, wolle er nicht sagen, daß man sich den Vorschlägen der Kommission anschließe. Es werde jedoch Preiserhöhungen geben. Die Modifizierung der Rechnungseinheiten halte man ebenfalls für erforderlich, weil das Problem der Grenzausgleichsabgabe zumindest für andere Länder als die Bundesrepublik verschwinden müsse. Vielleicht könne man an die Möglichkeit eines progressiven Abbaus der Grenzausgleichsabgabe denken. Dies auch mit dem Vorbehalt, daß man wie im seinerzeitigen Falle Frankreichs einen Zeitplan dafür aufstelle. Die Bundesregierung könne darüber hinaus noch prüfen, was man mit der Mehrwertsteuer tun könne. Wenn man diese vier Aspekte zusammen prüfe, sollte eine Lösung des Problems gefunden werden.

---

[20] Am 8. August 1969 beschloß die französische Regierung eine Abwertung des Franc um 12,5%.

Minister *Giscard d'Estaing* wies noch einmal darauf hin, daß man auf keinen Fall der extremen These zustimmen könne, nach der eine Kombination verschiedener Faktoren zu einer Gesamtlösung der deutschen Landwirtschaft Vorteile bringe. Schließlich habe die DM-Aufwertung ihrerseits Vorteile mit sich gebracht. Andererseits bedeute es unvernünftige Politik, wolle man die Kosten und die Preise zu sehr in die Höhe treiben. Gewiß strebe man eine politische Lösung an, je höher man dabei aber die Preise setze, um so unmöglicher werde es für die Partner mitzuziehen.

Minister *Scheel* erklärte dazu, die Überlegungen des französischen Wirtschafts- und Finanzministers seien Grund für seine Überzeugung, daß die Grenzausgleichsabgabe, weil sie neutral sei, ihre volle Bedeutung behalte.

Minister *Schiller* führte aus, Staatspräsident Pompidou habe die vier Möglichkeiten einer Hilfe gleichberechtigt aufgezählt. Man solle es dabei lassen. Wenn man die vier aufgezeigten Wege offen prüfe, müßte es bald gelingen, eine Lösung zu finden. Im übrigen freue er sich darüber, daß sein Kollege Giscard d'Estaing das deutsche Gesetz über Wachstum und Stabilität[21] gelesen habe; offensichtlich sei Minister Giscard d'Estaing sehr von dessen Geist erfüllt.

Der Herr *Bundeskanzler* schnitt sodann die Frage an, wie man das, worüber man sich hinsichtlich der Wirtschafts- und Währungsunion verständigt habe, nach außen festhalten solle. Dies solle doch wohl so geschehen, daß der gemeinsamen Überzeugung, das anzupacken, was im Februar/März 1971 verabschiedet wurde[22], Ausdruck gegeben werden solle. Dazu gehöre die durch den Zeitablauf erforderlich gewordene Anpassung. Das, was über die Verengung der Bandbreiten gesagt wurde, gelte als interne Meinungsbildung, solle aber mit den Partnern und Großbritannien in den nächsten Wochen besprochen werden. In der Zwischenzeit solle prozedural eine bilaterale Vorbereitung der erforderlichen Sitzungen zwischen den Mitarbeitern der beiderseitigen Wirtschafts- und Finanzministerien erfolgen.

Präsident *Pompidou* stimmte dem zu. Er faßte dann noch einmal zusammen, was er als Ergebnis der Gespräche in der Plenarsitzung[23] vortragen wolle. Er schloß ab mit der Bemerkung, er freue sich sehr über den sympathischen Verlauf der Konsultationen. Es gebe seines Erachtens wahrlich keinen Grund, von Wolken am deutsch-französischen Himmel zu sprechen.

Der Herr *Bundeskanzler* bedankte sich für die französische Gastfreundschaft. Er fügte hinzu, auch für uns seien diese Gespräche sehr nützlich gewesen. Man sei mit der Absicht nach Paris gekommen, den verzögerten Prozeß der Wirtschafts- und Währungsunion mit dem französischen Partner wieder auf

---

[21] Für den Wortlaut des Gesetzes vom 8. Juni 1967 zur Förderung der Stabilität und des Wachstums der Wirtschaft vgl. BUNDESGESETZBLATT 1967, Teil I, S. 582–589.

[22] Zur Entschließung des EG-Ministerrats vom 9. Februar 1971 und ihrer Annahme auf der auf der EG-Ministerratstagung am 22. März 1971 vgl. Dok. 19, Anm. 3.

[23] An der Plenarsitzung der Delegationen, die am 11. Februar 1972 um 11.50 Uhr begann, nahmen außerdem teil: der französische Erziehungsminister Guichard, der Ministerpräsident des Landes Baden-Württemberg und Bevollmächtigte der Bundesregierung für die deutsch-französische Zusammenarbeit auf kulturellem Gebiet, Filbinger, der französische Minister für industrielle und wirtschaftliche Entwicklung, Ortoli, sowie die Koordinatoren für die deutsch-französische Zusammenarbeit, Lapie und Schmid. Vgl. die Gesprächsaufzeichnung; Referat I A 1, Bd. 723.

den Weg zu bringen. Er glaube, man habe die Voraussetzungen dafür geschaffen.

Ende gegen 12.00 Uhr.

Bundeskanzleramt, AZ: 21-30 100 (56), Bd. 36

32

Gesandter Boss, Brüssel (NATO), an das Auswärtige Amt

Z B 6-1-10681/72 VS-vertraulich   Aufgabe: 15. Februar 1972, 17.45 Uhr[1]
Fernschreiben Nr. 174   Ankunft: 15. Februar 1972, 20.26 Uhr

Betr.: Brosio-Mission[2]

In Anwesenheit des früheren Generalsekretärs Brosio diskutierten die Ständigen Vertreter beim heutigen Frühstück informell das weitere Verfahren für die MBFR-Explorationen.

1) Brosio legte zunächst seine Auffassung wie folgt dar:

Mit dem Prager Kommuniqué hätten die Sowjets indirekt geantwortet, daß seine Mission nicht stattfinden werde.[3] Er lege den MBFR-Teil des Kommuniqués so aus, daß die Sowjets MBFR von der Konferenz getrennt halten wollten, eine bilaterale[4] Verständigung über die einzuschlagende Prozedur, die auf MBFR-Verhandlungen hinführen soll, wünschten und daß sie es ablehnten, die MBFR-Verhandlungen als eine Prärogative der Pakte zu betrachten. Seiner

---

[1] Hat Botschafter Roth am 16. Februar 1972 vorgelegen, der handschriftlich vermerkte: „Wir sollten die Frage Moskau-Besuch Nixons – MBFR mit Washington aufgreifen (FS an D[eutsche] B[otschaft] Washington)."

[2] Auf der Konferenz der stellvertretenden Außenminister der NATO-Mitgliedstaaten am 5./6. Oktober 1971 wurde der ehemalige NATO-Generalsekretär Brosio beauftragt, Sondierungsgespräche mit der UdSSR und anderen interessierten Staaten über MBFR zu führen. Vgl. dazu die Erklärung des NATO-Generalsekretärs Luns vom 6. Oktober 1971; EUROPA-ARCHIV 1972, D 90f. Vgl. dazu ferner AAPD 1971, III, Dok. 348.

[3] Zu der auf der Tagung des Politischen Beratenden Ausschusses des Warschauer Pakts am 25. und 26. Januar 1972 in Prag verabschiedeten Deklaration über Frieden, Sicherheit und Zusammenarbeit in Europa vgl. Dok. 21, Anm. 4, sowie Dok. 28, Anm. 31.
Zu MBFR wurde in der Deklaration ausgeführt: „Die Teilnehmerstaaten des Warschauer Vertrags sind der Auffassung, daß es den Interessen der Stärkung der europäischen Sicherheit entsprechen würde, wenn eine Vereinbarung über die Reduzierung der Streitkräfte und der Rüstungen in Europa zustande käme. Sie gehen davon aus, daß die Frage der Reduzierung der Streitkräfte und Rüstungen in Europa, sowohl der ausländischen als auch der nationalen, so gelöst werden muß, daß den an einer solchen Reduzierung beteiligten Staaten keine Nachteile erwachsen. Die Erörterung und Festlegung der Wege zur Lösung dieser Frage dürfen nicht Vorrecht der in Europa bestehenden militärisch-politischen Bündnisse sein. Über die Art und Weise der Durchführung von Verhandlungen über diese Frage könnte eine entsprechende Vereinbarung erzielt werden." Vgl. EUROPA-ARCHIV 1972, D 110.

[4] Dieses Wort wurde von Botschafter Roth unterschlängelt. Dazu vermerkte er handschriftlich: „Wo steht das in der Prager Erklärung?"

Ansicht nach könne von seiten der Allianz darauf mit guten Argumenten geantwortet werden. Auch die Sowjets wüßten, daß MBFR ein sehr schwieriges Thema sei, deshalb Explorationen stattfinden müßten und daß MBFR, da es eine Korrektur der Streitkräfte derjenigen Länder vorsähe, die das militärische Gleichgewicht herstellten, nur von denjenigen verhandelt werden könne, die in diesem Gleichgewicht engagiert seien.

Doch zweifle er, ob sich die Sowjets logischen Argumenten aufgeschlossen zeigen würden. Unabhängig davon, daß seine Mission nicht mehr zustande kommen würde, meine er, man müsse den Sowjets deutlich machen, daß MBFR von der Allianz spätestens in der Vorbereitungsphase der Konferenz eingeführt werde, so daß die Sowjets dann mit dem gleichen Problem einer Exploration konfrontiert würden.

Für sich persönlich zog Brosio daraus den Schluß, daß er zwar bereit sei, weiterhin als Mandatar der Allianz aufzutreten, daß er aber, um seine persönliche Bewegungsfreiheit zu sichern, die administrativen Vereinbarungen (z. B. monatliche Entschädigungszahlungen) ab 1. März beenden möchte.

2) In der anschließenden Diskussion meinte Generalsekretär Luns, daß es den Sowjets darauf ankäme, die Fragen der Truppenreduzierungen in das Gipfelgespräch mit Präsident Nixon[5] einzubeziehen, und daß sie sicherlich nicht bereit seien, Fragen von MBFR auf der Sicherheitskonferenz zu behandeln, sondern allenfalls konzedieren würden, daß MBFR durch die Konferenz in Gang gebracht wird.

Der belgische Ständige Vertreter de Staercke ließ erkennen, daß seine Regierung es vorziehen würde, wenn sie keine Demarche der Vierzehn in Moskau ausführen müßte, obwohl sie sich der Mehrheitsmeinung im Rat beugen würde. Man solle das Brosio-Mandat aufrechterhalten, ohne etwas bis zur Frühjahrskonferenz der Minister[6] zu unternehmen. Der niederländische Botschafter[7] vertrat die Auffassung, man solle die Sowjets wissen lassen, daß man die Haltung zur KSZE überprüfen müsse, wenn sie nicht auf MBFR-Explorationen eingingen.[8]

Die übrigen Sprecher traten alle für die Aufrechterhaltung der Brosio-Mission ein, konnten sich aber im übrigen noch nicht dazu äußern, ob vor der Frühjahrs-Ministerkonferenz Schritte und in welcher Form in Moskau unternommen werden sollten.

Der amerikanische Sprecher war ohne jegliche Weisung. Ich habe die Grundzüge der Weisung vom 14. Februar (Plurex Nr. 759)[9] vorgetragen, die morgen noch ausführlich im Rat erörtert werden wird.[10]

---

[5] Präsident Nixon besuchte die UdSSR vom 22. bis 30. Mai 1972. Vgl. dazu Dok. 149 und Dok. 161.
[6] Zur NATO-Ministerratstagung am 30./31. Mai 1972 vgl. Dok. 159.
[7] Dirk Pieter Spierenburg.
[8] Der Passus „man solle ... eingingen" wurde von Botschafter Roth angeschlängelt.
[9] Ministerialdirektor von Staden teilte der Ständigen Vertretung bei der NATO in Brüssel mit: „Unser Beitrag zur Erörterung des Themas Brosio-Mission geht davon aus, daß die NATO auch in Anbetracht der ablehnenden sowjetischen Haltung in einer guten taktischen Position ist. Im gegenwärtigen Zeitpunkt liegt unser Hauptinteresse darauf, die bisherige gemeinsame MBFR-Konzeption konsequent fortzusetzen und dabei eine unnötige Dramatisierung zu vermeiden. Im einzel-

3) Mehrere Sprecher[11] ließen überraschenderweise eine erhebliche Skepsis erkennen, ob MBFR ein brauchbares und für die Allianz positives Instrument sei. Doch meinten alle, daß auf dem nun mal eingeschlagenen Weg weiter vorangegangen werden müsse. Daneben kam wiederholt die Sorge zum Ausdruck, daß die Allianz ausschließlich unter den sowjetischen Bedingungen zur Sicherheitskonferenz gehen könnte.[12]

4) Auch Befürchtungen über einen amerikanisch-sowjetischen Bilateralismus hinsichtlich Truppenreduzierungen wurden laut. Es wurde mehrfach Klage geführt über mangelnde amerikanische Konsultation in letzter Zeit und insbesondere im Hinblick auf die Reisen Nixons nach Peking[13] und Moskau. Generalsekretär Luns teilte mit, daß Nixon ihn für März nach Washington eingeladen habe, um ihn nach der Peking-Reise zu sprechen. Desgleichen werde er, Luns, im April vor der Moskau-Reise Nixons ein Gespräch mit Kissinger haben. Immerhin sei die Möglichkeit nicht auszuschließen[14], daß Präsident Nixon noch vor seiner Moskau-Reise den NATO-Rat konsultiere.[15]

Fortsetzung Fußnote von Seite 151

    nen werden Sie gebeten, in der Diskussion die folgenden Ausführungen zugrunde zu legen: 1) Wir halten daran fest, daß das Sondierungsangebot der 14 Verbündeten auf dem Tisch bleiben sollte, und legen Wert darauf, daß die Brosio-Mission nicht durch die Andeutung alternativer Möglichkeiten abgewertet wird. Vor der Mai-Konferenz sollten nach unserer Auffassung keine Beschlüsse über andere prozedurale Varianten gefaßt werden. 2) Wir glauben nicht, daß sich das Bündnis selbst unter Zeitdruck stellen sollte. Die verfügbare Zeit bis Mai sollte genutzt werden, um die internen Arbeiten weiter voranzubringen. Eine neue Demarche müßte nach unserer Auffassung darauf achten, daß diese internen Arbeiten dadurch nicht gestört werden. 3) Falls sich die Mitglieder der NATO dafür aussprechen, die Sowjetunion an den Sondierungsvorschlag der 14 zu erinnern, sollte andererseits der Zeitpunkt einer neuen Demarche nicht zu lange nach der Prager Deklaration liegen, um die Möglichkeit zu haben, darauf Bezug zu nehmen. Ein denkbarer Zeitpunkt wäre die erste Märzhälfte." Für den am 11. Februar 1972 konzipierten Drahterlaß vgl. VS-Bd. 9397 (II B 2); B 150, Aktenkopien 1972.

10 Gesandter Boss, Brüssel (NATO), berichtete am 16. Februar 1972: „Der Ständige NATO-Rat setzte in seiner Sitzung vom 16.02.1972 die Erörterung der Probleme im Zusammenhang mit der Brosio-Mission fort. Während die Mehrzahl der Sprecher bereits über Weisungen verfügten, konnte sich der amerikanische Sprecher mangels Instruktionen nur auf persönlicher Basis äußern. Die Ergebnisse der Erörterungen lassen sich wie folgt zusammenfassen: Der Ständige NATO-Rat war übereinstimmend der Auffassung, daß die Brosio-Mission aufrechterhalten werden sollte. Eine Mehrzahl der Sprecher befürwortete eine Demarche bei der sowjetischen Regierung, in der zum Ausdruck gebracht wird, daß die vierzehn an MBFR beteiligten Allianzpartner am Gedanken der explorationischen Mission Brosio festhalten. Keine Einigkeit konnte bisher darüber erzielt werden, wann und durch wen diese Demarche durchgeführt werden soll. [...] Im Ständigen NATO-Rat wurde beschlossen, daß der Politische Ausschuß auf Gesandtenebene damit beauftragt wird, auf der Grundlage des niederländischen Non-paper und eines je von britischer und dänischer Seite zirkulierenden Papiers einen gemeinsamen Text für eine Demarche zu erarbeiten." Vgl. den Drahtbericht Nr. 179; VS-Bd. 9397 (II B 2); B 150, Aktenkopien 1972.

11 Die Wörter „Mehrere Sprecher" wurden von Botschafter Roth hervorgehoben. Dazu vermerkte er handschriftlich: „Hier würde interessieren: Wer?"

12 Der Passus „unter den ... gehen könnte" wurde von Botschafter Roth hervorgehoben. Dazu vermerkte er handschriftlich: „Sic!"

13 Präsident Nixon besuchte die Volksrepublik China vom 21. bis 28. Februar 1972. Vgl. dazu Dok. 47, Anm. 6 und 7.

14 Die Wörter „Möglichkeit nicht auszuschließen" wurden von Botschafter Roth hervorgehoben. Dazu Ausrufezeichen.

15 Der amerikanische Außenminister Rogers hielt sich vom 2. bis 7. Mai 1972 zu Konsultationen der NATO-Mitgliedstaaten in Europa auf. Vgl. dazu Dok. 128, besonders Anm. 2.

5) Botschafter de Staercke teilte mit, daß Gromyko den Wunsch geäußert habe, bei Gelegenheit seines nächsten Frankreich-Besuchs auch nach Brüssel als dem Sitz der NATO zu reisen.[16]

[gez.] Boss

VS-Bd. 9397 (II B 2)

33

Ministerialdirigent Simon an die Botschaft beim Heiligen Stuhl

I A 4-82.00-94.30-532[I]/72 VS-vertraulich 15. Februar 1972[1]
Fernschreiben Nr. 13 Aufgabe: 16. Februar 1972, 08.52 Uhr
Citissime

Betr.: Vatikanische Stellungnahme zu § 218[2]

Bezug: Drahtbericht Nr. 22 vom 14.2.1972 – VS-v[3]

---

[16] Der sowjetische Außenminister Gromyko besuchte Frankreich vom 12. bis 15. Juni und Belgien vom 9. bis 12. Juli 1972.

[1] Der Drahterlaß wurde von Vortragendem Legationsrat Graf von der Schulenburg konzipiert.

[2] Am 9. Februar 1972 verabschiedete das Kabinett den Entwurf eines Fünften Gesetzes zur Reform des Strafrechts, in dem Regelungen für den Schwangerschaftsabbruch und die freiwillige Sterilisation getroffen wurden. Der Entwurf sah für den Schwangerschaftsabbruch eine Indikationslösung vor, die auch die Lebensverhältnisse der Schwangeren berücksichtigte. In Paragraph 219 b wurde die sogenannte kindliche Indikation aufgeführt (Gefahr einer Schädigung des Kindes durch Erbanlage oder schädliche Einflüsse vor der Geburt), Paragraph 219 c erkannte die ethische Indikation an (Schwangerschaft infolge einer Vergewaltigung oder durch Kindesmißbrauch). In Paragraph 219 d war die soziale Indikation vorgesehen, also „Fälle, in denen die Schwangerschaft die Frau in einen schwerwiegenden Konflikt mit ihrer Verantwortung für andere Menschen, zumal für ihre Kinder, bringt. Der Eingriff darf allerdings nur vorgenommen werden, wenn die Gefahr einer solchen Notlage auf eine andere, für die Schwangere zumutbare Weise, insbesondere durch öffentliche oder private Hilfen, nicht abgewendet werden kann: Die Regelung des Entwurfs, die in bestimmtem Umfange soziale Konflikte berücksichtigt, darf die Gesellschaft nicht aus ihrer Verpflichtung entlassen, Hilfen für Mütter und Kinder zu schaffen und auszubauen." Schwangerschaftsabbrüche aus ethischer oder sozialer Indikation durften nur bis zum Ablauf des dritten Schwangerschaftsmonats vorgenommen werden, für die kindliche Indikation galt eine Frist bis zur 20. Woche. Ohne Vorliegen einer Indikation sah Paragraph 218 die Strafbarkeit der Abtreibung vor, jedoch mit einem geringeren Strafmaß als die bisherige Regelung. Der Entwurf sah ferner die Möglichkeit einer freiwilligen Sterilisation ab dem 25. Lebensjahr vor, bei jüngeren Personen jedoch nur bei Vorliegen einer medizinischen oder genetischen Indikation. Ferner wurde festgelegt, „daß die Sterilisation Einwilligungsunfähiger nur in extremen Fällen der medizinischen Indikation und nur mit Genehmigung des Vormundschaftsgerichts zugelassen wird". Vgl. BULLETIN 1972, S. 265 f.

[3] Botschafter Böker, Rom (Vatikan), übermittelte die Übersetzung eines Artikels in der Tageszeitung „Osservatore Romano" vom 12. Februar 1972 zur geplanten Neuregelung des Abtreibungsrechts in der Bundesrepublik. Unter dem Titel „Gegenwart und Vergangenheit" wurde der Gesetzentwurf der Bundesregierung vom 9. Februar 1972 kommentiert: „Es ist nicht nötig, daran zu erinnern, wie die Kirche über die Schwangerschaftsunterbrechung und über die Tötung des Lebens im Mutterschoß urteilt. Das christliche Sittengesetz verurteilt beides und selbst das sittliche Na-

StS Frank hat Nuntius Bafile heute die Betroffenheit der Bundesregierung über den Artikel des „Osservatore Romano" zum Ausdruck gebracht[4] und ihm hierzu geklärt, die Bundesregierung wende sich nicht gegen die Haltung der katholischen Kirche zur Sache. Die Demarche richte sich ausschließlich gegen die Parallelen, die in dem Artikel zu der Hitlerzeit gezogen worden seien. Diese Parallelen seien insbesondere für den Bundeskanzler außerordentlich verletzend, ja beleidigend. Der angeschlagene Ton sei auch der Sache nicht dienlich und geeignet, eine neue Kluft zwischen der katholischen Kirche und deutschen politischen Kräften der Linken aufzureißen, um deren Überwindung sich der Bundeskanzler immer bemüht habe. Der Heilige Stuhl möge bei seinen Erwägungen auch die Position der Bundesregierung und die Bemühungen, einen Mittelweg in der Frage des § 218 zu finden, berücksichtigen.

Der Nuntius erwiderte, der Artikel stelle weder eine offizielle noch eine offiziöse Äußerung des Heiligen Stuhles dar. Er selbst hätte natürlich von dem angeschlagenen Ton abgeraten, wenn er den Artikel vorher gekannt hätte. Es sei klar, daß der Bundeskanzler nicht persönlich hätte angegriffen werden sollen. Der „Osservatore Romano" schreibe in der Tat die Redaktionsartikel auf der zweiten Seite häufig in polemischer Art und Weise. Man solle jedoch nicht übersehen, daß der „Osservatore Romano" in dieser Sache seit 40 Jahren eine klare Linie verfolge und hier sehr allergisch sei. Die geplante Gesetzesänderung sei wirklich eine sehr schwerwiegende Angelegenheit. Wenn der Artikel auch keine offizielle Äußerung sei, bedeute dies nicht, daß er in der Sache die Meinung des Heiligen Stuhl nicht richtig wiedergebe. In dieser Sache bestänen leider gewisse Parallelen zu früheren Zeiten.

Fortsetzung Fußnote von Seite 153

turgesetz lehnt beides ab. Die Erklärungen der deutschen Bischöfe waren sehr eindeutig. Es sind erst wenige Tage her, daß wir den italienischen Befürwortern der Abtreibung, die den Bischöfen vorwarfen, die Christen an ihre moralischen Verpflichtungen zu erinnern, entgegneten und geschrieben haben, daß von der ‚legalisierten' Schwangerschaftsunterbrechung der Schritt zur Sterilisierung kein großer sei und daß von dort aus bis zur Euthanasie und bis zur Vernichtung der ‚Nutzlosen' (wertloses Leben) kein weiter Weg bestehe. Die Nachrichten aus Deutschland, die heute in den Zeitungen erschienen sind, bestätigen das, was wir am 19. Januar gesagt haben. Es verwirrt, daß man ausgerechnet in Deutschland wieder von der Sterilisierung zu sprechen beginnt. Verwirrend ist dies für alle jene, die seinerzeit – wie auch wir – sich Methoden und Praktiken widersetzten, die ein Heidentum offenbarten, zu dem man sich in jener Zeit öffentlich bekannte. [...] Über die Werte der Würde und der Freiheit des Menschen verliert man heute so viele Worte, daß man geradezu von einer Inflation sprechen kann. De facto aber nähert man sich infolge einer offensichtlich materialistischen Lebensauffassung mit einer Leichtigkeit, die nicht weit von unbedacht entfernt ist, einem Agnostizismus, der unmenschliche Entscheidungen begünstigt, die gestern noch mit aller Kraft ausgerechnet im Namen der Freiheit bekämpft worden sind." Vgl. VS-Bd. 9808 (I A 4); B 150, Aktenkopien 1972.

[4] Botschafter Böker, Rom (Vatikan), berichtete am 15. Februar 1972, der Unterstaatssekretär im Staatssekretariat des Heiligen Stuhls, Benelli, habe zu dem am 12. Februar 1972 im „Osservatore Romano" erschienenen Artikel erklärt, „dieser decke sich doch mit den bekannten Auffassungen der Kirche zum Problem der Abtreibung. Ich erwiderte, soweit der Artikel nur dieses enthalte, sei er wohl kaum zu beanstanden. Gravierend sei jedoch für die Bundesregierung der angedeutete Vergleich mit dem Hitlerregime. Dieser sei nicht nur in indirekter Weise in dem Text des Artikels enthalten, sondern komme auch in der Überschrift [...] zum Ausdruck. Benelli war hierüber überrascht. Er wurde nachdenklich und sagte, dies sei ihm bisher gar nicht aufgefallen; er müsse den Artikel daraufhin noch einmal anschauen. Auf keinen Fall identifiziere sich das Staatssekretariat mit dem Artikel als solchem, sondern nur mit dessen sachlichem Inhalt, soweit er sich auf das Problem der Abtreibung beziehe." Vgl. den Drahtbericht Nr. 23; VS-Bd. 9808 (I A 4); B 150, Aktenkopien 1972.

Die Nuntiatur sei ihrerseits außerordentlich befremdet wegen der Erklärungen von Staatssekretär Bayerl vor dem Fernsehen, der den Heiligen Stuhl einer Einmischung beschuldigt habe.[5]

StS erklärte dem Nuntius, die Bundesregierung würde es begrüßen, wenn eine autorisierte Stelle erklären könnte, daß die in dem Artikel angeführten Vergleiche nicht die Meinung des Vatikans darstellten. Dieses könnte geeignet sein, einen Konflikt in der Öffentlichkeit und sich auf den „Osservatore Romano" stützende Veröffentlichungen, wie den Artikel des „Avvenire"[6], zu vermeiden. Außerdem würde dadurch eine geschichtliche Fehldarstellung unterbunden. Die sachliche Haltung der Kirche würde hierdurch nicht beeinträchtigt.

Der Nuntius erklärte, er werde den Wunsch der Bundesregierung weitergeben, betonte aber mehrfach, für wie bedenklich er die geplante Gesetzesänderung halte.

StS fragte ihn, ob die Möglichkeit einer Einigung auf eine zu veröffentlichende Erklärung bestehe. Er bat jedoch, davon abzusehen. Er werde den Heiligen Stuhl unterrichten.[7]

Simon[8]

VS-Bd. 9808 (I A 4)

[5] Am 14. Februar 1972 wurde in der Presse berichtet, die in der Tageszeitung „Osservatore Romano" geäußerte Kritik an der beabsichtigten Neuregelung des Abtreibungsrechts in der Bundesrepublik sei in Kreisen der Bundesregierung „mit Befremden aufgenommen" worden: „‚Ich bin verwundert und auch betroffen wegen dieser scharfen Angriffe', sagte der Staatssekretär im Bundesjustizministerium, Alfons Bayerl. ‚Wir haben uns die Reform weiß Gott nicht leichtgemacht.' Die Angriffe seien ‚völlig unberechtigt'. Den von der Vatikan-Zeitung aufgestellten Vergleich mit Zuständen während der NS-Zeit in Deutschland bezeichnete Bayerl als ‚fast geschmacklos'. [...] ‚Wir haben ein sehr ausgewogenes Modell vorgelegt,' sagte der Staatssekretär zu dem Regierungsentwurf für eine Änderung der Strafbestimmungen bei einem Schwangerschaftsabbruch. ‚Wir wollen wirksamer als heute das Rechtsgut ungeborenen Lebens schützen. Wir wollen aber auf der anderen Seite wirksamer den Notsituationen der davon betroffenen Frauen Rechnung tragen.' Die Vorwürfe aus dem Vatikan im Zusammenhang mit möglichen Sterilisationen sind nach Bayerls Ansicht ebenfalls völlig unbegründet, ‚denn wir regeln nur die freiwillige Sterilisation und schreiben eigentlich in diesem Gesetz die bestehende Rechtslage nur fest'." Vgl. den Artikel „Bonn befremdet über Kritik des Vatikan an Reform des § 218"; DIE WELT vom 14. Februar 1972, S. 2.

[6] Botschafter Böker, Rom (Vatikan), übermittelte am 14. Februar 1972 die Übersetzung eines Artikels der in Mailand erscheinenden, „kirchlichen Kreisen nahestehenden" Tageszeitung „Avvenire". Darin wurde unter dem Titel „Schlimmer als Hitler" zum Gesetzentwurf der Bundesregierung vom 9. Februar 1972 Stellung genommen: „Wir sind der Auffassung, daß nichts Unmenschlicheres und Unchristlicheres in der Gesetzgebung unserer Tage vorgekommen ist. Die Entscheidung der Regierung Brandt hat einen einzigen Präzedenzfall: Er heißt Hitler. Und die Pflegestätten, in denen Abtreibung und Sterilisation praktiziert wurden, hießen Auschwitz, Dachau, Mauthausen. Anscheinend eine einzigartige Schule für Sozialisten und Sozialdemokraten." Vgl. den Drahtbericht Nr. 22; VS-Bd. 9808 (I A 4); B 150, Aktenkopien 1972.

[7] Botschafter Böker, Rom (Vatikan), berichtete am 17. Februar 1972: „Die heutige Ausgabe des ‚Osservatore Romano' enthält an derselben Stelle auf der zweiten Seite, auf der der als anstößig empfundene Artikel in der Ausgabe von Samstag, den 12.2., erschienen war, einen neuen [...] Leitartikel unter der Überschrift ‚Una linea constante', der sich in vorsichtigen Worten, aber deutlich von den Unterstellungen des vorhergehenden Artikels absetzt. Insbesondere wird nunmehr hervorgehoben, daß die Redaktion des ‚Osservatore Romano' weder damals noch heute den verantwortlichen Kreisen in der Bundesrepublik Deutschland in irgendeiner Weise eine undemokratische Gesinnung oder Handlungsweise vorzuwerfen beabsichtigte. Stattdessen wird der Akzent auf die konstante Linie der katholischen Kirche in der Abtreibungsfrage gesetzt, dabei aber auch darauf hingewiesen, daß Abweichungen von dieser Linie nach katholischer Auffassung leicht zu einem Abgleiten in gefährliche Tendenzen führen können. Es steht m.E. außer Zweifel, daß der Artikel vom Staatssekretariat inspiriert ist und einen Versuch darstellen soll, der Bundesregierung ent-

34

Botschafter Emmel, Warschau, an das Auswärtige Amt

Z B 6-1-10713/72 VS-vertraulich Aufgabe: 17. Februar 1972, 11.30 Uhr[1]
Fernschreiben Nr. 98 Ankunft: 17. Februar 1972, 12.40 Uhr

Betr.: Polnische Beunruhigung über Interpretation Warschauer Vertrages

I. 1) In zweistündigem Gespräch, das mein Ständiger Vertreter[2] mit Vizedirektor Westeuropa-Abteilung polnischen Außenministeriums[3] und Deutschland-Referenten am 16.2. im Außenministerium hatte, kam starke polnische Beunruhigung über Interpretation Warschauer Vertrages durch Bundesaußenminister in Rede vor Bundesrat[4] zum Ausdruck. Gespräch, das ursprünglich Diskussion polnischer „Normalisierungskonzeption" dienen sollte, machte deutlich, daß Normalisierungsprozeß in bisher von polnischer Seite geplanter Form nicht eingeleitet werden wird, solange nicht Klarheit über Vertragsinterpretation geschaffen ist.

2) Auf polnischer Seite sei man bei Vertragsunterzeichnung davon ausgegangen, daß Vertrag drei Elemente enthalte:

Garantie der bestehenden Grenzen, Gewaltverzicht, Normalisierung der Beziehungen.

Fortsetzung Fußnote von Seite 155
gegenzukommen und die Wogen zu glätten. Dies wurde mir auch in einem Gespräch, das ich heute mittag mit Erzbischof Benelli führte, ausdrücklich bestätigt. Insbesondere sagte Benelli mir, er sei autorisiert, mir kategorisch zu erklären, daß mit dem Artikel vom letzten Samstag in keiner Weise ein Vergleich zwischen dem Hitlerregime und gewissen Maßnahmen der heutigen Bundesregierung gezogen oder gar die Person des Herrn Bundeskanzlers in irgendeiner Weise verunglimpft werden sollte. Der Heilige Stuhl hoffe sehr, daß die heutige Veröffentlichung die Bundesregierung in diesem Punkte befriedigen werde und daß das unerfreuliche Mißverständnis damit beigelegt werde." Vgl. den Drahtbericht Nr. 30; VS-Bd. 9808 (I A 4); B 150, Aktenkopien 1972.
8 Paraphe.
[1] Hat Bundesminister Scheel vorgelegen.
[2] Franz Sikora.
[3] Ernest Kucza.
[4] Bundesminister Scheel führte am 9. Februar 1972 vor dem Bundesrat aus: „Auch der Warschauer Vertrag kann nicht als Grenzvertrag qualifiziert oder einem Friedensvertrag gleichgestellt werden. Art. 1 dieses Vertrages schafft keine Grenzen. Ausgehend von der wirklichen Lage erklärt die Bundesrepublik Deutschland lediglich, daß sie die Westgrenze Polens, so wie sie verläuft, nicht mehr in Frage stellen wird. Die Entscheidung des gesamtdeutschen Souveräns ist jedoch auch insoweit nicht präjudiziert worden. Der deutsche Rechtsstandpunkt ist auch hier mehrfach abgesichert. [...] In dem Notenwechsel zwischen der Bundesregierung und den drei Westmächten wird der Vorbehalt bezüglich der endgültigen Grenzfestsetzung in einer friedensvertraglichen Regelung aufrechterhalten. Dabei ist wichtig, daß dieser Notenwechsel der polnischen Seite vor Unterschrift des Vertrages formell zur Kenntnis gebracht wurde, ohne daß Widerspruch erhoben worden wäre. Zwar ist die Haltung der polnischen Regierung und die der Bundesregierung über den rechtlichen Ausgangspunkt der Grenzaussage nicht konform. Aber eine konforme Haltung über den rechtlichen Ausgangspunkt herbeizuführen, war nicht unsere Absicht bei der Vertragsverhandlung. Für die beiden Vertragsparteien reichte die Übereinstimmung über die im Vertrag niedergelegte Feststellung, daß nämlich die Oder-Neiße-Linie die polnische Westgrenze bildet, aus. Mehr konnte schlechterdings von einem Vertragswerk, das am Beginn eines Normalisierungs- und Entspannungsprozesses stehen soll, nicht erwartet werden. Lesen wir doch nicht mehr in diese Grenzartikel hinein, als sie wirklich aussagen! Hier spricht die Bundesrepublik nur für sich selbst, für niemanden sonst." Vgl. BR STENOGRAPHISCHE BERICHTE, 376. Sitzung, S. 409.

Priorität komme der Grenzgarantie zu (Artikel I)[5], sekundär sei die Frage des Gewaltverzichts (Artikel II)[6], und der Normalisierungsprozeß (Artikel III)[7] sei erst eine Konsequenz Artikels I. In der Denkschrift der Bundesregierung zum Warschauer Vertrag sei diese Priorität beibehalten worden, in ihr werde die Grenzfrage in den Mittelpunkt gestellt.[8]

3) In seiner Rede vor dem Bundesrat am 9.2. habe Bundesaußenminister Scheel jedoch erklärt, der Warschauer Vertrag könne nicht als Grenzvertrag qualifiziert werden. Artikel I schaffe keine Grenzen. Der Minister habe zwar eingeschränkt, daß die Haltung der beiden Regierungen über den rechtlichen Ausgangspunkt der Grenzaussage nicht konform sei. Man könne jedoch den Hinweis nicht akzeptieren, die polnische Seite hätte den Vorbehalt bezüglich der endgültigen Grenzfestlegung widerspruchslos akzeptiert.

4) In einem Gespräch, das ein Angehöriger der polnischen Handelsvertretung kürzlich im Auswärtigen Amt geführt habe, sei von deutscher Seite die Bemerkung gefallen, die polnische Regierung möge ihre Vertragsinterpretation zurückstellen. Diese Bemerkung, der man anfangs keine größere Bedeutung bei-

---

[5] Artikel I des Vertrags vom 7. Dezember 1970 zwischen der Bundesrepublik und Polen über die Grundlagen der Normalisierung ihrer gegenseitigen Beziehungen: „1) Die Bundesrepublik Deutschland und die Volksrepublik Polen stellen übereinstimmend fest, daß die bestehende Grenzlinie, deren Verlauf in Kapitel IX der Beschlüsse der Potsdamer Konferenz vom 2. August 1945 von der Ostsee unmittelbar westlich von Swinemünde und von dort die Oder entlang bis zur Einmündung der Lausitzer Neiße und die Lausitzer Neiße entlang bis zur Grenze mit der Tschechoslowakei festgelegt worden ist, die westliche Staatsgrenze der Volksrepublik Polen bildet. 2) Sie bekräftigen die Unverletzlichkeit ihrer bestehenden Grenzen jetzt und in der Zukunft und verpflichten sich gegenseitig zur uneingeschränkten Achtung ihrer territorialen Integrität. 3) Sie erklären, daß sie gegeneinander keinerlei Gebietsansprüche haben und solche auch in Zukunft nicht erheben werden." Vgl. BULLETIN 1970, S. 1815.

[6] Artikel II des Vertrags vom 7. Dezember 1970 zwischen der Bundesrepublik und Polen über die Grundlagen der Normalisierung ihrer gegenseitigen Beziehungen: „1) Die Bundesrepublik Deutschland und die Volksrepublik Polen werden sich in ihren gegenseitigen Beziehungen sowie in Fragen der Gewährleistung der Sicherheit in Europa und in der Welt von den Zielen und Grundsätzen, die in der Charta der Vereinten Nationen niedergelegt sind, leiten lassen. 2) Demgemäß werden sie entsprechend den Artikeln 1 und 2 der Charta der Vereinten Nationen alle ihre Streitfragen ausschließlich mit friedlichen Mitteln lösen und sich in Fragen, die die europäische und internationale Sicherheit berühren, sowie in ihren gegenseitigen Beziehungen der Drohung mit Gewalt oder der Anwendung von Gewalt enthalten." Vgl. BULLETIN 1970, S. 1815.

[7] Artikel III des Vertrags vom 7. Dezember 1970 zwischen der Bundesrepublik und Polen über die Grundlagen der Normalisierung ihrer gegenseitigen Beziehungen: „1) Die Bundesrepublik Deutschland und die Volksrepublik Polen werden weitere Schritte zur vollen Normalisierung und umfassenden Entwicklung ihrer gegenseitigen Beziehungen unternehmen, deren feste Grundlage dieser Vertrag bildet. 2) Sie stimmen darin überein, daß eine Erweiterung ihrer Zusammenarbeit im Bereich der wirtschaftlichen, wissenschaftlichen, wissenschaftlich-technischen, kulturellen und sonstigen Beziehungen in ihrem beiderseitigen Interesse liegt." Vgl. BULLETIN 1970, S. 1815.

[8] Am 13. Dezember 1971 leitete die Bundesregierung das Verfahren zur Ratifizierung des Warschauer Vertrags vom 7. Dezember 1970 ein. In einer begleitenden Denkschrift vom 11. Dezember 1971 wurde u. a. ausgeführt: „Im Verhältnis zu Polen stand unausweichlich die Grenzfrage im Mittelpunkt der Verhandlungen. Ohne ein Einvernehmen in dieser Frage ist ein Ausgleich zwischen der Bundesrepublik Deutschland und der Volksrepublik Polen nicht erreichbar. Die Bundesregierung ist deshalb auf den Wunsch der polnischen Regierung eingegangen, die Grenzfrage in dem Vertrag an erster Stelle zu behandeln. Sie ist dabei von einer nüchternen Einschätzung der Lage ausgegangen, die als Folge des Zweiten Weltkrieges und der Niederlage des Deutschen Reiches entstanden ist. Der Vertrag beruht auf der Erkenntnis, daß nur auf dieser Grundlage Versöhnung und eine konstruktive Entwicklung der Beziehungen mit Polen möglich sind." Vgl. BULLETIN 1971, S. 2019.

gemessen habe, erhalte nunmehr durch die Ausführungen des Bundesministers besonderes Gewicht.

5) Als weiteres Indiz dafür, das die Bundesregierung den Vertrag einseitig interpretiere, wurde auch ein Interview von Staatssekretär Moersch zitiert, das dieser am 6.2. dem „Rias" gegeben hat.[9] Es erwecke an einer Stelle den Eindruck, als sei die Frage der Familienzusammenführung zwischen beiden Regierungen vertraglich geregelt worden.

II. 1) Auf polnischer Seite ist man sich offenbar noch nicht klar, wie man weiter verfahren soll. Einerseits fühlt man sich noch an Versprechen gebunden, während der Ratifizierungsdebatte zu dem Vertrag nicht öffentlich Stellung zu nehmen (siehe FS Nr. 755 vom 22.12.71). Andererseits steht das polnische Außenministerium unter dem Druck der Parteiführung, zu dem Problem eine Stellungnahme auszuarbeiten, die auch der polnischen Öffentlichkeit – die auf die Diskrepanz zwischen polnischer und deutscher Interpretation bereits aufmerksam geworden sei – präsentiert werden kann. In den letzten Tagen haben abklärende Gespräche zwischen Parteifunktionären, Angehörigen des polnischen Außenministeriums und den Chefredakteuren der Massenmedien stattgefunden. Eine abschließende Wertung durch das polnische Außenministerium steht jedoch noch aus.

2) Während des Gesprächs zwischen meinem Ständigen Vertreter und den Beamten des polnischen Außenministeriums wurde betont, eine Verschiebung der im Vertrag festgeschriebenen Prioritäten werde zur Folge haben, daß man auf polnischer Seite auch eine von der bisherigen Absicht abweichende Haltung im Normalisierungsprozeß einnehmen müsse. Dies werde sich praktisch insbesondere auswirken bei:

– der Regelung des Besucherverkehrs,
– der Klärung noch ausstehender Staatsangehörigkeitsfragen,
– der Schulbücherdiskussion.[10]

---

[9] In einen Interview mit dem Rundfunksender RIAS vom 6. Februar 1972 wies Parlamentarischer Staatssekretär Moersch auf die Fortschritte hin, die seit Unterzeichnung des Warschauer Vertrags vom 7. Dezember 1970 erzielt worden seien, und erklärte: „Und schließlich, das ist ein sehr wichtiger Punkt für uns, haben wir auch eine praktische Verständigung bei den Verhandlungen über den Vertrag für die Fragen der Umsiedlung gefunden. Es sind 25 000, ja nahezu 26 000 Personen, wie die jüngste Zahl ausweist, im Jahre 1971 in die Bundesrepublik ausgereist." Dennoch gebe es weiterhin Schwierigkeiten bei der Umsiedlung. Auf die Frage der Beurteilung von Berichten aus Warschau, daß aus polnischer Sicht bereits die erfolgte Umsiedlung von 25 000 Personen eine Vorleistung auf den Vertrag sei, entgegnete Moersch: „So können wir das in dieser Form nicht sehen. Schon vor der Ratifizierung des Vertrages hat Polen ja mit der Umsiedlung begonnen. Das war aber bei den Verhandlungen abgesprochen worden; wenn auch vorerst nur ein Anfang gemacht worden ist, sehe ich darin einen wertvollen Beitrag zur Verbesserung unserer Beziehungen. Ich hoffe, daß die Fortsetzung der Umsiedlung auch in Zukunft einen Beitrag zur Entwicklung unserer Beziehungen leisten wird. Man wird ja grundsätzlich diese Frage von den allgemeinen politischen Beziehungen trennen müssen. Es geht hier um humanitäre Fragen. Und ich glaube, es ist der polnischen Seite ebenso deutlich wie uns, daß dort, wo humanitäre Probleme zwischen zwei Staaten oder Völkern bestehen, eine wirklich gedeihliche Entwicklung der politischen und allgemeinen Beziehungen gar nicht denkbar ist." Vgl. BULLETIN 1972, S. 175 f.

[10] Nach Vorgesprächen auf der 16. UNESCO-Konferenz vom 12. Oktober bis 14. November 1970 in Paris zwischen dem Internationalen Schulbuch-Institut in Braunschweig und dem polnischen Instytut Programów Szkolnych bekräftigten Bundeskanzler Brandt und Ministerpräsident Cyrankiewicz am 8. Dezember 1970 in Warschau die Absicht, daß Historiker beider Seiten eine gemeinsame Überarbeitung der Schulbücher für den Geschichtsunterricht vornehmen sollten. Das Aus-

3) Man habe die Absicht gehabt, den Besucherverkehr um bestimmte Kategorien zu erweitern. Es sei nunmehr zu befürchten, daß die Besucher aus der Bundesrepublik die These vom Grenzprovisorium in den polnischen Westgebieten verbreiten und damit Unruhe unter der Bevölkerung schaffen werden. Dies sei insbesondere für die örtlichen Behörden untragbar.

4) Sollte die These von den „Oder-Neiße-Deutschen" (ein Ausdruck, der nach polnischen Beobachtungen auch seitens der Bundesregierung verwendet werde) aufrechterhalten werden, sehe man von polnischer Seite große Schwierigkeiten für den Konsularsektor der künftigen Botschaft der Bundesrepublik in Warschau voraus.[11]

5) In der Diskussion über die Geschichtsbücher[12] werde man sich unter diesen Umständen nicht einig werden, da man auf deutscher Seite den Vertrag offenbar nicht als Grenzvertrag betrachte, der die Frage der Grenzen endgültig regelt.

III. 1) Die zuständigen polnischen Stellen werden mit ganz besonderer Aufmerksamkeit die Debatte im Bundestag verfolgen.[13] Das Petitum des polni-

Fortsetzung Fußnote von Seite 158
wärtige Amt bat in der Folgezeit das Internationale Schulbuch-Institut, eine Konferenz mit Teilnehmern aus der Bundesrepublik und Polen durchzuführen. Vgl. dazu die Aufzeichnung des Vortragenden Legationsrats I. Klasse Schmid vom 30. November 1971; Referat 610, Bd. 575. Vgl. dazu ferner AAPD 1970, III, Dok. 595.

11 Zu diesem Absatz vermerkte Bundesminister Scheel handschriftlich: „Wo?"

12 Die beiden ersten deutsch-polnischen Schulbuchkonferenzen fanden vom 22. bis 26. Februar 1972 in Warschau sowie vom 10. bis 17. April 1972 in Braunschweig statt. Ministerialdirigent Forster vermerkte dazu am 8. Mai 1972: „Die Warschauer Schulbuchkonferenz diente vor allem der Festlegung der methodischen und sachlichen Grundlagen der künftigen bilateralen Zusammenarbeit. Die am Ende dieser Konferenz verabschiedeten 14 Empfehlungen waren nur ‚erste vorläufige Thesen und Hinweise zur Behandlung der gegenseitigen Beziehungen im Geschichts- und Geographieunterricht in beiden Ländern'. Sie umfassen alle kritischen Epochen von der Ausbreitung der ostgermanischen Stämme nach Osten bis zur nationalsozialistischen Besatzungspolitik und dem Widerstand. Völlige Übereinstimmung bestand gemäß dem Kommuniqué ‚in der Beurteilung so wichtiger Fragen wie der nationalsozialistischen Politik'. Die anderen für beide Seiten besonders wichtigen Probleme – so die Darstellung der Gegenwart im Geographieunterricht, die deutsch-polnischen Beziehungen im Mittelalter, im Zeitraum zwischen 1918 und 1933, sowie die Beziehungen beider Länder nach 1945 – blieb der eingehenden Diskussion auf kommenden Tagungen vorbehalten." Während der Konferenz in Braunschweig seien die Ergebnisse vertieft und ergänzt worden. So sei z. B. empfohlen worden, „die offiziell in jeweils anderen Land verwendeten Ortsnamen zu berücksichtigen", aus „didaktischen Gründen" jedoch eine zweisprachige Bezeichnung zuzulassen. Die Diskussionen auf beiden Konferenzen hätten „in einer Atmosphäre der Offenheit und wissenschaftlichen Sachlichkeit" stattgefunden. Eine weitere Konferenz sei für September 1972 in Warschau geplant. Vgl. Referat 610, Bd. 575.

13 Zum Stand des Ratifikationsverfahrens vgl. Dok. 27, Anm. 4.
Vom 23. bis 25. Februar 1972 fand die erste Lesung der Gesetze zum Moskauer Vertrags vom 12. August 1970 und zum Warschauer Vertrag vom 7. Dezember 1970 im Bundestag statt. Bundesminister Scheel betonte am 23. Februar 1972 dabei zunächst den vereinbarten Gewaltverzicht und führte weiter aus: „Im deutsch-polnischen Vertrag ist die Aussage zur Grenze konkretisiert. Diese Aussage stellt klar, daß die Bundesrepublik die Oder-Neiße-Linie als Westgrenze Polens nicht mehr in Frage stellt. Dies bedeutet, daß die Gebiete jenseits dieser Grenze von der Bundesrepublik Deutschland für die Dauer ihrer Existenz als polnisches Staatsgebiet zu betrachten und zu respektieren sind, wenngleich eine friedensvertragliche Regelung für Deutschland noch nicht zustande gekommen ist und die Rechte und Verantwortlichkeiten der Vier Mächte in bezug auf Deutschland als Ganzes fortbestehen. Diese Grenzregelung hat nichts mit den Individualrechten der Deutschen, die in den Gebieten jenseits von Oder und Neiße leben, zu tun. Diese Rechte waren nicht Gegenstand der Verträge. Ich habe, um das klarzustellen, in den Verhandlungen förmlich erklärt, daß niemand durch den Vertrag Rechte verliert, die ihm nach den Gesetzen der Bundesrepublik Deutschland zustehen." Ferner sei klargestellt, „daß die Bundesrepublik nur für sich, nicht

schen Außenministeriums geht dahin, zu der in der Denkschrift enthaltenen Interpretation des Vertrages zurückzukehren.

2) Polnische Seite deutete an, daß bereits in den Gesprächen Wehner–Olszowski und Wehner–Gierek ihre Sorge über die angeblich sowohl dem Geist wie dem Buchstaben des Vertrages widersprechende deutsche Interpretation angeklungen sei.[14]

[gez.] Emmel

VS-Bd. 10103 (Ministerbüro)

35

Aufzeichnung des Bundesministers Scheel

21. Februar 1972

Herrn Staatssekretär Dr. Frank[1]

Ich hatte eben ein Telefongespräch mit Herrn Wischnewski, in dem er mir mitteilte, daß er auf Anregung aus dem Libanon, Syrien und dem Irak den Gedanken erwäge, in Kürze eine Reise in diese Länder zu machen. Er wolle sich aber darüber mit dem Außenminister natürlich abstimmen, zumal ihm der Bundeskanzler nach einem Gespräch mit dem Außenminister diese Anregung gegeben habe.

Ich habe Herrn Wischnewski mitgeteilt, daß ich heute mittag noch mit dem Bundeskanzler diese Frage behandelt habe und daß ich zu folgendem Ergebnis komme:

1) Um die Reise des Bundeskanzlers nach Israel[2] abzudecken, bedarf es keiner Entschuldigung für diesen Entschluß in arabischen Ländern, am wenigsten in denen, die mit uns keine diplomatischen Beziehungen haben. Das Auswärtige Amt hat dem Bundeskanzler geraten, einen arabischen Botschafter zu sich zu bitten, um ihm in einem Gespräch die Motive für diese Reise und die Absich-

---

Fortsetzung Fußnote von Seite 159

für einen gesamtdeutschen Souverän sprechen kann". Vgl. BT STENOGRAPHISCHE BERICHTE, Bd. 79, S. 9745.
Die Verträge wurden am 25. Februar 1972 an den federführenden Auswärtigen Ausschuß sowie mitberatend an den Rechtsausschuß überwiesen. Vgl. BT STENOGRAPHISCHE BERICHTE, Bd. 79, S. 10003.

[14] Zum Besuch des SPD-Fraktionsvorsitzenden Wehner vom 5. bis 10. Februar 1972 in Polen vgl. Dok. 28, Anm. 38.

[1] Hat Staatssekretär Frank am 29. Februar 1972 vorgelegt, der die Weiterleitung an Referat I B 4 verfügte und um Wiedervorlage am 1. April 1972 bat.
Hat Vortragendem Legationsrat I. Klasse Redies am 1. März 1972 vorgelegen, der handschriftlich vermerkte: „Unter Verschluß".

[2] Zur Einladung an Bundeskanzler Brandt zu einem Besuch in Israel vgl. Dok. 28, Anm. 28.

ten, die damit verbunden sind, zu erläutern.³ Darüber hinaus wird der Bundeskanzler, wie er mir mitteilte, einer oder mehreren arabischen Zeitungen in absehbarer Zeit ein Interview geben.⁴

2) Ich werde selbst in der Vorosterzeit Tunesien und Marokko besuchen⁵ und die Gelegenheit wahrnehmen, unser Verhältnis zum Vorderen Orient zu erläutern.

3) Ich halte es nicht für zweckmäßig, daß Herr Wischnewski jetzt die von ihm ins Auge gefaßte Reise vornimmt, da wir den Eindruck erwecken würden, als ob wir von den Besuchen dieser Länder dringend eine Antwort auf die Frage der Aufnahme der Beziehungen erwarteten. Dieser Eindruck führt zwangsläufig zu Forderungen, die wir nicht erfüllen können, z. B. der Forderung, eine anti-israelische Erklärung abzugeben.

Ich habe Herrn Wischnewski noch einmal auf das Datum der nächsten Sitzung der Arabischen Liga⁶ hingewiesen und ihn gebeten, seine Pläne zurückzustellen, bis diese Sitzung stattgefunden hat.

Danach sollten wir uns zusammensetzen, um zu überlegen, in welcher Weise die Verbindungen, die Kollege Wischnewski hat, genutzt werden können, um die Normalisierung im arabischen Raum weiter zu entwickeln. Dabei sollte die Möglichkeit von Besuchen von Herrn Wischnewski in einzelnen dieser Länder in ein Gesamtkonzept eingebaut werden.

---

3 Bundeskanzler Brandt erläuterte am 24. Februar 1972 dem tunesischen Botschafter Mestiri, „daß er wahrscheinlich noch in dieser Legislaturperiode, aber nicht sehr bald, nach Israel reisen werde. [...] Wenn er reise, dann werde er in Israel natürlich nicht nur bilaterale Fragen erörtern, sondern auch die der Wiederherstellung des Friedens in der Region." Auf den Einwand von Mestiri, daß die Einladung nach Israel „in den arabischen Staaten als ein israelisches Manöver verstanden werde, die Normalisierung der Beziehungen zwischen der Bundesrepublik und den arabischen Staaten zu stören" und die israelische Regierung den Besuch „als eine Unterstützung ihrer Politik darstellen werde, und diese sei keine Friedenspolitik", führte Brandt aus: „Die Bundesrepublik habe ein eigenes Interesse daran, die Normalisierung mit jenen arabischen Staaten, bei denen dieser Prozeß noch nicht vollzogen sei, ungestört zu vollenden. Dies würden wir beachten, und zwar nicht nur in der Form, sondern auch in der Sache." Vgl. die Gesprächsaufzeichnung; Bundeskanzleramt, AZ: 21-30 100 (56), Bd. 36; B 150, Aktenkopien 1972.
4 Am 28. Februar 1972 notierte Vortragender Legationsrat I. Klasse Redies, Bundeskanzler Brandt habe zugestimmt, „vor der Liga-Erörterung der deutsch-arabischen Beziehungen am 11. März der arabischen Seite ein Interview zu geben, um falschen Deutungen der Israel-Reise entgegenzuwirken (vorgesehen ist ägyptisches Fernsehen)." Vgl. Referat I B 4, Bd. 525.
Das Interview fand am 2. März 1972 statt und wurde am 7. März 1972 im ägyptischen Fernsehen ausgestrahlt. Zur Frage, ob aus dem geplanten Besuch in Israel auf eine Änderung der Nahost-Politik geschlossen werden müsse, führte Brandt aus, die Bundesregierung wünsche „eine ausbalancierte, sachliche, gute Beziehung zu allen, die dies auch wollen. [...] Wir wollen unseren begrenzten, aber immerhin gegebenen Einfluß mit einsetzen, um zu einer gerechten Friedensordnung zu kommen, weil wir wissen, daß die Friedensordnung, die wir in Europa zu schaffen im Begriff stehen, auch wenn es noch dauert, gefährdet bleibt, wenn sie nicht ergänzt wird durch die Stabilisierung des Friedens in den praktisch an uns grenzenden Teilen der Welt. Wir wollen nicht nur die guten traditionellen, kulturellen und menschlichen Beziehungen mit der arabischen Welt pflegen und weiter entwickeln, sondern wir wollen auch im Handel, im Wirtschaftsaustausch zu Verhältnissen kommen, die dem beiderseitigen Interesse gerecht werden. Das meine ich mit einer ausgewogenen Politik." Vgl. Referat I B 4, Bd. 525.
5 Bundesminister Scheel besuchte Tunesien vom 21. bis 23. März 1972. Ein Besuch in Marokko fand nicht statt. Für die Gespräche mit dem tunesischen Außenminister Masmoudi am 21./22. März 1972 in Tunis vgl. Dok. 63.
6 Die Tagung des Rats der Arabischen Liga fand am 11./12. März 1972 in Kairo statt.

Herr Wischnewski war mit dieser Planung einverstanden. Ich würde darum bitten, zum gegebenen Zeitpunkt ein entsprechendes Gespräch zwischen Herrn Wischnewski und mir zu veranlassen.[7]

Scheel

VS-Bd. 10099 (Ministerbüro)

36

Aufzeichnung des Vortragenden Legationsrats I. Klasse Blech

II A 1-83.10/0-116/72 geheim 21. Februar 1972[1]

Herrn D Pol 2[2]

Betr.: Fortgang der Deutschlandpolitik

1 Anlage

Hiermit wird ein erster Entwurf von Überlegungen zur Deutschlandpolitik mit dem Vorschlag, eine Besprechung hierüber anzusetzen, vorgelegt.

Das von Herrn Bräutigam gefertigte Papier faßt die bisherigen Erörterungen des Referats zusammen, insbesondere auch insoweit, als es eine Alternative zu den Konzepten „Eintritt durch die Hauptpforte nach optimalen Regelungen (Qualifizierung des Grundverhältnisses plus substantiellen menschlichen Erleichterungen)" und „Eintritt durch Hauptpforte nach Qualifizierung des Grundverhältnisses plus minimalen menschlichen Erleichterungen" zu entwickeln versucht.

Aus den dargelegten Szenarien ergibt sich, daß die Planung nächster Schritte beschleunigt betrieben werden müßte, wenn sie zur Vorbereitung rechtzeitiger Entscheidungen führen sollen. Im Hinblick auf die unter diesen Umständen zunächst mündliche Behandlung ist daher auf eine Überarbeitung des Papiers,

---

[7] Zum Besuch des SPD-Abgeordneten Wischnewski vom 25. bis 29. März 1972 im Libanon vgl. Dok. 76 und Dok. 79.

[1] Durchdruck.
Hat Ministerialdirektor von Staden am 21. Februar 1972 vorgelegen, der handschriftlich vermerkte: „Vgl. Randbemerkungen: prima facie scheint mir B besser, wenn VN-Beitritt noch 72 vollzogen werden kann. Andernfalls spricht vieles für A. Bitte R[ücksprache] mit Herrn Blech u[nd] Bräutigam nach der Debatte."
Hat Staatssekretär Frank am 29. Februar 1972 vorgelegen, der handschriftlich für Staden vermerkte: „Ich bitte zu einer Besprechung über das Papier von H[errn] Bräutigam ‚Überlegungen zur Deutschlandpolitik' am Freitag, 3.3. um 16.00 bei mir. Teilnehmer: D Pol, D Pol 2, II A 1 Ref[erats]l[eiter], I C 1 Heimsoeth, VRB v[on] Schenck, H[err] Bräutigam."
Hat Staden am 1. März 1972 erneut vorgelegen. Vgl. den Begleitvermerk; VS-Bd. 8544 (II A 1); B 150, Aktenkopien 1972.

[2] Hat Ministerialdirigent van Well am 6. März 1972 vorgelegen, der handschriftlich vermerkte: „H[errn] D Pol zurückgereicht."

die weitere Gesichtspunkte berücksichtigt, verzichtet worden. Ich beschränke mich auf folgende Bemerkungen:

1) Modell B (Eingang durch die Hauptpforte nach Konzentration auf Qualifizierung des Grundverhältnisses) räumt dem Interesse der beiden deutschen Staaten an der VN-Mitgliedschaft und dem Interesse der Vier Mächte an einer Bekräftigung ihrer Rechte und Verantwortlichkeiten bezüglich Deutschlands als Ganzem Vorrang ein. Seine Schwäche liegt in der innenpolitischen Durchsetzbarkeit dieser Prioritäten in der Bundesrepublik Deutschland, insbesondere angesichts der in der bisherigen Ratifikationsdebatte[3] zum Ausdruck kommenden Bedeutung der menschlichen Erleichterungen als Grundlage und Rechtfertigung eines Arrangements mit der DDR. Für dieses Modell spricht die realistische Einschätzung der objektiven Möglichkeiten und der subjektiven Bereitschaft der DDR, derartige menschliche Erleichterungen in der uns zur Verfügung stehenden Zeit zu gewähren. Es löst jedoch nicht die Frage, wie der zugegebenermaßen beengte Spielraum der DDR in diesem Bereich optimal ausgenutzt und damit eine reale Chance geschaffen werden[4] kann, daß eine Einigung mit der DDR und deren in der VN-Mitgliedschaft beider deutscher Staaten liegende internationale Aufwertung in der Bundesrepublik innenpolitisch akzeptiert wird.

2) Die innenpolitische Durchsetzbarkeit wird jedoch ein ganz entscheidender Faktor für das Verhalten der DDR sein. Nach Modell B verlangen wir von ihr direkte oder indirekte, auf jeden Fall klare Aussagen über die Qualifikation des Grundverhältnisses und die Möglichkeit menschlicher Erleichterungen für die Zukunft unter Bedingungen, unter welchen die Indossierung durch den Bundestag und damit ihre Honorierung durch Freigabe der Mitgliedschaft in den Vereinten Nationen und den Sonderorganisationen ungewiß bleibt. Kommt es nicht zu dieser Indossierung (wofür objektiv viel und in den Augen Ostberlins noch mehr spricht), so hätte die DDR bei Erhaltung des internationalen Status quo durch politisch unwiderrufliche Aussagen zum innerdeutschen Verhältnis eine prinzipielle und auch durch rechtliche Vorbehalte während der[5] Verhandlungen kaum mehr einholbare Position aufgegeben.

Nur ein konkreter und sicherer Vorteil wird daher die DDR veranlassen können, ihren ohnehin schmalen Spielraum im Bereich der menschlichen Erleichterungen auszuschöpfen, damit die wohl auch nach ihrer Einschätzung unentbehrliche Voraussetzung für eine Öffnung des Weges in die VN zu schaffen und dabei die – durch die Notwendigkeit einer Entscheidung unseres Gesetzgebers bedingte – Unsicherheit der VN-Aufnahme selbst in Kauf zu nehmen.

3) Das Risiko, das die DDR mit einem Verhalten nach Modell B eingehen würde, dürfte auch die Bereitschaft der Sowjetunion, nach diesem Modell zu verfahren, negativ beeinflussen.

---

[3] Zum Stand des Ratifikationsverfahrens zum Moskauer Vertrag vom 12. August 1970 und zum Warschauer Vertrag vom 7. Dezember 1970 vgl. Dok. 34, Anm. 13.

[4] Zum Passus „Einschätzung der objektiven ... Chance geschaffen werden" vermerkte Ministerialdirektor von Staden handschriftlich: „Hier fragt sich nur, wie weit auf die DDR ‚eingewirkt' werden kann."

[5] Zum Passus „ungewiß bleibt ... Vorbehalte während der" vermerkte Ministerialdirektor von Staden handschriftlich: "In dieser Hinsicht ist unsere Überzeugungskraft nach Ratifikation ungleich stärker. Dann aber ist die Alternative der Nebentür zeitlich vorüber."

4) Modell A erlaubt demgegenüber,
- die DDR zu einem innenpolitisch wirksamen Entgegenkommen im Rahmen ihrer Möglichkeiten zu veranlassen,
- eine verbesserte Ausgangsposition für die Qualifizierung des Grundverhältnisses als Voraussetzung der vollen UN-Mitgliedschaft zu erreichen.

Dies geschieht, indem unsere Position in den internationalen Organisationen außer der UN-Vollmitgliedschaft zur Disposition gestellt wird, solange sie noch stark ist und damit hohen Wert hat – d.h. vor Abstimmung in der WHO (die für uns 1972 noch positiv auszufallen verspricht[6]), vor Stockholm[7] und vor der multilateralen Vorbereitung der KSE. Zwar spricht einiges dafür, daß die DDR unter dem Eindruck der Niederlagen, die sie nach dem bisher vorausgesetzten Ablauf dort wahrscheinlich erleiden wird, unmittelbar danach auch noch gesprächs- und konzessionsbereit sein wird. Jedoch dürfte diese Bereitschaft geringer als zuvor sein und sie dürfte sich weiter vermindern, wenn Ostberlin keine konkrete Aussichten auf einen Terraingewinn im multilateralen Bereich in der zweiten Jahreshälfte 1972, sehr wohl aber konkrete Aussichten auf Teilnahme an der multilateralen KSE-Vorbereitung, auf Teilnahme an der KSE selbst (möglicherweise noch vor der nächsten WHO-Abstimmung) und auf den Durchbruch in der WHO 1973 erkennen kann.[8]

5) Das schwierigste[9] Problem von Modell A besteht darin, die erste Phase – Freigabe der internationalen Organisationen gegen substantielle menschliche Erleichterungen – so fest mit der zweiten Phase – VN-Mitgliedschaft nach Qualifizierung des Grundverhältnisses – zu verbinden, daß deren Vollzug nicht ad calendas graecas vertagt werden kann. Hier bedarf der vorliegende Entwurf noch der Vertiefung.

6) Große Bedeutung wird vor allem in diesem Zusammenhang dem bisher – auch in der Öffentlichkeit – nicht verwendeten Argument zukommen, daß die Nichtzugehörigkeit der beiden deutschen Staaten an sich eine klare Demonstration der besonderen Lage in Deutschland ist. Dieses Argument ist geeignet, der DDR bewußt zu machen, daß sie nicht die Wahl zwischen „Normalität" und besonderer Lage in Deutschland (und damit zwischen normalen und besonderen Beziehungen zur Bundesrepublik), sondern nur zwischen verschiedenen Formen hat, in welchen die vorgegebene besondere Lage zum Ausdruck kommen kann. In diesem Zusammenhang müßte der DDR auch verdeutlicht werden, daß sie auch bei einer für sie günstigen Entwicklung nicht mit unqualifiziert „normalen" Beziehungen zu den drei Westmächten rechnen kann und die Herstellung solcher Beziehungen nur eine Frage der Zeit ist. Wir haben An-

---

[6] Zur Abstimmung in der WHO am 19. Mai 1972 über eine Aufnahme der DDR vgl. Dok. 144, Anm. 5.
[7] Zu einer Beteiligung der DDR an der UNO-Umweltkonferenz vom 5. bis 16. Juni 1972 in Stockholm vgl. Dok. 4.
[8] Zum Passus „zweiten Jahreshälfte 1972 ... erkennen kann" vermerkte Ministerialdirektor von Staden handschriftlich: „Deshalb muß die Aussicht auf VN-Mitgliedschaft für 72 eröffnet werden, zumal 73 auch für uns innenpol[itisch] schwierig wäre."
[9] Dieses Wort wurde von Ministerialdirektor von Staden hervorgehoben. Dazu vermerkte er handschriftlich: „Das zweitschwierigste darin, die Marge der DDR auszuloten. Die ‚Formel' ist fest zu umreißen, die Erleichterungen sind es nicht."

haltspunkte, daß diese Problematik in Ostberlin möglicherweise nicht voll erkannt ist.

7) Auch wenn die zweite Phase von Modell A nicht alsbald verwirklicht wird, bietet es insgesamt günstigere Möglichkeiten zur Erhaltung des Status quo (d. h. vor allem Nichtmitgliedschaft beider Staaten als Ausdruck der besonderen Lage in Deutschland) als eine Entwicklung, in der wir, etwa ab 1973, unsere Positionen in den internationalen Organisationen ohne vereinbarte Gegenleistungen räumen müssen:

– Die Westmächte werden bei der Einlegung des Veto gegen einen alleinigen Aufnahmeantrag der DDR in einer stärkeren (und gegenüber uns festgelegten) Position sein, solange sie auf die Nichterfüllung einer vorhandenen Absprache zwischen Bundesrepublik und DDR verweisen können.

Sowohl Engländer wie Amerikaner haben uns bereits zu verstehen gegeben, daß bei einem unkontrollierten Gleichziehen der DDR in den internationalen Organisationen nach Niederlagen des Westens ihre Ausschließung der Vollmitgliedschaft kraft westlichen Vetos auf die Dauer Schwierigkeiten machen würde. Im State Department insbesondere scheint man eine Wiederholung der China-Niederlage[10] als Auswirkung zu lange geübter Hartnäckigkeit zu scheuen, obwohl – so Dean – mit einem amerikanischen Veto zumindest so lange sicher gerechnet werden kann, „wie der Präsident Nixon heißt".

– Die Westmächte werden unter diesen Umständen geringere Neigung haben, bilaterale Beziehungen mit der DDR aufzunehmen.

Im übrigen hätte Modell A den Vorteil, daß der Herstellung solcher offiziellen Beziehungen, auch wenn es erst nach dem VN-Beitritt beider deutscher Staaten dazu kommt, der in der ersten Phase vorzunehmende Austausch offizieller Vertreter zwischen Bundesrepublik und DDR vorangige.

Hierfür ist nach Modell B keine Gewähr gegeben. Die Alliierten haben sich von unserer Forderung, wir müßten auf jeden Fall vor ihnen in Ostberlin vertreten sein, bisher wenig beeindruckt gezeigt.

8) Ob die Alliierten unter allen Umständen Modell B bevorzugen (S. 23 des Entwurfs[11]), sollte dahingestellt bleiben. Dean deutete gesprächsweise unter Bezugnahme auf Äußerungen der Staatssekretäre Frank und Bahr an, daß seine Seite bereit sei, beide Wege – bisheriges Konzept oder kontrollierte Freigabe der Sonderorganisationen – in Betracht zu ziehen.

9) Die Frage, wie das Verhältnis zwischen den beiden deutschen Staaten in einem Grundvertrag zu qualifizieren wäre, sollte noch vertieft werden. Die Elemente auf S. 7 des vorgelegten Entwurfs[12] könnten ergänzt werden. In der entscheidenden Aussage (Buchstabe c) stellen sie letztlich auch nur auf die Vier-Mächte-Rechte und -Verantwortungen ab, so daß sich die Charakteristik in der Sache nicht wesentlich von der des Modells B unterscheidet, gegen das insoweit zu Recht Bedenken bestehen (Entwurf S. 21[13] Mitte).

---

10 Zur Aufnahme der Volksrepublik China in die UNO am 25. Oktober 1971 vgl. Dok. 6, Anm. 19.
11 Vgl. Anm. 37.
12 Vgl. Anm. 23 und 24.
13 Vgl. Anm. 35 und 36.

10) Ausführlicher Erörterung bedarf ferner die Frage, wann und in welcher Weise die Alliierten mit der Sowjetunion das Gespräch aufnehmen sollen, sowie die Frage, ob und inwieweit die Gesamtproblematik zum Gegenstand unseres Gesprächs mit der Sowjetunion gemacht werden soll. Hierbei werden folgende Gesichtspunkte zu berücksichtigen sein:

Besuch Gromykos in Paris[14],

Besuch Nixons in Moskau[15],

Zusammenhang mit der Realisierung des Vier-Mächte-Abkommens, insbesondere im Bereich der Außenvertretung Berlins durch den Bund.

11) Solange unsere Überlegungen nicht zu einer Entscheidung über das weitere Vorgehen geführt haben, sollte in den Verhandlungen über den allgemeinen Verkehrsvertrag das Thema allgemeiner Feststellungen über das Verhältnis der beiden Kontrahenten zueinander (framework language) ausgespart bleiben. Möglicherweise empfiehlt es sich, in einem solchen Vertrag auf derartige Feststellungen ganz zu verzichten.

gez. Blech

[Anlage]

18. Februar 1972

Entwurf

Herrn D Pol

Betr.: Überlegungen zur Deutschlandpolitik

I. Ausgangslage

1) Ein wichtiges Ziel in den Verkehrsverhandlungen sind Verbesserungen des Reiseverkehrs in Deutschland. Dabei geht es konkret darum, daß mehr Menschen als bisher am Reiseverkehr in beiden Richtungen teilnehmen können. Der bisherige Verlauf der Verkehrsverhandlungen legt die Annahme nahe, daß solche Verbesserungen, wenn überhaupt, nur bei erheblichen Zugeständnissen im Bereich der internationalen Organisationen zu erreichen sind. Sind wir dazu nicht bereit, so könnte das Ergebnis der Verkehrsverhandlungen darin bestehen, daß wir

– formal den ersten (völkerrechtlichen) Staatsvertrag mit der DDR schließen,

– materiell den innerdeutschen Verkehr weitgehend dem internationalen Standard anpassen.

Ein solches Ergebnis wäre in der deutschen Öffentlichkeit und vor allem im Parlament (das seine Zustimmung zu geben hätte) nur schwer zu rechtfertigen. Form und Inhalt des Vertrags würden um so mehr als Vorleistung emp-

---

[14] Der sowjetische Außenminister Gromyko besuchte Frankreich vom 12. bis 15. Juni 1972. Vgl. dazu Dok. 173, Anm. 19.
[15] Präsident Nixon besuchte die UdSSR vom 22. bis 30. Mai 1972. Vgl. dazu Dok. 149 und Dok. 161.

funden werden, wenn die Frage einer Regelung des Grundverhältnisses auch nach dem Abschluß des Verkehrsvertrages im Ungewissen bleibt.[16]

2) Die Haltung Ostberlins in dieser letzteren Frage ist unklar. Es scheint, daß das Politbüro bisher keine Entscheidung getroffen hat und zunächst die Ratifikation der Ostverträge und die weitere Entwicklung im internationalen Bereich abwarten will. In letzter Zeit ist allerdings der Eindruck entstanden, daß die DDR den Abschluß eines Grundvertrages vielleicht überhaupt vermeiden möchte. Diese Tendenz würde verstärkt werden, wenn die DDR annehmen müßte, daß selbst bei einem positiven Ergebnis dieser Verhandlungen die UN-Mitgliedschaft nicht mehr im Jahre 1972 und (wegen der Bundestagswahlen[17]) vielleicht nicht einmal im Jahre 1973 zu erreichen sein wird.[18]

Kommt es in diesem Jahr nicht mehr zu einer Regelung des Grundverhältnisses und damit – nach unserem bisherigen Konzept – auch nicht zu einer Aufnahme beider Staaten in die Vereinten Nationen, so zeichnet sich folgende Entwicklung ab:

– In der Öffentlichkeit würde der Eindruck entstehen, daß die Deutschlandpolitik der Bundesregierung nur in der Berlin-Frage Erfolg gehabt hat, die Auseinandersetzungen zwischen den beiden deutschen Staaten aber unvermindert andauern und sich im Zuge des Vordringens der DDR im internationalen Bereich sogar noch verstärken könnten.

– Die Bundesregierung müßte einräumen, daß ihre Ostpolitik – außer in Berlin – nicht zu einer Verbesserung der Kontaktmöglichkeiten zwischen den Deutschen in Ost und West geführt hat.

– Die DDR wird 1973 gleichberechtigt an der Sicherheitskonferenz teilnehmen. Zwar werden die Westmächte darauf bestehen, daß die Deutschlandfrage und insbesondere ihre Rechte in Deutschland nicht durch Beschlüsse der Konferenz präjudiziert werden können. Dennoch besteht die Gefahr, daß den Besonderheiten der Lage in Deutschland auf der Konferenz nicht in genügender Weise Rechnung getragen werden kann. Ferner müssen wir befürchten, daß die DDR etwaige Beschlüsse der Konferenz über die Ost/West-Zusammenarbeit unter Hinweis auf das Fehlen der diplomatischen Anerkennung nicht auf ihr Verhältnis zur Bundesrepublik anwenden wird.

– Im Zuge der Sicherheitskonferenz wird die DDR möglicherweise ihre Aufnahme in einzelne Sonderorganisationen der Vereinten Nationen durchsetzen und damit über die Wiener Formel[19] das Teilnahmerecht an zahlreichen internationalen Konferenzen und Konventionen erwerben. Das wird dann

---

16 Der Passus „empfunden werden ... Ungewissen bleibt" wurde von Ministerialdirektor von Staden hervorgehoben. Dazu vermerkte er handschriftlich: „Dann darf man eben noch nicht abschließen!"
17 Die Wahlen zum Bundestag sollten turnusgemäß im Oktober 1973 stattfinden.
18 Der Passus „Ergebnis ... sein wird" wurde von Ministerialdirektor von Staden hervorgehoben. Dazu vermerkte er handschriftlich: „r[ichtig]".
19 Artikel 48 des Wiener Übereinkommens vom 18. April 1961 über diplomatische Beziehungen („Wiener Formel"): „Dieses Übereinkommen liegt für alle Mitgliedstaaten der Vereinten Nationen oder ihrer Sonderorganisationen, für Vertragsstaaten der Satzung des Internationalen Gerichtshofs und für jeden Staat, den die Generalversammlung der Vereinten Nationen einlädt, Vertragspartei des Übereinkommens zu werden, [...] zur Unterzeichnung auf." Vgl. BUNDESGESETZBLATT 1964, Teil II, S. 991f.

über kurz oder lang auch den Beobachterstatus der DDR in den Vereinten Nationen zur Folge haben.
- Eine wachsende Zahl von Staaten der Dritten Welt und auch neutrale europäische Staaten werden diplomatische Beziehungen zur DDR aufnehmen; selbst unsere NATO-Verbündeten werden eine Formalisierung ihres Verhältnisses zur DDR anstreben. Dies würde dazu führen, daß zahlreiche Staaten in Ostberlin vertreten sind, nicht aber die Bundesrepublik, was gerade auch im Hinblick auf die Fragen, die West-Berlin betreffen, außerordentlich mißlich wäre.
- Die Vier Mächte werden unabhängig von einer bilateralen Regelung des Verhältnisses BRD-DDR auf eine Lösung der UN-Frage drängen, um wenigstens auf dieser Ebene ihre Rechte in Deutschland auch gegenüber der DDR festzuschreiben.

II. Modelle zur Fortführung der Deutschland-Verhandlungen

Modell A

Die unter I dargestellte Lage läßt erkennen, daß unsere Deutschlandpolitik in eine kritische Phase eingetreten ist. Wir können nicht mehr ausschließen, daß unsere Bemühungen um eine Intensivierung der menschlichen Kontakte und die Regelung des Grundverhältnisses auf der Grundlage der Kasseler 20 Punkte[20] steckenbleiben, während gleichzeitig unsere Möglichkeiten, eine Statusänderung der DDR im internationalen Bereich zu verhindern, geringer werden. Ein möglicher Weg zur Überwindung[21] der Ausweichtaktik der DDR könnte darin bestehen, die jetzt noch vorhandene Stärke unserer internationalen Position in den kommenden Monaten voll ins Spiel zu bringen. Dafür kommen folgende Schritte in Betracht:

1) Anknüpfend an die Verbindung, die Staatssekretär Kohl in den Verkehrsverhandlungen zwischen der Frage der Reiseerleichterungen und der Diskriminierung der DDR im internationalen Bereich hergestellt hat, könnte Staatssekretär Bahr in einem persönlichen Gespräch mit Kohl die Frage stellen, ob die DDR bereit wäre, in geeigneter Form
- Besuchsmöglichkeiten für Einwohner der Bundesrepublik in der DDR analog der für Westberliner getroffenen Regelung (Besuche bis zu 30 Tagen im Jahr)[22];
- flexiblere Besuchsregelungen für Einwohner der DDR in der Bundesrepublik (z.B. Herabsetzung der Altersgrenze als ein erster Schritt);

---

[20] Bundeskanzler Brandt übergab am 21. Mai 1970 anläßlich des Treffens mit dem Vorsitzenden des Ministerrats, Stoph, in Kassel „Grundsätze und Vertragselemente für die Regelung gleichberechtigter Beziehungen zwischen der Bundesrepublik und der DDR" („20 Punkte von Kassel"). Für den Wortlaut vgl. BULLETIN 1970, S. 670f. Vgl. dazu auch AAPD 1970, II, Dok. 200.

[21] Der Passus „während gleichzeitig ... zur Überwindung" wurde von Ministerialdirektor von Staden hervorgehoben. Dazu vermerkte er handschriftlich: „r[ichtig]".

[22] In Artikel 1 der Vereinbarung vom 20. Dezember 1971 zwischen der Regierung der DDR und dem Senat von Berlin über Erleichterungen und Verbesserungen des Reise- und Besucherverkehrs war festgelegt: „1) Personen mit ständigem Wohnsitz in Berlin (West) wird einmal oder mehrmals die Einreise zu Besuchen von insgesamt 30 Tagen Dauer im Jahre in die an Berlin (West) grenzenden Gebiete sowie diejenigen Gebiete der Deutschen Demokratischen Republik, die nicht an Berlin (West) grenzen, gewährt. 2) Die Einreise nach Absatz 1) wird aus humanitären, familiären, religiösen, kulturellen und touristischen Gründen genehmigt." Vgl. EUROPA-ARCHIV 1972, D 77.

– eine Familienzusammenführung in besonderen Fällen

zu gewähren, wenn sich die Bundesregierung mit einem Beitritt der DDR zur WHO und zur ECE im Mai bzw. Juli d. J. einverstanden erklären würde.

2) Gleichzeitig müßte ein Meinungsaustausch über die Regelung des Grundverhältnisses und über die Frage des Beitritts beider Staaten zu den Vereinten Nationen vereinbart werden. Dieser sollte dann unverzüglich, gegebenenfalls noch vor Abschluß der Verkehrsverhandlungen, jedenfalls aber vor der Ratifikation der Ostverträge beginnen. In einer gemeinsamen Presse-Erklärung könnte bereits zu diesem Zeitpunkt die Absicht beider Seiten zum Ausdruck gebracht werden, ihre Beziehungen zu regeln und die Mitgliedschaft in den Vereinten Nationen zum frühest möglichen Zeitpunkt anzustreben.

[23]3) Der Meinungsaustausch, der nach der Ratifikation der Ostverträge in Verhandlungen überzuleiten wäre, sollte mit dem Ziel geführt werden, bis Ende August 1972 einen Grundvertrag zu schließen, der sich auf die folgenden Elemente des Kasseler 20-Punkte-Programms beschränkt:

a) Regelung der Beziehungen im Interesse des Friedens und der Sicherheit in Europa und zum Wohle der Bevölkerung in beiden Staaten;

b) auf der Grundlage der souveränen Gleichheit (Status aller VN-Mitglieder), des friedlichen Zusammenlebens, der Achtung der Menschenrechte, der Nichtdiskriminierung und der Respektierung der Hoheitsgewalt beider Staaten in den inneren Angelegenheiten;

c) Respektierung der jeweiligen Verpflichtungen gegenüber der Französischen Republik, dem Vereinigten Königreich von Großbritannien und Nordirland, den Vereinigten Staaten und der Sowjetunion, die auf den besonderen Rechten und Vereinbarungen dieser Mächte über Berlin und Deutschland als Ganzes beruhen;

d) Gewaltverzicht und Achtung der territorialen Integrität;

e) Austausch von hochrangigen Bevollmächtigten (gegebenenfalls mit dem persönlichen Titel eines Botschafters);[24]

f) Bereitschaft, den Beitritt beider Staaten zu den Vereinten Nationen und anderen internationalen Organisationen in geeigneter Weise zu unterstützen.

Die Vertragsbestimmungen des Grundvertrages müßten in einer Weise formuliert werden, die es beiden Seiten erlaubt, ihre Rechtsauffassungen zur Lage in Deutschland aufrechtzuerhalten.

Der Vertrag, der in Form eines Staatsvertrages mit einer normalen Ratifikationsklausel geschlossen werden sollte, bedürfte der Zustimmung der gesetzgebenden Körperschaft. Es könnte angestrebt werden, dieses Verfahren bis Ende November 1972 durchzuführen, damit der VN-Beitritt noch vor dem Abschluß der Vollversammlung 1972[25] vollzogen werden könnte. Falls dieser Termin nicht eingehalten werden kann, so sollten die Beitrittsanträge unmittelbar nach der Ratifikation des Grundvertrages gestellt werden.

---

[23] Beginn der Seite 7 des Entwurfs. Vgl. Anm. 12.
[24] Ende der Seite 7 des Entwurfs. Vgl. Anm. 12.
[25] Die XXVII. UNO-Generalversammlung fand vom 19. September bis 19. Dezember 1972 statt.

In dem Meinungsaustausch müßte der DDR klargemacht werden, daß nur beim Abschluß eines solchen Grundvertrages die erforderliche Zustimmung des Bundestages zum VN-Beitritt erwartet werden kann und daß ein weiteres Hinauszögern den Beitritt beider Staaten zu den Vereinten Nationen in den nächsten Jahren überhaupt unmöglich machen könnte. Die dann eintretende Lage, so sollte argumentiert werden, müßte in der Welt den Eindruck erwecken, daß sich die ungeklärte Lage in Deutschland in der Nichtmitgliedschaft beider Staaten in den Vereinten Nationen widerspiegelt.

4) Gleichzeitig mit dem Beginn des Meinungsaustauschs zwischen den beiden deutschen Regierungen sollten die Westmächte Konsultationen mit der Sowjetunion über die Voraussetzungen des VN-Beitritts einleiten. Ziel dieser Konsultationen wäre eine Erklärung der Vier Mächte anläßlich des VN-Beitritts der beiden deutschen Staaten, in der bekräftigt wird, daß die Rechte und Verantwortlichkeiten der Vier Mächte in bezug auf Deutschland als Ganzes und Berlin nicht berührt werden und daß sie dem Beitritt auf der Grundlage des Grundvertrages ihre Zustimmung geben.

Erläuterungen

– Das vorstehende Modell geht davon aus, daß einzelne Zugeständnisse im Bereich der internationalen Konventionen nicht mehr ausreichend sind, um die DDR zu nennenswerten Reiseerleichterungen oder anderen Zugeständnissen im Bereich der menschlichen Kontakte zu veranlassen. Der Grund dafür ist vor allem darin zu sehen, daß die meisten wichtigen Konventionen den Beitritt entweder an die Wiener Formel oder an eine ECE-Formel binden. Das hat zur Konsequenz, daß diese Konventionen der DDR nicht geöffnet werden können, solange sie außerhalb der VN-Familie steht. Die meisten anderen Konventionen, die keine Wiener oder ECE-Formel enthalten, sind, wie eine erste Prüfung ergeben hat, unter politischen Gesichtspunkten von relativ geringem Gewicht (z. B. Eisenbahnkonventionen[26]; Urheberrechtskonventionen[27]; Protokoll über die Maßnahmen zur Verhinderung einer Verschmutzung der Ostsee (Visby-Konferenz)[28]; FAO-Pflanzenschutzabkommen[29]).

---

[26] Für den Wortlaut des Internationalen Übereinkommens vom 25. Februar 1961 über den Eisenbahnfrachtverkehr (CIM) vgl. BUNDESGESETZBLATT 1964, Teil II, S. 1520–1579.
Für den Wortlaut des Internationalen Übereinkommens vom 25. Februar 1961 über den Eisenbahn-Personen- und -Gepäckverkehr (CIV) vgl. BUNDESGESETZBLATT 1964, Teil II, S. 1898–1951.

[27] Für den Wortlaut des Welturheberrechtsabkommens vom 6. September 1952 in der Fassung vom 24. Juli 1971 vgl. BUNDESGESETZBLATT 1973, Teil II, S. 1111–1135.

[28] Vom 3. bis 5. September 1969 fand in Visby eine Tagung der Ostseeanlieger mit dem Ziel einer Vereinbarung über die Verhinderung der Verschmutzung der Ostsee statt. Dazu vermerkte Legationsrat I. Klasse Eitel am 14. Oktober 1969, während die Bundesrepublik nur eine Expertendelegation aus dem Bundesministerium für Verkehr entsandt habe, seien Polen, die UdSSR und die DDR durch Stellvertretende Minister vertreten worden. Entgegen der ursprünglichen Absicht, nur eine Abmachung der zuständigen Seeverwaltungsbehörden zu erzielen, sei schließlich ein Regierungsabkommen unterzeichnet worden. Daraufhin sei die Delegation der Bundesrepublik abgereist, ohne zu unterzeichnen. Für die Aufzeichnung sowie für das Protokoll vgl. Referat I A 6, Bd. 196.

[29] Für den Wortlaut des Internationalen Pflanzenschutzübereinkommens vom 6. Dezember 1951 vgl. UNTS, Bd. 150, S. 68–102. Für den deutschen Wortlaut vgl. BUNDESGESETZBLATT 1956, Teil II, S. 948–961.
Für den Wortlaut des Internationalen Pflanzenschutzübereinkommens vom 2. Dezember 1961 vgl. UNTS, Bd. 815, S. 90–158.

- Eine Zulassung der DDR zur WHO würde in einer schnellen Folge zu ihrem Beitritt in weiteren Sonderorganisationen führen (insbesondere UNESCO, IAEO, ICAO, FAO, IMCO, Weltpostunion). Sie würde ferner über die dann zu ihren Gunsten wirkende Wiener Formel Zugang zu zahlreichen internationalen Konventionen und Konferenzen erhalten. Entsprechendes gilt für die ECE-Mitgliedschaft und die ECE-Konventionen (die vor allem im Verkehrsbereich praktische Bedeutung haben). Eine weitere unvermeidliche Folge wäre der Beobachterstatus der DDR in den Vereinten Nationen. Parallel zu diesem Prozeß würden zahlreiche Staaten nicht mehr länger zögern, diplomatische Beziehungen zur DDR aufzunehmen.

    Praktisch bedeutet eine solche Entwicklung, daß die DDR in der Statusfrage mit der Bundesrepublik gleichzieht. Bisher hatten wir gehofft, unsere – gegenüber der DDR – privilegierte Position bis zu den Verhandlungen über das Grundverhältnis reservieren zu können. Aber diese Position wird schwächer, und wir müssen damit rechnen, daß wir in dieser Hinsicht nach der Ratifikation der Ostverträge und dem Inkrafttreten der Berlin-Regelung[30] in eine äußerst delikate und zunehmend schwierige Phase eintreten. Wenn wir die Position unterhalb der VN-Schwelle noch für unsere Verhandlungen nutzbar machen wollen, so müssen wir sie sehr bald und insbesondere noch vor der Erörterung der Frage des VN-Beitritts ins Spiel bringen. Beginnen einmal die Verhandlungen über das Grundverhältnis, so wird der VN-Beitritt selbstverständlich im Vordergrund stehen und die Mitgliedschaft der DDR in den Sonderorganisationen kein eigenes Verhandlungsgewicht mehr haben.[31]

- Dabei stellt sich allerdings die Frage, ob das Interesse der DDR an einem baldigen VN-Beitritt durch einen solchen Schritt nicht so vermindert[32] würde, daß wir eine Aushöhlung unserer eigenen Verhandlungsposition hinsichtlich des Grundvertrages befürchten müßten. Wir können das nicht völlig ausschließen. Die bisherige Haltung der DDR und der Sowjetunion spricht jedoch dafür, daß das Interesse der DDR an dem UN-Beitritt zum frühestmöglichen Zeitpunkt unvermindert anhalten wird. Die Mitgliedschaft in den Vereinten Nationen ist für sie das übergeordnete Ziel, da sie erst darin die volle Gleichberechtigung in der Staatengemeinschaft und – mangels völkerrechtlicher Anerkennung – die juristische Absicherung ihrer Existenz gegenüber der Bundesrepublik sieht. Außerdem würde sie sich ohne die VN-Mitgliedschaft dem Argument aussetzen, daß die ungeklärte Lage in Deutschland und die Beschränkungen der Souveränität beider deutscher Staaten in der Nichtmitgliedschaft in den Vereinten Nationen zum Ausdruck kommen.

    Innenpolitisch wäre der Beitritt der DDR zu den Sonderorganisationen und zur ECE (die wir in diesem Jahr vielleicht noch einmal verhindern können,

---

[30] Für den Wortlaut des Vier-Mächte-Abkommens über Berlin vom 3. September 1971 vgl. EUROPA-ARCHIV 1971, D 443–453.

[31] Der Passus „die Verhandlungen ... Verhandlungsgewicht mehr haben" wurde von Ministerialdirektor von Staden hervorgehoben. Dazu vermerkte er handschriftlich: „Aber die VN-Mitgliedschaft selbst ein umso größeres."

[32] Zum Passus „durch einen solchen Schritt nicht so vermindert" vermerkte Ministerialdirektor von Staden handschriftlich: „Eben."

1973 aber sicher hinnehmen müßten) mit dem Hinweis zu rechtfertigen, daß damit sichtbare und für die Bevölkerung spürbare Verbesserungen der menschlichen Kontaktmöglichkeiten in Deutschland erreicht worden sind. Die parlamentarische Zustimmung zu den Ostverträgen würde dadurch nicht erschwert, vielleicht sogar erleichtert werden, zumal wenn man bedenkt, daß die Opposition wiederholt kritisiert hat, daß die Ostverträge keine menschlichen Erleichterungen zur Folge gehabt hätten.

– Der kritische Punkt des im Modell A skizzierten Konzepts liegt in der Frage, ob die DDR bereit sein würde, auf ein Angebot: Mitgliedschaft in den Sonderorganisationen gegen substantielle menschliche Erleichterungen einzugehen. Das ist keineswegs sicher. Die Reaktion der SED-Führung dürfte in erster Linie von ihrer Einschätzung der innenpolitischen Situation abhängen. Dieser Aspekt wird für die SED den Ausschlag geben, und auch die Sowjetunion könnte das nicht ignorieren. Auf der anderen Seite wäre aber für Ostberlin die Aussicht auf die Mitgliedschaft in den Sonderorganisationen ohne Zweifel außerordentlich attraktiv. Sie würde damit nicht nur Zugang zu allen Konferenzen und Konventionen mit der Wiener Formel erhalten, sondern sie könnte auch mit dem gleichen Status wie alle anderen an den multilateralen Vorbereitungen der KSE und der sich daran anschließenden Konferenz selbst teilnehmen.

Vorteile

– Wenn sich die DDR auf die hier skizzierte Absprache einläßt, so könnte die Bundesregierung mit den – noch in diesem Jahr wirksam werdenden – menschlichen Erleichterungen einen wichtigen Erfolg buchen und die (bis heute unsicheren) Verhandlungen über das Grundverhältnis in Gang bringen.

– Psychologisch könnte sich die Aufwertung der DDR positiv auf die Verhandlungen über das Grundverhältnis auswirken. Es gibt Anzeichen dafür, daß die DDR den Verhandlungen bisher auch deshalb ausgewichen ist, weil sie über die Frage der Beziehungen zur Bundesrepublik und den VN-Beitritt nicht von einem minderen Status aus verhandeln will. Diese Barrieren würden abgebaut.

– Durch die Freigabe der Außenbeziehungen würde unsere Politik gegenüber den Staaten der Dritten Welt und unsere Position in den internationalen Organisationen entlastet. Wir würden uns nicht länger dem in letzter Zeit stärker werdenden Vorwurf aussetzen, daß wir die internationale Kooperation auf zahlreichen Gebieten (Beispiel: Umweltfragen) erschweren.

– Wir würden ferner verhindern, daß ein Einbruch der DDR in die Sonderorganisationen gegen unseren Willen (was wir nicht ausschließen können) als eine Niederlage unserer Deutschlandpolitik gewertet wird.

Nachteile

– Wir können nicht ausschließen, auch wenn dies nicht wahrscheinlich ist, daß sich die DDR zunächst mit der Mitgliedschaft in den Sonderorganisationen zufriedengeben und ihre Ausweichtaktik in der Frage des Grundverhältnisses fortsetzen würde. Zwar wäre es ein unverzichtbarer Teil der Absprache, daß der Meinungsaustausch über das Grundverhältnis sofort beginnt und mit der Ratifikation der Ostverträge in Verhandlungen übergeleitet würde. Die DDR könnte gleichwohl auf ein Scheitern dieser Verhandlungen hinarbeiten, um zunächst einmal abzuwarten, ob sie den Beitritt zu den VN auch ohne eine Regelung des Grundverhältnisses erreichen kann.

Wenn dies ihre Absicht sein sollte, so könnten wir dies in keinem Fall verhindern, da die westliche Position im internationalen Bereich nur noch für eine begrenzte Zeit zu halten sein wird.

– Die plötzliche Schwenkung unserer Politik würde gerade die Staaten überraschen, die unsere Deutschland-Politik bisher unterstützt haben. Sie könnten sich beklagen, daß wir sie nicht rechtzeitig ins Vertrauen gezogen haben (was im Hinblick auf die unerläßliche Vertraulichkeit unserer Sondierungen mit der DDR nicht möglich wäre).

– Wir können nur dann eine Mitwirkung der DDR an dem oben dargelegten Konzept erwarten, wenn wir einen bestimmten Zeitplan einhalten und die Bundesregierung das ihr Mögliche tut, das innerstaatliche Zustimmungsverfahren zu dem VN-Beitritt so durchzuführen, daß dieser noch vor dem Ende der Vollversammlung 1972 erfolgen könnte. Ein so knapp kalkulierter Zeitplan würde an unsere Verhandlungsführung und politische Willensbildung erhebliche Anforderungen stellen, auch wenn die wichtigsten Elemente des Grundverhältnisses objektiv gesehen in etwa drei Monaten ausgehandelt werden könnten.

Modell B

Modell A geht von der Prämisse aus, daß durch eine Freigabe der Außenbeziehungen der DDR unterhalb der VN-Schwelle noch vor der Weltgesundheitsversammlung ein Minimum an menschlichen Erleichterungen und aussichtsreiche Verhandlungen über das Grundverhältnis erreicht werden können. Nimmt man an, daß dieser Weg nicht gangbar ist, so wäre alternativ oder auch im Sinne einer Rückfallposition folgendes Vorgehen zu erwägen:

1) In der gegenwärtigen Phase begnügen wir uns mit den – sicher sehr geringfügigen – Reiseerleichterungen, die im Rahmen der Verkehrsverhandlungen ohne größere Konzessionen im internationalen Bereich erreicht werden können, und behalten uns entsprechende Initiativen im Rahmen einer Sicherheitskonferenz vor.

2) Wir halten zunächst daran fest, daß eine Zulassung der DDR zu den Sonderorganisationen erst nach der Lösung der VN-Frage in Betracht kommen kann. Bis zu diesem Zeitpunkt werden nur formlose Arrangements über eine praktische Mitarbeit der DDR in Erwägung gezogen.

3) Wir halten an unserer Forderung fest, daß die Beziehungen zwischen der Bundesrepublik und der DDR unter Berücksichtigung der besonderen Lage in Deutschland geregelt werden müssen, bitten die Alliierten aber schon jetzt, Konsultationen mit der Sowjetunion über die Voraussetzungen eines VN-Beitritts beider deutscher Staaten aufzunehmen.

4) Die Entscheidung darüber, ob wir weiterhin die Regelung des Grundverhältnisses zur Voraussetzung für einen VN-Beitritt machen, wird erst getroffen, wenn das Ergebnis der Vier-Mächte-Konsultationen vorliegt. Falls sich die Vier Mächte über eine für uns befriedigende Formel über die besondere Lage

in Deutschland einigen können, wird die Bundesregierung unter Berufung auf die Vier-Mächte-Einigung und unter Hinweis auf die bis dahin erfolgten vertraglichen Regelungen mit der DDR im September d. J. den Entwurf eines Zustimmungsgesetzes zum UN-Beitritt in den Bundestag einbringen, auch wenn zu diesem Zeitpunkt das Grundverhältnis noch nicht geregelt ist.

5) Passiert das Vertragsgesetz zur VN-Satzung bis Ende November den Bundestag, so erfolgt der Beitritt noch während der Generalversammlung 1972 (die im Dezember endet). Ist dies aus zeitlichen Gründen nicht möglich, so wird der Beitrittsantrag unmittelbar nach der Verabschiedung des Vertragsgesetzes dem Sicherheitsrat zugleitet. Nach dessen Entscheidung und der Formalisierung der Vier-Mächte-Erklärung über die besondere Lage in Deutschland erklären wir uns mit der Aufnahme der DDR in die Sonderorganisationen einverstanden, auch wenn der Beitritt zu den Vereinten Nationen erst in der Generalversammlung 1973 erfolgen kann.[33]

6) Während der Konsultationen der Vier Mächte und auch während der Beratungen des Bundestages über ein Vertragsgesetz zur VN-Satzung bleibt die Bundesregierung um eine Regelung des Grundverhältnisses bemüht. Dabei wird die Sowjetunion unter Berufung auf die Absichtserklärung zum Moskauer Vertrag[34] ersucht, ihren Einfluß in Ostberlin geltend zu machen, damit eine Regelung unserer Beziehungen zur DDR noch vor dem Beginn der Sicherheitskonferenz zustande kommt. Dabei sollte die Sowjetunion darauf hingewiesen werden, daß nur so Schwierigkeiten auf der Konferenz vermieden werden können, die sich nahezu unvermeidlich aus dem ungeregelten Verhältnis zwischen den beiden deutschen Staaten ergeben würden und die sogar einen Erfolg der Konferenz beeinträchtigen könnten.

Vorteile

– Der Weg in die Vereinten Nationen wird wesentlich erleichtert. Eine Einigung der Vier Mächte über eine gemeinsame Deutschlanderklärung wird leichter und schneller möglich sein als die Regelung des Grundverhältnisses zwischen den beiden deutschen Staaten.

– Dritte Staaten werden im Hinblick auf die Konsultationen und Verhandlungen der Vier Mächte eher bereit sein, die diplomatische Anerkennung der DDR und ihre Aufnahme in die Sonderorganisationen noch hinauszuzögern.

---

33 Dieser Satz wurde von Ministerialdirektor von Staden hervorgehoben. Dazu vermerkte er handschriftlich: „Gute Alternative."
34 In Punkt 2 der „Absichtserklärungen" zum Vertrag vom 12. August 1970 zwischen der Bundesrepublik und der UdSSR, der wortgleich mit Leitsatz 6 vom 20. Mai 1970 („Bahr-Papier") war, erklärte die Bundesregierung „ihre Bereitschaft, mit der Regierung der Deutschen Demokratischen Republik ein Abkommen zu schließen, das die zwischen Staaten übliche gleiche verbindliche Kraft haben wird wie andere Abkommen, die die Bundesrepublik Deutschland und die Deutsche Demokratische Republik mit dritten Ländern schließen. Demgemäß will sie ihre Beziehungen zur Deutschen Demokratischen Republik auf der Grundlage der vollen Gleichberechtigung, der Nichtdiskriminierung, der Achtung der Unabhängigkeit und der Selbständigkeit jedes der beiden Staaten in Angelegenheiten, die ihre innere Kompetenz in ihren entsprechenden Grenzen betreffen, gestalten. Die Regierung der Bundesrepublik Deutschland geht davon aus, daß sich auf dieser Grundlage, nach der keiner der beiden Staaten den anderen im Ausland vertreten oder in seinem Namen handeln kann, die Beziehungen der Deutschen Demokratischen Republik und der Bundesrepublik Deutschland zu dritten Staaten entwickeln werden." Vgl. BULLETIN 1970, S. 1097f.

Dies wäre für uns besonders wichtig in der delikaten Phase nach der Ratifizierung der Ostverträge.
- Wir können bei diesem Procedere der vollen Unterstützung unserer Alliierten (und auch der Sowjetunion) sicher sein. Die fortbestehende Vier-Mächte-Verantwortung wird durch die Konsultation der Vier Mächte über eine Deutschlanderklärung anläßlich des VN-Beitritts in einer für alle Staaten deutlichen Weise demonstriert, noch ehe die Mehrzahl dieser Staaten diplomatische Beziehungen zur DDR aufgenommen hat. Vielleicht wird es sogar möglich sein, daß zumindest unsere Verbündeten bei der Formalisierung ihres Verhältnisses zur DDR auf die Deutschlanderklärung der Vier Mächte Bezug nehmen.

Nachteile
- Wir laufen Gefahr, daß die DDR einer Regelung des Grundverhältnisses weiterhin ausweichen wird, zumal wenn sie erkennt, daß die Bundesregierung nicht mehr auf einer Regelung des Grundverhältnisses vor dem VN-Beitritt besteht. Ob wir nach der Ratifizierung der Ostverträge noch auf die Unterstützung[35] der Sowjetunion in dieser Frage rechnen können, ist ungewiß. Wir können nicht ausschließen, daß die Sowjetunion und die DDR eine Regelung der Beziehungen vor der Sicherheitskonferenz vermeiden möchten, da sie sich von den Beschlüssen dieser Konferenz eine Präjudizierung des Verhältnisses der beiden deutschen Staaten in ihrem Sinne versprechen.
- In den Vier-Mächte-Verhandlungen über eine Deutschlanderklärung wird die Festschreibung der (Kontroll-) Rechte der Siegermächte der kleinste gemeinsame Nenner sein. Die spezifisch deutschen Belange (Zusammenhalt der Nation etc.) werden dabei leicht zu kurz kommen. Eine – nach unseren bisherigen Vorstellungen – mögliche Bezugnahme auf den Grundvertrag ist nicht möglich, da dieser noch nicht besteht.
- Nach dem VN-Beitritt der beiden deutschen Staaten werden in einer sehr kurzen Frist zahlreiche Staaten einschließlich unserer Verbündeten diplomatische Beziehungen zu Ostberlin aufnehmen und dort vertreten sein, nicht aber die Bundesrepublik. Dies wäre für uns eine sehr unerfreuliche Situation, aus der sich sogar allmählich ein Zwang zur völkerrechtlichen Anerkennung durch die Bundesrepublik ergeben könnte.[36]
- Innenpolitisch würde sich die Bundesregierung dem schwerwiegenden Vorwurf aussetzen, daß ihre Deutschlandpolitik – abgesehen von der Berlin-Regelung – weder zu einem geregelten Nebeneinander, noch zu menschlichen Erleichterungen geführt hat. Die Opposition würde wahrscheinlich einen Beitritt beider Staaten zu den Vereinten Nationen, der einvernehmlich erfolgt, als eine quasi völkerrechtliche Anerkennung werten.

III. Schlußbemerkungen

Dem Modell A liegt ein Konzept zugrunde, mit dem versucht werden könnte, in einer Fortentwicklung der Kasseler Punkte die wesentlichen Elemente unserer Deutschlandpolitik in einer relativ kurzen Zeitspanne noch zu verwirklichen.

---

35 Beginn der Seite 21 des Entwurfs. Vgl. Anm. 13.
36 Ende der Seite 21 des Entwurfs. Vgl. Anm. 13.

Die Initiative läge hier vor allem bei der Bundesregierung, während den Alliierten eine mehr unterstützende Rolle zukäme. Ein solches Vorgehen würde jedoch an unsere politische Willensbildung und an unsere Verhandlungsführung schon wegen der Kürze der zur Verfügung stehenden Zeit außerordentlich hohe Anforderungen stellen.

[37]Das Modell B gibt der Regelung der VN-Frage die Priorität. Die Regelung des Grundverhältnisses zwischen den beiden deutschen Staaten und die Frage der menschlichen Erleichterungen würde in Umkehrung der bisherigen Gewichte an die zweite Stelle unserer Bemühungen treten. Dementsprechend würde auch den Alliierten ein dominierender Anteil an der Verhandlungsführung zufallen. Dies läßt vermuten, daß die Alliierten dem in Modell B skizzierten Konzept den Vorzug geben würden.

Die Aufzeichnung enthält kein Votum. Sie ist als Diskussionsgrundlage zur Erleichterung der Meinungsbildung auf der politischen Ebene gedacht.

VS-Bd. 8544 (II A 1)

37

Botschafter Allardt, Moskau, an das Auswärtige Amt

Z B 6-1-10754/72 VS-vertraulich   Aufgabe: 21. Februar 1972, 15.10 Uhr[1]
Fernschreiben Nr. 420   Ankunft: 21. Februar 1972, 16.54 Uhr

Betr.: Sowjetische Haltung zur Berlin-Frage

1) Anläßlich eines am 18.2. von der Europäischen Abteilung des sowjetischen Außenministeriums zu Ehren der Botschaft auf der Datscha des Außenministeriums gegebenen, sehr freundschaftlich verlaufenen Mittagessens kam es zu einem Gespräch zwischen dem ständigen Vertreter Bondarenkos, Botschaftsrat Kwizinskij, und dem Botschaftsrat Peckert über Berlin. Da Kwizinskij in den Berlin-Verhandlungen Stellvertreter Abrassimows war, können seine Ausführungen als kompetente Darstellung der sowjetischen Berlin-Politik betrachtet werden.

2) Kwizinskij begründet die Verweigerung der Ratifikationsurkunde für den Astronauten-Rettungsvertrag[2] (vgl. DB Nr. 387 vom 16.2.72 – III A 7[3]) damit,

---

[37] Beginn der Seite 23 des Entwurfs. Vgl. Anm. 11.

[1] Hat Ministerialdirigent Diesel am 3. März 1972 vorgelegen, der die Weiterleitung an Referat II A 1 verfügte.
Hat Vortragendem Legationsrat I. Klasse Blech am 4. März 1972 vorgelegen, der handschriftlich vermerkte: „Lag in anderem Ex[emplar] vor."

[2] Für den Wortlaut des Übereinkommens vom 22. April 1968 über die Rettung und Rückführung von Raumfahrern sowie die Rückgabe von in den Weltraum gestarteten Gegenständen (Astronautenbergungsabkommen) vgl. UNTS, Bd. 672, S. 120–183. Für den deutschen Wortlaut vgl. BUNDESGESETZBLATT 1971, Teil II, S. 238–242.

daß der militärische Charakter des Vertrages nicht zu bezweifeln sei. Daran anknüpfend meinte er, die Bundesregierung sei falsch beraten, bei jeder sich bietenden Gelegenheit die sowjetische Standhaftigkeit in Berlin-Fragen zu testen. Das gebe nur Ärger und führe zu nichts. Die Sowjetunion werde zwar in einigen Monaten (gemeint war offensichtlich nach Inkrafttreten der Berlin-Verträge) gemäß den übernommenen Verpflichtungen[4] keine Einwendungen erheben, wenn die Bundesregierung in Verträgen mit dritten Staaten die Einbeziehung Berlins vereinbare, sofern diese Einbeziehung im Einzelfall sich als sinnvoll erweise. Auf Befragen präzisierte er, „sinnvoll" bedeute, daß Berlin von der getroffenen Vereinbarung betroffen sei oder zumindest betroffen werden könne. Wenn die Einbeziehung Berlins lediglich eine politisch motivierte Formalität sei, sei die sowjetische Reaktion fraglich. Im allgemeinen könne die Bundesregierung jedoch damit rechnen, daß die „sinnvolle" Einbeziehung Berlins in Verträge, die sie mit dritten Staaten schließt, von der Sowjetunion toleriert würde.

Ohne weitere Aufforderung von Peckert fuhr Kwizinskij dann fort, dies bedeute selbstverständlich nicht etwa, daß die Sowjetunion ihrerseits die Verpflichtung übernommen hätte, in ihren Verträgen Berlin-Klauseln zu akzeptieren. Darüber müsse von Fall zu Fall verhandelt werden, jedoch glaube er, daß in „sinnvollen" Zusammenhängen wie z. B. Kultur- und Handelsverträgen beiderseits befriedigende Lösungen gefunden werden könnten. Es sei jedoch solchen zukünftigen Lösungen abträglich, wenn die Bundesregierung bei jeder Gelegenheit versuche, die Sowjetunion „mit Nadelstichen in der Berlin-Frage zu piesacken". Dies verderbe die Atmosphäre.

Fortsetzung Fußnote von Seite 176
3 Botschafter Allardt, Moskau, berichtete, der Referatsleiter im sowjetischen Außenministerium, Ussitschenko, habe zur Absicht der Bundesregierung, am 17. Februar 1972 die Ratifikationsurkunde für das Astronautenbergungsabkommen vom 22. April 1968 zu hinterlegen, der eine Berlin-Klausel hinzugefügt war, erklärt: „Wie aus der Mitteilung des Vertreters der Botschaft der BRD vom 8. Februar d. J. hervorgeht, ist im Text der Ratifikationsurkunde der BRD von der Absicht der Regierung der BRD die Rede, die Geltung dieses Abkommens auf Westberlin auszudehnen. Diese Erklärung kann nicht angenommen werden. Entsprechend ist auch eine Ratifikationsurkunde, welche die erwähnte Bestimmung enthält, nicht annehmbar. Zur Zeit hat die BRD kein Recht, Westberlin in den Geltungsbereich seiner internationalen Abkommen einzubeziehen. Außerdem betreffen die durch das Abkommen geregelten Fragen der Rettung von Kosmonauten und der Rückgabe von in den Weltraum gestarteten Gegenständen die Sicherheit und den Status des Territoriums, auf dem Kosmonauten und kosmische Objekte auftauchen können, d.h. berühren Fragen, die nicht in die Zuständigkeit der BRD fallen und nicht fallen werden. Hiermit wird die Bereitschaft bekräftigt, von der Botschaft der BRD in der UdSSR jederzeit die Ratifikationsurkunde zu dem Abkommen anzunehmen, sowie sie in der gehörigen Weise ausgestellt ist." Vgl. VS-Bd. 9028 (II A 4); B 150, Aktenkopien 1972.
4 In Anlage IV B Absatz 2 des Vier-Mächte-Abkommens über Berlin vom 3. September 1971 erklärte die sowjetische Regierung: „Provided that matters of security and status are not affected, for its part it will raise no objection to: a) the performance by the Federal Republic of Germany of consular services for permanent residents of the Western Sectors of Berlin; b) in accordance with established procedures, the extension to the Western Sectors of Berlin of international agreements and arrangements entered into by the Federal Republic of Germany provided that the extension of such agreements and arrangements is specified in each case; c) the representation of the interests of the Western sectors of Berlin by the Federal Republic of Germany in international organizations and international conferences; d) the participation jointly with participants from the Federal Republic of Germany of permanent residents of the Western Sectors of Berlin in international exchanges and exhibitions, or the holding in those Sectors of meetings of international organizations and international conferences as well as exhibitions with international participation, taking into account that invitations will be issued by the Senat or jointly by the Federal Republic of Germany and the Senat." Vgl. EUROPA-ARCHIV 1971, D 452 f.

Peckert erwiderte, daß es uns nicht so sehr auf die Atmosphäre, als auf die Wahrung unserer Interessen ankäme, und daß die Einbeziehung Berlins in jeden Vertrag der Bundesregierung, der nicht militärische Sicherheit berühre, auch fortan unverzichtbar sei. Herr Kwizinskij stimmte diesem Argument mit dem Bemerken zu, auch die Deutschland-Politik der Sowjetunion werde nicht von der Atmosphäre, sondern von Interessen bestimmt, deren Linie im großen und ganzen festläge. Kwizinskij sagte jedoch, wenn es schon nicht so sehr auf die Atmosphäre ankäme, dann sollten wir doch auch nicht immer im Zusammenhang mit der Ratifizierung von dem Erfordernis reden, den Bundestag bei guter Stimmung zu halten. Wer die Interessenlage richtig verstünde, müßte einsehen, daß den Deutschen wohl nichts anderes übrig bliebe, als den Vertrag zu ratifizieren.

3) Bondarenko bestätigte mir seinerseits bei dem gleichen Anlaß, die Nicht-Annahme der Berlin-Klausel im Zusammenhang mit dem Astronauten-Vertrag sei abgesehen vom Prinzip, keinerlei Vorgriffe auf die noch nicht in Kraft getretenen Abkommen zuzulassen, auf militärische Einwände zurückzuführen. Er erinnerte als „Lehrstück" an den seinerzeitigen Absturz eines sowjetischen Militärflugzeuges im britischen Sektor Berlins.[5] Auch er bedauerte die permanenten Versuche unsererseits, in alle Formen unserer Zusammenarbeit die Einbeziehung Berlins erzwingen zu wollen.

Als er in diesem Zusammenhang die abgesagte Reise sowjetischer Wissenschaftler[6] erwähnte (vgl. DE Nr. 181 vom 17.2.1972 II A 4[7]), sagte ich ihm, der

---

[5] Am 6. April 1966 stürzte eine sowjetische Militärmaschine in den im Bezirk Spandau im britischen Sektor gelegenen Stößensee. Herbeigeeilte sowjetische Soldaten wurden jedoch von der britischen Militärpolizei am Betreten der Unglücksstelle gehindert. Die Drei Mächte legten zudem bei den sowjetischen Behörden Protest gegen Flugmanöver über dichtbesiedeltem Gebiet ein. Vgl. dazu den Artikel „Über Westberlin abgestürzt"; DIE WELT vom 7./8. April 1966, S. 1.
In den folgenden Tagen bemühten sich sowjetische Stellen vergeblich, die Bergung der Maschine durch eigene Truppen durchführen zu dürfen. Statt dessen wurden das Wrack der Maschine sowie die beiden ums Leben gekommenen sowjetischen Piloten durch britische Truppen geborgen. Vgl. dazu die Artikel „Moskau sorgte für Verwirrung" bzw. „Sowjet-Offiziere ‚biwakieren' am Ufer des Stößensees"; DIE WELT vom 9. April 1966, S. 24, bzw. vom 13. April 1966, S. 3.

[6] Im Rahmen des Austauschs von Wissenschaftler-Delegationen zwischen der Bundesrepublik und der UdSSR sollte vom 20. bis 29. Februar 1972 eine sowjetische Delegation für wissenschaftliche Dokumentation die Bundesrepublik besuchen. Dazu notierte Referat III A 8 am 4. Februar 1972: „Den Beginn eines sowjetischen Entgegenkommens in der Berlin-Frage scheint es zu bedeuten, daß die Sowjets für die bevorstehende Informationsreise ihrer Dokumentations-Delegation aus eigener Initiative den Besuch Berliner Institute vorgeschlagen haben." Vgl. Referat 414, Bd. 471.
Am 11. Februar 1972 berichtete Botschafter Allardt, Moskau, das Staatskomitee für Wissenschaft und Technik beim sowjetischen Ministerrat habe mitgeteilt, daß die sowjetische Delegation auf den vorgesehenen Besuch der Institute in Berlin (West) verzichte und stattdessen die Universitätsbibliothek in Regensburg sowie das Bundespatentamt in München besuchen wolle. Allardt zog den Schluß, „daß der Verzichtswunsch der Russen auf den Berlin-Besuch ausschließlich politisch motiviert ist". Vgl. den Drahtbericht Nr. 357; Referat 414, Bd. 471.
Vortragender Legationsrat I. Klasse Opfermann bat daraufhin am 15. Februar 1972 die Botschaft in Moskau, „sowjetischer Seite mitzuteilen, daß eine Änderung des sorgfältig vorbereiteten Besuchsprogramms, welches auf ausdrücklichen Wunsch der Sowjets auch Besuch Berliner Institute vorsieht, kurzfristig nicht mehr möglich" sei. Sollte die sowjetische Seite dennoch auf Änderung des Programms bestehen, sei „klarzumachen, daß vorgesehener Besuch leider zurückgestellt werden muß". Vgl. den Drahterlaß Nr. 165; Referat 414, Bd. 471.

[7] Vortragender Legationsrat I. Klasse Blumenfeld teilte der Botschaft in Moskau mit, daß die sowjetische Botschaft die Reise der Delegation für wissenschaftliche Dokumentation „wegen Aufrechterhaltung bisherigen Programms" abgesagt habe. Vgl. Referat 414, Bd. 471.

Wunsch, Berliner Institute aufzusuchen, sei nicht von uns, sondern von sowjetischer Seite ausgegangen. Die Demarche des Wissenschafts-Attachés in Rolandseck[8], eine lediglich von sowjetischer Seite zu vertretende, organisatorisch aber notwendig gewordene kurzfristige Verschiebung der Reise beleidigt in eine definitive Absage umzuwandeln, sei weder sehr höflich den Gastgebern gegenüber noch taktisch nützlich und werde – sollte die Presse davon erfahren – das Berlin-Abkommen in einem etwas seltsamen Licht erscheinen lassen. Bondarenko versicherte, er hätte geglaubt, daß die Aufnahme Berlins in die Besuchsreise nur von uns gewünscht worden sei. Er werde sich sofort um die Angelegenheit kümmern.

[gez.] Allardt

VS-Bd. 8558 (II A 1)

38

Gespräch des Bundeskanzlers Brandt mit dem rumänischen Ersten Stellvertretenden Außenminister Macovescu

II A 5-82.00-94.22   22. Februar 1972[1]

Gespräch des Herrn Bundeskanzlers mit dem Ersten Stellvertretenden rumänischen Außenminister George Macovescu am 22. Februar 1972 um 17.15 Uhr[2]

Macovescu: Grüße von Ceaușescu und Maurer; vor fünf Jahren diplomatische Beziehungen BRD/Rumänien aufgenommen[3]; regelmäßige Kontakte sind immer wieder notwendig und wertvoll, nicht nur zur Behandlung der laufenden Probleme, sondern auch für einen umfassenden Meinungsaustausch. Aus meiner Sicht ist bei den jetzigen Gesprächen dieses Ziel erreicht. Wir haben Einverständnis in zahlreichen Punkten erreicht, in manchen haben wir aber auch nicht übereingestimmt. Das wäre ja auch langweilig.

Bundeskanzler: Manche Leute sagen daher auch, das Paradies sei langweilig.

Macovescu: Da wir das Paradies auf Erden noch nicht haben, bleiben wir einstweilen bei dem, wie es ist, und haben es dadurch interessanter.

---

[8] Wladimir Michajlowitsch Maximow.

[1] Die Gesprächsaufzeichnung wurde von Legationsrat I. Klasse Hallensleben am 23. Februar 1972 gefertigt.

[2] Der rumänische Erste Stellvertretende Außenminister Macovescu hielt sich am 21./22. Februar 1972 zu Gesprächen in Bonn auf und besuchte anschließend auf Einladung der Bundesregierung München. Vgl. dazu BULLETIN 1972, S. 534.

[3] Die Bundesrepublik und Rumänien nahmen am 31. Januar 1967 diplomatische Beziehungen auf. Vgl. dazu AAPD 1967, I, Dok. 20.

Ceaușescu denkt oft an die sehr ausführliche Unterhaltung mit Ihnen im Jahre 1967[4] zurück und hat auch bei Gesprächen mit anderen häufig darauf Bezug genommen. Dieses Gespräch sollte fortgesetzt werden.

Sicher hat unser Land kein solches Potential wie das Ihre und spielt auch keine solche Rolle, aber auch mit unseren bescheideneren Mitteln können wir zur Erhaltung des Friedens beitragen.

Ceaușescu denkt mit Befriedigung an die Möglichkeit seines Gegenbesuchs. Ich habe mit Herrn Frank darüber gesprochen. Wir sind noch nicht zu einem Ergebnis gekommen.[5]

Bundeskanzler dankt für die Grüße und Wünsche und erwidert sie.

Das Gespräch mit Ceaușescu 1967 hat für mich grundlegende Bedeutung gehabt:
- Es hat uns für unsere Beziehungen geholfen.
- Ich konnte die Ernsthaftigkeit unserer Intentionen glaubhaft machen.
- Es hat uns wichtige Anhaltspunkte für unser weiteres Verhalten auf der Grundlage unserer Interessen gegeben.

Wir werden uns ja bald wiedersehen und dabei Gelegenheit zur Fortsetzung des Gesprächs haben.

Die Punkte, die man später als Absichtserklärung[6] qualifiziert hat und die Herr Bahr hier ausgehandelt hat, haben sich entscheidend orientiert an Fragen, die in dem Gespräch mit Ceaușescu 1967 zur Sprache gekommen sind. Das gilt nicht zuletzt für das Problem der gespaltenen Nation.

Ich selbst war 1967 noch nicht wie später entschlossen hinsichtlich der Frage, wie man die Interessen der Nation auch im Stadium der Spaltung richtig wahrnehmen kann.

Wenn wir auf die vergangenen fünf Jahre diplomatischer Beziehungen zwischen unseren beiden Ländern zurückblicken, können wir insgesamt, ohne auf Einzelheiten einzugehen, eine positive Bilanz ziehen. Im Januar 1967 hat mir

---

[4] Bundesminister Brandt hielt sich vom 3. bis 7. August 1967 in Rumänien auf und traf am 5. August 1967 mit dem Generalsekretär des ZK der Rumänischen Kommunistischen Partei, Ceaușescu, zusammen. Vgl. dazu AAPD 1967, II, Dok. 293.

[5] Der rumänische Botschafter Oancea teilte Staatssekretär Frank am 16. Februar 1972 mit, daß Präsident Ceaușescu die Bundesrepublik besuchen wolle, und nannte als möglichen Termin die „Tage nach dem 25. Juni". Dazu notierte Frank am 18. Februar 1972: „Zwischen der rumänischen Regierung und uns bestehen einige ungelöste Probleme von bedeutender finanzieller Größenordnung: die Frage der Fortsetzung einer zinsvergünstigten Finanzhilfe und die Frage der Wiedergutmachung. M. E. sollte der Staatsbesuch nicht durchgeführt werden, bevor diese Fragenkomplexe einvernehmlich geregelt sind. Wir laufen sonst Gefahr, daß der Staatsbesuch eine negative Wirkung haben wird. Es ist im Augenblick schwer zu beurteilen, ob die Lösung dieser Fragen bis zum 25. Juni möglich sein wird." Frank schlug vor, daß er den rumänischen Ersten Stellvertretenden Außenminister Macovescu am Rande der Konsultationen am 21./22. Februar 1972 darauf hinweisen werde, daß der Besuch von Ceaușescu erst stattfinden sollte, „wenn in den Fragen des Finanzkredits und der Wiedergutmachung Übereinstimmung erzielt worden sei (in der Frage der Wiedergutmachung kann dies auf der Grundlage des Kabinettsbeschlusses nur bedeuten, daß die rumänische Seite auf Wiedergutmachungsleistungen verzichtet, ausgenommen eine relativ geringe Summe für Opfer medizinischer Versuche)." Vgl. VS-Bd. 9042 (II A 5); B 150, Aktenkopien 1972.

[6] Für den Wortlaut der Leitsätze 5 bis 10 vom 20. Mai 1970 für einen Vertrag mit der UdSSR („Bahr-Papier"), die bei den Moskauer Verhandlungen vom 27. Juli bis 7. August 1970 als Leitsätze 1 bis 6 zu „Absichtserklärungen" zusammengefaßt wurden, vgl. BULLETIN 1970, S. 1097 f.

Außenminister Manescu[7] im Hinblick auf den Handel zwischen den beiden Ländern eine Rechnung aufgemacht, und zwar anhand des Beispiels mit der Salami-Wurst, von der eine Scheibe nach der anderen abgeschnitten wird. Wir haben sicherlich auch heute noch Probleme, aber die Ausgeglichenheit in der Handelsbilanz ist größer, als sie vorher war.

Ich kann auch dankbar sein für die Initiative Ihres Botschafters[8], daß so viele hochgestellte Persönlichkeiten aus beiden Ländern in den vergangenen Jahren zusammengekommen sind. Auf diese Weise hat die Kenntnis bei einer großen Zahl führender Männer unseres Landes über Ihr Land zugenommen.

Die Kernfrage ist: War das, was wir damals gemacht haben (Januar 1967), politisch avantgardistisch oder hatte es nur episodische Bedeutung. Ich glaube an das erste. Und Sie sollen bitte davon ausgehen, daß wir nicht meinen, durch die seitherige Entwicklung habe der bilaterale Vorgang von dieser seiner avantgardistischen Bedeutung etwas eingebüßt.

Jeder von uns ist Mitglied eines Blocks, eines Bündnisses, und zwar ein loyales Mitglied. Damals 1967 war Rumänien schon selbständiger gegenüber seiner Gruppierung. Und das hat sich für uns ausgewirkt. Wir erkennen die rumänische Handschrift nicht immer, aber doch hin und wieder in Dokumenten der letzten fünf Jahre. Wir glauben, daß die Texte jeweils Ergebnis ernsthafter Diskussion waren. Man kann die rumänische Stimme aber auch dann wahrnehmen, wenn sie nicht in offiziellen Dokumenten ihren Niederschlag gefunden hat. Das alles bestätigt unsere Überzeugung, daß neue Faktoren dies nicht wegspülen.

Die jetzige Bundesregierung hat das Ziel, eine Normalisierung mit allen Staaten zu erreichen. Das heißt nicht, mal gut mit dem einen und mal gut mit dem anderen, sondern in einem ausgewogenen Verhältnis zueinander. Es soll auch keine Überbetonung geben, um bei niemandem falsche Eindrücke zu erwecken. Wir sollten aber teils unsere Interessen gemeinsam wahrnehmen, teils noch mehr unsere Vorstellungen miteinander vergleichen, wo es um europäische Sicherheit und Zusammenarbeit geht.

Wenn nicht alles wieder umgeworfen wird, gehen wir im Frühsommer in die Phase der multilateralen Vorbereitung einer KSZE. Dabei können wir voller Loyalität für unsere jeweiligen Bindungen unsere besonderen Ideen austauschen. Denn in Helsinki wird nicht nur vom Rednerpult aus geredet werden, sondern auch in Ausschüssen und in improvisierten Zusammenkünften. Wir möchten sie nicht in Verlegenheit bringen, möchten aber das besonders gute Verhältnis zu Rumänien weiterentwickeln.

Was nun den Besuch von Präsident Ceauşescu anbelangt, so ist er hier jederzeit willkommen, und ich hoffe, daß er im Laufe dieses Jahres kommt. Wenn es vor der Sommerpause geht, wäre mir das durchaus recht, sonst im Herbst. Das hängt im übrigen vom allgemeinen politischen Ablauf und vom Stand der Erörterung bilateraler Fragen ab.

---

[7] Bundesminister Brandt und der rumänische Außenminister Manescu trafen am 30./31. Januar 1967 zusammen. Vgl. dazu AAPD 1967, I, Dok. 39.

[8] Constantin Oancea.

Allgemeine politische Dinge: Der Juni wäre m. E. gut, weil ich nach der Ratifizierung der Verträge mit der SU die frühere Reihenfolge gern erhalten würde. Nun sollte also Rumänien wieder an die Reihe kommen. Das würde politisch durchaus einen Sinn ergeben.

Bilaterale Fragen: Diese Fragen kann ich nicht so gut beantworten. Ich weiß nicht, wie weit sie in diesen beiden Tagen gekommen sind. Aber es wäre gut, wenn einige der noch ungeklärten Fragen gefördert werden könnten, damit die Leute an der Spitze nicht zuviel arbeiten müssen.

Wie gesagt: Herr Ceaușescu ist uns jederzeit willkommen. Ich würde mich freuen, wenn es vor dem Sommer ginge. Kommen wir jedoch miteinander zu dem Ergebnis, daß praktische Fragen noch Zeit brauchen, dann sollte es nicht zu spät im Herbst sein.

Macovescu: Ich danke sehr für Ihre Ausführung: Ich stimme überein, daß wir beide Mitglieder zweier Bündnisse sind. Es liegt uns nicht daran, Freunde in delikate Situationen zu bringen. Das könnten wir auch gar nicht. Wir wollen es aber vor allen Dingen nicht.

Bei einem Rückblick auf unsere Beziehungen entdecke ich sowohl positive wie negative Faktoren. Wenn Sie mich fragen, welches die negativen sind, so muß ich sagen, das war die Kritik, die wir in teils heftiger, teils weniger heftiger Form wegen der Aufnahme der Beziehungen zu Ihnen hinnehmen mußten.

Bundeskanzler: Wegen der Chinesen haben Sie aber mehr Ärger gehabt als wegen uns.

Macovescu: Das stimmt, und zwar schon seit langer Zeit. Es ist unsere Absicht, die Entwicklung der Beziehungen mit Ihnen stetig fortzuführen. Wir haben viel erreicht, wir legen besonderen Wert auf die wirtschaftlichen Beziehungen.

Wir verstehen Ihre Probleme bei der Entwicklung Ihrer Beziehungen zu den Ländern Europas. Es sieht so aus, als hätten Sie jetzt eine Etappe hinter sich gebracht und beginnen nun eine neue. Präsident Ceaușescu hat als einer der ersten in Europa Ihre Politik gewürdigt. Er ist überzeugt davon, daß die Normalisierung Ihrer Beziehungen zu Osteuropa und der Sowjetunion vor allen Dingen Voraussetzung für den Frieden ist.

Sie haben auch das Thema Sicherheitsfragen berührt. Herr Bahr hat mir vor zwei Jahren[9] gesagt, wir sollten uns nicht wundern, wenn wir von Zeit zu Zeit in dieser Hinsicht aus der BRD einen Posaunenstoß zu hören bekämen. Die Haager Konferenz[10] war so etwas. Die Gespräche mit Herrn Frank waren sehr interessant, besonders die Ausführungen über die KSZE.[11] Wir zählen darauf,

---

[9] Staatssekretär Bahr, Bundeskanzleramt, und der rumänische Erste Stellvertretende Außenminister Macovescu trafen am 15. November 1969 zusammen. Vgl. dazu AAPD 1969, II, Dok. 365. Ein weiteres Gespräch fand am 2. April 1970 in Paris statt. Vgl. AAPD 1970, I, Dok. 140.

[10] Am 1./2. Dezember 1969 fand in Den Haag eine Konferenz der Staats- und Regierungschefs der EG-Mitgliedstaaten statt. Vgl. dazu AAPD 1969, II, Dok. 385.

[11] Am 24. Februar 1972 teilte Vortragender Legationsrat I. Klasse Dohms den diplomatischen Vertretungen mit, Staatssekretär Frank habe im Gespräch mit dem rumänischen Ersten Stellvertretenden Außenminister Macovescu zur Europäischen Sicherheitskonferenz ausgeführt, „daß KSZE erste große Chance nach 1945 sei, Kalten Krieg durch vereinbarte Grundsätze über Zusammenarbeit zu ersetzen. Um diese Chance wirklich zu nutzen, seien sorgfältige Vorbereitungen und möglichst konkrete Zielsetzungen erforderlich. Wenn dagegen Konferenz der Propaganda und der Verlangsamung oder Behinderung des westeuropäischen Integrationsprozesses dienen solle, wäre das

daß die Bundesrepublik dazu einen Beitrag leisten wird. Helsinki soll sich nicht in Erklärungen erschöpfen. Wir müssen eine richtige Atmosphäre schaffen. Als ich Sie vor drei Jahren traf[12], haben Sie über die Beziehungen der Blöcke zueinander und Ihre Abschaffung eine Skizze gemacht. Ich werde dies nie vergessen. In der Mitte zwischen beiden Systemen wuchs ein neues hervor, während sich die alten Systeme abbauten. Für den Fall eines weiteren Nobelpreises[13] muß ich diese Zeichnung in Erinnerung behalten. Ich hoffe, sie ist in Ihren Archiven.

Ceauşescu würde Gespräche möglichst im letzten Drittel des Monats Juni begrüßen, wenn nicht möglich, dann im Herbst. Falls es Ihrer Ansicht nach nötig wäre, einige offene Probleme zu behandeln, dann könnte man versuchen, das auf dem normalen diplomatischen Wege zu tun.

Ich danke sehr für die Hilfe in dem wichtigen Punkt der Präferenzen und Ihre Zusage, uns darin zu unterstützen. Ich hatte die Hoffnung, daß unser Antrag bei den EG schon in der nächsten Sitzung des Ministerrates besprochen werden könnte. Ich muß jedoch hinnehmen, daß dies nicht der Fall sein kann.

Ein weiterer wichtiger Aspekt sind die Kredite, über die Sie mit Ministerpräsident Maurer gesprochen haben.[14] Wir bitten in dieser Hinsicht sehr um Ihre Unterstützung. Eine Formel zur Lösung dieser Frage sollte gefunden werden.[15]

Bundeskanzler: Bei den EG werden wir uns in Ihrem Sinne bemühen, wie Ihnen schon Herr von Braun[16] gesagt hat.

Fortsetzung Fußnote von Seite 182
    für uns und unsere Partner indiskutabel. Die EG schaffe durch die Zusammenfassung aller Produktivkräfte die Voraussetzung für wirtschaftliche Zusammenarbeit zwischen Ost und West auf der Basis höherer Leistungsfähigkeit." Vgl. den Runderlaß Nr. 17; Referat 240, Bd. 167.

12 Bundesminister Brandt und der rumänische Erste Stellvertretende Außenminister Macovescu kamen am 4. Juni 1969 zusammen. Vgl. dazu AAPD 1969, I, Dok. 188.

13 Das Nobelpreis-Komitee des norwegischen Parlaments gab am 20. Oktober 1971 die Verleihung des Friedensnobelpreises 1971 an Bundeskanzler Brandt bekannt. Brandt nahm den Preis am 10. Dezember 1971 in Oslo entgegen.

14 Bundeskanzler Brandt und Ministerpräsident Maurer trafen am 23. Juni 1970 zusammen. Für das Gespräch vgl. AAPD 1970, II, Dok. 276.

15 Am 11. Januar 1972 vermerkte das Bundesministerium für Wirtschaft und Finanzen, Rumänien habe bislang die folgenden Konsolidierungshilfen erhalten: „Für das erste Halbjahr 1970 einen 10-jährigen bundesverbürgten Finanzkredit der K[reditanstalt für] W[iederaufbau] über 100 Mio. DM zu Marktzinsen (auf rumänischen Wunsch bisher formell nur kurzfristig geregelt, weitere Prolongationsnotwendigkeit Ende März 1972); für das 2. Halbjahr 1970 und für 1971: um wegen der Folgen der Hochwasserkatastrophe eine Zinsverbilligung zu ermöglichen: Umschuldung aus dem Schadenstitel des Bundeshaushalts in Höhe von 80% der Fälligkeiten (insges. 315 Mio. DM), Tilgung in 8½ Jahren, davon 3½ Freijahre; Umschuldungszinssatz 4%." Vorgespräche hätten ergeben, daß Rumänien erneut eine weitere Konsolidierungshilfe aus zinsverbilligten Haushaltsmitteln für 1972 anstrebe und außerdem einen zusätzlichen ungebundenen Finanzkredit deutscher Banken von 100 Mio. DM erwarte, der vornehmlich zur Bedienung nichtverbürgter Fälligkeiten und zur Finanzierung von Einkäufen in westlichen Industriestaaten verwendet werden solle. Vgl. Referat III A 6, Bd. 482.

16 Staatssekretär Freiherr von Braun und der rumänische Erste Stellvertretende Außenminister Macovescu trafen am 22. Februar 1972 zusammen. Referat III A 6 vermerkte dazu am 1. März 1972: „Rumänische Regierung teilte mit, daß die rumänische Regierung mit Schreiben an den amtierenden Präsidenten des Ministerrats der EG einen Antrag auf Einbeziehung in das EG-Zollpräferenzsystem gestellt habe. Wegen des großen Einflusses der Bundesrepublik Deutschland in den EG bitte die rumänische Regierung, den rumänischen Antrag in der Weise zu unterstützen, daß auf Diskussion des von Rumänien gestellten Antrags im EG-Ministerrat hingewirkt werden solle. Deutsche Seite begrüßte diesen Schritt Rumäniens und hob hervor, daß die Bundesregierung

Wir werden auch versuchen, in der Frage des Kredits kooperativ zu sein. Wir müssen aber noch einmal mit dem Finanzminister[17] darüber sprechen.[18]

Den Besuch von Herrn Ceaușescu muß man wohl in drei Dimensionen sehen:

1) Die symbolische Bedeutung eines Treffens zwischen Staatsoberhäuptern, die nicht zu unterschätzen ist. Dafür ist der Bundespräsident der Partner, und dabei gibt es wohl nur Probleme des Terminkalenders.

2) Ein weiteres sind Gespräche mit mir. Normalerweise bin ich bei Staatsbesuchen immer nur am Rande beteiligt. Das ist in diesem Fall jedoch anders. Ich möchte genügend Zeit zur Verfügung haben. Ich möchte ohne Zeitdruck ausführlich über europäische und bilaterale Fragen mit Herrn Ceaușescu sprechen können.

Der Bundeskanzler deutete an, daß seine Beteiligung am protokollarischen Ablauf, insbesondere an Veranstaltungen des Bundespräsidenten, sich allerdings im Rahmen des Üblichen halten würde.

3) Praktische Fragen: Da muß man gut abwägen. Möglichst viel sollte vor einem solchen Besuch erledigt werden. Manchmal bedeutet ein solcher Termin Druck für die Beteiligten. Wir müssen sehen, ob das auch in diesem Fall die beste Methode ist.[19]

Macovescu: Vielleicht ist es die beste.

Verabschiedung mit nochmaligen Worten des Dankes. Das Gespräch war um 18.00 Uhr beendet.

Referat II A 5, Bd. 1487

Fortsetzung Fußnote von Seite 183

  innerhalb des Gemeinsamen Marktes zu den Mitgliedern gehöre, die am konstruktivsten und mit größtmöglichem Wohlwollen auf die rumänische Demarche reagieren werde. Es bestand Einvernehmen mit der rumänischen Seite, daß die Erörterung des Antrags im Ministerrat erst aufgenommen werden soll, wenn Aussichten auf ein materiell positives Resultat gegeben sind, wofür auch der Zeitpunkt der Diskussion eine wichtige Rolle spielt. Deutsche Seite schlug vor, daß sich in den kommenden Wochen die Ständigen Vertreter in Brüssel mit der Angelegenheit befassen sollten, um eine Ministerratssitzung vorzubereiten, deren Termin die deutsche Seite noch nicht festlegen kann." Vgl. Referat III A 6, Bd. 475.

[17] Karl Schiller.

[18] Am 6./7. März 1972 fanden Verhandlungen zwischen der Bundesrepublik und Rumänien über die künftigen Kreditbeziehungen statt. Dazu teilte Vortragender Legationsrat I. Klasse Klarenaar der Handelsvertretung in Bukarest am 8. März 1972 mit, die Delegation der Bundesrepublik habe den Standpunkt vertreten, „daß die Umschuldung zu 4%, da alle wesentlichen Folgen der Hochwasserkatastrophe beseitigt seien, mit Ende des Jahres 1971 beendet sei und die Konsolidierung für das erste Halbjahr 1972 nur mit einem ungebundenen Finanzkredit zu Marktkonditionen fortgesetzt werden könne." Die rumänische Delegation habe dagegen erklärt, daß sie beauftragt sei, „nur eine konkrete Lösung für die Fälligkeiten des Jahres 1972 in Form einer Vereinbarung zu den gleichen Zinsbedingungen (4%) wie in den Vorjahren zu suchen. Was eine solche Vereinbarung angehe, so habe der Herr Bundeskanzler Vizeaußenminister Macovescu gegenüber hierzu sein Einverständnis bereits erteilt. Eine Einigung über die Form der Konsolidierungshilfe konnte in den Verhandlungen nicht erzielt werden, und beide Seiten erklärten, ihre Regierungen über die gegensätzlichen Standpunkte in dieser Frage zu unterrichten." Die rumänische Seite habe außerdem mitgeteilt, daß sie mit der Kreditanstalt für Wiederaufbau Verbindung aufnehmen wolle, „um einen neuen Zinssatz für den durch Darlehensvertrag vom 3. März 1970 eingeräumten ungebundenen Finanzkredit in Höhe von 100 Mio. DM für die restliche Laufzeit von acht Jahren zu vereinbaren". Vgl. den Drahterlaß Nr. 171; Referat III A 6, Bd. 482.

[19] Zur Behandlung einer Finanzhilfe an Rumänien, der Frage von Wiedergutmachungsleistungen und der Familienzusammenführung vgl. Dok. 85.
  Zur Verschiebung des Besuchs des Präsidenten Ceaușescu in der Bundesrepublik vgl. Dok. 85, Anm. 21.

39

Aufzeichnung des Staatssekretärs Bahr, Bundeskanzleramt

22. Februar 1972

Streng vertraulich!

Betr.: Gespräch BK/Botschafter Falin am 21.2.72 von 17.00 bis 17.30 Uhr

Falin überbrachte Grüße Breschnews. Er sei beauftragt, dem Bundeskanzler persönlich einige Mitteilungen zu machen. Der Generalsekretär weise auf die Dokumente der Prager Beratung[1] hin. Er sei entschlossen, dementsprechend die Grundlagen der Zusammenarbeit zu festigen und auszubauen. Auch die Diskussionsbeiträge in Prag seien konstruktiv gewesen. Er wünsche die weitere Verbesserung der Beziehungen. Das Inkrafttreten der Verträge[2] und erfolgreiche Verhandlungen mit der ČSSR und der DDR würden eine neue Periode markieren. Alle Teilnehmer in Prag hätten ihr Interesse an der Ratifizierung bekundet. Die Sowjetunion möchte ihr Verhalten so synchronisieren, daß beide Staaten etwa gleichzeitig zur Ratifizierung kommen. Der Generalsekretär wäre interessiert, wie der Kanzler den Stand der Debatte in der Bundesrepublik[3] beurteilt. Er habe Gedanken Honeckers unterstützt, einige Schritte zu tun, die im Interesse der Ratifizierung lägen.

Der Generalsekretär habe den Eindruck aus dem einen Gespräch mit Husák, daß die Gespräche zwischen der ČSSR und der BRD[4] sehr schwer vorankämen und die Tschechen keine Schuld daran hätten. Die Sowjetunion teile die Prager Auffassung. Mit dem Hinweis auf den einheitlichen Komplex, von dem man in Moskau gesprochen hat[5], würde man es in Moskau für gut halten, wenn auch dies vorankommt.

---

[1] Zu der auf der Tagung des Politischen Beratenden Ausschusses des Warschauer Pakts am 25./26. Januar 1972 in Prag verabschiedeten Deklaration über Frieden, Sicherheit und Zusammenarbeit in Europa vgl. Dok. 21, Anm. 4, Dok. 28, Anm. 31, und Dok. 32, Anm. 3.
Für den Wortlaut des Kommuniqués vgl. NEUES DEUTSCHLAND vom 27. Januar 1972, S. 1.
Für den Wortlaut der „Erklärung angesichts der Fortsetzung der Aggression der USA in Indochina" vgl. NEUES DEUTSCHLAND vom 27. Januar 1972, S. 2.

[2] Für den Wortlaut des Vertrags vom 12. August 1970 zwischen der Bundesrepublik und der UdSSR vgl. BULLETIN 1970, S. 1094.
Für den Wortlaut des Vertrags vom 7. Dezember 1970 zwischen der Bundesrepublik und Polen über die Grundlagen der Normalisierung ihrer gegenseitigen Beziehungen vgl. BULLETIN 1970, S. 1815.

[3] Zum Stand des Ratifikationsverfahrens vgl. Dok. 34, Anm. 13.

[4] Die Bundesrepublik und die ČSSR begannen die Gespräche über eine Verbesserung des bilateralen Verhältnisses am 31. März und 1. April 1971 in Prag. Vgl. dazu AAPD 1971, I, Dok. 117.
Die zweite Runde fand am 13./14. Mai 1971 statt. Vgl. dazu AAPD 1971, II, Dok. 171.
Die dritte Runde am 27./28. September 1971 in Prag statt. Vgl. dazu AAPD 1971, II, Dok. 322 und Dok. 324.
Die vierte Runde fand am 18./19. November 1971 in Rothenburg ob der Tauber statt. Vgl. dazu AAPD 1971, III, Dok. 398.

[5] In Punkt 1 der „Absichtserklärung" zum Vertrag vom 12. August 1970 zwischen der Bundesrepublik und der UdSSR, der wortgleich mit Leitsatz 5 vom 20. Mai 1970 („Bahr-Papier") war, wurde ausgeführt: „Zwischen der Regierung der Bundesrepublik Deutschland und der Regierung der Union der Sozialistischen Sowjetrepubliken besteht Einvernehmen darüber, daß das von ihnen zu schließende Abkommen über ... (einzusetzen die offizielle Bezeichnung des Abkommens) und entsprechende

Zur KSE werde der Bundeskanzler gemerkt haben, daß es in Prag weder eine Polemik gegen die Bundesrepublik noch gegen den Westen überhaupt gegeben habe. Die Koalition sei an der insgesamt positiven Entwicklung beteiligt und werde davon Nutzen haben. Auch die Reduzierung von Streitkräften könne besprochen werden.

Mit der Bitte um absolute Vertraulichkeit:

Man überlege eine Position zum Gemeinsamen Markt, der eine Realität sei. Der Generalsekretär wäre dankbar, die Überlegungen des Bundeskanzlers zu hören.

Der Bundeskanzler begann mit seinem Dank für die Ausführungen, die er genau prüfen und dann beantworten werde. Er wolle im Augenblick nur folgendes sagen: Man werde auf sowjetischer Seite bemerkt haben, daß die Bundesregierung Prag positiv beurteilt hat.[6] Er beurteile auch den Gang der Ratifizierung bisher zuversichtlich. Wir seien in unserer Zeitplanung.

Er kenne die Erwägungen Honeckers nicht und werde abwarten.

Zur ČSSR wolle er offen sagen, daß er einen Abschluß vor der Schlußabstimmung der Verträge, wenn das möglich wäre, im Interesse der Verträge nicht einmal für sehr gut halten würde. Zum Sachstand befragt, fügte der Unterzeichnende hinzu: Nach Auskunft von StS Frank hätten wir eine Formel vorgeschlagen, die von tschechischer Seite als sehr interessant bezeichnet worden sei. Sie werde in Prag geprüft, und es liege an den Tschechen, einen neuen Terminvorschlag zu machen.[7] Der Bundeskanzler erklärte: Wenn es im Laufe der nächsten Wochen gelänge, den Meinungsaustausch positiv zu beenden, sei es aus seiner Sicht wünschenswert, für den Frühsommer Verhandlungen in der Erwartung zu vereinbaren, sie relativ schnell beenden zu können.

Zur EWG dankte der Bundeskanzler für die sehr interessante Information, zu der er sich noch äußern werde.

Bahr

Archiv der sozialen Demokratie, Depositum Bahr, Box 431A

Fortsetzung Fußnote von Seite 185

Abkommen (Verträge) der Bundesrepublik Deutschland mit anderen sozialistischen Ländern, insbesondere die Abkommen (Verträge) mit der Deutschen Demokratischen Republik (vgl. Ziffer 6), der Volksrepublik Polen und der Tschechoslowakischen Sozialistischen Republik (vgl. Ziffer 8), ein einheitliches Ganzes bilden." Vgl. BULLETIN 1970, S. 1097.

6 Bundesminister Scheel erklärte am 30. Januar 1972 in einem Interview mit dem Süddeutschen Rundfunk zu der auf der Tagung des Politischen Beratenden Ausschusses des Warschauer Pakts am 25./26. Januar 1972 in Prag verabschiedeten Deklaration über Frieden, Sicherheit und Zusammenarbeit in Europa, „daß sie in einem unpolemischen Ton abgefaßt ist. Sie will also offenbar die Mitglieder der NATO zu einem Gespräch bringen. Es gibt einige neue Elemente gegenüber früheren Deklarationen dieser Art, z. B. hat man über Truppenverminderung gesprochen und dieses Mal zum erstenmal über die Ausgewogenheit solcher Truppenverminderung in einer Formulierung, die auch in einem Kommuniqué, das bei dem Besuch des Bundeskanzlers in Oreanda veröffentlicht wurde, gewählt worden ist." Ferner werde auf mögliche Themen einer Europäischen Sicherheitskonferenz und die „Notwendigkeit des Abbaues künstlicher Barrieren" verwiesen: „Man weiß bei den Begriffen, die neu auftreten, ja nicht immer, was gemeint ist. Aber es könnte dabei vielleicht gemeint sein, daß man mehr tun will für den freien Austausch von Informationen und von Ideen und mehr für die Kontakte der Menschen untereinander in Europa. [...] Also das sind zweifellos Gedanken, die wir aufgreifen werden." Vgl. BULLETIN 1972, S. 125.

7 Die fünfte Runde der Gespräche zwischen der Bundesrepublik und der ČSSR über eine Verbesserung des bilateralen Verhältnisses fand am 29./30. Juni 1972 in Prag statt. Vgl. dazu Dok. 192.

40

Botschafter Lahr, Rom, an Bundesminister Scheel

Z B 6-1-10767/72 geheim Aufgabe: 22. Februar 1972, 12.00 Uhr
Fernschreiben Nr. 204 Ankunft: 22. Februar 1972, 13.46 Uhr

Nur für Herrn Minister[1]

Betr.: Deutsch-französische Konsultationen[2]

Botschafter Ducci bat mich heute zu einem Gespräch unter vier Augen zu sich, um mir im Auftrag von Außenminister Moro dessen Bedauern (dispiacere) über die deutsch-französischen Konsultationen vom 10. und 11. Februar 1972 auszusprechen. Ein gleiches Gespräch ist heute mit Botschafter Burin des Roziers geführt worden.

Ducci führte aus, die italienische Regierung wisse unser Bemühen um gute deutsch-französische Beziehungen zu schätzen und erkenne den Wert des bilateralen Gespräches an. Die Art und Weise jedoch, wie in der letzten und teilweise auch in früheren deutsch-französischen Konsultationen die multilaterale wirtschaftliche und politische Zusammenarbeit in Europa in ihrer ganzen Breite behandelt worden sei und ihren Niederschlag in gemeinsamen deutsch-französischen Entschließungen[3] gefunden habe, sei für die übrigen Mitglieder der Europäischen Gemeinschaft bedrückend. Sicherlich könne es von Wert sein, wenn in einer spezifischen multilateralen Frage, in der zwischen zwei Gemeinschaftspartnern besonders starke Meinungsverschiedenheiten bestünden, ein bilateraler Versuch zur Verminderung dieser Differenzen unternommen werde. Im Falle der deutsch-französischen Gespräche vom 10. und 11. Februar müsse jedoch bei den anderen Partnern der Eindruck entstehen, daß ein umfassendes Programm von großer Tragweite für die Zukunft der Gemeinschaft vereinbart worden sei. Die mit dem Treffen verbundene deutsche und französische Öffentlichkeitsarbeit habe diesen Eindruck noch verstärkt. Der gleichzeitig von beiden Regierungen gegebene Hinweis, daß die deutsch-französische Einigung dem Ministerrat in Brüssel unterbreitet werde, schlage demgegenüber nicht durch. Die italienische Öffentlichkeit – und das gelte sicherlich auch für die der übrigen Partnerländer – stünde unter dem Eindruck, daß der Ministerrat im wesentlichen nur zu formalisieren habe, was die beiden Großen vor-

---

[1] Hat Bundesminister Scheel am 22. Februar 1972 vorgelegen, der handschriftlich vermerkte: „S[eite] 4." Vgl. Anm. 9.

[2] Für die deutsch-französischen Konsultationsbesprechungen am 10./11. Februar 1972 in Paris vgl. Dok. 28, Dok. 29 und Dok. 31.

[3] Zum Abschluß der deutsch-französischen Konsultationsbesprechungen gaben Bundeskanzler Brandt und Staatspräsident Pompidou eine gemeinsame Pressekonferenz. Pompidou führte aus, daß sich die Bundesregierung und die französische Regierung darin einig seien, „den Weg zur Wirtschafts- und Währungsunion so wiederaufzunehmen, wie wir ihn im Februar und März 1971 bereits abgesteckt hatten. […] Die Wirtschafts- und Finanzminister werden mit ihren Mitarbeitern auf der Grundlage unserer Feststellungen gemeinsame Positionen zu den Vorschlägen erarbeiten, die wir unseren Partnern unterbreiten möchten." Brandt erklärte, daß eines der wichtigsten Themen sein werde, „wie wir die Organe dieser wachsenden Europäischen Gemeinschaft so arbeitstüchtig, so effektiv wie möglich machen". Vgl. BULLETIN 1972, S. 255 f.

her abgesprochen hätten. Im übrigen sei dieser Eindruck der Öffentlichkeit auch nicht ganz unrichtig, denn es sei für Italien und die drei kleineren Mitglieder in der Tat schwierig, gegen eine deutsch-französische Übereinkunft nachträglich in Brüssel anzugehen.

Als Beispiel benutzte Ducci die Errichtung eines Sekretariats zur Erleichterung der politischen Zusammenarbeit. Nach dem, was man bisher hierüber gehört habe, sei – abgesehen von dem optischen Eindruck, daß etwas geschehen sei – der konkrete Inhalt mager. Wenn aber die Deutschen sich schon damit abgefunden hätten, daß von Frankreich nicht mehr zu erlangen sei, wie sollten dann Italien und die Benelux-Länder, die ja unter diesen Umständen auf eine wirksame deutsche Unterstützung nicht mehr rechnen könnten, mehr herausholen? Es sei ein Irrtum, daß wir glaubten, im Alleingang mit den Franzosen von diesen mehr zu erreichen, als die fünf Partner gemeinsam von Frankreich erhalten könnten.

Frankreich verstehe es geschickt, zunächst den wichtigsten Partner aus der multilateralen Front herauszubrechen, um dann mit den anderen leicht fertig zu werden. Wenn Herr Pompidou im übrigen nun die gleiche Praxis auch gegenüber Großbritannien durchsetze, wie es den Anschein habe, so werde sich bald herausstellen, daß Frankreich das Spiel in seinen Händen vereine, indem es die beiden anderen Großen nacheinander für sich gewinne und die Kleineren nichts mehr zu melden hätten. Mit dem ihm eigenen diplomatischen Geschick habe sich Frankreich vor allen anderen schnell und wohldurchdacht auf die aus der Erweiterung resultierende neue Konstellation eingestellt, indem es sein – stets französisch orientiertes – Zusammenspiel mit uns fortsetze, ein neues, hiervon getrenntes mit Großbritannien einleite, diese beiden Länder sowohl voneinander als von den übrigen nach Möglichkeit isoliere und somit letztlich alle Fäden in der Hand halte. Hiermit verhindere es, daß die Übereinstimmung in wichtigen europäischen Fragen, die zwischen uns und den Italienern sowie den Benelux-Ländern meist bestehe, künftig vielleicht auch mit Großbritannien gegenüber Frankreich geschlossen zum Ausdruck komme. Die Gewinnenden seien hierbei immer die Franzosen, während die Chance Deutschlands und die Italiens mehr in der multilateralen Behandlung der Fragen liege. Wenn es überdies weiter Schule mache, wie bei dem jetzt vorgesehenen Gespräch Pompidou–Heath[4], daß das Spitzengespräch ohne Außenminister geführt werde, so bestünde für die anderen nicht einmal die Chance, voll über das unterrichtet zu werden, was unter den Großen geplant sei. Dies alles sei weit vom Geiste der Römischen Verträge entfernt und bedeute wenig Gutes für die Zukunft der Gemeinschaft.

Ich habe Ducci darauf aufmerksam gemacht, welche Bedeutung die deutsch-französische Verständigung, von der das deutsch-französische Abkommen von 1963[5] integrierender Bestandteil sei, für die europäische Einigung habe, und daß wir in den deutsch-französischen Konsultationen ganz gewiß nichts täten,

---

[4] Staatspräsident Pompidou und Premierminister Heath trafen am 18./19. März 1972 in Chequers zusammen. Vgl. dazu Dok. 104, Anm. 52.

[5] Für den Wortlaut des deutsch-französischen Vertrags vom 22. Januar 1963 vgl. BUNDESGESETZBLATT 1963, Teil II, S. 706–710.

wovon wir nicht überzeugt seien, daß es außer der deutsch-französischen Freundschaft auch der europäischen Einigung diene. Es sei nun einmal so, daß für die beiden relativ größten Länder der Gemeinschaft nicht nur relativ große gemeinsame Interessen im Spiele seien, sondern zwischen ihnen auch relativ häufig Interessenunterschiede auftauchten. Wollte man diese allein der multilateralen Behandlung überlassen, würden die Brüsseler Beratungen noch schwerfälliger und langwieriger werden, als sie es ohnehin sind. Gerade Italien habe eigentlich wenig Anlaß, über unsere Bemühungen beunruhigt zu sein, denn die deutsch-italienische Übereinstimmung in europäischen Fragen sei besonders ausgeprägt, und mittelbar würden wir somit auch im Interesse der italienischen Europapolitik handeln. Im übrigen habe die jetzige Bundesregierung auf die bilaterale Zusammenarbeit auch mit Italien besonderen Wert gelegt. Es sei die ungewöhnliche Tatsache festzustellen, daß in zwei Jahren drei Treffen der Regierungschefs[6], neben den zahlreichen Treffen der Außenminister, stattgefunden hätten. Hierbei sei vereinbart worden, jederzeit auch informell zusammenzukommen, wenn eine der beiden Seiten dies für nützlich halte. Wenn von letzterer Möglichkeit kein Gebrauch gemacht worden sei, so offensichtlich wegen der erfreulichen Tatsache, daß es keine wesentlichen Meinungsverschiedenheiten gegeben habe.

Ducci blieb, wie zu erwarten, bei den ihm aufgetragenen Thesen und bat um Unterrichtung des Herrn Bundesaußenministers.

Das italienische Mißbehagen über die Modalitäten der deutsch-französischen Konsultation ist alt; ich habe hierauf in meinem Fernschreiben Nr. 169 vom 11. Februar im Hinblick auf die Konsultationen vom 10. und 11. Februar hingewiesen.[7] Italien leidet an dem Minderwertigkeitskomplex des nicht voll anerkannten dritten großen Partners. Seine jetzige, wenig erfreuliche Lage[8] trägt zu diesem Mißbehagen bei. Es ist überdies durch die Aussicht beunruhigt, daß

---

[6] Bundeskanzler Brandt und Ministerpräsident Rumor trafen am 14. Juli 1970 in Rom zusammen. Für das Gespräch vgl. AAPD 1970, II, Dok. 307.
Am 24. November 1970 fand in Rom ein Gespräch zwischen Brandt und Ministerpräsident Colombo statt. Vgl. AAPD 1970, III, Dok. 566.
Brandt und Colombo kamen erneut am 2. April 1971 zusammen. Vgl. AAPD 1971, I, Dok. 114.

[7] Botschafter Lahr, Rom, legte dar, daß die bisherige Berichterstattung über die deutsch-französischen Konsultationsbesprechungen am 10./11. Februar 1972 in Paris erkennen lasse, „daß es sich diesmal um ein besonders wichtiges Konsultationstreffen handelt. Es ist unschwer vorauszusehen, daß diese Vorgänge von der italienischen Regierung zunächst einmal mit größtem Interesse, daneben aber auch, wie in ähnlichen früheren Fällen, mit einer gewissen Bitterkeit darüber wahrgenommen werden, daß durch das deutsch-französische Gespräch zwar nicht im formalen, aber im politischen Sinne wichtige Gemeinschaftsentscheidungen im vorhinein konzipiert werden, ohne selbst als drittes großes Land beteiligt zu sein. Es ist das gleiche Mißbehagen, das hier immer gegenüber der deutsch-französischen Konsultation bestanden hat, das alte Bedenken dagegen, daß der Prozeß der multilateralen Meinungsbildung durch die bilaterale Einigung der beiden wichtigsten Partner de facto präjudiziert wird. Wir könnten diese nicht ganz unverständliche Reaktion wesentlich mildern, wenn wir die italienische Regierung über die Pariser Ergebnisse, sofern diese wirklich wichtig sind, in einer Weise informieren würden, die über die routinemäßige Unterrichtung auf diplomatischem Wege hinausgeht, und zwar in der Form, daß einer der deutschen Teilnehmer an den Pariser Gesprächen, möglichst im Range eines Staatssekretärs, hier in Rom mit Ministerpräsident und Außenminister spricht. Der Umstand, daß die gegenwärtige Regierung nur geschäftsführend ist, wird in italienischen Augen die Wirkung einer solchen Geste eher verstärken als mindern." Vgl. Referat I A 1, Bd. 723.

[8] Zur Regierungskrise in Italien vgl. Dok. 29, Anm. 6.

das Schwergewicht der Gemeinschaft sich künftig mehr und mehr auf das Dreieck Paris–London–Bonn verlagern wird. Teilweise ist dieses Gefühl verständlich, teilweise dürfte es übertrieben sein. Für begründet halte ich die Sorge wegen des sich für die Zukunft abzeichnenden französischen Spiels.

Am besten hilft man wahrscheinlich in der Weise ab, daß man die bilateralen Kontakte mit Italien verstärkt. Der sachliche Gewinn solcher Kontakte wird im allgemeinen nicht sehr bedeutend sein, weil ohnehin weitgehende Übereinstimmung besteht. Aus optischen und psychologischen Gründen wird sich ein solches Verhalten jedoch empfehlen.

Erbitte Weisung und empfehle ein Schreiben des Herrn Bundesaußenministers an Minister Moro.[9]

[gez.] Lahr

VS-Bd. 8521 (Ministerbüro)

---

[9] Der Passus „Schreiben ... Moro" wurde von Bundesminister Scheel hervorgehoben. Dazu vermerkte er handschriftlich: „Brief. Hat BK nur an Heath und Nixon geschrieben oder auch an Colombo?" Am 7. März 1972 übermittelte Vortragender Legationsrat I. Klasse Hansen der Botschaft in Rom den Wortlaut eines Schreibens, das Bundesminister Scheel dem italienischen Außenminister Moro am 3. März 1972 am Rande der WEU-Ministerratstagung in Bonn übergeben hatte. Scheel äußerte darin Bedauern darüber, daß die deutsch-französischen Konsultationsbesprechungen am 10. und 11. Februar 1972 in Paris auf italienischer Seite „ein gewisses Unbehagen hervorgerufen" hätten. Dieses beruhe jedoch auf einem Mißverständnis: „Sie wissen, daß die von uns allen gewünschte europäische Einigung eine Versöhnung zwischen Deutschland und Frankreich voraussetzte. Diesem Zweck diente der Vertrag vom 22. Januar 1963. Die europäische Finalität der deutsch-französischen Verständigung ist auch in der gemeinsamen Erklärung deutlich zum Ausdruck gekommen, die dem Vertrag vorangestellt ist. Wir haben uns immer bemüht, die deutsch-französischen Konsultationen in diesem Geiste zu führen, und ich glaube, daß uns dies – gerade auch bei den letzten Konsultationen in Paris – gelungen ist. Dem von Herrn Ducci geäußerten Gedanken, daß durch die deutsch-französischen Konsultationen der Handlungsspielraum der anderen EG-Partner verkleinert wird, vermag ich nicht zuzustimmen. Ich glaube vielmehr, daß solche vorbereitenden Gespräche dazu dienen, für besonders schwierige Fragen optimale Lösungen zu finden, auf die sich alle Partner einigen können. [...] Wenn wir uns um unsere französischen Freunde besonders bemühen, so auch deshalb, weil ihre Auffassungen in europäischen Fragen gelegentlich von den unsrigen verschieden sind." Vgl. den Drahterlaß Nr. 180; Referat I A 1, Bd. 723.

41

Botschafter von Puttkamer, Tel Aviv, an das Auswärtige Amt

Z B 6-1-10785/72 VS-vertraulich Aufgabe: 22. Februar 1972, 17.00 Uhr[1]
Fernschreiben Nr. 64 Ankunft: 23. Februar 1972, 17.02 Uhr

Betr.: Besuch beim neuen Staatssekretär im israelischen Außenministerium, Mordechai Gazit

Ich habe heute meinen durch meine Dienstreise verspäteten ersten Besuch beim neuen Staatssekretär im Außenministerium gemacht.

Ich drückte zu Beginn mein Bedauern darüber aus, daß ich unfreiwillig in die israelische Prozedur der Vorbereitung der Kanzlereinladung hineingezogen worden sei. Allerdings habe mir Botschafter Ben Horin seinerzeit in Bonn mit aller Bestimmtheit erklärt, er werde die Einladung am Montag, den 31. im Kanzleramt übergeben, so daß ich am Abend des 31. in Hamburg, von einem Korrespondenten befragt, bona fide den Tatbestand bestätigt hätte.[2]

Gazit räumte ein, daß es auf israelischer Seite eine technische Panne gegeben habe. Im übrigen hätte die Sache ja bereits vorher in den israelischen Zeitungen gestanden, und dies sei auf die gleiche Problematik zurückzuführen, die man ja auch in Bonn kenne: „Es gibt undichte Stellen."

Staatssekretär Gazit kam dann auf das Interview des Bundeskanzlers für die „Tribüne"[3] zu sprechen und sagte, er habe den Wunsch, zu unterstreichen, daß dieses Interview in Israel außerordentlich positiv aufgenommen worden sei. Er habe, was sonst nicht üblich sei, den vollen Text für alle Mitglieder des Außenpolitischen Ausschusses der Knesset in eine Sitzung dieses Ausschusses mitgenommen und ihn dort verteilt. Auch in diesem Gremium sei das Echo außerordentlich positiv gewesen. Die israelische Regierung freue sich darüber, daß der Bundeskanzler die Einladung, nach Israel zu kommen, umgehend angenommen habe und gehe davon aus, daß der Besuch in diesem Jahr stattfinde.[4]

Ich erwiderte, daß mir über die Terminierung noch keine Weisungen vorlägen, und fügte von mir aus hinzu, daß ich mit solchen Weisungen auch nicht rechnete, solange die Ratifizierungsprozedur der Ostverträge[5] in Bonn noch nicht abgeschlossen sei.

---

[1] Hat Vortragenden Legationsrat Bente vorgelegen, der die Weiterleitung über Ministerialdirigent Müller an Ministerialdirektor von Staden verfügte.
Hat Müller am 28. Februar 1972 vorgelegen.
Hat Staden am 1. März 1972 vorgelegen, der handschriftlich vermerkte: „Herrn Müller b[itte] R[ücksprache], eilt. Wir können diesen Argumenten eine gewisse Berechtigung nicht absprechen.
[2] Zur Einladung an Bundeskanzler Brandt zu einem Besuch in Israel und zu den Pressemitteilungen im Vorfeld vgl. Dok. 28, Anm. 28.
[3] Für den Wortlaut des Interviews des Bundeskanzlers Brandt für die März-Ausgabe der Zeitschrift „Tribüne – Zeitschrift zum Verständnis des Judentums" vgl. BULLETIN 1972, S. 293–300.
[4] Zur Annahme der Einladung nach Israel durch Bundeskanzler Brandt vgl. Dok. 28, Anm. 29.
[5] Zum Stand des Ratifikationsverfahrens vgl. Dok. 34, Anm. 13.

Gazit sagte sodann: „Nun muß ich auf eine Sache zu sprechen kommen, die mich – diplomatisch ausgedrückt – unglücklich macht. Nach dem Besuch Ihres Außenministers im vergangenen Frühsommer[6] haben wir gemeint, das EWG-Papier[7] zu den historischen Akten legen zu können. Nun stellt sich heraus, daß die Politischen Direktoren der sechs Länder zwar insoweit gelernt haben, daß sie keine Papiere mehr produzieren. Sie haben aber gleichwohl sich neuerlich wieder mit unseren Angelegenheiten befaßt."[8]

Ich erwiderte darauf etwas härter, daß mir keine Informationen vorlägen. Ich könne aber nicht verstehen, daß Israel immer wieder in der gleichen Sache insistiere. Wenn seine Informationen richtig seien, so könne es sich ja doch nur um Konsultationen unter befreundeten Mächten gehandelt haben über ein Thema, das alle angeht. Diese Konsultationen seien um so natürlicher, als sich Europa zum Glück anschickt, allmählich eine gemeinsame Sprache zu finden.

Hierauf antwortete Gazit mit folgendem Argument: Für Israel stelle sich das Problem nicht so. Vielmehr täten wiederum „befreundete Nationen etwas auf Kosten Israels." Sie sprechen über Dinge, die unsere Lebensfragen berühren „and let us in the dark."

„Außerdem wissen wir nicht, was sie mit den gemeinsamen Erkenntnissen machen. Gehen einzelne vielleicht damit zu Waldheim (wie mit dem EWG-Papier zu U Thant[9]) oder zum Papst?" Die Folge hiervon sei, daß Sadat den Eindruck gewinnen müsse, er erhalte Unterstützung von europäischer Seite. Gerade dies aber sei im Augenblick verhängnisvoll, denn man stünde kurz vor einem Durchbruch. Hussein habe sich im Herzen schon zu Frieden und Verhandlungen entschieden. Sadat sei auf halbem Wege dahin. Seine Situation sei immer komplizierter geworden, und an und für sich wisse er sehr genau, daß er den Frieden brauche. Er blicke also nach Verbündeten aus. Diese kämen nun möglicherweise aus[10] Europa.

Ich brachte dann das Gespräch auf die Anwesenheit Jarrings in Zypern.[11]

Gazits Reaktion war erstaunlich offen und wenig diplomatisch. Er nannte Jarring keinen modernen Makler, sondern leider „an old-fashioned diplomat of the 19th century". „Wir wissen wirklich nicht, was er von uns will, wenn er in den nächsten Tagen kommt.[12] Sollte er seinen alten Fragebogen[13] auf den

---

[6] Bundesminister Scheel hielt sich vom 7. bis 10. Juli 1971 in Israel auf. Vgl. dazu AAPD 1971, II, Dok. 237, Dok. 238, Dok. 241, Dok. 243 und Dok. 244.

[7] Am 13./14. Mai 1971 verabschiedeten die Außenminister der EG-Mitgliedstaaten im Rahmen der Europäischen Politischen Zusammenarbeit einen Nahost-Bericht. Vgl. dazu AAPD 1971, I, Dok. 143.

[8] Das Politische Komtiee im Rahmen der Europäischen Politischen Zusammenarbeit befaßte sich am 15./16. Februar 1972 mit der Lage im Nahen Osten. Für eine Zusammenfassung der Ergebnisse vgl. VS-Bd. 9869 (I B 4).

[9] Über den am 13./14. Mai 1971 im Rahmen der Europäischen Politischen Zusammenarbeit verabschiedeten Nahost-Bericht wurde auch UNO-Generalsekretär U Thant informiert. Vgl. dazu AAPD 1971, II, Dok. 174.

[10] Der Passus „Unterstützung von ... möglicherweise aus" wurde von Ministerialdirigent Müller hervorgehoben. Dazu Fragezeichen.

[11] Der Sonderbeauftragte der UNO für den Nahen Osten, Jarring, hielt sich am 20./21. Februar 1972 auf Zypern auf.

[12] Der Sonderbeauftragte der UNO für den Nahen Osten, Jarring, hielt sich am 25. Februar 1972 in Israel auf.

Tisch legen, so werden wir aus dem Fenster springen. Er hat es bislang nicht fertiggebracht, uns sachlich vorzutragen, was er in Kairo gehört hat, unsere Meinung dazu anzuhören und sie nach Kairo weiterzugeben. Er versucht in dieser Sache aus uns unverständlichen Gründen eine eigene Politik. Sollte er aber wirklich von einer neuen Basis aus operieren wollen, so sind wir selbstverständlich zur Kooperation bereit."

Auf meine Frage nach den Chancen zur Aufnahme der Kanal-Gespräche[14] machte Gazit einige kritische Bemerkungen an die Adresse von UNO-Generalsekretär Waldheim.

Auf meinen erstaunten Einwurf, daß ich aus den öffentlichen Verlautbarungen Jerusalems bislang den Schluß gezogen hätte, Israel begrüße die Wahl Waldheims, antwortet Gazit: „Wir sind auch weiterhin zu einer positiven Einschätzung bereit, nur muß sich Herr Waldheim dann auch dazu bequemen, sich an die Fakten zu halten. Er hat gestern in einem Fernseh-Interview gesagt, er könne die Chancen einer Kanallösung im Augenblick noch nicht beurteilen, weil die entsprechenden Äußerungen beider Seiten noch ausstünden. Dies ist eine Lüge, denn eine Erklärung der israelischen Regierung, daß sie zu Gesprächen über eine Kanallösung bereit sei, wurde offiziell am 2. Februar übergeben."[15]

Fortsetzung Fußnote von Seite 192

[13] Am 8. Februar 1971 übergab der Sonderbeauftragte der UNO für den Nahen Osten, Jarring, dem ägyptischen UNO-Botschafter Zayyat und dem israelischen UNO-Botschafter Tekoah in New York einen Vorschlag zur Lösung des Nahost-Konflikts. Danach sollten beide Staaten gleichzeitig gegenüber Jarring vor der Aufnahme konkreter Verhandlungen folgende Verpflichtungen eingehen: „Israel would give a commitment to withdraw its forces from occupied U.A.R. territory to the former international boundary between Egypt and the British Mandate of Palestine on the understanding that satisfactory arrangements are made for: a) establishing demilitarized zones; b) practical security arrangements in the Sharm el Sheikh area for guaranteeing freedom of navigation through the straits of Tiran; and c) freedom of navigation through the Suez Canal. The United Arab Republic would give a commitment to enter into peace agreement with Israel and to make explicitly therein to Israel – on a reciprocal basis – undertakings and acknowledgements covering the following subjects: a) termination of all claims or states of belligerency; b) respect for and acknowledgement of each other's independence; c) respect for and acknowledgements of each other's right to live in peace within secure and recognized boundaries; d) responsiblity to do all in their power to ensure that acts of belligerency do not originate from or are not committed from within the respective territories against the population, citizens or property of the other party; and e) non-interference in each other's domestic affairs." Vgl. den Drahtbericht Nr. 120 des Gesandten Jesser, Kairo, vom 19. Februar 1971; Referat I B 4, Bd. 352.
Tekoah übergab Jarring am 26. Februar 1971 in New York die israelische Antwort. Darin erklärte sich Israel zur Beendigung des Kriegszustandes, zur Anerkennung des Rechts der VAR auf sichere Grenzen sowie zu Verhandlungen über die Frage der palästinensischen Flüchtlinge bereit. Hinsichtlich der besetzten Gebiete wurde ausgeführt, daß Israel zu einem Rückzug von der Waffenstillstandslinie hinter anerkannte und sichere Grenzen bereit sei, die aber in einem Friedensvertrag festgestellt werden müßten. Gleichzeitig wurde erklärt: „Israel will not withdraw to the pre-June 5, 1967, lines." Vgl. den Drahtbericht Nr. 196 des Botschaftsrats I. Klasse Hensel, Tel Aviv, vom 3. März 1971; Referat I B 4, Bd. 352.

[14] Zur Sperrung des Suez-Kanals vgl. Dok. 28, Anm. 26.
Am 4. Oktober 1971 unterbreitete der amerikanische Außenminister Rogers vor der UNO-Generalversammlung den Vorschlag der Aufnahme von Verhandlungen zwischen Israel und Ägypten über ein Interimsabkommen zur Wiedereröffnung des Suez-Kanals und erklärte die Bereitschaft der amerikanischen Regierung zu einer „konstruktiven Rolle" beim Zustandekommen eines solchen Abkommens. Für den Wortlaut der Ausführungen vgl. UN GENERAL ASSEMBLY, 26th Session, Plenary Meetings, 1950th meeting, S. 5.

[15] Am 2. Februar 1972 erklärte die israelische Regierung sich bereit, unter Vermittlung der USA Gespräche mit Ägypten über ein Interimsabkommen zur Wiedereröffnung des Suez-Kanals aufzunehmen. Vgl. dazu die Meldung „Bereitschaft Israels zu indirekten Suezgesprächen"' NEUE ZÜRCHER ZEITUNG, Fernausgabe vom 4. Februar 1972, S. 2.

Dieser Bericht erhellt, daß wir es bei dem neuen Generaldirektor des Außenministeriums mit einer völlig anderen Figur als mit seinem Vorgänger zu tun haben. Er ist etwa 15 Jahre jünger als Gideon Rafael, also ein Mittvierziger, aber er macht den Eindruck, einer ganz anderen Generation anzugehören. Er ist selbstsicher und außerordentlich clever. Es mangelt ihm nicht an Flexibilität, aber er scheint doch zu den israelischen Spitzenfiguren zu gehören, die glauben, die bestehenden Probleme am besten mit einer harten Sprache meistern zu können.[16]

[gez.] Puttkamer

VS-Bd. 9864 (I B 4)

42

Gesandter Boss, Brüssel (NATO), an das Auswärtige Amt

Z B 6-1-10778/72 VS-vertraulich Aufgabe: 22. Februar 1972, 20.00 Uhr[1]
Fernschreiben Nr. 217 Ankunft: 22. Februar 1972, 21.07 Uhr

Betr.: Besuch Generalsekretär Luns in USA und Kanada[2]

Bei heutigem Mittagessen der Ständigen Vertreter berichtete Generalsekretär Luns über die Eindrücke, die er bei seinen kürzlichen Besuchen in USA und Kanada empfangen hat:

1) In Kanada – und zu einem geringeren Grade in den USA – sei eine starke Beunruhigung über die mit der Allianz nicht koordinierten Konsultationen der Sechs, Sieben und Zehn über das Bündnis betreffende Fragen zum Ausdruck gekommen.

Der kanadische Ständige Vertreter[3] erklärte hierzu, seine Regierung befürchte, durch diese Aktivität europäischer Bündnispartner werde der Konsultationsmechanismus des Bündnisses gestört, das Bündnis mit fixen Positionen konfrontiert und die Gefahr heraufbeschworen, daß das gesamte Bündnis be-

---

[16] Der Passus „israelischen Spitzenfiguren ... zu können" wurde von Ministerialdirigent Müller hervorgehoben. Dazu vermerkte er handschriftlich: „Dies ist jedenfalls nach dem Gespr[äch] anzunehmen."

[1] Hat Ministerialdirektor von Staden am 23. Februar 1972 vorgelegt, der handschriftlich vermerkte: „1) I A 1/ I A 7 b[itte] gem[einsame] Sprachregelung zu diesem in NATO-Germa vorlegen; 2) mit kanad[ischem] Bo[tschafter] will ich am 2.3. sprechen. Bitte feststellen, ob Kanadier bei uns Kontakt halten (II A 3 insb[esondere])."
Hat Vortragendem Legationsrat Bazing am 25. Februar 1972 vorgelegt, der handschriftlich vermerkte: „Bisher noch keine engeren KSE-Kontakte mit hiesiger kanad[ischer] Botschaft."
Hat Vortragendem Legationsrat I. Klasse Pfeffer am 25. Februar 1972 vorgelegt, der handschriftlich vermerkte: „Herr Hartmann bitte E[ntwurf] Aufz[eichnung] I A 1."

[2] NATO-Generalsekretär Luns hielt sich am 29./30. Januar 1972 in Kanada und am 31. Januar und 1. Februar 1972 in den USA auf.

[3] Ross Campbell.

treffende Fragen außerhalb der Allianz entschieden würden. Man sei in Kanada für die Entwicklung eines politischen Europa, doch müsse sich das in Formen abspielen, die nicht die Bündnissolidarität antasteten. Die Sieben müßten nicht nur über das Ergebnis ihrer Beratungen unterrichten, sondern auch darüber, was sie an das Bündnis betreffenden Themen zu diskutieren beabsichtigten. Auch die Eurogroup sei für seine Regierung nur solange tragbar, als sie sich nicht zu einem selbständigen Gebilde entwickele.

Der dänische[4] und der norwegische[5] sowie der griechische[6] und türkische[7] Ständige Vertreter stimmten im Grundsatz den kanadischen Befürchtungen bei.

Der niederländische Ständige Vertreter[8] meinte, es sei einerseits festzustellen, daß die Sieben keinerlei militärische Fragen behandelten, andererseits müsse betont werden, daß die Sieben, auch nach Konsultation unter sich, die Bündnispartner nicht mit einer gemeinsamen fixierten, sondern mit noch diskutierbaren Positionen konfrontierten. Das System der Unterrichtung der übrigen Bündnispartner bedürfe allerdings der Verbesserung.

Der französische Ständige Vertreter[9] wies darauf hin, daß ein politisches Europa nicht anders als durch einen immer intensiveren Konsultationsprozeß zusammenwachsen könne. Aus französischer Sicht präjudiziere diese Konsultation zu Themen der KSZE die Verbündeten schon deshalb nicht, weil Frankreich auch nicht wünsche, daß man in die KSZE mit fixierten Positionen gehe. Im übrigen sei damit zu rechnen – und darauf weise die Prager Erklärung[10] hin –, daß die Sowjets die politische Formation Westeuropas stark angreifen würden. Wenn sich dazu noch Argwohn der Bündnispartner geselle, sei es um die Zukunft Europas schlecht bestellt. Generalsekretär Luns stellte abschließend fest, daß dieses Problem über die kommenden Jahre an Bedeutung noch gewinnen werde, daß man aber immer versuchen sollte, es mit informellen Mitteln zu lösen.

2) Aus den übrigen Mitteilungen von Generalsekretär Luns ist festzuhalten:

a) Sowohl in USA als in Kanada sei ihm überzeugend versichert worden, daß an einen Abbau der amerikanischen und kanadischen Truppenpräsenz in Europa nicht gedacht werde.

b) In den USA sei die Forderung nach einem langfristigen „burden sharing" außerordentlich lebhaft und bestimme die amerikanische Haltung zur Allianz. Von den Europäern würden größere Leistungen und Beiträge zur gemeinsamen Verteidigung erwartet.

---

4 Henning Hjorth-Nielsen.
5 Rolf Trygve Busch.
6 Phedon Annino Cavalierato.
7 Muharrem Nuri Birgi.
8 Dirk Pieter Spierenburg.
9 François de Tricornot de Rose.
10 Für die Ausführungen zur Europäischen Sicherheitskonferenz in der auf der Tagung des Politischen Beratenden Ausschusses des Warschauer Pakts am 25./26. Januar 1972 in Prag verabschiedeten Deklaration über Frieden, Sicherheit und Zusammenarbeit in Europa vgl. Dok. 28, Anm. 31.

c) Mit Bezug auf die Ostpolitik habe Präsident Nixon in seinem Gespräch mit ihm, Luns[11], sein volles Vertrauen in den Bundeskanzler beteuert. Gewisse Tendenzen in der FDP und in der SPD gäben ihm jedoch zu Besorgnissen Anlaß. Auf diese Äußerung Nixons habe ich nach dem Frühstück den amerikanischen amtierenden Ständigen Vertreter[12] angesprochen. Er wies mich darauf hin, daß über solche Gespräche des Präsidenten keine Aufzeichnungen gefertigt werden und ihm von einer solchen Äußerung des Präsidenten nichts bekannt sei.[13]

[gez.] Boss

VS-Bd. 9789 (I A 1)

---

[11] Zum Gespräch des Präsidenten Nixon mit NATO-Generalsekretär Luns am 31. Januar 1972 in Washington vgl. Dok. 28, Anm. 6.
[12] George S. Vest.
[13] Ministerialdirektor von Staden bat die Ständige Vertretung bei der NATO in Brüssel sowie die Botschaften in Ottawa und Washington am 1. März 1972, „bei passender Gelegenheit" zu den kanadischen Vorbehalten gegenüber der Europäischen Politischen Zusammenarbeit sowie der Eurogroup darauf hinzuweisen, daß Befürchtungen einer Störung des Konsultationsmechanismus innerhalb der NATO unbegründet seien: „P[olitische] Z[usammenarbeit] und Zusammenarbeit in NATO ergänzen sich. Konsultationen der Gemeinschaftsländer auch über in NATO anhängige Themen kann nützlich und sogar notwendig sein, wenn sie Teilaspekte betreffen, die westeuropäische Partner der Allianz in besonderer Weise angehen und bei denen Herausarbeitung europäischer Positionen im Gesamtinteresse Bündnisses liegt. PZ wird im übrigen auch von USA als Schritt auf europäische Einigung positiv beurteilt. Bisher hat sich Frage lediglich für Thema KSE gestellt." Die Konsultationen innerhalb der Europäischen Zusammenarbeit zur Europäischen Sicherheitskonferenz zielten darauf ab, die Politik der NATO zu diesem Thema „durch einen internen Meinungsbildungsprozeß der EG-Partner zu befruchten und spezielle EG-Aspekte in die NATO-Diskussion einzuführen". Ferner gebe es intensive Konsultationen zwischen den mit der Europäischen Sicherheitskonferenz befaßten Gremien und Diskussionsgruppen der NATO und der Europäischen Gemeinschaften. Das Auswärtige Amt sei im übrigen jederzeit dazu bereit, die kanadische Botschaft „in geeigneter Weise zu unterrichten". Die Eurogroup diene keinem anderen Ziel „als dem der Stärkung des Bündnisses" durch die Übernahme von mehr Verantwortung durch die europäischen NATO-Mitgliedstaaten und engere Kooperation ihrer Verteidigungsanstrengungen. Vgl. den Drahterlaß Nr. 1066; VS-Bd. 9789 (I A 1); B 150, Aktenkopien 1972.

43

Aufzeichnung des Ministerialdirigenten Müller

I B 4-82.00-92-667/72 VS-vertraulich　　　　　　　　　　　25. Februar 1972

Über Herrn D Pol[1]

Herrn Staatssekretär[2] zur Entscheidung.

Betr.: Entführung Lufthansamaschine[3]

Anlg.: 2[4]

Die Umstände der Entführung zeigen, daß hinter dieser sehr gut vorbereiteten Aktion eine potente Organisation stehen muß, die überall über hervorragende Verbindungen verfügt. Aus den Gesprächen mit der Besatzung scheint mir folgendes erkennbar zu sein:

Die Entführer, junge Leute, fanatisch, von der Richtigkeit ihrer Aktionen überzeugt, gehören zu einer Gang, deren Zahl nach eigenen Angaben der Entführer gegenüber Stewardessen mindestens 50 Leute umfaßt, die sich untereinander jedoch nicht alle kennen. Die Entführer haben behauptet, daß dies nicht die letzte Aktion sei, sie richte sich gegen die Mächte, die den Staat Israel unterstützten. Drei der Entführer waren in Delhi zugestiegen, zwei andere entweder in Bangkok oder Hongkong. Sie waren mit Eierhandgranaten und Pistolen be-

---

[1] Hat Ministerialdirektor von Staden am 25. März 1972 vorgelegen.
[2] Hat Staatssekretär Frank am 25. Februar 1972 vorgelegen, der die Weiterleitung an Bundesminister Scheel verfügte und handschriftlich vermerkte: „Wir können es nicht dabei belassen, daß wir noch einmal ‚glimpflich' davongekommen sind. Evtl. Ressortbesprechung."
Hat Scheel am 29. Februar 1972 vorgelegen, der die Wörter „Evtl. Ressortbesprechung" hervorhob und handschriftlich vermerkte: „Ja."
Hat Vortragendem Legationsrat Bente am 24. April 1972 vorgelegen, der handschriftlich vermerkte: „Sämtliche Weisungen des Herrn BM sind ausgeführt. Ressortbesprechung hat am 21.4. im BMV stattgefunden. Angelegenheit wird von Ref[erat] V 2 weiterbearbeitet."
[3] Am 21. Februar 1972 wurde ein Flugzeug der Lufthansa auf dem Weg von Tokio nach Athen nach Zwischenlandungen in Hongkong, Bangkok und Neu Delhi von fünf Männern arabischer Herkunft entführt und zur Landung in Aden gezwungen. Dazu wurde in der Presse berichtet, der Direktor der jemenitischen Luftfahrtbehörde, Arasi, habe in Verhandlungen mit den Entführern am 22. Februar 1972 die Freilassung aller 173 Passagiere erreicht, während die Besatzungsmitglieder weiterhin als Geiseln festgehalten würden. Vgl. dazu den Artikel „Entführte Lufthansa-Maschine im Jemen festgehalten"; FRANKFURTER ALLGEMEINE ZEITUNG vom 23. Februar 1972, S. 1.
Ferner wurde berichtet, das Auswärtige Amt habe einen Krisenstab eingesetzt und die Botschaften der Bundesrepublik in London und Paris eingeschaltet, da eine direkte Kontaktaufnahme wegen fehlender diplomatischer Beziehungen zwischen der Bundesrepublik und der Volksrepublik Jemen (Südjemen) nicht möglich sei. In Bonn hätten sich am 22. Februar 1972 jedoch die Hinweise verdichtet, „daß die Bundesregierung Erfolg bei dem Versuch hatte, arabische Diplomaten in der Bundeshauptstadt für die Freilassungsbemühungen zu gewinnen. Das Auswärtige Amt schickte auch einen Beamten nach Aden. Ministerialdirigent Kurt Müller soll am Ort des Geschehens die Interessen der Luftverkehrsgesellschaft und ihrer Passagiere wahrnehmen." Vgl. den Artikel „Freigelassene Geiseln kommen heute nach Frankfurt"; FRANKFURTER ALLGEMEINE ZEITUNG vom 23. Februar 1972, S. 5.
Am 23. Februar 1972 wurde über einen Beauftragten der Lufthansa in Beirut ein Lösegeld in Höhe von 5 Mio. Dollar übergeben. Daraufhin wurden die restlichen Geiseln freigelassen sowie das Flugzeug freigegeben. Vgl. dazu den Artikel „Fünf Millionen Dollar Lösegeld für den Jumbo"; FRANKFURTER ALLGEMEINE ZEITUNG vom 26. Februar 1972, S. 1.
[4] Dem Vorgang nicht beigefügt.

waffnet und hatten eine erhebliche Menge an Sprengmaterial und Zündschnüren, mit denen sie sogar Türen und Verbindungskorridore absperrten, an Bord gebracht. Hier liegt offenbar doch eine Unterstützung entweder in Delhi, Bangkok oder Hongkong vor, da es sonst nicht zu verstehen ist, wie derartig große Mengen an Bord gebracht werden konnten.

Das Gespräch mit den Entführern wurde im wesentlichen von dem sehr agilen Direktor für Zivilluftfahrt[5] geführt, große Energie hat auch der Ministerpräsident[6] und Außenminister[7] für die Freilassung der Passagiere aufgewandt. Die Hilfeleistung der Jemeniten ging über das notwendige Maß hinaus und zeigte eine Art echten Engagements.

Ich schlage vor, daß über das Bundeskanzleramt der BND oder das Bundeskriminalamt beauftragt werden, umfassende Untersuchungen über die Entführung anzustellen und vor allem in Delhi, Bangkok und Hongkong nach Verbindungsleuten der Organisation zu fahnden. Es wäre meiner Ansicht nach zweckmäßig, wenn der Journalist und Bildreporter Heidemann, der einen ausgesprochenen Sinn für Recherchen dieser Art zu entwickeln scheint, im Einvernehmen mit dem „Stern" zu weiteren Untersuchungen nach Delhi und Bangkok sowie Hongkong entsandt werden könnte. Heidemann hat hinlängliche Nahosterfahrung und kennt zahlreiche Mitglieder der palästinensischen Befreiungsorganisationen aus der Zeit der Amman-Krise.[8] Risiken scheut er jedenfalls nicht.

Darüber hinaus wäre es meiner Ansicht nach angebracht, der Stern-Redaktion durch einen Brief des Herrn Ministers zu danken. Ohne die Sondermaschine wäre es nicht möglich gewesen, so rasch in Aden einzutreffen und in die letzte Phase der Befreiung[9] eingeschaltet zu werden.[10] Hierbei ging es um die rechtzeitige Übermittlung des Codewortes „al shaheed abu talat", das bei den Entführern die Wirkung des „Sesam-öffne-Dich" auslöste. Ferner wäre ein Telegramm des Herrn Ministers an den jemenitischen Außenminister wünschenswert. (Ich habe den offiziellen Dank der Bundesregierung gestern morgen dem Staatssekretär des Äußeren übermittelt und auf einer Pressekonferenz in Aden die Verdienste der jemenitischen Behören herausgestellt.) Schließlich wäre ein Dank des Auswärtigen Amts für die Hilfe der Briten und Franzosen

---

5 Mahmoud Arasi.
6 Ali Nasir Muhammad Hasani.
7 Muhammad Salih Awlaqi.
8 Am 6. bzw. 9. September 1970 entführten Mitglieder der Volksfront für die Befreiung Palästinas insgesamt fünf Passagierflugzeuge. Drei der Maschinen amerikanischer, britischer und schweizerischer Fluggesellschaften landeten auf dem jordanischen Flughafen Zerqa bei Amman. Am 11. September 1970 wurden bis auf 48 Personen alle Geiseln freigelassen und die Maschinen gesprengt. Die übrigen Geiseln wurden zwischen dem 25. und 27. September 1970 von der jordanischen Armee befreit. Die Bundesrepublik, Großbritannien und die Schweiz ließen sieben inhaftierte Araber frei. Vgl. dazu AAPD 1970, III, Dok. 432.
9 Der Passus „Darüber hinaus ... der Befreiung" wurde von Bundesminister Scheel hervorgehoben. Dazu vermerkte er handschriftlich: „Ja."
10 Bundesminister Scheel schrieb am 10. März 1972 an den Chefredakteur der Illustrierten „Stern": „Sehr geehrter Herr Nannen, es war nett, daß der ‚Stern' Herrn Ministerialdirigent Dr. Kurt Müller und Herrn Legationsrat I. Klasse Dr. Hans Ernst in seiner Verlagsmaschine nach Aden mitgenommen hat – eine erfreuliche Zusammenarbeit, ohne die die beiden Herren sicher nicht so schnell ans Ziel gelangt wären." Vgl. Ministerbüro, Bd. 508.

angezeigt[11]. Entsprechende Entwürfe im Sinne meines Vorschlags werden vorgelegt.

Müller

VS-Bd. 9862 (I B 4)

44

Gespräch des Staatssekretärs Frank mit dem sowjetischen Botschafter Falin

II A 4-82.00-94.29-651/72 VS-vertraulich 28. Februar 1972[1]

Betr.: Gespräch Staatssekretär Frank mit Botschafter Falin
am 28. Februar 1972

Der Herr *Staatssekretär* eröffnete das Gespräch mit Botschafter Falin unter Hinweis auf eine sehr große Agenda, die ihm vom Auswärtigen Amt vorbereitet worden sei. Es handele sich um zahlreiche Einzelfragen, die zwar keine direkten Entscheidungen verlangten, die jedoch der Staatssekretär dem sowjetischen Botschafter zur Kenntnis bringen wolle.

Der Staatssekretär behielt sich ein Gespräch über Grundsatzfragen wie die Perspektiven der deutsch-sowjetischen Beziehungen nach Ratifizierung der Verträge für eine Erörterung in der nächsten Woche anläßlich eines Mittagessens vor. Dabei sollten die Themen

Absichtserklärungen[2], KSE, MBFR,

im Mittelpunkt stehen. Darüber hinaus könne die Frage von möglichen Berlin-Klauseln aufgenommen werden.[3]

Der Staatssekretär ging dann im einzelnen auf folgende Themen ein:

---

[11] Die Wörter „Briten und Franzosen angezeigt" wurden von Bundesminister Scheel hervorgehoben. Dazu vermerkte er handschriftlich: „U[nd] UdSSR."

[1] Die Gesprächsaufzeichnung wurde von Vortragendem Legationsrat Meyer-Landrut am 29. Februar 1972 gefertigt und „mit der Bitte um Billigung" an Staatssekretär Frank weitergeleitet.
Hat Frank am 29. Februar 1972 vorgelegen, der handschriftlich vermerkte: „Siehe Änderungen S. 3 u[nd] 5!" Vgl. Anm. 9 und 15.
Hat Vortragendem Legationsrat I. Klasse Schönfeld am 29. Februar 1972 vorgelegen, der handschriftlich für Referat II A 4 vermerkte: „Eilt. H[err] Dg III A bat, ein Exemplar sofort an III A 6 zu geben."
Hat Vortragendem Legationsrat I. Klasse Blumenfeld am 1. März 1972 vorgelegen. Vgl. den Begleitvermerk; VS-Bd. 9017 (II A 4); B 150, Aktenkopien 1972.

[2] Für den Wortlaut der Leitsätze 5 bis 10 vom 20. Mai 1970 für einen Vertrag mit der UdSSR („Bahr-Papier"), die bei den Moskauer Verhandlungen vom 27. Juli bis 7. August 1970 als Leitsätze 1 bis 6 zu „Absichtserklärungen" zusammengefaßt wurden, vgl. BULLETIN 1970, S. 1097f.

[3] Zu den Gesprächen des Staatssekretärs Frank mit dem sowjetischen Botschafter Falin am 20. und 25./26. März 1972 über eine Berlin-Klausel in einem Handelsabkommen zwischen der Bundesrepublik und der UdSSR vgl. Dok. 60 und Dok. 74.

Grundstücke in Moskau und Bonn,
Generalkonsulate in Hamburg und Leningrad,
Umweltkonferenz,
Weltgesundheitsorganisation,
Luftverkehr Berlin–Bulgarien,
KSE (Nebenveranstaltungen),
die Verwendung des Wortes „deutsch",
Einbeziehung Berlins in bilaterale und multilaterale Abkommen,
Stand der deutsch-tschechoslowakischen Beziehungen,
Behandlung von VLR Stabreit durch die sowjetische Botschaft.

Zur Frage der Grundstücke[4] bemerkte der Staatssekretär, daß sie auf gutem Wege sei. Allerdings müsse die Gegenseitigkeit im Hinblick auf Lage und Größe in etwa gewährleistet sein. Nach Einverständnis der sowjetischen Seite bezüglich der Viktorshöhe wollten wir festhalten, daß für uns das bekannte Grundstück auf den Leninbergen zur Verfügung stehe und dessen Größe unseren Bedürfnissen entsprechend bemessen werde.

Botschafter *Falin* bestätigte, daß die sowjetische Botschaft die Schule und die anderen auf der Viktorshöhe befindlichen Gebäude sobald wie möglich als Provisorium beziehen wolle, und bat zu veranlassen, daß die Frage der Miete u. ä. in Bälde besprochen werden könne. Zur Größe der Grundstücke führte er aus, daß die Höhe der Gebäude hier und in Moskau unterschiedlich begrenzt werde (hier könnten nur drei bis vier Stockwerke aufgeführt werden, was in Moskau nicht der Fall sei). Auch sei der Grundstückspreis in Moskau wohl höher anzusetzen als hier. Die Moskauer zuständigen Stellen seien jedoch bereit, sämtliche deutschen Wünsche entgegenkommend zu erörtern. Was irgendwie annehmbar sei, werde getan werden.[5]

---

[4] Die sowjetische Regierung bemühte sich seit 1965 um ein Grundstück für ein neues Botschaftsgebäude. Das schließlich gewünschte Grundstück in Bonn-Bad Godesberg lag jedoch innerhalb eines unter Landschaftsschutz stehenden Gebietes. Am 10. Februar 1969 verknüpfte die Bundesregierung ein Eingehen auf die sowjetischen Wünsche damit, daß der Bundesrepublik ein geeignetes Grundstück in Moskau für ein neues Kanzleigebäude zur Verfügung gestellt werde. Nachdem die sowjetische Regierung mit Verbalnote vom 30. September 1969 bestätigt hatte, hinsichtlich der Frage des Grundstücks und des Baus neuer Botschaftsgebäude in Bad Godesberg und Moskau nach dem Prinzip der Gegenseitigkeit verfahren zu wollen, teilte Staatssekretär Duckwitz dem sowjetischen Botschafter Zarapkin mit Schreiben vom 14. November 1970 mit, daß die Bundesregierung den Kauf des Grundstücks für die sowjetische Botschaft in die Wege geleitet habe. Vgl. dazu Referat II A 4, Bd. 1080.
Am 13. Oktober 1971 teilte der sowjetische Botschafter Falin Bundesminister Scheel mit, die Verhandlungen über den Kauf eines Grundstücks für den Neubau der sowjetischen Botschaft „seien durch ständig steigende Preisforderungen von seiten des derzeitigen Besitzers gekennzeichnet (August: 2,3 Mio. DM, Bezugstermin November 1971; September: 2,4 Mio. DM, Bezugstermin März 1972; Oktober: 2,7 Mio. DM, Bezugstermin Mai 1972). Die sowjetische Seite habe sich mit der letzten Preisforderung einverstanden erklärt. Es sei aber zu erwarten, daß sich die Preisforderung des Besitzers bei der nächsten Verhandlung am 22. Oktober auf 3,3 Mio. DM erhöhen werde. In diesem Falle werde die sowjetische Seite die Verhandlungen abbrechen. Der sowjetische Botschafter betonte, daß er aufgrund des derzeitigen Zustandes seiner Residenz dieselbe in jedem Fall Mitte November verlassen müsse." Vgl. Ministerbüro, Bd. 471.
[5] Am 10. März 1972 vermerkte Ministerialdirigent Röding mit Blick auf ein Gespräch des Staatssekretärs Frank mit dem Vorsitzenden des Moskauer Stadtsowjets, Promyslow, das von sowjetischer Seite angebotene Grundstück sei „für die vorgesehene Bebauung (Kanzler, Dienstwohnungen, Schule) zu klein". Interesse an dem Nachbargrundstück sei bereits angemeldet worden. Vgl. Referat II A 4, Bd. 1513.

Zur Frage der Generalkonsulate[6] führte der *Staatssekretär* aus, daß eine Räumung des Gebäudekomplexes in der Magdalenenstraße drei bis vier Jahre in Anspruch nehmen würde. Wir seien deshalb dabei, eine ebenso gute oder bessere Lösung zu finden, die schneller realisiert werden könne und rationeller sein werde. Er habe heute in dieser Angelegenheit an den Finanzminister[7] geschrieben.

Im übrigen strebe man eine provisorische Eröffnung der Generalkonsulate an, sobald die Gebäudefrage prinzipiell geklärt sei.

Botschafter *Falin* meinte, daß nun, da das Gebäude in der Petra Lawrowa akzeptiert sei, man einem deutschen Angebot hinsichtlich des Generalkonsulats in Hamburg entgegensehe. Die gewünschten Zusatzbauten in Leningrad würden seiner Ansicht nach keine Schwierigkeiten machen.

Die Sowjetunion sei bereit, eine gemeinsame Übereinkunft bezüglich der provisorischen Eröffnung der Generalkonsulate in naher Zukunft ins Auge zu fassen. Eine solche Übereinkunft sei unproblematisch.

Als nächsten Punkt erwähnte der *Staatssekretär* die Umweltkonferenz. Die Beteiligung der DDR[8] betreffe noch bestehende grundsätzliche Aspekte der Außenvertretung Ost-Berlins. Er wolle hierzu Botschafter Falin unterrichten, damit keine Mißverständnisse aufkommen, jedoch nicht um Interventionen bitten. Die Bundesregierung wolle die DDR weder isolieren noch aussperren, doch sei deren vollberechtigte Teilnahme abhängig vom innerdeutschen Prozeß. Eine Erleichterung der Kommunikationsmöglichkeiten bis zur Grenze des für die DDR Erträglichen werde von uns angestrebt. Sei ein entsprechender Stand der innerdeutschen Beziehungen erreicht, so werde sich das Problem der Außenbeziehungen der DDR befriedigend regeln lassen. Wir seien bereit, in den Außenbeziehungen der DDR[9] eine von der bisherigen abweichende Einstellung einzunehmen, und zwar in dem Maße, in dem sich die DDR konziliant erweise. Die gegenseitigen Gespräche über einen Verkehrsvertrag sollten Reiseerleichterungen umfassen, Herr Kohl habe entsprechende Vorschläge jedoch abgelehnt.[10] Woher sollten wir die Sicherheit nehmen, daß dem Prozeß der Ost-West-Entspannung auch ein entsprechender Prozeß zwischen den beiden deutschen Staaten parallel gehe?

Für die Zwischenperiode, bis eine befriedigende Regelung der Beziehungen zwischen den beiden deutschen Staaten erreicht sei, sei zusammen mit den Alliierten eine Kompromißformel ausgearbeitet worden, die eine Teilnahme der DDR ermögliche.[11] Es stelle sich die Frage, was wichtiger sei, die praktische Teilnahme oder das Durchsetzen von Prinzipien. Unsere Formel ermögli-

---

[6] Am 22. Juli 1971 vereinbarten die Bundesrepublik und die UdSSR die Errichtung von Generalkonsulaten in Hamburg und Leningrad. Vgl. dazu AAPD 1971, I, Dok. 132.

[7] Karl Schiller

[8] Zu einer Beteiligung der DDR an der UNO-Umweltkonferenz vom 5. bis 16. Juni 1972 in Stockholm vgl. Dok. 4.

[9] Die Wörter „in den Außenbeziehungen der DDR" wurden von Staatssekretär Frank handschriftlich eingefügt. Dafür wurde gestrichen: „in der Frage der Umweltkonferenz".

[10] Vgl. dazu das 35. Gespräch des Staatssekretärs Bahr, Bundeskanzleramt, mit dem Staatssekretär beim Ministerrat der DDR, Kohl, am 2./3. Februar 1972; Dok. 21 und Dok. 25.

[11] Zu den Überlegungen der Bonner Vierergruppe hinsichtlich einer Beteiligung der DDR an der UNO-Umweltkonferenz vom 5. bis 16. Juni 1972 in Stockholm vgl. Dok. 17, Anm. 18.

che einen tragbaren Kompromiß bis zu einer Zeit, in der mehr möglich sein werde. Die Sowjetunion solle wissen, daß wir nach Ratifizierung der Verträge in unserer Modus-vivendi-Politik fortschreiten wollten und die gegenwärtige defensive Haltung lediglich durch die Position der DDR bestimmt sei, jedoch keinen prinzipiellen Charakter trage.

Botschafter *Falin* führte hierzu aus, die sowjetische Position sei bekannt, wonach die Teilnahme der DDR an einer solchen Konferenz unabhängig von innerdeutschen Lösungen geregelt werden solle. Wenn für die Teilnahme der DDR keine diese befriedigende Lösung gefunden werde, würden weder die Sowjetunion noch einige andere sozialistische Länder an der Konferenz teilnehmen. Nach sowjetischer Auffassung sei eine solche Konferenz ohne Teilnahme einer Industrienation wie der DDR sinnlos. Darüber hinaus könne eine Diskriminierung der DDR nicht hingenommen werden. Dies sei jedenfalls die bisherige Haltung der sowjetischen Regierung gewesen, und der Botschafter glaube, daß diese auch heute noch aktuell sei.

Staatssekretär *Frank* verwies darauf, daß die Bundesregierung sich bei der bevorstehenden Konferenz der WHO vom 9. bis 26.5. in Genf einem eventuellen Aufnahmeantrag der DDR erneut widersetzen werde.[12] Die Bundesregierung werde für eine Vertagung um ein Jahr eintreten, um der DDR Zeit zu geben, die Verhältnisse mit uns zu bessern. Dies sei kein Zeichen der Feindseligkeit gegenüber der DDR, sondern diene dem Ziel menschlicher Erleichterungen in einem Maße, die der DDR möglich seien.[13] Die Abstimmungsergebnisse des letzten Jahres[14] ließen darauf schließen, daß wir mit unserem Anliegen Erfolg haben würden. Verglichen mit der Bedeutung des Vertragswerkes und der Politik, die damit verbunden ist, sei es ohne Bedeutung, ob die DDR im Jahre 1972 oder 1973 Mitglied der WHO werde.

Sollten sich die Beziehungen mit der DDR vernünftig entwickeln, würden wir sie zwar völkerrechtlich nicht anerkennen, aber doch zu einer gewissen Gleichwertigkeit im Verhältnis[15] kommen.

Botschafter *Falin* drückte sein Bedauern bezüglich unserer Stellungnahme zur Teilnahme der DDR an der Weltgesundheitsorganisation aus; die Zeit sei reif, eine flexiblere Lösung zu suchen. Er wolle nicht sagen, daß er den deutschen Standpunkt nicht verstehe, aber für die DDR sei dieser Standpunkt ebenso unannehmbar, wie er auch für die Bundesrepublik in entsprechender Lage unannehmbar wäre. Die Tätigkeit der DDR im internationalen Rahmen werde von der Bundesregierung beschränkt, um daraus ein Druckmittel zu machen. Er möchte die Frage, ob dadurch die Position der DDR in den innerdeutschen Beziehungen erleichtert werde, hier nicht diskutieren. Er meine aber, daß es für die DDR sehr schwer sei, in einer solchen Situation flexibler zu werden. Daß sie dazu in der Lage sei, habe sie gerade in den letzten Wochen unter Beweis gestellt.

---

[12] Vgl. dazu den Runderlaß des Staatssekretärs Frank vom 20. März 1972; Dok. 54, Anm. 12.
[13] So in der Vorlage.
[14] Zur Abstimmung in der WHO am 13. Mai 1971 vgl. Dok. 4, Anm. 22.
[15] Die Wörter „im Verhältnis" wurden von Staatssekretär Frank handschriftlich eingefügt. Dafür wurde gestrichen „hierzu".

Der nächste Punkt betraf die Frage der Touristikflüge von Berlin nach Bulgarien.[16] Staatssekretär *Frank* betonte, daß er auch hier keine Aktion der sowjetischen Seite erbitte, sondern nur über unseren Standpunkt informieren wolle. Die jetzige Situation sei dazu angetan, den Berlinern zu demonstrieren, daß ein „Erfolg" des Berlin-Abkommens[17] der sei, daß sie nun ihre Ferienflüge von Ost-Berlin antreten müßten. Die Bundesregierung habe versucht, in dieser Angelegenheit mit den Bulgaren zu verhandeln; sie habe eine vollkommen negative Antwort erhalten. Die Folge werde sein, daß es in ein bis zwei Jahren fast keine deutschen Urlauber in Bulgarien geben werde.[18] Wenn also für die Bulgaren die Prinzipienfrage des Starts in West- oder Ost-Berlin wichtiger sei als das Touristikaufkommen von über 100000 westdeutschen Urlaubern, so würden wir es dabei belassen. Auch hier laute also die Frage, ob es wichtiger sei, formale Positionen aufrechtzuerhalten oder Kontakte, Beziehungen auf- und auszubauen. Das Ganze sei keine schöne Begleitmusik für das Berlin-Abkommen.

Botschafter *Falin* erklärte, die Frage der Flüge durch die Luftkorridore sei schwierig. Es bestünden da bekanntlich Differenzen zwischen den Drei Mächten und der Sowjetunion. Die Korridore seien zu anderen Zwecken geschaffen

---

[16] Zur Frage von Charterflügen nach Bulgarien stellte das Bundesministerium für Wirtschaft und Finanzen am 20. Januar 1972 fest: „1) Direkte Charterflugreisen von West-Berlin nach Bulgarien waren in den letzten Jahren sowohl von West-Berlin (Flughafen Tegel) via Bundesgebiet (Veranstalter: Touristik-Union International – TUI, Berliner Flugring, Flugunion Berlin) als auch vom Ostberliner Flughafen Schönefeld (Veranstalter: Neckermann – NUR –) möglich. 2) Bulgarien hat 1971 während der Saison die Landeerlaubnis für Direktflüge ab West-Berlin (Carrier: Modern Air) verweigert. TUI, Berliner Flugring und Flugunion Berlin sind daraufhin kurzfristig auf Abflüge in Ost-Berlin ausgewichen. 3) Nach Verhandlungen gab Bulgarien im Vorjahr wieder Landeerlaubnis für Direktflüge ab West-Berlin. Davon hat nur TUI wieder Gebrauch gemacht, die beiden Berliner Veranstalter blieben bei Abflügen von Ost-Berlin wegen der erheblich billigeren Preise der Ostblock-Carrier, z.B. Interflug. Für die Saison 1972 verweigert Bulgarien jetzt wieder die Landeerlaubnis." Vgl. Referat III A 4, Bd. 848.
Referat III A 4 führte dazu ergänzend aus, die bulgarische Regierung berufe sich dabei darauf, daß Berlin „kein Land der Bundesrepublik" sei und daß die Flugzeuge der „Modern Air" nicht zu den Flugzeugen der Vier Mächte gehörten, die allein die Luftkorridore benutzen dürften. Die von „Modern Air" beantragten Flüge „berührten deshalb das Lufthoheitsgebiet der DDR, was von der DDR-Regierung beanstandet werden würde". Vgl. den Sprechzettel vom 25. Januar 1972; Referat III A 4, Bd. 848
[17] Für den Wortlaut des Vier-Mächte-Abkommens über Berlin vom 3. September 1971 vgl. EUROPA-ARCHIV 1971, D 443–453.
[18] Nach Beratungen mit den zuständigen Bundesministerien beschlossen die betroffenen Reiseveranstalter aus der Bundesrepublik und Berlin (West) am 1. Februar 1972, „daß die für 1972 geplanten Reisen nach Bulgarien wegen der bereits eingegangenen Verpflichtungen durchgeführt werden müßten, daß aber das bulgarische Verhalten nicht hingenommen werden könne, zumal es zum Präzedenzfall für andere Länder des Ostens, aber auch des Westens, werden könne. Man will daher für 1973 neue Verträge aus dem Bundesgebiet und Berlin nur dann abschließen, wenn die Genehmigung für Direktflüge Berlin (West) – Bulgarien vorliegt." Vgl. den Drahterlaß Nr. 48 des Vortragenden Legationsrats I. Klasse Dietrich vom 2. Februar 1972; Referat III A 4, Bd. 848.
Nachdem trotz erneuter Verhandlungen zwischen der bulgarischen Gesellschaft „Balkantourist" und den Reiseveranstaltern aus der Bundesrepublik und Berlin (West) keine Genehmigung für Flüge der „Modern Air" von Berlin (West) nach Bulgarien erteilt wurde, sagte die TUI ihr Sommerflugreiseprogramm für 1972 ab. Dietrich teilte der Handelsvertretung in Sofia dazu am 2. März 1972 mit, als Gegenmaßnahme werde für 1973 seitens der Bundesregierung ein Landeverbot für bulgarische Charterflugzeuge erwogen. Vgl. dazu den Drahterlaß Nr. 1045; Referat III A 4, Bd. 848.

worden[19], wie sich leicht belegen lasse. Sicherlich entspreche der Transport von Touristen nicht den originären Gedanken der Vier Mächte bei der Schaffung der Korridore. Sicherlich sei die Frage heute in der bekannten Schärfe gestellt worden im Zusammenhang mit dem baldigen Inkrafttreten der Berlin-Regelung, obgleich die Frage des Luftverkehrs ausdrücklich aus der Berlin-Regelung ausgenommen worden sei. Die Frage des Touristenverkehrs sei auch schon im vorigen Jahr diskutiert worden. Damals sei die Stellungnahme der Vertreter der Bundesregierung und West-Berlins anders dargestellt worden als heute. Die Lösung, die man heute erzwingen wolle, habe rein politischen Charakter. In der Praxis seien Flüge von Ost-Berlin nach Bulgarien billiger und bequemer, weil um eine Stunde kürzer. Was den Transfer anbetreffe, so hätten die Fluggäste keinerlei Schwierigkeiten. Die heutige Schärfe in der Diskussion sei aufgekommen, weil von westdeutscher Seite versucht werde, Präzedenzen zu schaffen, was eine Verhärtung der anderen Seite unausweichlich gemacht habe, so daß es heute unmöglich sei, eine gemeinsame Sprache zu finden.

Die Frage könnte jedoch am Rande der Verhandlungen um einen Verkehrsvertrag mit der DDR besprochen werden. Sie könne gelöst werden, wenn BRD und DDR gemeinsame Prinzipien ausarbeiteten, die Regelungen des Flugverkehrs für Berliner, DDR-Bürger und Bundesbürger enthalten. Doch die Frage betreffe nicht nur die DDR und Bulgarien, sondern auch die Sowjetunion. Die Sowjetregierung sei bereit, mit den Westmächten Verhandlungen hierüber aufzunehmen. Man könne Lösungen finden, die auch Direktflüge ermöglichten, ohne daß Umwege über die Korridore erfolgen müßten. Im Zusammenhang mit den sowjetischen Rechten bezüglich der Korridore und des Berliner Luftraumes sei die Sowjetregierung bereit, ihre guten Dienste zur Verfügung zu stellen. Man solle sich jedoch darüber im klaren sein, daß eine bilaterale Regelung auf praktischer Grundlage mit Bulgarien unmöglich sei.

Staatssekretär *Frank* stellte fest, daß es darum gehe, ob die DDR eine Art Monopol für den Transport von West-Berlinern auf dem Flugwege erhalten sollte.

Botschafter *Falin* erklärte, die DDR und die Sowjetunion seien bereit, diese Frage in ihrem Gesamtzusammenhang zu besprechen und zu lösen. Dieses sei sicherlich besser als die Versuche, in scharfer Weise mit bulgarischen Vertretern eine bilaterale Lösung zu erzwingen.

Als nächstes Thema behandelte der *Staatssekretär* die KSE. Die Bundesregierung habe mit Interesse und Genugtuung die Prager Deklaration[20] zur Kenntnis genommen. Die Abwesenheit von Polemik sei eine Ermutigung für uns gewesen. Mit Inkrafttreten der Berlin-Regelung werde die multilaterale Vorbe-

---

19 Zur Einrichtung der Luftkorridore vgl. den Bericht des Luftfahrtdirektorats über die Schaffung eines Systems von Luftkorridoren, das vom Koordinierungskomitee am 27. November 1945 gebilligt und vom Alliierten Kontrollrat am 30. November 1945 bestätigt wurde; DOKUMENTE ZUR BERLIN-FRAGE, 1944–1966, S. 42–45.
Vgl. dazu ferner die Flugvorschriften für Flugzeuge, die die Luftkorridore in Deutschland und die Kontrollzone Berlin befliegen, in der vom Luftfahrtdirektorat verabschiedeten zweiten abgeänderten Fassung vom 22. Oktober 1946; DOKUMENTE ZUR BERLIN-FRAGE, 1944–1966, S. 48–58.

20 Für die Ausführungen zur Europäischen Sicherheitskonferenz in der auf der Tagung des Politischen Beratenden Ausschusses des Warschauer Pakts am 25./26. Januar 1972 in Prag verabschiedeten Deklaration über Frieden, Sicherheit und Zusammenarbeit in Europa vgl. Dok. 28, Anm. 31.

reitung einer KSE – vermutlich im Herbst d. J. – möglich werden. Intern seien die Vorbereitungen sowohl in internationalem Rahmen als auch im Bündnis und auch im Rahmen der politischen Zusammenarbeit der Europäischen Gemeinschaften weit gediehen. Wir gingen davon aus, daß es eine wichtige seriöse Veranstaltung sein werde, die konkrete Perspektiven für die 70er und 80er Jahre eröffne.

Ein Detail, auf das er hinweisen wolle, seien die zahlreichen Initiativen, die außerhalb der Regierungen ergriffen würden, um eine Art Vorläuferkonferenzen zur KSE zu veranstalten. Wir fragten uns, ob diese Veranstaltungen dem seriösen Charakter der KSE dienlich seien. Information und Vorbereitung sollte den Regierungen vorbehalten bleiben, und die Sowjetunion solle sich nicht wundern, wenn wir für Nebenveranstaltungen, wie sie in Rom, Brüssel, Ost-Berlin, Wien, Helsinki erfolgt oder geplant seien, keine Begeisterung zeigten. Das gelte auch für die vorgesehene Sitzung der Interparlamentarischen Union.[21]

Die KSE gewinne in dem Maße an Bedeutung, wie es möglich sei, ihren gouvernementalen Charakter zu stärken.

Botschafter *Falin* erklärte hierzu, die Frage der einzelnen gesellschaftlichen oder parlamentarischen Konferenzen über europäische Sicherheit sei nicht pauschal mit Ja oder Nein zu beantworten. Freilich seien sie ein Ersatz für die Regierungskonferenz. Ziel der Sowjetunion sei nicht, eine propagandistische Konferenz durchzuführen, sondern eine Konferenz, die reale Folgen und Ergebnisse habe. Dennoch könne das bessere Erklären der Möglichkeiten einer Zusammenarbeit auf den Gebieten der Sicherheit und der Wirtschaft in Europa der Sache nicht schaden, nur die Proportionen müßten richtig gesehen werden.

Deshalb sei ihm auch nicht ganz klar, warum die Bundesregierung hier Sorge habe. Die Brüsseler Konferenz[22] oder ähnliche könnten nicht schädlich sein, soweit sie keinen Ersatz für die Diskussionen der Regierungen darstellten.

Der Botschafter unterstrich seine Befriedigung über die positive Aufnahme des Prager Dokuments, bei dessen Formulierung man bewußt alle Polemik weggelassen habe, um im Westen nicht den Eindruck aufkommen zu lassen, als wolle der Warschauer Pakt in dieser Angelegenheit Druck ausüben. Form und Inhalt sollten eine Grundlage für eine positive Diskussion von Ost und West liefern.

Staatssekretär *Frank* behandelte als nächstes die Verwendung des Wortes „deutsch" in amtlichen Schriftstücken. Er verwies auf die sowjetische Stellungnahme zur Zirkularnote bezüglich unserer Kandidatur in der ILO.[23] Es sei

---

[21] Die Tagung der Interparlamentarischen Union fand vom 3. bis 8. April 1972 in Jaunde statt.

[22] Vom 2. bis 5. Juni 1972 sollte in Brüssel ein „Forum von Vertretern der öffentlichen Meinung" zur Europäischen Sicherheitskonferenz stattfinden. Dazu notierte Vortragender Legationsrat I. Klasse Freiherr von Groll am 25. Mai 1972: „Dieses Forum, bei dem westlicherseits vor allem sog[e.]nannte ‚Friedenskämpfer', östlicherseits aber hochrangige repräsentative Persönlichkeiten teilnehmen werden, wird von allen NATO-Ländern offiziell ignoriert." Vgl. Referat II A 3, Bd. 109299.

[23] Am 24. Januar 1972 teilte das Auswärtige Amt in einer Zirkularnote die Absicht mit, für den Vorsitz im Verwaltungsrat des Internationalen Arbeitsamts zu kandidieren, und führte dazu aus: „Als Kandidaten für die im Juni 1972 stattfindende Wahl benennt die Bundesregierung den deutschen

zwar unstreitig, daß wir früher in der Bezeichnung der DDR Schwierigkeiten gehabt hätten. Dies sei jedoch heute nicht mehr der Fall. Es sei jedoch eine geradezu abenteuerliche Vorstellung, wenn man uns dazu veranlassen wolle, die Worte „deutsch" oder „Deutschland" aus dem Sprachgebrauch zu verbannen. Wo eine Definition nötig sei, werde von „Bundesrepublik Deutschland" und „DDR" gesprochen werden. Adjektivisch gehe das nicht. Diese Art semantischer Bemühungen sollten wir gar nicht erst beginnen. Es sollte nicht zum Gegenstand von Auseinandersetzungen gemacht werden, die Substanz von mehr als tausend Jahren deutscher Geschichte auszulöschen.

Botschafter *Falin* stellte den Zusammenhang dieser Frage zu der Außenvertretung der DDR her. Man finde im Ausland Schilder, auf denen stehe „Deutsche Botschaft". Ein Botschaftsrat in Moskau habe Einladungen verschickt mit der Aufschrift „Der Botschaftsrat der Deutschen Botschaft ...". Die Botschaft der Bundesrepublik Deutschland in Moskau melde sich auch heute noch am Telefon mit „Deutsche Botschaft". Die Sowjetunion leugne natürlich nicht, daß es „Deutsche" gäbe, die „deutsche" Sprache und in Ost und West Bezeichnungen, in denen das Adjektiv „deutsch" oder das Substantiv „Deutschland" benutzt würden.

Die gesamte Frage der Bezeichnungen werde sich durch Zeitablauf regeln, nämlich in dem Moment, in dem die Außenvertretung der DDR gelöst sei. Bis dahin müsse man aber unterstellen, daß derartige Formulierungen wie in der angesprochene Note den Versuch beinhalteten, den Alleinvertretungsanspruch zu reaktivieren.

Staatssekretär *Frank* replizierte, daß zweifellos in der Vergangenheit auf diesem Gebiet Übertreibungen festzustellen gewesen seien. Doch sollte man auch auf der anderen Seite Übertreibungen im Hinblick auf die Zukunft vermeiden. Wir seien zu vielem bereit, jedoch nicht dazu, uns falsch zu bezeichnen.

Fortsetzung Fußnote von Seite 205
Regierungsvertreter im Verwaltungsrat des Internationalen Arbeitsamts, Ministerialdirigent Dr. Detlev Zöllner. Vor seiner Ernennung zum deutschen Regierungsvertreter im Verwaltungsrat hat Dr. Zöllner als Mitglied der deutschen Regierungsdelegation an den Sitzungen der Internationalen Arbeitskonferenz sowie des Verwaltungsrates des Internationalen Arbeitsamts teilgenommen." Vgl. Referat I C 1, Bd. 676.
Vortragender Legationsrat I. Klasse Blumenfeld vermerkte am 3. Februar 1972, der Erste Sekretär der sowjetischen Botschaft, Schikin, habe den Erhalt der Zirkularnote bestätigt und dazu ausgeführt, die sowjetische Botschaft „habe festgestellt, daß in dieser Note des öfteren der Ausdruck ‚deutsch' gebraucht werde. Sie bäte uns, die korrekte Bezeichnung einzusetzen. Ich fragte Herrn Schikin, ob die sowjetische Botschaft uns die Note zurückschicken wolle. Herr Schikin entgegnete, daß dies nicht beabsichtigt sei, sofern wir die korrekte Bezeichnung einsetzten, d. h. der sowjetischen Botschaft eine neue Note mit dieser ‚korrekten' Bezeichnung zuschickten." Blumenfeld führte dazu aus: „Referat II A 4 ist im Benehmen mit Referat II A 1 der Auffassung, daß das sowjetische Ansinnen abgelehnt werden sollte." Die Note sei eine Zirkularnote an alle Vertretungen, und es bestehe „kein Anlaß zu einer Sonderanfertigung für die sowjetische Regierung. Unbeschadet davon sollte in künftigen Fällen erwogen werden, in Notentexten, die an die sowjetische Regierung bzw. auch an sie gehen, soweit tunlich unsere Staatsbezeichnung zu verwenden." Vgl. Referat I C 1, Bd. 676.
Am 25. Februar 1972 teilte die sowjetische Botschaft mit, daß die Zirkularnote des Auswärtigen Amts vom 24. Januar 1972 „wegen der in der Note enthaltenen Formulierungen, die von der allgemeingültigen zwischenstaatlichen Praxis abweichen, nicht zur Behandlung genommen werden kann". Vgl. Referat I C 1, Bd. 676.

Nächster Gesprächspunkt war die Einbeziehung Berlins in internationale Verträge. Staatssekretär Frank bat im Hinblick auf das kommende Gespräch Botschafter Falin, sich zu überlegen, wie im Lichte des Berlin-Abkommens in Zukunft der Komplex der Berlin-Klausel gesehen werden solle, ob mit der Berlin-Regelung dieser Komplex erledigt sei oder ob wir wie in der Vergangenheit um jede Berlin-Klausel würden kämpfen müssen, so daß die praktische Zusammenarbeit auch hier hinter Formalien werde zurückstehen müssen. Eine andere Möglichkeit sei, für die Zukunft eine allgemeine Formel zu finden; jedenfalls sollten wir uns bemühen, ein Aufkommen neuer Schwierigkeiten für die Zukunft zu vermeiden.

Botschafter *Falin* erklärte, die Frage der Berlin-Klausel müsse geregelt werden, wie es im Vier-Mächte-Abkommen eingehend beschrieben sei.[24] Es gebe da klare Anhaltspunkte. Er sei jedoch selbstverständlich bereit, die Frage zu besprechen, wie die Einbeziehung Berlins in bilaterale Verträge optimal gelöst werden könne.

Staatssekretär *Frank* verwies auf eine Schwierigkeit, die im Zusammenhang mit der Diskussion über den Astronauten-Rettungsvertrag aufgekommen sei[25], da von sowjetischer Seite behauptet werde, eine Einbeziehung Berlins sei ausgeschlossen, weil der Vertrag militärischen Charakter trage. Auch hier gelte es zu klaren Regelungen zu kommen, damit in Zukunft keine Schwierigkeiten auftreten.

Botschafter *Falin* meinte, Berlin solle in keinem Fall abseits stehen. Entweder es werde an internationalen Verträgen über Westdeutschland oder über die Alliierten beteiligt werden. Der Kosmonautenvertrag sähe eine Ausnutzung militärischer Ausrüstung bei der Rettung vor, wenn er auch humanitären Zielen diene. Dasselbe gelte für den Nichtverbreitungsvertrag.[26] Auch dies sei ein Vertrag mit humanitären Zielen, der sich auf militärische Mittel beziehe. Er sei aber gern bereit, das Thema bei der nächsten Zusammenkunft zu erörtern.

Nächstes Thema bildeten die Beziehungen der Bundesrepublik Deutschland mit der ČSSR. Staatssekretär *Frank* unterrichtete den Botschafter, daß sein tschechoslowakischer Verhandlungspartner Goetz ihm in einem Schreiben mitgeteilt habe, daß die tschechoslowakische Regierung die seinerzeit von Staatssekretär Frank und Herrn Goetz ausgehandelte Formel[27] abgelehnt habe. Der

---

24 Vgl. dazu Anlage IV A Absatz 2b) sowie Anlage IV B Absatz 2b) des Vier-Mächte-Abkommens über Berlin vom 3. September 1971; Dok. 25, Anm. 9, und Dok. 37, Anm. 4.
25 Zur Weigerung der UdSSR, die Ratifikationsurkunde der Bundesrepublik zum Astronautenbergungsabkommen vom 22. April 1968 entgegenzunehmen, vgl. Dok. 37.
26 Für den Wortlaut des Nichtverbreitungsvertrags vom 1. Juli 1968 vgl. EUROPA-ARCHIV 1968, D 321–328.
27 Während der vierten Runde der Gespräche mit der ČSSR über eine Verbesserung des bilateralen Verhältnisses am 18./19. November 1971 in Rothenburg ob der Tauber schlug Staatssekretär Frank als Formulierung zum Münchener Abkommen vom 29. September 1938 vor: „Die Tschechoslowakische Sozialistische Republik und die Bundesrepublik Deutschland stellen übereinstimmend fest, daß das Münchener Abkommen vom 29. September 1938 als das erste Ergebnis einer Politik, die unter Androhung von Gewalt auf die Zerstörung der Unabhängigkeit und Einheit des tschechoslowakischen Staates gerichtet und deshalb von Anfang an ein Unrecht war, erloschen ist". Der tschechoslowakische Stellvertretende Außenminister Goetz bezeichnete diese Formel als Fortschritt. Vgl. AAPD 1971, III, Dok. 398.

Gegenvorschlag auf diese sehr kunstvolle Formel sei wieder so, als wäre man den ganzen Berg heruntergerutscht, auf dem man sich langsam hoch gearbeitet habe.[28]

In Kenntnis der entsprechenden Absichtserklärung von Moskau[29] und der innenpolitischen Situation bei uns müsse der Staatssekretär unterstreichen, eine juristische ex-tunc-Nichtigkeitserklärung gehe nicht. Eine moralische, politische Verdammung des Vertrages[30] sei ohne weiteres möglich. Er habe jedoch die Befürchtung, daß auf seiten der ČSSR der Gedanke bestehe, daß nach der Ratifizierung der Ostverträge eine Lösung im Sinne der Prager Maximalforderung möglich sein werde. Dies sei nicht der Fall.

Botschafter *Falin* berichtete, daß Generalsekretär Breschnew anläßlich der Prager Konferenz mit Parteisekretär Husák zwei Gespräche über den Stand der Verhandlungen mit der Bundesrepublik Deutschland geführt, wobei Husák eine sehr pessimistische Stellungnahme abgegeben habe. Wenn die Bundesregierung diese Linie weiterverfolge, so bestehe keine Perspektive auf Einigung. Was die tschechoslowakische Seite beunruhige, sei jeglicher Versuch, eine Formel auszuarbeiten, die die Grenzen der ČSSR in Frage stellte – direkt oder indirekt. Das beinhalte auch, ob die Grenzveränderungen von 1938 gesetzmäßig gewesen seien oder nicht, ob die damaligen Änderungen völkerrechtliche Konsequenzen gehabt haben oder nicht. Damit stehe die Sicherheit des tschechoslowakischen Staates in den Grenzen von 1918 in Frage.

Staatssekretär *Frank* erklärte, daß die ČSSR eine Grenzgarantie von uns haben könne, und zwar so fest wie irgend möglich. Dies sei jedoch eine Frage, die mit der ex-tunc-Nichtigkeitserklärung des Münchener Abkommens nicht zusammengebracht werden könne. Wie könne beispielsweise die ČSSR Folgen eines Abkommens verhandeln – wozu sie ja bereit sei –, wenn dieses Abkommen gar nicht existent gewesen sei. Im übrigen würde durch eine solche ex-tunc-Nichtigkeitserklärung eine neue völkerrechtliche Praxis begonnen werden, die unabsehbare Folgen haben könne. Man müsse auch den innenpolitischen Aspekt bei uns im Auge behalten. Die öffentliche Meinung sei sicherlich für eine Grenzgarantie zu gewinnen, aber daß die Bundesregierung bestätige, daß nicht war, was war, das gehe zu weit. Hier stehe die Glaubwürdigkeit der Regierung zur Debatte.

Wenn es möglich wäre, zu unserer Formel einen Artikel zur Grenzgarantie hinzuzunehmen, dann müßte das ausreichen. Auch bestünden keine Bedenken dagegen, festzustellen, daß die heutigen Grenzen mit denen von 1918 übereinstimmten. Dies würde auch der Moskauer Absichtserklärung entsprechen.

---

[28] Staatssekretär Frank nahm am 20. März 1972 zum Schreiben des tschechoslowakischen Stellvertretenden Außenministers Goetz vom 7. Februar 1972 Stellung. Vgl. dazu Dok. 88, Anm. 1.

[29] In Punkt 4 der „Absichtserklärungen" zum Vertrag vom 12. August 1970 zwischen der Bundesrepublik und der UdSSR, der wortgleich mit Leitsatz 8 vom 20. Mai 1970 („Bahr-Papier") war, wurde ausgeführt: „Zwischen der Regierung der Bundesrepublik Deutschland und der Regierung der Union der Sozialistischen Sowjetrepubliken besteht Einvernehmen darüber, daß die mit der Ungültigkeit des Münchener Abkommens verbundenen Fragen in Verhandlungen zwischen der Bundesrepublik Deutschland und der Tschechoslowakischen Sozialistischen Republik in einer für beide Seiten annehmbaren Form geregelt werden sollen." Vgl. BULLETIN 1970, S. 1098.

[30] Für den Wortlaut des Münchener Abkommens vom 29. September 1938 vgl. ADAP, D, II, Dok. 675.

Botschafter *Falin* meinte, es müßte doch möglich sein, eine Formel zu finden, die den Grenzaspekt und die Nichtigkeit des Münchener Abkommens verbinde. Die Logik der Argumentation auf seiten der ČSSR bestehe in der Folge, daß auch in Zukunft möglich sein könne, was einmal möglich gewesen sei.

Als letztes Thema erwähnte Staatssekretär *Frank* die Diskriminierung von VLR Stabreit durch die sowjetische Botschaft.

Botschafter *Falin* stellte in Abrede, daß die Ausweisung von Herrn Stabreit[31] ein Akt der Vergeltung gewesen sei. Die Ausweisung sei nicht vorher erfolgt, weil sonst nicht nur Herr Stabreit hätte Moskau verlassen müssen. Die sowjetische Botschaft werde diesen Mann nicht ignorieren. Sie werde mit ihm sachliche Kontakte unterhalten und unter Umständen auch andere, aber man könne nicht außer acht lassen, daß seiner Ausweisung gewisse Überlegungen zugrunde gelegen hätten.

Staatssekretär *Frank* stellte fest, daß Herr Stabreit das volle Vertrauen des Hauses habe und dementsprechend von der sowjetischen Botschaft behandelt werden solle. Das Vertrauen des Auswärtigen Amts habe sich insbesondere bei der Vorbereitung der Bundestagsdebatten voll bewährt. Im übrigen sei dieses nur eine private Anregung gewesen. Wir sollten jedoch im gegenseitigen Verhältnis jede Art der Polarisierung vermeiden. Die Aufgaben, die auf uns zukämen, verlangten die Mitarbeit aller.

Das Gespräch dauerte 2¼ Stunden und wurde in aufgeschlossener Atmosphäre geführt. Von sowjetischer Seite nahm Botschaftsrat Koptelzew, von deutscher Seite VLR Dr. Meyer-Landrut teil.

VS-Bd. 9017 (II A 4)

---

[31] Die Botschaft der Bundesrepublik in Moskau gab am 24. Februar 1971 bekannt, daß der ursprünglich für Juli 1971 ins Auswärtige Amt einberufene Legationsrat I. Klasse Stabreit, „auf sowjetischen Wunsch hin bereits in den nächsten Tagen" die Sowjetunion verlassen werde, „nachdem der Botschaft durch das sowjetische Außenministerium mitgeteilt worden war, daß – seinen Informationen zufolge – Herr Stabreit einer Tätigkeit nachgehe, die mit seinem diplomatischen Status unvereinbar sei". Botschafter Allardt, Moskau, habe den Vorwurf als grundlos zurückgewiesen. Vgl. den Drahtbericht Nr. 356; Referat II A 4, Bd. 1077.

45

**Aufzeichnung des
Vortragenden Legationsrats I. Klasse von Schenck**

V 1-80.23/4-173/72 geheim 1. März 1972[1]

Betr.: Verkehrsverhandlungen Bahr/Kohl;
hier: Einbeziehung Berlins in den Allgemeinen Verkehrsvertrag

Bezug: a) Dortige Aufzeichnung für den Herrn Staatssekretär vom 4.2.1972
– II A 1-85.50-76/72 geh. – Ziffer 7[2]
b) Hiesige Zuschrift vom 30.12.1971 – V 1-80.23/4-1783/71 geh. – zu der
Frage der Einbeziehung Berlins in den Briefwechsel Sahm/Seidel[3]

1) Die entschiedene Ablehnung der DDR, Berlin (West) in den Allgemeinen Verkehrsvertrag einzubeziehen, die von DDR-Staatssekretär Kohl mit dem Bestehen einer „besonderen Situation" begründet wurde, läßt hiesiges Erachtens deutlich erkennen, daß die DDR „Westberlin" weiterhin als „selbständige politische Einheit" betrachtet. Ohne Rücksicht auf die nach dem Inkrafttreten des Vier-Mächte-Abkommens über Berlin vom 3.9.1971 auch von der Sowjetunion anerkannten Bindungen zwischen Berlin (West) und der Bundesrepublik Deutschland, zu denen auch die Befugnis gehört, Berlin nach außen zu vertreten[4], möchte sie „Westberlin" in Konkurrenz zur Bundesrepublik Deutschland

---

[1] Die Aufzeichnung wurde von Vortragendem Legationsrat I. Klasse von Schenck und von Vortragendem Legationsrat Freiherr von Richthofen konzipiert.
Hat Vortragendem Legationsrat Bräutigam vorgelegen, der handschriftlich vermerkte: „M[inisterial]d[iri]g[ent] Sanne bittet, daß wir denkbare Rückfallposition für die Form der Einbeziehung Berlins prüfen. Die Konsultation mit den Alliierten soll einem späteren Stadium vorbehalten sein."

[2] Vortragender Legationsrat Bräutigam faßte die Gespräche des Staatssekretärs Bahr, Bundeskanzleramt, mit dem Staatssekretär beim Ministerrat der DDR, Kohl, am 2./3. Februar zusammen. Unter Ziffer 7 notierte er: „Die Einbeziehung Berlins in den Vertrag wurde von Kohl erneut abgelehnt. Er wiederholte sein Argument, daß das Vier-Mächte-Abkommen die Einbeziehung Berlins in das Ermessen der Vertragspartner stelle. Seine Regierung sei dazu nicht bereit. Der Verkehr West-Berlins müsse direkt mit dem Senat geregelt werden. Kohl gab zu, daß sich die DDR hier auf eine ‚besondere Situation' berufe." Vgl. VS-Bd. 8561 (II A 1); B 150, Aktenkopien 1972.

[3] Am 15. Dezember 1971 unterzeichneten Ministerialdirektor Sahm, Bundeskanzleramt, und der Abteilungsleiter im Ministerium für Auswärtige Angelegenheiten der DDR, Seidel, den Briefwechsel zum Warenbegleitschein. Für den Wortlaut des Briefwechsels sowie der Anlage betreffend das Verfahren für die Ausfertigung und Behandlung von Warenbegleitscheinen für den Transit ziviler Güter zwischen der Bundesrepublik und Berlin (West) und die dazugehörige Protokollnotiz vgl. ZEHN JAHRE DEUTSCHLANDPOLITIK, S. 166–168.
Dazu notierte Vortragender Legationsrat I. Klasse von Schenck am 30. Dezember 1971: „Die Art und Weise der Einbeziehung Berlins (West) in diesen Briefwechsel – Verzicht auf eine ausdrückliche Feststellung im Text des Briefwechsels, jedoch Geltung des Inhalts kraft Natur der Sache auch für die Westsektoren Berlins – stellt nach Lage der Dinge einen Sonderfall dar und kann nicht als Modell für die Einbeziehung Berlins (West) in Verträge der BRD mit der DDR angesehen werden. [...] Die Frage der Einbeziehung Berlins in Verträge der DDR bleibt nach wie vor generell klärungsbedürftig. Die hier verwandte Argumentation wird sich in anders gelagerten Fällen, in denen sich die Geltung einer vertraglichen Vereinbarung für Berlin (West) nicht bereits aus der Natur der Sache ergibt, nicht wiederverwenden lassen." Vgl. VS-Bd. 5814 (V 1); B 150, Aktenkopien 1971.

[4] In Teil II D des Vier-Mächte-Abkommens über Berlin vom 3. September 1971 war festgelegt: „Representation abroad of the interests of the Western Sectors of Berlin and consular activities of

als besonderes Völkerrechtssubjekt behandeln und zu diesem möglichst enge, direkte und gesonderte Beziehungen herstellen. Mit dieser Strategie will sie offenbar einer Schwächung ihrer vermeintlichen und bisher erhobenen territorialen Ansprüche auf Berlin (West) nach Beendigung der Besatzung Berlins entgegenwirken und ihre bislang rechtlich unhaltbare Position durch Schaffung „neuer Realitäten" verbessern.

2) Unser deutschlandpolitisches Konzept käme erheblich ins Wanken, wenn wir demgegenüber nicht mit noch größerer Entschiedenheit daran festhielten, den Allgemeinen Verkehrsvertrag nur unter voll befriedigender Einbeziehung Berlins abzuschließen. Nachdem die Sowjetunion im Vier-Mächte-Abkommen über Berlin vom 3.9.1971 die Einbeziehung Berlins in die völkerrechtlichen Vereinbarungen der Bundesrepublik grundsätzlich zugestanden hat und wir hoffen können, daß die übrigen Ostblockstaaten nach Inkrafttreten des Vier-Mächte-Abkommens insoweit nicht mehr die bisherigen Schwierigkeiten machen werden, muß von der DDR im Interesse der Entspannung ein gleiches Verhalten verlangt werden. Die DDR kann sich in diesem Zusammenhang umso weniger auf das Bestehen einer „besonderen Situation" berufen, als sie selbst die zwischen ihr und der Bundesrepublik geschlossenen Verträge als völkerrechtliche Verträge ansieht, für die sie dann auch die Regelungen des Vier-Mächte-Abkommens gegen sich gelten lassen muß.

3) Die Art und Weise der Einbeziehung Berlins (West) in das Abkommen zwischen der Bundesregierung und der Regierung der DDR über den Transitverkehr von zivilen Personen und Gütern zwischen der Bundesrepublik und Berlin (West) vom 17. Dezember 1971 und in den am 15.12.1971 vollzogenen Briefwechsel Sahm/Seidel, die nach Lage der Dinge einen Sonderfall darstellten, kann nicht als Modell für die Einbeziehung Berlins (West) in den Allgemeinen Verkehrsvertrag angesehen werden. Da die Geltung dieser Vereinbarungen auch für Berlin (West) aus dem Inhalt der Regelungen folgte, die kraft der Natur der Sache auch in den Westsektoren Berlins anwendbar sein müssen, ließ sich der Standpunkt vertreten, daß von einer besonderen Feststellung über den Geltungsbereich im Text dieser Vereinbarungen abgesehen werden konnte. Dies ist bei dem Allgemeinen Verkehrsvertrag jedoch ebensowenig der Fall wie bei allen anderen Vereinbarungen, die die Bundesrepublik mit auswärtigen Staaten schließt. Berlin (West) muß daher in den Allgemeinen Verkehrsvertrag zumindest im Wege einer von uns abzugebenden gesonderten Erklärung einbezogen werden, die zum Zusammenhang des Vertrages gehört.

Referat V 1 wäre für weitere Beteiligung dankbar.

Schenck

VS-Bd. 8564 (II A 1)

Fortsetzung Fußnote von Seite 210
the Union of Soviet Socialist Republics in the Western Sectors of Berlin can be exercised as set forth in Annex IV." Vgl. EUROPA-ARCHIV 1971, D 445.
Zu den entsprechenden Bestimmungen in Anlage IV A und IV B des Vier-Mächte-Abkommens vgl. Dok. 25, Anm. 9, und Dok. 37, Anm. 4.

46

Aufzeichnung des Vortragenden Legationsrats Ruth

II B 2-84.60-639/72 VS-vertraulich 3. März 1972[1]

Betr.: MBFR;
hier: Ergebnisprotokoll der Klausurtagung über MBFR auf Schloß Gymnich am 18. Februar 1972

Anlg.: Tagungsprogramm[2]

1) Am 18. Februar 1972 fand auf Schloß Gymnich eine ganztätige Klausurtagung über MBFR statt. Teilnehmer:

Staatssekretär Dr. Frank, Auswärtiges Amt; Ministerialdirektor von Staden, Auswärtiges Amt; Ministerialdirektor Dr. Wieck, BMVg; Botschafter Roth, Auswärtiges Amt; Ministerialdirigent Dr. Sanne, Bundeskanzleramt; Konteradmiral Trebesch, BMVg; VLR I Dr. Pfeffer, Auswärtiges Amt; VLR I Freiherr von Groll, Auswärtiges Amt; Oberst i. G. Steiff, BMVg; VLR Dr. Ruth, Auswärtiges Amt; VLR Dr. Hofmann, Auswärtiges Amt; LR I Dr. Vergau, Auswärtiges Amt; LR I Dr. Roßbach, Auswärtiges Amt (Protokollführer); RA Deetjen, Auswärtiges Amt; Hauptfeldwebel Meyer, BMVg (zur technischen Unterstützung).

2) In zwei Grundsatzreferaten stellten Botschafter Roth und Admiral Trebesch die politische und militärische Bedeutung und Problematik von MBFR dar.

Der Staatssekretär wies darauf hin, daß

– die NATO mit MBFR Neuland betreten hat,

– die Frage, ob MBFR realisiert werden kann, noch nicht beantwortet werden kann,

– MBFR noch immer ungelöste Probleme enthält.

In der Diskussion wurden folgende Themen erörtert:

I. Grundsatzfragen von MBFR

1) Wie kann angesichts der Gefahr einer Eskalation der Rüstungsausgaben in Ost und West und der Verpflichtung, ein MBFR-Konzept zu entwickeln, sichergestellt werden, daß MBFR

---

[1] Die Aufzeichnung wurde von Vortragendem Legationsrat Ruth und von Legationsrat I. Klasse Roßbach konzipiert und von Botschafter Roth am 3. März 1972 über Ministerialdirektor von Staden an Staatssekretär Frank weitergeleitet. Dazu teilte er mit: „Der Entwurf ist mit FÜS (Admiral Trebesch) im Bundesministerium der Verteidigung abgestimmt. MD Dr. Wieck hat sich noch Änderungen vorbehalten. Die Änderungswünsche sollen uns erst in der nächsten Woche zugeleitet werden. Wir werden sie gegebenenfalls in die letzte Fassung einarbeiten. Da Sie selbst den Wunsch geäußert haben, das Protokoll über die Klausurtagung vor der Verteilung zu sehen, lege ich es in dieser Fassung mit der Bitte um Billigung vor. Die Schlußfassung des Protokolls wird hergestellt, sobald Ihre Ergänzungs- und Änderungswünsche vorliegen."
Hat Staden am 3. März 1972 vorgelegen.
Hat Frank am 8. März 1972 vorgelegen.
Hat Roth erneut am 9. März 1972 vorgelegen, der handschriftlich für Referat II B 2 vermerkte: „Reinschrift verteilen." Vgl. den Begleitvermerk; VS-Bd. 9403 (II B 2); B 150, Aktenkopien 1972.

[2] Dem Vorgang nicht beigefügt.

a) die militärische Sicherheit nicht in Frage stellt,

b) politisch machbar ist.

2) Inwieweit beeinflussen Struktur und Kostenprobleme der Bundeswehr unser MBFR-Konzept?

3) Wie hängen die Verteidigungsstrategie des Bündnisses, insbesondere die nukleare Komponente der Strategie, und MBFR zusammen?

4) MBFR ist nicht nur ein Ost/West-, sondern in gleicher Weise ein West/West-Problem. Zusammenhang im Bündnis, Verhältnis USA/Europa.

5) Wie können die Probleme gelöst werden, die in den überlegen Mobilmachungskapazitäten des Ostens liegen? Bedeutung der constraints[3].

6) Alle bisher untersuchten Reduzierungsverfahren sind noch unbefriedigend. Liegt die Lösung darin, (wie von uns vorgesehen) zunächst Verhandlungen über politische Absichten und stabilisierende Vereinbarungen in Gang zu bringen?

II. Zusammenhang zwischen MBFR und KSZE

III. Vorschau auf die Bonner NATO-Konferenz im Mai 1972[4]

I. ad 1) Risiken und Machbarkeit von MBFR

a) Die Bundesregierung verstand MBFR von Anfang an als politisches Instrument und als Versuch, die Gefahren der militärischen Konfrontation abzubauen und die Voraussetzungen für die Senkung des Streitkräfteniveaus zu schaffen. Wir sind uns darüber im klaren, daß dies nur in einem längerfristigen Prozeß geschehen kann, dessen Dynamik auf jeder Stufe kontrollierbar und dessen Risiken kalkulierbar sein müssen. Am Ende des Prozesses könnte ein Streitkräfteniveau vereinbart werden, das sich optimal einem common ceiling annähern würde, durch ausreichende stabilisierende Maßnahmen abgesichert, und dessen Einhaltung effektiv verifiziert werden könnte.

b) Die Bemühungen um MBFR vollziehen sich vor dem Hintergrund wachsender Qualität und Quantität der Streitkräfte des Warschauer Pakts, mit der Gefahr einer Veränderung des Kräfteverhältnisses zugunsten des Warschauer Pakts.

c) MBFR muß, soll es akzeptabel sein, unverminderte Sicherheit gewährleisten. Die Frage nach der Machbarkeit von MBFR muß an sicherheitspolitischen und militärischen Erwägungen orientiert werden.

ad 2) Struktur- und Kostenprobleme der Bundeswehr

a) Struktur- und Kostenprobleme der Bundeswehr sollten für sich alleine kein rechtfertigendes Motiv für MBFR sein.

b) Bereits um den gegenwärtigen Stand der Streitkräfte zu erhalten, gerät die Bundesregierung immer tiefer in eine Kosteneskalation, die indes die Effektivität der Streitkräfte noch nicht verbessert (vornehmlich Personalkosten).

---

[3] Am 30. August 1971 legte die Bundesregierung im Politischen Ausschuß der NATO auf Gesandtenebene ein Papier vom 4. August 1971 über Einschränkungen der Bewegungsfreiheit der Streitkräfte von NATO und Warschauer Pakt vor. Vgl. dazu AAPD 1971, II, Dok. 289.

[4] Zur NATO-Ministerratstagung am 30./31. Mai 1972 vgl. Dok. 159.

c) MBFR wird, wenn überhaupt, nicht frühzeitig zu Kostenersparnissen führen. Die als Kompensation erforderliche Verbesserung der Qualität der Streitkräfte wird neue Kosten verursachen. Bei sinkendem Anteil der Verteidigungskosten am Gesamthaushalt einerseits und steigender Tendenz der Personalkosten andererseits könnte MBFR unter Umständen die beiden Kurven in eine gewisse Harmonie bringen.

ad 3) MBFR und NATO-Strategie

Die Verteidigungsstrategie der NATO: flexible response[5] und Vorneverteidigung muß intakt bleiben. Es darf durch MBFR keine Entwicklung eintreten, die eine Senkung der nuklearen Schwelle zur Folge hätte. Das Problem liegt darin, daß im Falle eines Angriffs mit konventionellen Kräften die politische Entscheidung zum Überschreiten dieser Schwelle um so früher erforderlich werden kann, je geringer das konventionelle Verteidigungspotential ist. Es wurde jedoch auch darauf hingewiesen, daß durch bestimmte Vereinbarungen über Bewegungsbegrenzungen die politischen Warnzeiten verlängert und damit mehr Zeit für die politische Entscheidung über den Einsatz nuklearer Waffen verfügbar werden könnte. Die „Höhe" der sogenannten nuklearen Schwelle kann nicht nur aus dem Verhältnis der konventionellen Kräfte zueinander abgeleitet werden. Die effektive Stärke der NATO-Streitkräfte läßt aber angesichts des bestehenden Kräfteverhältnisses für Reduktionen keinen breiten Raum bis zu dem Punkt, wo eine Vorneverteidigung glaubhaft nicht mehr durchgeführt werden kann. Das Dilemma, in dem wir stehen, liegt darin begründet, daß MBFR die konventionelle Komponente vermindert, die taktischen Nuklearwaffen damit an Bedeutung für die Abschreckung gewinnen, die Vermeidung der nuklearen Feldschlacht in Mitteleuropa jedoch das wesentlichste Ziel der deutschen Sicherheitspolitik darstellt.

ad 4) MBFR als West/West-Problem

a) Die Einbeziehung der einheimischen Streitkräfte in MBFR wirft Schwierigkeiten auf aus verschiedenen Gründen:
- Gefahr eines Sonderstatus für die Bundesrepublik könnte verstärkt werden;
- die bei MBFR nicht auszuschließende Möglichkeit eines Nachlassens der Verteidigungsbereitschaft bei gleichzeitiger Reduzierung einheimischer Streitkräfte könnte vergrößert werden;
- es erhebt sich die Frage, ob wir uns bereits in einem frühen Stadium der Entwicklung die Hände binden sollen;
- Verringerung einheimischer Truppen parallel zu Stationierungstruppen wirft Sicherheitsprobleme auf.

b) Argumente für die Gleichbehandlung einheimischer und stationierter Streitkräfte in einem integralen Programm sind u. a.:

---

[5] Der Ausschuß für Verteidigungsplanung der NATO stimmte am 12. Dezember 1967 in Brüssel der vom Militärausschuß vorgelegten Direktive MC 14/3 („Overall Strategic Concept for the Defense of the North Atlantic Treaty Organization Area") zu. Nach dem unter dem Begriff „flexible response" bekannt gewordenen Konzept sollten begrenzte Angriffe zunächst konventionell und, falls notwendig, mit taktischen Nuklearwaffen abgewehrt werden. Lediglich bei einem Großangriff sollte das strategische nukleare Potential zum Einsatz kommen. Für den Wortlaut vgl. NATO STRATEGY DOCUMENTS, S. 345–370. Vgl. dazu ferner AAPD 1967, III, Dok. 386.

- Es wäre bündnispolitisch falsch, im Rahmen von MBFR zwischen den Partnern zu differenzieren. In einem integrierten Verteidigungssystem muß der Grundsatz joint defence/joint détente gelten;
- das integrale Programm der Gleichbehandlung stationierter und einheimischer Truppen ist auch der Versuch der Europäer, im Rahmen von MBFR ihren Platz zu finden;
- Reduzierungen im einheimischen Bereich könnten durch Verstärkung der europäischen Verteidigungsanstrengungen aufgefangen werden;
- bilaterale Reduzierungsabmachungen zwischen den Supermächten wären entspannungs- und verteidigungspolitisch riskant und würden überdies Reduzierungen einheimischer Verbände provozieren.

c) Der im Bündnis erzielte Kompromiß einer grundsätzlichen Gleichbehandlung beider Streitkräftearten bei bestehender Möglichkeit, die Verminderung stationierter Truppen vorrangig vorzunehmen, wird weiterhin für annehmbar gehalten. Die Einheit der politischen Zielsetzung bei gleicher Reduzierung von Stationierungs- und nationalen Streitkräften muß nicht bedeuten

- gleichzeitig,
- in gleichem Umfang,
- in der gleichen Art.

d) Das Verteidigungsministerium wird in einem Arbeitspapier die Elemente dieses integralen Programms herausarbeiten.

ad 5) Ausgleich von unterschiedlichen Mobilmachungskapazitäten

a) Die Frage wurde aufgeworfen, ob auf westlicher Seite die durch Reduktionen erfolgte Verringerung der präsenten Streitkräfte durch Erhöhung der Mobilisierungskapazität ausgeglichen werden könnte. Es herrschte Einigkeit darüber, daß eine solche Annahme jedenfalls für amerikanische Streitkräfte nicht gelten könne, da hier das Problem der rechzeitigen Heranführung entscheidend sei.

b) MBFR darf die Möglichkeit von qualitativen Verbesserungen der Streitkräfte nicht ausschließen.

c) Bewegungsbeschränkungen und andere stabilisierende Maßnahmen können keine Verhinderung von Angriffsverhandlungen der anderen Seite bewirken. Sie sind aber ein wirksames Instrument des crisis management. Der offensichtliche Bruch von stabilisierenden Abmachungen würde die entspannungswidrige Handlungsweise verdeutlichen und auch eindeutige Indikationen für eigene Entscheidungen geben. Der Sowjetunion könnte es nach stabilisierenden Vereinbarungen möglicherweise schwerer fallen, politische Ziele mit Hilfe militärischen Drucks durchzusetzen. Offen bleibt das Problem der Manipulierbarkeit solcher Abmachungen durch eine geschickte und propagandistische Politik des Ostens. Sorgfältiger Prüfung bedarf in diesem Zusammenhang die Frage der Verifizierung politisch stabilisierender Vereinbarungen. Bei bestimmten Vereinbarungen könnte ein Interesse des Westens bestehen, sie nicht vereinbart zu verifizieren, um den Sowjets die Möglichkeit der beabsichtigten Eskalation zu erschweren und der Allianz die politische Entscheidungsfreiheit zu lassen.

ad 6) Einleitung des MBFR-Prozesses ohne Reduzierungen? Aufgrund der politischen und militärischen Gesamtlage ist es zweckmäßig, MBFR-Verhandlungen durch Grundsatzvereinbarung, Bewegungsbeschränkungen und entsprechende Verifikationsmaßnahmen einzuleiten und so die politischen Rahmenbedingungen für Reduktionen zu verbessern. Hiervon geht unser MBFR-Konzept der nunmehr im Bündnis anerkannten Vorstellung eines abgestuften Prozesses aus, bei dem das Streitkräfteniveau zunächst unangetastet bleibt.[6] Eine erste Verhandlungsphase könnte daher vor allem die Funktion eines Testes haben, um festzustellen, ob die Warschauer-Pakt-Staaten zu einem sicherheitspolitisch stabilisierenden und ausgewogenen Reduzierungsprozeß bereit sind.

II. 1) West und Ost verfolgen mit MBFR und KSZE verschiedene Ziele. Im Westen: Abbau der Gefahren der militärischen Konfrontation bei unverminderter Sicherheit. Im Osten: Konzept der kollektiven Sicherheit für Europa. Für den Westen ergibt sich daraus die Forderung, im Rahmen einer KSZE MBFR-Elemente zu erörtern, um das atlantische Prinzip der Friedenssicherung durch kollektive Verteidigung gegenüber dem Konzept der kollektiven Sicherheit in Europa (Auflösung der Bündnisse) zur Geltung zu bringen.

2) Es sollte Tendenzen entgegengewirkt werden, eine kurze spektakuläre Sicherheitskonferenz mit Schwerpunkt Gewaltverzicht und Festschreibung des Status quo abzuhalten und konkrete Aspekte der Rüstungsbegrenzung und -kontrolle nach kurzer Behandlung auf bilaterale Verhandlungen zu verweisen oder „auf Eis zu legen". Die Erörterung von militärischen Themen der Sicherheit im Rahmen der KSZE wäre ein konkreter Beweis für die Entspannungsbereitschaft der anderen Seite.

3) Es ist denkbar, MBFR multilateral dadurch in Gang zu bringen, daß parallel zur multilateralen Vorbereitung einer KSZE interessierte Staaten den Entwurf einer Grundsatzerklärung über MBFR sowie eine Vereinbarung über stabilisierende Maßnahmen vorbereiten. Diese MBFR-Elemente könnten in den Rahmen einer KSZE, die Grundsatzerklärung gegebenenfalls in der Form eines Mandats für ein besonderes Gremium eingefügt werden. Es müßte sichergestellt werden, daß schon in der Vorbereitungsphase der KSZE konkret festgelegt wird, welche MBFR-Elemente in die Tagesordnung der Konferenz aufgenommen werden sollen.

III. 1) Die Entscheidungen der NATO-Ministerratstagung in Bonn im Mai 1972 auf dem Gebiet von MBFR werden von folgenden Umständen beeinflußt werden:

– Besuch Nixons in Moskau (nur etwa 14 Tage vor Ministerratstagung!)[7],
– Schicksal der Brosio-Mission[8],

---

[6] Für das Konzept der Bundesregierung für künftige MBFR-Verhandlungen (Bausteinkonzept), das am 22. März 1971 im Politischen Ausschuß vorgelegt wurde, vgl. AAPD 1971, I, Dok. 95.
[7] Präsident Nixon besuchte die UdSSR vom 22. bis 30. Mai 1972. Vgl. dazu Dok. 149 und Dok. 161.
[8] Zur Beauftragung des ehemaligen NATO-Generalsekretärs Brosio, Sondierungsgespräche in Moskau über MBFR zu führen, vgl. Dok. 32, Anm. 2.

- Stand der Ratifizierung der Ostverträge durch die Bundesrepublik Deutschland[9],
- Entscheidung über Multilateralisierung der KSZE-Vorbereitung,
- Stand der allianzinternen Entwicklung der jetzt im Political Committee at Senior Level und MBFR-Arbeitsgruppe behandelten MBFR-Themen.

2) Die Mai-Konferenz wird sich mit der Fortführung der Explorationsphase von MBFR befassen müssen. Vorher sollte daher keine Alternative zum Brosio-Vorschlag angeboten werden[10]; neue Beschlüsse auf der Mai-Konferenz können nicht hinter das Brosio-Angebot zurückgehen. Hier bietet sich möglicherweise der Gedanke einer vom Kommuniqué unabhängigen Erklärung des NATO-Rats zu MBFR an, die substantielle Elemente des Brosio-Mandats der Öffentlichkeit mitteilen und eine Grundlage für die Einleitung multilateraler Sondierungen schaffen könnte.

3) Die Ministerratstagung wird sich auch mit der Frage befassen müssen, wie MBFR und KSZE verknüpft werden könnten. Im Bündnis sollte bis Mai Einigung über eine Grundsatzerklärung sowie über ein erstes Verhandlungspaket, bestehend aus Grundsatzvereinbarung, stabilisierenden Maßnahmen und Forum für Reduzierungsverhandlungen erarbeitet werden.

Ruth

VS-Bd. 9403 (II B 2)

---

[9] Zum Stand des Ratifikationsverfahrens zum Moskauer Vertrag vom 12. August 1970 und zum Warschauer Vertrag vom 7. Dezember 1970 vgl. Dok. 34, Anm. 13.

[10] Gesandter Boss, Brüssel (NATO), berichtete am 15. März 1972, in der Sitzung des Ständigen NATO-Rats hätten sich die USA dagegen ausgesprochen, eine Demarche der NATO bei der UdSSR bezüglich der Brosio-Mission mitzutragen: „Der kanadische Botschafter, der vom dänischen Botschafter unterstützt wurde, sprach sich dafür aus, nunmehr die Untersuchung von Alternativen zur Brosio-Mission in Angriff zu nehmen. Gegen eine zu frühe Festlegung auf Alternativen für Explorationen mit der anderen Seite sprachen sich der britische und amerikanische Sprecher aus. [...] Der Ständige NATO-Rat vereinbarte, die Diskussion über die Frage, ob schon jetzt Alternativen beraten werden sollten, in einer der nächsten Sitzungen fortzusetzen." Vgl. den Drahtbericht Nr. 319; VS-Bd. 9397 (II B 2); B 150, Aktenkopien 1972.

47

Aufzeichnung des Bundeskanzlers Brandt

Geheim 7. März 1972[1]

Vier-Augen-Gespräche mit dem Schah und Ministerpräsident Hoveyda am 6. und 7. März 1972[2]

Gesamteindruck

Es war sicher zweckmäßig, die Reise zu diesem Zeitpunkt zu unternehmen. Schah und Ministerpräsident sagten mir, sie glaubten, daß in unseren Beziehungen ein neues Blatt aufgeschlagen sei. Wenn ein neuer Rückschlag vermieden werden soll, kommt es darauf an,

daß wir den realistischen Ausbau der wirtschaftlichen Beziehungen nicht auf die lange Bank schieben;

daß wir Iran als politischen Faktor ernst nehmen,

und daß wir den Eindruck vermeiden, als identifiziere sich die öffentliche Meinung oder gar die Bundesregierung mit den Angriffen der im Ausland lebenden iranischen Oppositionellen.

Wir sollten uns allerdings von vornherein klarmachen, daß wir auch nicht annähernd leisten können, was manche auf iranischer Seite von uns erwarten. Der Ministerpräsident und andere, zumal ältere Mitglieder der Regierung, wohl auch der Schah, sehen in Deutschland immer noch eine Großmacht. Sie meinen, daß wir den aus der Hitler-Zeit herrührenden „Schuldkomplex" hinter uns lassen sollten und in Europa die Führungsrolle übernehmen könnten. Sie messen uns ökonomisch an den Japanern, die im Iran groß eingestiegen sind.

Gefühlsmäßig spielt weiterhin eine beträchtliche Rolle, daß wir – anders als die Engländer und die Russen – Persien gegenüber nie als imperialistische Macht erschienen sind. Dabei spielt auch eine Rolle, daß der Vater des Schah wegen „Deutschfreundlichkeit" deportiert wurde[3], und nicht zuletzt, daß ein

---

[1] Ablichtung.
Die Aufzeichnung wurde Bundesminister Scheel am 13. März 1972 von Bundeskanzler Brandt mit handschriftlichem Begleitschreiben zugesandt.
Hat Scheel vorgelegen.
Hat Staatssekretär Frank am 10. April 1972 vorgelegen, der die Weiterleitung an Ministerialdirektor von Staden verfügte und handschriftlich vermerkte: „Pol: Sehr interessante Aufzeichnung."
Hat Staden am 19. April 1972 vorgelegen, der handschriftlich vermerkte: „Herrn Staatssekretär wiedervorgelegt. M. E. auch für D III."
Hat Legationsrat I. Klasse Vergau am 19. April 1972 vorgelegen, der handschriftlich vermerkte: „Herrn D III z[ur] K[enntnis]n[ahme]."
Hat Ministerialdirektor Herbst am 20. April 1972 vorgelegen.
Hat Ministerialdirigent Lebsanft am 21. April 1972 vorgelegen, der die Weiterleitung an Vortragenden Legationsrat I. Klasse Hauthal und an Ministerialdirigent Müller verfügte.
Hat Hauthal am 24. April 1972 vorgelegen.
Hat Müller am 28. April 1972 vorgelegen, der die Weiterleitung an Referat I B 4 verfügte. Vgl. VS-Bd. 520 (Büro Staatssekretär); B 150, Aktenkopien 1972.

[2] Bundeskanzler Brandt hielt sich vom 5. bis 8. März 1972 im Iran auf.

[3] Nach der Besetzung des Iran durch britische und sowjetische Truppen im August 1941 mußte Reza Schah Pahlevi zugunsten seines Sohnes Mohammed Reza Pahlevi abdanken.

erheblicher Teil der älteren Führungsschicht sich schon wegen seiner Ausbildung mit Deutschland eng verbunden weiß.

Dies ist eine auslaufende Entwicklung. Die jüngere Führungsgeneration ist weitgehend amerikanisch geprägt und ausgebildet. Frankreich und England erneut machen sich zunehmend geltend. Das Englische und das Französische rangieren vor dem Deutschen. Wir können eine wichtige, aber nicht die zentrale Rolle im Iran spielen. Wir dürfen uns nicht übernehmen, aber was wir leisten, muß solide sein und dem Bild von deutscher Qualität und Zuverlässigkeit entsprechen.

Wichtig ist, daß wir eine realistische Interpretation der Rolle Irans zugrunde legen. Man mag die Vorausberechnungen der iranischen Planer für zu optimistisch halten. Man mag bezweifeln, ob der Weg zur modernen Industriegesellschaft ohne Erschütterung der aufgeklärt-absoluten Monarchie möglich sein wird. Fest steht jedenfalls, daß Iran in den letzten Jahren eine erstaunliche ökonomische (auch soziale) Entwicklung vollzogen hat und über gute Voraussetzungen verfügt, um sich wirtschaftlich rasch weiterzuentwickeln. Wahrscheinlich ist auch, daß Iran im Mittleren Osten und darüber hinaus in Asien eine noch bedeutendere Rolle spielen wird, als dies schon heute der Fall ist. Es wäre ein ernster Fehler, wenn wir dies nicht in Rechnung stellten.

Dabei gilt es allerdings im Auge zu behalten, daß wir bei aller im Gespräch zu Tage tretenden Europanähe es eben nicht mit einem europäischen, sondern mit einem orientalischen Staat zu tun haben und daß es im politischen Denken der dort führenden Persönlichkeiten Brüche gibt, die uns zunächst eigenartig anmuten.

Der Schah kann sich z. B. in einer nüchternen Betrachtung zur Rolle Chinas auf den Ausdruck Wilhelms II. über die „gelbe Gefahr" beziehen. Er kann sehr nuanciert über kommunistische Staaten sprechen und zugleich jede Differenzierung unter kommunistischen Gruppen ablehnen („alle vom internationalen Kommunismus gelenkt" oder Hoveyda: „wenn man an unserer Opposition kratzt, dann stellen sich auch solche als marxistisch gelenkt heraus, die sich religiös oder national gebärdet haben"). Hoveyda kann im gleichen Satz sagen, er habe geweint, als er mein Bild vom Warschauer Ghetto gesehen habe[4], um gewissermaßen zu folgern: Wir wollten uns von unserem guilt-complex freimachen. Er sei durch seine französische Erziehung antideutsch aufgewachsen und habe erst später gemerkt, zu wieviel Vorurteilen das geführt habe; gleichzeitig empfiehlt er gewissermaßen, die NS-Zeit auszuklammern.

Ich bin in der Auffassung bestärkt worden, daß wir uns, selbst wenn wir einiges in Ordnung zu bringen haben, nicht in einen Anklagezustand oder in die Position eines Demandeurs bringen lassen dürfen. Der Schah hat dies mir gegenüber auch keinen Augenblick versucht. Hoveyda hatte es in seinen Presseveröffentlichungen vor unserem Besuch ein wenig hierauf angelegt. Er hat sich dann in den Gesprächen nach einer gewissen Reserve am ersten Abend rasch auf eine angemessene Linie eingestellt.

---

[4] Bundeskanzler Brandt besuchte die Volksrepublik Polen vom 6. bis 8. Dezember 1970. Zum Besuch am Denkmal der Helden des Ghettos in Warschau vgl. BRANDT, Begegnungen, S. 525.

Weltpolitische Betrachtung

Schah und Hoveyda haben sich unaufgefordert mit Nachdruck für unsere Ost-West-Politik ausgesprochen und dies auch im Kommuniqué festgehalten.[5] Der Schah hat mir nach dem Mittagessen noch die Frage gestellt, was sich denn wohl unsere Opposition für den Fall ausgedacht habe, daß sie Erfolg haben sollte. Hoveyda betonte die grundlegende politische Übereinstimmung unter scherzhaftem Hinweis darauf, daß mehrere seiner deutschen Freunde zur Opposition gehören.

Beide zeigten sich sehr befriedigt, als ihnen bestätigt wurde, daß wir die Entspannung in Europa nicht isoliert sähen und uns insbesondere über einen Zusammenhang mit der Lage im Mittelmeerraum und im Mittleren Osten im klaren sind. Hoveyda, stärker als der Schah, schien mit der Möglichkeit gerechnet zu haben, daß es schon kurzfristig zu einer nicht nur symbolischen, sondern effektiven Truppenreduzierung in Europa kommen könnte, mit der Folge eines verstärkten sowjetischen Druckes auf den Mittleren Osten.

Mit den USA, sagte der Schah, habe er ein gutes Verhältnis. Aber er habe Washington offen gesagt, die Amerikaner hätten bewiesen, daß sie die Rolle des Weltgendarms nicht spielen könnten. Davon müsse man ausgehen. Wohl aber könne man annehmen, daß die USA sich nicht völlig aus Europa herausziehen würden.

Er frage sich, was wohl zwischen Nixon und Tschou En-lai im Laufe der 30 Stunden alles besprochen worden sei.[6] In dem Kommuniqué habe ihn vor allem der Satz interessiert, daß keine der beiden Mächte eine Hegemonie in Asien anstrebe und daß sie auch die Hegemonie einer anderen Macht nicht zulassen würden.[7]

---

[5] Im Kommuniqué vom 8. März 1972 über den Besuch des Bundeskanzlers Brandt im Iran wurde ausgeführt: „In bezug auf die Ost-West-Beziehungen stimmten beide Seiten darin überein, daß weitere Anstrengungen gemacht werden sollten, um eine Verminderung der Spannungen zu erreichen, damit ein besseres gegenseitiges Verhältnis zwischen Ost und West erzielt wird. Der Ministerpräsident des Iran äußerte die Sympathie seiner Regierung für die Politik der Bundesregierung in dieser Beziehung." Vgl. BULLETIN 1972, S. 566.

[6] Präsident Nixon besuchte die Volksrepublik China vom 21. bis 28. Februar 1972. Am 5. März 1972 gab Botschafter Pauls, Washington, Informationen des amerikanischen Außenministers über den Besuch weiter. Rogers habe aber nur allgemein über die Verhandlungen gesprochen, da „über den Gang der Gespräche zwischen den Partnern Vertraulichkeit vereinbart worden sei". Ziel des Besuchs sei eine Verbesserung der Beziehungen gewesen, wobei „Taiwan das Haupthindernis" sein werde: „In der Taiwanfrage hätten die Chinesen ihr Interesse an der Wiedervereinigung der Insel mit China in den Vordergrund gestellt, die Amerikaner aber ihre an der Aufrechterhaltung des Friedens in jenem Teil der Welt. Dabei hätten sie ihr Desinteresse an dem Territorium Taiwans und an amerikanischen Stützpunkten auf der Insel betont und versichert, daß der größte Teil der amerikanischen Streitkräfte im Maße des amerikanischen Disengagement von Indochina ohnehin abgezogen werden würde. [...] Europa, die EWG und die eventuelle Haltung Pekings zu einem amerikanischen Truppenabzug (im Hinblick auf die potentielle Bedrohung Chinas durch die SU) seien als Thema nicht behandelt worden. [...] Bezüglich Indochina hätten sich beide Seiten auf die Darlegung ihrer Standpunkte beschränkt. Die Amerikaner hätten ihre Absicht zum Abzug ihrer Truppen bekräftigt, jedoch mit der Einschränkung, daß sie Restteile bis zur Regelung der Kriegsgefangenenfrage zurücklassen würden. Sie hätten sorgfältig den Anschein vermieden, als suchten sie einen Handel (deal) über Indochina, da sie gewußt hätten, daß Peking dadurch gegenüber Hanoi in eine schwierige Lage gekommen wäre (sic!)." Vgl. den Drahtbericht Nr. 549; VS-Bd. 9829 (I A 5); B 150, Aktenkopien 1972.

[7] Im Kommuniqué vom 27. Februar 1972 über den Besuch des Präsidenten Nixon in der Volksrepublik China wurde ausgeführt: „The two sides stated that [...] neither should seek hegemony in

Ich möge ihn recht verstehen: Er habe Beziehungen zur VR China aufgenommen und erwarte demnächst deren Botschafter.[8] Aber er sei nicht töricht genug, um die Chinesen gegen die Russen ausspielen zu wollen. Die SU sei der große und wichtige Nachbar Irans. Er kenne den Drang Rußlands seit Peter dem Großen, aber er habe auch die Veränderungen in der SU von Stalin über Chruschtschow bis Breschnew-Kossygin erlebt. Dies sei eine bemerkenswerte Entwicklung.

Iran sei uns in bezug auf „Ostpolitik" vorangegangen. Aber man müsse wachsam bleiben. Er lasse alle Beteiligten verstehen, daß Iran demjenigen militärisch entgegentreten werde, der seine Grenzen überschreite. Er gehe weiter und stelle für einen solchen Fall sogar die Zerstörung seines eigenen Landes in Aussicht. Atomwaffenehrgeiz habe er nicht; mit Atomwaffen würde er auch keine zusätzliche Sicherheit erlangen können.

Im übrigen würden die starken iranischen Streitkräfte planmäßig modernisiert. Geld dafür sei durch das Öl vorhanden. Er habe vor uns Phantomflugzeuge beschafft und würde sich in der nächsten Runde möglicherweise für MRCA interessieren. Den Chieftain bezeichnete er als den besten Panzer, den er zur Zeit haben könne. Dagegen kam er nicht auf sein früheres Interesse am Leopard[9] zu sprechen und erörterte auch selbst keine Fragen auf dem Gebiet der etwaigen militärischen Zusammenarbeit. Inzwischen sei die SU zu einem

---

Fortsetzung Fußnote von Seite 220

the Asia-Pacific region and each is opposed to efforts by any other country or group of countries to establish such hegemony." Vgl. DEPARTMENT OF STATE BULLETIN, Bd. 66 (1972), S. 437.
Botschafter Pauls, Washington, gab dazu am 28. Februar 1972 die Bewertung: „Diese Formel ist in hohem Maße auslegungsfähig. Sie trifft die SU nicht zuletzt im Hinblick auf die sowjetischen Versuche, größeren Einfluß auf Hanoi zu gewinnen; sie kann aber auch der Beruhigung der beiderseitigen Verbündeten dienen." Außerdem führte Pauls zu dem Kommuniqué aus: „Die USA und die VR China haben sich geeinigt, ihre Beziehungen auf die fünf Prinzipien der Koexistenz zu gründen, was nicht ohne historische Ironie ist. Chou En-lai handelte diese Prinzipien 1954 mit Nehru aus. Chruschtschow erklärte auf dem XX. Parteitag der KPdSU 1956 die friedliche Koexistenz zur Grundlage der sowjetischen Politik gegenüber den USA. Vor allem daran entzündete sich der sowjetisch-chinesische Konflikt, weil es nach damaliger Auffassung Pekings keine friedliche Koexistenz mit der Hauptmacht des Imperialismus, den USA, geben konnte. Hier zeigt sich der lange Marsch, den die chinesische Führung bis zur Begegnung mit dem amerikanischen Präsidenten zurückgelegt hat." Vgl. den Drahtbericht Nr. 503; VS-Bd. 9829 (I A 5); B 150, Aktenkopien 1972.

[8] Der Iran und die Volksrepublik China nahmen am 16. August 1971 diplomatische Beziehungen auf. Erster Botschafter der Volksrepublik China in Teheran war Chen Hsien-jen.

[9] Die iranische Regierung teilte im Oktober 1970 die Absicht mit, etwa 300 Panzer des Typs „Leopard" zu erwerben. Vgl. dazu AAPD 1970, III, Dok. 477.
Zur generellen Frage kommerzieller Rüstungsausfuhren in den Iran vermerkte Referat III A 4 im Februar 1972: „Anforderungen des Arsenals auf Lieferung von Vorprodukten oder Waffenteilen zur Waffenfertigung soll – wie seit Jahren – auch zukünftig entsprochen werden. Für alle anderen Rüstungsausfuhren gelten hingegen die ‚Politischen Grundsätze der Bundesregierung für den Export von Kriegswaffen und sonstigen Rüstungsgütern vom 16. Juni 1971, wonach in Nicht-NATO-Länder grundsätzlich keine Kriegswaffen und sonstige Rüstungsgüter nur in möglichst beschränktem Umfang exportiert werden sollen." Vgl. Referat III A 4, Bd. 777.
Aus einem Gespräch mit dem iranischen Ministerpräsidenten am 7. März 1972 notierte Staatssekretär Bahr, Bundeskanzleramt, dazu am 13. März 1972: „Hoveyda betonte, welche entscheidende Rolle der BRD in Europa zukomme. Er schnitt dabei, was meines Wissens sonst nicht geschehen ist, die Frage unserer Verweigerung des Verkaufs von ‚Leoparden' an. Die englischen Panzer, die man stattdessen gekauft hätte, seien auch nicht schlecht. Wenn man Geld habe, könne man aber normalerweise das Beste kaufen, was auf dem Markt sei. Der Iran habe diese Erfahrung bei dem Kauf von Phantoms gemacht. Man werde sie bei allen neuen Waffenentwicklungen wieder machen und habe grundsätzliches Interesse an MRCA." Vgl. Archiv der sozialen Demokratie, Depositum Bahr, Box 408.

wichtigen Wirtschaftspartner geworden. Die Lieferung von Verbrauchsgütern in die SU sei schon jetzt bedeutend und werde zunehmen.

Was wohl Nixon in Moskau vorhabe?[10] Er erwarte zunächst nicht mehr, als daß es zu Teilabkommen in bezug auf SALT kommen werde. Mein Hinweis, daß sich die Amerikaner und die Russen, gestützt auf die Erfahrungen bei der Berlin-Vereinbarung[11], bemühen würden, zu einer Befriedung im Nahen Osten zu kommen, schien ihn zunächst zu überraschen, aber sehr zu interessieren.

Die Lage auf dem indischen Subkontinent sei ziemlich trostlos. Von Indien selbst sei bei seinen vielfachen inneren Schwierigkeiten nicht viel Gutes zu erwarten. Allerdings sei auch nicht sicher, ob sich der gegenwärtig starke russische Einfluß so halten werde. Pakistan, primär auf Yahya Khan bezogen, habe sich stupide verhalten und auch keinen wohlgemeinten Rat angenommen. Bhutto hatte gerade vor unserem zweiten Gespräch bekanntgegeben, daß er sich mit zwei Oppositionsparteien verständigt habe.[12] Dies habe er, wie der Schah meinte, mit dem Autonomie-Versprechen an zwei Provinzen bezahlt.

In diesem Zusammenhang unterstrich er seine Sorgen wegen der Kurdenfrage. Wenn die Russen diese Karte spielen sollten mit dem Ziel eines mit der SU verbundenen Kurdenstaates, würde sich hieraus nicht nur, aber vor allem für Iran eine ernste Lage ergeben.

Iran hofft weiterhin auf enge Zusammenarbeit mit der Türkei, über die es jetzt auch zum erstenmal durch eine Eisenbahn mit Europa verbunden ist. (Hoveyda betreffend Türkei: Dort sähe man, was aus einer zu raschen bzw. schematischen Demokratisierung werden könne.)

Sehr gespannt ist das Verhältnis zum Irak. Dort würden planmäßig Sabotagegruppen zum Einsatz im Iran ausgebildet. Durch eigene Infiltration solcher Gruppen habe man sich erhebliche Waffenbestände sichern können, zum Teil russischen und zum Teil chinesischen Ursprungs. Das Baath-Regime (auch in Syrien) werde immer unvernünftiger und arbeite u. a. mit Mordkommandos. Diese hätten in letzter Zeit auch mehrere Persönlichkeiten in Ägypten umgebracht. Die Russen versuchten, aus dem Baath, der Kommunistischen Partei und den Kurden eine nationale Front zu schaffen. Wenn dies gelänge, würde es sehr gefährlich sein. Der Irak errichte demnächst ein Konsulat in Baku, offensichtlich zu dem Zweck, mit den dort beheimateten iranischen Kommunisten zusammenzuwirken.

Die übrige arabische Welt: Das Verhältnis zu Ägypten ist jetzt relativ gut. Sadat gibt man eine Chance, aber man befürchtet, daß die Russen durch ihre Partei die ägyptische Einheitspartei in die Hand bekommen. Heikal sei klug und mutig, befinde sich aber in Lebensgefahr (vergl. Bemerkungen über Irak).

Bemerkungen über Ghadafi waren voller Verachtung, mit der Einschränkung, daß er immer laut von sich gäbe, wenn die Russen sich zu breit machten. Das

---

10 Präsident Nixon besuchte die UdSSR vom 22. bis 30. Mai 1972. Vgl. dazu Dok. 149 und Dok. 161.
11 Für den Wortlaut des Vier-Mächte-Abkommens über Berlin vom 3. September 1971 vgl. EUROPA-ARCHIV 1971, D 443–453.
12 Am 7. März 1972 berichtete Botschafter Berger, Islamabad, daß Präsident Bhutto sich mit der National Awami Party und der Jamiat-i-Ulema-i-Islam auf einen Zeitplan zur Abschaffung des Kriegsrechts und zur Wiedereinführung der parlamentarischen Demokratie geeinigt habe. Vgl. dazu den Drahtbericht Nr. 192; Referat I B 5, Bd. 690.

Verhältnis zu den Golfstaaten sei gut; gefährlich werde die Lage, wenn es zum Friedensschluß zwischen Israel und seinen Nachbarn komme, bevor sich Saudi-Arabien auf den Weg gewisser Reformen begeben habe.

Besorgt äußerte sich der Schah über die Entwicklung in Rumänien. Ob sich Ceaucescu nicht übernähme? Noch größer seien seine Sorgen wegen Jugoslawien. Zu Tito habe er ein sehr gutes Verhältnis, aber wer und was komme nach Tito? Wir seien uns doch sicher darin einig, daß sich die Lage im Mittelmeer grundlegend ändere, wenn die Russen durch ein Auseinanderfallen des jugoslawischen Staates an die Adria kämen.

Zur Rolle Irans

Der Schah: Kein anderes Land im Osten habe eine vergleichbare Chance, so rasch wie Iran zu einem modernen Staat zu werden. Die Bevölkerung werde relativ rasch auf 50 Mio. wachsen. Dort möchte man an sich haltmachen, aber es sei möglich, daß diejenigen Recht bekommen, die ihm sagten, daß man die künftige Bevölkerung mit 75 Mio. ansetzen müsse. Das Bruttosozialprodukt pro Kopf der Bevölkerung liege heute viermal höher als in Indien und werde sich im Laufe eines Jahrzehntes verdoppeln. Im Laufe weniger Jahre werde Iran zu einem interessanteren, aufnahmefähigeren Markt.

Ohne Bitterkeit, aber mit betonter Spitze erinnerte der Schah daran, daß ihm Professor Erhard gesagt habe, Iran solle auf die Industrialisierung verzichten und seine Zukunft als Agrarland sehen.[13] Aufgrund dieser Einstellung habe es auch keine Möglichkeit gegeben, mit deutscher Hilfe ein Stahlwerk zu errichten. Dies hätten die Russen inzwischen mit Erfolg fertiggebracht. Er habe im Laufe der Jahre auch Firmen wie Mercedes und VW vergeblich aufgefordert, Fabrikationswerke in seinem Land zu errichten. Jetzt endlich möchte VW gern ein Werk mit einer Jahresproduktion von 150 000 haben. Hierzu habe er nein gesagt, denn inzwischen habe er entschieden, daß General Motors eine Fabrik für 300 000 Fahrzeuge bauen werde.[14]

Hinweise auf die Vereinbarungen mit den Japanern waren mit der Bemerkung verknüpft, wir hätten in bezug auf Öl ähnliches haben können, wenn wir es gewollt hätten.[15] Mit der SU werde man wirtschaftlich noch mehr zu tun ha-

---

13 Der Passus „Ohne Bitterkeit ... zu sehen" wurde von Staatssekretär Frank durch Ausrufezeichen hervorgehoben.
Bundesminister Erhard besuchte den Iran vom 1. bis 5. Mai 1959.
14 Der Passus „Er habe ... bauen werde" wurde von Staatssekretär Frank durch Ausrufezeichen hervorgehoben.
15 Zum Stand der Beziehungen zwischen der Bundesrepublik und dem Iran auf dem Gebiet der Erdölindustrie stellte das Bundesministerium für Wirtschaft und Finanzen am 27. Februar 1972 fest: „Die DEMINEX hat sich um eine große Konzession im Nordwesten des Iran (Kermanshah) bemüht. Der Zuschlag der iranischen Regierung ging jedoch an eine japanische Firmengruppe, die das deutsche Angebot weit überboten hat. [...] Beteiligung der deutschen Gesellschaften an einer vom Iran geplanten Pipeline in die Türkei. Dieses Projekt stand im Zusammenhang mit der Kermanshah-Konzession, ist aber auch unabhängig davon von der iranischen Seite nicht weiterverfolgt worden. Auf der iranischen Seite ist eine gewisse Enttäuschung darüber festzustellen, daß es trotz des beiderseitigen Willens bisher nicht zu einer Konkretisierung von Einzelprojekten gekommen ist. Die iranische Seite sieht darin den Ausdruck eines nicht hinreichenden deutschen Engagements." Vgl. Referat III B 6, Bd. 743.
Bei einer Besprechung im iranischen Wirtschaftsministerium am 6. März 1972 kamen die wirtschaftlichen Beziehungen auf dem Erdölsektor zur Sprache: „Zum Thema Erdölbeziehungen rief MD Dr. Lantzke die seit 2½ Jahren laufenden Besprechungen in Erinnerung. Bisher habe man noch kein

ben, als jetzt ohnehin vorgesehen sei, wenn Westeuropa am Iran nicht genügend Interesse zeige.

Der Schah spricht mit einer Art visionärer Kraft von dem, was er seit gut zehn Jahren die Weiße Revolution nennt. Das heißt neben Industrialisierung vor allem: Volksbildung, Gesundheitsdienst, sukzessive Gleichstellung der weiblichen Bevölkerung. Wenn seine zwölf Punkte eines Tages verwirklicht seien, würde die soziale Ordnung im Iran moderner sein als die in der Bundesrepublik Deutschland. Schon jetzt gebe es eine gewisse Gewinnbeteiligung für die Arbeiter; er sympathisiere auch mit dem Gedanken des Miteigentums.

Persönlich wolle er mir sagen, daß er – auch aufgrund seiner schweizerischen Erziehung – wahrscheinlich nicht weniger demokratisch gesonnen sei als ich. Worauf es ankomme, sei jedoch, wie er unter den Bedingungen seines Landes die Voraussetzungen für eine breitere politische Mitverantwortung schaffen könne.

Hoveyda betonte, sein Kampf gelte nicht kritischen Auffassungen. Er wolle auch darauf hinweisen, daß mehrere frühere Kommunisten der Regierung angehörten (dies wurde bei Tisch in Gegenwart des Schah dahin konkretisiert, daß zwei frühere Tudeh-Mitglieder und zwei kommunistische Sympathisanten jetzt zur Regierung, allerdings als extreme Antikommunisten, gehörten). Der Kampf richte sich gegen Terroristen. Bei anderer Gelegenheit konnte man jedoch auch hören: Wer nicht für das Programm des Schah sei, sei ein Feind des Iran.

Bilaterale Beziehungen

Es gab mir gegenüber keinen Versuch, die DDR gegen uns auszuspielen. Der Schah erkundigte sich lediglich ganz sachlich über den Zusammenhang zwischen unseren Gesprächen mit der DDR und deren künftiger Mitgliedschaft in internationalen Organisationen.

Angetan war man offensichtlich davon, daß wir uns von vornherein darauf eingestellt hatten, über den konkreten Ausbau der wirtschaftlichen Kooperation zu sprechen und hierbei das Verhältnis zur EWG einzubeziehen.

Die vorgesehene Zusammenarbeit im Ölbereich fand verständlicherweise besonderes Interesse. Hoveyda – wohl aber auch nur er – wollte dieses Thema gern forcieren. Er war zeitweise selbst im Ölgeschäft. Wir müßten kühner sein, wir brauchten auf die internationalen Ölgesellschaften nicht so viel Rücksicht zu nehmen usw.

Wenn jetzt relativ viel über Öl gesprochen würde, dürfe dies nicht dazu führen, daß die Überlegungen, die auf andere Investitionen abzielen, zurücktreten, und wir müßten auch stärkere Bereitschaft zeigen, mit den Iranern über deren Nichtölexporte zu sprechen.

Fortsetzung Fußnote von Seite 223

Ergebnis hinsichtlich konkreter Projekte erzielen können; es bestehe jedoch der ernsthafte Wunsch nach einer Intensivierung der Zusammenarbeit. Zur weiteren Behandlung des Rohölkaufs kam man überein, die nächsten Experten-Gespräche sollten in der zweiten Hälfte April dieses Jahres stattfinden." Vgl. die Aufzeichnung des Botschaftsrats Gerhardt, Teheran, vom 8. März 1972; Referat III B 6, Bd. 743.

7. März 1972: Aufzeichnung von Brandt

Die vorgesehene Wirtschaftskommission[16] ist wichtig; sowohl der Besuch des iranischen Wirtschaftsministers bei uns wie Bundesminister Schillers Gegenbesuch in Teheran sollten noch in diesem Jahr stattfinden.[17]

Über den kulturellen Bereich hinaus interessiert die technologische Zusammenarbeit. Publikumswirksam ist aber natürlich vor allem die im Aufbau befindliche Sporthochschule.[18]

Der Schah sagte, er würde es sehr begrüßen, wenn deutsche Mediziner von Rang ein Krankenhaus bzw. eine Klinik errichteten, die von den Honoraren gutsituierter Patienten würde leben können. Es gäbe zahlreiche seiner Landsleute, die im Krankheitsfalle nicht ins Ausland fahren würden, wenn sie eine

---

[16] Im Kommuniqué vom 8. März 1972 über den Besuch des Bundeskanzlers Brandt im Iran wurde der Beschluß bekanntgegeben, „eine gemeinsame Regierungskommission zu bilden, die Maßnahmen erörtern soll, welche für die Entwicklung des Handels, der wirtschaftlichen und der technologischen Zusammenarbeit zwischen dem Iran und der Bundesrepublik Deutschland erforderlich sind. Diese gemeinsame Kommission wird jährlich einmal abwechselnd in Teheran und in Bonn zusammentreffen, zum ersten Mal Ende dieses Jahres." Vgl. BULLETIN 1972, S. 567.

[17] Am 9. März 1972 informierte Ministerialdirektor Lantzke, Bundesministerium für Wirtschaft und Finanzen, Bundesminister Schiller über den Besuch von Bundeskanzler Brandt im Iran: „Der Herr Bundeskanzler erklärte die Bereitschaft, daß Sie, Herr Minister, und Wirtschaftsminister Ansari sich zu Ende des Jahres in Bonn oder Teheran treffen. [...] Das Treffen zwischen den beiden Herren Ministern soll zugleich verbunden sein mit der ersten Sitzung der Wirtschaftskommission. Wegen der Zusammensetzung der Wirtschaftskommission müssen nähere Einzelheiten mit der iranischen Seite vereinbart werden. In Betracht kommt Minister- oder Staatssekretär-Ebene." Vgl. Referat III B 6, Bd. 743.
Dazu teilte Botschafter Lilienfeld, Teheran, am 30. Mai 1972 mit, der iranische Wirtschaftsminister Ansari habe darauf hingewiesen, „sein Kalender sei praktisch für das ganze iranische Jahr (bis 21. März 1973) ausgebucht. [...] Er, Ansari, sei aus diesen zeitlichen Gründen durchaus damit einverstanden, daß – wie beim Kanzlerbesuch vorgesehen – zunächst der Besuch der BDI-Delegation im Oktober stattfinde und er dann vielleicht zum Jahresende, wenn es Minister Schiller passe, nach Deutschland fahre. Er müsse uns jedoch darauf hinweisen, daß bis dahin zahlreiche Initiativen von anderer Seite stattfänden. Wir dürften uns nicht ‚die Butter vom Brot nehmen lassen'. So nützlich auch der Besuch von Herrn Sohl sei, so könnten bindende Abmachungen auf der iranischen Seite letzten Endes nicht mit der privaten Industrie, sondern nur mit Regierungsstellen getroffen werden." Vgl. den Drahtbericht Nr. 513; Referat III B 6, Bd. 743.

[18] Am 25. Februar 1972 berichtete Botschafter von Lilienfeld, Teheran, über Pläne zum Bau einer iranischen Sporthochschule. Die iranische Regierung habe diesen Beschluß vor rund einem Jahr gefaßt und explizit um Hilfe und Kooperation der Bundesrepublik ersucht. In der Zwischenzeit seien intensive Kontakte iranischer Stellen zur Sporthochschule Köln zustande gekommen: „Die Botschaft befürwortet nachdrücklich eine weitere Unterstützung dieses Projekts. [...] Uns bietet sich durch eine Beteiligung am Aufbau der ersten Ausbildungsstätte für Diplomsportlehrer und Sportwissenschaftler in Iran die Möglichkeit, einem immer wieder geäußerten iranischen Wunsch um Unterstützung auf dem Bildungssektor mit einem relativ geringen Aufwand nachzukommen. Eine deutsche Hilfe auf diesem Gebiet erscheint umso zweckmäßiger, da deutsche Investitionen im Rahmen der Bildungshilfe – auch innenpolitisch – beim augenblicklichen industriellen Entwicklungsstand Irans wesentlich leichter zu vertreten sind als etwa Kapital- oder neue Entwicklungshilfe. Mit einer Unterstützung beim Aufbau dieser Hochschule mit Universitäts-Charakter würden wir außerdem einen nicht zu unterschätzenden Einfluß auf das Erziehungswesen im allgemeinen und die gesamte Sportentwicklung im besonderen gewinnen." Vgl. den Schriftbericht Nr. 265; Referat IV 3, Bd. 1042.
Am 12. September 1972 informierte Vortragender Legationsrat I. Klasse Gracher die Botschaft in Teheran, „daß die S[port]h[ochschule] K[öln] keine Lehrkräfte für das Eröffnungssemester im September nach Teheran entsenden kann. Die für Teheran vorgesehenen Sportdozenten haben ihr bisheriges Arbeitsverhältnis beibehalten, da wegen der ungesicherten Haushaltslage die Mittel für ihre Entsendung trotz intensiver Bemühungen des Auswärtigen Amts nicht rechtzeitig zur Kündigungstermin bereitgestellt werden konnten. [...] Für die Entsendung der Sportdozenten zum Frühjahrssemester 1973 (25.3. bis Anfang Mai) hat das Auswärtige Amt bereits Verpflichtungsermächtigungen beantragt, so daß wenigstens dieser neue Termin eingehalten werden dürfte." Vgl. Referat IV 3, Bd. 1042.

225

erstklassige Behandlung in Teheran bekommen könnten. Meinem Hinweis, daß eine moderne Klinik, wenn sie ihren Patienten nicht exorbitante Rechnungen präsentieren wolle, auf Staatszuschüsse angewiesen sei, begegnete er mit der Feststellung, er erwarte keinen Pfennig aus dem deutschen Haushalt und sei bereit, in dem Maße in ein Obligo einzutreten, in dem wir dies bei uns auch täten. (Botschafter von Lilienfeld, dem ich hiervon erzählte, will prüfen, ob dem Gedanken des Schah dadurch Rechnung getragen werden kann, daß man den Rahmen und das Niveau des geplanten Malteser-Krankenhauses[19] entsprechend ausweitet bzw. anhebt.)[20]

Weder Hoveyda noch der Schah brachten von sich aus ihren Ärger über die Studenten[21] zur Sprache. Ich legte dar, was aus unserer Sicht hierzu zu sagen ist:

Meinungsfreiheit auch für Ausländer, zumal im Prozeß der europäischen Integration;

unsere eigenen Sicherheitsinteressen;

unser Interesse daran, außenpolitische Beziehungen nicht stören zu lassen;

meine Abneigung gegen eine angemaßte Richterstellung gegenüber anderen Staaten.

---

[19] Botschafter von Lilienfeld, Teheran, berichtete am 23. Mai 1972 über das Krankenhausprojekt: „Anläßlich des Besuches des Bundeskanzlers in Teheran äußerte der Schah ihm gegenüber sein Interesse an einem gemeinsamen ‚spektakulären' deutsch-iranischen Projekt – z. B. dem Bau eines großen Krankenhauses. Ich habe den Bundeskanzler, der mich darauf ansprach, davon unterrichtet, daß die Rheinisch-Westfälische Genossenschaft des Malteser-Ordens mit Unterstützung aus Bundesmitteln zur Zeit ein Krankenhaus in Teheran errichtet, das bereits im kommenden Jahr seine Tätigkeit aufnehmen soll. Der Malteser-Orden hatte diesen Krankenhausbau aufgrund eines auf das Jahr 1967 zurückgehenden Gesprächs zwischen dem Schah und Papst Pius XII. beschlossen. Die Errichtung hatte sich wegen formeller und finanzieller Schwierigkeiten jahrelang hingezogen, die durch die Einschaltung der Rheinisch-Westfälischen Genossenschaft des Ordens schließlich behoben werden konnten." Vgl. den Schriftbericht Nr. 662; Referat III B 6, Bd. 746.

[20] Der Passus „daß man ... bzw. anhebt" wurde von Ministerialdirigent Müller hervorgehoben. Dazu vermerkte er handschriftlich: „Für welche Bevölkerungsschicht?"

[21] Im Zuge der 2500-Jahr-Feiern der Monarchie im Iran im Oktober 1971 protestierten iranische Studenten unter Führung der Konföderation Iranischer Studenten-Nationalunion in der Bundesrepublik. Am 29. Oktober 1971 führte Ministerialdirektor Groepper gegenüber dem iranischen Botschafter Loghman-Adham zur Forderung der iranischen Regierung nach Bestrafung der iranischen Studenten wegen „Majestätsbeleidigung" aus, „daß die Möglichkeit der Bundesregierung, gegen die Studenten vorzugehen, nach den derzeitigen Gesetzesbestimmungen leider beschränkt seien. Eine Anklageerhebung und die Durchführung eines Strafverfahrens würde mit Sicherheit nicht zu dem gewünschten Erfolg führen. [...] Um wirksam gegen die Studenten vorgehen zu können, sei es nach unserer Auffassung vielmehr erforderlich, die deutsche Gesetzgebung zu ändern. In erster Linie sei daran gedacht, das Ausländergesetz neu zu fassen. Hierbei müsse man von der Erkenntnis ausgehen, daß jemand, der als Gast in einem fremden Land lebe, die ihm gewährte Gastfreundschaft nicht dazu mißbrauchen dürfe, die Beziehungen zwischen dem Gastland und einem anderen Staat zu beeinträchtigen. Wer die Gastfreundschaft mißbrauche, müsse ausgewiesen werden." Vgl. die Aufzeichnung vom 4. November 1971; Referat V 4, Bd. 1603.
Referat V 3 empfahl am 28. Februar 1972, in den bevorstehenden Gesprächen des Bundeskanzlers Brandt im Iran, „1) den Schwerpunkt unserer Ausführungen auf die administrativen Bemühungen im Rahmen der nach dem geltenden Recht gegebenen Möglichkeiten zu legen; 2) hinsichtlich der Novelle zum Verfassungsschutzgesetz zum Ausdruck zu bringen, daß diese im Bundestag noch umstritten ist; 3) die Überlegungen wegen einer Änderung anderer ausländerrechtlicher Vorschriften [...] unsererseits nicht zur Sprache zu bringen; falls die iranische Seite hierauf zu sprechen kommen sollte, müßte auf Grund der bisher gewonnenen Eindrücke deutlich gemacht werden, daß eine derartige Gesetzesvorlage die Zustimmung des Bundestages wohl nicht finden würde". Vgl. Referat I B 4, Bd. 537.

Ich wies auch darauf hin, daß wir z. B. mit der SU eine wesentliche Verbesserung der Beziehungen erreicht hätten, obwohl deren Ärger über den auf unserem Boden stationierten antisowjetischen Sender in keiner Weise behoben ist. Ich gab auch zu erwägen, ob es nicht empfehlenswert sei, auf bestimmte Angriffe, z. B. im Zusammenhang mit den Karnevalszügen, gelassener zu reagieren. Außerdem frage ich mich, warum wir beide Ärger hätten. Ich ärgerte mich nämlich darüber, daß persische Studenten einen stärkeren Einfluß auf unsere Studentenschaft hätten als irgendeine andere ausländische Gruppe. Hoveyda machte sich die Antwort hierauf sehr leicht. Er sprach davon, die oppositionellen Studenten seien tele-guided, und das Ganze sei vom internationalen Marxismus sehr effektiv aufgezogen. Der Schah zeigte eine gewisse Resignation. Ihm hänge zum Halse heraus, was die Schweden und die Dänen vorbrächten. Er habe auch auf einen zunächst geplanten Zwischenaufenthalt in Wien verzichtet, um einerseits nicht sich selbst und andererseits nicht die österreichische Regierung in Ungelegenheiten zu bringen. Auch in der Schweiz nähmen die Stänkereien zu. Es sei nicht entscheidend, was er dabei empfinde, denn er sei nun einmal die Verkörperung des Staates und des Volkes. (Hoveyda bemerkte, wir sollten uns über den mystischen Faktor in diesem Zusammenhang im klaren sein.)

Der Schah meinte, die eigene Öffentlichkeitsarbeit sei wohl nicht gut. Aber ob wir denn nicht einmal etwas sagen könnten, statt nur die extremen Kritiker sich äußern zu lassen. Ich bemerkte hierzu, daß ich mich für bessere Beziehungen auch dann einsetzen würde, wenn ich von der inneren Entwicklung des Iran nicht beeindruckt wäre. (Der Schah hierzu: Dies sei logisch, denn wir seien ja auch für gute Beziehungen zu kommunistischen Staaten.) Ich fügte hinzu, ich sei sehr wohl beeindruckt und würde mich hierzu auch öffentlich äußern.[22] Der Schah: Dann sei das andere in der Tat nicht so wichtig. Hoveyda: Dann wollen wir uns das nächste Mal nicht mehr über den Karneval ärgern.

Zwischen Schah und mir wurde in Aussicht genommen, im Bedarfsfall einander persönliche Nachrichten zu übermitteln.

Daß der Schah nach meinem Abflug vor den deutschen Journalisten auf die Tätigkeit der Studentengruppen eingehen würde, war nach den voraufgegangenen Gesprächen nicht zu erwarten. Es mag damit zusammenhängen, daß auch die eigene Presse anwesend war.

Humanitäre Fragen

Ich versuchte klarzumachen, daß Iran als alte Kulturnation gewertet und daß deshalb von den Kritikern gewissermaßen westeuropäische Maßstäbe angelegt würden.[23] Außerdem gäbe es ein humanitäres Interesse von Kreisen wie Am-

---

[22] Bei einem Essen zu Ehren von Ministerpräsident Hoveyda am 6. März 1972 sagte Bundeskanzler Brandt: „Die Aufbauleistung, die Ihr großes Land dank der Zielstrebigkeit seiner Führung und dem Fleiß seiner Bevölkerung aufzuweisen hat, wird in der Welt zunehmend beachtet. Alles spricht dafür, daß die wachsende Wirtschaftskraft das iranische Volk in die Lage versetzen wird, sich in zunehmendem Maße auch der Wohlfahrt und sozialen Sicherheit anzunehmen." BULLETIN 1972, S. 565.

[23] Am 3. März 1972 wies Botschafter von Lilienfeld, Teheran, den iranischen Hofminister Alam darauf hin, „welche negative Publizität die gestrige Nachricht der sechs Hinrichtungen in der deutschen Öffentlichkeit bereits gehabt habe und daß bei der für morgen angekündigten Vollstreckung

nesty International, die man nicht einfach abweisen sollte, zumal sie ganz gewiß nicht kommunistisch orientiert seien.

Hoveyda: Vor ein paar Wochen seien Vertreter der Liga für Menschenrechte und der Internationalen Juristenkommission bei ihm gewesen. Sie hätten auf Wunsch auch einem Gerichtsverfahren beiwohnen können. Er habe ihnen weiter auf Wunsch ein Gespräch mit zwei Gefangenen ermöglicht, die dabei bestätigt hätten, daß sie an Gewaltaktionen beteiligt gewesen seien. Die Liga-Vertreter hätten hierüber leider einseitig berichtet.

Was Amnesty International angehe, so sei ihm deren Vorsitzender Ennals in London nicht nur gut bekannt, sondern er betrachte diesen als einen Freund. Im übrigen habe man es aber bei solchen Organisationen überwiegend mit älteren, nicht mehr ganz hübschen Damen zu tun. Er respektiere die grundsätzliche Gegnerschaft gegen die Todesstrafe, könne sich aber an so edlen Grundsätzen nicht festhalten, wenn es um Banküberfälle mit Mordanschlägen, Attentate auf Polizisten, Bombenwerfen u. a. gehe.

Ich erwähnte, daß für Amnesty International der frühere irische Außenminister McBride Ende März nach Saudi-Arabien reise, und es läge doch nahe, daß er anschließend auch Teheran besuche. Hoveyda verhielt sich rezeptiv. Ich sagte, dieser Besuch könnte auch meiner Sicht einen Vorteil für Iran bringen, wenn Amnesty International eine Kontaktstelle hätte, bei der Wünsche und Beschwerden vorgebracht werden könnten. (Mir war zu diesem Zeitpunkt bekannt, daß dem Bruder Hoveydas, der Botschafter bei den Vereinten Nationen ist[24], kürzlich eine entsprechende Anregung von amerikanischer Seite gegeben wurde und daß dabei auch der Fall des Studenten Hussein Rezai zur Sprache gekommen ist.) Staatssekretär Bahr hat diese Fragen, auch Rezai betreffend, mit dem Außenminister[25] und Hoveyda vertieft.[26] Man wird hierauf in taktvol-

Fortsetzung Fußnote von Seite 227

weiterer Todesurteile zu befürchten sei, daß dies von manchen Kreisen in der BRD sogar als ein beabsichtigter Affront gegen den Bundeskanzler gedeutet würde, dem gegenüber man demonstrieren wolle, wie wenig sich der Iran von der Meinung des Auslands beeinflussen lasse. [...] eine Vollstreckung oder Verhängung von weiteren Todesurteilen in diesen Tagen würde dem Bundeskanzler sehr erschweren, einen der mit der Reise beabsichtigten Hauptzwecke – nämlich eine Beeinflussung der öffentlichen Meinung in Deutschland über den Iran im positiven Sinn – zu erreichen". Vgl. den Drahtbericht Nr. 229; VS-Bd. 9870 (I B 4); B 150, Aktenkopien 1972.
Am 4. März teilte Lilienfeld mit, daß die iranische Regierung zugesagt habe, „die für heute vorgesehen gewesenen Hinrichtungen sowie etwaige weitere Verfahren bis über den Besuch des Kanzlers auszusetzen". Eine „Überprüfung der Rechtslage habe ergeben, daß der Schah hierzu – jedoch nicht zur Änderung der Urteile – ermächtigt sei. [...] Er habe zwar bei Anschlägen auf sein Leben die Attentäter stets begnadigt; hier handle es sich jedoch um das Leben anderer Iraner, und da müsse er der Gerechtigkeit ihren Lauf lassen." Vgl. den Drahtbericht Nr. 231; VS-Bd. 9870 (I B 4); B 150, Aktenkopien 1972.

24 Fereydoun Hoveyda.
25 Ardeshir Zahedi.
26 Staatssekretär Bahr, Bundeskanzleramt, vermerkte am 13. März 1972 über das Gespräch mit dem iranischen Ministerpräsidenten, er habe Hoveyda dargelegt, daß Gesten im humanitären Bereich „dem internationalen Ansehen des Iran dienen würden". Von ihm erwähnt worden seien insbesondere: „a) Eine Aufhebung des faktischen Stopps für das Studium iranischer Studenten in der BRD. b) Der Fall Rezai. c) Die Wiederherstellung der früheren Kontakte zwischen der iranischen Regierung und Amnesty International. Hoveyda war zunächst ablehnend, verwies auf schlechte Erfahrungen, die man mit der Liga für Menschenrechte gemacht habe, erklärte im Falle Rezai in eine ‚Falle' gegangen zu sein (Amnesty International hätte Rezai nach Teheran in dem Wissen gebracht, daß er verhaftet werden würde) und wies schließlich darauf hin, daß Rezai der administrativen Verfügung entzogen sei." Vgl. Archiv der sozialen Demokratie, Depositum Bahr, Box 408.

7. März 1972: Aufzeichnung von Munz 48

ler Weise – und ohne uns unzweckmäßig zu engagieren – zurückkommen können. Hoveyda hat zugesagt, die drei Komplexe: Amnesty International, Rezai und Freigabe des Studiums persischer Studenten in der Bundesrepublik mit seinen zuständigen Kollegen zu prüfen.

Insgesamt:

1) Es liegt im Interesse der Bundesrepublik – politisch und wirtschaftlich –, dem Nahen Osten bzw. Mittleren Osten eine höhere Priorität einzuräumen.

2) Dies gilt im besonderen Maße für den Iran.

3) Projekte der wirtschaftlichen und technologischen Zusammenarbeit, Investitionen und Kooperationsvorhaben sind unter mittel- und langfristigen Gesichtspunkten zu prüfen.

4) Dazu gehört, über das jetzt Vereinbarte hinaus, auch die Möglichkeit der Erschließung vorhandener Ölvorkommen.

[Brandt][27]

VS-Bd. 520 (Büro Staatssekretär)

48

Aufzeichnung des Vortragenden Legationsrats I. Klasse Munz

I A 4-82.05-94.08-802/72 VS-vertraulich 7. März 1972[1]

Herrn Staatssekretär[2] zur Unterrichtung

Betr.: NATO-Verteidigungshilfe für Griechenland[3]
 hier: Unterrichtung der außenpolitischen Arbeitskreise der SPD- und FDP-Fraktionen durch den Minister am 1. März 1972

1) In der Anlage ist ein diesbezüglicher Informationserlaß an die Botschaft Athen beigefügt.[4]

---

[27] Verfasser laut Begleitschreiben. Vgl. Anm. 1.

[1] Hat Vortragendem Legationsrat Reitberger am 13. März 1972 vorgelegen.
[2] Hat Staatssekretär Frank am 8. März 1972 vorgelegen, der die Weiterleitung an Staatssekretär Freiherr von Braun verfügte.
 Hat Braun am 10. März 1972 vorgelegen.
[3] Wegen des Militärputsches in Griechenland am 21. April 1967 setzte die Bundesrepublik ihre Verteidigungshilfe an Griechenland aus, die bis dahin im Rahmen von Jahresprogrammen der NATO gewährt worden war. Vgl. dazu AAPD 1968, II, Dok. 344.
 Am 1. März 1971 beschloß der Bundessicherheitsrat, die NATO-Verteidigungshilfe an Griechenland wieder aufzunehmen. Vgl. dazu AAPD 1971, I, Dok. 122.
[4] Dem Vorgang beigefügt. Vortragender Legationsrat I. Klasse Munz faßte die Erörterung der Verteidigungshilfe an Griechenland in den außenpolitischen Arbeitskreisen der SPD- und der FDP-Bundestagsfraktionen zusammen und führte dazu aus: „Entscheidungen waren in diesem Rahmen nicht zu erwarten. Wann und wie die zuständigen parlamentarischen Gremien das Vorhaben weiter behandeln werden, ist noch nicht bekannt." Vgl. den Drahterlaß Nr. 47 vom 7. März 1972; VS-Bd. 9811 (I A 4); B 150, Aktenkopien 1972.

2) Der Minister hat eingehend und mit großem Nachdruck über die Notwendigkeit einer ideologiefreien Außenpolitik gesprochen. Eine solche sei auch die Grundlage für die Ostpolitik der Bundesregierung. Die inneren Zustände in den Ländern des Ostblocks könne er ebensowenig gutheißen wie die in autoritär regierten Ländern des Westens.

Der Minister appellierte mit Nachdruck an die SPD-Abgeordneten, bei den Beratungen der von der Bundesregierung beschlossenen Wiederaufnahme der NATO-Verteidigungshilfe für Griechenland in den zuständigen Ausschüssen für die Regierungsvorlage zu stimmen, damit eine der Koalition entsprechende Mehrheit zustande käme.

Im Laufe der sehr lebhaften Diskussion wurde deutlich, daß bei zahlreichen Abgeordneten wirtschaftspolitische Argumente auffallend wenig Eindruck machten.

3) Die Staatssekretäre Mommsen und Berkhan berichteten über die militärischen Aspekte. Sie wiesen insbesondere darauf hin, daß Lieferungen im Werte von DM 30 Mio. (Ersatzteile M 47) bereits erfolgt seien, daß es jetzt lediglich darauf ankomme, ob die griechische Regierung hierfür bezahlen müsse, oder ob sie auf die von der Bundesregierung beschlossene Verteidigungshilfe angerechnet würden. Eine Reihe von Abgeordneten empfahl erneut, die Hilfe über eine NATO-Agentur zu leiten. Staatssekretär Berkhan wies darauf hin, daß die Bundesregierung ihre diesbezüglichen Bemühungen fortsetzen werde, jedoch nur wenig Hoffnung hinsichtlich einer solchen Lösung habe.

4) Staatssekretär Mommsen berichtete über seine humanitäre Sonderaktion. Von 24 politischen Gefangenen, für die sich die Bundesregierung verwandt habe, seien inzwischen zwölf in Freiheit. Drei weitere Gefangene seien offenbar Anarchisten, für die eine weitere Intervention kaum möglich sei. Die übrigen neun Gefangenen wären vermutlich auch schon frei, wenn nicht in der Zwischenzeit neue Sprengstoffanschläge in Griechenland stattgefunden hätten. Auch sei das Verhalten einiger Gefangener (politische Manifeste aus dem Gefängnis) nicht gerade hilfreich gewesen. Es bestehe jedoch gute Aussicht auf eine weitere positive Entwicklung.[5]

Referat I A 7 hat mitgezeichnet.

Munz

VS-Bd. 9811 (I A 4)

---

[5] Botschafter Limbourg, Athen, berichtete am 18. Januar 1972, daß sich die Zahl politischer Gefangener seit 1970 insgesamt stark verringert habe, daß aber die Sprengstoffattentate und -funde in jüngster Zeit die Aussicht auf weitere humanitäre Verbesserungen gedämpft hätte. Vgl. dazu den Drahtbericht Nr. 19; Referat I A 4, Bd. 438.
Am 7. Februar 1972 informierte Limbourg über die Lage politischer Häftlinge in Griechenland: „1971 zeichnete sich bei Militär- und ordentlichen Gerichten deutlich die Tendenz zur Milde in politischen Prozessen gegenüber den Vorjahren ab. Insbesondere die ordentlichen Gerichte zweiter Instanz sprachen die wegen Pressedelikten Angeklagten fast regelmäßig frei. [...] Die Zahl der politischen Untersuchungshäftlinge wurde vom Regierungssprecher mit 43 angegeben, die der politischen Strafgefangenen dürfte zwischen 300 und 400 liegen. Einen entscheidenden humanitären Fortschritt brachten die Entlassungen der restlichen, durch bloßen Verwaltungsakt in Haft gehaltenen 334 Regimegegner und die Auflösung aller Deportiertenlager im April und die Freilassung der restlichen 59 Personen, die unter Zwangsaufenthalt auf Inseln und in entfernten Dörfern gestanden hatten, im Dezember." Vgl. die Anlage zum Schriftbericht Nr. 141; Referat I A 4, Bd. 434.

49

Aufzeichnung des Bundeskanzleramts

Geheim 10. März 1972[1]

Betr.: Verhandlungen Bahr/Kohl über einen Allgemeinen Verkehrsvertrag am 9./10. März 1972 in Ostberlin

An den beiden Tagen fanden vier Delegationssitzungen statt, aus denen folgendes festzuhalten ist:

1) Einleitend betonte StS Kohl den Wunsch seiner Regierung, daß die Verhandlungen zügig und intensiv weitergeführt werden.[2]

2) Bei der Erörterung der einzelnen Vertragsbestimmungen schlug StS Bahr vor, in die Präambel folgenden Satz aufzunehmen:

„in dem Bestreben, einen Beitrag zur Entspannung in Europa zu leisten und Beziehungen beider Staaten zueinander zu entwickeln, wie sie zwischen Staaten üblich sind".

StS Kohl behielt sich eine Stellungnahme vor.

3) StS Kohl erklärte sich einverstanden, den Komplex Luftverkehr aus dem Verkehrsvertrag auszuklammern. Statt dessen schlug er einen Protokollvermerk vor, in dem beide Seiten ihre Absicht erklären, die Zusammenarbeit auf dem Gebiet des Luftverkehrs zu entwickeln und sobald wie möglich ein Luftverkehrsabkommen in international üblicher Form abzuschließen.[3]

StS Bahr behielt sich eine Prüfung der Frage der Form und des Wortlauts einer solchen Erklärung vor. Im übrigen wies er darauf hin, daß auch nach seiner Auffassung der Luftverkehr geregelt werden sollte.

4) Hinsichtlich der Formulierung der gegenseitigen Verpflichtung der Vertragspartner, den Verkehr in und durch ihr Hoheitsgebiet in größtmöglichem Umfang zu gewähren, bestand StS Kohl darauf, auf die „internationalen Normen" Bezug zu nehmen. StS Bahr erwiderte, es sei in diesem Zusammenhang besser, die „internationale Praxis" zu erwähnen, die umfassender und moderner sei. Man könne aber auch auf beide Formeln verzichten. Die Diskussion dieses Punktes wurde nicht vertieft.

StS Bahr betonte noch einmal die Notwendigkeit, im Verkehrsvertrag auf die Sonderregelung des Berlin-Verkehrs ausdrücklich hinzuweisen. Es müsse klar

---

[1] Ablichtung.
[2] Am 13. März 1972 berichtete Vortragender Legationsrat Bräutigam, daß „das erste Treffen nach der Bundestagsdebatte über die Ostverträge [...] in einer sachlichen und aufgeschlossenen Atmosphäre" verlaufen sei: „DDR-Staatssekretär Kohl war sichtlich um eine flexible Verhandlungsführung bemüht. Er betonte wiederholt, daß seine Seite die Verhandlungen nicht verzögern, sondern im Gegenteil zügig weiterführen wolle. Offenbar denkt man in Ostberlin daran, die Verhandlungen im April zu intensivieren (jede Woche mehrere Sitzungstage), möglicherweise mit dem Ziel, den Vertrag doch noch vor dem 4. Mai zu paraphieren." Vgl. VS-Bd. 8562 (II A 1); B 150, Aktenkopien 1972.
[3] Für den Protokollvermerk über den Luftverkehr vgl. Dok. 57.

sein, daß die Bestimmungen des Verkehrsvertrages nicht für den Berlin-Verkehr gelten können.

5) In der Paßfrage scheint sich eine Annäherung der Standpunkte abzuzeichnen. StS Bahr erklärte, die von ihm vorgeschlagene Formulierung („die Reisenden weisen sich durch ein amtliches Personaldokument aus") erlaube es jeder Seite, ihre Praxis aufrechtzuerhalten[4]. StS Kohl, der bisher auf einer gegenseitigen „Anerkennung" der Reisepässe bestanden hatte, sagte Prüfung zu.

6) Die umstrittene Frage des Grenzverlaufs in der Elbe[5] wurde nicht näher behandelt. Es bestand Übereinstimmung, daß eine Regelung angestrebt werden soll, die einen reibungslosen Verkehr in diesem Abschnitt gewährleistet.

7) Beide Seiten kamen überein, daß im Eisenbahnverkehr zwischen beiden Staaten künftig die internationalen Eisenbahnabkommen CIM und CIV[6] gelten sollen.
Auch über die technische Abwicklung des Eisenbahnverkehrs besteht weitgehend Übereinstimmung.

8) Die technischen Regelungen des Straßen- und Binnenschiffsverkehrs sollen in der nächsten Verhandlungsrunde von Experten behandelt werden.

9) StS Kohl bestand wiederum auf der Einführung von (international üblichen) Beförderungsgenehmigungen im Straßen-Güterverkehr. Er war aber bereit, über Ausnahmen von diesem Grundsatz zu sprechen. StS Bahr erwiderte, daß der jetzt bestehende Zustand aufrechterhalten werden sollte. Im übrigen müsse er darauf hinweisen, daß die Einführung von Beförderungsgenehmigungen auf unserer Seite Kontingentierungen (Höchstzahlen) der Transporte nach sich ziehen würde. Der Punkt blieb offen.

10) Umstritten ist weiterhin die Definition der Staatsschiffe.[7] StS Bahr regte an, eine Formulierung zu suchen, nach der solche Schiffe bestimmte Privilegien genießen, die nach Auffassung beider Seiten Staatsschiffe sind.[8]

In den übrigen Fragen des Seeverkehrs besteht weitgehend Übereinstimmung.

---

[4] Dazu vermerkte Vortragender Legationsrat Bräutigam am 13. März 1972: „Hier scheint sich eine Annäherung der Standpunkte abzuzeichnen. Kohl hatte bisher auf einer gegenseitigen ‚Anerkennung' der Reisepässe bestanden. Eine solche Formel könnte so ausgelegt werden, daß wir die DDR jetzt als Ausland ansehen und darüber hinaus als Staat mit einer eigenen Staatsangehörigkeit." Vgl. VS-Bd. 8562 (II A 1); B 150, Aktenkopien 1972.

[5] Zu den Rechtsauffassungen der Bundesrepublik und der DDR hinsichtlich des Grenzverlaufs an der Elbe vgl. Dok. 12, Anm. 13.

[6] Für den Wortlaut des Internationalen Übereinkommens vom 25. Februar 1961 über den Eisenbahnfrachtverkehr (CIM) vgl. BUNDESGESETZBLATT 1964, Teil II, S. 1520–1579.
Für den Wortlaut des Internationalen Übereinkommens vom 25. Februar 1961 über den Eisenbahn-Personen- und -Gepäckverkehr (CIV) vgl. BUNDESGESETZBLATT 1964, Teil II, S. 1898–1951.

[7] Zum Problem der Staatsschiffe vgl. Dok. 21, Anm. 11.

[8] Dazu vermerkte Vortragender Legationsrat Bräutigam am 13. März 1972: „Wie andere sozialistische Staaten versucht auch die DDR, umfassende Privilegien für ihre Staatsschiffe, einschließlich aller Staatshandelsschiffe, durchzusetzen. Diese Position können wir selbstverständlich nicht akzeptieren (was die andere Seite auch weiß). Staatssekretär Bahr hat angeregt, eine Formulierung zu suchen, nach der nur solche Schiffe bestimmte Privilegien genießen, die nach Auffassung beider Seiten Staatsschiffe sind. Ein Formulierungsvorschlag ist in Vorbereitung." Vgl. VS-Bd. 8562 (II A 1); B 150, Aktenkopien 1972.

11) Zur Regelung der Haftpflichtversicherungsfragen schlug StS Kohl überraschend den Abschluß einer Regierungsvereinbarung vor. Er sei, so sagte er, ermächtigt, eine solche zu unterzeichnen.

StS Bahr behielt sich eine Stellungnahme vor, wies aber darauf hin, daß in unserer Praxis derartige Regierungsvereinbarungen nicht üblich seien. Auch im Verhältnis zu sozialistischen Staaten würden diese Fragen zwischen den zuständigen Verbänden geregelt. Diese Verbandsübereinkommen seien bisher stets als ausreichend angesehen worden.

Der Punkt soll in der nächsten Runde weiter behandelt werden.[9]

12) Beide Seiten wollen geeignete Schritte unternehmen, um eine reibungslose Durchführung des Reiseverkehrs während der Zeit von Ostern und Pfingsten auf der Grundlage der von der DDR angekündigten Maßnahmen zu gewährleisten.[10] Der Güterverkehr wird wie bisher abgewickelt werden.

13) Die nächste Verhandlungsrunde wird am 22./23. März 1972 in Bonn stattfinden.[11]

VS-Bd. 8562 (II A 1)

---

[9] Das Abkommen über Fragen der Haftpflichtversicherung wurde im 38. Gespräch des Staatssekretärs Bahr, Bundeskanzleramt, mit dem Staatssekretär beim Ministerrat der DDR, Kohl, am 5./6. April 1972 erneut thematisiert. Vgl. dazu Dok. 89.

[10] Am 22. Februar 1972 kündigte der Erste Sekretär des ZK der SED, Honecker, die zeitlich befristete Inkraftsetzung des Transitabkommens vom 17. Dezember 1971 zu Ostern und Pfingsten 1972 an. Vgl. dazu den Artikel „Ein taktisches Manöver von Honecker"; DIE WELT vom 23. Februar 1972, S. 1.
Am 21. März 1972 führte Staatssekretär Bahr, Bundeskanzleramt, gegenüber den Vertretern der Drei Mächte zur zeitlich befristeten Anwendung des Transitabkommens vom 17. Dezember 1971 aus: „Die DDR habe klargestellt, daß sie durch die zeitweilige Anwendung des Transitabkommens nicht präjudiziert werden wolle. Es gehe ihr darum, für den Fall der Nichtratifizierung der Ostverträge in ihrer eigenen Praxis frei zu bleiben. Die zeitweilige Anwendung des Transitabkommens habe allerdings den Vorteil, daß die Regelungen getestet werden könnten." Vgl. die Aufzeichnung des Vortragenden Legationsrats Bräutigam; VS-Bd. 8562 (II A 1); B 150, Aktenkopien 1972.

[11] Zum 37. Gespräch des Staatssekretärs Bahr, Bundeskanzleramt, mit dem Staatssekretär beim Ministerrat der DDR, Kohl, am 22./23. März 1972 vgl. Dok. 68, Dok. 71 und Dok. 72.

50

Aufzeichnung des Bundeskanzleramts

Geheim 11. März 1972[1]

Vermerk über ein Gespräch der Staatssekretäre Bahr und Kohl in Anwesenheit der Herren Sanne und Seidel am 9. März 72

Im Verlaufe einer ausführlichen Diskussion von Fragen, die mit der vorgezogenen Anwendung von Regelungen des Transitabkommens durch die DDR[2] zusammenhängen, kam das Gespräch auch auf die Themen „Kommission"[3] und „Einbeziehung Berlins".

Staatssekretär Bahr erklärte, wir hätten am liebsten eine gemeinsame Kommission mit einem gemeinsamen Sekretariat, aber er wisse ja, daß Staatssekretär Kohl das nicht akzeptieren könne. Trotzdem müsse die Frage geklärt werden, wo und unter welchen Umständen die Kommission tagen werde. Sie werde jedenfalls am Anfang sehr beschäftigt sein, im Endstadium könne es vielleicht genügen, wenn sie alle drei Monate zusammentrete.

Man könne damit rechnen, daß es zwei Kommissionen geben werde, eine für das Transitabkommen, eine für den Allgemeinen Verkehrsvertrag. Es wäre denkbar, daß die eine ihren Sitz in Berlin, die andere in Bonn habe.

Staatssekretär Kohl erwiderte, daß nach der Vorstellung seiner Seite die Kommissionen abwechselnd in den beiden Hauptstädten tagen werden. Auf den Einwurf von Herrn Bahr, die Tagungen müßten auch in West-Berlin stattfinden, replizierte Herr Kohl, daß dies – wenn nötig – mit dem Senat vereinbart werden müsse.

Staatssekretär Bahr betonte, daß es für den Transit nur ein Abkommen gebe und nur eine Kommission. Eine Institutionalisierung von Sonderabsprachen zwischen der DDR und dem Senat werde auf keinen Fall möglich sein. Unsere Seite sei bereit, Vertreter des Senates in die Kommission aufzunehmen; wir hielten dies für sinnvoller. Etwaige Versuche der DDR, nachträglich „Beziehungen zur besonderen politischen Einheit West-Berlin" organisieren zu wol-

---

[1] Ablichtung.
Hat laut Vermerk des Legationsrats I. Klasse Vergau vom 14. März 1972 Staatssekretär Frank vorgelegen.

[2] Zur zeitlich befristeten Anwendung des Transitabkommens vom 17. Dezember 1971 zu Ostern und Pfingsten 1972 vgl. Dok. 49, Anm. 10.

[3] Nach Artikel 19 des Abkommens vom 17. Dezember 1971 zwischen der Regierung der Bundesrepublik und der Regierung der DDR über den Transitverkehr von zivilen Personen und Gütern zwischen der Bundesrepublik und Berlin (West) war vorgesehen: „1) Die Abkommenspartner bilden eine Kommission zur Klärung von Schwierigkeiten und Meinungsverschiedenheiten bei der Anwendung oder Auslegung dieses Abkommens. 2) Die Delegation jedes Abkommenspartners wird in der Kommission durch einen bevollmächtigten Vertreter des Bundesministers für Verkehr der Bundesrepublik Deutschland beziehungsweise des Ministers für Verkehrswesen der Deutschen Demokratischen Republik geleitet. 3) Die Kommission tritt auf Ersuchen eines der beiden Abkommenspartner zusammen. 4) Einzelheiten des Verfahrens werden durch die Kommission festgelegt. 5) Kann die Kommission eine ihr zur Behandlung vorgelegte Meinungsverschiedenheit nicht regeln, wird diese Frage von beiden Seiten ihren Regierungen unterbreitet, die sie auf dem Verhandlungswege beilegen." Vgl. EUROPA-ARCHIV 1972, D 75.

len, könnten nicht gelingen. Entsprechendes gelte für das Thema Warenbegleitschein-Vereinbarung. Er und Staatssekretär Kohl hätten in den Verhandlungen damals abgesprochen, daß mit der Regelung der Frage, wie die Anwendung der Warenbegleitschein-Vereinbarung auf Berlin-West aussehe, alle Fragen der Warenbegleitschein-Vereinbarung geklärt sein würden.[4]

Staatssekretär Kohl erwiderte, dies schließe nicht aus, daß die DDR praktische Fragen mit dem Senat kläre und regele. Das vereinbarte besondere Verfahren der Anwendung des Transitabkommens auf Berlin sei durchgeführt – zwar nicht ganz korrekt auf Seite der BRD, aber die Drei Mächte hätten ja schließlich der sowjetischen Regierung versichert, daß Berlin die Verpflichtungen aus dem Abkommen übernehmen werde.

Staatssekretär Bahr stellte fest, daß auch wir über Abweichungen der DDR von dem vereinbarten Verfahren zu klagen hätten. Nach seiner Meinung seien wir quitt. Der Notenwechsel zwischen den Vier Mächten habe jedenfalls alles wieder auf den ursprünglich vereinbarten Stand gebracht.[5]

VS-Bd. 8563 (II A 1)

51

Aufzeichnung des Staatssekretärs Bahr, Bundeskanzleramt

Geheim   **11. März 1972**[1]

Betr.: Persönliche Gespräche mit StS Kohl am 9. und 10. März 1972

1) Zeitweilige Anwendung des Transitabkommens zu Ostern und Pfingsten[2]

a) Dieses Thema wurde mehrfach besprochen. Die DDR wollte diejenigen Fahrzeuge, die verplombt fahren, bevorzugt abfertigen. Nachdem ich klargemacht hatte, daß der Aufwand für uns in keinem Verhältnis zum Effekt steht, sich im Gegenteil negative Auswirkungen ergeben könnten, erklärte Kohl, man werde in dieser Zeit die bisherigen Kontrollen wohlwollend handhaben. Daraus dürften wir keine „Rechte" ableiten. Die DDR wünsche sich nicht zu präjudizieren.

---

[4] Zum Briefwechsel vom 15. Dezember 1971 zwischen Ministerialdirektor Sahm, Bundeskanzleramt, und dem Abteilungsleiter im Ministerium für Auswärtige Angelegenheiten der DDR, Seidel, zum Warenbegleitschein vgl. Dok. 45, Anm. 3.

[5] Zum Notenwechsel zwischen den Drei Mächten und der UdSSR zur Einbeziehung von Berlin (West) in das Transitabkommen vom 17. Dezember 1971 vgl. Dok. 3 und Dok. 25, Anm. 17.

[1] Ablichtung.
Hat Staatssekretär Frank am 14. März 1972 vorgelegt, der die Weiterleitung an Bundesminister Scheel und Ministerialdirektor von Staden verfügte.
Hat Scheel vorgelegen.
Hat Staden vorgelegen.

[2] Zur zeitlich befristeten Anwendung des Transitabkommens vom 17. Dezember 1971 zu Ostern und Pfingsten 1972 vgl. Dok. 49, Anm. 10.

b) Man könne nicht ausschließen, daß die Möglichkeiten des verbesserten Verkehrs zu Provokationen genutzt werden. Die DDR sei bereit, im engen und direkten Zusammenwirken mit uns daran mitzuwirken, daß diese Dinge unter Kontrolle bleiben und nicht hochgespielt werden. Kohl werde während dieses Zeitraumes immer erreichbar sein und alle erforderlichen Vollmachten haben.

c) Ich habe vorgeschlagen, daß für diese Zeit einzelne Mitglieder der später vorgesehenen Kommission[3] in technisch unmittelbarem Kontakt stehen. Nach Zögern und Rückfragen hat Kohl dies akzeptiert unter der Voraussetzung, daß damit keine Institutionalisierung verbunden ist, sondern ein technischer Arbeitskontakt geschaffen wird.

Die DDR wird einen Juristen, Herrn Friedrich, dafür benennen, der von zwei weiteren Herren unterstützt wird. Friedrich wird zu einem ersten Kontakt mit dem von unserer Seite vorgesehenen Herrn Wulf am 22. März mit der Delegation nach Bonn kommen.

2) Luftverkehr

Kohl legte Verwahrung ein gegen den Druck, den die Bundesregierung auf Bulgarien ausübe.[4] Herr Diesel habe erklärt, daß ein Nichteingehen auf die Wünsche der Bundesregierung die gesamten Beziehungen zu Bulgarien verschlechtern würde. Herr Hermes habe erklärt, Bundesminister Schiller werde den vorgesehenen Besuch in Bulgarien nicht durchführen. Der Leiter unserer Handelsvertretung in Sofia[5] habe gleichartige Erklärungen abgegeben. Am 1.2. hätten in Bonn Beratungen zum Zwecke eines förmlichen Boykotts stattgefunden.

Es gebe keinerlei Rechtsgrundlage für zivile Flüge von und nach West-Berlin. Man könne einen befreundeten Staat nicht zwingen, eine rechtswidrige Handlung zu begehen, gleichgültig wie die Praxis früher einmal gewesen sei. Bei einem solchen Druck gebe es nur die Solidarisierung. Jedenfalls könnte die Bundesregierung nicht erwarten, daß die DDR in einer derartigen Situation nett oder entgegenkommend sei in der Frage der Flüge von SAS und AUA nach West-Berlin.[6] Es habe im übrigen keine Zusage der DDR an die beiden Gesellschaften gegeben.

Außerdem machten die Vertreter der Bundesregierung der Fluggesellschaft der DDR Schwierigkeiten, wo immer sich diese um Landerechte bemühe.

Die DDR sehe diese Fragen komplex an. Im Zusammenhang könne man über vieles reden. Das Angebot einer gleichberechtigten Regelung aller Luftverkehrsfragen stünde.

3) Kohl bezog sich auf die Äußerung des Bundeskanzlers im Bundestag: „Guter Wille dort werde gutem Willen hier begegnen."[7] Was sei damit gemeint? Die

---

[3] Zu der im Transitabkommen vom 17. Dezember 1971 vereinbarten gemeinsamen Kommission vgl. Dok. 50, Anm. 3.
[4] Zu den Bemühungen der Bundesregierung um Einbeziehung von Berlin (West) in den Flugverkehr nach Bulgarien vgl. Dok. 44, Anm. 16 und Anm. 18.
[5] Rolf von Keiser.
[6] Zur Frage der Überflugrechte für die SAS und die AUA vgl. Dok. 16, Anm. 8.
[7] Anläßlich der ersten Lesung der Gesetze zum Moskauer Vertrag vom 12. August 1970 und zum Warschauer Vertrag vom 7. Dezember 1970 im Bundestag am 23. Februar 1972 sagte Bundeskanzler Brandt: „Gestern ist in Ost-Berlin bekanntgegeben worden, daß – als Geste des guten

DDR hätte wirklich einiges getan. Er zählte Äußerungen Honeckers auf, die Einstellung von Angriffen gegen die Bundesregierung, auch wenn es manchmal schwergefallen sei, die „Geste des guten Willens" (Ostern und Pfingsten) und schließlich eine Erklärung Honeckers in Leipzig am 10.3.[8], der besondere Bedeutung zukomme.

Demgegenüber setze die Bundesregierung und ihre Vertreter ihre feindselige und diskriminierende Praxis gegen die DDR unvermindert fort. Kohl erinnerte an das Abkommen der DDR mit der IAEO.[9] Dies sei zum Schluß gegen die Machenschaften unseres Vertreters[10] durch einen Vermittlungsvorschlag Eklunds mit Unterstützung der Amerikaner zustande gekommen.[11] Das gleiche gelte für die Aktivitäten unserer Vertreter in New York zum Thema Umweltkonferenz. Die Sitzung der WHO im Mai sei eine politische Schlüsselfrage. Die Sitzung der ECE im April werde ebenfalls ihre Bedeutung haben.[12] Der neue Kurs der DDR gegenüber der BRD sei keinesfalls unumstritten. Bei der Fortsetzung der bisherigen Haltung der Bundesregierung und ihrer Vertreter im Ausland seien psychologische Emotionen auf seiner Seite nicht ausgeschlossen, die einfach dahingingen, daß man schließlich nicht so christlich sei, auch die andere Backe hinzuhalten. Es spiele keine Rolle, ob die DDR ihre internationale Stellung etwas früher oder etwas später verbessere. Aufzuhalten sei das nicht, warum dafür etwas bezahlen und sich außerdem noch treten lassen?

Fortsetzung Fußnote von Seite 236
  Willens, wie man es nannte – neue Regelungen für den Reise- und Besucherverkehr zu Ostern und Pfingsten in Kraft gesetzt werden sollen. Ich möchte das positiv registrieren und jetzt nur hinzufügen: Guter Wille dort wird gutem Willen hier begegnen." Vgl. BT STENOGRAPHISCHE BERICHTE, Bd. 79, S. 9740.
8 Auf einer Veranstaltung der Bezirksparteiorganisation der SED Leipzig am 10. März 1972 betonte der Erste Sekretär des ZK der SED, Erich Honecker, die Bedeutung des Vier-Mächte-Abkommens über Berlin vom 3. September 1971, des Moskauer Vertrags vom 12. August 1970 und des Warschauer Vertrags vom 7. Dezember 1970 für den Frieden in Europa. Er fügte hinzu: „Um diesen Prozeß zu fördern, um die Gegner des Vertragswerkes zurückzudrängen, um wie bisher durch konstruktive Schritte zur friedlichen Entwicklung in Europa beizutragen, haben bekanntlich das Politbüro des Zentralkomitees unserer Partei und der Ministerrat der Deutschen Demokratischen Republik am 23. Februar 1972 jenen Beschluß gefaßt, der es ermöglicht, zeitweilig jene Regelungen anzuwenden, die nach der Ratifizierung der Verträge von Moskau und Warschau, des Vierseitigen Abkommens über Westberlin, des Transitabkommens zwischen den Regierungen der DDR und der BRD sowie der Vereinbarungen zwischen der Regierung der DDR und dem Senat von Westberlin über den Reise- und Besucherverkehr wirksam werden. Dieser Beschluß, der als Geste guten Willens in der Weltöffentlichkeit begrüßt wurde, unterstreicht die konstruktive Haltung unserer Partei und Regierung zu all den Fragen, die dem Frieden und der Sicherheit dienen. Jeder konnte sich erneut davon überzeugen, daß es der Sozialistischen Einheitspartei Deutschlands und unserer Republik mit der Unterstützung jener dem Geist und Buchstaben der Verträge zugrunde liegenden Politik der friedlichen Koexistenz ernst ist. Worte und Taten stimmen bei uns überein." Vgl. HONECKER, Reden, Bd. 1, S. 471.
9 Zu den Verhandlungen zwischen der DDR und der IAEO über ein Kontrollabkommen gemäß Artikel III des Nichtverbreitungsvertrags vom 1. Juli 1968 vgl. Dok. 20, Anm. 11 und 12.
10 Werner Ungerer.
11 Am 7. März 1972 schlossen die Regierung der DDR und die Internationale Atomenergieorganisation ein Abkommen über die Anwendung von Sicherheitskontrollen im Zusammenhang mit dem Vertrag über die Nichtweiterverbreitung von Kernwaffen. Vgl. dazu AUSSENPOLITIK DER DDR, Bd. XX/2, S. 1136–1174.
12 Zu einer Beteiligung der DDR an der 27. ECE-Jahresversammlung vom 17. bis 28. April 1972 in Genf, an der 25. WHO-Versammlung vom 9. bis 26. Mai 1972 in Genf und an der UNO-Umweltkonferenz vom 5. bis 16. Juni 1972 in Stockholm vgl. Dok. 4.

Besonderen Unwillen habe erregt, daß ein Vertreter der BRD[13] in einem arabischen Land erklärt habe: „Kohl und Bahr sprechen über die Wiedervereinigung. Dabei gingen die Vorstellungen der westdeutschen Seite auf eine Föderation." Man könne sich in der DDR nicht vorstellen, daß derartige wahrheitswidrige, gegen die Konsolidierung der DDR gerichtete Erklärungen ohne Weisungen erfolgen.

Ich habe darauf hingewiesen, daß Kohl die Haltung der Bundesregierung zur Frage der Stellung der DDR in internationalen Organisationen bekannt sei. Ich hätte sie begründet und dem nichts hinzuzufügen.[14]

Kohl meinte: Wenn dies so sei, dann sei mindestens nicht einzusehen, warum die Bundesregierung nicht wenigstens ihren Widerstand reduziere, wenn andere, auch verbündete Staaten der BRD, eine positivere Haltung einnehmen. Entgegenkommen der DDR sei jedenfalls nicht zu erreichen durch Druck.

4) Kohl teilte mit, daß man entsprechend meinen Ausführungen zum Thema Reiseerleichterungen[15] Überlegungen angestellt hätte, das Rentenalter bei Männern von 65 auf 60 Jahre, bei Frauen von 60 auf 55 Jahre zu senken. Dies sei aber hinfällig geworden, nachdem Herr Barzel im Bundestag derartige Forderungen erhoben habe.[16]

Erstens denke die DDR nicht daran, die negative Politik der CDU zu honorieren.

Zweitens werde sie so etwas nicht unter Druck tun. Herr Barzel müsse selbst verantworten, was er durch sein Verhalten auf dem Gebiet der menschlichen Erleichterungen verspiele und in Frage stelle. Die DDR wolle diese Frage nicht weiterverfolgen.[17]

Meine Vorstellungen für Reiseerleichterungen von West nach Ost im Sinne der 30 Tage-Regelung für West-Berliner[18] könnten überhaupt nicht ernsthaft erörtert werden. Ich müßte wissen, daß dies für die DDR unabhängig von allen Argumenten einfach nicht machbar sei.

Ich habe unterstrichen, daß der schwache Punkt in der Position der Bundesregierung tatsächlich der sei, daß menschliche Erleichterungen zwischen den beiden Staaten kaum eingetreten seien. Ein Verkehrsvertrag, der schließlich auch die Zustimmung des Bundestages brauche, habe nur begrenzten Wert,

---

13 Die Wörter „Vertreter der BRD" wurden von Bundesminister Scheel hervorgehoben. Dazu vermerkte er handschriftlich: „Wer?"
14 Vgl. dazu die Ausführungen des Staatssekretärs Bahr, Bundeskanzleramt, im 35. Gespräch mit dem Staatssekretär beim Ministerrat der DDR, Kohl, vom 3. Februar 1972; Dok. 20.
15 Für die Ausführungen des Staatssekretärs Bahr, Bundeskanzleramt, im 34. Gespräch mit dem Staatssekretär beim Ministerrat der DDR, Kohl, am 20. Januar 1972 zum Thema Reiseerleichterungen vgl. Dok. 13.
16 Anläßlich der ersten Lesung der Gesetze zum Moskauer Vertrags vom 12. August 1970 und zum Warschauer Vertrag vom 7. Dezember 1970 im Bundestag forderte der Vorsitzende der CDU/CSU-Fraktion, Barzel, am 23. Februar 1972: „So sollte z.B. die Altersgrenze für Ost-West-Reisende jährlich gesenkt werden, bis in absehbarer Zeit auch junge Menschen aus der DDR in die Bundesrepublik Deutschland reisen können." Vgl. BT STENOGRAPHISCHE BERICHTE, Bd. 79, S. 9760.
17 Der Passus „Kohl teilte mit ... nicht weiterverfolgen" wurde von Bundesminister Scheel hervorgehoben. Dazu vermerkte er handschriftlich: „Zum Gespräch am 12.4. bereitlegen."
18 Vgl. dazu Artikel 1 der Vereinbarung vom 20. Dezember 1971 zwischen der Regierung der DDR und dem Senat von Berlin über Erleichterungen und Verbesserungen des Reise- und Besucherverkehrs; Dok. 36, Anm. 22.

wenn dabei nicht auch für die Bevölkerung erkennbare und erlebbare Verbesserungen eintreten. Dies bleibe für uns ein entscheidendes Kriterium. Kohl entgegnete, daß man über die menschlichen Erleichterungen für die Berliner und für den Reiseverkehr schon nicht mehr rede und sich außerdem nicht beklagen dürfe, wenn das Ergebnis der Verträge noch nicht sichtbar sei.

5) Staatsschiffe[19]

Als Ergebnis eines Meinungsaustauschs zu diesem Punkte erklärte Kohl, daß seine Seite nicht damit rechne, daß die BRD ihren Begriff akzeptiere. Er müsse aber sagen: Wenn sich ähnliche Dinge wie bei dem Nord/Ostsee-Kanal wiederholten[20], dann würde man ein Schiff der BRD an die Kette legen, dann gebe es eben einen Schiffahrtskrieg. Ein derartiges Verhalten sei absolut unerträglich, rechtswidrig und Alleinvertretungsanspruch in der höchsten Potenz.

Ich habe entgegnet, daß hier Emotionen nicht hülfen. Wenn von einem Besatzungsmitglied eines BRD-Schiffes in einem DDR-Hafen Fluchthilfe begangen wird, dann handelten die Organe der DDR nach ihren Gesetzen. Unsere Behörden handelten nach unseren Gesetzen, gleichgültig, ob die DDR diese Gesetze als rechtswidrig ansieht. Man müsse in aller Nüchternheit sehen, daß derartige Zwischenfälle in Zukunft nicht ausgeschlossen seien. Sie hingen schließlich mit den Grundfragen zusammen, die das Verhältnis der beiden Staaten zueinander betreffen. Man müsse in solchen Fällen sich nur Mühe geben, sie nicht zu hochzuspielen. Kohl warnte, man solle die Tragweite solcher Dinge nicht unterschätzen. Solche Fälle könnten viel kaputtmachen.

6) Elbe

Ich habe Herrn Kohl erklärt, daß offensichtlich die Auffassungen über den Grenzverlauf an der Elbe differierten.[21] Es sei für uns ausgeschlossen, auf seine Vorschläge einzugehen, die nach unserer Auffassung zwar nicht de facto, aber de jure eine Grenzveränderung bedeuten. Wir seien zu einer praktischen Regelung aufgrund der derzeitigen Praxis und mit dem Ziel einverstanden, Zwischenfälle auszuschließen. Dies setze voraus, daß die DDR keinen neuen Kontrollpunkt nördlich von Schnackenburg einrichte.

Kohl erklärte, daß er für meinen Standpunkt Verständnis habe und darauf verzichte, diese Frage im Vertrag zu lösen. Die DDR beabsichtige nicht, einen zweiten Kontrollpunkt zu etablieren, sie gehe dabei davon aus, daß der zweite Kontrollpunkt der BRD allmählich praktisch überflüssig werden und seine Tätigkeit einstellen werde.

Im übrigen sei aber nicht einzusehen, warum die Frage des Grenzverlaufs nicht geklärt werden solle. Die DDR verfüge über alle erforderlichen Unterlagen und sei überzeugt, daß wir uns von der Stichhaltigkeit ihres Standpunktes überzeugen würden. Dies müsse doch nach Abschluß des Verkehrsvertrages in Angriff genommen werden können. Ich habe erwidert, daß ich dies als eine Anregung für eine Prozedur auffasse, die die Amerikaner „fact-finding-mission" nennen. Es sei wünschenswert, daß eine Anzahl von praktischen Fragen und

---

[19] Zum Problem der Staatsschiffe vgl. Dok. 21, Anm. 11.
[20] Zum Zwischenfall auf dem Schiff „Eichsfeld" am 9. Januar 1972 vgl. Dok. 13, Anm. 2.
[21] Zu den Rechtsauffassungen der Bundesrepublik und der DDR hinsichtlich des Grenzverlaufs an der Elbe vgl. Dok. 12, Anm. 13.

bestehenden Unklarheiten entlang der Grenze geklärt würden. Dies sei gerade im Zusammenhang mit der Regelung der Beziehungen zwischen unseren beiden Staaten eine notwendige Aufgabe.

Kohl erwiderte, es sei typisch, daß ich eine derartige Anregung von ihm mit generellen Erweiterungen und der Verbindung zu einem Generalvertrag beantworte. Dieser Punkt soll beim nächsten Zusammentreffen[22] weiter erörtert werden.

Bahr

VS-Bd. 8563 (II A 1)

52

Gespräche des Ministerialdirektors von Staden mit dem Staatssekretär im amerikanischen Außenministerium, Irwin, und Abteilungsleiter Hillenbrand in Washington

II A 3-84.10-91.36-915/72 VS-vertraulich   13. März 1972[1]

A. Gespräch mit Under Secretary John N. Irwin

Anwesend: James S. Sutterlin, Director, Germany; Ralph J. McGuire, Director, NATO; Herbert Spiro, Planning Coordination Staff; Gesandter Noebel; VLR I von Groll

1) DDR und weltweite Organisationen

D Pol schildert Wunsch Bundesregierung, daß Aufnahme DDR in Weltorganisationen nur durch Haupteingang, d. h. durch UNO-Aufnahme erfolgt. Dazu Bundesgesetz nötig. Keine Mehrheit ohne vorherigen Grundvertrag, der auch menschliche Erleichterungen bringt. Gleichzeitig: Vier-Mächte-Verhandlungen über Modalitäten VN-Aufnahme. Prozeß sollte gleich nach Ratifizierung eingeleitet werden, da sonst bargaining power verlorengehen könnte, wenn man abwarten würde, bis die Stellung in einzelnen specialized agencies nicht mehr zu halten ist.

Irwin stellte Fragen zu taktischer Lage WHO/Stockholm.[2]

---

[22] Das 37. Gespräch zwischen Staatssekretär Bahr, Bundeskanzleramt, und dem Staatssekretär beim Ministerrat der DDR, Kohl, fand am 22./23. März 1972 statt. Vgl. dazu Dok. 68, Dok. 71 und Dok. 72.

[1] Die Gesprächsaufzeichnung wurde von Vortragendem Legationsrat I. Klasse Freiherr von Groll, z. Z. Washington, am 14. März 1972 gefertigt.

[2] Zu einer Beteiligung der DDR an der UNO-Umweltkonferenz vom 5. bis 16. Juni 1972 in Stockholm und an der 25. WHO-Versammlung vom 9. bis 26. Mai 1972 in Genf vgl. Dok. 4.
Botschafter Gehlhoff, New York (UNO), berichtete am 10. März 1972 von einem Gespräch mit dem Stellvertreter des amerikanischen Ständigen Vertreters bei der UNO, Phillips, und dem stellvertretenden Abteilungsleiter im amerikanischen Außenministerium, Herz. Diese hätten sich für eine flexiblere Haltung zu einer möglichen Aufnahme der DDR in die WHO sowie zu ihrer Teilnahme

DPol: Zuversichtlich, daß es noch einmal klappt. Problem: Drug Convention von 1961[3] – wir lehnen Allstaatenklausel bei Neuformulierung aus einer Anzahl von Gründen ab.

Sutterlin: Keine Automatik bei Kommission, da diese über Aufnahme abstimmen müßte.

Irwin: DDR-Problem besonders stark in der Zeit zwischen Ratifizierung und VN-Aufnahme; auch KSZE-Vorbereitung trägt zum Druck bei.

2) KSZE

a) Delegationsführer

DPol: Finnische Formel[4] erhalten: Delegationsführer in multilateraler Vorbereitung sollen in Helsinki akkreditierte Missionschefs sein, um Aufwertungseffekt gering zu halten. Sobald freie Wahl, schickt DDR Vize-Außenminister. Stimmt McGuire zu, als dieser fragt, ob Experten der Hauptstädte teilnehmen und auch das Wort ergreifen dürfen; wäre nötig, da Vorbereitung auch Substanzfragen einschließe.

b) Konferenztyp

DPol: Auf Irwins Frage nach Konferenztyp: ursprünglich für kurze, gut vorbereitete Konferenz; aber französisches Konferenzmodell (Minister–Kommissionen–Minister)[5] habe bei gründlicher Vorbereitung Vorteile. (*Irwin*: ziehen noch kurze Konferenz vor). Wir haben Kompromiß mit Franzosen erreicht. Wollen erst dann in die Konferenz gehen, wenn Elemente von Resolutionen und präzise Mandate für Kommissionen festgelegt und Erfolg der Konferenz damit weitgehend sichergestellt sei. Weiterer Vorteil des französischen Modells: Frage der permanent machinery stelle sich nicht plötzlich. Aus der Arbeit der Kom-

Fortsetzung Fußnote von Seite 240

an der UNO-Umweltkonferenz ausgesprochen. Er, Gehlhoff, habe entgegnet, daß die Position der Bundesregierung von der Bonner Vierergruppe unterstützt werde, daß sich die Bundesrepublik in der Frage der UNO-Umweltkonferenz sehr flexibel verhalten habe, und daß es bei den Verhandlungen mit der DDR gerade darauf ankäme, „der DDR begreiflich zu machen, daß die Änderung ihres internationalen Status von ihrer Zustimmung zu innerdeutschen Regelungen abhängig sei". Die Gesprächspartner hätten darum gebeten, „weiterhin zu prüfen, ob noch neue Wege hinsichtlich einer Teilnahme der DDR an der Stockholmer Umweltkonferenz eingeschlagen werden könnten". Vgl. den Drahtbericht Nr. 249; VS-Bd. 9837 (I C 1); B 150, Aktenkopien 1972.

3 Für den Wortlaut des Einheits-Übereinkommens vom 30. März 1961 über Suchtstoffe vgl. UNTS, Bd. 520, S. 152–407. Für den deutschen Wortlaut vgl. BUNDESGESETZBLATT 1973, Teil II, S. 1354–1400.

4 Am 24. November 1970 übermittelte die finnische Regierung allen europäischen Staaten sowie den USA und Kanada ein Aide-mémoire zur Frage einer europäischen Sicherheitskonferenz. Darin bezeichnete sie es als angebracht, „daß die interessierten Regierungen als Teil ihrer Bemühungen um die Förderung der europäischen Sicherheit die Chefs ihrer Missionen in Helsinki oder andere Vertreter anweisen, mit dem finnischen Außenministerium Konsultationen über das Arrangement der Sicherheitskonferenz zu führen und dies, falls sie einverstanden sind, in multilateralen Zusammenkünften in Helsinki zu tun". Damit solle in unverbindlicher Form der Informationsaustausch intensiviert werden; eine Teilnahme an den Konsultationen werde jedoch „als solche keine Stellungnahme zur Frage der Abhaltung einer Konferenz über europäische Sicherheit darstellen". Vgl. EUROPA-ARCHIV 1971, D 72.

5 Auf der zweiten Sitzung der Arbeitsgruppe KSE der EG-Mitgliedstaaten im Rahmen der Europäischen Politischen Zusammenarbeit am 5./6. April 1971 in Paris legte die französische Delegation ein Arbeitspapier über Verfahren möglicher Ost-West-Verhandlungen vor. Darin schlug sie drei Konferenzphasen vor: Einer Außenministerkonferenz mit Grundsatzerklärungen sollten Beratungen in Kommissionen folgen, bevor eine Außenministerkonferenz abschließend über die von den Kommissionen ausgearbeiteten Dokumente beraten sollte. Vgl. dazu die Aufzeichnung des Vortragenden Legationsrats Freiherr von Groll vom 19. April 1971; VS-Bd. 4605 (II A 3); B 150, Aktenkopien 1971.

mission lasse sich ablesen, welche Themen fortgesetzt werden müßten – z. B. MBFR.

c) Freizügigkeit

Irwin stellte Frage nach unserer Haltung zur Freizügigkeit.

DPol: Einig über Bedeutung und Inhalt des Themas. Meinungsunterschied wohl über Verfahren, wie es in KSE-Diskussion einzuführen ist. Thema habe für alle KSE-Aspekte Bedeutung – kulturelle Zusammenarbeit, Tourismus, Firmenvertretung, aber auch für die Formulierung der Prinzipien zwischenstaatlicher Beziehungen. Wir wünschten allgemeine Resolution mit terms of reference für andere Tagesordnungspunkte.

Irwin: Wie weit kann man SU durch Aufstellung allgemeiner Prinzipien verpflichten. Möchten „Gesellschaft öffnen" und nicht nur Besucherkontingent für Wissenschaftler von fünf auf 15 jährlich erhöhen. Müssen nachdrücklich auf Anwendung des Prinzips bestehen, nicht nur sowjetischen Verfahrensvorschlägen folgen.

DPol: Hinweis auf Gespräche Irwin/Staatssekretär in Bonn.[6] Graduell vorgehen. Da anfangen, wo es möglich ist, Schritt für Schritt auf allen geeigneten Gebieten. Prinzip allmählich durchsetzen.

Irwin: Es bleibt ein grundsätzlicher Unterschied der Systeme, den wir aussprechen müssen und nicht vertuschen können. Sonst schaffen wir Euphorie-Effekt, und Verteidigungswille läßt nach. Andere Seite ist wohl nicht bereit, echte Fortschritte in Richtung Freizügigkeit zuzulassen; das können wir aber nur feststellen, wenn wir sie nachdrücklich fordern.

DPol stimmt zu. Aber langfristiger Prozeß. Graben ist tief. Wenn wir Eindruck erwecken, als wollten wir Regime stürzen, wäre Mißerfolg gewiß. Rücksicht auf kleinere osteuropäische Länder, die bereit sind, weiterzugehen als SU. Hinweis auf kürzliche Gespräche in Budapest.[7]

d) Verhältnis SU–EG auf KSE

DPol antwortet auf Frage von Irwin, Sowjetunion werde sich Realitäten anpassen. Konfrontation auf KSE wollen wir vermeiden, glauben aber (im Unterschied zu Franzosen), daß wir von Anfang an darauf hinweisen müssen, wo Kompetenzen der EG liegen und welche Abkommen mit ihr ausgehandelt werden müssen. Es geht nicht um formale diplomatische Anerkennung. SU wird immer versuchen, EG-Bindungen zu lockern, sofern wir ihr Chance dazu bie-

---

[6] Staatssekretär Frank führte am 7. Oktober 1971 ein Gespräch mit dem Staatssekretär im amerikanischen Außenministerium, Irwin. Vgl. dazu AAPD 1971, III, Dok. 342.

[7] Ministerialdirektor von Staden hielt sich vom 4. bis 8. März 1972 in Budapest auf. In Gesprächen am 6. und 7. März 1972 führte er gegenüber dem ungarischen Stellvertretenden Außenminister Nagy aus, daß auf der Europäischen Sicherheitskonferenz die „Prinzipien des staatlichen Zusammenlebens" ausgearbeitet werden sollten: „Das bessere Kennenlernen und Verstehen gehöre untrennbar zur Kooperation. [...] Nach 25 Jahren unterschiedlicher Entwicklung auf beiden Seiten sei eine Verständigung über den Inhalt der Zusammenarbeit notwendig und schwierig. Es komme darauf an, nicht nur ein Etikett zu schreiben, sondern an die Sache selbst heranzugehen." Nagy erklärte sich mit dieser Beurteilung einverstanden und betonte: „Über besseres Kennenlernen sei man zu sprechen bereit. Ungarn übe das bereits in der Praxis. In Prag sei der Tourismus nicht zufällig und nicht nur wegen der Deviseneinnahmen erwähnt worden." Vgl. die Gesprächsaufzeichnung; Referat II A 5, Bd. 1496.

ten. Aber sie hat an Kooperation echtes Interesse und wird EG umso mehr akzeptieren, je weiter die Zusammenarbeit fortschreitet.

Irwin stellt abschließend fest, daß bei KSE es zwischen Haltung US und BRD keine substanziellen, sondern nur graduelle Unterschiede gebe. Auch eine KSE sei sicher nicht in der Lage, die grundsätzlichen Unterschiede zwischen den Gesellschaftssystemen zu überwinden.

e) Verhältnis KSE–MBFR

DPol auf Frage, wie wir uns Kombination vorstellen: Auch wir waren immer bereit, MBFR vor KSE zu verhandeln. Wenn aber KSE vorher beginnt, wie es scheint, müssen einige MBFR-Aspekte angesprochen werden, da sonst Sicherheitskonferenz ohne eigentliche Sicherheitsthematik. Technische Reduzierungsfragen gehören natürlich nicht dahin, aber Prinzipien und Stabilisierungsmaßnahmen könnten festgelegt werden. Wäre Test, ob andere Seite effektiv bereit ist, über militärische Fragen der Sicherheit in sinnvoller Weise zu sprechen. Andernfalls Akzeptierung des von der SU propagierten falschen Sicherheitsbegriffes, der sich nur auf GV und Grenzformeln gründet.

3) Brosio-Mission[8]

Irwin bedauert sowjetische Haltung.

DPol hat gewisses Verständnis für Haltung SU, die Brosio kennt und persönlich schätzt, ihn als ehemaligen NATO-Generalsekretär aber kaum akzeptieren kann. Wir zögern, erneut in Moskau zu mahnen. Jedenfalls muß volle Verantwortung für Scheitern Brosio-Mission in Moskau bleiben.

4) Ratifikation der Verträge[9]

Irwin stellte diese Frage an das Ende.

DPol: Nervenkrieg in der Presse, die diese Frage etwas hochgespielt hat. Ablehnung würde großen Schaden anrichten. Breschnew würde kaum Berlin-Abkommen[10] auch so unterzeichnen können.[11]

B. Gespräch mit Hillenbrand (restricted)

Anwesend: Botschafter Pauls, James S. Sutterlin, Director, Germany, VLR I von Groll

a) Ratifikation der Verträge

Hillenbrand: US-Planung geht von Ratifizierung der Verträge aus. Wichtig für Präsidentenbesuch in Moskau in der zweiten Mai-Hälfte.[12] Gibt es contingency planning in Bonn für den Fall der Ablehnung?

---

[8] Zur Beauftragung des ehemaligen NATO-Generalsekretärs Brosio, Sondierungsgespräche in Moskau über MBFR zu führen, vgl. Dok. 32, Anm. 2.
[9] Zum Stand des Ratifizierungsverfahrens zum Moskauer Vertrag vom 12. August 1970 und zum Warschauer Vertrag vom 7. Dezember 1970 vgl. Dok. 34, Anm. 13.
[10] Für den Wortlaut des Vier-Mächte-Abkommens über Berlin vom 3. September 1971 vgl. EUROPA-ARCHIV 1971, D 443–453.
[11] Die UdSSR machte die Unterzeichnung des Schlußprotokolls zum Vier-Mächte-Abkommen über Berlin vom 3. September 1971 von der Ratifizierung des Moskauer Vertrags vom 12. August 1970 abhängig. Vgl. dazu Dok. 28, Anm. 13.
[12] Präsident Nixon besuchte die UdSSR vom 22. bis 30. Mai 1972. Vgl. dazu Dok. 149 und Dok. 161.

DPol – nein; sieht Hillenbrand eine Chance, daß SU Berlin-Abkommen auch bei Ablehnung unterzeichnet?

Hillenbrand: Bei klarer Ablehnung wird SU kaum unterzeichnen können. Doch schwierig zu sagen, was sie tut, wenn Verträge nicht abgelehnt werden und Zustimmung für späteren Zeitpunkt in Aussicht gestellt wird – nach Korrekturen besonders in Richtung verbesserter menschlicher Kontakte. Man kann hier nur spekulieren. US möchte sich gern aus interner Diskussion heraushalten und nicht zitiert werden. Jährliche Frühlings-Schwemme von Besuchern aus der BRD sei dieses Jahr ausgeblieben. Dies erleichtere US-Position.

DPol: Bundestagsdebatte sollte von Druck von außen freigehalten werden. Dennoch sei es gut, wenn Abgeordnete amerikanische Interessenlage kennen – jeder Hinweis, daß US großes Interesse an Inkrafttreten Berlin-Abkommen habe, sei nützlich – nicht als öffentliche Erklärung, aber im Gespräch mit Besuchern.

Hillenbrand: US-Regierung habe mehrfach darauf hingewiesen, daß Berlin-Abkommen ein bedeutendes Ereignis sei – jede Regierung könne diese Erklärungen benutzen. Besucher würden in USA natürlich auch Gegenstimmen finden. Teil der öffentlichen Meinung sei gegen Ostpolitik und auch gegen Berlin-Abkommen (Botschafter Pauls: eine Minorität).

DPol: Nicht-Ratifizierung wäre schwerer Rückschlag für Breschnew. Er hatte große Schwierigkeiten, DDR an Verhandlungstisch zu bringen. Auf welcher Basis sollte er neu verhandeln? SU würde vielleicht auf sofortige KSE drängen und multilateral zu erhalten versuchen, was sie dann bilateral nicht bekommt. Wir wären in sehr schlechter Position. Es wäre gefährlich, Konsequenzen zu verharmlosen.

b) DDR und internationale Organisationen

Hillenbrand: Ratifikation wird Druck der DDR auf Aufnahme in weltweite internationale Organisationen noch stärker werden lassen. US-Öffentlichkeit an Stockholmer Umweltschutz-Konferenz stark interessiert, da Umweltfragen in öffentlicher Diskussion große Rolle spielen. Falls kein Kompromiß wegen DDR-Beteiligung gefunden wird[13] und Konferenz scheitert, kommt Regierung stark unter Druck. Timing sei sehr unglücklich. Können wir uns noch einmal durchsetzen?

DPol: Wir weniger pessimistisch. WHO abwarten. Werden große diplomatische Aktion einleiten.[14] Können innerdeutsche Gespräche nicht stören lassen.

Sutterlin: Beobachter-Status könnte helfen.[15]

Hillenbrand: Sieht Schwierigkeiten in innerdeutschen Gesprächen. Leute, die Abgrenzung propagieren, werden kaum in der von uns gewünschten Richtung Zugeständnisse machen.

---

[13] Zu den Überlegungen der Bonner Vierergruppe für eine Beteiligung der DDR an der UNO-Umweltkonferenz vom 5. bis 16. Juni 1972 in Stockholm vgl. Dok. 17, Anm. 18.
[14] Vgl. dazu den Runderlaß des Staatssekretärs Frank vom 20. März 1972; Dok. 54, Anm. 12.
[15] Zur möglichen Einladung der DDR als Beobachter zur 25. WHO-Versammlung vom 9. bis 26. Mai 1972 vgl. Dok. 20, Anm. 7.

DPol: Wie weit „Abgrenzler" in SED sich durchsetzen können, bleibt zu sehen. Wir drängeln nicht in VN. Aber folgende Erwägungen: für VN-Aufnahme ist zustimmungsbedürftiges Gesetz erforderlich; ohne menschliche Erleichterungen wird Bundestag nicht zustimmen; wegen Wahlen 1973[16] muß Verfahren möglichst früh nach Ratifikation eingeleitet werden; bis zum Abschluß des Verfahrens muß unsere Deutschland-Position halten; gleichzeitig Vier-Mächte-Gespräche über VN-Beitrittsformel unter Wahrung Vier-Mächte-Rechte, an denen auch SU interessiert; hier wäre – wie bei Berlin-Verhandlungen – gewisser Druck SU auf DDR zu erwarten.

Hillenbrand: Ist Situation bei VN-Beitritt mit Berlin-Verhandlungen identisch? Da spielten noch KSE-Interessen mit. Vielleicht will DDR gar nicht in VN und glaubt, Weg durch die „Hintertür" zu erzwingen. Dann wird auch SU-Druck in Richtung menschliche Erleichterungen nicht zu stark sein – besonders, wenn dadurch Stabilität des SED-Regimes gefährdet wird.

DPol: Nicht so sehr Frage eines Drucks durch SU, vielmehr des sowjetischen Beispiels, einer Vier-Mächte-Formel zum VN-Beitritt zuzustimmen. SED wird dann folgen. Interesse an VN-Beitritt bei SED immer noch sehr groß; diplomatische Anerkennung durch NATO-Länder ohnedem nicht möglich. Unsere Forderung nach menschlichen Erleichterungen zielt nicht auf Unterminierung des Regimes, sondern vor allem auf durchlässigere Grenzen. Werden nicht zu bald zu viel fordern. In Bahr-Kohl-Gesprächen nicht mehr die steife Haltung wie früher. Versuch lohnt. Entspannungspolitik endet auch nicht bei Ratifizierung. Wir sind auf KSE selbst noch nicht festgelegt. Keine neue Vorbedingung, aber Stagnation der innerdeutschen Gespräche würde sich auch auf Verlauf multilateraler KSE-Vorbereitung auswirken.

VS-Bd. 8588 (II A 3)

---

[16] Im Oktober 1973 sollten turnusgemäß die Wahlen zum Bundestag stattfinden.

53

Botschafter Freiherr von Wendland, Valletta, an das Auswärtige Amt

Z B 6-1-11026/72 VS-vertraulich Aufgabe: 13. März 1972, 12.05 Uhr[1]
Fernschreiben Nr. 32 Ankunft: 13. März 1972, 16.20 Uhr
Cito

Betr.: Malta;
hier: Britisch-maltesische Verhandlungen[2]

Ausgehend von der italienischen Überzeugung, daß die Verhandlungen mit Mintoff nur bei Zahlung eines „down payment" von Pfund Sterling fünf Mio. erfolgreich abgeschlossen werden können[3] – da andernfalls bei Mintoff laut Botschafter Giglioli (Sohn eines Arztes) eine „psychopathische Blockierung" eintreten werde – muß sich meines Erachtens die Überlegung der Bündnisgemeinschaft doch wohl jetzt auf folgende Gesichtspunkte konzentrieren:

1) Welche Haltung nehmen die Vereinigten Staaten ein? Sind dieselben bereit, auch ohne Landeerlaubnis für ihre Sechste Flotte ein Drittel oder vielleicht sogar die Hälfte des obigen Betrages beizusteuern? (Mein italienischer Kollege glaubt dieses bejahen zu können.)[4]

2) Wenn die italienische Regierung sich, wie dieses der Haltung ihrer Botschafter in London[5] und Valletta zu entnehmen ist, mit der Forderung Min-

---

[1] Hat Vortragendem Legationsrat I. Klasse Mühlen am 14. März 1971 vorgelegen.
[2] Zu den Verhandlungen über Unterstützungszahlungen Großbritanniens und anderer NATO-Mitgliedstaaten an Malta im Rahmen eines Verteidigungsabkommens vgl. Dok. 23.
Am 25. Februar 1972 wurde dazu in der Presse berichtet: „Die britische Regierung hat dem maltesischen Ministerpräsidenten Mintoff die Wiederaufnahme der Verhandlungen über eines neues Stützpunktabkommen angeboten. [...] Das britische Angebot ist die Antwort der Londoner Regierung auf ein 27 Seiten langes Memorandum und eine am Mittwoch übermittelte Note des maltesischen Ministerpräsidenten. Mintoff hatte darin noch einmal seinen Standpunkt zu den strittigen Problemen dargelegt, gleichzeitig jedoch auch versichert, daß er die Unterzeichnung eines für alle Seiten befriedigenden Angebots noch immer für möglich halte." Vgl. die Meldung „London zu Fortsetzung der Malta-Verhandlungen bereit"; FRANKFURTER ALLGEMEINE ZEITUNG vom 25. Februar 1972, S. 1.
Am 5./6. März 1972 fand in London die fünfte britisch-maltesische Verhandlungsrunde statt. Botschafter von Hase, London, berichtete am 7. März 1972, daß es im bilateralen Bereich zu einer weitgehenden Übereinstimmung gekommen sei, daß aber „die Schlüsselfrage des Finanzpakets nach wie vor völlig offen" sei. Zusätzliche Angebote für Wirtschafts- und Entwicklungshilfe habe Mintoff abgelehnt, denn „diese Angebote hätten für ihn nur begrenzten Wert [...] Diese Argumentation habe in britischer Sicht deutlich gemacht, daß Mintoffs Verhandlungsziel im Grunde nur in der Erlangung von möglichst hohem ‚Cash' bestehe." Vgl. den Drahtbericht Nr. 563; VS-Bd. 9814 (I A 4); B 150, Aktenkopien 1972.
[3] Gesandter Boss, Brüssel (NATO), berichtete am 9. März 1972, der italienische NATO-Botschafter Catalano di Melilli habe den Ständigen NATO-Rat über das Gespräche unterrichtet, „die Ministerpräsident Mintoff am 8. März 1972 mit Außenminister Moro geführt hat. Dabei habe sich erneut herausgestellt, daß Mintoff nach wie vor unnachgiebig die Zahlung von zusätzlich fünf Millionen Pfund fordert." Vgl. den Drahtbericht Nr. 292; VS-Bd. 9814 (I A 4); B 150, Aktenkopien 1972.
[4] Zu diesem Satz vermerkte Vortragender Legationsrat I. Klasse Mühlen handschriftlich: „Weit gefehlt!"
[5] Raimondo Manzini.

toffs identifiziert und bereit ist, ein Drittel der von ihm verlangten Summe zu zahlen[6], so müssen sehr schwerwiegende Gründe des „sacro egoismo" vorliegen, die den NATO-Staaten ernstlich zu denken geben sollten:

Laut französischer Anschauung haben die maßgebenden italienischen Stellen eine „panische Angst" vor der Auflösung Jugoslawiens nach einem Ableben von Marschall Tito und vor der dann drohenden Besetzung der Adriaküste durch die Sowjetunion. Das 80 km südlich Siziliens liegende Malta dann als Vakuum oder als libyschen Stützpunkt zu wissen, würde die Gefahr für Italien nur noch erhöhen.[7] Innenpolitisch hat der bereits vollzogene, jedoch zunächst provisorische Teilabzug der Royal Air Force von Malta nach Sizilien schon heftige Szenen im italienischen Parlament ausgelöst.

3) Auch in Italien hat man sich natürlich Gedanken darüber gemacht, was nach einem Scheitern der britisch-maltesischen Verhandlungen innenpolitisch in Malta passieren könnte. Der Rücktritt oder Sturz Ministerpräsident Mintoffs könnte einige Monate danach durchaus eintreten. Die Spaltung an der Spitze der katholischen Kirche Maltas und die Verzweiflung aller ihrer Vertreter über die gegenwärtigen Verhältnisse geben zu denken. Arbeitslosigkeit und gefährliche Radikalisierung sind im Anzug. Die Stunde des ganz linksgerichteten Gewerkschaftsflügels hätte dann geschlagen. Die konservative Opposition ist tatenlos. An Investitionen aus Westeuropa und USA wäre nicht mehr zu denken, der Fremdenverkehr würde zurückgehen und die britischen Ansiedler würden Malta verlassen. Italien hätte an seiner Südflanke einen politischen Vulkan.

4) Ist die Befürchtung Algeriens und Spaniens richtig, daß eine Entspannung in Mitteleuropa eine Verstärkung der militärischen Präsenz der beiden Supermächte im Mittelmeerraum auslösen könnte (vgl. Bericht unserer Botschaft in Algier vom 18.2.1972 – I B 4-83.00-90.09 Nr. 167/72[8]), so muß die im Zen-

---

[6] Gesandter Boss, Brüssel (NATO), berichtete am 15. März 1972 über ein Angebot der italienischen Regierung an Ministerpräsident Mintoff: „Der italienische Botschafter verlas einen Brief Moros an Mintoff, in dem die italienische Regierung sich zur einmaligen Zahlung von 2,5 Millionen Pfund bereit erklärte, wenn ein britisch-maltesisches Verteidigungsabkommen ‚zu den vereinbarten Konditionen' abgeschlossen werde." Vgl. den Drahtbericht Nr. 320; VS-Bd. 9814 (I A 4); B 150, Aktenkopien 1972.

[7] Gesandter Boss, Brüssel (NATO), teilte am 9. März 1972 mit: „Der italienische Botschafter hob hervor, daß die italienische Regierung sich angesichts der Möglichkeit eines Scheiterns der britisch-maltesischen Verhandlungen in einer außerordentlich schwierigen Situation befinde. Mintoff spielt mit der libyschen Bereitschaft, Malta zu unterstützen. Diese libysche Hilfe werfe angesichts der jüngsten libysch-sowjetischen Kontakte für Italien und das Bündnis zunehmend größere Probleme auf." Vgl. den Drahtbericht Nr. 292; VS-Bd. 9814 (I A 4); B 150, Aktenkopien 1972.

[8] Vortragender Legationsrat Strenziok, Algier, berichtete über einen Besuch des spanischen Außenministers López Bravo am 9./10. Februar 1972 in Algier. Im Vordergrund der Gespräche mit dem algerischen Außenminister Bouteflika hätten „Fragen der Mittelmeerpolitik im allgemeinen und insbesondere der Friedenssicherung im Mittelmeerraum" gestanden: „Nicht im Kommuniqué, dafür um so deutlicher in der Rede des algerischen Außenministers anläßlich des Besuchs seines spanischen Kollegen kam das Bestreben Algiers zum Ausdruck, seine Stimme im Zusammenhang mit der geplanten europäischen Sicherheitskonferenz zu Gehör zu bringen. Algerischerseits scheint man, wie in jüngster Zeit häufig zu hören war, zu befürchten, daß eine Entspannung in Mitteleuropa eine Verstärkung der militärischen Präsenz der beiden Supermächte im Mittelmeerraum auslösen könnte – eine Ansicht, die vom spanischen Außenminister offensichtlich geteilt wird." Vgl. Referat I B 4, Bd. 575.

trum der Entspannung befindliche Bundesrepublik Deutschland die ihrem unmittelbaren Einfluß entzogene Südflanke der NATO mit besonderer Aufmerksamkeit und das italienische Dilemma mit besonderer Sorge betrachten. Im Grunde ist es dann eine vorwiegend militärpolitische Frage (Sicherung der Südflanke der NATO) und eine wirtschaftspolitische Frage (Ölzufuhr aus den arabischen Ländern, insbesondere Libyen), ob wir neben den beiden Hauptbeteiligten, nämlich USA und Italien, uns mit einem Drittel von Pfund Sterling fünf Mio. (= DM 14 285 000) beteiligen wollen. Die Gefahr eines Gesichtsverlusts und das anscheinend mangelnde Interesse Frankreichs und Großbritanniens spielen dann schließlich im Rahmen der eigenen Sicherheit eine wohl untergeordnete Rolle.

5) Die Bedeutung der Frage, ob Mintoff überhaupt noch ernstlich mit Großbritannien zu einer Einigung zu kommen wünscht und ob Großbritannien selbst Malta nicht bereits abgeschrieben hat, hängt jetzt primär von der Beurteilung der italienischen Situation ab, auf die sich das außerordentlich komplexe Maltaproblem weitgehend verlagert hat.[9]

[gez.] Wendland

VS-Bd. 8799 (III A 5)

---

[9] Am 25. März 1972 unterrichtete der britische NATO-Botschafter Peck den Ständigen NATO-Rat über einen vertraulichen Briefwechsel zwischen der britischen und der maltesischen Regierung. Darin konzediere die maltesische Regierung, keiner dritten Nation ohne britische Zustimmung die Stationierung von Truppen oder Kampfflugzeugen zu gestatten. Vgl. dazu den Drahtbericht Nr. 370 des Gesandten Boss, Brüssel (NATO); VS-Bd. 9814 (I A 4); B 150; Aktenkopien 1972.
Ministerpräsident Mintoff und der britische Verteidigungsminister Lord Carrington unterzeichneten am 26. März in Anwesenheit von NATO-Generalsekretär Luns in London einen Truppenstationierungsvertrag mit einer Laufzeit von sieben Jahren. Für die Benutzung von Militärstützpunkten erhielt Malta von Großbritannien und der NATO eine Jahresmiete von 14 Millionen Pfund. Für den Wortlaut des Abkommens vgl. UNTS, Bd. 843, S. 121–181.
In der Presse wurde außerdem berichtet, daß Malta „von einigen NATO-Staaten Wirtschaftshilfe von insgesamt 7 Millionen Pfund", von Italien eine einmalige Zahlung von 2,5 Millionen Pfund und „möglicherweise noch zusätzliche Wirtschaftshilfe von den Vereinigten Staaten" erhalten werde. Vgl. den Artikel „Mintoffs ertragreiches Pokerspiel"; NEUE ZÜRCHER ZEITUNG, Fernausgabe vom 28. März 1972, S. 1.

54

Deutsch-amerikanisches Regierungsgespräch in Washington

II A 1-83.60-904/72 VS-vertraulich 14. März 1972[1]

Arbeitssitzung im State Department am Dienstag, den 14. März 1972, über Deutschlandpolitik (15.00 bis 16.25 Uhr)

Teilnehmer:

Auf deutscher Seite: MD von Staden, Gesandter Noebel, Gesandter Lahusen, BR Sönksen

Auf amerikanischer Seite: Hillenbrand, de Palma, Herz, Fessenden, Sutterlin, Ledsky, Smith

MD *von Staden* erklärte, die Studie der Bonner Vierergruppe[2] sowie die beiden Viererkonsultationen des vorigen Jahres in Paris und Brüssel[3] blieben die Grundlage unserer Deutschland-Politik. Nach Ratifizierung der Ost-Verträge würden wir, wie angekündigt, eine neue Initiative für ein Basis-Abkommen mit der DDR und menschliche Erleichterungen ergreifen. Es wäre gut, wenn dann parallel zu den innerdeutschen Verhandlungen zwischen den Drei Mächten und der Sowjetunion über die Formel für den Eintritt der beiden deutschen Staaten in die VN verhandelt werden könnte.

Für den Eintritt der Bundesrepublik in die VN, auf den wir als solchen nicht drängten, bedürfe es eines Bundesgesetzes (auf Frage: Ob Mitwirkung des Bundesrates erforderlich sei, werde noch geprüft). Wir seien interessiert an der Option, daß der Sicherheitsrat der VN sich nicht zu spät mit dem Problem befassen könnte, um 1973 Risiken in den Sonderorganisationen zu vermeiden. Auch wäre 1972 ein besseres Jahr für das Gesetzgebungsverfahren im Bundestag, da 1973 Wahljahr in der Bundesrepublik sei.[4]

Wir hielten daran fest, daß der Weg der DDR in die VN „durch die Haupttür" führen müsse. In der Zwischenzeit dürfe ihr Status nicht geändert werden, denn damit ginge Verhandlungsspielraum verloren. Dies gelte für die Sonderorganisationen ebenso wie für die Anerkennung der DDR durch dritte Länder und ihr Verhältnis zu den Drei Mächten. Entscheidender strategischer

---

[1] Die Gesprächsaufzeichnung wurde von Gesandtem Lahusen, Washington, am 15. März 1972 gefertigt.

[2] Am 2. Dezember 1970 verabschiedeten Bundesminister Scheel und die Außenminister Douglas-Home (Großbritannien), Rogers (USA) und Schumann (Frankreich) in Brüssel eine Studie der Bonner Vierergruppe über die Auswirkungen der Ost- und Deutschlandpolitik der Bundesregierung auf die alliierten Rechte und Verantwortlichkeiten für Deutschland und Berlin als Ganzes. Vgl. dazu AAPD 1970, III, Dok. 576 und Dok. 583.
Im Juni 1971 gaben die vier Außenminister eine Überarbeitung der Studie in Auftrag. Vgl. dazu AAPD 1971, II, Dok. 196.
Die überarbeitete Studie wurde bei einem Treffen der vier Außenminister am 8. Dezember 1971 in Brüssel verabschiedet. Vgl. dazu AAPD 1971, III, Dok. 436.

[3] Zur Sitzung der Bonner Vierergruppe auf Direktorenebene am 18. November 1971 in Paris vgl. AAPD 1971, III, Dok. 400 und Dok. 404.
Zur Sitzung der Bonner Vierergruppe auf Direktorenebene am 8. Dezember 1971 in Brüssel vgl. AAPD 1971, III, Dok. 433.

[4] Im Oktober 1973 sollten turnusgemäß die Wahlen zum Bundestag stattfinden.

Punkt sei zunächst die WHO. Es überraschte nicht, daß die Sowjetunion nicht über ein Arrangement für die Stockholmer Umweltkonferenz verhandeln wolle[5]; sie werde sich vor der Konferenz der WHO[6] auf nichts festlegen. Es komme jetzt darauf an, nicht nervös zu werden.

Hillenbrand versicherte Herrn von Staden der vollen amerikanischen Unterstützung bei der Verhinderung vorzeitiger DDR-Fortschritte, solange sich die Ostpolitik der Bundesregierung nicht entsprechend entwickelt habe. Schwierigkeiten gebe es allerdings dort, wo eine überzeugende Notwendigkeit gegen den Ausschluß einer bedeutenden Gebietseinheit und für universale Beteiligung spreche, wie bei den Rauschgift- und Umweltproblemen. Hier müsse vielleicht taktisch etwas nachgegeben werden, damit die Grundposition gehalten werden könne. Wenn wir nicht gänzlich unnachgiebig seien, stellten sich die Chancen hierfür nicht schlecht dar.

De Palma unterstrich Hillenbrands Ausführungen.

Das Rauschgiftabkommen[7] erfordere weltweite Beteiligung. Der Fall liege wie beim NV-Vertrag[8], dem Weltraumvertrag[9] und dem Vertrag gegen Hijacking[10]. Es handele sich um einen Sonderfall, in dem wir so vorgehen müßten wie in früheren Sonderfällen. Das Argument, daß hier eine bestehende Teilnahmeklausel geändert werden solle, überzeuge nicht, da das Abkommen ohnehin geändert werden solle.

---

[5] Am 1. März 1972 teilte Botschafter Schnippenkötter, Genf (Internationale Organisationen), mit: „Das Spezifische der östlichen Taktik liegt im Aufschub eines Arrangements für Stockholm wohl bis nach der Weltgesundheitsversammlung und unter vorläufiger Drohung mit Boykott, sofern die DDR nicht gleichberechtigt teilnehmen kann. Der Osten spekuliert, daß auch Staaten, die der Beteiligung der DDR an WHO indifferent gegenüberstehen, diesmal für deren Aufnahme in WHO stimmen werden, wenn sie glauben, nur so zur ‚Rettung Stockholms' beitragen zu können. Kumulierung DDR-Problems in den Bereichen Weltgesundheit plus Umwelt entwertet unsere Bereitschaft zum Arrangement für Stockholm, weil wir ein Arrangement für die WHO aus institutionellen Gründen nicht ins Auge fassen können. Bei geringem Interesse an Umweltsachfragen kann Osten an sich hohen Einsatz riskieren." Vgl. den Drahtbericht Nr. 272; VS-Bd. 9840 (I C 1); B 150, Aktenkopien 1972.
Am 10. März 1972 gab die amerikanische Regierung im Namen der Drei Mächte eine Presseerklärung zur Teilnahme der DDR an der Umweltkonferenz ab: „The three Western Powers' intention is that the GDR should be enabled to make a full contribution to the work of the conference and to profit from its results. Their offer was and remains unprecedented. Among other things, the Western Powers envisage that: a) The GDR would be free to determine the size, level and composition of its own delegation. b) The GDR delegation would have the right to speak and to have its documents circulated by the Conference Secretariat so long as these documents dealt with the substantive work of the conference." Vgl. DEPARTMENT OF STATE BULLETIN, Bd. 66 (1972), S. 563 f.

[6] Die 25. WHO-Versammlung fand vom 9. bis 26. Mai 1972 in Genf statt.

[7] Für den Wortlaut des Einheits-Übereinkommens vom 30. März 1961 über Suchtstoffe vgl. UNTS, Bd. 520, S. 152–407. Für den deutschen Wortlaut vgl. BUNDESGESETZBLATT 1973, Teil II, S. 1354–1400.

[8] Für den Wortlaut des Nichtverbreitungsvertrags vom 1. Juli 1968 vgl. EUROPA-ARCHIV 1968, D 321–328.

[9] Für den Wortlaut des Abkommens vom 27. Januar 1967 über die Grundsätze zur Regelung der Tätigkeit der Staaten bei der Erforschung und Nutzung des Weltraums, einschließlich des Mondes und anderer Himmelskörper (Weltraumabkommen) vgl. UNTS, Bd. 610, S. 205–301. Für den deutschen Wortlaut vgl. EUROPA-ARCHIV 1967, D 1–5.

[10] Für den Wortlaut des Übereinkommens vom 16. Dezember zur Bekämpfung der widerrechtlichen Inbesitznahme von Luftfahrzeugen vgl. UNTS, Bd. 860, S. 105–157. Für den deutschen Wortlaut vgl. BUNDESGESETZBLATT 1972, Teil II, S. 1506–1512.

Bei der WHO müßten wir zunächst gegen eine Zulassung der DDR und gegen einen Beobachterstatus für die DDR kämpfen. Man werde die Abstimmung in der Zulassungsfrage wohl halten können, es könne aber bei drohendem Scheitern nötig werden, der DDR den Beobachterstatus zuzugestehen, um den Beitritt zu verhindern.

Bei der UNCTAD-Konferenz[11] sei nach bisherigen Informationen mit keiner Aktion zugunsten der DDR zu rechnen, die über den bisherigen Stand (Beteiligung der DDR qua COMECON) hinausgehe.

Bezüglich der Stockholmer Umweltkonferenz hätten wir alles getan, was in unserer Macht liege.

Er wolle hier offen sagen, daß unsere Schwierigkeiten manchmal kompliziert würden durch verwirrende Signale über eine mögliche Flexibilität, wie man sie gelegentlich in Washington, wie die amerikanische Regierung sie aber mindestens während des letzten halben Jahres auch aus Bonn gehört habe. Wir hätten eine klar umrissene Politik, sollten es daher vermeiden, irreführende Signale zu setzen, die regelmäßig rasch die Runde machten. Es sei wichtig, den Eindruck aufrechtzuerhalten, daß wir eine einheitliche Position einnehmen.

Herr *von Staden* erklärte hierzu, unsere Analyse habe ergeben, daß die Zulassung der DDR zu den Sonderorganisationen sich nicht Stück für Stück verkaufen ließe, ohne die Gesamtposition zum Einsturz zu bringen. Wir seien bereit, alles zu tun, um unsere gemeinsame Position zu halten; der Standpunkt der Bundesregierung sei nach seiner Kenntnis klar und fest.

Zur WHO gebe er zu bedenken, daß es viel schwieriger werden würde, die DDR herauszuhalten, wenn sie erst einmal einen Beobachterstatus erlangt habe. Es handele sich dabei um einen offiziellen VN-Status, auch die Stockholmer Konferenz würde dadurch präjudiziert werden. Ein solches Zugeständnis müßte daher gegebenenfalls bis zum letzten headcount vor der Abstimmung zurückgestellt werden. Auch in diesem Jahr würden wir wieder eine weltweite Demarche[12] durchführen, unter besonderer Konzentrierung auf schwankende Regierungen.

---

11 Die Dritte Konferenz für Handel und Entwicklung (United Nations Conference on Trade and Development – UNCTAD) fand vom 13. April bis 22. Mai 1972 in Santiago de Chile statt. Vgl. dazu Dok. 141.
Zu einer Beteiligung der DDR an der Konferenz berichtete Botschafter Schnippenkötter, Genf (Internationale Organisationen), am 4. Februar 1972: „Eine Beteiligung der DDR an der 3. Welthandelskonferenz in Santiago auf Einladung der chilenischen Gastregierung steht zur Zeit nicht mehr zur Diskussion, nachdem die chilenische Regierung [...] ein derartiges Ersuchen der DDR abschlägig beschieden hat. Mitarbeiter hat hierzu vom Kabinettchef des WHK-Generalsekretärs erfahren, daß das WHK-Sekretariat der chilenischen Regierung zuvor auf Anfrage mitgeteilt hatte, daß eine Einladung durch das Gastregierung nicht mit den VN-Regeln vereinbar sei." Vgl. den Drahtbericht Nr. 129; VS-Bd. 8540 (II A 1); B 150, Aktenkopien 1972.

12 Am 20. März 1972 wies Staatssekretär Frank die diplomatischen Vertreter an, sich bei der jeweiligen Regierung für eine erneute Vertagung des Antrags der DDR auf Aufnahme in die WHO einzusetzen und „Bereitschaft der Gastregierung zu sondieren, Vertagungsantrag mit einzubringen". Weiter führte er aus: „In diesem Jahr muß ferner mit dem Versuch der DDR gerechnet werden, in der Versammlung der Weltgesundheitsorganisation als Beobachter zugelassen zu werden. Wir wenden uns auch dagegen. Bei Zulassung als Beobachter würde die DDR erstmalig im VN-Bereich einen rechtlichen Status bekommen, der für weitere VN-Veranstaltungen beispielhaft sein würde." Vgl. Referat I C 1, Bd. 566.
Legationsrat I. Klasse Derix informierte am 21. März 1972 über die Unterstützung der Bonner

Zum Rauschgiftabkommen bezog sich Herr von Staden auf die bereits von Botschafter Gehlhoff in New York entwickelten Argumente.[13] Man müsse sich darüber hinaus vergegenwärtigen, daß wir nicht vor einem Hintergrund der Stagnation agierten, sondern daß die Dinge in rasche Bewegung geraten seien. Es handele sich lediglich um eine Frage der Zeit, nicht um eine solche des Prinzips. Er müsse auch darauf hinweisen, daß die amerikanische Seite uns beim Hijacking-Vertrag gesagt habe, die Allstaatenklausel[14] stelle hier eine ganz besondere Ausnahme dar. Er sei nicht in der Lage, eine Änderung unserer Haltung in Aussicht zu stellen; wenn eine Allstaatenklausel zum Rauschgiftabkommen vorgeschlagen würde, würden wir uns dagegen einsetzen müssen. Von uns aus ein Gespräch mit den Russen darüber aufzunehmen, halte er nicht für zweckmäßig, da wir nicht „demandeurs" seien. Wir wollten nicht die Initiative ergreifen, seien aber bereit, mit den Russen zu sprechen, wenn sie uns fragen sollten.

Herz wies auf die besonderen Schwierigkeiten hin, die es gerade im amerikanischen Wahljahr[15] mit der hiesigen öffentlichen Meinung gebe. Die deutscherseits verwendeten Argumente seien für die amerikanische Regierung nicht immer in gleicher Weise brauchbar (z. B. Verlust an Verhandlungsspielraum mit der DDR, ungünstiger Einfluß auf die Ratifizierungsdebatte im Bundestag). Seiner Auffassung nach müsse die Bundesrepublik in der ersten Linie stehen, während die amerikanische Regierung den Bonner Standpunkt nur mit einer weitergespannten Argumentation (von Konfrontation zur Negotiation[16] usw.) unterstützen könne.

De Palma hob hervor, daß die Sowjetunion an dem Rauschgiftabkommen nicht so interessiert sei wie die USA. Sie könne im Zusammenwirken mit unsicheren

Fortsetzung Fußnote von Seite 251
Vierergruppe für die Demarche: „Sie haben zugesagt, ihren Außenministerien umgehend zu empfehlen, die jeweiligen Missionen in den in unserer Demarche zitierten Ländern anzuweisen, unsere Demarche zu unterstützen und sich zur Koordinierung der Einzelheiten mit den jeweiligen deutschen Vertretern bereit zu halten." Vgl. die Aufzeichnung; Referat I C 1, Bd. 566.

[13] Botschafter Gehlhoff, New York (UNO), berichtete am 10. März 1972, er habe am Vortag ein Gespräch mit dem stellvertretenden Abteilungsleiter im amerikanischen Außenministerium, Herz, über das Einheits-Übereinkommen vom 30. März 1961 über Suchtstoffe geführt und dabei die Besorgnis der Bundesregierung hinsichtlich der amerikanischen Haltung zur Unterzeichnungs- und Beitrittsklausel zum Ausdruck gebracht: „Vor allem stellte ich heraus, daß die nachträgliche Einführung der Allstaatenklausel in das Einheitsabkommen erhebliche Bedeutung auch für andere laufende Streitfragen zwischen Ost und West (Aufnahme der DDR in WHO, Teilnahme an Stockholmer Umweltkonferenz) haben würde und uns zum gegenwärtigen Zeitpunkt politisch sehr ungelegen komme." Vgl. den Drahtbericht Nr. 248; Referat I C 1, Bd. 685.

[14] In Artikel 13 Absatz 1 des Übereinkommens vom 16. Dezember zur Bekämpfung der widerrechtlichen Inbesitznahme von Luftfahrzeugen war festgelegt: „This Convention shall be open for signature at The Hague on 16 December 1970, by States participating in the International Conference on Air Law held at The Hague from 1 to 16 December 1970 (hereinafter referred to as The Hague Conference). After 31 December 1970, the Convention shall be open to all States for signature in Moscow, London and Washington. Any State which does not sign this Convention before its entry into force in accordance with paragraph 3 of this article may accede to it at any time." Vgl. UNTS, Bd. 860, S. 110. Für den deutschen Wortlaut vgl. BUNDESGESETZBLATT 1972, Teil II, S. 1511.

[15] Am 7. November 1972 fanden in den USA die Präsidentschaftswahlen sowie Wahlen zum Repräsentantenhaus, Teilwahlen zum Senat und zu den Gouverneursämtern statt.

[16] Präsident Nixon erklärte am 22. Januar 1970 im Bericht zur Lage der Nation vor dem Kongreß: „If we are to have peace in the last third of the century, a major factor will be the development of a new relationship between the United States and the Soviet Union. I would not underestimate our differences, but we are moving with precision and purpose from an era of confrontation to an era of negotiation." Vgl. PUBLIC PAPERS, NIXON 1970, S. 9.

nichtkommunistischen Regierungen den USA große Schwierigkeiten bereiten. Die Russen hätten aber durchblicken lassen, daß sie helfen würden, wenn man ihnen in der Teilnahmeformel entgegenkomme. Die Frage Herrn von Stadens, ob die Sowjets eine Sperrminorität hätten, konnte de Palma nicht beantworten.

Sutterlin wies darauf hin, daß in den Vierer-Guidelines für die Beteiligung der DDR an der Stockholmer Konferenz eine nachträgliche Unterzeichnung von Vereinbarungen mit Allstaatenklausel und Mehrdepositarlösung durch die DDR zugelassen sei.[17] Der Unterschied zu unserer Haltung zum Rauschgiftabkommen erkläre sich vielleicht damit, daß die Probleme im Anschluß an die Stockholmer Konferenz sich erst nach der Ratifizierung der Ostverträge stellen würden.

Hillenbrand meinte, er verstehe, daß wir während des Ratifizierungsvorgangs alles vermeiden wollten, was ihn ungünstig beeinflussen könne. Nach Ratifizierung würden wir flexibler sein können; die Frage einer Allstaatenklausel mit Mehrdepositarlösung werde für uns dann wohl nicht mehr so wichtig sein. Seien wir wirklich sicher, daß 1972 für die Verhandlungen mit der DDR ein besseres Jahr sei als 1973, sei das eine realistische Annahme?

Herr *von Staden* antwortete, für die Verabschiedung eines Bundesgesetzes sei 1972 sicherlich ein besseres Jahr. Das Gesetzgebungsverfahren werde, wenn keine Zustimmung des Bundesrats erforderlich sei, drei bis vier Monate dauern. Da es sowohl bei der Formel für die Aufnahme in die VN als auch bei der innerdeutschen Vereinbarung weniger um ein technisches als um ein politisches Problem gehe, könne man die Möglichkeit nicht ausschließen, daß für diese Verhandlungen drei bis vier Monate ausreichten. Jedenfalls sollte versucht werden, möglichst bald eine entsprechende Vereinbarung mit der DDR zu erzielen. Sei dies erreicht, dann könne das eigentliche Aufnahmeverfahren sehr wohl erst 1973 anlaufen.

Hillenbrand schnitt die Frage der nächsten Vierer-Direktorenkonsultation an.

Herr *von Staden* bemerkte, wir gingen davon aus, daß sie Ende April in Washington stattfinden werde.[18] Er halte eine Konsultation zu diesem Zeitpunkt für äußerst wünschenswert. Eine zweite Konsultation werde dann wohl, wie üblich, am Vorabend des Vier-Mächte-Abendessens in Bonn (29. Mai) stattfinden.[19]

Sutterlin fragte, ob die DDR ihr Interesse an einer VN-Mitgliedschaft nicht weitgehend verlieren würde, falls ihr der Eintritt in die WHO gelingen sollte. Sie könnte sich dann unter Umständen mit einem Beobachterstatus, wie ihn

---

[17] Ministerialdirigent van Well vermerkte am 8. März 1972, die Bonner Vierergruppe habe hinsichtlich der Modalitäten einer Beteiligung der DDR an der UNO-Umweltkonferenz nicht ausgeschlossen, „daß die DDR ein Konferenzinstrument unterzeichnet, wenn auch mit besonderen Modalitäten". Ferner sei vorgesehen, „daß die Verbündeten bereit sind, die Sowjets während der Verhandlungen zu informieren, daß keine Bedenken dagegen bestehen, eine Mehrdepositarlösung für von der Konferenz beschlossene Konventionen vorzusehen. Dies entspricht dem mit den Verbündeten vereinbarten Grundsatz der Flexibilität bei der Beteiligung der DDR an internationalen Konventionen." VS-Bd. 9837 (I C 1); B 150, Aktenkopien 1972.

[18] Die Sitzung der Bonner Vierergruppe auf Direktorenebene fand am 12./13. Mai 1972 in Washington statt. Vgl. dazu Dok. 134.

[19] Am 28./29. Mai 1972 fand eine Sitzung der Bonner Vierergruppe auf Direktorenebene statt.

die Bundesrepublik habe, durchaus zufriedengeben, gegen den die USA kein Vetorecht hätten.

Herr *von Staden* antwortete, er glaube dies nicht. Für die DDR seien offizielle Beziehungen zu den NATO-Ländern, insbesondere zu den Drei Mächten, mindestens ebenso wichtig wie die VN.

Die VN-Mitgliedschaft sei für die DDR in anderer Weise als für die Bundesrepublik eine bedeutende grundsätzliche Frage: Sie wolle in die Staatenfamilie aufgenommen werden.

VS-Bd. 8588 (II A 3)

55

Botschafter Allardt, Moskau, an das Auswärtige Amt

Z B 6-1-11062/72 VS-vertraulich   Aufgabe: 15. März 1972, 19.00 Uhr[1]
Fernschreiben Nr. 628   Ankunft: 15. März 1972, 17.35 Uhr
Citissime

Betr.: Sowjetische Reaktion auf die Ratifizierungsdebatte[2]

Bezug: DB Nr. 601 vom 13.3. VS-v[3]

I. Die sowjetische Nervosität, über die ich berichtet habe, wird nach hiesiger Auffassung durch folgende Überlegungen verursacht:

---

[1] Hat Ministerialdirigent van Well am 20. März 1972 vorgelegen, der die Weiterleitung an Vortragenden Legationsrat I. Klasse Heimsoeth und Referat II A 1 verfügte.
Hat Heimsoeth am 20. März 1972 vorgelegen.
Hat Vortragendem Legationsrat I. Klasse Blech am 20. März 1972 vorgelegen, der die Weiterleitung an die Vortragenden Legationsräte Bräutigam und Joetze verfügte.
Hat Bräutigam und Joetze vorgelegen.

[2] Zum Stand des Ratifikationsverfahrens zum Moskauer Vertrag vom 12. August 1970 und zum Warschauer Vertrag vom 7. Dezember 1970 vgl. Dok. 34, Anm. 13.
Am 9. März 1972 faßte Vortragende Legationsrätin I. Klasse Finke-Osiander die Beratungen im Auswärtigen Ausschuß des Bundestages vom 6./7. März 1972 zusammen: „In einer einleitenden Erklärung legte Bundesminister Scheel den Zusammenhang der Verträge mit der weltpolitischen Entwicklung dar. Er hob hervor: Erosion unserer bisherigen Politik gegenüber DDR nicht aufzuhalten; wachsender Stellenwert der Entspannungspolitik im weltweiten Rahmen; veränderte weltpolitische Kräftekonstellation durch Aufstieg Japans und Chinas; Politik der Bundesregierung muß im Gleichklang mit Allianzpartnern bleiben; mit Ost- und Deutschlandpolitik hat Bundesregierung sich in globale Abläufe eingeschaltet und sie für ihre politischen Ziele genutzt. [...] Die Beratungen des Auswärtigen Ausschusses brachten keine substantiellen neuen Gesichtspunkte. Die Thematik und die Argumentation der Opposition waren im wesentlichen dieselben wie im Bundesrat und in der Plenardebatte des Bundestags. Rechtliche Gesichtspunkte traten wieder stärker in den Vordergrund. Die zentralen Themen der Opposition sind nach wie vor die Deutschlandfrage (‚Zementierung der deutschen Teilung') und eine kritische, nur von Mißtrauen bestimmte Einschätzung der Sowjetunion. Die Beratungen konnten Fragen und Zweifel der Opposition in einer Reihe von Einzelpunkten ausräumen oder mildern. In den grundsätzlichen Fragen scheint sich der Gegensatz zur Regierung eher verschärft zu haben. Gemeinsamkeiten wurden wesentlich weniger als bisher hervorgehoben." Vgl. Referat II A 4, Bd. 1511.

[3] Botschafter Allardt, Moskau, berichtete über wachsende Unruhe in der sowjetischen Regierung

1) Innenpolitisch

Allem Anschein nach hat sich Breschnew mit seiner Deutschlandpolitik gegen eine starke Minderheit im Politbüro durchsetzen müssen. Gromyko hat mit den monatelangen, von ihm selbst geführten Verhandlungen ein in seiner 15-jährigen Dienstzeit als Außenminister einmaliges Beispiel persönlichen Engagements für ein Vertragswerk[4] bewiesen. Erfolg oder Mißerfolg seiner Deutschlandpolitik dürften auf die politische Fortune von Breschnew nicht ohne Einfluß sein. Diese Politik ist ein wesentliches Element der neuen sowjetischen Europapolitik, die lediglich darauf abzielt, durch die europäische Sicherheitskonferenz den europäischen Besitzstand der Sowjetunion legalisieren zu lassen. Sie setzt eine Entschärfung der Deutschland- und der Berlinfrage voraus. Die sowjetische Europapolitik würde durch das Scheitern der Verträge in einer ihrer wesentlichen Voraussetzungen in Frage gestellt und zumindest modifiziert werden müssen.

Die Gegner der Deutschlandpolitik Breschnews operieren mit denselben Argumenten, mit denen sie selbst oder ihre gleichgesinnten Vorgänger die beiden Vorgänger Breschnews, nämlich Malenkow und Chruschtschow gestürzt haben.[5] Sollte Breschnew sich bei einem Scheitern des Vertrages gegenüber diesen Kräften im Amt behaupten können, müßte er sich aller Voraussicht nach zu einem scharfen Kurswechsel in seiner Deutschlandpolitik bereitfinden. Würde er diesen Kräften weichen müssen, ist anzunehmen, daß sein Nachfolger sich von ihm durch eine besonders harte Deutschlandpolitik unterscheiden wird. Das Verhalten eines neuen Teams im Kreml uns gegenüber würde innenpolitisch durch das Erfordernis geprägt, es anders als die über ihre „weiche" Deutschlandpolitik gestürzten Vorgänger machen zu müssen.

2) Außenpolitisch

Eine neue sowjetische Deutschlandpolitik dürfte außenpolitisch nur durch zwei Faktoren begrenzt sein, nämlich einen Krieg zu vermeiden und der durch die Annäherung USA–China einstweilig nur wenig begrenzten Bewegungsfreiheit der Sowjetunion Rechnung zu tragen. Dazwischen ist jede Reaktion denkbar, wobei der auf das äußerste gereizten Führerschaft einer durch die

---

Fortsetzung Fußnote von Seite 254

anläßlich der Ratifizierungsdebatte im Bundestag: „Von der ‚verantwortungslosen' Argumentation der Opposition bis zur ‚Leichtfertigkeit' der Bundesregierung, Verträge trotz minimaler und bekannt zweifelhafter Majorität unterzeichnet zu haben, beherrscht das Thema der Ratifikation keineswegs nur die Gespräche mit Vertretern der Bundesrepublik." So habe der sowjetische Außenminister Gromyko dem französischen Botschafter Seydoux gegenüber geäußert, die Bundesrepublik müsse „die Risiken einkalkulieren, von denen ihr Land bedroht ist, falls der Vertrag nicht ratifiziert wird". Der Abteilungsleiter im sowjetischen Außenministerium, Bondarenko, habe festgestellt, die Opposition „habe nicht das Recht, im Namen der Sowjetregierung zu sprechen, wenn sie ständig verkünde, sie werde zu einem besseren Vertrag mit den Sowjets gelangen. Dazu gehörten bekanntlich zwei, und die Sowjetregierung sei, wie ich wisse, mit ihren Konzessionen an die Grenze ihrer Möglichkeiten gegangen." Vgl. VS-Bd. 9017 (II A 4); B 150, Aktenkopien 1972.

4 Für den Wortlaut des Vertrags vom 12. August 1970 zwischen der Bundesrepublik und der UdSSR vgl. BULLETIN 1970, S. 1094.

5 Ministerpräsident Malenkow trat am 8. Mai 1955 von seinem Amt zurück. Auf einem außerordentlichen ZK-Plenum vom 22. bis 29. Juni 1957 wurde er aus allen Führungsämtern entfernt.
Nikita Chruschtschow wurde auf der Plenartagung des ZK der KPdSU am 14. Oktober 1964 seines Amtes als Erster Sekretär des ZK der KPdSU enthoben. Am 15. Oktober 1964 folgte seine Absetzung als sowjetischer Ministerpräsident.

Bundesrepublik düpierten Weltmacht einiges zuzutrauen ist. Es liegt die Gefahr nahe, daß militante Geister versucht sein könnten, eine allgemeine Krise zu entfesseln, deren Zentrum Berlin werden könnte. Ob der Westen diese Position dann wird halten können, steht dahin. Nicht zu bezweifeln ist jedenfalls, daß die Sowjetunion sich des Kriseninstruments Berlin mit größerer Rücksichtslosigkeit bedienen wird, nachdem die Westmächte bei den Berlin-Verhandlungen implicite zugegeben haben, daß die Abkommen aus der Nachkriegszeit über die privilegierten Verbindungen zu Westdeutschland nur den militärischen Bereich betrafen und der zivile Sektor erst durch das nunmehr nicht in Kraft tretende Berlin-Abkommen[6] privilegiert werden sollte. Sicher ist ferner, daß die Propaganda auf höchste Touren gebracht wird, um den Westen zum Schaden von NATO und EWG von den „Kräften des Revanchismus" zu trennen. Einen Boykott der Olympischen Spiele[7] durch den Ostblock, die beträchtliche Reduzierung des Handels zugunsten unserer westlichen Konkurrenz, der Verzicht auf den Kulturaustausch, sind nur einige der wenigen Folgen, mit denen die Bundesregierung unter Umständen zu rechnen hätte.

3) Der psychologische Schaden der Zurückweisung der Ostverträge wäre nachhaltig. Der Vertrag von 1970 wird in der Vergröberung der Propaganda mit dem Scheinangebot vom 10. März 1952[8] und dem Röhrenembargo[9] zusammen als Beweis der Unversöhnlichkeit und der Unberechenbarkeit der vom Revanchismus beherrschten Deutschen dienen.

II. Die Bundesregierung sollte jetzt m. E. ihre alle Zugeständnisse der sowjetischen Seite von vornherein blockierende Behauptung unterlassen, die Annah-

---

[6] Für den Wortlaut des Vier-Mächte-Abkommens über Berlin vom 3. September 1971 vgl. EUROPA-ARCHIV 1971, D 443–453.
Zum sowjetischen Gegenjunktim zwischen der Ratifizierung des Moskauer Vertrags und der Unterzeichnung des Schlußprotokolls zum Vier-Mächte-Abkommen über Berlin vgl. Dok. 28, Anm. 13.

[7] Die XX. Olympischen Sommerspiele fanden vom 26. August bis 11. September 1972 in München statt.

[8] Korrigiert aus: „20. März 1952."
Am 10. März 1952 schlug die UdSSR den Drei Mächten vor, unter Beteiligung einer gesamtdeutschen Regierung Verhandlungen über einen Friedensvertrag mit Deutschland zu führen, und übermittelte einen Vertragsentwurf. Danach sollte Deutschland „als einheitlicher Staat wiederhergestellt" werden in den Grenzen, „die durch die Beschlüsse der Potsdamer Konferenz der Großmächte festgelegt" wurden. Es sollte sich verpflichten, „keinerlei Koalitionen oder Militärbündnisse einzugehen, die sich gegen irgendeinen Staat richten, der mit seinen Streitkräften am Krieg gegen Deutschland teilgenommen hat", aber über „eigene nationale Streitkräfte" verfügen können. In dem folgenden Notenwechsel bestanden Großbritannien, Frankreich und die USA auf international kontrollierten, freien gesamtdeutschen Wahlen als Voraussetzung für die Bildung einer gesamtdeutschen Regierung, welche die Freiheit besitzen müsse, über die Bündnispolitik, den Friedensvertrag und die Regelung von Grenzfragen zu entscheiden. Zwar erklärte sich die UdSSR am 9. April 1952 bereit, die Frage freier gesamtdeutscher Wahlen zu erörtern, die von den Drei Mächten geforderte internationale Kontrolle von Wahlen durch eine Kommission der UNO lehnte sie jedoch ab; statt dessen favorisierte sie die Überprüfung durch einen Ausschuß der Vier Mächte unter Hinzuziehung von Vertretern der Bundesrepublik und der DDR. Für den Wortlaut der sowjetischen Noten vom 10. März, 9. April, 24. Mai und 23. August 1952 vgl. EUROPA-ARCHIV 1952, Bd. 1, S. 4832 f., S. 4866 f. und S. 4985–4987 sowie EUROPA-ARCHIV 1952, Bd. 2, S. 5180–5182. Für den Wortlaut der Antwortnoten der Drei Mächte vom 25. März, 13. Mai, 10. Juli und 23. September 1952 vgl. EUROPA-ARCHIV 1952, Bd. 1, S. 4833 f. und S. 4963–4965 sowie EUROPA-ARCHIV 1952, Bd. 2, S. 5093 f. und S. 5207 f.
Zur Bewertung durch die Bundesregierung vgl. AAPD 1952, Dok. 74 und Dok. 82.

[9] Am 21. November 1962 verhängte die NATO ein Embargo gegen die Ausfuhr von Großrohren in die UdSSR. Vgl. dazu AAPD 1963, I, Dok. 9.

me der Verträge sei gesichert. Eine Fühlungnahme mit der sowjetischen Regierung, um zu erkunden, ob noch Spielraum zur Verbesserung der Ratifizierungssituation besteht, erscheint dagegen angebracht. Eine gewisse Bereitschaft der anderen Seite zu Entgegenkommen ist nicht ganz unwahrscheinlich, weil Breschnew unter Umständen dazu bereit sein könnte, um der Gefährdung seiner Position Rechnung zu tragen. Allerdings dürfte es viel zu spät sein, heute noch die Preisgabe grundsätzlicher Substanz zu erhoffen. Ein schmales Feld gemeinsamen Interesses, um der Rettung der Verträge willen etwas zu tun, dürfte aber vielleicht vorhanden sein.

III. In Unkenntnis der dort in dieser Richtung geführten Überlegungen halte ich eine Kontaktaufnahme mit der sowjetischen Seite in folgenden, hier keineswegs erschöpfend zu übersehenden Gebieten für denkbar.

1) Mir sind die Schwierigkeiten, die Sowjetunion zu irgendeiner Äußerung über die deutsche Einheit zu bewegen, aus den Verhandlungen genau bekannt. Angesichts der entscheidenden Bedeutung, die dieser Punkt in der parlamentarischen Behandlung der Verträge erlangt hat, halte ich jedoch einen Versuch nicht für ausgeschlossen, die Sowjetregierung zu einem Schritt in Richtung auf die deutsch-sowjetische Erklärung vom 13. September 1955[10] zu bewegen. Dies könnte als Minimalforderung in der Form geschehen, daß die sowjetische Seite in einer zu vereinbarenden Form den Brief zur deutschen Einheit des Bundesministers[11] als ihr zugegangen und mit dem Vertragsziel nicht unvereinbar erwähnt.

2) Die Sowjetunion könnte der Auffassung Ausdruck geben, daß der Vertrag keine Stellungnahme zu Fragen der Integration enthält noch erfordert.

3) Von den im Gespräch der beiden Staatssekretäre mit Botschafter Falin angeschnittenen Fragen (DE 1037 vom 1.3.72[12]) dürfte sich die Familienzusammenführung sowie die Frage vorweggenommener menschlicher Erleichterung im geteilten Deutschland besonders anbieten.

---

10 Im Kommuniqué über die Aufnahme diplomatischer Beziehungen zwischen der Bundesrepublik und der UdSSR vom 13. September 1955 wurde ausgeführt: „Beide Seiten gehen davon aus, daß die Herstellung und Entwicklung normaler Beziehungen zwischen der Bundesrepublik Deutschland und der Sowjetunion zur Lösung der ungeklärten Fragen, die das ganze Deutschland betreffen, beitragen und damit auch zur Lösung des nationalen Hauptproblems des gesamten deutschen Volkes – der Wiederherstellung eines deutschen demokratischen Staates – verhelfen werden." Vgl. DzD III/1, S. 333.

11 In dem „Brief zur deutschen Einheit", der anläßlich der Unterzeichnung des Vertrags vom 12. August 1970 im sowjetischen Außenministerium übergeben wurde, brachte die Bundesregierung der sowjetischen Regierung zur Kenntnis, „daß dieser Vertrag nicht im Widerspruch zu dem politischen Ziel der Bundesrepublik Deutschland steht, auf einen Zustand des Friedens in Europa hinzuwirken, in dem das deutsche Volk in freier Selbstbestimmung seine Einheit wiedererlangt." Vgl. BULLETIN 1970, S. 1094.

12 Vortragender Legationsrat I. Klasse Blumenfeld informierte über die Gespräche der Staatssekretäre Freiherr von Braun und Frank mit dem sowjetischen Botschafter Falin am 25. bzw. 28. Februar 1972. Für den am 29. Februar 1972 konzipierten Runderlaß vgl. VS-Bd. 9017 (II A 4); B 150, Aktenkopien 1972.
Braun sprach am 25. Februar 1972 mit Falin über die Bildung der deutsch-sowjetischen Kommission für wirtschaftliche und wissenschaftlich-technische Zusammenarbeit, den Wissenschaftleraustausch zwischen der Bundesrepublik und der UdSSR und Fragen der Familienzusammenführung. Für die Gesprächsaufzeichnung vgl. Büro Staatssekretär, Bd. 197.
Für das Gespräch zwischen Frank und Falin vgl. Dok. 44.

4) Zur ersten Kontaktaufnahme scheint mir aus hiesiger Sicht und Personalkenntnis Botschafter Falin Moskauer Kontaktpersonen vorzuziehen zu sein, da dieser über reiche Sachkenntnis und ganz offensichtlich ausgezeichnete und vertrauensvolle Beziehungen sowohl zu Breschnew wie zu Gromyko verfügt.

5) Die Sowjetregierung würde, sollte sie einer Kontaktnahme überhaupt nähertreten wollen, selbstverständlich voraussetzen, daß Zusatzvereinbarungen oder erläuternde Interpretationen zum deutsch-sowjetischen Vertrag seine Ratifizierung sicherstellen, d. h. auch über das Verhalten der Opposition Klarheit wünschen. Als eine denkbare Form würde sich zur Schonung des sowjetischen Prestiges ein Kommuniqué empfehlen, das bei einem Treffen der beiden Außenminister herausgegeben werden könnte.

[gez.] Allardt

VS-Bd. 8543 (II A 1)

56

Aufzeichnung des Bundesministers Ehmke

16. März 1972[1]

Eilt!

Herrn Bundeskanzler[2]

Von Hand zu Hand.

I. Am Donnerstag, den 9. März, habe ich mit den Herren Hermsdorf, Frank und Schöllhorn informell die Jugoslawien-Frage[3] besprochen. Es ging um folgende Fragen:

1) Zahlung von 400 Mio. DM Wiedergutmachung in vier Raten statt des bisherigen Angebots 100 Mio. Wiedergutmachung und 300 Mio. Kapitalhilfe.

2) Anleihe eines jugoslawisch-deutschen Bankenkonsortiums auf dem deutschen Markt in Höhe von etwa 300 Mio. mit einer Bürgschaft des Bundes (dazu hat Herr Abs dem jugoslawischen Botschafter einen Vorschlag gemacht).[4]

---

[1] Ablichtung.
[2] Hat Bundeskanzler Brandt vorgelegen.
[3] Zur Erörterung der Wiedergutmachungsfrage mit Jugoslawien vgl. Dok. 18, besonders Anm. 5.
[4] Am 25. Januar 1972 antwortete der Vorsitzende des Aufsichtsrats der Deutschen Bank AG, Abs, dem jugoslawischen Botschafter Čačinović auf dessen Frage vom 6. Januar 1972 nach Möglichkeiten für einen Kredit über 300 Mio. DM, er habe „Gelegenheit genommen, mit Herren der Kreditanstalt für Wiederaufbau darüber zu sprechen, die jedoch aus mancherlei Gründen in der Angelegenheit keine – auch nicht im Wege der Auskunft – Initiative nehmen möchten, diese vielmehr nur durch die Bundesregierung selbst ausgelöst werden kann". In einem beigefügten Vermerk legte Abs daher andere Möglichkeiten der Beschaffung von Krediten dar und stellte fest: „Die Gewährung eines Darlehens an den jugoslawischen Staat oder die jugoslawische Nationalbank würde die Gewährung einer Garantie der Bundesrepublik Deutschland für Zahlung der Zinsen und Rückzahlung des Kapitals zur Voraussetzung haben." Vgl. Referat III A 5, Bd. 745.

3) Hilfe der Bundesrepublik beim Aufbau des jugoslawischen Farbfernsehens – unter Übernahme unseres Systems – durch weiter aufgestockte Hermes-Garantien.

4) Gleichartige Hilfe beim Aufbau von Atomkraftwerken durch die deutsche Industrie.

5) Verlängerung der für die jugoslawische Währung gewährten Stützungskredite.[5]

6) Deutsche Kriegsgräberfürsorge in Jugoslawien.

II. Die Besprechung führte zu folgendem Ergebnis:

1) Das Abwägen des Für und Wider führte zu dem Ratschlag, in der Frage der Wiedergutmachung nicht über das bisherige Angebot hinauszugehen. Die 400 Mio. wären zwar zu verkraften, sie würden aber mit Sicherheit erhebliche Nachforderungen der westeuropäischen Länder, mit denen wir Pauschalverträge[6] abgeschlossen haben, zur Folge haben (z.B. für die Zwangsrekrutierten). Das finanzielle Risiko ist nicht absehbar. Außerdem würden sich mit Sicherheit osteuropäische Länder – allen voran wohl Rumänien[7] – auf den Präzedenzfall berufen, was um so problematischer wäre, als die Jugoslawen in einem neuen Memorandum (das ich noch nicht kenne) die Meinung vertreten haben, es handele sich gar nicht um Wiedergutmachung, sondern um Reparationsforderungen.[8] Das finanzielle und das politische Risiko ist in dieser Richtung noch weniger abschätzbar als in westlicher Richtung.

---

[5] In einem Gespräch mit dem Mitglied im jugoslawischen Bundesexekutivrat, Šnuderl, am 14. Oktober 1971 sagte Bundesminister Schiller einen Stützungskredit von 300 Mio. DM zu, der in drei Tranchen ausgezahlt werden sollte. Vgl. die Aufzeichnung des Ministerialrats Abramowski, Bundesministerium der Finanzen, vom 20. Oktober 1971; Referat III A 5, Bd. 745a. Vgl. dazu auch AAPD 1971, III, Dok. 346.
Nachdem am 17. Dezember 1971 ein entsprechender Darlehensvertrag zwischen der Kreditanstalt für Wiederaufbau und der Nationalbank von Jugoslawien in Frankfurt/Main abgeschlossen worden war, berichtete Botschafter Jaenicke, Belgrad, am 20. Dezember 1971, die jugoslawische Regierung „sei betroffen über Ablehnung jeglicher Zusage einer eventuellen Prolongierung des 300 Mio. DM-Kredits. In dieser Situation stehe jug[oslawische] Regierung vor der Frage, ob sie es sich leisten könne, das in Frankfurt erzielte Verhandlungsergebnis zu akzeptieren, da ein lediglich vierjähriger Kredit keine echte Stützungsmaßnahme darstelle. Jugoslawien könne seine Stabilisierung nicht innerhalb von vier Jahren durchführen; zeitliche Beschränkung des deutschen Kredits beeinträchtige jug[oslawische] Verhandlungsposition bei bevorstehenden Stützungskreditverhandlungen" mit weiteren Staaten und führe dazu, daß andere Staaten, die Jugoslawien längerfristige Kredite gewährt hätten, „sich jetzt benachteiligt fühlen" könnten. Vgl. den Drahtbericht Nr. 543; Referat III A 5, Bd. 745a.
Auf ein jugoslawisches Aide-mémoire vom 22. Dezember 1971, in dem diese Auffassung noch einmal dargelegt wurde, antwortete die Bundesregierung am 18. Januar 1972, daß der Laufzeit des Kredits „durch die günstige Zinsregelung enge Grenzen gesetzt" seien. Deshalb sei es nicht möglich, weitere verbindliche Zusagen zu machen; jedoch solle „der Umstand, daß für den 300 Mio. DM-Kredit keine Prolongationsmöglichkeit eröffnet werden kann, nicht ausschließen, daß zu gegebener Zeit darüber gesprochen werden kann, wie die deutsch-jugoslawischen Kreditbeziehungen in der dann gegebenen Situation fortgesetzt werden können". Vgl. den Drahterlaß Nr. 17 des Vortragenden Legationsrats I. Klasse Mühlen an die Botschaft in Belgrad; Referat III A 5, Bd. 745a.

[6] In den Jahren 1959 bis 1964 schloß die Bundesrepublik mit elf westeuropäischen Staaten und Österreich Globalabkommen über die Entschädigung für Opfer nationalsozialistischer Verfolgung mit einem Gesamtvolumen von 971 Mio. DM.

[7] Zu den rumänischen Forderungen auf Wiedergutmachung vgl. Dok. 85.

[8] Zu dem jugoslawischen Memorandum vom 1. März 1972 vermerkte Vortragender Legationsrat Bäumer am 9. März 1972: „Auch das Promemoria vom 1.3.1972 bezeichnet das deutsche Angebot als ,weitaus niedriger' als einen Betrag, den die jugoslawische Seite annehmen könnte. Die jugo-

Dabei ist zu berücksichtigen, daß wir mit 400 Mio. in Jugoslawien keineswegs eitel Freude auslösen würden. Vermutlich würde die jugoslawische Führung sogar dafür kritisiert werden, von der ursprünglichen Forderung von 1,2 Mrd. so weit heruntergegangen zu sein. Voraussichtlich würden dann noch Nachforderungen kommen.

Vorschlag daher, der jugoslawischen Seite zu sagen, daß wir unser bestehendes Angebot nicht verbessern können, und daß man daher voraussichtlich die Wiedergutmachungsfrage für auf absehbare Zeit unlösbar erklären sollte (Diese Möglichkeit ist von mir mit der jugoslawischen Seite jedenfalls auch schon einmal erörtert worden).

Wir sollten, um das Nein erträglicher zu machen, dann aber das alte Paket aufschnüren und uns bereit erklären, sofort 300 Mio. Kapitalhilfe zur Verfügung zu stellen, die Kapitalhilfe also von der Wiedergutmachungsfrage zu trennen. Die Mittel für die Kapitalhilfe – 300 Mio. – stehen zur Verfügung.

Außerdem sollten Sie gerade dann im Herbst nach Jugoslawien fahren, um zu verhindern, daß die Uneinigkeit in der Wiedergutmachungsfrage nicht zu einer wirklichen Belastung der Beziehungen wird.

2) Hinsichtlich der Anleihe eines jugoslawisch-deutschen Bankenkonsortiums lautet der Ratschlag, keine Bürgschaft des Bundes zu übernehmen. Was wir an Hilfe geben können, sollten wir direkt geben, nicht über Herrn Abs. Außerdem muß man sich klar sein, daß Jugoslawien schon heute bei uns mit 1,9 Mrd. in der Kreide steht und praktisch alle diese Hilfen über langjährige Umschuldungsaktien etc. à fonds perdu gezahlt werden.

3) Was das Farbfernsehen betrifft, so sind wir bereits tief eingestiegen auf jetzt 125 Mio. Hermes-Garantien. Die Jugoslawen wollen noch mehr; Schöllhorn hält das aber für unbegründet. Über die Sache wird ohnehin verhandelt.[9]

4) An den Atomkraftwerken ist die deutsche Industrie lebhaft interessiert. Es würden sich aber daraus Verpflichtungen des Bundes von über 1 Mrd. DM ergeben, so daß die jugoslawischen Schulden uns gegenüber auf 3 Mrd. anwach-

---

Fortsetzung Fußnote von Seite 259

slawischen Vorstellungen gehen auf DM 400 Mio. als Wiedergutmachung plus 300 Mio. DM als Kapitalhilfe. Eine Wiederaufnahme der Wiedergutmachungsverhandlungen erscheint daher unzweckmäßig. Eine Trübung der Beziehungen müßte in Kauf genommen werden, könnte aber auf anderem Gebiet aufgefangen werden." Zur Frage, ob es sich um Reparationen oder Wiedergutmachung handele, notierte Bäumer: „Die Streitfrage, ob Wiedergutmachung an ausländische Staaten und ihre Angehörigen nach allgemeinem Völkerrecht als Teil der Reparationen angesehen werden kann oder als ein Sondertatbestand [...] kann dahingestellt bleiben. Auf jeden Fall ist in Übereinstimmung mit den an der Londoner Schuldenkonferenz Beteiligten die Wiedergutmachung im Sinne der Kriterien des Bundesentschädigungsgesetzes (BEG) (Verfolgung aus Gründen der Rasse, des Glaubens, der Weltanschauung oder politischer Gegnerschaft) von dem Londoner Schuldenmoratorium ausgenommen." Vgl. VS-Bd. 8310 (V 7); B 150, Aktenkopien 1972.

[9] Referat III A 5 informierte am 8. März 1972 über die Errichtung eines Fernsehnetzes für ein zweites Programm in Jugoslawien. Die Industrie habe erhebliches Interesse an dem Projekt, vor allem im Hinblick auf die Konkurrenz mit dem französischen Farbfernsehsystem. Zu den bisherigen Leistungen an Jugoslawien wurde vermerkt: „Der Lieferwert hat sich inzwischen auf r[und] 200 Mio. DM erhöht. Das BMWF(W) hat nach einer schriftlichen Intervention des Herrn Staatssekretärs bei Herrn Staatssekretär Schöllhorn zu erkennen gegeben, daß es der Gesamtverbürgung der deutschen Lieferungen für die zweite jugoslawische Fernsehkette zustimmen wird, wenn das deutsche Konsortium den Zuschlag auch für das gesamte Projekt erhält". Vgl. Referat II A 5, Bd. 1477.

sen würden, was an sich wirtschaftlicher Unsinn ist.[10] Außerdem muß der Bund – dazu soll Ihnen das BMBW seit längerem vortragen – einmal einen Gesamtplan für den Einsatz der vorhandenen Mittel aufstellen. Die reichen hinten und vorne nicht.

Man könnte hier aber verstärktes Interesse zeigen und sehen, ob man in Verhandlungen zu einer tragbaren Lösung kommt.

5) Die von uns gewährten Stützungskredite sind aus Gründen der Zinsverbilligung nur kurzfristig gewährt worden. Uns ist aber klar, daß man die Kredite später verlängern muß. Die Sache ist nicht aktuell.

6) Die deutsche Kriegsgräberfürsorge wird offiziell nicht voranzubringen sein, wenn die Wiedergutmachungsfrage auf Eis gelegt wird. Hier müßte versucht werden, ob man über die Verbände – Kriegsgräberfürsorge – Schritt für Schritt auf halboffizieller oder inoffizieller Ebene weiterkommt. (Darüber habe ich inzwischen mit Staatssekretär Herold gesprochen, der das mit seinen Freunden in den Verbänden besprechen wird.)[11]

III. Am Montag, den 13. März, habe ich das Ergebnis meines Gesprächs mit den Staatssekretären Herbert Wehner vorgetragen. Er war nicht sehr beglückt, hat aber auch nicht widersprochen. Er meinte nur, man müsse mit den Jugoslawen jetzt endlich Klarheit schaffen. Dies meine ich auch, zumal Čačinović sich bereits wieder bei mir angemeldet hat und Frank ja in der nächsten Woche nach Belgrad fährt.[12] Da Čačinović schon morgen kommt[13], bitte ich um eine schnelle Entscheidung.

Ehmke[14]

VS-Bd. 9036 (II A 5)

---

[10] Legationsrat I. Klasse Bartels informierte am 7. März 1972 über einen Antrag der Kraftwerk Union für Hermes-Bürgschaften, da die Firma in Zusammenarbeit mit der italienischen Firma Fiat den Bau eines Kernkraftwerks in Jugoslawien plane. Dazu führte er aus: „Ohne daß der Beurteilung der angeschriebenen Referate vorgegriffen werden soll, darf Referat III B 1 darauf aufmerksam machen, daß eine Verbürgung dieses Geschäfts die jugoslawische Verschuldung an die Bundesrepublik Deutschland in einer besorgniserregenden Weise erhöhen würde. [...] Das Auswärtige Amt hat bisher stets hinter den Bemühungen der Kraftwerk Union gestanden, sich gegen die amerikanische Konkurrenz in Drittländern durchzusetzen. Ein aus dieser Richtung kommendes Interesse an einer Verbürgung wird nicht verkannt. Trotzdem soll nach Auffassung von Referat III B 1 eine Verbürgung dieses Geschäfts, sollte sie überhaupt ins Auge gefaßt werden, Jugoslawien gegenüber nicht als deutsches Anliegen herausgestellt, sondern vielmehr bei der Durchsetzung deutscher Wünsche auf anderen Gebieten als umfangreiche Gegengabe gewertet werden." Vgl. Referat II A 5, Bd. 1477.

[11] Zur Kriegsgräberfürsorge notierte Vortragende Legationsrätin I. Klasse Finke-Osiander am 24. August 1972: „Die Frage der Pflege deutscher Kriegsgräber ist bei den deutsch-jugoslawischen Konsultationen im März d. J. von Staatssekretär Frank erneut vorgetragen worden. Der stellvertretende Außenminister Petrić wiederholte hierzu die bereits bekannte jugoslawische Stellungnahme: Die Bundesregierung müsse in dieser Frage Geduld haben. Es sei der jugoslawischen Öffentlichkeit noch nicht zuzumuten, daß man deutschen Stellen die Genehmigung zur Pflege der letzten Ruhestätten der deutschen Opfer des letzten Weltkrieges erteile, bevor die Frage der jugoslawischen Opfer dieses Krieges geregelt sei." Vgl. Referat II A 5, Bd. 1477.

[12] Staatssekretär Frank hielt sich am 23./24. März 1972 in Belgrad auf. Für das Gespräch mit dem jugoslawischen Außenminister Tepavac vgl. Dok. 69.

[13] Bundesminister Ehmke vermerkte am 17. März 1972 zu dem Gespräch mit dem jugoslawischen Botschafter, er habe Čačinović über den Stand der Überlegungen der Bundesregierung informiert: „Es gab eine kurze Diskussion darüber, ob 400 Mill[ionen] Wiedergutmachung nach BEG-Krite-

57

Aufzeichnung des Vortragenden Legationsrats I. Klasse Blech

II A 1-85.50-191/72 geheim 17. März 1972[1]

Herrn Staatssekretär[2]

Betr.: Verhandlungen Bahr/Kohl über einen allgemeinen Verkehrsvertrag mit der DDR

Bezug: Heutige Besprechung bei dem Herrn Staatssekretär um 18.00 Uhr

Als Grundlage für die heutige Besprechung wird eine Übersicht über die politisch bedeutsamen Fragen vorgelegt, die im Hinblick auf die Verkehrsverhandlungen einer Entscheidung bedürfen.[3]

Ferner sollte in der heutigen Besprechung die Frage geprüft werden, ob wir einen Abschluß der Verhandlungen noch vor der zweiten Lesung der Ostverträge im Bundestag (4. Mai) anstreben sollten. Das Bundeskanzleramt scheint dahin zu tendieren, den Vertrag vor dem 4. Mai zu paraphieren und nach der Ratifikation der Ostverträge zu unterzeichnen. Ein solches Vorgehen hätte wohl zur Voraussetzung, daß im Rahmen der Verkehrsverhandlungen substantielle Reiseerleichterungen durchgesetzt werden können. Ist das nicht der Fall, so dürfte der Abschluß eines förmlichen Staatsvertrages mit einem rein technischen Inhalt eher eine negative Auswirkung auf die Ratifikationsdebatte[4] haben, vor allem auch dann, wenn er etwa in der Präambel durch direkte oder indirekte

---

Fortsetzung Fußnote von Seite 261

rien gerechtfertigt wären, was ich entschieden bestritt, während er meinte, es ließe sich begründen. Ich habe geantwortet, darauf würde man sich kaum einigen können, aber selbst wenn das so wäre, würden wohl die allgemein-politischen Gründe für uns nach wie vor dafür sprechen, die Wiedergutmachungsfrage zunächst zu vertagen. Wir haben vereinbart, daß er den Stand der informellen Überlegungen in Belgrad vorträgt – er fährt morgen dorthin – und daß er mir dann sagt, ob wir so verfahren können, daß wir die Wiedergutmachungsfrage angesichts der weit auseinandergehenden Vorstellungen für zur Zeit unlösbar erklären, die 300 Mill[ionen] Kapitalhilfe dagegen zu den bisher vereinbarten Bedingungen zahlen und in gewissem Zusammenhang damit sowohl über das Farbfernsehen wie über die Atomkraftwerke sprechen. Hinsichtlich der Stützungskredite habe ich darauf hingewiesen, daß die kurze Laufzeit gewählt wurde, weil sie eine Zinsverbilligung ermöglichte, daß es aber klar sei, daß wir die Kredite nach fünf Jahren würden verlängern müssen. Čačinović unterstrich, daß die jugoslawische Seite Wert auf den Besuch des Bundeskanzlers lege, an den sie ja nie Vorbedingungen geknüpft habe. Anschließend habe ich das Ergebnis dieses Gesprächs dem Bundeskanzler vorgetragen." Vgl. VS-Bd. 9036 (II A 5); B 150, Aktenkopien 1972.

14 Paraphe.

[1] Die Aufzeichnung wurde von Vortragendem Legationsrat I. Klasse Blech und von Vortragendem Legationsrat Bräutigam konzipiert.
[2] Hat Staatssekretär Frank laut Vermerk des Legationsrats I. Klasse Vergau vom 28. März 1972 vorgelegen.
[3] Zu diesem Satz vermerkte Staatssekretär Frank handschriftlich: „Frage d[er] Berlin Klausel?"
[4] Der Passus: „(4. Mai) anstreben ... auf die Ratifikationsdebatte" wurde von Staatssekretär Frank hervorgehoben. Dazu vermerkte er handschriftlich: „richtig".

Statusaussagen spätere Verhandlungen über das Grundverhältnis präjudizieren könnte.⁵

Blech

[Anlage]

16. März 1972

Betr.: Verhandlungen über einen allgemeinen Verkehrsvertrag

Folgende Fragen bedürfen einer Entscheidung:

1) Form des Vertrages

Die DDR wünscht:

– Hinweis auf die Bevollmächtigung der Unterhändler durch den Bundespräsidenten in der Präambel,
– eine normale Ratifikationsklausel.

Problem:

Die Beteiligung des Bundespräsidenten beim Abschluß des Vertrages wäre ein Indiz dafür, daß es sich um einen (völkerrechtlichen) „Vertrag mit auswärtigen Staaten" im Sinne des Art. 59 GG⁶ handelt. Dies berührt die Anerkennungsproblematik.

Vorschlag:

– Kein Hinweis auf die Bevollmächtigung der Unterhändler (dies ist nach unserer Vertragspraxis auch gar nicht erforderlich),
– Inkrafttreten des Vertrages durch Notenwechsel der Regierungen.

2) Präambel

Kohl hat vorgeschlagen:

„in dem Bestreben, einen Beitrag zur Entspannung in Europa zu leisten und

---

⁵ In einer Besprechung am 17. März 1972 äußerte Staatssekretär Frank die Sorge, „daß ein Abschluß des Verkehrsvertrages in Form eines ratifikationsbedürftigen Staatsvertrages die Ratifikationsdebatte weiter belasten würde. Selbst wenn gewisse Reiseerleichterungen durchgesetzt werden könnten, würde die Opposition gleichwohl an der in dem Verkehrsvertrag liegenden Aufwertung des Status der DDR Anstoß nehmen [...]. In dieser Situation sei es am besten, hart weiterzuverhandeln und bis zur Entscheidung über die Ratifikation der Ostverträge einige wichtige Punkte der Verkehrsverhandlungen offenzulassen. Dazu eigne sich am besten die Frage der Einbeziehung Berlins, in der die DDR bisher eine kompromißlose Haltung eingenommen habe. Wir sollten daher weiterhin auf einer klaren und unzweideutigen Einbeziehung Berlins in den Verkehrsvertrag bestehen. Nach der Ratifikation der Ostverträge solle man dann auf Verhandlungen über das Grundverhältnis umschalten. In der jetzt bestehenden Situation scheine es ihm richtiger, den Verkehrsvertrag nicht vor einem Grundvertrag zu unterzeichnen." Vgl. die Aufzeichnung des Vortragenden Legationsrats Bräutigam vom 20. März 1972; VS-Bd. 8562 (II A 1); B 150, Aktenkopien 1972.
⁶ Artikel 59 des Grundgesetzes vom 23. Mai 1949: „1) Der Bundespräsident vertritt den Bund völkerrechtlich. Er schließt im Namen des Bundes die Verträge mit auswärtigen Staaten. Er beglaubigt und empfängt die Gesandten. 2) Verträge, welche die politischen Beziehungen des Bundes regeln oder sich auf Gegenstände der Bundesgesetzgebung beziehen, bedürfen der Zustimmung oder der Mitwirkung der jeweils für die Bundesgesetzgebung zuständigen Körperschaften in der Form eines Bundesgesetzes. Für Verwaltungsabkommen gelten die Vorschriften über die Bundesverwaltung entsprechend." Vgl. BUNDESGESETZBLATT 1949, S. 7.

normale Beziehungen beider Staaten zueinander zu entwickeln, wie sie zwischen souveränen Staaten üblich sind".[7]

Bahr hat folgenden Vorschlag eingebracht:

„in dem Bestreben, einen Beitrag zur Entspannung in Europa zu leisten und Beziehungen beider Staaten zueinander zu entwickeln, wie sie zwischen Staaten üblich sind".[8]

Auch die Formel Bahrs könnte als Bereitschaft der Bundesregierung zur diplomatischen Anerkennung mißverstanden werden. Sie unterstreicht außerdem den politischen Rang des Verkehrsvertrages.[9]

Andererseits könnte die Bundesregierung beim Abschluß des Verkehrsvertrages ihre Auffassung bekräftigen, daß eine völkerrechtliche Anerkennung der DDR nicht in Betracht kommt.

Vorschlag:

Zunächst sollte die Reaktion der DDR auf den letzten Vorschlag Bahrs abgewartet werden. Wenn sie auf diese Formel nicht eingeht (was zu erwarten ist), sollte die Streichung des gesamten Präambelsatzes vorgeschlagen werden.[10]

3) Luftverkehr

Die DDR hat folgenden Protokollvermerk vorgeschlagen:

„Die Deutsche Demokratische Republik und die Bundesrepublik Deutschland kommen überein, die Zusammenarbeit auf dem Gebiet des Luftverkehrs zu entwickeln und so bald wie möglich ein Luftverkehrsabkommen in international üblicher Form abzuschließen."[11]

Eine solche Erklärung würde sicher auf alliierte Bedenken stoßen.[12] Sie würde Drittstaaten ermutigen, auch ihrerseits Luftverkehrsabkommen mit der DDR abzuschließen und Schönefeld anzufliegen.

Vorschlag:

Anläßlich der Paraphierung des Verkehrsvertrages könnte folgende gemeinsame Erklärung abgegeben werden:

---

[7] Vgl. den Entwurf der DDR vom 20. Januar 1972 für einen Vertrag über Fragen des Verkehrs; VS-Bd. 8561 (II A 1); B 150, Aktenkopien 1972.
Zur Präambel im Vertragsentwurf der DDR notierte Vortragender Legationsrat Fleischhauer am 3. März 1972: „Der DDR-Entwurf sieht in der Einleitungsformel den Abschluß eines klassischen Staatsvertrages vor, bei dem auch die von den Staatsoberhäuptern bevollmächtigten Vertreter namentlich genannt werden. Dieser macht dann in der Schlußklausel einen Ratifikationsvorbehalt unumgänglich. Diese Abschlußform sollte von uns abgelehnt werden, da sie heute in der westlichen Staatenwelt im allgemeinen nur noch für Verträge gewählt wird, die eine politisch oder rechtlich hervorragende Bedeutung haben." Vgl. VS-Bd. 8562 (II A 1); B 150, Aktenkopien 1972.

[8] Für den Vorschlag des Staatssekretärs Bahr, Bundeskanzleramt, im 36. Gespräch mit dem Staatssekretär beim Ministerrat der DDR, Kohl, am 9./10. März 1972 in Ost-Berlin vgl. Dok. 49.

[9] Dieser Absatz wurde von Staatssekretär Frank hervorgehoben. Dazu vermerkte er handschriftlich: „r[ichtig]".

[10] Dieser Absatz wurde von Staatssekretär Frank hervorgehoben. Dazu vermerkte er handschriftlich: „r[ichtig]".

[11] Vgl. die Aufzeichnung des 36. Gesprächs des Staatssekretärs Bahr, Bundeskanzleramt, mit dem Staatssekretär beim Ministerrat der DDR, Kohl, am 9. März 1972 in Ost-Berlin; VS-Bd. 8562 (II A 1); B 150, Aktenkopien 1972.

[12] Zur Haltung der Drei Mächte hinsichtlich einer Einbeziehung des Luftverkehrs in einen Verkehrsvertrag zwischen der Bundesrepublik und der DDR vgl. Dok. 59, besonders Anm. 2.

„Die Regierung der Bundesrepublik Deutschland und die Regierung der Deutschen Demokratischen Republik stimmen darin überein, die Zusammenarbeit auf dem Gebiet des Luftverkehrs zu entwickeln und Verhandlungen über Fragen dieses Verkehrs aufzunehmen, sobald die Voraussetzungen dafür gegeben sind."[13]

4) ECE-Konventionen

Kohl hat dafür folgende Formulierung vorgeschlagen:

„Für Gütertransporte im Straßenverkehr gelten

- das Zollübereinkommen vom 15. Januar 1959 über den internationalen Warentransport mit Carnet TIR[14],
- das europäische Übereinkommen über die internationale Beförderung gefährlicher Güter auf der Straße (ADR) vom 30. September 1957.[15]"

Protokollvermerk: Beide Seiten unternehmen im Zusammenhang mit der Inkraftsetzung dieses Vertrages alle notwendigen Schritte, um die gleichberechtigte Mitgliedschaft der Deutschen Demokratischen Republik und der Bundesrepublik Deutschland in dem in den Art. 12 und 26[16] dieses Vertrages genannten internationalen Übereinkommen zu gewährleisten.

(CIM/CIV[17]; ECE-Konventionen)

Bahr hat sich in der Frage der ECE-Konventionen bisher ausweichend verhalten.

Problem:

Es besteht der Eindruck, daß die DDR, wenn überhaupt, nur dann zu Reiseerleichterungen bereit ist, wenn wir ihr im Bereich der internationalen Organisationen entgegenkommen.

Vorschlag:

a) Als Gegenleistung für Reiseerleichterungen könnten wir die von der DDR vorgeschlagene Vertragsbestimmung akzeptieren (was lediglich bedeutet, daß die Konventionen im bilateralen Verhältnis Anwendung finden), statt „gelten" sollte es allerdings „finden Anwendung" heißen.[18]

b) Anläßlich der Unterzeichnung des Verkehrsvertrages (d.h. nach der Ratifikation der Ostverträge) erklären wir unsere Bereitschaft, eine Aufnahme der DDR in die ECE zu unterstützen.[19]

---

[13] Zu diesem Absatz vermerkte Staatssekretär Frank handschriftlich: „r[ichtig]".

[14] Für den Wortlaut vgl. UNTS, Bd. 348, S. 13–101. Für den deutschen Wortlaut vgl. BUNDESGESETZBLATT 1961, Teil II, S. 650–741.

[15] Für den Wortlaut vgl. UNTS, Bd. 619, S. 78–97. Für den deutschen Wortlaut vgl. BUNDESGESETZBLATT 1969, Teil II, S. 1489–1501.

[16] Für Artikel 12 und Artikel 26 des Entwurfs der DDR vom 20. Januar 1972 für einen Vertrag über Fragen des Verkehrs vgl. Dok. 12, Anm. 4 und Anm. 5.

[17] Für den Wortlaut des Internationalen Übereinkommens vom 25. Februar 1961 über den Eisenbahnfrachtverkehr (CIM) vgl. BUNDESGESETZBLATT 1964, Teil II, S. 1520–1579.
Für den Wortlaut des Internationalen Übereinkommens vom 25. Februar 1961 über den Eisenbahn-Personen- und -Gepäckverkehr (CIV) vgl. BUNDESGESETZBLATT 1964, Teil II, S. 1898–1951.

[18] Dieser Absatz wurde von Staatssekretär Frank mit Häkchen versehen.

[19] Die Wörter „zu unterstützen" wurden von Staatssekretär Frank hervorgehoben. Dazu vermerkte er handschriftlich: „hinnehmen? freigeben?"

5) Haftpflichtversicherungsfragen

Zur Zeit besteht ein Abkommen zwischen den Versicherungsverbänden der Bundesrepublik Deutschland und der DDR.[20] Bei den Transitverhandlungen haben wir zugesagt, daß zwischen den zuständigen Stellen eine Regelung der Haftpflichtversicherungsfragen „in international üblicher Form" vereinbart wird. Dabei sind wir davon ausgegangen, daß diese Vereinbarung wiederum zwischen den Verbänden entsprechend einem internationalen Muster („Londoner Abkommen") abgeschlossen wird. Dies ist international allgemein üblich. Zu unserer Überraschung hat jedoch jetzt die DDR den Abschluß einer Regierungsvereinbarung gefordert.

Vorschlag:

Abschluß einer Ressortvereinbarung unter Einbeziehung Berlins (West) als Rahmenabkommen für die Regelung zwischen den Verbänden.[21]

In dem Rahmenabkommen könnten auch die Sonderregelungen spezifiziert werden, an denen wir interessiert sind (z. B. Verrechnung).

VS-Bd. 8562 (II A 1)

58

Botschafter Ruete, Paris, an das Auswärtige Amt

Z B 6-1-11122/72 VS-vertraulich Aufgabe: 17. März 1972, 12.40 Uhr[1]
Fernschreiben Nr. 793 Ankunft: 17. März 1972, 15.31 Uhr
Cito

Betr.: Frankreich und die Ratifizierung der Ostverträge

Zur Information

I. Außenminister Schumann äußerte sich heute im Rahmen eines längeren Gesprächs, über dessen andere Punkte ich getrennt berichte[2], zur Haltung Frankreichs in der Frage der Ratifizierung der Ostverträge wie folgt:

---

[20] Am 13. November 1958 schloß der Verband der Haftpflicht-, Unfall- und Kraftverkehrsversicherer e. V. (HUK-Verband) ein Schadenregulierungsabkommen mit der Staatlichen Versicherung der DDR und der Vereinigten Großberliner Versicherungsanstalt.

[21] Die Frage der Haftpflichtversicherungen wurde im 38. Gespräch des Staatssekretärs Bahr, Bundeskanzleramt, mit dem Staatssekretär beim Ministerrat der DDR, Kohl, am 5./6. April 1972 weiter erörtert. Vgl. dazu Dok. 89.

[1] Hat Ministerialdirektor von Staden am 21. März 1972 vorgelegen.
Hat Ministerialdirigent Simon am 21. März 1972 vorgelegen.
Hat Vortragendem Legationsrat Holthoff am 22. März 1972 vorgelegen.
Hat Vortragendem Legationsrat Steger vorgelegen.

[2] Botschafter Ruete, Paris, berichtete am 17. März 1972, er habe den französischen Außenminister Schumann mit Blick auf die europäische Gipfelkonferenz nach seiner Interpretation des Themas der Außenbeziehungen der Europäischen Gemeinschaften gefragt. Schumann habe geantwortet, „daß ‚selbstverständlich' nur von den handels- und wirtschaftspolitischen Aspekten gesprochen

Ich begann diesen Abschnitt des Gesprächs mit der Erkundigung danach, ob die französische Regierung von der sowjetischen Regierung in dieser Angelegenheit offiziell angegangen worden sei. Schumann verneinte, daß die sowjetische Regierung in offizieller Form gegenüber der französischen Regierung tätig geworden sei. Man habe nur Kenntnis von den Berichten des französischen Botschafters in Moskau[3] über sowjetische Besorgnisse (vgl. hierzu Drahtbericht der Botschaft Moskau Nr. 601 vom 13.3.72 – II A 4 VS-v[4]). Im übrigen verfolge man in Paris aber natürlich die sowjetische Reaktion sehr sorgfältig und habe den Eindruck gewonnen, daß die Sowjets in letzter Zeit alle Anstrengungen unternähmen, dem Bundeskanzler zu helfen. Man sei in Paris davon überzeugt, daß die Passierscheinregelung für Ostern[5] in diesem Zusammenhang zu sehen und auf sowjetische Pressionen zurückzuführen sei, und daß auch die sowjetischen Interpretationen zur Frage der „Unverletzlichkeit" der Grenzen hierher gehörten. Er, Schumann, sei davon überzeugt, daß ein Scheitern der Ratifizierung bedeutsame Auswirkungen auf die sowjetische Politik haben würde. Die Position Breschnews sei in diesem Falle gefährdet. Ähnlich wie zum Sturz Chruschtschows[6] seinerzeit der Besuch seines Schwiegersohnes in der Bundesrepublik[7] beigetragen habe, könne ein Scheitern der Ratifizierung auch Einfluß auf das weitere Schicksal Breschnews haben. Dies würde sich vor allem auf die sowjetische Blockpolitik auswirken. Denn es sei mit Sicherheit anzunehmen, daß bei einem veränderten sowjetischen Kurs wieder eine eiserne Hand über die Bundesgenossen ausgeübt werden würde. Die DDR, die immer die Speerspitze sowjetischer Absichten gewesen sei, werde sich dann sicher ganz besonders intransigent verhalten.

Die französische Regierung würde eine derartige Entwicklung außerordentlich bedauern. Die Entwicklung würde allerdings keinen Einfluß auf die französische Politik haben. Weder würde sich die französische Ostpolitik ändern, noch würde eine Änderung des Verhältnisses zwischen Frankreich und der Bundesrepublik eintreten. Der Freundschaftsvertrag[8] werde das dominierende Element bleiben. Die französische Regierung enthalte sich im übrigen mit äußerster Sorgsamkeit jeglicher Einflußnahme. Diese Grundeinstellung werde auch die bevorstehenden Gespräche mit Dr. Barzel[9] beherrschen.

Fortsetzung Fußnote von Seite 266
werden könne. [...] Solange es eine politische Einheit und eine gemeinsame Außenpolitik nicht gebe, könne man auch nicht die politischen Beziehungen zu Drittländern regeln." Vgl. den Drahtbericht Nr. 792; Referat III E 1, Bd. 1970.
[3] Roger Seydoux de Clausonne.
[4] Zum Drahtbericht des Botschafters Allardt, Moskau, vgl. Dok. 55, Anm. 3.
[5] Zur zeitlich befristeten Anwendung des Transitabkommens vom 17. Dezember 1971 zu Ostern und Pfingsten 1972 vgl. Dok. 49, Anm. 10.
[6] Nikita Chruschtschow wurde auf der Plenartagung des ZK der KPdSU am 14. Oktober 1964 seines Amtes als Erster Sekretär des ZK der KPdSU enthoben. Am 15. Oktober 1964 folgte seine Absetzung als sowjetischer Ministerpräsident.
[7] Der Chefredakteur der Zeitung „Izvestija" und Schwiegersohn des Ersten Sekretärs des ZK der KPdSU und Ministerpräsidenten Chruschtschow, Adschubej, hielt sich auf Einladung der Tageszeitungen „Münchner Merkur", „Rheinische Post" und „Ruhr-Nachrichten" vom 20. Juli bis 1. August 1964 in der Bundesrepublik auf. Vgl. dazu AAPD 1964, II, Dok. 211 und Dok. 212.
[8] Für den Wortlaut des deutsch-französischen Vertrags vom 22. Januar 1963 vgl. BUNDESGESETZBLATT 1963, Teil II, S. 706–710.
[9] Der Vorsitzende der CDU/CSU-Fraktion, Barzel, hielt sich vom 20. bis 23. März 1972 zu Gesprächen in Paris auf. Gesandter Blomeyer-Bartenstein, Paris, berichtete dazu am 24. März 1972, daß

Schumann fügte hinzu, er glaube, daß das von Präsident Pompidou angekündigte französische Europa-Referendum[10] dazu beitragen könne, die Position des Bundeskanzlers zu verbessern. Denn darin komme zum Ausdruck, daß im Westen etwas zur Verwirklichung Europas geschehe.[11]

Schumann bemerkte weiter, er wolle mir nicht als Botschafter, sondern als Freund folgendes sagen. Man sei im Grunde in Frankreich darüber erleichtert, daß die Opposition gegen die Ostverträge von einer so demokratischen Partei wie der CDU getragen werde, die auf diese Weise allen extrem nationalistischen Richtungen den Wind aus den Segeln nehme. Man habe auch Verständnis dafür, daß das deutsche Volk nicht auf das Recht auf Wiedervereinigung verzichten wolle. Er werde daher bei seinem Gespräch mit Dr. Barzel Gelegenheit nehmen, diesen vor allem auf die Notwendigkeit der Aufrechterhaltung der Vier-Mächte-Rechte hinzuweisen. Dies besage nicht, daß die französische Regierung auf ihre Rechte pochen wolle. Sie halte es bloß für wichtig, den Rahmen aufrechtzuerhalten, in dem sich eine zukünftige Entwicklung vollziehen könne.

II. Ähnlich wie sich Schumann mir gegenüber geäußert hat, nimmt der Quai – nach Aussagen meiner Kollegen – auf anderen Ebenen gegenüber ihnen Stellung.

[gez.] Ruete

VS-Bd. 9800 (I A 3)

Fortsetzung Fußnote von Seite 267

Barzel Gespräche mit Staatspräsident Pompidou, Außenminister Schumann und mehreren Senatoren geführt habe: „Bei weitem am wichtigsten bewertete er seine 70-Minuten-Unterhaltung mit Staatspräsident Pompidou. Diese sei durch den Dreiklang der französischen Haltung bestimmt gewesen: a) keine Einmischung in die inneren Angelegenheiten der Bundesrepublik, b) intensives Verfolgen der mit großem Ernst geführten Ratifizierungsdebatte bei genauer Kenntnis der innenpolitischen Situation, c) Kontinuität des deutsch-französischen Freundschaftsverhältnisses jenseits der Ratifizierungsentscheidung." Barzel habe resümiert, daß seine Gesprächspartner ihm „Wohlwollen entgegengebracht" hätten, und daß man nicht versucht habe, „den Führer der deutschen Opposition von seiner Haltung" in der Ratifizierungsdebatte abzubringen. Vgl. den Drahtbericht Nr. 866; VS-Bd. 10077 (Ministerbüro); B 150, Aktenkopien 1972.

[10] Auf einer Pressekonferenz am 16. März 1972 kündigte Staatspräsident Pompidou eine Volksabstimmung zur Erweiterung der Europäischen Gemeinschaften an. Vgl. LA POLITIQUE ETRANGÈRE 1972, I, S. 121.
Am 5. April 1972 übermittelte Pompidou das Referendum an die französische Nationalversammlung. Vgl. LA POLITIQUE ETRANGÈRE 1972, I, S. 136–137.

[11] Dazu teilte Vortragender Legationsrat Steger der Botschaft in Paris am 12. April 1972 mit, Staatspräsident Pompidou wolle die Franzosen nicht nur über den Beitritt der neuen Mitglieder zu den Europäischen Gemeinschaften abstimmen lassen, sondern auch über die Zukunft der Europäischen Politischen Zusammenarbeit. Pompidou „messe [...] gerade dem – möglichen – zweiten Frageteil erhebliche außenpolitische Bedeutung bei. Eine von der Mehrheit der französischen Bevölkerung befürwortete Entscheidung für die Bildung der Staaten-Konföderation, d.h. für die Ergänzung der Wirtschaftsgemeinschaft durch ein Organ für die außenpolitische Kooperation, müßte Pompidou nach seiner Meinung auf dem ‚Zehner-Gipfel' im Oktober 1972 ‚automatisch in eine herausragende Position' bringen". Vgl. den Drahterlaß Nr. 505; VS-Bd. 9802 (I A 3); B 150, Aktenkopien 1972.

59

Gesandter Boss, Brüssel (NATO), an das Auswärtige Amt

Z B 6-1-11154/72 VS-vertraulich   Aufgabe: 17. März 1972, 19.00 Uhr[1]
Fernschreiben Nr. 346   Ankunft: 17. März 1972, 21.06 Uhr
Citissime

Betr.: Unterrichtung des NATO-Rats über Arbeiten der Bonner Vierergruppe im Zusammenhang mit Berlin und Deutschland als Ganzem[2]

I. Die Sprecher der Bonner Vierergruppe, MDg van Well und die Botschaftsräte Lustig, Audland und Dean, unterrichteten den NATO-Rat in dessen Sitzung am 17. März über den Stand der Beratungen der Vierergruppe über die folgenden Fragen:
- mit Berlin zusammenhängende Fragen (Botschaftsrat Dean);
- ziviler Luftverkehr mit Berlin (Botschaftsrat Audland);
- Stand der Beziehungen zwischen der Bundesrepublik Deutschland und der DDR (MDg van Well);
- internationale Position der DDR (Botschaftsrat Dean);
- Mitgliedschaft der DDR in internationalen Organisationen (Botschaftsrat Lustig).

II. Eine Erörterung über die Darlegungen der Mitglieder der Bonner Vierer-Gruppe ergab sich
- zu der Frage des zivilen Luftverkehrs mit Berlin,
- im Anschluß an die Ausführungen MDg van Wells,
- zu dem Problem der allianzinternen Konsultation über Fragen im Zusammenhang mit Berlin und Deutschland als Ganzem.

1) Im Anschluß an die Ausführungen Botschaftsrat Audlands über den nichtalliierten Luftverkehr mit West-Berlin drückte der niederländische Botschafter[3] die Enttäuschung seiner Regierung über die Entscheidung der Bonner Vierergruppe aus, für 1972 nur zwei Luftfahrtgesellschaften, nämlich der SAS

---

[1] Hat Ministerialdirigent Diesel am 20. März 1972 vorgelegen, der die Weiterleitung an die Referate II A 3, II A 4 und II A 5 verfügte.
Hat Vortragendem Legationsrat I. Klasse Freiherr von Groll vorgelegen.

[2] Über die Beratungen der Bonner Vierergruppe berichtete Legationssekretär Holderbaum am 9. März 1972, daß sich die Vertreter der Drei Mächte am 6. März 1972 kritisch gegenüber einer Präambel in einem Allgemeinen Verkehrsvertrag mit der DDR geäußert hätten, die „nichts von der Idee der ‚besonderen innerdeutschen Beziehungen' […] wiedergäbe. Würde ein Vertrag mit einer Präambel ohne einen solchen Hinweis in Kraft treten, sähen die Alliierten große Schwierigkeiten, die Deutschlandpolitik der Bundesregierung zu erklären und in der Welt hierfür weiterhin Unterstützung zu erlangen." Außerdem hätten die Alliierten die Ausklammerung von Fragen des Luftverkehrs in den Verhandlungen gefordert. Die Alliierten seien äußerst besorgt gewesen, daß die DDR der AUA mitgeteilt habe, für den Anflug auf Berlin (West) sei keine spezielle Überfluggenehmigung notwendig, „da Berlin (West) nach Auffassung der DDR ohnehin ‚auf dem Staatsgebiet der DDR liege'". Vgl. VS-Bd. 5829 (V 1); B 150, Aktenkopien 1972.

[3] Dirk Pieter Spierenburg.

und AUA[4], Landerechte in West-Berlin zu erteilen. Die Entscheidung sei umso unverständlicher, als die Bonner Vierergruppe erklärt habe, Zweck dieser Maßnahme sei es, die wirtschaftliche Lebensfähigkeit von West-Berlin sicherzustellen. Die Niederlande könnten in der Auswahl der beiden genannten Luftfahrtgesellschaften nur eine Diskriminierung sehen, da z.B. die KLM ohne weiteres ebenfalls in der Lage gewesen wäre, Berlin aus Nord-Süd-Richtung anzufliegen. Das Argument, daß die wirtschaftliche Lebensfähigkeit der alliierten Fluggesellschaften sichergestellt sein müßte, überzeuge angesichts eines Passagieraufkommens von 5,5 Mio. im Jahre 1970 nicht. Zwei zusätzliche Wochenflüge der KLM seien bei einem solchen Ausmaß des Flugverkehrs eine „quantité négligeable". Es komme hinzu, daß die Absicht der DDR-Fluggesellschaft Interflug, Linienverbindungen nach verschiedenen westeuropäischen Staaten zu eröffnen, im gegenwärtigen Zeitpunkt eine günstige Möglichkeit zur Erlangung von Überflugrechten über das Gebiet der DDR darstelle. Ob dies später möglich sein werde, erscheine fraglich.

In gleicher Weise kritisierte der belgische Botschafter[5] die Entscheidung der Bonner Vierergruppe, in deren Begründung die Appelle an die Solidarität der Bündnispartner die Argumente überwögen. Belgien müsse sich vorbehalten, gegen die Entscheidung der Vierergruppe zu demarchieren, weil es sie für ungerecht halte.

Der luxemburgische Sprecher schloß sich den Ausführungen des niederländischen und belgischen Botschafters an.

Botschaftsrat Audland erwiderte, daß die Vierergruppe sich mit den von niederländischer und belgischer Seite vorgebrachten Argumenten auseinandergesetzt habe. Das Argument, daß das durch die allgemeine Entwicklung des Luftverkehrs anfallende zusätzliche Passagieraufkommen von zusätzlichen Luftfahrtgesellschaften wahrgenommen werden könnte, werde von der Vierergruppe anders beurteilt. Das in einigen Monaten zu erwartende Inkrafttreten des Vier-Mächte-Abkommens werde ein erhebliches Ansteigen des Autoverkehrs aus dem Bundesgebiet nach Berlin mit sich bringen und ein Nachlassen des Luftverkehrs zur Folge haben. In diesem Zusammenhang müsse erwähnt werden, daß die British European Airways schon jetzt zeitweise mit Verlust arbeite. Jedenfalls müsse anerkannt werden, daß ein qualitativer Unterschied zwischen dem Nord-Süd- und dem Ost-West-Verkehr bestehe.

Der belgische Botschafter erklärte, daß die Ausführungen des Vertreters der Bonner Vierergruppe in drei Punkten nicht überzeugten:

Erstens würden die Niederlande und Belgien für die Solidarität, die sie in bezug auf die Allianz geübt hätten, dadurch bestraft, daß andere Luftfahrtgesellschaften bevorzugt würden;

zweitens müsse jede Entscheidung, die den Anspruch erhebe, gerecht zu sein, unterschiedslos gelten;

---

[4] Zur Frage der Landegenehmigungen für SAS und AUA in Berlin (West) vgl. Dok. 16, Anm. 8.
[5] André de Staercke.

drittens, wenn schließlich die Gefahr finanzieller Verluste bei den alliierten Luftfahrtgesellschaften bestünde, so bliebe zu fragen, warum nicht auch KLM und SABENA Verluste im Kauf nehmen sollten, wenn sie dies möchten.

Gegen Schluß der Debatte über den Luftverkehr nach Berlin erläuterte MDg van Well die Position der Bundesregierung.

In den Verhandlungen über ein allgemeines Verkehrsabkommen habe die DDR wiederholt versucht, auch den Luftverkehr einzubeziehen. Da die Bundesregierung jedoch keinen Zweifel daran gelassen habe, daß sie diesem Verlangen nicht stattgeben könne, habe die DDR diese Forderung nicht wieder erhoben. Die Integrität der alliierten Luftkorridore sei für die Lebensfähigkeit und Sicherheit West-Berlins von vitaler Bedeutung. Sie beruhe auch auf der kommerziellen Rentabilität des Korridor-Verkehrs. Aus diesem Grunde hätten auch wir selbst alle Überlegungen für nationale Luftverbindungen mit Berlin zurückgestellt. Bis zum Inkrafttreten des Vier-Mächte-Abkommens befinde Berlin sich in einer delikaten Position, in welcher jede spektakuläre Neuerung vermieden werden müsse. Die Bundesregierung betrachte die von der Bonner Vierergruppe angeregte Frist von einem Jahr, in der keine weiteren Genehmigungen erteilt würden, als eine Versuchszeit. In diesem Jahr könne bei einem Minimum von Veränderungen erprobt werden, wie ein sich weiter ausdehnender Luftverkehr mit dem Erfordernis der ungestörten Sicherheit und der Abwendung von Nachteilen für die innerdeutschen Verhandlungen verbunden werden könne. Der belgische Botschafter wies darauf hin, daß die Argumentation des deutschen Vertreters überzeugend sei. Sie hätte dem NATO-Rat zweckmäßigerweise vor der Entscheidung der Bonner Vierergruppe mitgeteilt werden sollen. Die Entscheidung hätte dann mit größerem Verständnis rechnen können.

2) Im Anschluß an die Ausführungen von MDg van Well fragte der niederländische Botschafter nach den deutschen Vorstellungen über einen Zusammenhang zwischen dem Übergang in die eigentliche Konferenzphase einer KSZE und der Vereinbarung über einen Modus vivendi zwischen den beiden Staaten in Deutschland. Der niederländische Botschafter wies darauf hin, daß in früheren NATO-Kommuniqués ein solcher Zusammenhang angedeutet worden sei.

Herr van Well erwiderte, wir stellten keinen Zusammenhang zwischen unserer Bereitschaft, an einer KSZE teilzunehmen, und dem Stand der Verhandlungen über einen Modus vivendi mit der DDR her. In den Kommuniqués der letzten Tagungen des NATO-Ministerrats in Lissabon und Brüssel sei ein erfolgreicher Abschluß der Berlin-Verhandlungen vor Beginn der multilateralen Vorbereitungen einer KSZE gefordert worden.[6] Wir hofften allerdings, daß sich Fortschritte im Rahmen der allgemeinen Entspannungsbemühungen in Europa auch auf unsere Gespräche mit Ost-Berlin auswirken würden.[7]

---

[6] Vgl. dazu Ziffer 9 des Kommuniqués der NATO-Ministerratstagung am 3./4. Juni 1971 in Lissabon sowie Ziffer 9 des Kommuniqués der NATO-Ministerratstagung am 9./10. Dezember 1971 in Brüssel; Dok. 28, Anm. 10.

[7] Der Passus „Im Anschluß an ... mit Ost-Berlin auswirken würden" wurde von Vortragendem Legationsrat I. Klasse Freiherr von Groll hervorgehoben. Dazu vermerkte er handschriftlich: „Wichtig. Habe H[errn] v[an] W[ell] kurz vorher auf entspr[echende] Frage der Amerikaner aufmerksam gemacht."

3) Nach den Ausführungen des französischen Botschaftsrats unterstrich der belgische Botschafter die besondere Bedeutung der Darlegungen der Bonn-Gruppe. Die Unterrichtung des Rates begünstige die Konsultation innerhalb des Bündnisses. Insbesondere die Ausführungen des deutschen Sprechers hätten eine Antwort auf Fragen gegeben, die seit langem gestellt würden.

Er halte es nicht für sinnvoll, jetzt bereits in eine Diskussion der Darlegungen der Bonn-Gruppe einzutreten. Er schlage vor, daß zunächst die Regierungen über die heutige Unterrichtung informiert würden und in zwei bis drei Wochen eine ausführliche Erörterung im Rat stattfände. Der deutsche Sprecher habe mit Recht darauf hingewiesen, daß wir uns zur Zeit in einer nicht einfachen Lage befänden. Ein allgemeiner Tour d'horizon sei deshalb unausweichlich. Nur nach eingehender Konsultation im Bündnis könne eine gemeinsame Haltung der Bündnispartner erreicht werden, wie sie nach den Darlegungen der Bonn-Gruppe erforderlich sei.

Dieser Vorschlag des belgischen Botschafters wurde von Generalsekretär Luns aufgenommen, der erklärte, daß der belgische Botschafter wohl im Sinne aller Bündnispartner gesprochen habe.

Herr van Well erklärte, die Mitglieder der Bonn-Gruppe hätten den Vorschlag einer eingehenden Erörterung im NATO-Rat zur Kenntnis genommen und würden ihre Regierungen darüber unterrichten.

III. Ich bin der Ansicht, daß wir den von dem belgischen Botschafter gemachten Vorschlag zu einer weiteren Erörterung der von der Bonn-Gruppe vorgetragenen Probleme unterstützen sollten. Eine eingehende Konsultation dieser Probleme liegt im Interesse der Geschlossenheit des Bündnisses und gibt uns eine weitere Gelegenheit, unseren Standpunkt klarzumachen.

Die Erörterung im Rat könnte zunächst mit der Darlegung der Standpunkte der nicht zur Bonn-Gruppe gehörenden Bündnispartner beginnen. Aufgrund der Berichterstattung über diesen ersten Teil der Erörterung ließe sich dann die Frage entscheiden, ob eine weitere Diskussion in Anwesenheit der Bonn-Gruppe im Rat empfehlenswert erscheint.[8]

[gez.] Boss

VS-Bd. 8535 (II A 1)

---

[8] Am 19. April 1972 berichtete Gesandter Boss, Brüssel (NATO), daß der Ständige NATO-Rat die Erörterung der Mitteilungen der Bonner Vierergruppe fortgesetzt habe. Themen seien vor allem die Gespräche des Staatssekretärs Bahr, Bundeskanzleramt, mit dem Staatssekretär beim Ministerrat der DDR, Kohl, sowie die Beteiligung der DDR an den internationalen Organisationen gewesen. Dabei habe der belgische NATO-Botschafter de Staercke betont, „daß die Mehrzahl der Bündnispartner ein Interesse an einer Regelung ihrer Verhältnisse zur DDR habe, z. B. im Hinblick auf den Außenhandel". Die Vertreter der Bonner Vierergruppe hätten gebeten, „daß die Bündnispartner nichts unternehmen, bevor das ‚besondere Verhältnis' zwischen diesen beiden Staaten geregelt sei". Boss berichtete ferner, daß „die Erörterung von Fragen des zivilen Luftverkehrs mit Berlin [...] keine neuen Gesichtspunkte" ergeben habe. Vgl. den Drahtbericht Nr. 483; VS-Bd. 8593 (II A 3); B 150, Aktenkopien 1972.

60

Aufzeichnung des Ministerialdirigenten van Well

II A 1-84.25-966/72 VS-vertraulich 20. März 1972[1]

Betr.: Gespräch mit Botschafter Falin über die Berlin-Klausel[2]

Staatssekretär Frank besprach am 20. März in meiner Anwesenheit mit Botschafter Falin folgende drei Punkte:
- den Gedanken, die gemischte deutsch-sowjetische Wirtschaftskommission[3] anläßlich der Hannover-Messe[4] zum ersten Mal zusammentreten zu lassen;
- den sowjetischen Vorschlag, am 28. März in Moskau die deutsch-sowjetischen Verhandlungen über einen Handelsvertrag[5] wieder aufzunehmen;
- den Gedanken, schon jetzt – ehe das Vier-Mächte-Abkommen in Kraft getreten sei – Einigung über eine generelle Berlin-Klausel für die Ausgestaltung der vertraglichen Beziehungen mit der Sowjetunion zu erzielen.

Der Staatssekretär wies einleitend darauf hin, daß die beiden erstgenannten Punkte vom dritten Punkt abhängig seien. Erst wenn Klarheit hinsichtlich der allgemeinen Berlin-Klausel bestünde, könne an einen Zusammentritt der Wirt-

---

[1] Durchdruck.
Hat Staatssekretär Frank am 21. März 1972 vorgelegen.
Hat Vortragendem Legationsrat I. Klasse Blech vorgelegen.

[2] Ministerialdirigent van Well vermerkte am 15. März 1972: „Botschafter Falin hat am 14. März im Bundeskanzleramt vorgeschlagen, beide Regierungen sollten im April ihre Absicht bekunden, nach der Ratifizierung der Ostverträge das Wirtschaftsabkommen zu unterzeichnen." Im Auswärtigen Amt habe daraufhin eine Besprechung stattgefunden, die zu folgenden Ergebnissen gekommen sei: „Vor einer Verlautbarung der Unterzeichnungsabsicht muß vollständiges Einvernehmen zwischen beiden Seiten über die Berlin-Klausel hergestellt sein. [...] Wirtschaftskommission: Auch ihre Bildung sollte erst bekanntgegeben werden, wenn mit der Sowjetunion ein Einvernehmen über die Berlin-Klausel hergestellt worden ist. Die Einbeziehung Berlins (West) in die Tätigkeit der Kommission muß einvernehmlich geklärt sein, braucht jedoch nicht in der öffentlichen Verlautbarung zu erscheinen." Vgl. VS-Bd. 8559 (II A 1); B 150, Aktenkopien 1972.

[3] Zur Einrichtung einer deutsch-sowjetischen Kommission für wirtschaftliche und wissenschaftlich-technische Zusammenarbeit vgl. Dok. 27, Anm. 7 und 8.

[4] Die Hannover-Messe fand vom 20. bis 28. April 1972 statt.

[5] Grundlage der Handelsbeziehungen zwischen der Bundesrepublik und der UdSSR war das Abkommen vom 25. April 1958 über Allgemeine Fragen des Handels und der Seeschiffahrt, das Fragen der Meistbegünstigung, der Schiffahrt und der Rechtsstellung der Handelsvertretungen regelte und noch immer gültig war. Das letzte auf dieser Basis geschlossene Abkommen über den Waren- und Zahlungsverkehr vom 31. Dezember 1960 lief am 31. Dezember 1963 aus. Für den Wortlaut des Handelsabkommens vgl. BUNDESGESETZBLATT 1959, Teil II, S. 222–231. Für den Wortlaut des Warenabkommens vgl. BUNDESANZEIGER, Nr. 12 vom 18. Januar 1961, S. 1–3.
Gespräche über den Abschluß eines neuen Abkommens blieben wegen der Einbeziehung von Berlin (West) erfolglos. Vom 25. Februar bis 5. März 1971 verhandelten Botschafter Hermes und der sowjetische Stellvertretende Außenhandelsminister Manschulo erneut. Dazu vermerkte Referat III A 6 am 10. September 1971: „Ende Februar/Anfang März 1971 in Bonn stattgefundene deutsch-sowjetische Verhandlungen über ein langfristiges Wirtschaftsabkommen konnten nicht abgeschlossen werden, da der sowjetische Delegationsleiter nicht befugt war, über eine Einbeziehung Berlins zu verhandeln. [...] Der Leiter der sowjetischen Handelsvertretung, Herr Woltschkow, erklärte in einer Besprechung am 24.8. bei BM Ertl, die deutsch-sowjetischen Verhandlungen könnten im Hinblick auf die erzielte Botschaftereinigung über ein Vier-Mächte-Abkommen in nächster Zeit fortgeführt werden." Vgl. Referat III A 6, Bd. 509.

schaftskommission und an die Fortsetzung der Handelsvertragsverhandlungen gedacht werden.

Wir hätten Verständnis für die sowjetische Überlegung, die Außenvertretung Westberlins durch die Bundesrepublik erst dann in Kraft treten zu lassen, wenn das Vier-Mächte-Schlußprotokoll[6] unterzeichnet ist. Das brauche jedoch nicht zu bedeuten, daß man sich nicht schon vorher über die Berlin-Klausel verständigt. Beim Handelsvertrag könne den sowjetischen Interessen damit gedient werden, daß man im April paraphiert, die Unterzeichnung jedoch erst nach dem Inkrafttreten des Berlin-Abkommens erfolgt.[7] Bei der Wirtschaftskommission stelle sich die Frage, ob schon vor Inkrafttreten des Berlin-Abkommens Klarheit über die Erweiterung des Kompetenzbereichs der Kommission auf Westberlin geschaffen werden kann. Falls die Sowjetunion diese Klarstellung vorher nicht vornehmen möchte, müsse wohl mit dem ersten Zusammentritt der Kommission bis nach der Unterzeichnung des Vier-Mächte-Schlußprotokolls gewartet werden. Er möchte betonen, daß wir alles so schnell wie möglich in Gang setzen möchten, allerdings unter den notwendigen Voraussetzungen.

Zur Berlin-Klausel selbst meinte der Staatssekretär, man solle es bei der seit vielen Jahren in der westlichen Staatenpraxis üblichen Klausel belassen (er las sie vor).[8] Der Begriff „Land Berlin" gehöre zu den established procedures. In der Verfassung von Berlin werde in Artikel 1 von Berlin als einem deutschen Land und zugleich einer Stadt gesprochen.[9] Dieser Passus sei von den Westmächten nicht suspendiert worden.

Uns läge daran, für alle künftigen Fälle eine Standardformel zu haben. Abweichungen seien von Übel, da sie nur neue Unstimmigkeiten und Unklarheiten schaffen würden. Es sei ja gerade der Zweck des Berlin-Abkommens, künftig solche Streitigkeiten zu vermeiden.

Falin bemerkte, der Vorschlag, die erste Sitzung der deutsch-sowjetischen Kommission während der Hannover-Messe abzuhalten, sei ein Wunsch des Bundeskanzlers gewesen. Die Sowjetunion sei dazu positiv eingestellt. Seine Seite sei bereit, Herrn Gwischiani zu benennen, um die notwendigen Vorgespräche über alle organisatorischen und prozeduralen Fragen zu führen und auch gewisse erste Projekte vorzubereiten.

Seine Seite sei der Auffassung, man solle die Kommission anlaufen lassen, ohne über die Berlin-Einbeziehung jetzt für die Dauer zu entscheiden. Nach In-

---

[6] Zum Schlußprotokoll zum Vier-Mächte-Abkommen über Berlin vom 3. September 1971 vgl. Dok. 9, Anm. 11.

[7] Zu den Verhandlungen des Botschafters Hermes mit dem sowjetischen Stellvertretenden Außenhandelsminister Manschulo vom 3. bis 7. April 1972 in Moskau über ein Handelsabkommen vgl. Dok. 86, Anm. 4.

[8] Vortragender Legationsrat I. Klasse von Schenck notierte dazu am 17. März 1972: „Gemäß Kabinettsbeschluß der Bundesregierung über die Fassung der Vorschriften zur Erstreckung von Bundesrecht auf Berlin [...] ist den ausländischen Vertragspartnern hierfür jeweils eine Berlin-Klausel grundsätzlich folgender Fassung vorzuschlagen: ‚Dieser Vertrag (oder Abkommen usw.) gilt auch für das Land Berlin, sofern nicht die Regierung der Bundesrepublik Deutschland gegenüber der Regierung von ... innerhalb von drei Monaten nach Inkrafttreten des Vertrages (oder Abkommens usw.) eine gegenteilige Erklärung abgibt.'" Vgl. VS-Bd. 5830 (V 1); B 150, Aktenkopien 1972.

[9] Artikel 1 Ziffer 1 der Verfassung von Berlin vom 1. September 1950: „Berlin ist ein deutsches Land und zugleich eine Stadt." Vgl. VERORDNUNGSBLATT FÜR GROSS-BERLIN 1950, Teil I, S. 433.

krafttreten des Vier-Mächte-Abkommens würde sich die Vollmacht der Kommission auf Westberlin erweitern.[10] Das könne bei der ersten Kommissionssitzung schon gesagt werden. Er könne erklären, daß es hinsichtlich der Einbeziehung Westberlins nach Inkrafttreten des Viererabkommens keine Schwierigkeiten geben werde; wir könnten davon mit Sicherheit ausgehen. Ferner könne Vorsorge getroffen werden, daß auf der ersten Sitzung keine Fragen behandelt werden, die die Westberliner Wirtschaft betreffen.[11]

Was den Handelsvertrag angehe, so sei es der Wunsch beider Seiten, ihn so bald wie möglich abzuschließen. Es sei möglich, sich jetzt bereits über eine Berlin-Klausel zu einigen. Sie müsse vollkommen dem Vier-Mächte-Abkommen entsprechen. Der Terminus „Land Berlin" sei für die Sowjetunion inakzeptabel. Bei den Berlin-Verhandlungen habe die Bundesregierung „Berlin (West)" vorgeschlagen; die drei Westmächte hätten jedoch auf „Westsektoren Berlins" bestanden. Beides sei für die Sowjetunion akzeptabel. Als Grund für die Ablehnung des Begriffes „Land Berlin" nannte Falin, daß sich nach der Westberliner Verfassung dieser Terminus auch auf Ostberlin erstrecke.[12]

Was die allgemeine Berlin-Klausel angehe, so halte er eine Einigung hierüber für wünschenswert, wenn sie möglich sei. Er sei sich nicht sicher, ob man in jedem Einzelfall eine Berlin-Klausel ohne vorherigen freundlichen Meinungsaustausch erreichen könne. Vielleicht müsse manchmal eine Erörterung vorangehen, die sich auf den Charakter des Vertrags oder einzelner Bestimmungen erstrecke, ob sie zum Beispiel militärische oder politische Bedeutung hätten oder sich auf den Status bezögen. Diese Dinge seien manchmal nicht von vornherein genau zu beantworten. Wir wüßten ja, daß die Sowjetunion mit der westlichen Praxis nicht immer einverstanden gewesen sei. Aber jetzt sei ja alles gut geklärt. Er schließe nicht aus, daß die für den Handelsvertrag gefundene Formel als Präjudiz für andere Verträge, wie z.B. über technisch-wissenschaftliche Kooperation, Kulturaustausch, Sport, dienen könnte.[13] Auf jeden Fall müsse man im Rahmen des Vier-Mächte-Abkommens bleiben. Es wäre nicht gut, wenn man schon vor Inkrafttreten dieses Abkommens außerhalb seines Rahmens handeln würde.

Der Staatssekretär meinte, wenn man jetzt zu einer Einigung über die Formel kommen könne, dann würde es in den Fragen Handelsvertrag und Wirtschaftskommission wohl keine großen Probleme mehr geben. Die Formulierung müsse den established procedures entsprechen. Wir wollten eine einzige Formel für West und Ost. Man könne sich überlegen, ob man den Begriff „Land Berlin (West)" verwendet.

Falin drückte als seine persönliche Meinung aus, daß eine solche Formel manche Schwierigkeiten schaffen würde. Das Wort „Land" gebe es in den Vier-

---

10 Zu diesem Satz vermerkte Vortragender Legationsrat I. Klasse Blech handschriftlich: „Wie?"
11 Die konstituierende Sitzung der deutsch-sowjetischen Kommission für wirtschaftliche und wissenschaftlich-technische Zusammenarbeit fand am 19. April 1972 statt. Vgl. dazu Dok. 114, Anm. 12.
12 In Artikel 4 Ziffer 1 der Verfassung von Berlin vom 1. September 1950 wurde festgelegt: „Berlin umfaßt das Gebiet der bisherigen Gebietskörperschaft Groß-Berlin mit den Grenzen, die bei Inkrafttreten der Verfassung bestehen. Jede Änderung seines Gebietes bedarf der Zustimmung der Volksvertretung." Vgl. VERORDNUNGSBLATT FÜR GROSS-BERLIN 1950, Teil I, S. 433.
13 Zu den Gesprächen mit der UdSSR über ein Abkommen über wissenschaftlich-technische Kooperation und über ein Kulturabkommen vgl. Dok. 123.

Mächte-Vereinbarungen nicht. Es müsse entfallen. Als einheitliche Formel, die überall gelten könne, sei folgende vorstellbar:

Dieser Vertrag wird auch in Berlin (West) gültig sein, entsprechend den Bestimmungen oder den Regelungen des Vier-Mächte-Abkommens.

Der Staatssekretär hielt den Hinweis auf das Vier-Mächte-Abkommen nicht für angängig. Die established procedures seien älter als das Vier-Mächte-Abkommen.

Falin meinte, man könne den Hinweis auf das Vier-Mächte-Abkommen auch an den Anfang stellen, etwa:

Aufgrund des Vier-Mächte-Abkommens sind die beiden Vertragspartner übereingekommen, daß der Vertrag auch für Westberlin gilt, sofern nicht die Regierung der Bundesrepublik Deutschland gegenüber der Regierung der UdSSR innerhalb von drei Monaten nach Inkrafttreten des Vertrages eine gegenteilige Erklärung abgibt.

Falin meinte, der Nebensatz „sofern nicht ..." müsse vielleicht so verändert werden, daß auch die Sowjetunion drei Monate Prüfungszeit habe.

Die Hinweise des Staatssekretärs auf die established procedures halte er nicht für zutreffend. Die Sowjetunion sei nie der Auffassung gewesen, daß die frühere Praxis dem Status Berlins entsprochen habe. Aber darüber solle man sich jetzt nicht mehr streiten. Ab jetzt müßten alle Einbeziehungen Westberlins dem Vier-Mächte-Abkommen entsprechen. Der Begriff „established procedures" im Vier-Mächte-Abkommen bedeutet: Dieses Abkommen führe nicht zu einer Revision der früheren Verträge, und die Inkraftsetzung der mit Berlin-Klausel versehenen internationalen Verträge in Westberlin sei dem Einspruch der Drei Mächte unterworfen.

Ich machte einige Ausführungen zur Rechtsauffassung der drei Westmächte, der sich die Bundesregierung anschließt. Danach könne das Vier-Mächte-Abkommen nicht als eine neue Rechtsgrundlage für die Außenvertretung Westberlins angesehen werden. Es handele sich bei Anlage IV des Abkommens um einen Erklärungsaustausch. Die drei Westmächte erklärten, wie sie die Außenvertretung Westberlins geregelt hätten, die Sowjetunion erklärte, daß sie dagegen künftig keine Einwendungen mehr erheben werde.[14] Wenn die Sowjetunion eine Erwähnung des Vier-Mächte-Abkommens für notwendig halte, dann doch wohl nur insofern, als sie gegenüber den drei Westmächten eine Erklärung abgegeben habe, wonach sie gegen die von ihnen vorgesehene Außenvertretung Westberlins keine Einwendungen mehr erhebe. Vielleicht könne man den sowjetischen Vorstellungen mit folgender Formel entgegenkommen:

Unter Bezugnahme auf Anlage IV B des Vier-Mächte-Abkommens wird festgestellt: Dieser Vertrag gilt auch für ...

Mit dieser Formel wäre die Berlin-Klausel, so wie sie überall verwandt wird, erhalten geblieben. In der Einleitung zu dieser Klausel würde lediglich auf die sowjetische Erklärung im Vier-Mächte-Abkommen Bezug genommen. Für andere Staaten käme diese Bezugnahme natürlich nicht in Betracht.

---

14 Zu Anlage IV A und IV B des Vier-Mächte-Abkommens über Berlin vom 3. September 1971 vgl. Dok. 25, Anm. 9, bzw. Dok. 37, Anm. 4.

Man einigte sich darauf, nach Rückkehr des Herrn Staatssekretärs von seiner Reise nach Belgrad[15] am Samstag, den 25. März, ab 18 Uhr in der Wohnung des Herrn Staatssekretärs den Versuch zu machen, eine Formel zu finden.[16] Der Staatssekretär verwies auf die Notwendigkeit, genügend Zeit für unsere Konsultationen mit den drei Westmächten und dem Senat von Berlin vorzusehen. Man könne solche Dinge nicht unter Zeitdruck verhandeln.

Hiermit den Referaten II A und V 1 (je besonders) mit der Bitte um sofortige Konsultation mit den Drei Mächten unter Beteiligung des Senats von Berlin über das Gespräch mit Botschafter Falin vom 20. März übersandt.

gez. van Well

VS-Bd. 8558 (II A 1)

61

Botschafter Limbourg, Athen, an das Auswärtige Amt

Z B 6-1-11319/72 VS-vertraulich   Aufgabe: 20. März 1972, 18.00 Uhr[1]
Fernschreiben Nr. 116   Ankunft: 20. März 1972, 16.39 Uhr
Citissime

Betr.: Vortrag Günter Grass

Bezug: Ferngespräch mit Herrn MDg Dr. Simon vom 20.3.1972[2]

Zur Information

1) Mit Günter Grass, der gestern, 19.3., durch Kulturreferenten der Botschaft[3] am Flugplatz begrüßt wurde, traf ich erstmalig nach seiner Ankunft im Hause der Witwe des früheren griechischen Botschafters in Bonn, Tsatsos (Sohn ist

---

[15] Staatssekretär Frank hielt sich am 23./24. März 1972 in Belgrad auf. Für das Gespräch mit dem jugoslawischen Außenminister Tepavac am 24. März 1972 vgl. Dok. 69.
[16] Zu den Gesprächen des Staatssekretärs Frank mit dem sowjetischen Botschafter Falin am 25./26. März 1972 vgl. Dok. 74.
[1] Hat Vortragendem Legationsrat Reitberger am 21. März 1972 vorgelegen.
[2] Ministerialdirigent Simon notierte am 20. März 1972, er habe Botschafter Limbourg, Athen, zu einer geplanten Pressekonferenz des Schriftstellers Grass gesagt: „Die Abhaltung einer Pressekonferenz im Goethe-Institut im Anschluß an den Vortrag von Günter Grass über NATO-Fragen in Athen am heutigen Abend begegnet schwerwiegenden Bedenken. [...] Es könnte der Eindruck entstehen, als ob vom Boden eines amtlichen deutschen Instituts Angriffe gegen die Regierung des Gastlandes geführt würden. Der Bundesregierung läge an der Vermeidung eines solchen Eindrucks, insbesondere auch im Hinblick auf die bevorstehende NATO-Konferenz in Bonn. Botschafter Limbourg solle Herrn Grass in einem Gespräch davon zu überzeugen versuchen, daß eine Pressekonferenz im Goethe-Institut der Bundesregierung größte Schwierigkeiten bereiten könnte. Er solle sich daher bereit erklären, auf eine Abhaltung dieser Pressekonferenz im Goethe-Institut zu verzichten. Da man davon ausgehe, daß Herr Grass Vernunftsgründen zugänglich sei, werde es der Einlegung eines formellen Vetos seitens des Botschafters daher wohl kaum bedürfen." Vgl. Referat I A 4, Bd. 437.
[3] Johannes Schmidt.

ordentlicher Professor für Staatsrecht in Köln), zusammen. Unter Hinweis auf meine offizielle Stellung und meinen allgemeinen Auftrag, für eine ruhige Gestaltung der Beziehungen zwischen Bundesrepublik und Griechenland im bilateralen Verhältnis und im Bündnis Sorge zu tragen, bat ich ihn um Auskunft über etwaigen Inhalt seiner für heute abend vorgesehenen Ansprache. Als Herr Grass mir sagte, daß seine Rede zwar kritisch, im wesentlichen allgemein gehalten sei und „nicht nur griechische Diktatur," sondern auch andere betreffe, sagte ich ihm, daß ich unter diesen Umständen keine Bedenken hätte, persönlich anwesend zu sein. Allerdings machte ich darauf aufmerksam, daß ich an einer sich mit Sicherheit anschließenden und von den Veranstaltern auf etwa eine Stunde geschätzte Diskussion nicht würde teilnehmen können, wofür Verständnis gezeigt wurde.

2) Am Ende des Gesprächs bat mich Herr Grass, eine für Donnerstag, 23.3., in Aussicht genommene Pressekonferenz durch Pressereferat der Botschaft vorbereiten zu lassen. Ich entgegnete ihm, daß ich das leider wegen der möglichen Folgerungen seiner Ansprache ablehnen müsse. Daraufhin bat er, diese Pressekonferenz im Rahmen des Goethe-Instituts durchführen zu können. Ich entgegnete ihm, daß ich auch dagegen dann grundsätzlich Bedenken erheben müßte, wenn die Gefahr bestehe, daß während dieser Pressekonferenz Angriffe gegen die Regierung des Gastlandes vorgetragen würden. Herr Grass war schließlich bereit, zu Beginn einer solchen zu erklären, daß er als Schriftsteller und Privatmann erschienen sei und daß seine Antworten das Goethe-Institut in keinem Falle berühren und mit Verantwortung belasten könnten.

3) Heute vormittag hatte ich Gelegenheit, den in Deutschland im Attika-Presseverlag, Frankfurt/Main, in deutscher Sprache mit auf jeder Seite nachfolgender griechischer Übersetzung gedruckten Redetext zu lesen.[4] Inhalt der Rede, die mit morgigem Kurier nach dort übermittelt wird, veranlaßte mich, der mit Drahterlassen Nr. 44 vom 2.3. und Nr. 48 vom 7.3.[5] übermittelten Weisung zu entsprechen und in Ausübung der darin empfohlenen Zurückhaltung auf eine Teilnahme an dem Vortrag zu verzichten.

---

[4] Zum Vortrag des Schriftstellers Grass wurde in der Presse berichtet: „‚Griechenland ist der Ausdruck Europas. Sobald die Freiheit in Griechenland verkümmert, wird Europa ärmer. Weil Ihnen die demokratischen Rechte genommen wurden, sind unsere bedroht', erklärte der deutsche Schriftsteller Günter Grass in einem Vortrag über das Thema ‚Demokratie, Europa und die NATO' vor der ‚Gesellschaft für das Studium der griechischen Probleme' in Athen. Vor der Gesellschaft, in der sich kritisch und oppositionell zum griechischen Regime stehende Intellektuelle zusammengeschlossen haben, sprach Grass von einem in ganz Europa gefährlichen latenten Willen zur Restauration totalitärer Verhältnisse, der sich am griechischen Beispiel geschult habe. Grass verglich die Abschaffung der Demokratie im NATO-Mitgliedsstaat Griechenland seit dem 21. April 1967 mit der Okkupation der Tschechoslowakei durch die Armeen fünf anderer Warschauer-Pakt-Staaten am 21. August 1968 und betonte, daß in beiden Fällen in erster Linie die Protagonisten des jeweiligen Blocksystems, USA und Sowjetunion, verantwortlich gehandelt hätten." Vgl. den Artikel „Grass warnt vor Verlust der Freiheit in Griechenland"; DIE WELT vom 22. März 1972, S. 2.

[5] Ministerialdirigent Simon schlug am 7. März 1972 vor, „unmittelbar nach Eintreffen des Vortragenden mit ihm Verbindung aufzunehmen mit dem Ziel, Tenor des Vortrags in Erfahrung zu bringen und Verhalten der Botschaft mit ihm abzustimmen. Hiesigen Erachtens sollte er Verständnis für Zurückhaltung des Missionschefs haben, falls Gefahr besteht, daß sich Veranstaltung als Belastung der deutsch-griechischen Beziehungen oder als Beeinträchtigung der Bündnis-Interessen auswirken könnte." Vgl. Referat I A 4, Bd. 437.

4) Ich suchte gemeinsam mit meinem ständigen Vertreter[6] Herrn Günter Grass im Hause von Herrn John Pesmazoglou, der ein Mittagessen zu Ehren des deutschen Gastes gab, auf. Ich erläuterte Herrn Grass meinen Standpunkt und bat unter Hinweis auf die mir übermittelte Auffassung des Auswärtigen Amts um sein Verständnis.

Herr Grass war tief enttäuscht und sparte nicht mit herber Kritik an der Bundesregierung, die bei passender Gelegenheit (z. B. Israel, Rumänien, Jugoslawien) mit seinem Pfunde wuchere. Er werde nach seiner Rückkehr dem Herrn Bundesminister des Auswärtigen einen Brief schreiben, in dem er auf künftige Mitwirkung an Veranstaltungen deutscher Botschaften oder des Goethe-Instituts verzichten werde. Er habe vor Antritt seiner Reise mit dem Herrn Bundeskanzler gesprochen und diesen über den ungefähren Inhalt seiner Athener Rede unterrichtet. Er habe für jetzt eingenommene Haltung kein Verständnis und könne sie nur als „skandalös" bezeichnen. Meinen Hinweis auf die schädigenden Folgen, die seine gegen das Regime erhobenen Anklagen für die deutsch-griechischen Beziehungen haben könnten, wies er mit der Bemerkung, daß meine Anwesenheit gerade das Gegenteil bewirken werde, zurück. Sollte die griechische Regierung, woran er bei dem Gewicht der Bundesrepublik zweifle, Protest erheben, so sei ein solcher, wenn er trotz meiner Anwesenheit erfolge, ein Affront, den man zurückweisen könne. Ich wies ihn darauf hin, daß vielmehr die große Gefahr bestehe, daß seine Ausführungen von der griechischen Seite als Affront aufgefaßt würden.

Entgegen der dortigen und vom Leiter des Auslandsbüros der SPD angenommenen Verständnisbereitschaft von Herrn Grass für meine und der Botschaft schwierige Situation[7] muß ich leider feststellen, daß davon keine Rede sein kann. Es kommt erschwerend hinzu, daß es sich bei der Veranstaltergruppe, wie schon mehrfach berichtet, um Oppositionelle handelt, die eine erfolgreiche Opposition gegen das herrschende Regime nur in einer völligen Isolierung Griechenlands erblicken und einer fatalen Trennung aller bestehenden Bindungen im politischen, militärischen, kulturellen und wirtschaftlichen Bereich das Wort reden. Es muß davon ausgegangen werden, daß wir durch meine Nichtteilnahme an der heutigen Veranstaltung bei dieser zahlenmäßig nicht unbedeutenden Gruppe erhebliches Ansehen auf lange Zeit einbüßen werden. Meine auch dort bekannten Bemühungen, einen Weg zu finden, der Veranstaltung schließlich doch beiwohnen zu können, haben stets nur zum Ziel gehabt, diesen Ansehensverlust zu vermeiden. Nach Kenntnis des Wortlautes der Rede bin ich allerdings überzeugt, daß die jetzt getroffene Entscheidung richtig ist.

Nach eingehender Prüfung der Situation und nicht zuletzt auch deswegen, um in einer mit Sicherheit zu erwartenden nachträglichen Diskussion über das Verhalten des Auswärtigen Amts und der Botschaft Athen den Vorwurf der Nichtbeachtung der Persönlichkeit und des schriftstellerischen Werks von

---

[6] Konrad von Schubert.

[7] Vortragender Legationsrat I. Klasse Munz berichtete am 10. März 1972, daß der Abteilungsleiter beim SPD-Bundesvorstand, Dingels, das Auswärtige Amt über den bevorstehenden Besuch des Schriftstellers Grass informiert habe. Dingels habe empfohlen, „mit dem Vortragenden am Flughafen gleich Kontakt aufzunehmen und Verhalten abzustimmen. Da Grass als Privatmann komme, werde er keine offizielle Wahrnehmung erwarten und für Zurückhaltung der Botschaft Verständnis haben." Vgl. den Drahterlaß Nr. 55; Referat I A 4, Bd. 437.

Günter Grass zu begegnen, habe ich den Kulturreferenten der Botschaft beauftragt, dem Vortrag beizuwohnen.

5) Anläßlich des vorgenannten Gesprächs habe ich Herrn Grass auch die Auffassung des Staatssekretärs[8] zur Frage der im Rahmen des Goethe-Instituts abzuhaltenden Pressekonferenz erläutert und um Verständnis dazu gebeten. Auf meine Erklärung, gegen eine Pressekonferenz bestünden dann keine Bedenken, wenn sich diese mit seiner schriftstellerischen Tätigkeit ausschließlich befasse und er die Garantie übernehme, daß sie sich auf kulturelle Fragen beschränke, erwiderte Grass, es wäre das Kennzeichen der deutschen Literatur der Nachkriegszeit, daß sie eminent politisch sei. Er könne die Beantwortung anderer Fragen nicht ablehnen, aber es sei nicht seine Art, sie in persönliche Angriffe zu kleiden.

Im übrigen wiederholte er noch einmal seine Bitte, ihm die technischen Erleichterungen des Goethe-Instituts, die die Konferenz in einem solchen Rahmen benötige, zu gewähren.

Ich werde dem Leiter des Goethe-Instituts[9] mitteilen, daß gegen eine Pressekonferenz des Schriftstellers Günter Grass dann keine Bedenken erhoben würden, wenn Sicherheit bestehe, daß sie lediglich als kulturelle Veranstaltung durchgeführt wird.[10]

[gez.] Limbourg

VS-Bd. 9806 (I A 4)

---

[8] Paul Frank.
[9] H. A. Oehler.
[10] Am 23. März 1972 berichtete Botschafter Limbourg, Athen, daß die von Günter Grass angekündigte Pressekonferenz am selben Tag stattgefunden habe. Grass habe gegenüber dem Botschafter zweimal erklärt, „er werde mangelnde Unterstützung durch Botschaft und Goethe-Institut in Deutschland in geeigneter Weise publik machen". Vgl. den Drahtbericht Nr. 126; Referat I A 4, Bd. 437.
Limbourg nahm am 27. März 1972 zu den Vorwürfen von Grass „auf einer Pressekonferenz, die er nach seiner Rückkehr aus Athen in Bonn abgehalten hat", gegen die Botschaft Stellung, „ihm jede Unterstützung und Hilfe verweigert zu haben. Dieses Verhalten hat er als ‚jämmerlich' und ‚beschämend' bezeichnet." Limbourg bat Bundesminister Scheel, „diese schwere Ehrenkränkung des Herrn Grass gegenüber einem deutschen Botschafter auf das energischste öffentlich" zurückzuweisen: „Ich glaube nicht, daß es ausreicht, durch den Sprecher des Auwärtigen Amts erklären zu lassen, ich hätte auf Weisung und pflichtgemäß gehandelt." Vgl. den Drahtbericht Nr. 135; Ministerbüro, Bd. 501.

62

Botschafter Pauls, Washington, an das Auswärtige Amt

Z B 6-1-11388/72 VS-vertraulich   Aufgabe: 20. März 1972, 18.55 Uhr[1]
Fernschreiben Nr. 704   Ankunft: 21. März 1972, 02.17 Uhr

Betr.: Ratifizierung der Ostverträge

Amerikanische Regierung und Öffentlichkeit verfolgen mit gespanntem Interesse die deutsche Auseinandersetzung um die Ratifizierung der Verträge.[2] Infolge des Unterschiedes der Regierungssysteme bereitet es den Amerikanern gewisse Schwierigkeiten, den verfassungsrechtlichen Ablauf nach dem Grundgesetz[3] und die damit verbundenen Risiken und Möglichkeiten zu verstehen.

Die amerikanische Regierung geht nach wie vor davon aus, daß die Verträge, wenn auch mit geringer Mehrheit, ratifiziert werden und damit das Berlin-Abkommen, dessen zentrale Bedeutung für die amerikanische West-Ost-Politik in Europa Präsident und Außenminister in ihren außenpolitischen Berichten und bei anderen Gelegenheiten schriftlich und mündlich wiederholt und nachdrücklich unterstrichen haben[4], in Kraft treten kann. Einer meiner Gesprächspartner, der zu denen gehört, die bei der Formulierung der amerikanischen Außenpolitik eine maßgebliche Rolle spielen, sagte mir neulich, man könne sich in Washington nicht vorstellen, daß eine Mehrheit des deutschen Parlaments bereit sei, die Verantwortung für das Scheitern dieser Politik zu übernehmen mit allen sich daraus ergebenden Folgen.

Welche Folgen werden in Washington in Betracht gezogen, soweit ich dies aus Gesprächen mit Politikern, Publizisten und Beamten übersehe:

---

[1] Hat Ministerialdirektor von Staden am 21. März 1972 vorgelegen, der die Weiterleitung an die Ministerialdirigenten Diesel und Simon sowie an Referat I A 5 verfügte.
Hat in Vertretung von Diesel Vortragendem Legationsrat I. Klasse Blumenfeld vorgelegen, der handschriftlich vermerkte: „H[errn] Dingens z[ur] w[eiteren] V[erwendung] (falls nicht bereits geschehen)."

[2] Zum Stand des Ratifikationsverfahrens zum Moskauer Vertrag vom 12. August 1970 und zum Warschauer Vertrag vom 7. Dezember 1970 vgl. Dok. 55, Anm. 2.

[3] Vgl. dazu Artikel 59 des Grundgesetzes vom 23. Mai 1949; Dok. 57, Anm. 6.

[4] Im dritten jährlichen Bericht über die amerikanische Außenpolitik an den Kongreß unterstrich Präsident Nixon am 9. Februar 1972 die Bedeutung des Vier-Mächte-Abkommens über Berlin vom 3. September 1971 für die Entspannungspolitik: „The Soviets recognized that the ratification of the West German-Soviet treaty would be impossible if there were no Berlin agreement. We wanted to remove Berlin as a perennial source of conflict and tension." Vgl. PUBLIC PAPERS, NIXON 1972, S. 209.
In seinem jährlichen Bericht an den Kongreß vom 8. März 1972 führte der amerikanische Außenminister Rogers aus: „It remains to be demonstrated whether recent favorable developments presage a rapid evolution across Europe. But we entertain the hope that a process of reconciliation may be underway between countries in eastern and western Europe. Certainly it is our wish to contribute to a new climate in which all the nations of Europe can collaborate peacefully and purposefully. The Berlin agreement is the touchstone for such progress. With the anticipated signature of the four-power protocol putting the agreement into effect, it will be possible later this year to begin active preparations for a Conference on Security and Cooperation in Europe in 1973." Vgl. DEPARTMENT OF STATE BULLETIN, Bd. 66 (1972), S. 464.

1) Berlin und Osten

Hier ist kaum jemand, der ein Inkrafttreten des Berlin-Abkommens in absehbarer Zeit ohne vorherige Ratifizierung der Verträge für möglich hält. Aus dem wiederholt klargemachten amerikanischen Interesse am Inkrafttreten des Berlin-Abkommens ergibt sich im Umkehrschluß das amerikanische Interesse an der Ratifizierung der Verträge. Man hält eine sowjetische Bereitschaft zum Inkraftsetzen des Berlin-Abkommens ohne die Ratifizierung u. a. deshalb für ausgeschlossen, weil die Sowjetunion die entscheidenden Konzessionen in den Berlin-Verhandlungen,

a) „links" Berlins zur Bundesrepublik nicht nur zu erhalten, sondern zu verbessern,

b) Einbeziehung Berlins in Verträge der Bundesrepublik,

c) umfassende internationale Vertretung Berlins durch die Bundesregierung[5],

d) Bundespässe für die Berliner,

nicht den Alliierten, sondern der Bundesrepublik gemacht habe. Die sowjetische Führung werde es sich weder innenpolitisch noch gegenüber der DDR leisten können, ein solches Abkommen der Bundesrepublik zuzugestehen, nachdem der Bundestag die Ratifizierung verhindert habe.

Die Meinungen, ob es zu einer Berlin-Krise komme oder nicht, gehen auseinander. Wenige rechnen mit einer Krise, die sich auch gegen die Alliierten in Berlin wendet, wohl aber die meisten Gesprächspartner mit einer Verunsicherung, was die zivilen Verbindungen angeht. Man erwartet von einem Scheitern der Ratifizierung eine Stärkung der intransigenten Kräfte in der DDR und insoweit eine stärkere Position der DDR gegenüber Moskau, das die DDR seinerzeit zu Konzessionen gegen der Bundesrepublik veranlaßt hat.

Alle Gesprächspartner erwarten eine erhebliche Verschlechterung des Verhältnisses zwischen der Bundesrepublik und der Sowjetunion und zu den osteuropäischen Staaten, die tief enttäuscht in den Erwartungen, die sie in ihrem spezifischen Interesse in die Fortführung dieser Politik gesetzt haben, sich nach einem Scheitern der Ratifizierung voraussichtlich einer neuen Moskauer Disziplinierungswelle ausgesetzt sehen. Wie die Auswirkungen auf die Sowjetführung wären, gehen die Meinungen sehr auseinander. Verhältnismäßig wenige glauben, daß ein Scheitern der Ratifizierung zu Breschnews Sturz führen könnte. Die meisten Gesprächspartner sind jedoch der Meinung, daß seine Stellung dadurch geschwächt bis erheblich geschwächt werden würde zum Vorteil der Moskauer „hardliners", d. h. „hardliners" gegenüber der Bundesrepublik, nicht notwendigerweise gegenüber dem Westen insgesamt.

2) Westen

Für die amerikanische Bündnispolitik ist die Bundesrepublik der für Stärke und Schwäche der NATO entscheidende Verbündete. Deshalb beschäftigt die amerikanische Vorstellung die Frage, wie Nachbarn und Verbündete Deutschlands auf ein Scheitern reagieren würden und wie sich dieses auf die Kohäsion der NATO auswirkt, noch mehr als die Überlegungen betreffend Osteuropa.

---

[5] Vgl. dazu Anlagen IV A und IV B des Vier-Mächte-Abkommens über Berlin vom 3. September 1971; Dok. 25, Anm. 9, und Dok. 37, Anm. 4.

Man befürchtet, daß die Mehrzahl der Verbündeten und Nachbarn sehr ärgerlich reagieren werde, weil nicht nur die deutsche Ostpolitik gescheitert, sondern damit die mit dem Harmel-Bericht[6] begonnene NATO-Politik in Frage gestellt wäre. Man glaubt, einer ernsten Belastungsprobe des Bündnisses entgegensehen zu müssen, etwa unter dem Motto: „Auf die Deutschen ist eben kein Verlaß!" Washington ist der Auffassung, daß die zukünftige Bedeutung und Macht der Bundesrepublik am entscheidendsten von der Stärke der NATO und dem möglichst überzeugenden Aufbau der Zehner-Gemeinschaft abhängen. Dies in einem ungleich stärkerem Maße als von der Frage Verträge oder keine Verträge. Im übrigen sieht man die zurzeit wesentliche Frage nicht in der Qualität der Verträge, mit denen man leben könne, sondern darin, wie die Lage der Bundesrepublik voraussichtlich nach der Ratifizierung ist und wie sie voraussichtlich nach einem Scheitern der Ratifizierung wäre. Einzelne Gesprächspartner sind überzeugt, daß im Falle eines Scheiterns eine Mehrheit für den Eintritt in die EWG in skandinavischen Ländern kaum zustande kommen werde. Der englischen Regierung werde die Weiterführung der Eintrittsprozedur zumindesten erheblich erschwert werden.

3) Fast am meisten besorgt wäre man über die Reaktion der Weltöffentlichkeit, die für Deutschland als wichtiger einzuschätzen sei als für ein Land normalen geschichtlichen Hintergrundes. Man befürchtet, daß es in Ost und West zu einem schweren Rückschlag in der Einstellung zu den Deutschen kommen werde, zu einer Wiederbelebung alter Ressentiments, die uns um Jahre zurückwerfen und die Beziehungen zu uns, sowohl die bilateralen wie die multilateralen, belasten werde, und daß dies auch für die Verbündeten Deutschlands problematisch sein könne. Man erwartet von der Sowjetunion eine Fortsetzung ihrer bisherigen Politik unter Ausklammerung der Bundesrepublik, verbunden mit einem Wiederaufleben scharfer Propaganda gegen uns, die dann in eine für die Sowjets recht günstige Gefühlslage hineinfalle. Dies verbunden mit einer großen Anstrengung, unter Ausnutzung der von uns verursachten Mißstimmung uns von unseren Verbündeten zu trennen. Dies würde zumindest die Öffentlichkeit in den uns verbündeten Ländern stärker beeindrucken, als dies früheren sowjetischen Bemühungen gelungen sei. Man glaubt überwiegend nicht, daß es gelingen werde, unsere Politik zur internationalen Stellung der DDR mit Aussicht auf Erfolg fortzusetzen. Unser Argument, die Umwelt möge warten, bis wir das innerdeutsche Verhältnis zu einem Modus vivendi gewandelt hätten, würde als durch uns selbst erledigt betrachtet werden. Die Umwelt werde bilateral und multilateral Handlungsfreiheit verlangen mit dem Hinweis, sie habe auf uns lange genug Rücksicht genommen, wir selber hätten dieser Phase ein abruptes Ende gesetzt. Eine weltweite Anerkennung der DDR und ihre Aufnahme in Sonderorganisationen der UNO seien vorauszusehen.

4) Des Präsidenten Moskaureise[7] wird von den meisten Gesprächspartnern in einem nicht zu engen Zusammenhang mit der Ratifizierung gesehen. Einmal

---

[6] Für den Wortlaut des „Berichts des Rats über die künftigen Aufgaben der Allianz" (Harmel-Bericht), der dem Kommuniqué über die NATO-Ministerratstagung am 13./14. Dezember 1967 beigefügt war, vgl. NATO FINAL COMMUNIQUÉS, S. 198–202. Für den deutschen Wortlaut vgl. EUROPA-ARCHIV 1968, D 75–77.

[7] Präsident Nixon besuchte die UdSSR vom 22. bis 30. Mai 1972. Vgl. dazu Dok. 149 und Dok. 161.

wegen des zeitlichen Ablaufs, da im Falle eines Einspruchs des Bundesrats der Moskauer Besuch vor der dann folgenden Schlußabstimmung des Bundestags zu liegen käme. Dann aber vor allem, weil die Amerikaner sich in ihren Beziehungen zu den Sowjets in einer besonderen, gewissermaßen weltpolitischen Etage exklusiv betrachten, weil sie überzeugt sind, daß beide Weltmächte am Ausgleich interessiert bleiben und beide nicht bereit seien, sich da von irgend jemand geringerer weltpolitischer Bedeutung stören zu lassen. Weil Washington nach Peking ging[8], ist es und bleibt es besonders um die Beziehungen zu Moskau bemüht und umgekehrt. Außerdem sind die Vordergrundthemen des Moskauer Besuchs, Begrenzung der nuklearen Rüstung und Naher Osten, von dem deutschen Thema fast unabhängig. Es ist jedoch nicht zu übersehen, daß man sich langfristig große Sorge über die negative Auswirkung eines gestörten deutsch-russischen Verhältnisses auf die Beziehungen zwischen Washington und Moskau machen würde, vor allem auch angesichts der Wahrscheinlichkeit dann möglicher Störungen von DDR-Seite, besonders um Berlin. Die derzeitige Parallelität der amerikanischen und der deutschen Außenpolitik wäre empfindlich gestört, ja zumindest vorübergehend unterbrochen. Man glaubt nicht, daß Moskau seine Bereitschaft, über MBFR zu verhandeln, aufrechterhalten würde zu einer Zeit, in der es den deutschen Revanchismus erneut in den Mittelpunkt seiner Propaganda rückte. An MBFR ist aber die amerikanische Außenpolitik sehr interessiert, vielleicht weniger an Resultaten, wohl aber an der Tatsache von Verhandlungen, die es zum Abdecken seiner Stationierungspolitik gegenüber dem Kongreß zu brauchen glaubt. Man hält es für ziemlich undenkbar, daß der Beginn einer KSE dann noch weiter an das Inkrafttreten des Berlin-Abkommens gebunden werden kann, wobei allerdings zu sagen ist, daß man sich über die Frage, ob und wie eine KSE in einer solchen Situation noch stattfinden kann, völlig unklar ist, angesichts des skeptischen amerikanischen Interesses an der KSE auch darum die wenigsten Gedanken macht.

5) Einer der einflußreichsten Senatoren, der sich von MBFR nie hat beeindrucken lassen, äußerte gesprächsweise, daß das Scheitern der Ratifizierung der Verträge das Signal für eine neue Kampagne zur Truppenreduzierung sein werde. Zurzeit halte Mansfield sich nur mit Rücksicht auf Nixons Moskaureise zurück.[9] Das werde dann zu Ende sein, und man könne mit einer größeren Zu-

---

[8] Präsident Nixon besuchte die Volksrepublik China vom 21. bis 28. Februar 1972. Vgl. dazu Dok. 47, Anm. 6 und 7.

[9] Senator Mansfield brachte am 31. August 1966 und am 1. Dezember 1969 inhaltsgleiche Resolutionen im amerikanischen Senat ein, in denen eine Reduzierung der in Europa stationierten amerikanischen Truppen verlangt wurde. Für den Wortlaut vgl. CONGRESSIONAL RECORD, Bd. 112, Teil 16, S. 21442–21450, bzw. CONGRESSIONAL RECORD, Bd. 115, Teil 27, S. 36149.
Am 11. Mai 1971 brachte Mansfield einen Zusatzantrag zum Gesetz über die Verlängerung der Wehrpflicht ein, der vorsah, daß nach dem 31. Dezember 1971 nicht mehr als 150 000 amerikanische Soldaten in Europa stationiert sein dürften. Vgl. dazu CONGRESSIONAL RECORD, Bd. 117, Teil 11, S. 14398.
Am 20. November 1971 wurde in der Presse gemeldet, daß der Bewilligungsausschuß des amerikanischen Senats (Senate Appropriations Committee) mit 14 gegen 13 Stimmen dem Antrag Mansfields gefolgt sei, die amerikanischen Streitkräfte in Europa vom 310 000 auf 250 000 Mann zu reduzieren. Vgl. den Artikel „USA sollen 60 000 Mann aus Europa abziehen."; DIE WELT vom 20./21. November 1971, S. 1.
Am 23. November 1971 wies der amerikanische Senat mit 54 zu 39 Stimmen diesen Antrag zurück. Vgl. dazu CONGRESSIONAL RECORD, Bd. 117, Teil 33, S. 42913–42918.

stimmung im Senat und in der Öffentlichkeit denn je zuvor rechnen. Einer der mächtigsten Senatoren sagte, wenn es nach dem Scheitern der Ratifizierung zu einem neuen Kalten Krieg komme, sei man nicht bereit, die Deutschen zu unterstützen. Dies ist nach meinem Dafürhalten keine Einzelstimme, sondern eine nicht nur bei den Demokraten, sondern auch in der breiten Öffentlichkeit populären Auffassung.

6) Die fast ängstliche amerikanische Zurückhaltung zur Ratifizierungsfrage erklärt sich:

a) aus dem Wunsch, ohne Zweifel klarzustellen, daß es sich hier um ein Votum des deutschen Parlaments handelt, in das niemand hineinzureden habe, obwohl es um eine weit über das deutsche Interesse hinausgehende Entscheidung gehe,

b) sieht man die Auseinandersetzung als einen auf eine außenpolitische Entscheidung zugespitzten innenpolitischen Machtkampf zweier nahezu gleich starker Gruppen an und möchte nicht zwischen die Fronten geraten.

[gez.] Pauls

VS-Bd. 9018 (II A 4)

63

Gespräche des Bundesministers Scheel mit dem tunesischen Außenminister Masmoudi in Tunis

Prot 1-83.01-258/72 VS-NfD   **21./22. März 1972**[1]

Aufzeichnung über die Gespräche der deutschen und tunesischen Delegationen während des Besuchs des Bundesministers des Auswärtigen in Tunis am 21. und 22. März 1972[2]

Sitzung am 21. März

Einleitend betonte Außenminister *Masmoudi* nach Worten der Begrüßung die Nützlichkeit einer deutsch-tunesischen Abstimmung. Für die großen und bedeutenden Länder sei es wichtig, die Gefühle und Interessen der kleinen und weniger kleinen Länder zu kennen. Tunesien sei „dazu verurteilt", mit den Ländern Europas zusammenzuleben. Diese müßten auch die Gefühle Tunesiens kennen. Es bestehe zwischen ihnen Solidarität und Komplementarität.

---

[1] Die Gesprächsaufzeichnung wurde von Botschafter Moltmann, Tunis, am 23. März 1972 an das Auswärtige Amt übermittelt.
Hat Vortragendem Legationsrat I. Klasse Redies am 28. März 1972 vorgelegen, der die Weiterleitung an Ministerialdirigent Müller verfügte und handschriftlich vermerkte: „Da Auslandsvertretungen durch Bl[auen] Dienst unterrichtet, sollte Gespr[ächs]aufzeichnung nur hausintern verwandt werden."
Hat Müller vorgelegen. Vgl. den Begleitvermerk.

[2] Bundesminister Scheel hielt sich vom 21. bis 23. März 1972 in Tunesien auf.

Bundesaußenminister *Scheel* bezeichnete den jetzigen Zeitpunkt des Besuches als richtig, weil es gelte, gerade jetzt, da die Beziehungen zwischen der Bundesrepublik und einigen der arabischen Länder sich wieder normalisieren[3], ein befreundetes arabisches Land zu besuchen, das auch in schwierigen Zeiten an der Freundschaft festgehalten habe. Der Bundeskanzler habe ihn – Scheel – gebeten, Herrn Masmoudi für die Haltung Tunesiens in den vergangenen Jahren zu danken. Tunesien könne erwarten, daß diese Freundschaft der vergangenen Jahre auch in Zukunft nicht in Vergessenheit gerate und bei den deutschen Entscheidungen berücksichtigt werde.

Einer der Gründe für den Besuch sei auch die Sorge nicht nur der Deutschen, sondern auch der Europäer in ihrer Gesamtheit über die Entwicklung im Mittelmeerraum und besonders im östlichen Mittelmeer gewesen. Tunesien habe hier überall versucht, eine vermittelnde Rolle zu spielen, habe seinen Einfluß geltend gemacht und auch für uns Deutsche interessante Ideen entwickelt. Im übrigen interessiere die deutsche Seite auch alles sehr, was rund um Malta und im westlichen Mittelmeer vorgehe.[4] Hinter allem aber stehe die Politik der europäischen Staaten in ihrer Gesamtheit, die sich mit dem tunesischen Wunsche treffe,

1) das Mittelmeer nicht zu einem trennenden Meer zu machen,

2) die es umgebenden Staaten möglichst aneinander zu binden und

3) einen engeren Meinungsaustausch bezüglich der wirtschaftlichen Dinge zu finden.

Hinsichtlich des Assoziierungsabkommens Tunesiens mit der EWG[5] müsse man sich auch über die Erweiterung der Sechs zu einer Gemeinschaft der Zehn unterhalten. Auf deutscher Seite sei man gewillt, hier den tunesischen Wünschen entgegenzukommen.

Die Bundesrepublik Deutschland sei durch ihre Zugehörigkeit zur Europäischen Gemeinschaft Mittelmeeranrainer geworden. Die Europäische Gemeinschaft sei nicht nur wirtschaftlich, sondern auch politisch ausgerichtet. Die Interessen unserer Politik in diesem Rahmen seien in Nordafrika nahezu die

---

[3] Vgl. dazu den Beschluß des Rats der Arabischen Liga vom 14. März 1972; Dok. 30, Anm. 7.
Zur Wiederaufnahme der diplomatischen Beziehungen mit dem Libanon und mit Ägypten vgl. Dok. 76 und Dok. 127.

[4] Staatssekretär von Braun vermerkte am 22. März 1972, Bundesminister Scheel habe berichtet: „Die Tunesier seien interessiert daran, in Malta stabile Verhältnisse zu schaffen bzw. zu erhalten. Sie hätten nichts gegen die Anwesenheit der Briten in Malta und auch nichts gegen die Verhandlungen mit Großbritannien, wohl aber hätten sie Bedenken gegen eine eventuelle Präsenz der SU. Im übrigen hat Masmoudi Kritik an der ‚Personalisierung der Außenpolitik' durch Dom Mintoff geübt sowie an seinen ständigen Versuchen, seine Außenpolitik über die Partei zu leiten; letzteres werde in Tunis strikt abgelehnt. Nach tunesischer Auffassung sollten die EWG-Länder erst nach dem Abschluß des Abkommens mit der NATO sich zu einer näheren Heranführung Maltas an die EWG bereit erklären. An dem Zustandekommen eines solchen Abkommens seien Libyen, Tunis und Algerien interessiert, sie hätten die Absicht, nach Abschluß des NATO-Abkommens mit Malta über wirtschaftliche Fragen zu sprechen." Vgl. VS-Bd. 500 (Büro Staatssekretär); B 150, Aktenkopien 1972.

[5] Das Abkommen über eine Assoziierung von Tunesien mit der EWG wurde am 28. März 1969 in Tunis unterzeichnet und trat am 1. September 1969 in Kraft. Es hatte eine Laufzeit von fünf Jahren und sah vor, daß nach drei Jahren über ein neues Abkommen auf breiterer Grundlage verhandelt werden sollte. Vgl. dazu DRITTER GESAMTBERICHT 1969, S. 372 f.

gleichen wie die Interessen der unmittelbar betroffenen Länder dieses Bereiches.

Über die bilateralen Beziehungen zwischen der Bundesrepublik und Tunesien sagte Außenminister Scheel, sie entwickelten sich gut und es gebe hier kaum irgendwelche Probleme.

Außenminister *Masmoudi* dankte für die große Aufmerksamkeit („délicate attention"), die darin liege, die Bedeutung gerade des jetzigen Zeitpunkts, in dem mehrere arabische Länder ihre Beziehungen zur Bundesrepublik normalisieren, für den Besuch hervorzuheben. Der Abbruch der diplomatischen Beziehungen sei ein politischer Irrtum gewesen, den Tunesien vermieden hätte. Die Wolken, die das deutsch-arabische Verhältnis vorübergehend – allerdings historisch gesehen, nur kurze Zeit – verdüstert hätten, seien jetzt vorbeigezogen. Tunesien, das sich der Haltung anderer arabischer Länder und der Haltung der Arabischen Liga[6] nicht angeschlossen habe, sei auf Grund seines Selbstverständnisses und seiner Prinzipientreue gut über diese vergangene Zeit hinweggekommen. Dies werde nunmehr auch von den anderen arabischen Ländern anerkannt.

Herr Masmoudi fragte dann nach der deutschen Rolle im Mittelmeer. Für Tunesien sei es manchmal schmerzlich gewesen, wie wenig sich einige europäische Länder mit dem doch nahen Mittelmeer verbunden fühlten. Andererseits hätten die Sowjets das Mittelmeer „entdeckt", allerdings auch gleichzeitig damit dazu beigetragen, als Reaktion auf ihr Vorgehen das Gefühl der Europäer für die Bedeutung des Mittelmeeres zu entwickeln.

Tunesien sei nicht antikommunistisch, es pflege offene Beziehungen, sei sich aber der Gefahr bewußt. So habe es auch die Beziehungen zu China wiederaufleben lassen.[7] Es sei aber für eine neue Rollenverteilung in der Welt, um ein neues Gleichgewicht herzustellen. Um dies zu bewerkstelligen, wünsche es sich eine einheitliche, starke Haltung Europas.

Tunesien wünsche nicht die Beherrschung der Welt durch das Dreigestirn Vereinigte Staaten – Sowjetunion – China. Es sehe daneben Europa als wesentlichen Faktor. Aber was sei Europa? Etwas Abstraktes? Andererseits glaube Tunesien nicht, daß z. B. Frankreich allein oder Deutschland allein eine Rolle gegenüber dem erwähnten Mächtedreieck spielen könnten.

Die Vereinten Nationen hätten zur Zeit viel von ihrer Glaubwürdigkeit eingebüßt. Die Behandlung des Falles Pakistan im Sicherheitsrat habe sie, aber

---

[6] Zum Beschluß der Außenminister der Arabischen Liga vom 7. März 1965, die diplomatischen Beziehungen zur Bundesrepublik abzubrechen, und zum Abbruch der Beziehungen durch neun arabische Staaten zwischen dem 12. und 16. Mai 1965 vgl. Dok. 30, Anm. 3.

[7] Am 5. Juni 1971 berichtete Botschafter Moltmann, Tunis: „Sehr konkrete Anzeichen der letzten Tage deuten darauf hin, daß mit einer baldigen Wiederaufnahme der 1967 praktisch abgebrochenen diplomatischen Beziehungen zwischen Tunesien und Rotchina zu rechnen sein dürfte." So habe der chinesische Ministerpräsident Chou En-lai erstmals seit vielen Jahren zum tunesischen Nationalfeiertag gratuliert, und der tunesische Präsident Bourguiba habe in einem Antworttelegramm den Wunsch nach einer Normalisierung der bilateralen Beziehungen geäußert. Vgl. den Schriftbericht Nr. 483; Referat I B 4, Bd. 571.
Am 12. Oktober 1971 teilte Moltmann mit, daß der chinesische Geschäftsträger am Vortag in Tunis eingetroffen sei. Vgl. den Schriftbericht Nr. 885; Referat I B 4, Bd. 571.

auch eine Großmacht, nämlich die Sowjetunion, diskreditiert.[8] Der Mißbrauch des Vetorechtes durch die Sowjetunion sei sehr schlecht für das Prestige der Vereinten Nationen gewesen. Tunesien sei der Auffassung, daß die Ausübung des Vetorechtes unmoralisch sei, wenn sie dazu diene, einen Krieg weiter dauern zu lassen. Die Sowjetunion erscheine jetzt wahrhaftig nicht mehr als großes Vaterland der Witwen und Waisen, der menschlichen Grundsätze und Lenins, sondern mehr als das Land der Zaren. Sie sei eine Macht mit einer konsequenten Politik, die wisse, was sie tue, die bemerkenswert geschickt sei und voller Zynismus und kalter Berechnung ihre Steine setze. Man könne nur Bravo sagen zu dieser „schönen Maschine". Überall, wo es Konfrontation gebe, sammle sie ihre Punkte.

Masmoudi fuhr fort, Tunesien und ein großer Teil der Welt seien in einer ernsten Lage. China dresche nur große Phrasen, die Vereinigten Staaten wichen zurück vor neuen Spannungen, seien eher schüchtern und nicht gerade dynamisch. Ihre Politik sei keine Politik, sondern „die Suche nach einer Politik".

Im Mittelmeer sei die Lage besonders ernst: Die Sowjetunion sei hier gegenwärtig wie im Indischen Ozean und halte gleichzeitig an Europa fest. Man müsse sich fragen, was ihre nächste Etappe sein wird. Im Nahen Osten sei das Ziel der Sowjetunion weder der Frieden noch der Krieg. Man strebe die Öffnung des Suezkanals[9] nur an, um besser mit dem Indischen Ozean in Verbindung treten zu können. Mit dem Irak schließe die Sowjetunion einen Verteidigungspakt[10], und das sei sehr ernst. Zu dieser Entwicklung der Lage hätten die arabischen Länder nicht wenig selbst beigetragen.

Die Spannung in Südarabien zwischen Süd- und Nordjemen halte an. Der Ministerpräsident von Sanaa[11] habe ihm mitgeteilt, daß 12 000 bis 15 000 Flüchtlinge aus Südjemen gekommen seien. In diesem Zusammenhang erwähnte Außenminister Masmoudi die bei einem Gastmahl erfolgte Ermordung von 65 Stammesführern der Grenzgebiete zwischen Nord- und Südjemen durch die südjemenitische Regierung.[12] Dadurch sei die Lage noch auswegloser geworden.

---

[8] Am 5. Dezember 1971 berichtete Botschafter Gehlhoff, New York (UNO), über eine Sitzung des UNO-Sicherheitsrats vom 4./5. Dezember 1971, daß „von den USA gegen sowjetischen Widerstand zur Abstimmung gestellter Resolutionsentwurf", in dem „a) sofortige Feuereinstellung b) sofortiger Rückzug hinter [die] jeweils eigenen Grenzen, c) Ermächtigung des Generalsekretärs zur Stationierung von Beobachtern im Grenzgebiet auf indischen oder pakistanischen Wunsch" gefordert worden war, „zwar Unterstützung von elf Delegationen bei zwei Enthaltungen (Frankreich, Großbritannien)" erhalten habe, aber am sowjetischem Veto gescheitert sei. Nicht einmal ein sofortiger Aufruf zur Feuereinstellung habe beschlossen werden können. Vgl. den Drahtbericht Nr. 1493; Referat I B 5, Bd. 631.
Am 6. Dezember 1971 teilte Gehlhoff mit, daß ein neuerlicher Vorstoß im Sicherheitsrat an der UdSSR gescheitert sei: „Zu erwartende sowjetische Taktik dürfte wie bisher Verzögerung zum Ziel haben, bis militärische Ereignisse in Ostpakistan vollendete Tatsachen geschaffen haben." Vgl. den Drahtbericht Nr. 1509; Referat I B 5, Bd. 631.

[9] Zur Sperrung des Suez-Kanals vgl. Dok. 28, Anm. 26.

[10] Am 9. April 1972 unterzeichneten Ministerpräsident Kossygin und Präsident al-Bakr einen Vertrag über Freundschaft und Zusammenarbeit, in dessen Artikel 9 die Vertragspartner Zusammenarbeit bei der Verstärkung der Verteidigungsfähigkeit vereinbarten. Für den Wortlaut vgl. VEDOMOSTI VERCHOVNOGO SOVETA 1972, S. 463–466.

[11] Mohsin al-Aini.

[12] Botschafter Held, Sanaa, berichtete am 26. Februar 1972, daß „der Oberscheich des Bakil-Stammes, Ali Ben Nage al-Ghadir, mit etwa sechzig seiner besten Leute ums Leben gekommen" sei:

Sehe man das, was in den Vereinigten Emiraten[13] und in Oman vorgehe, in Verbindung mit den Stoßrichtungen der sowjetischen Politik, müsse man sich fragen, ob deren Ziel nicht auch der Persische Golf mit seinen Erdölschätzen und seiner besonderen strategischen Lage sei.

Das Bild wäre nicht vollständig, wenn man nicht an die schon lange kranke Situation in Vietnam denke mit ihrer Ansteckungsgefahr für die umgebenden Länder, ferner an das Auseinanderbrechen Pakistans. Hier überall sei soviel Sprengstoff angesammelt, daß ein kleiner Funke genüge, ihn zu entzünden.

Denke man an das Mittelmeer, müsse man sich – als Schulbeispiel – nur einmal vorstellen, was es bedeutet hätte, wenn auf Grund eines etwa geglückten Staatsstreiches in Marokko[14] die Sowjetunion Gelegenheit bekommen hätte, sich gegenüber Gibraltar in Marokko festzusetzen.

Was sei die Rolle des – leider so abstrakten – „Europa" in dieser Situation: Es habe weder im Falle Pakistans noch im Falle des Nahen Ostens, aber auch nicht im Falle der Tschechoslowakei eine Rolle gespielt. Andererseits wünsche Tunesien heiß, daß Europa sich stärker manifestiere, worunter Tunesien das Europa der Zehn verstehe. Es wünsche sich selbst eine gemeinsame Politik mit diesem Europa.

Was die deutsche Politik betreffe, so sei sie besonders von gutem Willen erfüllt: Sie strebe die Normalisierung an und den Frieden. Tunesien schätze es, wenn mit dem Nobelpreis[15] der ruhige und überlegte Geist dieser Politik geehrt worden sei. Indessen könne man – d.h. könne Europa – sich hiermit nicht begnügen, sofern es nicht gelinge, gleichzeitig Europa zu gemeinsamen Handeln zu-

---

Fortsetzung Fußnote von Seite 288
„Radio Aden meldete, daß die Nordjemeniten bei einem Einfall in die Demokratische Volksrepublik Jemen im Kampf mit den südjemenitischen Streitkräften gefallen wären. In Sanaa erzählt man eine andere – und wahrscheinlich zutreffende – Geschichte." So habe der Bakilstamm „erhebliche Summen" aus der Demokratischen Volksrepublik Jemen erhalten, um gegen die Arabische Republik Jemen zu putschen, diesen Putsch dann aber nicht realisiert. Deshalb habe die Regierung der Demokratischen Volksrepublik Jemen seine Ermordung beschlossen. Die Arabische Republik Jemen wiederum sei nicht empört, sondern eher erleichtert über den Tod des unbequemen und unkontrollierbaren Stammesfürsten Ghadir. Vgl. den Schriftbericht Nr. 116; Referat I B 4, Bd. 549.

13 Die Vereinigten Arabischen Emirate wurden am 2. Dezember 1971 aus dem Zusammenschluß von sechs Emiraten am Persischen Golf gegründet und nahmen am 27. Dezember 1971 diplomatische Beziehungen zur UdSSR auf. Dazu berichtete Generalkonsul Freundt, Kuwait, die Aufnahme der Beziehungen sei am ehesten mit der „Überrumpelung" der Emiratsführung durch die UdSSR zu erklären. Es sei bedenklich, daß der UdSSR „ohne große Anstrengungen ein Einbruch in das mit einiger Mühe abgestimmte Golfgefüge gelungen" sei: „Westliche Beobachter in Kuwait zeigen sich über die so unerwartete Entwicklung bestürzt. [...] Die Auswirkungen eines sowjetischen Brückenkopfes in den VAE läßt sich noch gar nicht übersehen." Vgl. den Schriftbericht Nr. 85 vom 22. Februar 1972; Referat I B 4, Bd. 532.

14 Am 15. Juli 1971 informierte Botschafter Hendus, Rabat, über einen Putschversuch am 10. Juli 1971 in Marokko. Der gescheiterte Militärputsch sei überraschend gewesen und nicht von der innermarokkanischen Opposition getragen worden. Die Hintergründe des Putsches seien noch unzureichend geklärt. Tatsache sei, „daß die libysche Regierung die putschenden Offiziere durch Sympathiebekundungen und das Inaussichtstellen von materieller Hilfe moralisch unterstützt hat. Daraus braucht aber nicht notwendig zu folgen, daß bereits vor dem Putsch eine konspiratorische Verbindung zwischen den Putschisten und der libyschen Revolutionsregierung bestand." Vgl. den Schriftbericht Nr. 655; Referat I B 4, Bd. 562.

15 Das Nobelpreis-Komitee des norwegischen Parlaments gab am 20. Oktober 1971 die Verleihung des Friedensnobelpreises 1971 an Bundeskanzler Brandt bekannt. Brandt nahm den Preis am 10. Dezember 1971 in Oslo entgegen.

sammenzuführen. Gelinge dies nicht, werde selbst die an sich zu begrüßende deutsche Ostpolitik nur als Politik der Schwäche erscheinen.

Abschließend bemerkte der tunesische Außenminister, er habe mit seinen Ausführungen darlegen wollen, wie Tunesien die Lage in der Welt sehe. Tunesien wünsche, daß Europa angesichts dieser Lage etwas unternehme.

Bundesminister *Scheel* erklärte, er habe mit großem Interesse gehört, wie Tunesien die Weltlage sehe. Nach seiner Meinung stelle die Rolle, die die Sowjetunion sichtbar spiele, den Ausdruck einer bestimmten Periode der Weltpolitik dar – nämlich der der weitgehenden Zweiteilung dieser Erde – aber auch das Ende dieser Periode.

Die Sowjetunion erhebt auf der Grundlage ihrer Machtposition, ihrer Flotte und der Nutzung aller Chancen den Anspruch, in aller Welt präsent zu sein und als Ordnungsmacht aufzutreten. Sie will demonstrieren, daß sie neben den Vereinigten Staaten die einzige Atommacht sei, die in der Welt handelnd auftreten könne.

Über diesen Tatbestand gebe es im übrigen merkwürdigerweise zwischen der Sowjetunion und den Vereinigten Staaten eine gewisse Übereinstimmung: u. a. bewiesen dies die Konferenzen in Helsinki und Wien.[16] Wörtlich: „Wir haben Anzeichen dafür, daß das Maß der Übereinstimmung zwischen der Sowjetunion und den Vereinigten Staaten größer ist, als es nach außen erscheint." Nach der Kubakrise seien die Versuche, zu Regelungen zu gelangen, immer stärker geworden. Er – Scheel – sehe den Besuch Nixons in Peking[17] als Teil der Rußlandpolitik der Vereinigten Staaten an.

Nixon selbst und andere in Amerika hätten ihm – Scheel – gesagt, die amerikanische Politik verwende auf die Sowjetunion zehnmal mehr Zeit und Mühe als auf China. So glaube er auch, daß der wichtigere Besuch Nixons in Moskau[18] stattfinden werde. Erst nach diesem Besuch in Moskau werde der Besuch in Peking richtig zu werten sein.

Aus dieser Situation heraus habe die Sowjetunion als „Ordnungsfaktor" in Asien immer mehr Prestige gewonnen. China sei schwach und außerstande gewesen, Pakistan zu helfen. Es müsse für Pakistan eine große Enttäuschung gewesen sein, von China in dem Konflikt allein gelassen zu werden. Auch die Amerikaner hätten falsch gelegen. Die Sowjets hätten wie in Taschkent[19] einen Prestigegewinn erzielt. Das habe in Asien Eindruck gemacht.

Bundesminister Scheel fügte hinzu, auch diese Entwicklung charakterisiere das Ende der Epoche der Zweiteilung der Welt. Er glaube nicht, daß es ein

---

[16] In Helsinki und Wien fanden seit dem 17. November 1969 Gespräche über eine Begrenzung der strategischen Atomwaffen, die Strategic Arms Limitation Talks (SALT), statt. Am 27. März 1972 wurde die 7. Verhandlungsrunde in Helsinki eröffnet.
Zum Stand der Gespräche vgl. auch Dok. 26.

[17] Präsident Nixon besuchte die Volksrepublik China vom 21. bis 28. Februar 1972. Vgl. dazu Dok. 47, Anm. 6 und 7.

[18] Präsident Nixon besuchte die UdSSR vom 22. bis 30. Mai 1972. Vgl. dazu Dok. 149 und Dok. 161.

[19] Vor dem Hintergrund des seit 1947 andauernden Kaschmir-Konflikts trafen Präsident Ayub Khan und Ministerpräsident Shastri vom 4. bis 10. Januar 1966 auf Einladung des Ministerpräsidenten Kossygin in Taschkent zusammen und unterzeichneten eine gemeinsame Deklaration über die Normalisierung der Beziehungen zwischen beiden Staaten. Für den Wortlaut vgl. EUROPA-ARCHIV 1966, D 111 f.

Dreieck der Politik geben werde, er sei im übrigen auch kein Freund dieser Idee. Im übrigen sehe es so aus, daß nach der Zweiteilung eine weltpolitische Struktur entstehen werde, die mehrere Zentren habe: die Vereinigten Staaten, die Sowjetunion, China, Europa und Japan. Masmoudi habe gefragt, was Europa sei. Es sei – und davon sollte man ausgehen – das Europa der Zehn.

Auf der Gipfelkonferenz der Europäischen Gemeinschaft im Herbst des Jahres[20] werde man das Thema behandeln: „Welches soll die Rolle Europas gegenüber der übrigen Welt sein?" Die augenblickliche Lage sei folgendermaßen zu umschreiben: Man sei jetzt über die Zollunion hinaus. Das Europa der Zehn schicke sich an, eine Wirtschafts- und Währungsunion zu werden. In achteinhalb Jahren werde man eine gemeinsame Wirtschafts- und Währungspolitik haben.[21] Noch wichtiger sei aber, daß der Wille zur politischen Zusammenarbeit mit dem Beitritt der neuen Länder – nicht zuletzt Großbritanniens, das über die Gemeinschaft zurück in die Weltpolitik strebe – nicht schwächer geworden sei. Gerade die Briten drängten – vielleicht zur Überraschung der Franzosen – zu einer engeren politischen Zusammenarbeit in Europa.

Es sei noch nicht ganz klar, wie lange es bis zur Harmonisierung der Außenpolitik in Europa dauern werde. Es sei auch die Frage, ob nicht zuerst die gemeinsame Sicherheitspolitik angegangen werden müsse. Eine Konferenz über europäische Sicherheitsfragen werde der Prüfstein sein: Es sei nämlich noch die Frage, ob auf dieser Konferenz westeuropäische Länder als Einheit auftreten würden. Heute sei man, auch in Frankreich selbst, im Gegensatz zur französischen These der Zeit de Gaulles überwiegend der Auffassung, daß man sich auf dieser Konferenz auf NATO und EWG stützen müsse.

Diese Ausführungen sollten, so schloß Bundesminister Scheel, für die tunesische Seite einen kleinen Lichtblick darstellen, und zwar angesichts des „zurückhaltend realistischen Bildes", das Außenminister Masmoudi über die Weltlage entworfen habe.

Sitzung am 22. März 1972

Außenminister *Masmoudi* skizzierte die tunesische Haltung vor der Unterzeichnung des Assoziierungsabkommens mit der EWG im Jahre 1969 und sagte, entscheidend sei – trotz aller Unzulänglichkeiten der geplanten Assoziierung – die politische Option Tunesiens für Europa gewesen. So habe man das Assoziierungsabkommen, über das man nicht befriedigt sei, schließlich doch angenommen. Heute wie damals habe man die gleichen Wünsche, nämlich:

1) daß der Handelsaustausch mit Europa so weit wie möglich sein sollte;

2) daß es im Rahmen der Assoziierung eine wirtschaftliche Hilfe Europas für Tunesien gebe;

3) daß mit der Gemeinschaft die Probleme der tunesischen Gastarbeiter, vor allem ihre soziale Sicherheit, im Rahmen der Assoziierung behandelt werden können.

---

20 Zum Stand der Überlegungen für eine europäische Gipfelkonferenz vgl. Dok. 31, Anm. 17.
21 Vgl. dazu die Entschließung des EG-Ministerrats vom 9. Februar 1971 über die stufenweise Verwirklichung der Wirtschafts- und Währungsunion sowie die Entschließungen des EG-Ministerrats vom 22. März 1971; Dok. 19, Anm. 3.

Inzwischen seien Verhandlungen zwischen Algerien und der EWG eingeleitet worden.[22] Tunesien sei mit den algerischen Freunden in Verbindung. Tunesien erwarte Angleichung seiner Assoziierung an die Algerien gewährte Assoziierung.

Nach Vollendung der Erweiterung der Europäischen Gemeinschaft erhoffe Tunesien ihre stärkere Öffnung nach außen, besonders zu den Mittelmeerländern und darunter auch zu Tunesien. Es wolle wissen, ob sich die Gemeinschaft zuerst mit Afrika und den Mittelmeerländern arrangiere, die sich ihrerseits für Europa entschieden hätten, oder ob sie die Rolle einer neuen wirtschaftlichen Großmacht spielen wolle, die überall gegenwärtig sei. Sofern das letztere zutreffe, werde sich Tunesien auch in Zukunft einmal nach der einen, ein anderes Mal nach der anderen Seite orientieren müssen.

Seine eigene Assoziierung stelle sich Tunesien sehr weitgehend vor – auch die Beteiligung an der Währungsunion sei für Tunesien interessant. Jedenfalls wolle es nicht auf einem Notsitz in der Vorhalle der Gemeinschaft landen.

Die Europäische Gemeinschaft stelle einen neuen Typ menschlicher Zusammenarbeit dar, auf den Tunesien seine Hoffnungen setze. Es wünsche ein gemeinsames Vorgehen der Gemeinschaft der Zehn und des Maghreb in einem mustergültigen Verhältnis.

Bundesaußenminister *Scheel* betonte sein Verständnis für die tunesischen Wünsche, insbesondere für die Weiterentwicklung des Assoziierungsverhältnisses. Man habe schon in der Vergangenheit einiges an dem Assoziierungsabkommen verbessert, man werde aber neu verhandeln. Es gehe um die Frage, ob die Maghrebländer einschließlich Algerien das gleiche Assoziierungsstatut erhalten sollen. Eine Erweiterung der Assoziierung ist vorgesehen. Er – Scheel – habe vor seiner Abreise aus Brüssel[23] Herrn Dahrendorf aufgesucht, der bestätigt habe, er wolle seine aufgeschobene Reise nach Tunis in Kürze nachholen.[24]

Was die tunesischen Arbeiter in der Bundesrepublik betreffe, habe die Bundesregierung nichts dagegen einzuwenden, daß bei einer Annäherung an die bisher vorgesehene Zahl von 12 000 über eine Erhöhung verhandelt werde. Im Augenblick stehe man erst bei 10 000.

Zu Verhandlungen über die soziale Sicherung der tunesischen Arbeitnehmer sei man deutscherseits bereit. Eine deutsche Delegation solle sich in absehbarer Zeit nach Tunesien begeben, um diese Fragen an Ort und Stelle zu prüfen.

Die Rolle der Europäischen Gemeinschaft in der Welt solle auf der Gipfelkonferenz im Herbst 1972 geklärt werden. Die Gemeinschaft sei der weitaus größte Handelspartner auf den Weltmärkten mit einer sehr großen Verantwortung. Sie wolle eine weltoffene Handelspolitik, keinen starren Regionalismus.

---

22 Am 20./21. März 1972 beschloß der EG-Ministerrat, Algerien Verhandlungen über ein Globalabkommen vorzuschlagen, das neben einer Präferenzregelung über den Warenverkehr auch Maßnahmen der wirtschaftlichen und finanziellen Zusammenarbeit beinhalten sollte. Vgl. dazu BULLETIN DER EG 5/1972, S. 94.
23 Bundesminister Scheel hielt sich am 20./21. März 1972 zur EG-Ministerratstagung in Brüssel auf.
24 Das Mitglied der EG-Kommission, Dahrendorf, hielt sich vom 18. bis 20. Juni 1972 in Tunesien auf, um mit der tunesischen Regierung die Aushandlung eines neuen Assoziierungsabkommens zu beraten. Vgl. dazu BULLETIN DER EG 8/1972, S. 97.

Zur Zeit befinde man sich durch die Erweiterung auf zehn Mitglieder, durch die Assoziierung rund um das Mittelmeer, durch die Verhandlungen mit den Rest-EFTA-Ländern[25] sowie durch die Verhandlungen mit den Assoziierten in Afrika[26] in einer labilen Lage. Der nächste Schritt sei die Gewährung allgemeiner Präferenzen an die ursprünglich 77, jetzt 94 Entwicklungsländer. Durch diese Maßnahmen würden die Vorteile der bisherigen Assoziierung z. T. aufgehoben, und darüber müsse ebenfalls gesprochen werden – auch im Maghrebrahmen.

Tunesien sei, so führte Bundesminister Scheel weiter aus, nicht das einzige Land, das durch die währungspolitischen Entscheidungen der großen Länder berührt werde, ohne daß es dazu gefragt worden sei. Die nächste Welthandelskonferenz[27] sollte sich mit dieser Frage befassen und dafür sorgen, daß die Interessen der Kleinen gewahrt werden. Es sei kein Problem der EWG, solange sie keine eigene Währungspolitik betreibt. Im übrigen gehörten alle zehn Länder der Gemeinschaft dem Klub der zehn großen Währungsländer an und trügen daher in diesem währungspolitischen Gremium eine entsprechend große Verantwortung.

Außenminister *Masmoudi* begrüßte es, daß Herr Dahrendorf nach dreimaliger Verschiebung seines Besuches – über die man in Tunis etwas schockiert sei – endlich kommen wolle. Sein Kommen werde sehr begrüßt.

Hinsichtlich der Erweiterung der Gemeinschaft solle man nicht nur in Richtung Atlantik–Ural, sondern auch in Richtung Ostsee–Mittelmeer denken. Schließlich habe sich sogar Spanien einen gewissen Platz bei der Gemeinschaft gesichert.[28] Was Italien betreffe, fürchte Tunesien – das sehr gute Beziehungen zu Italien unterhalte – die italienischen Krisen und Unsicherheiten und damit die mangelnde Ausstrahlungskraft Italiens. Spanien erscheine im Ver-

---

25 Zu den Verhandlungen zwischen der EG-Kommission und Finnland, Österreich, Schweden und der Schweiz vgl. Dok. 17, Anm. 7.

26 Mit dem Abkommen von Jaunde vom 20. Juli 1963, das am 1. Juni 1964 in Kraft trat, wurden Burundi, Dahome, die Elfenbeinküste, Gabun, Kamerun, Kongo (Brazzaville), Kongo (Léopoldville), Madagaskar, Mali, Mauretanien, Niger, Obervolta, Ruanda, der Senegal, Somalia, Togo, der Tschad und der Zentralafrikanische Republik mit der EWG assoziiert. Das Abkommen hatte eine Laufzeit bis zum 31. Mai 1969. Für den Wortlaut vgl. BUNDESGESETZBLATT 1964, Teil II, S. 291–405.
Auf einer Konferenz vom 26. bis 28. Juni 1969 in Luxemburg einigten sich die Vertragsparteien über den Abschluß eines neuen Assoziierungsabkommens. Es wurde am 29. Juli 1969 in Jaunde unterzeichnet und hatte eine Laufzeit bis zum 31. Januar 1975. Für den Wortlaut vgl. BUNDESGESETZBLATT 1970, Teil II, S. 522–655. Vgl. dazu auch BULLETIN DER EG 8/1969, S. 17–24.

27 Die Dritte Konferenz für Handel und Entwicklung (United Nations Conference on Trade and Development – UNCTAD) fand vom 13. April bis 22. Mai 1972 in Santiago de Chile, statt. Vgl. dazu Dok. 141.

28 Am 29. Juni 1970 unterzeichneten Spanien und die Europäischen Gemeinschaften ein präferentielles Handelsabkommen, das den schrittweisen Abbau von Handelshindernissen und Zöllen zum Ziel hatte. Es trat am 1. Oktober 1970 in Kraft. Für den Wortlaut vgl. AMTSBLATT DER EG, Nr. L 182 vom 16. August 1970, S. 4–8. Vgl. dazu auch VIERTER GESAMTBERICHT 1970, S. 306 f.
Der EG-Ministerrat stellte dazu am 20. März 1972 fest: „Aufgrund der Erweiterung der Gemeinschaften stellt sich die Frage der Übernahme der von der Gemeinschaft mit verschiedenen Ländern des Mittelmeerraums geschlossenen Präferenzabkommen durch die beitretenden Staaten. [...] Es läßt sich kaum bestreiten, daß die Erweiterung der Gemeinschaft – in unterschiedlichem Maße je nach Land und Erzeugnis – zur Folge haben wird, daß die Länder, die Mit-Vertragsparteien sind, auf den Märkten der vier beitretenden Länder eine weniger günstige Stellung einnehmen werden als vor dem Beitritt dieser Länder." Vgl. die Aufzeichnung; B 200 (Gruppe III E), Bd. 18.

hältnis dazu zupackender, stabiler und solider, besonders unter Außenminister López Bravo.

Tunesien befürchte auch, daß bei alleiniger Berücksichtigung kommerzieller Faktoren verschiedene Länder der Gemeinschaft sich ihre eigenen Einflußgebiete erhalten wollten, d. h. Großbritannien die im alten Empire, Frankreich im ehemaligen Kolonialbereich, Deutschland die in der Sowjetunion und im Osten. Demgegenüber wünsche Tunesien einen neuen Kern der Gemeinschaft, der sich nicht nach den alten Interessengebieten ausrichte.

Masmoudi erwähnte ausdrücklich das Problem des tunesischen Weines. Dessen Anbau hätten Europäer eingeführt. Es sei auch ihre moralische Pflicht, den Tunesiern bei der Bewältigung dieses Problems zu helfen. Tunesien erwarte gleichberechtigte Möglichkeiten für alle Assoziierten. Es wünsche aber auch eine Mustergültigkeit und Hervorhebung der Beziehungen der EWG zu den Maghrebländern.

Bundesminister *Scheel* kam zuerst auf das Kapitel des Weines zu sprechen. Die gleichen Kolonisatoren, nämlich die Römer, hätten den Weinbau ebenso in Tunesien wie in Deutschland eingeführt. Die christlichen Religionen gestatteten es, auch die Vorteile dieser kolonisatorischen Leistung zu genießen, der Islam nicht. Sicher werde man aber von europäischer Seite das Möglichste tun, um dieses Problem Tunesiens zu bewältigen.[29]

Im übrigen müßte zunächst eine Übergangsphase der Gemeinschaft überwunden werden, die bestimmt nicht verewigt werden sollte. Das eigentliche Konzept werde auf der Gipfelkonferenz im Herbst gefaßt werden. Konsultationen der Gemeinschaft fänden schon längere Zeit hindurch statt. Die Gemeinschaft könne aber vor ihrer formellen Vollendung nicht „Signale" setzen, wie es Tunesien wünsche.

Im Falle Spaniens teile er – Scheel – die tunesische Auffassung, daß es in unserem gemeinsamen Interesse liege, ihm den Weg in die Gemeinschaft zu erleichtern. Dieses wichtige europäische Land mit traditionellen Bindungen in Nordafrika wolle auch Mitgliedsland werden, sei aber klug genug, den Weg dorthin in sorgfältig dosierten Schritten zu unternehmen. Die innenpolitische Entwicklung in Spanien komme dem entgegen. Er – Scheel – sei jedenfalls bereit, López Bravo in seinen europäischen Bestrebungen zu unterstützen.

Was Italien betreffe, habe er – Scheel – eine andere Meinung über dessen innere Lage als die tunesische Seite. Was die Unsicherheit in diesem Lande betreffe, sei sie vor 20 Jahren nicht kleiner, sondern größer gewesen als heute. Sie sei gar nicht so wenig stabil, wie man oft meine. Für Italien gebe es nur eine Möglichkeit, nämlich eine Regierungsbildung mit der Christlich-Demokratischen Partei.[30] Diese Partei sei in Wirklichkeit keine Partei, sondern ein Interessenverband. Da die Armee in Italien der Regierung stets treu zur Seite stehe, drohe von dort keine Gefahr. Italien sei immer ein eifriges Mitglied der

---

[29] Am 20. Dezember 1971 setzte der EG-Ministerrat die Zölle für Weine aus Marokko, Tunesien und der Türkei vom 1. Januar bis 31. August 1972 teilweise aus, bis eine endgültige Lösung gefunden werden konnte. Vgl. BULLETIN DER EG 2/1972, S. 87.

[30] Zur Regierungskrise in Italien vgl. Dok. 29, Anm. 6.

Gemeinschaft gewesen, aber auch eifriger Wahrer seiner Interessen, besonders auf dem landwirtschaftlichen Sektor (Wein!).

Außenminister *Masmoudi* bemerkte ergänzend, daß Tunesien den Kommunismus in Italien fürchte, und zwar besonders, wenn in Jugoslawien Tito eines Tages sterben sollte und auch dieses Land eine andere Wende nähme. Kroatien könne dann das Bangladesh unseres Kontinents werden.

Herr Masmoudi gab dann einen Überblick über die letzte Islamische Konferenz in Djidda.[31] Er bezeichnete sie als bedeutendes Ereignis und schilderte die aktive Rolle Tunesiens im Rahmen dieser Veranstaltung. Er erklärte, daß es sich bei der Islamischen Konferenz nicht um eine reine Glaubenssache handele. Die Religionen befänden sich im öffentlichen Leben der Völker in einem Wandel. Sie stellten aber doch noch eine starke moralische Kraft dar, die auch in der internationalen Politik noch eine Rolle spiele.

Nachdem Herr Masmoudi die institutionellen Ergebnisse der Konferenz dargelegt hatte, erwähnte er als ihre Hauptdiskussionspunkte den Konflikt zwischen Pakistan und Bangladesh und die Judaisierung Jerusalems. Auf tunesische Anregung sei eine Mission zur Vermittlung zwischen Pakistan und Bangladesh eingesetzt worden. Sie diene der Herstellung der Harmonie zwischen diesen beiden islamischen Ländern, der Begründung eines besonderes Verhältnisses zwischen ihnen und der Abwendung fremden Einflusses, insbesondere sowjetischen, auf sie. Zunächst sei aber eine Sondierung durch den Generalsekretär der Konferenz[32] vorgesehen. – Hinsichtlich Jerusalems müsse eine Eintracht zwischen den drei großen Religionen erreicht werden, die alle diese Stadt als heilige Stätte betrachteten. Es sei nicht angängig, daß eine Religion ihr allein ihren Stempel aufprägen wolle.

Herr Masmoudi führte weiter aus, daß die Konferenz sehr positiv verlaufen sei und zu einem festen und aktiven Bestandteil der Politik im Nahen und Mittleren Osten werde. Sie sei kein Ersatz für die Arabische Liga, sondern sei ein neues, breiteres, dynamisches Instrument. Die Arabische Liga sei ein historisches Monument, zugedeckt unter dem Papier des israelischen Boykottbüros, und habe sich als unnützes und wirkungsloses Gremium erwiesen.

Abschließend einigten sich die beiden Außenminister auf regelmäßige Abstimmung auf der Ebene der politischen Direktoren ihrer Ministerien. Dieser Beschluß wurde in das Abschlußkommuniqué aufgenommen.[33]

Referat I B 4, Bd. 577

---

[31] Vom 29. Februar bis 4. März 1972 fand in Djidda die Dritte Konferenz der Außenminister von 31 islamischen Staaten statt. Dazu berichtete Legationsrat I. Klasse Metzger, Djidda, am 19. März 1972: „Die Konferenz erörterte eingehend das Nahostproblem, die Palästinafrage und die ‚Judaisierung' Jerusalems: Israel wird verurteilt und aufgefordert, die besetzten Gebiete herauszugeben. Den Arabern wird – vorwiegend moralische – Hilfe zugesagt und der Kampf des palästinensischen Volkes auf Wiedergewinnung ihrer Heimat unterstützt. [...] Über die Lage im ‚indisch-pakistanischen' Subkontinent wurde ohne Teilnahme Pakistans geheim verhandelt. Eine Verurteilung Indiens unterblieb. Pakistan, Bangladesh und Indien werden zur Versöhnung aufgefordert. (Beschluss: Entsendung Versöhnungsdelegation der Islamkonferenz)." Vgl. den Schriftbericht Nr. 246; Referat I B 4, Bd. 520.

[32] Tunku Abdul Rahman.

[33] Für den Wortlaut des Kommuniqués vgl. BULLETIN 1972, S. 692.

64

Aufzeichnung des
Vortragenden Legationsrats I. Klasse Blumenfeld

II A 4-82.00-94.29-1196/72 VS-vertraulich   21. März 1972[1]

Über Herrn Dg II A[2] und Herrn D Pol[3] und Herrn D Pol[4]

Betr.: Sowjetische Reaktion auf ein Scheitern der Ostverträge

I. Die Bundesregierung ist bisher mit Zuversicht davon ausgegangen, daß die Ostverträge die erforderliche Mehrheit im Bundestag finden. Die politische Entwicklung der vergangenen Wochen hat jedoch gezeigt, daß eine Ablehnung der Verträge nicht mit letzter Sicherheit ausgeschlossen werden kann.[5] Sollten die Verträge keine Mehrheit im Parlament finden, so wird unsere Außenpolitik insbesondere die sowjetische Reaktion in Rechnung zu stellen haben. Eine Analyse der sowjetischen Haltung sollte die Außenpolitik Moskaus von eventuellen Rückwirkungen innenpolitischer Natur in der KPdSU trennen.

II. Die Verträge der Bundesrepublik mit der UdSSR und Polen stellen eine wesentliche Etappe sowjetischer Westpolitik dar, deren Hauptziele sich wie folgt umreißen lassen:

1) Festigung des sowjetischen Machtbereichs durch „Entaktualisierung" der Wiedervereinigungsfrage. Die Anbindung des Problems der staatlichen Einheit Deutschlands[6] und eines deutschen Friedensvertrages an den Begriff der territorialen Veränderung verstärkt rechtlich die sowjetischen Möglichkeiten, Veränderungsprozesse in Mitteleuropa zu kontrollieren, und soll Moskau gegen plötzliche, erdrutschartige Veränderungen ein für alle Mal absichern.

2) Ein Klima der Entspannung und Zusammenarbeit in Europa soll der UdSSR Zugang zum westlichen Wirtschaftpotential – einschließlich westlicher Technologie – erschließen.

3) Eine auch von den Sowjets anvisierte Periode der Entspannung und Zusammenarbeit in Europa soll langfristig die physische Präsenz „raumfremder Mächte" – der USA insbesondere – als überholt erscheinen lassen. Auf diese

---

[1] Die Aufzeichnung wurde von Vortragendem Legationsrat I. Klasse Blumenfeld und von Vortragendem Legationsrat Stabreit konzipiert.
Hat Stabreit erneut am 27. März 1972 vorgelegen, der handschriftlich vermerkte: „Herrn Meyer-Landrut n[ach] R[ückkehr]."
Hat Vortragendem Legationsrat Meyer-Landrut am 10. April 1972 vorgelegen.

[2] Jürgen Diesel.

[3] Günther van Well.

[4] Hat Ministerialdirektor von Staden am 23. März 1972 vorgelegen, der handschriftlich vermerkte: „Herrn Blumenfeld siehe Randbemerkungen." Vgl. Anm. 6, 7, 8, 15, 18 und 19.

[5] Zum Stand des Ratifikationsverfahrens vgl. Dok. 55, Anm. 2.

[6] Der Passus „Die Anbindung ... Deutschlands" wurde von Ministerialdirektor von Staden hervorgehoben. Dazu vermerkte er handschriftlich: „In der Sache mag dies stimmen, wieso aber ist dies eine rechtliche Anbindung, wo die Sowjetunion doch jede Erwähnung der staatlichen Einheit und des Friedensvertrages abgelehnt hat."

Weise würden die Sowjets friedlich ihrem Ziel, auf dem Kontinent eine dominierende politische Rolle zu spielen, näherkommen.[7]

Diese sowjetische Zielsetzung entspringt zunächst dem natürlichen Machtstreben jeder, ganz besonders aber ideologisch motivierter Großmächte, ihren Einfluß auszuweiten. Daneben gibt es eine Reihe konkreter Gründe – Wirtschaftsschwierigkeiten, die wachsende Bedeutung Asiens in der Weltpolitik etc. – die für die sowjetische Willensbildung eine Rolle spielen. Weder an den aufgezeigten konkreten Zielen der Sowjets noch an ihren Motiven würde sich jedoch mit dem Scheitern der Verträge etwas ändern.[8] Das Koordinatensystem, innerhalb dessen sich die sowjetische Außenpolitik bewegt, bliebe das gleiche.

III. Die sowjetische Reaktion auf ein Scheitern der Verträge wird von enttäuschten Erwartungen und bis zu einem gewissen Grade auch verletztem Prestigedenken gekennzeichnet sein. Sie wird jedoch keinesfalls unkontrolliert sein und auch nur einen Augenblick die sowjetischen Ziele und Interessen außer acht lassen. Die Erkenntnis, daß sowjetische Außenpolitik fast stets rational und besonnen war, dürfte sich vielmehr auch jetzt bewahrheiten.

Während der Moskauer Verhandlungen stellte Botschafter Falin in der Arbeitssitzung vom 28. Juli 1970 fest:

„Man kann nie ausschließen, daß ein Vertrag von der gesetzgebenden Körperschaft nicht ratifiziert wird. Wenn ein Vertrag der Festigung des Friedens dient, rechnen wir in der Sowjetunion mit der Ratifizierung durch den Obersten Sowjet. Wenn ein Vertrag mit solch hohen Zielen nicht die Billigung des Bundestages findet, kann das nur bedeuten, daß die Zeit noch nicht gekommen ist, wo man eine Wende in unseren politischen Beziehungen durchführen kann, bedeutet es, daß wir es zu eilig gehabt haben."[9]

Falin faßte offenbar eine grundsätzliche Änderung der Deutschland- und Europapolitik nicht ins Auge.

Im Falle eines Scheiterns des Moskauer Vertrages würde Moskau versuchen, eine europäische Alternativpolitik an der Bundesrepublik vorbei zu treiben. Dabei böte sich der Ausbau bilateraler Beziehungen zu anderen westeuropäischen Ländern an, dem jedoch durch die zu vermutende Weigerung unserer Verbündeten, sich auf ein solches, allzu durchsichtiges Spiel einzulassen, gewisse Grenzen gesetzt wären. Hauptinstrument einer solchen Politik wäre deshalb die KSZE. Die Moskauer Propaganda würde behaupten, das Scheitern der Verträge habe unter Beweis gestellt, welchen Gefahrenherd die Politik der Bundesrepublik in Zentraleuropa darstellt, damit aber gleichzeitig die Not-

---

[7] Zu diesem Absatz vermerkte Ministerialdirektor von Staden handschriftlich: „Auch dies ist im Prinzip richtig, aber doch wohl praktisch etwas zu vereinfacht: Berlin-Abkommen, Abrücken von der Forderung der Auflösung der Blöcke als kurz- oder mittelfristiges Ziel, Sichabfinden mit der EWG sprechen dafür, daß die Sowjetunion sich auch ihrerseits entschlossen hat, für längere Zeit mit den Realitäten zu leben. Die Analyse der Ausgangslage ist etwas zu undifferenziert. Man müßte das Wort ‚langfristig' in diesem Sinne wohl interpretierend ergänzen."

[8] Dieser Satz wurde von Ministerialdirektor von Staden hervorgehoben. Dazu vermerkte er handschriftlich: „Dieser Satz gerade zeigt, daß es schwer ist, die Veränderung zu zeigen, wenn man die Blende allzu langfristig einstellt."

[9] Für das Gespräch des Staatssekretärs Frank mit dem Abteilungsleiter im sowjetischen Außenministerium, Falin, am 28. Juli 1970 in Moskau vgl. AAPD 1970, II, Dok. 339.

wendigkeit einer gesamteuropäischen Zusammenkunft unterstrichen. Es unterliegt keinem Zweifel, daß diese Propaganda auch im Westen auf manches offene Ohr stoßen würde. Auf der Konferenz selbst würden die Sowjets versuchen, dem deutsch-sowjetischen Vertrag analoge Grenzformulierungen[10] ohne jeden relativierenden Vorbehalt durchzusetzen.

Im Verhältnis zur Bundesrepublik wäre damit zu rechnen, daß die sowjetische Propaganda wenigstens zeitweilig zu einem Crescendo anschwellen würde. Moskau würde dabei einerseits versuchen, den Inhalt des Vertrages als durch die Unterschrift konsumiert und gleichsam unwiderruflich hinzustellen. Gleichzeitig dürfte der Kreml den Versuch unternehmen, der Bundesrepublik die Nachteile eines aus der Sicht der Sowjets aussichtslosen Festhaltens an „überholten" deutschlandpolitischen Vorstellungen klarzumachen, ohne jedoch die Tür zu späterem Einvernehmen zuzuschlagen. Wir müßten uns auf eine überaus differenzierte Behandlung mit „Zuckerbrot und Peitsche" gefaßt machen.

IV. Wenngleich derartige Erwägungen in hohem Grade spekulativ bleiben müssen, läßt sich folgende Prognose stellen:

1) Aus ideologischen Gründen wäre die sowjetische Propaganda gezwungen, das Scheitern des Vertrages als das Werk einer kleinen Clique verantwortungsloser Berufspolitiker hinzustellen, die den guten Willen der Mehrheit des Volkes und der sie repräsentierenden Bundesregierung vereitelten. Zielscheibe der Propaganda bliebe die CDU/CSU. Je nach dem Ausgang des Abstimmungsergebnisses würde Moskau vermutlich für geraume Zeit alle offenen Kontakte zur heutigen Opposition abbrechen. Von diesem „Liebesentzug" würden nur diejenigen Abgeordneten verschont, die möglicherweise in der Schlußabstimmung für die Verträge stimmten.

2) Moskau würde jetzt und in denkbarer Zukunft jedes neue Verhandeln über die Verträge ablehnen, gleich, welche Bundesregierung den Versuch hierzu unternehmen sollte. Das in den vergangenen Jahren stark akzentuierte sowjetische Prestigedenken ließe ein auf deutschen Wunsch verändertes Ergebnis nicht zu.

3) Moskau würde – unabhängig von der Berlinklausel – in absehbarer Zukunft keiner Formalisierung der deutsch-sowjetischen Beziehungen (Kulturabkommen[11], Handelsvertrag[12]) zustimmen. Der offizielle Kulturaustausch würde vermutlich während geraumer Zeit stark gedrosselt.

---

[10] In Artikel 3 des Vertrags vom 12. August 1970 zwischen der Bundesrepublik und der UdSSR wurde vereinbart: „In Übereinstimmung mit den vorstehenden Zielen und Prinzipien stimmen die Bundesrepublik Deutschland und die Union der Sozialistischen Sowjetrepubliken in der Erkenntnis überein, daß der Friede in Europa nur erhalten werden kann, wenn niemand die gegenwärtigen Grenzen antastet. Sie verpflichten sich, die territoriale Integrität aller Staaten in Europa in ihren heutigen Grenzen uneingeschränkt zu achten; sie erklären, daß sie keine Gebietsansprüche gegen irgend jemand haben und solche in Zukunft auch nicht erheben werden; sie betrachten heute und künftig die Grenzen aller Staaten in Europa als unverletzlich, wie sie am Tage der Unterzeichnung dieses Vertrages verlaufen, einschließlich der Oder-Neiße-Linie, die die Westgrenze der Volksrepublik Polen bildet, und der Grenze zwischen der Bundesrepublik Deutschland und der Deutschen Demokratischen Republik." Vgl. BULLETIN 1970, S. 1094.

[11] Zu den Gesprächen mit der UdSSR über ein Kulturabkommen vgl. Dok. 123.

[12] Zu den Verhandlungen des Botschafters Hermes mit dem sowjetischen Stellvertretenden Außenhandelsminister Manschulo vom 3. bis 7. April 1972 in Moskau vgl. Dok. 86, Anm. 4.

4) Wesentlich differenzierter dürften die Sowjets im Bereiche des praktischen Wirtschaftsaustausches reagieren. Die Sowjets sind nach wie vor an bestimmten deutschen Produkten, die sie in gleicher Qualität bisher in anderen Ländern nicht bekamen, interessiert. Sie sind auch am deutschen Absatzmarkt als Quelle harter Devisen interessiert.

Mit Sicherheit würde die Bundesrepublik von allen spektakulären Prestigeprojekten etwa des Typs Togliatti[13] und Kama[14] ausgeschlossen. Vermutlich müßte vorübergehend auch mit einem gewissen Rückgang des Handelsaustausches gerechnet werden. Keinesfalls wäre jedoch mit einem völligen Erliegen dieses Austausches zu rechnen. An einem solchen Erliegen wäre Moskau schon deshalb nicht interessiert, weil es das Interesse bestimmter Industriezweige am deutsch-sowjetischen Handel auch in Zukunft politisch zu nutzen gedenkt und deshalb nicht wünschen kann, dieses Interesse tödlich zu treffen.

V. Wenn in den vergangenen Wochen verschiedentlich geltend gemacht wurde, die Sowjets würden ihren Zorn an Berlin auslassen, so kann dem nicht mit letzter Sicherheit zugestimmt werden. Es läge zwar für die Sowjets nahe, über Ostberlin eine Serie von Schikanen gegen die Verbindungswege nach Berlin zu inszenieren, um dem deutschen Parlament zu demonstrieren, wie die wahren Machtverhältnisse geschaffen sind, und daß es besser gewesen wäre, sich mit der Sowjetunion auf der Grundlage des Moskauer Vertrages zu arrangieren und Berlin in den Beruhigungsprozeß in Zentraleuropa einzubeziehen. Auch

---

[13] Die Fiat-Werke vereinbarten am 5. Mai 1966 mit der sowjetischen Regierung die Errichtung eines Automobilwerks in Toljatti (Stawropol), an dessen Aufbau auch Firmen aus der Bundesrepublik beteiligt waren. Legationsrat I. Klasse von Wistinghausen, Moskau, berichtete über eine Dienstreise nach Toljatti vom 16. bis 18. November 1971: „Die meisten Firmen haben die Montage im engeren Sinne abgeschlossen und sind nur noch mit wenigen Monteuren zur Inbetriebnahme und Überprüfung der Maschinen präsent. [...] Meines Erachtens ist das einzige echte Problem, mit dem die Montageleiter nach wie vor zu tun haben, die Einigung mit der sowjetischen Seite über die Abnahme der montierten Maschinen." Vgl. den am 8. Dezember 1971 von Botschafter Allardt übermittelten Schriftbericht, Referat III A 6, Bd. 502.

[14] Im Anschluß an einen Besuch des sowjetischen Ministers für Automobilindustrie, Tarassow, auf der Internationalen Automobilausstellung in Frankfurt/Main fanden seit September 1969 Gespräche mit der Daimler-Benz AG über die Beteiligung am Bau einer LKW-Fabrik in der UdSSR statt (Kama-Projekt). Referat III A 6 vermerkte am 27. Mai 1971: „Die sowjetische Regierung hat sich nach Äußerungen der zuständigen sowjetischen Stellen endgültig dahin entschieden, daß für das Lastkraftwagenwerk an der Kama keine Lizenz erworben wird." Das Scheitern der Verhandlungen der Firma Daimler-Benz AG sei nicht auf unterschiedliche Auffassungen in technischen Fragen, sondern auf Differenzen hinsichtlich der Lizenzgebühren zurückzuführen. Vgl. Referat III A 6, Bd. 502.
Botschafter Ruete, Paris, berichtete am 8. Juni 1971, anläßlich eines Besuchs des sowjetischen Außenhandelsministers Patolitschew in Frankreich sei die Firma Renault mit der Gesamtkonzeption für die Durchführung des geplanten LKW-Werks an der Kama beauftragt worden. Vgl. dazu den Drahtbericht Nr. 1671; Referat III A 6, Bd. 502.
Am 27. Oktober 1971 unterzeichneten der Generaldirektor von Renault, Dreyfus, und der Präsident der sowjetischen Importzentrale „Avtopromimport", Budkow, einen Vertrag über Projektstudien für eine Motorenfabrik an der Kama. Vgl. dazu den Drahtbericht Nr. 3147 von Ruete; Referat III A 6, Bd. 502.
Am 6. April 1972 berichtete Gesandter Blomeyer-Bartenstein, Paris, daß „sich der Beratungsvertrag von Renault mit den für die technische Einrichtung des LKW-Werks an der Kama zuständigen sowjetischen Staatsstellen immer eindeutiger als Verlustgeschäft" erweise. Daimler-Benz habe sich von dem Geschäft weitgehend distanziert: „Man rechnet jedoch in Untertürkheim angeblich mit Einzelaufträgen, die dem Unternehmen Vorteil bringen könnten, ohne es rechtlich, technisch oder personell über Gebühr zu belasten." Vgl. den Drahtbericht Nr. 981; Referat III A 6, Bd. 502.

könnte die sowjetische Seite versucht sein, nach den Mustern der Vergangenheit den Berlinern zu verdeutlichen, wie sie ihre wahren Interessen zu interpretieren haben.

Moskau würde jedoch auch hier den Bogen nicht überspannen wollen. Denn einmal müßte ein zu brutales Vorgehen gegen Berlin Störungselemente im sowjetisch-westalliierten Verhältnis schaffen. Vor dem Hintergrund einer gescheiterten Deutschlandpolitik würde die Sowjetunion vermutlich auf ihren Draht nach Paris, Washington und London jedoch sogar einen erhöhten Wert legen. Zum anderen aber – und es spricht viel dafür, daß die Sowjets dies begriffen haben – könnte die Wirkung kontraproduzent ausfallen, indem sich der eine Vertragspartner gleichsam nachträglich moralisch disqualifizierte und in der deutschen Bevölkerung, zumindest in Westberlin, Abwehrinstinkte geweckt würden, an denen Moskau nicht gelegen sein kann.

Sicher ist, daß die Sowjets in ihrem Einflußbereich alle diejenigen Teile des Berlinabkommens, die die Bundesrepublik[15] begünstigen, nicht in Kraft treten lassen würden. Es kann andererseits angesichts ihres Interesses an der KSZE sowie an ungestörten Beziehungen zu den Westmächten nicht ohne weiteres behauptet werden, daß auch die übrigen Teile des Berlinabkommens[16] bedeutungslos blieben. Möglich erscheint, daß Moskau als Entspannungsgeste gegenüber dem Westen insgesamt und um das „nein" des Bundestages deplaziert erscheinen zu lassen, Teile der Berlinregelung im Verhältnis zu den Alliierten faktisch in Kraft treten ließe, ohne sich durch eine Unterschrift rechtlich zu binden.

VI. Es bedarf kaum besonderer Hervorhebung, daß die Sowjets und ihre Verbündeten eine weltweite Kampagne zur völkerrechtlichen Anerkennung der DDR starten würden. Wollten wir dieser Kampagne entgegentreten, so müßten wir dies vor einem für uns gegenüber früher weit ungünstigeren Hintergrund tun. Unser Argument, man werde durch eine vorzeitige Anerkennung der DDR die innerdeutschen Gespräche, die zu einer Entspannung in Mitteleuropa führen sollten, stören, könnte durch die Einstellung aller Gespräche mit uns seitens der DDR zu Fall gebracht werden. Eine Rückkehr zu früherer Argumentation wäre in der durch die Regierungserklärung vom Jahre 1969[17] geschaffenen Lage faktisch nicht möglich. An dieser Stelle würde sich die deutschlandpolitische Position der Bundesrepublik schlagartig und tiefgreifend verschlechtern.[18]

---

[15] Das Wort „Bundesrepublik" wurde von Ministerialdirektor von Staden hervorgehoben. Dazu vermerkte er handschriftlich: „und die Berliner Bevölkerung (ausgenommen die Zugangsregelung)".
[16] Für den Wortlaut des Vier-Mächte-Abkommens über Berlin vom 3. September 1971 vgl. EUROPA-ARCHIV 1971, D 443–453.
[17] Am 28. Oktober 1969 führte Bundeskanzler Brandt in seiner Regierungserklärung aus: „20 Jahre nach Gründung der Bundesrepublik Deutschland und der DDR müssen wir ein weiteres Auseinanderleben der deutschen Nation verhindern, also versuchen, über ein geregeltes Nebeneinander zu einem Miteinander zu kommen. [...] Eine völkerrechtliche Anerkennung der DDR durch die Bundesregierung kann nicht in Betracht kommen. Auch wenn zwei Staaten in Deutschland existieren, sind sie doch füreinander nicht Ausland; ihre Beziehungen zueinander können nur von besonderer Art sein." Vgl. BT STENOGRAPHISCHE BERICHTE, Bd. 71, S. 21.
[18] Zu diesem Absatz vermerkte Ministerialdirektor von Staden handschriftlich: „Dazu käme grünes Licht aus Moskau für eine ungehemmte Abgrenzungspropaganda der DDR. Dagegen würden wir im Westen aber keine Hilfe finden. Vielmehr würden wohl auch unsere Verbündeten dann – even-

VII. Ob ein Scheitern der Ostverträge Rückwirkungen auf die sowjetische Innenpolitik haben würde, läßt sich kaum vorhersagen. Wir müssen jedoch von folgenden, gesicherten Erkenntnissen ausgehen:

1) Die durch den Abschluß des deutsch-sowjetischen Vertrages und des Berlinabkommens gekennzeichnete Deutschlandpolitik der Sowjetunion ist bis zum heutigen Tage auch in der Führungsspitze der UdSSR nicht unumstritten.

2) Generalsekretär Breschnew und Außenminister Gromyko haben sich in spektakulärer Weise mit dieser Politik identifiziert. Wir müssen davon ausgehen, daß die Gefahr eines Scheiterns der Verträge in der innersowjetischen Diskussion herabgespielt worden ist.

3) Im eigenen Interesse wären Breschnew und sein Außenminister gezwungen, zunächst eine sich mindestens verbal scharf gebende Politik gegenüber der Bundesrepublik zu verfolgen.

4) Nichts spricht dafür, daß Breschnew durch ein Scheitern seiner Deutschlandpolitik in seiner Stellung als Generalsekretär unmittelbar gefährdet wäre. Es widerspräche russisch/sowjetischer Tradition, einen Personalwechsel für die Außenwelt sichtbar mit konkreten Ereignissen zu verbinden. Trotz einer unverkennbaren Sonderstellung, die sich der Generalsekretär im Laufe der letzten Jahre erwerben konnte, dürfte er jedoch in seinen staatsmännischen Fähigkeiten nach wie vor von einflußreichen Konkurrenten in Frage gestellt werden. Sollten sich diesem noch weitere Mißerfolge hinzugesellen (China, Nahost, Mißernte), so könnte auch die Ablehnung der Verträge eines Tages einen weiteren äußeren Anlaß für seine Ablösung bieten. Auch Chruschtschow wurde Versagen in zahlreichen Einzelfällen vorgeworfen.

5) Ein Wechsel in der sowjetischen Führungsspitze wäre vom Standpunkt unserer Außenpolitik nicht notwendigerweise negativ zu beurteilen. Kurzfristig würden sich verschiedene sowjetische Führungsgruppen in ihrer Politik uns gegenüber kaum voneinander unterscheiden. Langfristig würde jedoch Breschnew nach seinen Erfahrungen mit uns vermutlich subjektiv ein besonders schwieriger Verhandlungspartner sein, der sich zudem objektiv auf dem Gebiet der Deutschlandpolitik besonders vorsichtig bewegen müßte.

VIII. Zusammenfassend läßt sich feststellen, daß uns ein Scheitern der Verträge in der Rußlandpolitik um Jahre zurückwerfen und unsere Außenpolitik vor kompliziertere Aufgaben stellen würde.[19] Es spricht jedoch wenig dafür, daß ein Scheitern der Verträge eine unkontrollierte „dramatische" sowjetische Reaktion zur Folge haben würde. Die Sowjets würden versuchen, die Bundesrepublik durch Drosselung der bilateralen Beziehungen und durch Entzug der Vorteile des Berlinabkommens alle Nachteile dieser Ablehnung verspüren zu lassen. Sie würden es unternehmen, über eine KSZE im Verhältnis der europäischen Staaten untereinander, diejenigen Garantien ihres Besitzstandes zu erhalten, die ihnen ein Scheitern der Verträge vorenthalten würde, und dies

---

Fortsetzung Fußnote von Seite 300
tuell sofort auf diplomatic recognition – mit der DDR ins Geschäft gehen. Die Spaltung der Nation würde vermutlich vertieft. Es ist ja kein Zufall, daß die DDR der Modus-Vivendi-Politik mit so viel Reserve begegnet!"

[19] Zu diesem Satz vermerkte Ministerialdirektor von Staden handschriftlich: „Noch stärker wären wir im Ausbau unserer Beziehungen zu den anderen W[arschauer]-P[akt]-Staaten behindert."

möglichst ohne qualifizierende Einschränkungen. Allenfalls läßt sich nach dem Scheitern einer KSZE unter westlichem Druck eine Neuauflage der deutschsowjetischen Verhandlungen über einen bilateralen Gewaltverzicht nach vorliegendem Muster denken. Das voraussehbare Bemühen der Sowjetunion, ihre Westpolitik an der Bundesrepublik vorbei fortzusetzen, würde diese daran hindern, das Register aller denkbaren „Strafmaßnahmen" voll auszuschöpfen. Andernfalls müßte sie mit einem Solidarisierungsprozeß im westlichen Bündnis rechnen wie 1968 im Anschluß an die Ereignisse von Prag.

Blumenfeld

VS-Bd. 9018 (II A 4)

65

Aufzeichnung des Vortragenden Legationsrats Bräutigam

II A 1-84.27-202/72 geheim 21. März 1972[1]

Betr.: Einbeziehung Berlins in den deutsch-sowjetischen Handelsvertrag

In einem Gespräch zwischen Staatssekretär Bahr, dem französischen und britischen Botschaftern und dem amerikanischen Geschäftsträger[2], an dem auch die alliierten Botschaftsräte, MDg van Well, MDg Sanne und VLR Bräutigam teilnahmen, kam auch die Frage der Berlin-Klausel in dem deutsch-sowjetischen Handelsvertrag zur Sprache. MDg van Well berichtete über das letzte Gespräch von Staatssekretär Frank mit dem sowjetischen Botschafter Falin.[3]

Der französische Botschafter äußerte Bedenken, daß sich die Bundesregierung jetzt auf Verhandlungen mit der Sowjetunion über die Berlin-Klausel einlasse. Er könne kein besonderes Zugeständnis der Sowjetunion darin erblicken, wenn sie jetzt bereit sei, eine Formel auszuarbeiten, die ohnehin erst nach dem Inkrafttreten des Vier-Mächte-Abkommens wirksam werden würde und die nur das enthalte, was sie nach dem Inkrafttreten ohnehin akzeptieren müsse. Die Sowjets spielten damit eine Konzession hoch, die in Wirklichkeit keine sei. Außerdem frage er sich, ob es richtig sei, schon vor dem Inkrafttreten des Vier-Mächte-Abkommens auf den Begriff „Land Berlin" zu verzichten, auch wenn dies vielleicht später gegenüber der Sowjetunion notwendig werde. Im übrigen sehe er nicht, warum die Bundesregierung verschiedene Formulierungen der Berlin-Klausel vermeiden wolle. Wenn man nur eine Formel anstrebe, so ak-

---

[1] Hat Staatssekretär Frank am 25. März 1972 vorgelegen.
  Hat Vortragendem Legationsrat I. Klasse Blech am 28. März 1972 vorgelegen, der die Weiterleitung an Legationsrat I. Klasse Kastrup verfügte.
  Hat Kastrup am 28. März 1972 vorgelegen.
[2] Frank E. Cash.
[3] Zum Gespräch des Staatssekretärs Frank mit dem sowjetischen Botschafter Falin am 20. März 1972 vgl. Dok. 60.

zeptiere man praktisch die sowjetische Position für alle Verträge. Es könne aber nicht Sache der Sowjetunion sein, die Formulierung der Berlin-Klausel auch für Verträge mit dritten Staaten zu bestimmen.

Botschafter Sauvagnargues stellte allerdings klar, daß es sich bei dieser Stellungnahme nur um seine persönliche Auffassung handle. Es sei Sache der Bundesregierung zu entscheiden, ob sie im Lichte der Ratifikationsdebatte[4] schon jetzt die Verhandlungen über einen Handelsvertrag[5] abschließen wolle.

Auch Botschafter Jackling betonte, daß die Entscheidung in dieser Frage Sache der Bundesregierung sei. Es sei nicht einfach, die Argumente für und gegen solche Verhandlungen zum jetzigen Zeitpunkt abzuwägen. Er persönlich sehe jedoch kein besonderes Risiko darin, schon jetzt eine Formel auf der Grundlage des Vier-Mächte-Abkommens auszuarbeiten, solange sichergestellt sei, daß die Bestimmungen dieses Abkommens nicht in Frage gestellt würden.

Botschaftsrat Dean stellte die Frage, ob man vielleicht jetzt das Prinzip der Einbeziehung Berlins in den deutsch-sowjetischen Handelsvertrag festhalten, die Formulierung jedoch einem späteren Stadium vorbehalten könne.

Staatssekretär Bahr erklärte, er könne sich vorstellen, daß die Formulierung der Berlin-Klausel in dem deutsch-sowjetischen Handelsvertrag eine ganze Reihe von Schwierigkeiten aufwerfen werde, wenn man damit bis nach der Ratifizierung der Ostverträge warte. Vor der Ratifizierung werde es leichter sein, diese Probleme zu lösen, da die Sowjets die Ratifizierung durch ein Entgegenkommen in dieser Frage erleichtern wollten. Dabei seien sie bereit, sich vertragskonform im Sinne des Vier-Mächte-Abkommens zu verhalten, auch wenn dieses erst später in Kraft gesetzt werden soll. Taktische Erwägungen sprächen deshalb dafür, die Verhandlungen über die Formulierung der Berlin-Klausel schon jetzt zu führen.

Die Beteiligten gingen davon aus, daß das weitere Vorgehen in der Vierergruppe konsultiert werden wird. Staatssekretär Bahr sagte nach der Sitzung, er empfehle, die Gespräche mit Botschafter Falin über die Einbeziehung Berlins fortzusetzen.[6]

Bräutigam

VS-Bd. 8559 (II A 1)

---

[4] Zum Stand des Ratifikationsverfahrens zum Moskauer Vertrag vom 12. August 1970 und zum Warschauer Vertrag vom 7. Dezember 1970 vgl. Dok. 55, Anm. 2.
[5] Zu den Verhandlungen des Botschafters Hermes mit dem sowjetischen Stellvertretenden Außenhandelsminister Manschulo vom 3. bis 7. April 1972 in Moskau vgl. Dok. 86, Anm. 4.
[6] Zu den Gesprächen des Staatssekretärs Frank mit dem sowjetischen Botschafter Falin am 25./26. März 1972 vgl. Dok. 74.

66

Botschafter Sachs, Brüssel (EG), an das Auswärtige Amt

VS-NfD
Fernschreiben Nr. 1073
Citissime

Aufgabe: 21. März 1972, 13.00 Uhr
Ankunft: 21. März 1972, 13.40 Uhr

Betr.: Konsultation der zehn Außenminister in Brüssel am 20.3.1972 zur Frage der Beteiligung der Kommission an der Vorbereitung des TO-Punktes der Gipfelkonferenz: „Verstärkung der Institutionen und Fortschritte auf politischem Gebiet"[1]

Außenminister Schumann eröffnete die Diskussion des Themas unter Betonung der juristischen Aspekte. Man müsse zunächst in eine Prüfung eintreten, welche Fragen ggf. in die Kompetenz der Kommission fielen und welche anderen sie nicht beträfen. Eine solche Aufteilung könne am besten zunächst bei dem vorgesehenen Treffen der Außenminister am 27./28. Mai in Luxemburg[2] erfolgen.

Unter den Themen, die seiner Auffassung nach nicht zur Zuständigkeit der Kommission gehörten, erwähnte Schumann:

die politische Zusammenarbeit,

die Ernennung der Europa-Staatssekretäre[3],

die Harmonisierung der Daten für die Kabinettssitzungen,

Vorschläge auf Vertragsrevision gemäß Art. 236[4].

Außenminister Schmelzer legte seine Auffassung dar, daß die Kommission die Rolle und Verantwortung übernehmen müsse, die ihr im Vertrag zuerkannt seien. Für die Notwendigkeit, die Kommission bei der Gesamtvorbereitung des betreffenden TO-Punktes der Gipfelkonferenz heranzuziehen, erinnerte Außenminister Schmelzer an folgende Ratsbeschlüsse:

a) Ratsentscheidung vom 22.4.1970 betreffend Aufforderung an die Kommission, innerhalb von zwei Jahren Vorschläge zur erweiterten Befugnis des europäischen Parlaments vorzulegen.[5]

---

[1] Zur Beteiligung der EG-Kommission an der Vorbereitung der europäischen Gipfelkonferenz vgl. die Beschlüsse der Außenminister der EG-Mitgliedstaaten und -Beitrittsstaaten vom 28. Februar 1972; Dok. 31, Anm. 17.

[2] Zur Konferenz der Außenminister der EG-Mitgliedstaaten und -Beitrittsstaaten am 26./27. Mai 1972 in Luxemburg vgl. Dok. 148.

[3] Zum Vorschlag der Bundesregierung, Staatssekretäre für Europafragen einzusetzen, vgl. Dok. 1, Anm. 17.

[4] Artikel 236 des EWG-Vertrags vom 25. März 1957: „Die Regierung jedes Mitgliedstaates oder die Kommission kann dem Rat Entwürfe zur Änderung dieses Vertrags vorlegen. Gibt der Rat nach Anhörung der Versammlung und gegebenenfalls der Kommission eine Stellungnahme zugunsten des Zusammentritts einer Konferenz von Vertretern der Regierungen der Mitgliedstaaten ab, so wird diese vom Präsidenten des Rates einberufen, um die an diesem Vertrag vorzunehmenden Änderungen zu vereinbaren." Vgl. BUNDESGESETZBLATT 1957, Teil II, S. 898.

[5] Nachdem der EG-Ministerrat am 22. April 1970 den Vertrag zur Änderung bestimmter Haushaltsvorschriften der Verträge zur Gründung der Europäischen Gemeinschaften und des Vertrags

b) Ratsentscheidung vom 7.2.1971 betreffend Errichtung einer Wirtschafts- und Währungsunion. Bei dieser Gelegenheit sei festgelegt worden, daß die Einrichtungen der Gemeinschaft in der zukünftigen Wirtschafts- und Währungsunion, über die 1973 entschieden werden soll, in die Lage zu versetzen sind, ihre Befugnisse rasch und wirksam auszuüben.[6]

c) Absatz 5 des Außenminister-Berichts, der am 20. Juli 1970 in Luxemburg verabschiedet worden sei. In diesem Bericht wurde festgelegt, daß die Kommission in den Fällen herangezogen werden soll, in denen Materien angesprochen werden, die auch die Gemeinschaft berühren.[7]

d) Bei einer Analyse der jetzigen Arbeit der Organe dürfe die Kommission nicht fehlen, denn die Kommission sei ja auch ein Organ und sie sei auch zu hören, wenn gemäß Art. 236 Mitgliedstaaten dem Rat Vorschläge über Vertragsänderungen unterbreiten würden.

Außenminister Scheel schlug vor, die juristischen Aspekte entscheiden zu lassen. Bei der bevorstehenden allmählichen Harmonisierung der verschiedenen Aktivitäten innerhalb der Gemeinschaft sei eine möglichst enge Zusammenarbeit mit der Kommission erwünscht. Wegen der politischen Zweckmäßigkeit solle man die Rolle der Kommission extensiv interpretieren. Ihre Beteiligung könne nur von Nutzen sein, man solle kein Mißtrauen gegen sie haben.

Europaminister[8] Rippon schlug vor, die Frage der Beteiligung der Kommission von praktischen Gesichtspunkten her anzufassen. Falls die Kommission für die Diskussion einer Frage einen nützlichen Beitrag liefern könne, sei ihre Beteiligung erwünscht.

Schließlich einigten sich die Außenminister auf eine von Außenminister Harmel vorgeschlagene Formulierung: Danach solle die Kommission zu den Fragen von Beginn an herangezogen werden, die das interne Funktionieren der erweiterten Gemeinschaft betreffen. Dagegen soll ihre Beteiligung an den Ar-

---

Fortsetzung Fußnote von Seite 304

zur Einsetzung eines gemeinsamen Rates und einer gemeinsamen Kommission der Europäischen Gemeinschaften unterzeichnet hatte, in dem auch eine Stärkung der Befugnisse des Europäischen Parlaments vorgesehen war, nahmen die Minister eine Erklärung an, wonach die EG-Kommission beabsichtigte, nach der Ratifizierung des Vertrags weitere Vorschläge dazu vorzulegen. Vgl. dazu EUROPA-ARCHIV 1970, Z 110. Zur EG-Ministerratstagung vom 20. bis 22. April 1970 in Luxemburg vgl. auch AAPD 1970, I, Dok. 179.

Am 25. März 1972 legte die von der EG-Kommission am 22. Juli 1971 beauftragte Ad-hoc-Gruppe für die Prüfung der Frage einer Erweiterung der Befugnisse des Europäischen Parlaments unter dem Vorsitz des Ehrendekans der Rechts- und Wirtschaftswissenschaftlichen Fakultät an der Universität Paris, Vedel, ihren Bericht vor. Referat III E 1 vermerkte dazu am 24. Mai 1972: „Die Hauptthese des Berichts ist, daß die Stärkung des demokratischen Elements in den EG zweckmäßigerweise von einer Erweiterung der Befugnisse des E[uropäischen]P[arlaments] bei der Rechtsetzung (und beim Haushalt) und nicht von der Einführung der Direktwahl ausgehen sollte." Vgl. Referat III E 1, Bd. 1970.

Für den Wortlaut des Berichts vgl. BULLETIN DER EG, Beilage 4/72.

[6] Zur Entschließung des EG-Ministerrats vom 9. Februar 1971 über die stufenweise Verwirklichung der Wirtschafts- und Währungsunion vgl. Dok. 19, Anm. 3.

[7] Ziffer 5 des Zweiten Teils des am 27. Oktober 1970 in Luxemburg verabschiedeten Berichts der Außenminister der EG-Mitgliedstaaten vom 20. Juli 1970 über mögliche Fortschritte auf dem Gebiet der politischen Einigung (Davignon-Bericht): „Sofern die Arbeiten der Minister Auswirkungen auf die Tätigkeit der Europäischen Gemeinschaften haben, wird die Kommission zur Stellungnahme aufgefordert." Vgl. EUROPA-ARCHIV 1970, D 522.

[8] Korrigiert aus: „Außenminister".

beiten zur Verwirklichung der politischen Zielsetzungen des Vertrages und an der politischen Zusammenarbeit zurückgestellt werden.[9]

Zusätzlich zu den bisher festgelegten Daten einigten sich die Außenminister darauf, am 11./12. September eine abschließende Gesamtdiskussion zur Vorbereitung der Gipfelkonferenz vorzusehen. Dieses Treffen soll wegen des damit in zeitlich unmittelbarem Zusammenhang stehenden Ministertreffens der WEU in Rom stattfinden.[10]

[gez.] Sachs

Referat III E 1, Bd. 1970

67

Botschafter Allardt, Moskau, an das Auswärtige Amt

Z B 6-1-11465/72 VS-vertraulich Aufgabe: 21. März 1972, 17.30 Uhr[1]
Fernschreiben Nr. 690 Ankunft: 21. März 1972, 16.47 Uhr
Citissime

Betr.: Breschnew-Rede vor dem sowjetischen Gewerkschaftskongreß vom 20.3.1972
hier: Deutschland- und Europapolitik

Zur Information:

I. Breschnew hat vor den Gewerkschaften eine in ihrem außenpolitischen Teil bedeutsame Rede gehalten. Als Reaktion auf den Nixon-Besuch in Peking[2]

---

[9] Am 23. März 1972 teilte Vortragender Legationsrat I. Klasse Heimsoeth den diplomatischen Vertretungen zu den Beschlüssen der Außenminister vom 20. März 1972 mit: „Im ganzen brachte Treffen vom 20. März Darlegung der Standpunkte ohne Diskussion. BM unterstrich vergrößerte Verantwortung erweiterter Gemeinschaft und Notwendigkeit, zu gemeinsamem außenpolitischen Handeln zu kommen. Gemeinschaft müsse sich weltoffen darstellen und dürfe sich nicht auf eigene Probleme und Rolle als stärkster Welthandelspartner beschränken. Bisherige Präferenzzonen seien allmählich in Gesamtpolitik gegenüber Entwicklungsländern einzufügen. Er betonte besonderen Rang der Mittelmeerpolitik. Mittelmeerraum stelle außenpolitischen Schwerpunkt dar. Übrige Außenminister betonten mit unterschiedlichem Akzent Notwendigkeit globaler Strategie gegenüber Entwicklungsländern (Harmel) und des Auftretens als prosperierende, liberale und kohärente Einheit (Schumann) gegenüber Außenwelt." Vgl. den Runderlaß Nr. 27; Referat III E 1, Bd. 1970.
[10] Der WEU-Ministerrat tagte am 11. September 1972 in Rom.
Zur Konferenz der Außenminister sowie der Wirtschafts- und Finanzminister der EG-Mitgliedstaaten und -Beitrittsstaaten in Frascati und Rom 11./12. September 1972 vgl. Dok. 274.
[1] Hat Vortragendem Legationsrat I. Klasse Blech am 27. März 1972 vorgelegen.
Am 22. März 1972 wurde der Drahtbericht von Vortragendem Legationsrat Hallier an Bundesminister Scheel, z. Z. Tunis, weitergeleitet.
Hat Scheel am 23. März 1972 vorgelegen, der handschriftlich vermerkte: „Ich habe selten eine dümmere Interpretation einer Rede gesehen als diese. Herr Allardt scheint an den Verhandlungen wohl überhaupt keinen Anteil genommen zu haben und die zahlreichen Gespräche B[undes]-k[anzler]-Breschnew und meine mit Gromyko überhaupt nicht zu kennen. Wenn wir uns auf ähnlich qualifizierte Erkenntnisse bei der Analyse unserer USSR-Politik verlassen hätten, stünden

weist er auf einen Kurswechsel der Politik gegenüber China[3] hin und als Reaktion auf die Ratifizierungsdebatte[4] deutet er einen Kurswechsel gegenüber den Europäischen Gemeinschaften an.[5] Die noch vor kurzem als wirtschaftliche Basis der NATO bekämpfte EWG wird von der Sowjetunion de facto anerkannt. Der Hegemonialanspruch gegenüber dem chinesischen Kommunismus wird aufgegeben, China für die Gegenwart aus dem sozialistischen Disziplinarverband entlassen und wie ein Staat anderer Gesellschaftsordnung betrachtet, gegenüber dem Beziehungen auf der Basis der friedlichen Koexistenz hergestellt werden sollen. Ich werde darüber gesondert berichten und weise in diesem Zusammenhang nur deshalb darauf hin, um zu zeigen, welche Bedeutung dem Deutschlandpassus[6] beizumessen ist, der fast am Anfang des außen-

Fortsetzung Fußnote von Seite 306
    wir noch in den 50er Jahren. Wer hat den Text gemacht?" Vgl. den Drahterlaß Nr. 75; VS-Bd. 10102 (Ministerbüro); B 150, Aktenkopien 1972.
    Am 24. März 1972 leitete Hallier den Bericht mit Begleitvermerk „unter Hinweis auf die handschriftlichen Randbemerkungen des Herrn Ministers" an Staatssekretär Frank weiter.
    Hat Frank am 27. März 1973 vorgelegen, der handschriftlich vermerkte: „Zurück an M[inister]-B[üro] (unter Verschluß)."
    Hat Vortragendem Legationsrat I. Klasse Hofmann am 11. April 1972 vorgelegen, der handschriftlich vermerkte: „Ich habe den letzten Satz mit StS Dr. F[rank] erörtert. Er meint, man soll die Angelegenheit auf sich beruhen lassen." Vgl. VS-Bd. 10102 (Ministerbüro); B 150, Aktenkopien 1972.
2 Präsident Nixon besuchte die Volksrepublik China vom 21. bis 28. Februar 1972. Vgl. dazu Dok. 47, Anm. 6 und 7.
3 Der Generalsekretär des ZK der KPdSU, Breschnew, führte auf dem 15. Kongreß der sowjetischen Gewerkschaften am 20. März 1972 in Moskau dazu aus: „Die offiziellen chinesischen Vertreter sagen uns, die Beziehungen zwischen der UdSSR und der VR China müßten auf der Grundlage der Prinzipien der friedlichen Koexistenz basieren. Nun, wenn man es in Peking nicht für möglich hält, in den Beziehungen mit einem sozialistischen Staat etwas Größeres anzustreben, so sind wir bereit, die sowjetisch-chinesischen Beziehungen heute auch auf dieser Grundlage aufzubauen. Ich kann Ihnen sagen, daß wir diese Bereitschaft nicht nur verkünden, sondern sie auch in die Sprache durchaus konkreter und konstruktiver Vorschläge über Nichtangriff, über Gewaltverzicht, über die Regelung von Grenzfragen und die Verbesserung der Beziehungen auf beiderseitig vorteilhafter Grundlage übertragen. Diese Vorschläge sind den chinesischen Führern seit langem bekannt. Nun hat die chinesische Seite das Wort." Vgl. EUROPA-ARCHIV 1972, D 213.
4 Zum Stand des Ratifikationsverfahrens zum Moskauer Vertrag vom 12. August 1970 und zum Warschauer Vertrag vom 7. Dezember 1970 vgl. Dok. 55, Anm. 2.
5 Zu den Europäischen Gemeinschaften und zur Europäischen Sicherheitskonferenz bemerkte der Generalsekretär des ZK der KPdSU, Breschnew, auf dem 15. Kongreß der sowjetischen Gewerkschaften am 20. März 1972 in Moskau, „gewisse Kräfte" im Westen „suggerieren beispielsweise den unsinnigen Gedanken, der Vorschlag für die Durchführung der Konferenz und unsere Europa-Politik überhaupt seien darauf gerichtet, die Europäische Wirtschaftsgemeinschaft [...] zu unterminieren. Es ist wohl notwendig, zu dieser Frage einiges zu sagen. Die Sowjetunion ignoriert keineswegs die reale Lage in Westeuropa, darunter auch das Bestehen einer solchen ökonomischen Gruppierung kapitalistischer Länder wie die des ‚Gemeinsamen Marktes'. Wir verfolgen aufmerksam die Aktivitäten des ‚Gemeinsamen Marktes' und seine Evolution. Unsere Beziehungen zu den Teilnehmern dieser Gruppierung werden natürlich davon abhängen, wie weit sie ihrerseits die Realitäten im sozialistischen Teil Europas, besonders die Interessen der Mitgliedsländer des RGW, anerkennen. Wir sind für Gleichberechtigung in den Wirtschaftsbeziehungen und gegen Diskriminierung." Vgl. EUROPA-ARCHIV 1972, D 209.
6 Über die Beziehungen zur Bundesrepublik äußerte der Generalsekretär des ZK der KPdSU, Breschnew, auf dem 15. Kongreß der sowjetischen Gewerkschaften am 20. März 1972 in Moskau: „Wesentliche positive Veränderungen treten in unseren Beziehungen zu der Bundesrepublik Deutschland ein. Sie sind möglich geworden dank der Unterzeichnung des Vertrags zwischen der UdSSR und der BRD wie auch des Vertrags zwischen Polen und der BRD. [...] Es besteht kein Zweifel daran, daß die Ratifizierung des Vertrags zwischen der UdSSR und der BRD ein qualitativ neues, bedeutend fruchtbareres Stadium in der Entwicklung der sowjetisch-westdeutschen Beziehungen auf den verschiedensten Gebieten herbeiführen würde. Das würde unserer Meinung nach

politischen Teils dieser Rede steht, mit der sich Breschnew als der souveräne Leiter der sowjetischen Außenpolitik ausweist.

1) Breschnew macht deutlich, daß es für die Sowjetunion in zwei Bereichen keine Kompromisse gibt:

Frage der Unverletzlichkeit und Unantastbarkeit der Grenzen.

Er unterstellt dabei, daß die Gegner der Verträge die Unverletzlichkeit der Grenzen ablehnten und die Grenzartikel der Verträge[7] überprüfen wollten, um über Grenzrevisionen zu verhandeln. Dafür werde es weder heute noch in Zukunft Gesprächspartner geben. Die Grenzen der sozialistischen Länder seien aufgrund der bestehenden Realitäten unantastbar.[8]

Frage der Existenz und Souveränität der DDR

Die DDR existiere schon 25 Jahre als sozialistischer Staat. Es könne keine Normalisierung in Europa geben, ohne die Position der DDR als eines unabhängigen und souveränen Landes in vollem Umfang zu berücksichtigen (Breschnew spricht nicht von Anerkennung der DDR).

Jeder, der durch Ablehnung der Verträge diesem Kernpunkt der sowjetischen Europapolitik nicht Rechnung tragen wolle, entscheide sich letztlich gegen eine Politik des Friedens und für eine Politik des Kriegs. Die Bundesrepublik stehe daher vor einer äußerst verantwortungsvollen Wahl, welche die Geschicke ihrer Bevölkerung und die Beziehungen mit anderen Staaten auf viele Jahre bestimmen werde.

Diese Forderungen erinnern in ihrer Härte und Konsequenz an die kürzlichen Äußerungen von Bereschkow in Berlin[9], soweit sie der Botschaft bekannt wurden. Es ist zu bezweifeln, ob sie sich auf die Ratifizierungsdebatte günstig auswirken werden. Die Art der Einflußnahme macht deutlich, daß auch der Beob-

---

Fortsetzung Fußnote von Seite 307

nicht nur den Interessen der UdSSR und der BRD entsprechen, sondern auch eine sehr große Bedeutung für die Festigung des Friedens in Europa haben." Vgl. EUROPA-ARCHIV 1972, D 208.

[7] Vgl. dazu Artikel 3 des Vertrags vom 12. August 1970 zwischen der Bundesrepublik und der UdSSR sowie Artikel I des Vertrags vom 7. Dezember 1970 zwischen der Bundesrepublik und Polen über die Grundlagen der Normalisierung ihrer gegenseitigen Beziehungen; Dok. 64, Anm. 10, und Dok. 34, Anm. 5

[8] Der Generalsekretär des ZK der KPdSU, Breschnew, führte auf dem 15. Kongreß der sowjetischen Gewerkschaften am 20. März 1972 in Moskau zu diesem Punkt aus: „Worauf sind nun die Gegner der Verträge aus? Sie machen aus ihren Plänen keinen Hehl. Ihrer Meinung nach sind die Verträge nicht gut, weil darin die Unverletzbarkeit der europäischen Grenzen festgelegt wird, und sie deuten an, diese Vertragsartikel sollten ‚revidiert' werden. Ist es aber etwa nicht klar, daß die Gegner der Verträge für Verhandlungen über eine Grenzrevision keine Gesprächspartner haben und haben werden? Das ist sowohl heute als auch in Zukunft kein Diskussionsgegenstand. Die Grenzen der sozialistischen Länder sind unverrückbar, und die Verträge spiegeln in dieser Hinsicht nur die bestehende Realität wider." Vgl. EUROPA-ARCHIV 1972, D 208 f.

[9] Zu den Äußerungen des sowjetischen Journalisten Bereschkow vermerkte Referat IV 2 am 6. März 1972: „Die Pressekonferenz, zu der die [Gesellschaft für] D[eutsch-]S[owjetische]F[reundschaft] zum 3.3.1972 in das Pressezentrum Hardenbergstraße eingeladen hatte, und an der 14 Personen teilnahmen, hatte offensichtlich den Zweck, die Bemerkungen, die Bereschkow in der Veranstaltung des ‚Club DSF' am 1.3.1972 gemacht hatte, wieder herunterzuspielen. Die Bemerkungen vor allen Dingen, daß bei einer eventuellen Nichtratifikation der Ost-Verträge nicht nur ein kalter, sondern auch ein heißer Krieg möglich sei, und daß bei einer Nichtratifikation eine ganz neue Situation entstehen würde und diese Situation schlimmer werden könne als bisher, hatten wohl nachträglich bei Bereschkow zu Bedenken geführt, und gerade diese Bemerkungen hatten in der West-Presse große Beachtung gefunden." Vgl. Referat 210, Bd. 1435.

achter-Artikel der Prawda vom 4. März[10] von höchster Stelle gewünscht wurde.

Der Substanz nach erteilt Breschnew der Wiedervereinigungspolitik nach unserer Vorstellung eine definitive Absage und relativiert damit die Bedeutung des Briefes zur deutschen Einheit.[11]

Die DDR wird vollständig in die sowjetische Existenzgarantie für das sozialistische Lager eingeschlossen und die als Kriegspolitik qualifizierten Pläne der Grenzrevision auf die Grenzen zwischen der Bundesrepublik und der DDR bezogen, für deren friedliche Revision es heute und in Zukunft keinen Gesprächspartner gibt noch geben werde. Damit wird auch die bisher von Gromyko während der Verhandlungen und von Kossygin gegenüber Barzel[12] verwandte Formel, daß die Frage der Wiedervereinigung eine bilaterale Angelegenheit der beiden deutschen Staaten sei, ein für allemal aufgegeben. Insoweit besteht daher hiesigen Erachtens kein Grund für eine so positive Bewertung der Rede, wie sie von Staatssekretär Ahlers abgegeben wurde[13], übrigens so schnell, daß sie noch zusammen mit dem Redetext in der gleichen Nummer der Prawda abgedruckt werden konnte.[14]

Gegenüber der apodiktischen Härte des Deutschlandpassus fällt auf, daß Breschnew darauf verzichtet, die Ratifizierung der Verträge tel quel zu fordern und die Möglichkeit der Verbesserung des Vertragskomplexes auszuschließen. So bleibt vorerst offen, ob damit eine gewisse Elastizität auf anderen Gebieten der Vertragsmaterie ausgedeutet werden sollte.

2) Die Erklärungen zu den Europäischen Gemeinschaften sind qualitativ neu und von großer Bedeutung. Breschnew enthält sich nicht nur jeder kritischen Bemerkung gegenüber den Gemeinschaften (wie noch Kossygin anläßlich des 24. Parteitages[15]), sondern erklärt die Annahme für „absurd", die sowjetische

---

10 Vgl. den Artikel vgl. „Čto pokazali debaty v Bundestage FRG"; PRAVDA vom 4. März 1972, S. 4.
Botschafter Allardt, Moskau, berichtete am 13. März 1972, er habe gegenüber einem sowjetischen Gesprächspartner geäußert, der Verfasser des Artikels „sei offenbar ein Anhänger der Opposition in Deutschland. Mehr solcher Artikel, und die Ratifizierung werde mit Sicherheit scheitern." Vgl. den Drahtbericht Nr. 601; VS-Bd. 9017 (II A 4); B 150, Aktenkopien 1972.
11 Zum „Brief zur Deutschen Einheit" vom 12. August 1970 vgl. Dok. 55, Anm. 11.
12 Der CDU-Vorsitzende Barzel hielt sich vom 10. bis 16. Dezember 1971 in Moskau auf. Zum Gespräch mit Ministerpräsident Kossygin vgl. AAPD 1971, III, Dok. 444.
13 Dazu wurde in der Presse berichtet: „Die Bundesregierung hat nach den Worten von Staatssekretär Ahlers die Äußerungen Breschnews vor dem sowjetischen Gewerkschaftskongreß in Moskau aufmerksam verfolgt. Es sei die Auffassung bestärkt worden, daß die Ostverträge eine große Bedeutung hätten für Fortschritte bei den Entspannungsbemühungen zwischen Ost und West. Zugleich habe Breschnew jedoch auch die Warnungen vor den Folgen einer Nichtratifizierung der Verträge bestätigt." Vgl. den Artikel „Ahlers: Formel Breschnews überspitzt"; FRANKFURTER ALLGEMEINE ZEITUNG vom 21. März 1972, S. 5.
14 Die Äußerungen des Staatssekretärs Ahlers, Presse- und Informationsamt, waren in einer Zusammenstellung internationaler Kommentare zur Rede des Generalsekretärs des ZK der KPdSU, Breschnew, enthalten. Vgl. dazu den Artikel „V interesach mira i bezopasnosti"; PRAVDA vom 21. März 1972, S. 5.
15 Ministerpräsident Kossygin äußerte am 6. April 1971 auf dem XXIV. Parteitag der KPdSU: „Wir sind gegen abgekapselte Gruppierungen von der Art des ‚Gemeinsamen Marktes'. Wir sind für eine breite Entwicklung multilateraler Wirtschaftsbeziehungen ohne jede Diskriminierung. Das ist unser prinzipieller Standpunkt. Wir sind bereit, mit jedem Staat zusammenzuarbeiten, der seinerseits den Wunsch dazu äußert und die Prinzipien der friedlichen Koexistenz befolgt. Wer damit rechnet, der Sowjetunion durch Einschränkungen und Diskriminierungen in den Wirtschaftsbe-

Europapolitik sei gegen die Europäischen Gemeinschaften gerichtet. Die Formulierung, daß die Sowjetunion keineswegs die reale Lage in Westeuropa, darunter die Existenz des Gemeinsamen Marktes, ignoriere, kann als eine Art de facto-Anerkennung der Existenz der EWG gewertet werden. Dieser Wechsel der sowjetischen Politik wird vorerst auf die wirtschaftliche Seite der Gemeinschaften beschränkt. Doch deutet Breschnew auch an, daß die Evolution des Gemeinsamen Marktes berücksichtigt wird. Im übrigen verlangt er als Gegenleistung für eine Respektierung der Gemeinschaften ein entsprechendes Verhalten der Gemeinschaftsmitglieder gegenüber dem COMECON und eine Berücksichtigung der Wirtschaftsinteressen der COMECON-Länder.

3) Bemerkenswert erscheint, daß im deutschland- und europapolitischen Teil der Rede Beifallskundgebungen nur bei den scharf gehaltenen Passagen betr. die Unverletzlichkeit der Grenzen und die Position der DDR verzeichnet wurden, nicht jedoch bei den Abschnitten über die Zusammenarbeit mit der Bundesrepublik, noch die Friedens- und Europapolitik im allgemeinen, noch bei EWG-Passagen.

II. Die Bedeutung des deutschland- und europapolitischen Teils der Rede geht aus Umfang und Anordnung am Anfang des außenpolitischen Teils deutlich hervor. Er reflektiert unmißverständlich die Wichtigkeit, welche die Sowjetunion ihrer Europapolitik beimißt, und gleichzeitig die Besorgnis, die in der sowjetischen Führungsspitze im Verlauf der Ratifizierungsdebatte der Ostverträge entstanden ist. Es handelt sich also um einen Versuch, durch spektakuläre Äußerungen von höchster sowjetischer Seite auf den Ratifizierungsprozeß dadurch Einfluß zu nehmen, daß im deutschlandpolitischen Teil vermittels Einschüchterung die unverrückbaren sowjetischen Positionen fixiert werden, während der EWG-bezogene Teil offenbar versucht, einem Teil der Forderungen der Opposition[16] entgegenzukommen.

Dies zeigt, daß die Sowjetunion im Interesse der Ratifizierung bereit ist, gewisse Zugeständnisse zu machen, soweit sie die von Breschnew genannten beiden Essentials nicht in Frage stellen. Dabei gehen die Sowjets schrittweise vor und warten offenbar nach jedem Zugeständnis die deutsche Reaktion ab. Insofern bestätigt die Rede die Auffassung, daß auch weiterhin Bemühungen unternommen werden sollten, um von der Sowjetunion einen Beitrag zur Sicherung der Ratifizierung anzustreben.

Die harten Passagen zur Wiedervereinigung sind von beachtlicher und von uns nicht immer in Rechnung gestellter Konsequenz. Gromyko hatte angekündigt, daß die Sowjetunion reagieren werde, falls die Bundesregierung von der von

---

Fortsetzung Fußnote von Seite 309

ziehungen mit uns zu schaden, der vergißt eines: Die Sowjetunion verfügt über Ressourcen, die ihr völlig eine unabhängige Entwicklung sichern." Vgl. EUROPA-ARCHIV 1971, D 252.

16 Am 23. Februar 1972 nannte der CDU/CSU-Fraktionsvorsitzende Barzel im Bundestag drei Punkte, durch deren Erfüllung der Moskauer Vertrag vom 12. August 1970 und der Warschauer Vertrag vom 7. Dezember 1970 für die CDU/CSU „als ein Modus vivendi zustimmungsfähig werden" könnten, nämlich „1) durch eine positive Einstellung der Sowjetunion zur Europäischen Gemeinschaft, 2) durch die Aufnahme des Selbstbestimmungsrechts in das Vertragswerk sowie 3) durch die verbindlich vereinbarte Absicht, in Deutschland Freizügigkeit stufenweise herzustellen". Vgl. BT STENOGRAPHISCHE BERICHTE, Bd. 79, S. 9757.

ihm herausgenommenen Existenz des Briefes zur deutschen Einheit zu deutlich Gebrauch machen würde.

[gez.] Allardt

VS-Bd. 9018 (II A 4)

68

Aufzeichnung des Bundeskanzleramts

Geheim 23. März 1972[1]

Betr.: Verhandlungen Bahr/Kohl über einen Allgemeinen Verkehrsvertrag am 22./23. März in Bonn

In dieser Verhandlungsrunde wurde – vorbehaltlich der Endredaktion – über zahlreiche technische Bestimmungen Übereinstimmung erzielt. Aus der Erörterung über die Punkte, die für die politische Beurteilung des Vertrages bedeutsam sind, ist folgendes festzuhalten:

1) Vertragsform

StS Bahr sprach sich dafür aus, daß die Bevollmächtigung der Unterhändler in der Präambel nicht erwähnt wird. Ein solcher Hinweis sei entbehrlich und ändere nichts am Charakter des Staatsvertrags. Die Inkraftsetzung solle durch einen Notenwechsel der Regierungen erfolgen.

StS Kohl widersprach diesen Vorschlägen mit einer spürbaren Gereiztheit. Er forderte mit Nachdruck einen Hinweis auf die Bevollmächtigung der Unterhändler durch die Staatsoberhäupter sowie eine normale Ratifikationsklausel. Jede Abweichung von dieser normalen Praxis sei eine Diskriminierung der DDR, die er nicht hinnehmen könne.

2) Präambel

Nach einer längeren Diskussion über mögliche Formulierungen führte StS Bahr folgenden Formulierungsvorschlag ein:

„in dem Bestreben, einen Beitrag zur Entspannung in Europa zu leisten und die Normalisierung des Verhältnisses zwischen den beiden voneinander unabhängigen Staaten zu fördern".

StS Kohl bedauerte, daß StS Bahr mit dieser Formulierung hinter eigene frühere Vorschläge zurückgehe. Er behielt sich jedoch eine Stellungnahme für die nächste Verhandlungsrunde vor.[2]

---

[1] Ablichtung
Hat Ministerialdirektor von Staden am 23. März 1972 vorgelegen.
[2] Zum 38. Gespräch des Staatssekretärs Bahr, Bundeskanzleramt, mit dem Staatssekretär beim Ministerrat der DDR, Kohl, am 5./6. April 1972 in Ost-Berlin vgl. Dok. 89 und Dok. 90.

3) Geltungsbereich

StS Bahr bestand darauf, daß im Vertrag ausdrücklich auf die Sonderregelung des Berlinverkehrs hingewiesen wird. Es müsse klargestellt werden, daß das auf anderer Rechtsgrundlage beruhende Transitabkommen nicht dem Verkehrsvertrag untergeordnet sei.

StS Kohl blieb dabei, er sei bereit, das Transitabkommen als ein Beispiel für eine „besondere Transitrelation" im Verkehrsvertrag zu bezeichnen, am besten erwähne man es aber überhaupt nicht.

4) Generalklausel

StS Kohl erklärte sich mit einer Formulierung einverstanden, daß der Verkehr „entsprechend der internationalen Praxis" in größtmöglichem Umfang gewährt wird. Bisher hatte Kohl auf einer Erwähnung der „üblichen internationalen Normen" bestanden. Dagegen zeigte er sich nicht bereit, in dieser Klausel auch von einer „Erleichterung" des Verkehrs zu sprechen.

5) Grenzübergangsstellen

In dieser Frage konnten die Gegensätze nicht überwunden werden. StS Bahr bestand auf einem Hinweis im Vertrag, daß bei wachsendem Verkehrsbedürfnis weitere Grenzübergangsstellen geöffnet werden.

6) CIM/CIV[3]

Es besteht grundsätzlich Übereinstimmung, daß beide Staaten nach Inkrafttreten des Verkehrsvertrages die Mitgliedschaft in den internationalen Eisenbahnabkommen beantragen werden.

7) Beförderungsgenehmigungen

StS Kohl verlangte wiederum, daß im Güterkraftverkehr die international üblichen Beförderungsgenehmigungen eingeführt werden, die es im (innerdeutschen) Verkehr bisher nicht gebe.

StS Bahr bestand darauf, daß der jetzige Zustand aufrechterhalten wird. Der Verkehrsvertrag solle keine Verschlechterung gegenüber dem bestehenden Zustand enthalten.

8) Luftverkehr

StS Bahr schlug folgenden Protokollvermerk vor:

„Die Regierung der Bundesrepublik Deutschland und die Regierung der Deutschen Demokratischen Republik stimmen darin überein, die Zusammenarbeit auf dem Gebiet des zivilen Luftverkehrs zu entwickeln und Verhandlungen darüber aufzunehmen."

StS Kohl behielt sich eine Stellungnahme vor, merkte aber an, daß in dieser Formulierung das von der DDR angestrebte Luftverkehrsabkommen nicht erwähnt werde. Dies müsse aber das Ziel von Verhandlungen sein.

---

[3] Für den Wortlaut des Internationalen Übereinkommens vom 25. Februar 1961 über den Eisenbahnfrachtverkehr (CIM) vgl. BUNDESGESETZBLATT 1964, Teil II, S. 1520–1579.
Für den Wortlaut des Internationalen Übereinkommens vom 25. Februar 1961 über den Eisenbahn-Personen- und -Gepäckverkehr (CIV) vgl. BUNDESGESETZBLATT 1964, Teil II, S. 1898–1951.

9) Definition der Staatshandelsschiffe⁴

Die Staatssekretäre kamen überein, auf eine Bestimmung über die Immunität der Staatsschiffe zu verzichten, da die gegensätzlichen Positionen in der Frage der Definition der Staatshandelsschiffe nicht zu überbrücken seien. StS Kohl betonte jedoch, daß die DDR an ihrem bekannten Rechtsstandpunkt unverändert festhalte.

Die nächste Verhandlungsrunde wird am 5./6. April in Ostberlin stattfinden. Danach ist ein wöchentlicher Turnus der Verhandlungen vorgesehen.

VS-Bd. 8562 (II A 1)

69

Gespräch des Staatssekretärs Frank mit dem jugoslawischen Außenminister Tepavac in Belgrad

II A 5-82.00-94.13 VS-NfD 24. März 1972[1]

Gespräch des Herrn Staatssekretärs Dr. Paul Frank mit Außenminister Tepavac am 24.3.1972, Außenministerium, Belgrad

Weitere Anwesende: Stellvertretender Außenminister Petrić, Botschafter Čačinović, Herr Marinković, jugoslawisches Außenministerium, Dolmetscher Ivanji, Botschafter Jaenicke

Außenminister *Tepavac* erkundigte sich als erstes nach dem Ergehen des Bundesaußenministers. *Staatssekretär* sagte, Minister Scheel habe einen anstrengenden Wahlkampf in Baden-Württemberg[2] hinter sich. Es folgte sogleich eine Diskussion der Aussichten für die Annahme der Ostverträge im Bundestag.[3] Staatssekretär stellte fest, daß heute wie vor zwei Monaten die notwendige Mehrheit gesichert sei, d. h. 249 bis 250 Stimmen für die Verträge.

Vorübergehend wandte das Gespräch sich dem die jugoslawischen Behörden sehr beunruhigenden Auftreten von aus dem Nahen Osten eingeschleppten Pocken in Jugoslawien zu.[4]

---

[4] Zum Problem der Staatsschiffe vgl. Dok. 21, Anm. 11.

[1] Die Gesprächsaufzeichnung wurde von Botschafter Jaenicke, Belgrad, am 27. März 1972 gefertigt. Hat Staatssekretär Frank am 5. April 1972 vorgelegen, der handschriftlich vermerkte: „Dem Herrn Minister vorzulegen." Hat Bundesminister Scheel am 9. April 1972 vorgelegen.

[2] Am 23. April 1972 fanden die Wahlen zum baden-württembergischen Landtag statt.

[3] Zum Stand des Ratifizierungsverfahrens zum Moskauer Vertrag vom 12. August 1970 und zum Warschauer Vertrag vom 7. Dezember 1970 vgl. Dok. 55, Anm. 2.

[4] Am 21. März 1972 bestätigte Botschafter Jaenicke, Belgrad, daß im Autonomen Gebiet Kosovo Pockenfälle aufgetreten seien. Am 28. März 1972 meldete er drei Todesfälle in Belgrad und fünf im Kosovo sowie insgesamt 77 bestätigte Krankheitsfälle; 300 Personen in Belgrad seien in Quarantäne genommen worden. Vgl. dazu die Drahtberichte Nr. 114 und 125; Referat V 3, Bd. 1689.

Außenminister stellte dann die Frage, was man in Bonn von dem Moskauer Besuch Präsident Nixons[5] erwarte. *Staatssekretär* erklärte, daß unseres Erachtens – ungeachtet der recht spektakulären Reise des amerikanischen Präsidenten nach China[6] – die Beziehungen zwischen Moskau und Washington noch für lange Zeit wichtiger für den Frieden der Welt sein würden als die Beziehungen Washington–Peking. Wir erwarteten, daß es während des Besuches in Moskau zum Abschluß konkreterer Abmachungen zwischen USA und Sowjetunion über die Begrenzung strategischer Waffen (SALT) kommen werde. Auch dieser Tatbestand läßt es als wichtig erscheinen, daß der Deutsche Bundestag die Ostverträge annehme, da Nixons Position in Moskau durch ein Scheitern der Verträge erheblich erschwert werden würde. Staatssekretär führte weiter aus, die internationale Lage sei im Fluß, und es komme jetzt darauf an, die Dinge sowohl in Bewegung als auch unter Kontrolle zu halten. Wer beiseite stehe, könne den Lauf der Dinge nicht kontrollieren. In diesem Zusammenhang sei auch die erwartete europäische Sicherheitskonferenz von großer Bedeutung. Es sei wichtig, daß die KSZE nicht zu einem Propagandaereignis werde, sondern wirkliche Arbeit leiste. Seit 1945 habe man methodisch viel über den Umgang mit dem Osten gelernt. Heute gebe es im Westen viel mehr Menschen als noch vor einigen Jahren, die in der Lage seien, die östliche Dialektik nachzuvollziehen. Hierdurch seien wir den östlichen Vorstößen gegenüber jetzt besser gewappnet. Aber auch der Osten habe, wie die Äußerungen Breschnews zeigten, einiges dazugelernt.

Tepavac warf ironisch ein, daß er dies hoffe. Er frug nach den Resultaten der Rede Breschnews vor den sowjetischen Gewerkschaften.[7] *Staatssekretär* erwiderte, die Rede beinhalte sowohl gute als schlechte Resultate. Auf alle Fälle sei die Sowjetunion eben eine der entscheidenden Weltmächte mit ganz spezifischen Interessen.

Das Gespräch wandte sich sodann dem Verhältnis zwischen Entspannung in Mitteleuropa und der Lage im Mittelmeer zu. Staatssekretär unterstrich, es sei wichtig, der SU klar zu machen, daß eine fortgesetzte Verstärkung ihrer Position im Mittelmeer schließlich zu einem Ende der Entspannung in Mitteleuropa führen müsse. Beide geographischen Räume seien zu eng miteinander verflochten, als daß man eine imperialistische Aktivität der Sowjets im Mittelmeer ungehindert zulassen dürfte.

Außenminister *Tepavac* meinte, es sei gefährlich, wenn der Westen Anlässe schaffe, die die Sowjets als Vorwände benutzen könnten, um ihre Position im Mittelmeerraum zu verstärken. Er dächte hierbei an Zypern oder Piräus[8]. Amerikanische Basen in Griechenland seien an sich nichts Neues, aber der Au-

---

[5] Präsident Nixon besuchte die UdSSR vom 22. bis 30. Mai 1972. Vgl. dazu Dok. 149 und Dok. 161.
[6] Präsident Nixon besuchte die Volksrepublik China vom 21. bis 28. Februar 1972. Vgl. dazu Dok. 47, Anm. 6 und 7.
[7] Zur Rede des Generalsekretärs des ZK der KPdSU, Breschnew, auf dem 15. Kongreß der sowjetischen Gewerkschaften am 20. März 1972 in Moskau vgl. Dok. 67.
[8] Am 8. März 1972 berichtete der stellvertretende Abteilungsleiter im amerikanischen Außenministerium, Davies, einem Unterausschuß des amerikanischen Repräsentantenhauses über die grundsätzliche Abmachung zwischen Griechenland und den USA, den Hafen von Piräus als Stützpunkt der Sechsten amerikanischen Flotte zu nutzen. Vgl. dazu DEPARTMENT OF STATE BULLETIN, Bd. 66 (1972), S. 549–551.

genblick, darüber zu reden, sei schlecht gewählt und stärke die Position der Sowjetunion. Moskau habe politisch und propagandistisch diesen Anlaß gründlich ausgeschlachtet. Jugoslawien beobachte diese Situation mit ganz besonderer Sorge.

Staatssekretär wollte wissen, ob die Jugoslawen mit den USA über Piräus gesprochen hätten. *Tepavac* erwiderte, man habe ganz allgemein über die Lage im Mittelmeer bei dem Besuch Nixons in Belgrad[9] und im vergangenen Jahr bei dem Besuch Titos in USA[10] gesprochen. Eine Zwischenfrage ergab, daß bei diesen Besuchen die spezielle Frage eines amerikanischen Stützpunktes im Piräus nicht erörtert worden war. Außenminister stellte fest, man habe freundliche Beziehungen zu den Amerikanern und ebenso freundliche Beziehungen zu den Sowjets, aber freundliche „Stimmung" in den Beziehungen sei eine Sache, Tatsachen, die zählten, eine andere. Er verwies auf das Washingtoner jugoslawisch-amerikanische Kommuniqué vom November 1971.[11] Er fügte hinzu, Breschnew habe eine „neue meisterliche Formulierung" gefunden, als er von „südlichen sozialistischen Ländern" sprach. Tepavac ließ unausgesprochen, daß diese Formulierung eine klare Unterscheidung durch Breschnew zwischen (verläßlichen) Ländern wie DDR, Polen, Tschechoslowakei im Norden einerseits und (unzuverlässigen) im Süden Europas gelegenen sozialistischen Ländern wie Rumänien, Jugoslawien und Albanien andererseits bedeute. Jeder Versuch einer Änderung der inneren Verhältnisse Jugoslawiens, Albaniens und Zyperns würde, so sagte Tepavac weiter, eine Störung des internationalen Gleichgewichts in diesem Teil Europas bedeuten.

Staatssekretär wies darauf hin, daß in der BRD die Bedeutung der Position Jugoslawiens von allen in vollem Maße erkannt und gewürdigt würde.

Der jugoslawische *Außenminister* berichtete über seine Eindrücke in Algerien und Tunesien, zwei Länder, die ein außergewöhnliches Interesse an der europäischen Sicherheit bekundet hätten. Bei kürzlichem Besuch dort sei er erneut gefragt worden, ob diese Länder nicht Beobachter zu einer kommenden europäischen Sicherheitskonferenz entsenden sollten (vgl. hierzu auch FS der Botschaft Nr. 110 vom 20.3.72 – II A 5 – 83.00[12]).

Staatssekretär wies darauf hin, daß die Frage einer Teilnahme der nordafrikanischen Staaten in Helsinki eine Reihe von Problemen aufwerfe, die gründlicher Prüfung bedürften. Vielleicht ließe sich ein Beobachterstatus für diese

---

[9] Präsident Nixon besuchte Jugoslawien vom 30. September bis 2. Oktober 1970.
[10] Staatspräsident Tito hielt sich vom 28. bis 30. Oktober 1971 in den USA auf.
[11] Für den Wortlaut des Kommuniqués vom 30. Oktober 1971 über den Besuch von Staatspräsident Tito in den USA vgl. PUBLIC PAPERS, NIXON 1971, S. 1070–1072.
[12] Der jugoslawische Außenminister Tepavac hielt sich vor einiger Zeit in Algerien und vom 9. bis 13. März 1972 in Tunesien auf. Dazu berichtete Botschafter Jaenicke, Belgrad, aus einem Gespräch mit dem Abteilungsleiter im jugoslawischen Außenministerium, Seferović: „Zentrales Thema sei in beiden Ländern Lage im Mittelmeerraum in Zusammenhang mit europäischer Sicherheitsproblematik gewesen. Tunesien und später Algerien hätten vor einiger Zeit in Belgrad vorgefühlt, ob und in welcher Form an künftiger europäischer Sicherheitskonferenz teilnehmen könnten. Algerische und tunesische Regierungen hätten diesen Gedanken bei Tepavac-Besuch erneut vorgetragen. Jug[oslawische] Seite habe beide Regierungen jedoch dazu bewegen können, zunächst Abstand von Idee zu nehmen, z. B. Beobachter nach Helsinki zu entsenden und stattdessen zusammen mit Jugoslawien sowie anderen blockfreien Anrainerländern in intensive Diskussion über Sicherheit des Mittelmeerraumes einzutreten." Vgl. Referat II A 5, Bd. 1478.

315

Länder mit deren Beziehungen zu den Europäischen Gemeinschaften begründen. Bei Betrachtung des Fragenkomplexes dürfe man jedoch eine Gefahr nicht außer acht lassen: Es handle sich um den Versuch mancher Mittelmeerländer, ihre wichtige strategische Lage derart für eine Verfolgung ihrer eigenen Interessen auszunutzen, daß dies praktisch an Erpressung grenze (Malta). Außenminister *Tepavac* bemerkte kurz, von gewisser Seite habe man sogar versucht, Bulgarien zum Anrainer des Mittelmeeres zu erklären.

Die Diskussion wandte sich noch einmal der parlamentarischen Lage in der Bundesrepublik zu, wobei *Staatssekretär* darauf aufmerksam machte, daß wir zur Zeit eine ganz ungewöhnliche Verknüpfung außen- und innenpolitischer Elemente in der politischen Auseinandersetzung erlebten; der Wahlkampf von 1973[13] werfe bereits seine Schatten voraus. Er unterstrich, daß der entscheidende Streitpunkt zwischen den politischen Gegnern in Deutschland nicht die Beziehungen zwischen der BRD und den osteuropäischen Ländern sei, sondern vielmehr die Frage, ob die jetzt anstehenden außenpolitischen Entscheidungen die Perspektive einer Wiedervereinigung der deutschen Nation offenhielten oder endgültig verschlössen. Die Ostverträge selbst könnten das deutsche Problem nicht lösen. Diese Lösung müsse der späteren Entwicklung vorbehalten werden. In der unmittelbaren Zukunft wünschten wir lediglich ein vernünftiges Nebeneinander der beiden deutschen Staaten ohne eine Polarisation, ein Nebeneinander, das uns die Chancen für eine spätere Wiedervereinigung nicht verbaue. Eine ganz andere Frage sei, ob Honecker die Dinge ebenfalls so sähe. Hierbei seien Zweifel angebracht.

Tepavac warf ein, daß man auch in der DDR eine milde Evolution feststellen könne. *Staatssekretär* stimmte dem zwar zu, erläuterte hierbei aber das Dilemma, in dem sich die DDR-Führung befindet. Knapp formuliert könne man sagen, auch nach einer Liberalisierung bleibe Polen immer Polen! Die DDR jedoch werde nach einer Liberalisierung nicht mehr das sein, was sie jetzt ist, sondern ganz etwas anderes! Paradoxerweise wäre es daher notwendig, zur Stabilität in Ostdeutschland beizutragen, um dadurch eine Liberalisierung herbeizuführen, die schließlich in eine Wiedervereinigung münden könnte. Aber auch eine gegenteilige Entwicklung sei naturgemäß nicht auszuschließen. Geduld und Festigkeit seien vonnöten, und wichtig sei es für uns, Freunde zu haben.

Staatssekretär präzisierte an dieser Stelle, wie sehr uns daran läge, eng mit Jugoslawien, z. B. auf einer KSZE, zusammenzuarbeiten. Wenn diese uns nicht mehr Flexibilität beschere, als z. B. die Generalversammlung der Vereinten Nationen böte, so würde eine europäische Sicherheitskonferenz nicht viel Sinn haben.

Am Schluß der 50minütigen Unterredung bat der jugoslawische Außenminister seinen Gast, Grüße an Bundesminister Scheel auszurichten.

Referat II A 5, Bd. 1475

---

[13] Im Oktober 1973 sollten turnusgemäß die Wahlen zum Bundestag stattfinden.

70

Aufzeichnung des Ministerialdirigenten von Schenck

V 1-80.22/2-411/72 geheim   24. März 1972¹

Über den Leiter der Arbeitsgruppe „Ratifizierung der Ostverträge", Herrn MDg van Well², dem Herrn Staatssekretär³

Betr.: Ratifikation des Moskauer Vertrages;
      hier: Behandlung des sog. Briefes zur deutschen Einheit⁴ beim Vollzug der Ratifikation

Zweck der Vorlage: Zur Unterrichtung

Vorschlag: Einberufung einer Hausbesprechung zwecks Herbeiführung einer Entscheidung

Es stellt sich die Frage, wie der sog. Brief zur deutschen Einheit bei dem Vollzug der Ratifikation des Moskauer Vertrages – nämlich dem Austausch der Ratifikationsurkunden in Bonn – zu behandeln ist. Diese Frage ist in den Ausschüssen des Bundestages bereits gestellt⁵, und war auch im Auswärtigen Ausschuß des Bundesrates schon berührt worden; sie ist darüber hinaus in der Presse angesprochen worden.

1) Rechtlich haben wir hinsichtlich der Behandlung des Briefes bei der Ratifikation eine gewisse Freiheit.

a) Der sog. Brief zur deutschen Einheit ist zwar nicht Bestandteil des Moskauer Vertrages. Nachdem über seinen Inhalt und seine Übermittlung in den Verhandlungen, die zum Abschluß des Moskauer Vertrages führten, Einigung erzielt wurde, gehört der Brief aber zum Kontext des Moskauer Vertrages, von dem seine Auslegung auszugehen hat. Denn der Brief ist als ein „instrument related to the treaty" im Sinne des Artikels 31 Abs. 2 Buchstabe b⁶ der Wiener Vertragsrechtskonvention anzusehen.

---

1 Die Aufzeichnung wurde von Vortragendem Legationsrat Fleischhauer konzipiert.
2 Hat Ministerialdirigent van Well am 27. März 1972 vorgelegen.
3 Hat Staatssekretär Frank am 28. März 1972 vorgelegen, der handschriftlich vermerkte: „Hausbesprechung sollte zu mehreren Alternativlösungen führen."
  Hat Legationsrat I. Klasse Vergau am 28. März 1972 vorgelegen, der handschriftlich vermerkte: „Herrn D Pol: StS Frank bittet Sie, die Hausbesprechung zu leiten."
  Hat Staden am 29. März 1972 vorgelegen, der handschriftlich vermerkte: „Herrn D Pol 2 wie besp[rochen]."
4 Zum „Brief zur Deutschen Einheit" vom 12. August 1970 vgl. Dok. 55, Anm. 11.
5 Vortragende Legationsrätin I. Klasse Finke-Osiander vermerkte am 9. März 1972 über die Sitzungen des Auswärtigen Ausschusses des Bundestages am 6./7. März: „Der Brief zur deutschen Einheit wurde unter allen Aspekten, d. h. philologisch, juristisch, politisch diskutiert und mit dem Briefwechsel Adenauer/Bulganin und dem einseitigen Brief Adenauers von 1955 verglichen. Die Opposition konzedierte im Ergebnis der mehrstündigen Erörterung, daß der Brief zur deutschen Einheit in seiner rechtlichen und politischen Bedeutung dem einseitigen Adenauerbrief zumindest gleichzustellen sei, bezweifelte aber andererseits weiterhin, daß durch den Brief die Offenhaltung der deutschen Frage politisch und rechtlich hinreichend gesichert sei." Vgl. Referat II A 4, Bd. 1511.
6 Korrigiert aus: „1".
  Artikel 31, Absatz 2 des Wiener Übereinkommens vom 23. Mai 1969 über das Recht der Verträge: „The context for the purpose of the interpretation of a treaty shall comprise, in addition to the text,

b) Das Völkerrecht regelt die innerstaatliche Behandlung derartiger Dokumente nicht. Maßgeblich ist hierfür unter diesen Umständen für jeden einzelnen Staat sein Verfassungsrecht. Wegen der großen politischen, aber auch völkerrechtlichen Bedeutung des Briefes haben wir ihn in Artikel 1 des Vertragsgesetzes zu dem Moskauer Vertrag[7] einbezogen. Auf sowjetischer Seite ist dies – wie sich aus den jüngsten Äußerungen von Botschafter Falin ergibt – offenbar nicht der Fall. Wie Falin mitgeteilt hat, wird der Brief dem Obersten Sowjet jedoch zur Kenntnis gebracht.[8]

c) Auch über die formelle Behandlung eines derartigen Interpretationsbriefes beim Vollzug der Ratifikation haben sich völkerrechtliche Regeln nicht herausgebildet. Es handelt sich hier auch nicht um einen Vorbehalt, der – um Rechtswirksamkeit zu erlangen – bei dem Vollzug der Ratifikation bestätigt werden müßte. Auf der anderen Seite ist die Bestätigung bei der Ratifikation aber auch keineswegs ausgeschlossen. Denn die Ratifikation ist der entscheidende und abschließende Willensakt, der zum Inkrafttreten des Vertrages führt. Wird ein Interpretationsbrief zum Vertrag als wesentlich angesehen, so liegt es mindestens nahe, auch ihn ebenso zu bestätigen wie den Vertrag selbst.

2) Die große politische und rechtliche Bedeutung des Briefes zur deutschen Einheit läßt es angezeigt erscheinen, ihn im Rahmen der Ratifikation ausdrücklich zu bestätigen. Dafür spricht auch die Überlegung, daß es die Sowjetunion trotz der eindeutigen Verhandlungsgeschichte und trotz des Inhalts des Briefes, der auf den Abschluß des Vertrags Bezug nimmt, später versuchen könnte, die Eigenschaft des Briefes als Teil des Auslegungskontextes zu bestreiten. Zweifel daran, wie sich die Sowjetunion zu dem Brief stellt, sind deshalb begründet, weil die Abgeordneten des Obersten Sowjets der Mitteilung Falins zufolge nur über die „Tatsache der Absendung des Briefes" unterrichtet werden sollen. Diese eigenartige Formulierung mag darauf zurückgehen, daß die Sowjetunion den Eindruck vermeiden will, als bestätige sie den Brief jetzt nachträglich. Eine solche Bestätigung konnte im Jahre 1970 nicht vereinbart

---

Fortsetzung Fußnote von Seite 317

including its preamble and annexes: a) Any agreement relating to the treaty which was made between all the parties in connexion with the conclusion of the treaty; b) Any instrument which was made by one or more parties in connexion with the conclusion of the treaty and accepted by the other parties as an instrument related to the treaty." Vgl. UNTS, Bd.1155, S. 340.

7 Artikel 1 des Gesetzentwurfs zu dem Vertrag vom 12. August 1970 lautete: „Dem in Moskau am 12. August 1970 unterzeichneten Vertrag zwischen der Bundesrepublik Deutschland und der Union der Sozialistischen Sowjetrepubliken mit dem dazugehörigen Brief der Regierung der Bundesrepublik Deutschland zur deutschen Einheit an die Regierung der Union der Sozialistischen Sowjetrepubliken vom 12. August 1970 sowie dem Notenwechsel zwischen der Regierung der Bundesrepublik Deutschland und den Regierungen Frankreichs, des Vereinigten Königreichs und der Vereinigten Staaten vom 7. August 1970 wird zugestimmt. Der Vertrag, der Brief und der Notenwechsel werden nachstehend veröffentlicht." Vgl. BULLETIN 1971, S. 2013.

8 Im Rückblick notierte Valentin Falin, daß er im März beauftragt worden sei, „Willy Brandt zu informieren, daß der Brief des bundesdeutschen Außenministers über ‚die deutsche Einheit' im Rahmen der Ratifizierung des Moskauer Vertrags von der sowjetischen Regierung dem Obersten Sowjet der UdSSR offiziell zur Kenntnis gebracht wird." Vgl. FALIN, Erinnerungen, S. 190.
Dazu wurde in der Presse berichtet, daß der Brief zur deutschen Einheit „nun als Beilage zu den Vertragspapieren beim Präsidium des Obersten Sowjet" liege: „In diplomatischen Kreisen wird darauf hingewiesen, daß der Oberste Sowjet nunmehr von dem Brief zur deutschen Einheit offiziell Kenntnis genommen habe. Das bedeute jedoch nicht, daß der Brief damit Bestandteil des Vertragswerks geworden sei, sondern daß er diesem beiliege." Vgl. den Artikel „Oberster Sowjet hat Brief Scheels zur Kenntnis genommen," DIE WELT vom 18./19. März 1972, S. 1.

werden, ist aber auch für die völkerrechtliche Qualifizierung des Briefes als Teil des Auslegungskontextes nicht unbedingt erforderlich. Andererseits vermeidet die von Falin gebrauchte Formulierung jede Bestätigung, daß die Sowjetunion mit uns in der rechtlichen Qualifizierung des Briefes übereinstimmt. Eine solche Übereinstimmung ergibt sich insbesondere auch nicht aus der Tatsache, daß der Oberste Sowjet den Brief zur Kenntnis bekommt und uns dies durch Falin notifiziert worden ist.

Wird der Brief dagegen im Zusammenhang mit der Ratifikation von uns noch einmal bestätigt, und wird diese Bestätigung von der Sowjetunion entgegengenommen – und sei es auch ohne Gegenbestätigung, die nicht zu erwarten ist –, so läßt sich auch von der sowjetischen Seite die Eigenschaft des Briefes als „instrument related to the treaty" später nicht mehr bestreiten. Die rechtliche Bedeutung des Briefes für die Interpretation des Vertrages würde dann von keiner Seite mehr in Zweifel gezogen werden können.

3) Für die Art und Weise, wie der Brief in die Ratifikation einbezogen werden kann, gibt es mehrere Möglichkeiten.

a) Die klarste Lösung bestünde darin, daß der Brief in der eigentlichen Bestätigungsformel erwähnt wird, die den Kern der Ratifikationsurkunde bildet. Die Bestätigungsformel würde hierbei etwa wie folgt zu lauten haben:

„Nachdem der in Moskau am 12.8.1970 von dem Bundeskanzler der Bundesrepublik Deutschland und dem Außenminister der Bundesrepublik Deutschland unterzeichnete Vertrag, dessen Wortlaut als Anlage beigefügt ist, sowie der dazugehörige Brief des Bundesministers des Auswärtigen an den Außenminister der UdSSR vom gleichen Tage, dessen Wortlaut ebenfalls beigefügt ist, in gehöriger Gesetzesform die verfassungsmäßige Zustimmung gefunden haben, erkläre ich hiermit, daß ich den Vertrag und den dazugehörigen Brief bestätige."

b) Es ist aber auch denkbar, den Brief zwar in der Ratifikationsurkunde zu erwähnen, jedoch außerhalb der eigentlichen Bestätigungsformel. Dies könnte etwa durch Aufnahme eines besonderen Absatzes hinter der eigentlichen Bestätigung des Vertrages folgenden Inhalts geschehen:

„Zugleich bestätige ich (oder beziehe ich mich auf) den einseitigen Brief, den der Bundesminister des Auswärtigen im Zusammenhang mit der Unterzeichnung des vorgenannten Vertrages am 12.8.1970 an den Außenminister der UdSSR gerichtet hat und dessen Wortlaut ebenfalls beigefügt ist, nachdem er ebenso wie der Vertrag in gehöriger Gesetzesform die verfassungsmäßige Zustimmung gefunden hat."

c) Schließlich könnte der Brief – so wie dies gelegentlich bei der Bestätigung von Vorbehalten zu multilateralen Verträgen geschieht – beim Austausch der Ratifikationsurkunden durch Übergabe eines Doppels mit einem entsprechenden Vermerk bestätigt werden. Völkerrechtlich würde diese Form der Bestätigung ausreichen; es ist allerdings nicht zu verkennen, daß dieser Weg weniger eindeutig wäre, als die – wie immer geartete – Erwähnung des Briefes in der Ratifikationsurkunde.

d) Es lassen sich noch weitere Varianten denken, die in einer mündlichen Besprechung zur Diskussion gestellt werden könnten (z. B. Erwähnung des Briefes in dem einleitenden Halbsatz, der die verfassungsmäßige Zustimmung feststellt).

4) Die Gruppe Völkerrecht hält es für zweckmäßig, über die Behandlung des Briefes zur deutschen Einheit bei der Ratifikation schon jetzt eine Entscheidung herbeizuführen, weil zugleich entschieden werden muß, ob und in welcher Weise wir die sowjetische Seite über unsere Absichten unterrichten wollen. Eine Abstimmung des Inhalts der Ratifikationsurkunde dürfte vor ihrem Austausch ohnehin erforderlich sein. Die sowjetische Seite dürfte im gegenwärtigen Zeitpunkt noch eher geneigt sein, unseren Vorstellungen entgegenzukommen als nach der Abstimmung im Bundestag in der zweiten Lesung am 3./4. Mai 1972.[9]

5) Unsere Entscheidung über die Behandlung des Briefes zur deutschen Einheit bedeutet nicht, daß der in Artikel 1 des Zustimmungsgesetzes ebenfalls aufgenommene Notenwechsel mit den Drei Mächten[10] die gleiche Behandlung erfahren muß. Der Notenwechsel ist völkerrechtlich anders zu qualifizieren als der Brief zur deutschen Einheit; er ist von der sowjetischen Seite nicht als „instrument related to the treaty accepted" worden und gehört damit nicht im strengen Sinne zum „Kontext" des Vertrages. Für den Notenwechsel würde es – wenn er der sowjetischen Seite gegenüber überhaupt bestätigt werden soll – ausreichen, wenn dies außerhalb der Ratifikationsurkunde geschähe.[11]

Schenck

VS-Bd. 9018 (II A 4)

---

[9] Der Passus „Eine Abstimmung ... am 3./4. Mai 1972" wurde von Staatssekretär Frank hervorgehoben. Dazu vermerkte er handschriftlich: „r[ichtig]".
Die zweite Lesung der Gesetze zum Moskauer Vertrag vom 12. August 1970 und zum Warschauer Vertrag vom 7. Dezember 1970 wurde auf den 10. Mai 1972 verschoben. Vgl. dazu Kok. 115 und Dok. 117.
Zu den Gesprächen des Staatssekretärs Frank mit dem sowjetischen Botschafter Falin über die Ratifikationsurkunde vgl. Dok. 154, Dok. 155 und Dok. 158.

[10] Für den Wortlaut der Note der Bundesregierung vom 7. August 1970 an die Regierungen der Drei Mächte sowie der Noten der Regierungen der Drei Mächte vom 11. August 1970 an die Bundesregierung vgl. BULLETIN 1970, S. 1095 f.

[11] Vortragender Legationsrat Fleischhauer vermerkte am 30. März 1972, bei der Hausbesprechung vom Vortag habe man sich auf zwei Textvarianten zur Behandlung des Briefes zur deutschen Einheit geeinigt, von denen die erste die bevorzugte und die zweite eine „Rückfallposition" darstelle: „Modell A sieht die Einbeziehung des Briefes in die eigentliche Bestätigungsformel vor, während Modell B davon ausgeht, daß der Brief zwar in die Ratifikationsurkunde, nicht aber in die eigentliche Bestätigungsformel aufgenommen wird." Vgl. VS-Bd. 9018 (II A 4); B 150, Aktenkopien 1972.

71

Aufzeichnung des Staatssekretärs Bahr, Bundeskanzleramt

25. März 1972

Streng vertraulich!

Betr.: Gespräch mit Staatssekretär Kohl am 23. März 1972

1) Ich habe Kohl die Vorteile für beide Seiten erläutert, die es hätte, wenn unmittelbar nach dem Abschluß des AVV der Grundvertrag verhandelt und beide Verträge in ein verbundenes Ratifizierungsverfahren kommen.

Der Grundvertrag sei nicht so schwierig, wie man sich dies auf seiner Seite vielleicht vorstelle. Die Entscheidungen zur Sache seien in den Absichtserklärungen von Moskau[1], dem Kommuniqué von Oreanda[2], der Vier-Mächte-Vereinbarung über Berlin[3] bereits enthalten. Viele Fragen, die uns im AVV Schwierigkeiten machen, insbesondere Formfragen, würden ihre Bedeutung verlieren und leichter lösbar werden, wenn man in überschaubarer Zeit eine Situation erwarten kann, die für die DDR die uneingeschränkte Freiheit auf dem internationalen Feld bedeute.

Kohl erklärte sich von dem Gedanken überrascht. Er sei auf Anhieb geeignet, den Verdacht zu erwecken, daß wir dadurch ein neues Junktim machten, um unseren Grundvertrag zu erzwingen. Es sei auch nicht attraktiv, wenn die DDR dadurch vielleicht ein halbes Jahr länger auf die Ergebnisse des AVV warten müsse. Andererseits gebe es einige Argumente, die tatsächlich nachdenkenswert seien. Er müsse dies zu Hause in Ruhe besprechen.

Ich wies in diesem Zusammenhang darauf hin, daß der Verkehrsvertrag ohnehin für uns nur attraktiv sei, wenn er materielle Regelungen mit sich bringe für den Reiseverkehr und über die Formalisierung des Bestehenden hinausgehe.

Ohne die Ankündigung der Regelung des Grundverhältnisses sei es zweifelhaft, ob der gewünschte politische Effekt vor der Ratifizierung eintreten würde.

Die Arbeitslage im Bundestag sei ohnehin so, daß die erste Lesung des AVV frühestens im September denkbar sei. Es würde de facto kein großer Zeitverlust eintreten.

2) Es bestätigte sich der Eindruck Rohwedders aus seinen Gesprächen in Leipzig[4], daß die DDR die prinzipielle Entscheidung getroffen hat, langfristige Ver-

---

[1] Vgl. dazu Punkt 2 der „Absichtserklärungen" zum Moskauer Vertrag vom 12. August 1970 zwischen der BRD und der UdSSR, der wortgleich mit Leitsatz 6 vom 20. Mai 1970 („Bahr-Papier") war; Dok. 36, Anm. 34.

[2] Zum Kommuniqué vom 18. September 1971 über den Besuch des Bundeskanzlers Brandt vom 16. bis 18. September 1971 in Oreanda vgl. Dok. 9, Anm. 19.

[3] Für den Wortlaut des Vier-Mächte-Abkommens über Berlin vom 3. September 1971 vgl. EUROPA-ARCHIV 1971, D 443–453.

[4] Staatssekretär Rohwedder, Bundesministerium für Wirtschaft und Finanzen, hielt sich anläßlich der vom 12. bis 21. März 1972 stattfindenden Leipziger Frühjahrsmesse in der DDR auf und führte Gespräche mit dem Außenhandelsminister der DDR, Sölle. Vgl. dazu den Artikel „Allerlei Gespräche in Leipzig"; DIE WELT vom 14. März 1972, S. 9.

pflichtungen des innerdeutschen Handels einzugehen. Die Vorzugsstellung beider Staaten in der EWG und im RGW soll erhalten bleiben.

Die DDR sieht keinen Widerspruch zwischen dieser Haltung und ihrem Wunsch, das aus der Besatzungszeit herrührende Instrumentarium zu Gunsten eines normalen Verkehrs zwischen den beiden Wirtschaftsministerien zu verändern. Dies würde sich auf längere Sicht wohl ohnehin ergeben. Es ist kein aktuelles Thema.

Eine Absprache, die dem Absatz 1 gerecht wird, läßt sich m. E. bald erreichen.

Bahr[5]

Archiv der sozialen Demokratie, Depositum Bahr, Box 445

72

Aufzeichnung des Staatssekretärs Bahr, Bundeskanzleramt

Geheim 25. März 1972[1]

Aus den persönlichen Gesprächen mit Staatssekretär Kohl[2] halte ich fest:

1) Er sei enttäuscht, daß das Ergebnis unseres Gespräches zum Thema Luftverkehr offenbar darin bestanden habe, daß der Leiter der Handelsvertretung der BRD[3] am 15.3. in Sofia eine Note übergeben habe, in der „in ultimativer Form angedroht wurde, wegen der Nichtzulassung von Direktflügen zwischen West-Berlin und der Volksrepublik Bulgarien die Frage der Weiterführung des Luftverkehrs zwischen der BRD und Bulgarien insgesamt zu überprüfen".[4]

---

[5] Paraphe.
[1] Ablichtung.
Hat Staatssekretär Frank am 27. März 1972 vorgelegt, der die Weiterleitung an Bundesminister Scheel und Ministerialdirektor von Staden verfügte.
Hat Scheel vorgelegen.
Hat von Staden am 28. März 1972 vorgelegen.
Hat Vortragendem Legationsrat I. Klasse Blech am 20. April 1972 vorgelegen, der handschriftlich vermerkte: „Herrn Bräutigam wegen der Fragen des Herrn Ministers." Vgl. Anm. 5, 6 und 7.
[2] Zum 37. Gespräch des Staatssekretärs Bahr, Bundeskanzleramt, mit dem Staatssekretär im Ministerrat der DDR, Kohl, am 22./23. März 1972 in Bonn vgl. Dok. 68 und Dok. 71.
[3] Rolf von Keiser.
[4] Zur Einbeziehung von Berlin (West) in den Flugverkehr nach Bulgarien vgl. Dok. 44, Anm. 16 und 18.
Am 2. März 1972 wies Staatssekretär Freiherr von Braun die Handelsvertretung in Sofia an, im bulgarischen Außenministerium eine Verbalnote zu überreichen, in der u. a. angekündigt wurde, der Beschluß der deutschen Reiseveranstalter werde wirksam, „wonach künftig keine Flugreisen nach Bulgarien mehr vorgesehen werden, solange nicht sichergestellt ist, daß auch Direktflüge von Berlin (West) nach Bulgarien durchgeführt werden dürfen. Dies gilt für Reisen sowohl von allen Flughäfen Berlins als auch von der Bundesrepublik. 4) Diesen Beschluß wird die Bundesregierung durch geeignete Maßnahmen unterstützen und absichern. Sie wird dies in Kürze den deutschen Reiseveranstaltern wie auch der deutschen Öffentlichkeit bekanntgeben. [...] Bei den in Ziffer 4 genannten Maßnahmen ist an Landeverbote für bulgarische Charterflugzeuge gedacht. Auf diese

Das Zitat stammt aus einer bulgarischen Note an die DDR. Die Bulgaren hätten dieses Ansinnen zurückgewiesen. Man habe bei ihm den Eindruck, daß unsere Gespräche einen gegenteiligen Effekt haben. Es vergehe kaum ein Tag ohne Berichte von DDR-Auslandsvertretungen, daß Beamte der BRD Vereinbarungen, die zwischen uns getroffen seien, gegen die DDR interpretieren.[5]

So werde darauf verwiesen, daß das Transitabkommen kein völkerrechtsgemäßes Abkommen, sondern nur eine typisch innerdeutsche Regelung darstelle. Zugeständnisse der DDR in den Formulierungen würden gegen sie ausgeschlachtet. Es scheine der BRD nicht klar zu sein, daß derartige Methoden künftiges Entgegenkommen auf seiten der DDR außerordentlich erschweren. Je mehr die Völkerrechtlichkeit von Vereinbarungen bestritten werde, umso nachdrücklicher müsse die DDR auf unzweifelhaften Formulierungen bestehen. Man hätte darüber nachgedacht, in der Präambel auf das Wort „souverän" zu verzichten. Nun dächte man nicht mehr daran.

Es müsse uns aufgefallen sein, daß die DDR sich große Zurückhaltung auferlegt habe in der Kommentierung des Transitabkommens. Die BRD hätte daraus ein Beispiel für „Sonderbeziehungen"[6] gemacht. Er wisse nicht, wie man ohne ein Mindestmaß von Rücksichtnahme auf Empfindlichkeiten der anderen Seite weiterkommen wolle.

Kohl kam mehrfach auf diesen Komplex zurück. Er deutete ein gewisses Verständnis dafür an, wenn die Bundesrepublik ihr praktisches Verhalten gegenüber der DDR in Drittländern in dieser Phase nicht ändert. Man habe aber auf seiner Seite den begründeten Eindruck einer Eskalation, einer verschärften Aktivität, die die Form einer Kampagne[7] annimmt. Dies führe auf seiner Seite zu Verhärtungen mit Konsequenzen für die Verhandlungen und die Bewegungsfähigkeit des Verhandlungsführers. Dies sei ein ernster Faktor, den wir offenbar bisher nicht ernst genug nähmen.

Nach meinem Eindruck hat sich dieser Faktor in den Delegationsverhandlungen, wenn es um Formulierungen ging, in einer gewissen Verhärtung gezeigt.

2) Wir besprachen eine Reihe von schwierigen Sachfragen in einzelnen Artikeln. Ich verweise auf die in der Delegationssitzung gemachten Ausführungen, insbesondere:

Fortsetzung Fußnote von Seite 322

Weise soll verhindert werden, daß deutsche Reiseveranstalter, die aus der Solidarität ausbrechen oder als Außenseiter ins Geschäft kommen wollen, Flugreisen nach Bulgarien durchführen." Vgl. den Drahterlaß Nr. 1045; Referat III A 4, Bd. 848.

Staatssekretär Frank vereinbarte mit dem sowjetischen Botschafter Falin am 30. März 1972, eine öffentliche Erklärung der Bundesregierung zu den Bulgarienflügen zunächst zurückzustellen und „auf der Basis der Vernunft eine Lösung" zu suchen. Vgl. die Aufzeichnung des Ministerialdirigenten van Well vom 4. April 1972; VS-Bd. 8568 (II A 1); B 150 Aktenkopein 1972.

5 Der Passus „daß Beamte ... die DDR interpretieren" wurde von Bundesminister Scheel hervorgehoben. Dazu vermerkte er handschriftlich: „Wer?"

6 Der Passus „Die BRD ... ‚Sonderbeziehungen'" wurde von Bundesminister Scheel hervorgehoben. Dazu vermerkte er handschriftlich: „Wer?"

7 Die Wörter „einer Kampagne" wurden von Bundesminister Scheel hervorgehoben. Dazu vermerkte er handschriftlich: „Wo?"

a) Die DDR verzichtet auf den Versuch, die Elbe-Grenze in dem umstrittenen Teil festzulegen.[8]

b) Die DDR verzichtet auf den Versuch einer Definition der „Staatsschiffe".[9]

Im Zusammenhang mit b) hat Kohl angekündigt, daß es Repressalien geben würde, wenn sich ein derartiger Zwischenfall wie im Nord/Ostsee-Kanal[10] wiederholte. Ich habe darauf hingewiesen, daß unsere Beamten sich ebenso den Gesetzen entsprechend verhalten würden wie die Organe der DDR. Eine Garantie gegen solche Zwischenfälle könne niemand geben. Politisch hänge mehr davon ab, was man daraus mache.

3) Die von uns vorgeschlagene Formulierung über die amtlichen Dokumente im Personenverkehr könnte für die DDR annehmbar sein.[11] Dabei stellte sich

---

[8] Zu den Rechtsauffassungen der Bundesrepublik und der DDR hinsichtlich des Grenzverlaufs an der Elbe vgl. Dok. 12, Anm. 13.
Dazu vermerkte Staatssekretär Bahr, Bundeskanzleramt: „Aus dem Gespräch mit Herrn StS Kohl am 23. März 1972 zu Art. 22 halte ich fest: 1) Über den Grenzverlauf besteht lediglich eine Meinungsverschiedenheit über den Abschnitt, der durch den seinerzeitigen Gebietstausch gekennzeichnet ist, d. h. für den Streckenabschnitt zwischen Kilometer 512 und Kilometer 555. Für den überwiegenden Teil des Abschnittes zwischen den Kilometern 472,6 und 566,3 besteht Übereinstimmung, daß die Grenze Mitte Talweg verläuft. 2) Nachdem es nicht möglich ist, sich im Rahmen des Verkehrsvertrages umfassend über den Grenzverlauf zu einigen, schlägt die DDR folgende Möglichkeit vor: Vorschlag der DDR: Streichung des Nebensatzes ‚auf dem Mitte Talweg verläuft' (Art. 22, Abs. 1). Der Artikel könnte im übrigen ungeachtet möglicher redaktioneller Änderungen so bestehen bleiben. Die Ziffer 4 würde durch einen Protokollvermerk ergänzt. Entsprechender Vorschlag der BRD: Regelung des praktischen Verkehrs durch den Protokollvermerk; die Absätze 2 und 3 werden auch durch Protokollnotizen inhaltlich wiedergegeben. Es würde der Systematik des Verkehrsvertrages entsprechen, keine ‚Grenzbestimmungen' aufzunehmen. Beide Seiten prüfen die gegenseitigen Vorschläge." Vgl. die Anlage zur Aufzeichnung des 37. Gesprächs zwischen Bahr und dem Staatssekretär beim Ministerrat der DDR, Kohl, am 23. März 1972; VS-Bd. 8562 (II A 1); B 150, Aktenkopien 1972.

[9] Zum Problem der Staatsschiffe vgl. Dok. 21, Anm. 11.
Zur Frage der Staatsschiffe gab der Staatssekretär beim Ministerrat der DDR, Kohl, am 23. März 1972 eine „außerhalb des Protokolls liegende Erklärung" ab: „Der Standpunkt der DDR zur Immunität der Staatsschiffe sei bekannt. Er habe ihn hier eingeführt und begründet. Der von StS Bahr vorgeschlagene Ausschluß der Staatshandelsschiffe aus dieser Kategorie sei nicht akzeptabel. Im Interesse eines zügigen Fortgangs der Verhandlungen und unter der Voraussetzung dessen, was man im gestrigen persönlichen Gespräch erörtert habe, sei seine Seite jedoch einverstanden, daß in den AVV eine spezielle Klausel über die Rechtsstellung der Staatsschiffe nicht aufgenommen werde. Natürlich halte er den Standpunkt, daß die Staatshandelsschiffe in den Gewässern und Häfen des anderen Vertragsstaates Immunität genössen, voll aufrecht. Es liege im Interesse der Normalisierung der Beziehungen zwischen den beiden deutschen Staaten, wenn sich auch die Behörden der BRD im Rahmen dieser Gegebenheiten bewegten." Vgl. die Aufzeichnung des 37. Gesprächs des Staatssekretärs Bahr, Bundeskanzleramt, mit dem Staatssekretär beim Ministerrat der DDR, Kohl, vom 23. März 1972; VS-Bd. 8562 (II A 1); B 150, Aktenkopien 1972.

[10] Zum Zwischenfall auf dem Schiff „Eichsfeld" am 9. Januar 1972 vgl. Dok. 13, Anm. 2.

[11] Während des 36. Gesprächs des Staatssekretärs im Bundeskanzleramt, Bahr, mit dem Staatssekretär beim Ministerrat der DDR, Kohl, am 9./10. März 1972 schlug Bahr in der Paßfrage die Formulierung vor: „Im grenzüberschreitenden Verkehr weisen sich die Reisenden durch ein amtliches Personaldokument aus." Vgl. die Aufzeichnung des Vortragenden Legationsrats Bräutigam vom 13. März 1972; VS-Bd. 8562 (II A 1); B 150, Aktenkopien 1972.
Diesen Vorschlag bezeichnete Kohl am 9. März 1972 als „nicht akzeptabel" und führte aus: „Die BRD negiere fortwährend die Paß- und Visahoheit der DDR. So werde an den ausländischen Vertretungen der BRD ein Formular zum Antrag auf Einreise in und Durchreise durch die BRD benutzt (das er in Ablichtung zeigte), das von der Durchreise durch Deutschland, dem Reiseziel in Deutschland und dem früheren Aufenthalt in Deutschland spreche. Dies umfasse doch offenbar auch die DDR und sei keinesfalls in Ordnung." Vgl. die Gesprächsaufzeichnung; VS-Bd. 8562 (II A 1); B 150, Aktenkopien 1972.

die Frage, welche Sicherheit seine Seite habe, daß Reisepässe der DDR als Reisedokumente wie Pässe anderer Staaten behandelt werden. Kohl warf die Frage auf, ob eine derartige Interpretation in einem geheimen Protokollvermerk möglich sei. Ich sagte zu, darauf bei dem nächsten Zusammentreffen zurückzukommen, sprach mich aber aus prinzipiellen Gründen gegen einen geheimen Protokollvermerk aus.

4) Es hat mehrere lange Diskussionen über Formfragen gegeben. Dabei habe ich erläutert, warum wir die hochgestochene Form der Bevollmächtigung und der Ratifizierung entsprechend 59 (2) GG[12] ablehnen.[13] Die Diskussion war, gerade auch angesichts des unter 1) Dargestellten, völlig erfolglos. Kohl habe nicht einen Millimeter Bewegungsmöglichkeit. Er wisse auch, daß seine Vorgesetzten in dieser Frage, gerade angesichts der gemachten Erfahrungen, „zementiert" seien. Dieser Punkt des persönlichen Gespräches schlug auch in der Delegationssitzung durch.

5) Gerade nachdem ich in bezug auf ECE und WHO keinerlei Änderung unseres Standpunktes in Aussicht stellen konnte, lag mir daran, auf einem internationalen Gebiet, das nicht zu den Unterorganisationen der UN durchschlägt, besonderes Entgegenkommen zu zeigen. In der Frage des Beitritts zu CIM/CIV[14] betonte Kohl den Wunsch, dies möglichst schnell effektuieren zu können. Ich mußte demgegenüber darauf verweisen, daß die entsprechenden Schritte erst nach Inkrafttreten des AVV eingeleitet werden können. Das Gespräch, in Gegenwart der Herren Freier und Gerber, ergab, daß die Fristen im normalen Verfahren dazu führen, daß zwischen Antrag und Beitritt ein Jahr vergeht. Wir haben Auftrag gegeben, Untersuchungen darüber anzustellen, ob diese Fristen abzukürzen sind, mit dem Ziel, möglichst schnell nach Inkraftsetzen des AVV die Mitgliedschaft beider Staaten in den entsprechenden Organisationen zu ermöglichen. Das Ergebnis der Untersuchungen sollte in Form einer übereinstimmenden Absicht im Protokollvermerk festgehalten werden.

6) Ich habe die positive Regelung der Versandbestimmungen für Geschenkpaket-Sendungen[15] angemahnt.

---

12 Für Artikel 59 Absatz 2 des Grundgesetzes vom 23. Mai 1949 vgl. Dok. 57, Anm. 6.

13 Zu den Problemen der Bevollmächtigung und der Ratifizierung führte Staatssekretär Bahr, Bundeskanzleramt, in der Delegationssitzung aus: „Es sei Absicht der Bundesregierung, einen Vertrag auszuhandeln, von dem sie annehme, daß er auch die Zustimmung des Bundestages finden werde. Hierzu habe er gestern schon im persönlichen Gespräch einiges gesagt, das er jetzt präzisieren wolle. Die erforderliche Zustimmung des Bundestages schließe aus, daß der AVV nach Form und Formulierung die einseitige Vorwegnahme dessen bedeuten könne, was einer grundsätzlichen Regelung des Verhältnisses der beiden Staaten zueinander vorbehalten bleiben müsse. Man wolle nicht der DDR die Gleichberechtigung bestreiten, sondern die Zustimmung des Bundestages könne dann nicht vorausgesetzt werden, wenn im AVV bereits Probleme aus Art. 59, Absatz 2 des Grundgesetzes zur Entscheidung gebracht würden." Vgl. die Aufzeichnung des 37. Gesprächs des Staatssekretärs Bahr, Bundeskanzleramt, mit dem Staatssekretär beim Ministerrat der DDR, Kohl, vom 23. März 1972; VS-Bd. 8562 (II A 1); B 150, Aktenkopien 1972.

14 Für den Wortlaut des Internationalen Übereinkommens vom 25. Februar 1961 über den Eisenbahnfrachtverkehr (CIM) vgl. BUNDESGESETZBLATT 1964, Teil II, S. 1520–1579.
Für den Wortlaut des Internationalen Übereinkommens vom 25. Februar 1961 über den Eisenbahn-Personen- und -Gepäckverkehr (CIV) vgl. BUNDESGESETZBLATT 1964, Teil II, S. 1898–1951.

15 Erleichterungen bei der Versendung von Geschenkpaket-Sendungen waren Gegenstand der Verhandlungen über eine Postvereinbarung mit der DDR im September 1971. Vgl. dazu AAPD 1971, II, Dok. 321.

7) Kohl sagte zu, sich noch einmal nach dem Thema der Kinderzusammenführung[16] zu erkundigen.

8) Wir haben die technischen Absprachen zwischen den Herren Wulf und Friedrich über Form und Inhalt der Kontakte für die zeitweilige Anwendung des TA für Ostern bestätigt.[17] Kohl und ich würden uns bereit halten, hoffentlich nicht erforderlich werdende Absprachen zu treffen. Das Interesse an einer reibungslosen und großzügigen Abwicklung des Transitverkehrs wurde bestätigt.

9) Nach Kenntnis der Herrn Struve übergebenen „Informationen" zum Transitabkommen habe ich Kohl davor gewarnt, Versuche fortzusetzen, die darauf abzielten, für das Transitabkommen eine Verbindung zwischen DDR und Senat zu schaffen. Alle mit dem Transitabkommen entstehenden Fragen lägen ausschließlich in der Zuständigkeit der Bundesregierung. Kohl leugnete derartige Absichten. Es handele sich um praktische Fragen entsprechend der Tatsache, daß die Drei Mächte den Senat zur Übernahme bestimmter Verpflichtungen veranlaßt hätten.

Ich wies darauf hin, daß dies ein interner Vorgang auf unserer Seite sei. Ich hatte bereits im Zusammenhang mit dem Komplex Wulf/Friedrich darauf aufmerksam gemacht, daß alle Mitteilungen, auch die des Innensenators[18], beim Innenministerium zusammenlaufen. Der Senat sei kein Gesprächspartner in Fragen des Transitabkommens.

10) Zum Thema zusätzlicher Übergänge, mindestens einer auf Schiene und Straße, habe ich wie früher argumentiert. Die Haltung der DDR hat sich nicht verändert.

11) In der Frage der Herabsetzung des Rentenalters scheint eine Regelung im Zusammenhang mit dem Verkehrsvertrag möglich. In der Frage des Reiseverkehrs von West nach Ost habe ich unsere Wünsche vorgetragen, ohne jede Reaktion Kohls.

12) Wir waren bemüht, die umfangreiche Materie des AVV zu reduzieren in der Hoffnung, uns danach auf die verbleibenden politisch wichtigen Fragen konzentrieren zu können. Kohl sagte zu, die Verhandlungen zügig weiterzuführen. Es liegt in der Natur der Sache, daß es nicht sicher ist, ob sie bis Ende April zu beenden sind. In einem solchen Falle würde dann die Paraphierung, die Unterzeichnung nach der Ratifizierung des Moskauer und Warschauer Vertrages erfolgen.

13) Ich habe den Wunsch ausgesprochen, in dem Zusammenhang mit dem Abschluß des AVV sich auch darüber zu verständigen, danach mit Verhandlungen zur Regelung des Verhältnisses zwischen beiden Staaten zu beginnen. Kohl hat das ohne Stellungnahme registriert.

---

[16] Staatssekretär Bahr, Bundeskanzleramt, erinnerte den Staatssekretär beim Ministerrat der DDR, Kohl, in den Vier-Augen-Gesprächen am 21./22. Oktober 1971 an die Zusage, 309 Kinder aus der DDR ausreisen zu lassen. Vgl. dazu AAPD 1971, III, Dok. 360.
[17] Zur zeitlich befristeten Anwendung des Transitabkommens vom 17. Dezember 1971 zu Ostern und Pfingsten 1972 vgl. Dok. 49, Anm. 10.
[18] Kurt Neubauer.

Es wurde vereinbart, im April[19] zum wöchentlichen Turnus der Verhandlungen überzugehen.

Bahr

VS-Bd. 8563 (II A 1)

73

Botschafter Pauls, Washington, an das Auswärtige Amt

Z B 6-1-11857/72 geheim Aufgabe: 25. März 1972, 14.55 Uhr[1]
Fernschreiben Nr. 756 Ankunft: 25. März 1972, 22.10 Uhr

Betr.: Amerikanische Interessenlage zum Ratifizierungsverfahren der deutschen Ostverträge[2]

I. Zusammenfassung:

1) Bei der amerikanischen Haltung zur Ratifizierungsdebatte des deutsch-sowjetischen und des deutsch-polnischen Vertrages sind zwei vitale amerikanische Interessen berührt:

Erstes Interesse: Entwicklung des amerikanisch-sowjetischen Verhältnisses von „Konfrontation zu Negotiation"[3], dies verstärkt nach amerikanischem Eröffnungszug gegenüber Peking (vgl. II.).

Zweites Interesse: Pflege des besonderen amerikanisch-deutschen Verhältnisses als unverzichtbarer Grundlage der westlichen Allianz, der amerikanischen Position in West- und Mitteleuropa, der amerikanischen Ost-West-Politik (vgl. III.).

2a) Scheitern des Moskauer Vertrages würde zu starker Irritation im deutsch-amerikanischen Verhältnis führen, besonders wenn dadurch Berlin-Abkommen[4] zerstört würde. An baldiger Inkraftsetzung des Berlin-Abkommens besteht beträchtliches amerikanisches Interesse.

---

[19] Das 38. Gespräch des Staatssekretärs Bahr, Bundeskanzleramt, mit dem Staatssekretär beim Ministerrat der DDR, Kohl, fand am 5./6. April 1972 statt. Vgl. dazu Dok. 89 und Dok. 90.

[1] Hat Ministerialdirektor von Staden am 27. März 1972 vorgelegen, der handschriftlich vermerkte: „Zu der v[on] Herrn B[undes]k[anzler] angeordneten Analyse."
Hat Vortragendem Legationsrat I. Klasse Blumenfeld am 27. März 1972 vorgelegen.
Hat Vortragender Legationsrätin I. Klasse Finke-Osiander am 11. April 1972 vorgelegen.

[2] Zum Stand des Ratifikationsverfahrens zum Moskauer Vertrag vom 12. August 1970 und zum Warschauer Vertrag vom 7. Dezember 1970 vgl. Dok. 55, Anm. 2.

[3] Vgl. dazu die Ausführungen des Präsidenten Nixon vom 22. Januar 1970; Dok. 54, Anm. 16.

[4] Für den Wortlaut des Vier-Mächte-Abkommens über Berlin vom 3. September 1971 vgl. EUROPA-ARCHIV 1971, D 443–453.

Die Ratifizierung des Moskauer Vertrages wäre für die USA von geringerer Relevanz, falls das Berlin-Abkommen unabhängig vom Moskauer Vertrag in Kraft gesetzt werden könnte, was man nicht erwartet.

Bei Scheitern des Moskauer Vertrages allein wird uns die Initiative bei der Behandlung des DDR-Problems verlorengehen. Wir werden an deutschem Manövrierraum im Ost-West-Verhältnis verlieren. Die Entspannungspolitik kann über uns hinweg fortgesetzt werden.

b) Scheitern des Warschauer Vertrags wäre in jedem Falle Belastung des deutsch-amerikanischen Verhältnisses.

3) Mit einer Änderung der vorsichtigen amerikanischen Haltung zur Diskussion um die deutsche Ratifizierung ist kaum zu rechnen, solange sich die gegebene außenpolitische Situation nicht ändert und die innenpolitische Konfrontation über diese außenpolitische Entscheidung anhält.

II. Erstes vitales amerikanisches Interesse von Konfrontation zu Negotiation

Globaler Ausgleich mit der UdSSR (unter Berücksichtigung der weltpolitischen Rolle Chinas), jedoch ohne Aufgabe politischer Positionen. Potentielle und aktuelle Krisenherde sollen im Wege von Verhandlungen entschärft werden.

In Europa ist für USA substantielle amerikanisch-sowjetische Entspannungspolitik nicht möglich, solange Moskau nach Belieben Berlin-Hebel ansetzen kann. Daher:

1) wesentliche Voraussetzung: das Berlin-Abkommen

– Starke Hervorhebung des Abkommens in kürzlichen Nixon- und Rogers-Berichten über Außenpolitik.[5]

– Das Abkommen sichert US-Position in Berlin zusätzlich ab.

– Es bessert Berliner Zukunftschancen, für die USA mitverantwortlich.

– Es stärkt die Bindung Berlin–Bundesrepublik.

– Es ist ein Beitrag zur Lösung der Probleme des USA–DDR-Verhältnisses.

– Es fördert die amerikanisch-sowjetischen Beziehungen.

2a) Der Moskauer Vertrag in der auf Entspannung gerichteten Tendenz der US-Politik:

– Berlin-Abkommen und danach Warschauer Vertrag haben an sich für Washington Priorität vor Moskauer Vertrag. Angesichts sowjetischen Berlin-Gegenjunktims[6] (von den USA nie anerkannt) besteht aber amerikanisches Interesse an Ratifizierung Moskauer Vertrages, damit Berlin-Abkommen in Kraft treten kann.

– Amerikanisches Bestreben geht allerdings dahin, Berlin-Abkommen (ähnlich wie die SALT – aus geopolitischen Gründen schwer vergleichbar –, die während vollen Vietnamkrieges anliefen) von allen anderen Komplexen freizuhalten.

---

[5] Zu den außenpolitischen Berichten des Präsidenten Nixon und des amerikanischen Außenministers Rogers vom 9. Februar bzw. 8. März 1972 vgl. Dok. 62, Anm. 4.

[6] Zum sowjetischen Gegenjunktim zwischen einer Ratifizierung des Moskauer Vertrags und der Unterzeichnung des Schlußprotokolls zum Vier-Mächte-Abkommen über Berlin vgl. Dok. 28, Anm. 13.

- Unabhängig vom Berlin-Abkommen gesehen, fördert Moskauer Vertrag amerikanische Politik gegenüber der SU, amerikanische Regierung hat dementsprechend bei zahlreichen Gelegenheiten Zielsetzung des Vertrages begrüßt, ohne aber auf seinen Inhalt einzugehen.

b) Der US-Politik förderlich: der Warschauer Vertrag
- Der Vertrag wurde wiederholt uneingeschränkt regierungsseitig begrüßt, wenn auch nicht so stark wie das selbst geschlossene Berlin-Abkommen, einschließlich seines innerdeutschen Folgeabkommens[7].
- Er erleichtert US-Politik der Entspannung.
- Er entlastet deutsch-amerikanisches Verhältnis (keine unerfüllbaren deutschen Forderungen mehr).
- Er fördert KSE-Vorbereitung.

3) Ein Scheitern des Berlin-Abkommens wäre entscheidende Beeinträchtigung der gegenwärtigen amerikanischen Ost-West-Politik.

Scheitern des Moskauer Vertrages würde gegenwärtige amerikanische Ost-West-Politik wesentlich beeinträchtigen, wenn damit ersatzloses Scheitern des Berlin-Abkommens verbunden wäre.

Scheitern des Moskauer Vertrages würde amerikanische Regierung veranlassen, auf Inkraftsetzung des Berlin-Abkommens zu drängen. Sie könnte versucht sein, es gegebenenfalls zu erkaufen
- mit Zustimmung zur baldigen Einberufung einer KSE;
- mit sonstigen KSE-Zugeständnissen, auch zur Substanz (Sowjets können aus KSE multilateral in Aussicht gestellt werden, was Bundesrepublik bilateral nicht gibt);
- evtl. auch mit Änderungen des Berlin-Abkommens;
  eigenständigere DDR-Rolle?
  Verstärkung der Vier-Mächte-Rolle?
  Minderung der Rolle der Bundesrepublik, um sowjetisches Junktim zu schwächen?

4) Zeitfaktoren:

Ein zeitlich dringendes amerikanisches Interesse besteht an der Inkraftsetzung des Berlin-Abkommens. An der Ratifizierung des Moskauer Vertrages besteht es insoweit, als die Sowjets ihr Junktim aufrechterhalten. Unabhängig davon besteht ein fortdauerndes amerikanisches Interesse daran, daß Bundesrepublik mit der westlichen Entspannungspolitik „mitzieht".

An der Ratifizierung des Warschauer Vertrages in absehbarer Zeit besteht in jedem Fall ein amerikanisches Interesse. Man sieht hier kaum eine Möglichkeit des Inkrafttretens des Warschauer Vertrages nach einem Scheitern der Ratifizierung dessen von Moskau, da Polen in diesem Fall unter Moskauer Einfluß kaum ratifizieren könnte.

---

[7] Für den Wortlaut des Abkommens vom 17. Dezember 1971 zwischen der Regierung der Bundesrepublik und der Regierung der DDR über den Transitverkehr von zivilen Personen und Gütern zwischen der Bundesrepublik und Berlin (West) vgl. EUROPA-ARCHIV 1972, D 68–76.

III. 1) Zweites vitales amerikanisches Interesse: das besondere Verhältnis (special relationship) USA–BRD erhalten, wie es seit Gründung BRD besteht, da

- amerikanische Interessen in Europa verankert in Vier-Mächte-Rechten und Verantwortlichkeiten für Berlin und Deutschland als Ganzes sind;
- es unverzichtbar im Interesse der Allianz ist;
- die Bundesrepublik Deutschland aus ihrer eigenen Interessenlage heraus der geborene Hüter amerikanischer Interessen in der westeuropäischen Einigung ist.

2) Zwar kann eine mittlere Macht wie die Bundesrepublik die Entspannungspolitik des amerikanischen Verbündeten nicht aufhalten, kann sie aber, auch zum Nutzen der eigenen Position, stärken. Hinsichtlich der Form des deutschen Entspannungsbeitrages zählt der politische Wille der Bundesrepublik, vor allem, wenn es um spezifisch deutsche Belange geht, viel. Washington kann und will die Bundesrepublik zu nichts zwingen, so gern es jede Verschlechterung ihrer internationalen Stellung und ihres internationalen Ansehens verhindern möchte.

Daher wird es hier nicht als Machiavellismus, sondern als politischer Realismus gesehen, wenn die USA ihre Haltung auch an der Entscheidung der Bundesrepublik Deutschland orientieren und auch während des Entscheidungsprozesses zurückhalten.

3) Die Ratifizierung wäre für die amerikanische Politik die beste Lösung. Washington glaubt aber die Gefahr zu sehen, daß amerikanische Äußerungen, die in innerdeutsche Auseinandersetzungen eingreifen,

- die innenpolitische Entwicklung in der Bundesrepublik, die hier wegen ihrer Polarisierung besorgt beobachtet wird, belasten und nicht erleichtern würden;
- das auch für die USA vitale Verhältnis zwischen den USA und der Bundesrepublik auf längere Sicht berühren könnten, zumal wenn der Eindruck entstünde, Washington unterstütze Breschnews Interventionen in Bonn;
- eine etwaige sowjetische Konzessionsbereitschaft (vgl. jüngste sowjetische Zugeständnisse nach der ersten Lesung im Bundestag[8]) beeinträchtigen könnten.

[gez.] Pauls

VS-Bd. 8543 (II A 1)

---

[8] Die erste Lesung der Gesetze zum Moskauer Vertrag vom 12. August 1970 und zum Warschauer Vertrag vom 7. Dezember 1970 fand vom 23. bis 25. Februar 1972 im Bundestag statt. Vgl. dazu Dok. 34, Anm. 13.

74

Aufzeichnung des Ministerialdirigenten van Well

II A 1-84.25-966/72[I] VS-vertraulich 27. März 1972[1]

Betr.: Gespräch mit Botschafter Falin über die Berlin-Klausel
Bezug: Vermerk vom 20. März 1972 – II A 1-84.25-966/72 VS-v[2]

Am 25. und 26. März wurden die Gespräche zwischen Staatssekretär Frank und Botschafter Falin über die Einbeziehung Berlins in das Handelsabkommen[3] und die gemischte deutsch-sowjetische Kommission[4] fortgesetzt.

Falin machte aufgrund von Meinungen aus Moskau einen Formulierungsvorschlag für eine Berlin-Klausel im Handelsvertrag (Anlage 1[5]), einen Formulierungsvorschlag für eine Erklärung über die Einbeziehung Berlins in die Tätigkeit der gemischten Kommission (Anlage 2[6]) und einen Vorschlag für die Tagesordnung der ersten Kommissionssitzung (Anlage 3[7]). Hierzu führte er weiter aus, daß die Spitzen der sowjetischen Delegation zur gemischten Kommis-

---

[1] Durchdruck.
Hat Ministerialdirektor von Staden am 28. März 1972 vorgelegt, der handschriftlich für Ministerialdirigent van Well vermerkte: „Impliziert die ‚Kommissions-Formel' nicht wieder die Frage der Rechtsgrundlage?"
Außerdem verfügte Staden die Weiterleitung an Ministerialdirigent Diesel und an Vortragenden Legationsrat I. Klasse Blech.
Hat van Well am 28. März 1972 vorgelegt, der für Staden handschriftlich vermerkte: „M. E. nein, da hier nicht die Frage der Erstreckung internationaler Verträge, sondern der ‚Bindungen' angesprochen wird, die nach dem Vier-Mächte-Abkommen erstmals von der UdSSR anerkannt werden."
Hat Diesel am 8. April 1972 vorgelegen.
Hat Blech am 11. April 1972 vorgelegen.
Hat Staden erneut vorgelegen.

[2] Vgl. Dok. 60.

[3] Zu den Verhandlungen über ein Handelsabkommen mit der UdSSR vgl. Dok. 60, Anm. 5.

[4] Zur Einrichtung einer deutsch-sowjetischen Kommission für wirtschaftliche und wissenschaftlich-technische Zusammenarbeit vgl. Dok. 27, Anm. 7 und 8.

[5] Dem Vorgang beigefügt. Der Vorschlag lautete: „Die Gültigkeit dieses Abkommens wird sich auf die Westsektoren Berlins in Übereinstimmung mit (entsprechend) dem Vier-Mächte-Abkommen vom 3. September 1971 und vom Augenblick des Abschlusses der dazu festgelegten Verfahren an ausdehnen." Vgl. VS-Bd. 8558 (II A 1); B 150, Aktenkopien 1972.

[6] Dem Vorgang beigefügt. Der Vorschlag lautete: „Die Seiten sind übereingekommen, nach dem Inkrafttreten des Vier-Mächte-Abkommens vom 3. September 1971 die Möglichkeit der Berücksichtigung der Wirtschaftsinteressen von Berlin (West) in der Tätigkeit der Kommission in Übereinstimmung mit diesem Abkommen zu überprüfen. Oder: ... die Frage zu überprüfen, wie mit der Berücksichtigung der Wirtschaftsinteressen von Berlin (West) in der Tätigkeit der Kommission in Übereinstimmung mit dem genannten Abkommen verfahren werden soll." Vgl. VS-Bd. 8558 (II A 1); B 150, Aktenkopien 1972.

[7] Dem Vorgang beigefügt. Der Vorschlag lautete: „Entwurf der Tagesordnung: 1) Prozedurfragen. 2) Zustand und Aussichten der Entwicklung der wissenschaftlich-technischen Zusammenarbeit (Berichte der Seiten). 3) Zustand und Aussichten der Entwicklung der wirtschaftlichen und Handelszusammenarbeit (Berichte der Seiten). 4) Aufgaben, Formen und Verfahren der Arbeit der gemischten Kommission (Geschäftsordnung der Kommission). 5) Hauptrichtungen der Tätigkeit der Kommission für die Zeit bis zur zweiten Tagung. 6) Festlegung des Ortes und der Zeit der zweiten Tagung der Kommission." Vgl. VS-Bd. 8558 (II A 1); B 150, Aktenkopien 1972.

sion unter Leitung von Herrn Nowikow zur Hannover-Messe[8] kommen würden. Sie seien bereit, die erste Sitzung der Kommission vom 17. bis 19. April in der Bundesrepublik abzuhalten. Falin schlug vor, zehn Tage vorher über diese erste Sitzung – sollte sie beschlossen werden – eine öffentliche Mitteilung herauszugeben.

Staatssekretär Frank nahm die Vorschläge zur ersten Sitzung der Kommission und zur Tagesordnung entgegen und sagte Prüfung und baldmögliche Benachrichtigung der sowjetischen Seite über unsere Reaktion zu.

Zum Formulierungsvorschlag für die Einbeziehung Berlins in die Tätigkeit der gemischten Kommission schlug Staatssekretär Frank am 26.3. nach Konsultation in der Bonner Vierergruppe eine verbesserte und gestraffte Fassung vor (Anlage 4[9]). Herr Falin sah hier keine besonderen Schwierigkeiten und erklärte sich bereit, den deutschen Gegenvorschlag seiner Regierung zur Annahme zu empfehlen.

Zur Berlin-Klausel im Handelsvertrag war in der Bonner Vierergruppe am 26.3. abgesprochen worden, Herrn Falin folgenden Gegenvorschlag zu machen:

„Wie im Vier-Mächte-Abkommen vom 3. September 1971 ausgeführt, wird dieser Vertrag in Übereinstimmung mit den festgelegten Verfahren auch für Berlin (West) gelten."

Auf diesen deutschen Gegenvorschlag reagierte Falin wie folgt:

Er bat zunächst, in Angleichung an Anlage IV des Vier-Mächte-Abkommens[10] und unter Berücksichtigung des Charakters des Hinweises auf die festgelegten Verfahren als aufschiebender Bedingung (Dreimonatsfrist[11]) den Hauptsatz wie folgt zu formulieren:

„wird dieser Vertrag in Übereinstimmung mit den festgelegten Verfahren auf Berlin (West) ausgedehnt."

(Die Vertreter der Botschaften der drei Westmächte sahen in dieser Änderung keine Schwierigkeiten.)

Der einleitende Satzteil des deutschen Gegenvorschlages war Gegenstand langer Erörterungen mit Falin. Er hatte Verständnis für die deutsche und alliierte Erwägung, daß jeder Eindruck vermieden werden müsse, daß das Vier-Mächte-Abkommen für die Außenvertretung Westberlins eine neue Rechtsgrundlage schaffe. Andererseits forderte er, daß auch der Eindruck vermieden werden müsse, als ob die Sowjetunion die von ihr seinerzeit stets bestrittene Regelung der Außenvertretung vor dem Vier-Mächte-Abkommen nunmehr akzeptiere. Dieser Dissens sei bei den Vier-Mächte-Verhandlungen offengeblie-

---

[8] Die Hannover-Messe fand vom 20. bis 28. April 1972 statt.
[9] Dem Vorgang beigefügt. Der Vorschlag der Bundesregierung lautete: „Die Seiten sind übereingekommen, nach dem Inkrafttreten des Vier-Mächte-Abkommens vom 3. September 1971 die Berücksichtigung der entsprechenden Interessen von Berlin (West) in der Tätigkeit der Kommission in Übereinstimmung mit dem Vier-Mächte-Abkommen zu regeln." Vgl. VS-Bd. 8558 (II A 1); B 150, Aktenkopien 1972.
[10] Zu Anlage IV A und IV B des Vier-Mächte-Abkommens über Berlin vom 3. September 1971 vgl. Dok. 25, Anm. 9, und Dok. 37, Anm. 4.
[11] Vgl. dazu die Berlin-Klausel in der von der Bundesrepublik grundsätzlich verwendeten Fassung; Dok. 60, Anm. 8.

ben, man könne ihn jetzt anläßlich unserer Gespräche über die Berlin-Klausel nicht ausräumen.

Es wurde schließlich Einvernehmen erzielt, den Regierungen folgende zwei Möglichkeiten vorzuschlagen, wobei die erstgenannte die Präferenz beider Gesprächspartner sei:

1) „Im Einklang mit dem Vier-Mächte-Abkommen vom 3. September 1971 wird dieser Vertrag in Übereinstimmung mit den festgelegten Verfahren auf Berlin (West) ausgedehnt."

2) „Unter Berücksichtigung dessen, was im Vier-Mächte-Abkommen vom 3. September 1971 ausgeführt ist, wird dieser Vertrag in Übereinstimmung mit den festgelegten Verfahren auf Berlin (West) ausgedehnt."

Botschafter Falin machte ausdrücklich darauf aufmerksam, daß „im Einklang" nichts weiter bedeute, als daß die Berlin-Klausel nicht im Widerspruch zum Vier-Mächte-Abkommen stünde. Die Bedeutung sei anders als bei den Begriffen „in Übereinstimmung mit" oder „entsprechend dem" oder „gemäß dem Vier-Mächte-Abkommen". Falin räumte ein, daß die drei letztgenannten Termini den Eindruck vermitteln könnten, als sei das Vier-Mächte-Abkommen die Rechtsgrundlage der Berlin-Klausel. Im Falle von „im Einklang mit dem Vier-Mächte-Abkommen" sei nur klargestellt, daß die Klausel nicht im Widerspruch zum Vier-Mächte-Abkommen stünde, ohne daß ausgeführt sei, daß sie sich auf das Vier-Mächte-Abkommen gründe.

Die Botschaften der drei Westmächte wurden noch am 26. März abends über das Ergebnis des Gesprächs mit Falin unterrichtet, und sie wollen sich bemühen, bis 27.3. abends zumindest eine erste grundsätzliche Stellungnahme ihrer Zentralen herbeizuführen. Ich habe die drei Botschaften darauf hingewiesen, daß es für uns sich zunächst darum handele, eine Entscheidung über die Abreise der deutschen Delegation nach Moskau zu treffen. Diese Entscheidung hänge davon ab, ob begründete Aussicht bestehe, eine akzeptable Berlin-Klausel bei den Verhandlungen in Moskau zu vereinbaren. Falls die Regierungen der drei Westmächte bis zum 27. März abends keine prinzipiellen und wesentlichen Bedenken gegen die gefundenen Vorschläge hätten, und falls die Sowjets diese Formeln ebenfalls als akzeptabel ansähen, werde die Bundesregierung wahrscheinlich der Auffassung sein, daß begründete Aussicht für eine Einigung über die Berlin-Klausel bestehe und dann die Delegation nach Moskau entsende.[12]

gez. van Well

VS-Bd. 8558 (II A 1)

[12] Am 27. März 1972 einigten sich Staatssekretär Frank und der sowjetische Botschafter Falin auf die Formulierung für die Berlin-Klausel: „Im Einklang mit dem Vier-Mächte-Abkommen vom 3. September 1971 wird dieser Vertrag in Übereinstimmung mit den festgelegten Verfahren auf Berlin (West) erstrecken." Frank stellte dabei klar, daß die Bundesregierung „auf den in der jetzt üblichen Berlin-Klausel enthaltenen Nachsatz ‚sofern nicht die Regierung der Bundesrepublik Deutschland innerhalb von drei Monaten ...' nur gegenüber der Sowjetunion verzichten" könnte, da diese wisse, um was es sich bei den in Anlage IV zum Vier-Mächte-Abkommen über Berlin vom 3. September 1971 zitierten „festgelegten Verfahren" handele. Frank erklärte sich zudem mit dem sowjetischen Vorschlag der Tagesordnung für die deutsch-sowjetische Kommission für wirtschaftliche und wissenschaftlich-technische Zusammenarbeit einverstanden. Das erste Kommissi-

75

Aufzeichnung des Vortragenden Legationsrats I. Klasse Menne

II B 1-84.14/0-8/72 streng geheim 27. März 1972

Über Dg II B[1] D Pol, Herrn von Staden[2], zur Unterrichtung

Betr.: Ergebnisse der SALT-Konsultation im NATO-Rat am 25.3.1972 sowie des Gedankenaustauschs europäischer SALT-Experten

Anlg.: 2

Diesmal trafen sich die Experten der an SALT interessierten europäischen Staaten nicht nur nach, sondern auch vor der Konsultation im NATO-Rat.

1) Alle Teilnehmer (B, D, I, NL und GB) gaben ihre Absicht kund, in der Ratssitzung für eine sorgfältige Formulierung der „non transfer"-Klausel zu plädieren, deren Aufnahme in das sich dem Abschluß nähernde ABM-Abkommen ins Auge gefaßt ist.

Es erwies sich, daß sich die für die deutsche, im NATO-Rat abzugebende Erklärung (vgl. Teil B der Anlage 1) vorgesehene Begründung dieses Antrages ebenfalls weitgehend mit dem deckte, was die anderen Delegationen vorzutragen beabsichtigten.

2) Ebenfalls weitgehende Übereinstimmung bestand darüber, daß es zweckmäßig sei zu betonen, daß nach den erhaltenen Mitteilungen der Zeitpunkt noch nicht gekommen sei, die FBS-Problematik im NATO-Rat zu erörtern.

3) Zur FBS-Meinungsverschiedenheit zwischen dem belgischen und den übrigen Experten[3] wurde das deutsche Papier (Anlage 2[4]) allseits begrüßt: Es erscheine nicht nur geeignet zur Überbrückung der Meinungsverschiedenheit,

---

Fortsetzung Fußnote von Seite 333

onstreffen wurde für den 19. April 1972 in Bonn vorgesehen, und für die erste Verhandlungsrunde über das Handelsabkommen wurde der Zeitraum vom 3. bis 9. April 1972 vereinbart. Vgl. die Aufzeichnung des Ministerialdirigenten van Well vom 28. März 1972; VS-Bd. 8558 (II A 1); B 150, Aktenkopien 1972.

Am 30. März 1972 bat Frank Botschafter Allardt, Moskau, „im Gespräch mit Kossygin der Befriedigung der Bundesregierung darüber Ausdruck zu geben, daß sich eine konkrete Perspektive auf die Konstituierung der deutsch-sowjetischen Wirtschaftskommission und die Aufnahme ihrer Arbeit sowie auf die Paraphierung des Wirtschaftsabkommens eröffnet habe. [...] Wir hofften, daß meine laufenden Gespräche mit Falin über die Einbeziehung von Berlin (West) zu dem Ergebnis führten, ohne welches wir weitere Schritte nicht unternehmen könnten." Vgl. den Drahterlaß Nr. 342; VS-Bd. 8559 (II A 1); B 150, Aktenkopien 1972.

Zu den Verhandlungen des Botschafters Hermes mit dem sowjetischen Stellvertretenden Außenhandelsminister Manschulo vom 3. bis 7. April 1972 in Moskau über ein Handelsabkommen vgl. Dok. 86, Anm. 4.

Die deutsch-sowjetische Kommission für wirtschaftliche und wissenschaftlich-technische Zusammenarbeit trat am 19. April 1972 zu ihrer konstituierenden Sitzung in Bonn zusammen. Vgl. dazu Dok. 114, Anm. 12.

[1] Hat Botschafter Roth am 27. März 1972 vorgelegen.
[2] Hat Ministerialdirektor von Staden am 27. März 1972 vorgelegen.
[3] Zur Diskussion über die Forward Based Systems vgl. Dok. 26.
[4] Zu den Wörtern „Anlage 2" vermerkte Ministerialdirektor von Staden handschriftlich: „Sehr interessantes Papier."

sondern stelle erstmalig dar, wie sich die Meinungen der Allianz zu der Bedeutung nicht-zentraler Systeme seit SALT-Beginn entwickelt hätten. Schriftliche Stellungnahmen hierzu und zu dem britischen FBS-Papier vom 5. Oktober 1971 wurden in Aussicht gestellt.

4) Einigermaßen unerwartet kam ein britischer Hinweis, wonach im Falle der Unausweichlichkeit einer FBS-Regelung eine Erörterung der amerikanischen und sowjetischen nicht-zentralen Systeme im MBFR-Rahmen die Erfüllung zweier Bedingungen voraussetze:

a) Der Platz der Tagesordnung, an dem sich die Systeme in die MBFR-Verhandlungen einordneten, dürfe nicht von den Amerikanern und Sowjets allein bestimmt werden, auch könne eine „Präemption" der Verhandlungssubstanz durch die zwei Mächte nicht hingenommen werden;

b) ferner dürfe eine Einordnung dieser Systeme in die MBFR-Tagesordnung nicht den Platz präjudizieren, den die nicht-zentralen Systeme anderer Mächte dort zweckmäßigerweise einnehmen sollten.

Auf die einmütige Verwunderung der anderen Teilnehmer lenkten die Briten ein:
- dies seien nur Gedanken der Arbeitsebene des befaßten Ressorts,
- es handele sich um Bedingungen, die praktisch eine Erörterung in MBFR ausschlössen,
- die erste Präferenz britischerseits gelte nach wie vor einer sehr allgemein gefaßten Formel, durch die – im SALT-Zusammenhang – eine wesentliche Vermehrung der nicht-zentralen Systeme ausgeschlossen würde.

Die andern Teilnehmer erinnerten daran, daß Begrenzungen der amerikanischen FBS natürlich ausschließlich im Zusammenhang mit einer Begrenzung des sowjetischen Mittelstreckenpotentials vorgesehen werden dürften.

II. 1) Der Bericht Botschafter Smith's im NATO-Rat brachte neben einigen sekundären Nuancen folgende Hauptpunkte:
- den Sowjets könne man bei den defensiven Systemen (ABM) entgegenkommen, wenn sie ihrerseits zustimmten, daß auch die U-Bootgestützten Systeme (SLBM) vom Einfrieren der offensiven Systeme erfaßt würden;
- die Amerikaner würden sich dem sowjetischen Drängen nach Verkoppelung der SLBM mit den FBS weiterhin widersetzen;
- die Verhandlungen würden weiterhin mit voller Berücksichtigung der Sicherheitsinteressen sowohl der Amerikaner wie ihrer Verbündeten geführt werden;
- die Verhandlungen würden um irgendwelcher Terminvorstellungen willen weder beschleunigt noch verzögert werden.

2) Auf alle vorgetragenen Besorgnisse wegen der „non-transfer"-Klausel ging Smith gründlich ein und sicherte zu, daß es zu den befürchteten Nachteilen nicht kommen werde.

Menne

[Anlage 1]

Sprechzettel (für die Ratssitzung am 25. März 1972)

Betr.: SALT

A. 1) As the US statement showed there is now the prospect of two specific agreements to be concluded during the course of the forthcoming SALT session[5] or soon after its completion.

We understand that there will probably be a specific limitation of ABM systems formalized in a treaty and an interim agreement imposing a freeze on certain offensive systems.

2) Having heard this morning that the US will continue to oppose any Soviet contention that SLBMs should be considered in the context of FBS, the question of the non-central systems will as yet not have to be tackled in detail. For the time being there seems to be – and I think that the answer of Ambassador Smith to Ambassador de Staercke has confirmed that – no problem of immediate implications to the solution of which a European ally of the U.S. could reasonably contribute with questions or comments.

B. 1) Turning to a problem the implications of which might show up only at a later date, I should like to make a remark concerning the envisaged clause of the ABM agreement prohibiting the transfer to third countries of ABM systems or components thereof.

2) As we recall the NPG stated in April 1968[6], when examining the future possibility of a European ABM defence, that such a system is not conceivable for technical reasons. Since the NPG had to admit at the same time that the relevant factors could change in future, we should try to avoid carefully any development which might directly or indirectly jeopardize the European option to build up some sort of defensive system against nuclear weapons. It is our concern that this option could be weakened if the above-mentioned non-transfer clause were not drafted in such precise terms as to make clear that

a) the prohibition of transfer of ABM systems and of its components is meant only to ensure the viability of this ABM agreement;

b) the non-transfer only covers components of ABM systems dealt with in this agreement.

3) And one word more on the problem of non-transfers, also in response to Ambassador Campbell's intervention:

In our opinion care should be taken – in the treaty provisions that two possible misunderstandings are avoided – misunderstandings that would run against the interests of European NATO members:

a) any non-transfer clause should not be taken as illustrating a conviction that ABM systems as such are, as a matter of principle, not to be possessed by third countries.

---

[5] Am 28. März 1972 wurde die siebte Runde der Verhandlungen über eine Begrenzung der strategischen Waffen (SALT) in Helsinki eröffnet.

[6] Auf der Sitzung der Nuklearen Planungsgruppe am 18./19. April 1968 in Den Haag wurde entschieden, zunächst kein ABM-System in Europa zu entwickeln. Vgl. dazu AAPD 1968, I, Dok. 133.

b) nor should it be taken as illustrating a conviction that the transfer of strategic systems in general, i.e. including offensive systems, is prohibited as a matter of principle.

[Anlage 2]
[...]⁷

VS-Bd. 3604 (II B 1)

76

Botschaftsrat Nowak, Beirut, an das Auswärtige Amt

Z B 6-1-11867/72 geheim Aufgabe: 27. März 1972, 20.00 Uhr[1]
Fernschreiben Nr. 117 Ankunft: 27. März 1972, 20.22 Uhr
Citissime

Im Anschluß an FS 86 vom 6. März 1972[2]

Betr.: Libanesische Deutschlandpolitik

Zur Information

Herr Wischnewski, MdB, hat heute fünfviertelstündige Unterredung mit Staatspräsident Frangieh in Gegenwart von Außenminister Abu Hamad geführt.[3] Auf Wunsch von Herrn Wischnewski habe ich teilgenommen.

Vorabergebnisse zur Deutschlandfrage:

I. Libanesisches Kabinett wird Mittwoch nachmittag (29. März) Wiederaufnahme der Beziehungen zur Bundesregierung diskutieren und Frage voraussichtlich positiv entscheiden. Ich werde morgen vormittag zusammen mit französischem Botschafter[4] als Leiter der Schutzmachtvertretung zu Staatssekre-

---

[7] Dem Vorgang beigefügt. Zur Aufzeichnung des Vortragenden Legationsrats I. Klasse Menne vom 23. Februar 1972 vgl. Dok. 26, Anm. 8.

[1] Hat Vortragendem Legationsrat I. Klasse Redies am 28. März 1972 vorgelegen.

[2] Korrigiert aus: „1962".
Botschaftsrat Nowak, Beirut, berichtete, der libanesische Außenminister Abu Hamad habe ihm mitgeteilt, „er habe mit einzelnen Teilnehmern der islamischen Konferenz in Djidda [...] erneut Deutschland-Problematik erörtert. Er habe den Eindruck, daß das bisherige Embargo der Beziehungen zu uns am 11. März in Kairo aufgehoben wird. Die arabischen Staaten würden die Möglichkeit einer Normalisierung des Verhältnisses auf bilateralem Wege erhalten." Abu Hamad habe in Aussicht gestellt, daß der Libanon bis Ende März die Beziehungen zur Bundesrepublik wiederaufzunehmen bereit sei. Auf Nachfrage habe der libanesische Außenminister ferner versichert, daß der Libanon den Status der Handelsvertretung der DDR nicht vor einer Aufnahme der DDR in die UNO verändern werde. Vgl. VS-Bd. 9862 (I B 4); B 150, Aktenkopien 1972.
Zum Beschluß des Rats der Arabischen Liga vgl. Dok. 30, Anm. 7.

[3] Der SPD-Bundestagsabgeordnete Wischnewski hielt sich vom 25. bis 29. März 1972 im Libanon auf. Vgl. dazu auch Dok. 35 und Dok. 79.

[4] Michel Fontaine.

tär Sadaka ins Außenministerium gerufen, um Frage eines bereits Mittwoch abend 20 Uhr in Bonn und Beirut zu veröffentlichenden Kommuniqués zur Wiederaufnahmefrage zu erörtern. Sofern keine gegenteilige Weisung eingeht, werde ich Vorgehen analog zur Wiederaufnahme in Algier und Khartoum[5] vorschlagen.[6]

II. Weiteres Procedere: Abu Hamad wird vom Kabinett beauftragt werden, Bericht über künftiges Verhältnis zu beiden deutschen Staaten vorzulegen. Ausarbeitung wird drei bis vier Wochen in Anspruch nehmen. Minister kündigt an, er werde darin Errichtung eines DDR-Generalkonsulats in Beirut sowie die Anerkennung Ostberlins für den Zeitpunkt der Aufnahme der DDR in die Vereinten Nationen vorschlagen. Bericht dürfte der Regierung nach Zusammentritt neuen Parlaments, das heißt im Mai, vorliegen und wird spätestens im Juni mit voraussichtlich positivem Votum angenommen werden.

III. Herr Wischnewski bat nachdrücklich darum, sich mit der Vorlage des Berichts Zeit zu lassen, und führte aus, daß die DDR-Frage das Kardinalproblem unserer gegenwärtigen Politik sei. Die Errichtung eines DDR-Generalkonsulats könnte daher von uns nur mit Bedenken hingenommen werden. Bliebe es dennoch bei dieser Absicht, legten wir entscheidenden Wert darauf, daß Wiederaufnahme der Beziehungen mit uns und DDR-Statusverbesserung als zwei völlig getrennte Vorgänge behandelt würden.[7] Staatspräsident und Außenminister verhielten sich hierzu zustimmend.

IV. Gesprächsverlauf im einzelnen mit morgigem Fernschreiben.[8]

[gez.] Nowak

VS-Bd. 9865 (I B 4)

---

[5] Am 21. Dezember 1971 nahm die Bundesrepublik die diplomatischen Beziehungen zu Algerien und am 23. Dezember 1971 zum Sudan wieder auf. Vgl. dazu AAPD 1971, III, Dok. 435 und Dok. 446.

[6] Vortragender Legationsrat I. Klasse Redies bekräftigte am 27. März 1972, daß eine schnelle Wiederaufnahme diplomatischer Beziehungen nur möglich sei, wenn „libanesische Seite mit gleichem Kommuniquétext wie bei Algier und Khartoum einverstanden und keine Änderungen vorschlägt. Änderungen wären uns auch im Hinblick auf Präzedenzwirkung für andere arabische Länder unerwünscht." Vgl. den Drahterlaß Nr. 40; VS-Bd. 9865 (I B 4); B 150, Aktenkopien 1972.

[7] Bezüglich der Errichtung eines Generalkonsulats der DDR in Beirut vermerkte Vortragender Legationsrat I. Klasse Redies am 30. März 1972, daß der SPD-Abgeordnete Wischnewski in einem Telefongespräch die Vermutung geäußert habe, man könne den Juni-Termin vielleicht noch hinauszögern. Vgl. VS-Bd. 9865 (I B 4); B 150, Aktenkopien 1972.
Am 30. März 1972 wurde gleichzeitig in Bonn und Beirut ein Kommuniqué über die Wiederaufnahme diplomatischer Beziehungen veröffentlicht: „Die Regierung der Bundesrepublik Deutschland und die Regierung der Libanesischen Republik sind übereingekommen, diplomatische Beziehungen mit dem heutigen Tage (30. März 1972) wiederaufzunehmen. Ein Austausch von Botschaftern wird zu dem frühest möglichen Zeitpunkt stattfinden." Vgl. BULLETIN 1972, S. 712.

[8] Am 28. März 1972 berichtete Botschaftsrat Nowak, Beirut, über die Gesprächspunkte zwischen dem SPD-Bundestagsabgeordneten Wischnewski, Präsident Frangieh und Außenminister Abu Hamad, die sich nicht auf die Aufnahme diplomatischer Beziehungen erstreckten. So seien der Nahost-Konflikt, die geplante Reise des Bundeskanzlers Brandt nach Israel und der Friedensplan des Königs Hussein II. erörtert worden. Frangieh habe betont, die Lage der demokratischen Staaten im Nahen Osten sei labil: „Der gegenwärtige Wohlstand im Libanon falle ins Auge. Dennoch solle man sich nicht täuschen: In Anbetracht der israelischen Haltung sei ein Umschlagen in psychologische und wirtschaftliche Depression jederzeit möglich. Die Lage des Libanon gebe nach wie vor zu Beunruhigung Anlaß. Präsident äußerte Besorgnis über bevorstehende Israel-Reise Bundeskanzlers. Herr Wischnewski wies demgegenüber darauf hin, daß der Besuch für die Araber nicht nachteilig sein müsse. Wir wären an Darlegungen zur Lage im Nahen

77

Aufzeichnung des Ministerialdirektors von Staden

I A 4-83.00/94-1057/72 VS-vertraulich 28. März 1972[1]

Herrn Staatssekretär zur Unterrichtung.[2]

Betr.: Spanisch-französisch-italienische Gespräche in Paris am 15.3.1972[3];
hier: Beziehungen zur PZ und Bewertung

Sie haben zu dem Bericht aus Paris Nr. 827 vom 21.3.[4] die Frage gestellt[5], ob sich Sonderkonsultationen der oben bezeichneten Art mit der PZ vertragen. Hierzu möchte ich folgende Überlegungen anstellen:

Fortsetzung Fußnote von Seite 338
Osten von arabischer Seite gerade in diesem Zusammenhang interessiert. Außenminister führte aus, unabdingbare Voraussetzung für die Durchführung eines jeden Nahost-Planes sei die Gewährleistung des Selbstbestimmungsrechts der Palästinenser. Der Hussein-Plan scheine dazu interessante Ansätze zu bieten. Soweit sich die Palästinenser bisher überhaupt geäußert haben [...], werde der jordanische Plan jedoch abgelehnt. Nicht nur entfalle damit die Möglichkeit seiner Verwirklichung, sondern auch die Unterstützung durch die libanesische Regierung. Staatspräsident fügte hinzu, wenn wir uns nun wieder verstärkt dem Nahen Osten zuwenden, sollten wir besonders die Palästinenser im Auge behalten." Vgl. den Drahtbericht Nr. 120; Referat I B 4, Bd. 554.

1 Hat Ministerialdirektor von Staden am 5. April 1972 erneut vorgelegen, der die Weiterleitung an Ministerialdirigent Simon verfügte.
Hat Simon am 5. April 1972 vorgelegen, der die Weiterleitung an Vortragenden Legationsrat I. Klasse Munz verfügte.
Hat Munz vorgelegen, der die Weiterleitung an die Vortragenden Legationsräte Reitberger und Strenziok sowie an Legationsrat I. Klasse Zierer verfügte.
Hat Reitberger, Strenziok und Zierer am 17. April 1972 vorgelegen.
2 Hat Staatssekretär Frank am 4. April 1972 vorgelegen, der handschriftlich vermerkte: „Gleichwohl müssen wir diese Kombination sorgfältig beobachten, da es wohl nicht nur um ‚reine' Mittelmeerpolitik geht (SECAM)."
3 Am 7. Februar 1972 informierte Vortragender Legationsrat I. Klasse Munz: „Bei der Sitzung der Arbeitsgruppe ‚Mittelmeer' im Rahmen der PZ der Sechs teilte der französische Delegationsleiter Jurgensen mit, die Spanier hätten Dreiergespräche über Mittelmeerfragen vorgeschlagen. Sie sollen zwischen Vertretern der Außenministerien Spaniens, Italiens und Frankreichs im März in Paris stattfinden. Die Thematik sei noch unklar. Gesandter Jurgensen schien nicht sehr beglückt über die spanische Initiative zu sein." Vgl. Referat I A 4, Bd. 471.
Botschafter Ruete, Paris, berichtete am 9. Februar 1972, daß die Botschaften Spaniens und Italiens betroffen reagiert hätten, als sie nach den geplanten Gesprächen gefragt worden seien, denn es handele sich „allem Anschein nach um eine geheime Sache." Vgl. den Drahtbericht Nr. 408; Referat I A 4, Bd. 471.
4 Gesandter Blomeyer-Bartenstein, Paris, berichtete von vertraulichen Informationen, die er von französischer Seite über das spanisch-französisch-italienische Gespräch erhalten habe. Insgesamt sei es um eine engere Kooperation im Mittelmeerraum gegangen: „Der spanische Botschafter habe anerkannt, daß die Unterschiedlichkeit der Regime eine generelle Übereinkunft oder einen Pakt ausschlösse. Dennoch müsse man zur Vermeidung neuer Spannungen beitragen, indem man die gegenwärtige politische Stabilität erhalte. Darin sei auch eine Obergrenze der Rüstungen innerhalb der Region eingeschlossen. Es müsse glaubwürdig gemacht werden, daß man gewillt sei, die Eskalation aufzuhalten. Ohne sich vom Bündnis zu lösen, müsse man sich in dieser Zone genügend von der westlichen Allianz absetzen. Er forderte, einen Schritt weiterzugehen, als es die französische Politik vorsehe." Vgl. VS-Bd. 9809 (I A 4); B 150, Aktenkopien 1972.
5 Zum Drahtbericht Nr. 827 vermerkte Staatssekretär Frank am 27. März 1972 handschriftlich für Ministerialdirektor von Staden: „Wir sollten uns über dieses Thema gelegentlich unterhalten. Wozu PZ, wenn solche Dreier-Gruppierungen entstehen?" Vgl. VS-Bd. 9809 (I A 4); B 150, Aktenkopien 1972.

Die spanische Initiative zielt, wenn ich es richtig sehe, zunächst auf die Entwicklung eines Regionalismus im westlichen Mittelmeer. Konkret scheint dafür u. a. der Wunsch maßgebend zu sein, die militärische Konfrontation der Großmächte im Mittelmeerraum zu begrenzen und abzubauen und Länder wie Algerien oder Libyen einer verstärkten sowjetischen Einflußnahme zu entziehen. Die spanische Initiative ist zunächst gescheitert. Ursächlich dafür ist gemäß Bericht aus Madrid Nr. 253 vom 24.3.[6], daß man von französischer und italienischer Seite keine Voraussetzungen dafür erkennen könne, eine Konferenz oder gar einen Pakt über die Sicherheit in der Region zustandezubringen. Ferner dürfte nach dem vorgenannten Bericht aus Paris eine Rolle gespielt haben, daß die Unterschiedlichkeit der Regime eine generelle Übereinkunft oder einen Pakt ausschlössen.

Weitere Zusammenkünfte dieser Art seien nach dem vorgenannten Bericht aus Madrid vorerst nicht zu erwarten.

Trotz dieses ergebnislosen Ausgangs sollte das Zusammentreffen m. E. nicht negativ bewertet werden. Eine Mittelmeer-Konferenz oder gar ein Mittelmeer-Pakt sind sicher zu ehrgeizige Ziele. Auch dürfte die Unterschiedlichkeit der Regime einer Regionalisierung der politischen Zusammenarbeit im westlichen Mittelmeer noch auf längere Zeit entgegenstehen. Dennoch sollten wir die weitere Entwicklung aufmerksam beobachten und den Gedanken der Regionalisierung nicht entmutigen, sondern bei sich bietender Gelegenheit, und ohne selbst initiativ zu werden, eher ermutigen.

Ich sehe den Unterschied zwischen den nunmehr ins Auge gefaßten bilateralen Kontakten und einer begrenzten multilateralen oder regionalen politischen Zusammenarbeit vor allem darin, daß die letzte tatsächlich, wenn auch nicht im juristischen Sinne, einen größeren Grad an Verbindlichkeiten bei der Abstimmung der Politik der beteiligten Staaten zur Folge haben kann. Eine multilaterale Konsultation erschwert es den Beteiligten, deren Ergebnisse in der Praxis zu ignorieren und ohne Rücksicht auf die Partner ihre eigenen Wege zu gehen. In diesem Sinne kann eine solche Konzeption auf die Politik der teilnehmenden Staaten und damit der durch sie gebildeten Region eine stabilisierende Wirkung haben und bilaterale Einwirkungen von dritter Seite erschweren. Mit anderen Worten, würden die Staaten der Region und würde damit die Region selbst weniger zugänglich für eine Penetration von außen. Insofern erscheint mir der spanische Denkansatz prinzipiell richtig zu sein.

---

[6] Botschafter Meyer-Lindenberg, Madrid, berichtete über ein Gespräch, in dem der Mitarbeiter im spanischen Außenministerium, Fernandez de Cordoba, den Eindruck vermittelt habe, „daß die spanischerseits in das Dreiergespräch vom 15. März 1972 in Paris gesetzten Erwartungen nicht erfüllt worden sind. Der Gesprächspartner erklärte, es habe sich um einen formlosen Gedankenaustausch über die allgemeinen Aspekte der Mittelmeerprobleme gehandelt. Eine Fortsetzung dieses Gesprächs in demselben oder in erweitertem Rahmen sei vorerst nicht zu erwarten. Nach Meinung des spanischen Beamten haben die spanisch-französisch-italienischen Gespräche Übereinstimmung in der Beurteilung der gefährdeten Sicherheit im Mittelmeerraum und in der Notwendigkeit der Schaffung eines Bewußtseins der gemeinsamen mediterranen Verantwortung unter den Anrainerstaaten ergeben. Italien und insbesondere Frankreich hätten sich jedoch gegen von Spanien zunächst angestrebte multilaterale Maßnahmen für eine gemeinsame Haltung der Länder des westlichen Mittelmeeres ausgesprochen, da derzeit keinerlei Voraussetzungen für die Verwirklichung einer Konferenz oder für einen Pakt über die Sicherheit der Region gegeben seien." Vgl. Referat I A 4, Bd. 471.

Ob er zu einer weiteren Entwicklung führt, ist natürlich völlig offen. Auf jeden Fall aber könnte er in der weiteren Zukunft eine Funktion haben, die von der PZ nicht ausgeübt werden kann, weil die meisten ihrer Teilnehmerstaaten der Region nicht angehören und weil andererseits zahlreiche Staaten der Region nicht zur PZ hinzugezogen werden können. Überdies besteht auch im Verhältnis zur PZ das Problem der Unterschiedlichkeit der Regime, daß es bis auf weiteres ausschließen dürfte, Spanien näher an sie heranzuführen.

Zusammenfassend sehe ich in der spanischen Initiative einen zunächst wenig versprechenden, potentiell jedoch nützlichen und im Prinzip richtigen Denkansatz. Andererseits glaube ich nicht, daß wir die französisch-italienische Bereitschaft, auf diesen Versuch zunächst einzugehen, als im Widerspruch zur PZ stehend bewerten müssen.

Staden

VS-Bd. 9809 (I A 4)

78

Ministerialdirigent Forster an die Botschaft in Rom

IV 1-80.SL-3/94.12-52/72 VS-vertraulich   Aufgabe: 30. März 1972, 16.33 Uhr[1]
Fernschreiben Nr. 246

Betr.: Südtirol
Bezug: Drahtbericht Nr. 258 vom 6.3.1972 – Pol I A 4/81[2]

Botschaft wird gebeten, im Außenministerium folgendes mitzuteilen:
a) Bundesregierung begrüßt für Südtirol getroffene Autonomieregelung auf der Grundlage von Paket und Operationskalender.[3]

---

[1] Der Drahterlaß wurde von Vortragendem Legationsrat von Boehmer konzipiert.
[2] Botschafter Lahr, Rom, berichtete über ein Gespräch des Gesandten Steg, Rom, mit dem Mitarbeiter im italienischen Außenministerium, Fenzi, am 3. März 1972. Fenzi habe der Sorge der italienischen Regierung Ausdruck gegeben, daß „manche deutsche Stellen" die italienischen Bemühungen zur Verbesserung der Lage in Südtirol nicht respektierten: „Die italienische Regierung stehe unter dem Eindruck, daß beträchtliche finanzielle Mittel aus Deutschland nach Südtirol flössen, über deren Höhe Rom nicht unterrichtet sei. Unter den deutschen Hilfsorganisationen falle vor allem die wachsende Tätigkeit der ‚Stillen Hilfe' ins Auge. Man höre, daß diese Organisation über einen Betrag von zwei Mrd. Lire (etwa elf Mio. DM) jährlich verfüge. Mein Vertreter warf ein, daß, soweit ihm bekannt sei, die ‚Stille Hilfe' sich im wesentlichen auf karitativem und humanitärem Gebiet betätige und beispielsweise die Einrichtung von Kindergärten finanziell fördere. Gesandter Fenzi bemerkte dazu, besonders in bezug auf Kindergärten sei Zurückhaltung geboten. [...] Beiläufig erwähnte Gesandter Fenzi, daß der bayerische Ministerpräsident am 5.3. einen Besuch in Bozen abstatte. Es wurde abgesprochen, das Gespräch zu gegebener Zeit in Rom fortzuführen. Für die Fortsetzung des Gesprächs erbitte ich Weisung über Art und Umfang der Tätigkeit der ‚Stillen Hilfe' sowie Angaben über gestrigen Besuch des Ministerpräsidenten Goppel in Bozen." Vgl. Referat 610, Bd. 557.
[3] Am 3. Dezember 1969 berichtete Botschafter Lahr, Rom, über die Zustimmung der Südtiroler Volkspartei zu den von Italien und Österreich ausgehandelten Vereinbarungen zur Lösung der

b) Sie ist gerne bereit, zum Gelingen dieses Programms beizutragen und etwaigen Störungsversuchen, soweit sie aus der Bundesrepublik kommen mögen und soweit Einflußmöglichkeit besteht, entgegenzuwirken.

c) Im Rahmen des Kulturaustausches mit Italien werden auch kulturelle Vorhaben in Südtirol (Theatergastspiele, Vergabe von Büchern, Filmen und Stipendien) gefördert.

d) „Stille Hilfe" erhält keine Zuwendungen aus Bundesmitteln.

Weiter kann, sollte aber möglichst nicht mitgeteilt werden:

e) Bundesregierung geht den von italienischer Seite gemachten Mitteilungen weiter nach und behält sich vor, darauf zurückzukommen.[4]

Nur zur dortigen Unterrichtung:

Gleiches Gespräch wie Gesandter Fenzi hat am 29.3. Botschaftsrat Solari Bozzi im Auswärtigen Amt geführt und dabei besonders auf Bau von Kinderheimen sowie Besuch Ministerpräsident Goppels in Bozen am 5.3. hingewiesen.[5]

Möglicherweise hat italienische Seite neben „Stiller Hilfe" auch, vielleicht sogar mit in erster Linie die deutschen amtlichen Zuwendungen an das Südtiroler Kulturinstitut in Bozen im Auge. Höhe dieser Zuwendungen (durch Aus-

---

Fortsetzung Fußnote von Seite 341

Südtirol-Frage: „Das ‚Paket' soll die Selbstverwaltung der beiden Provinzen Bozen und Trient zu Lasten der ihnen übergeordneten Region Trentino/Alto Adige stärken. Damit wird die von den Südtirolern stets kritisierte italienische Politik der Regionalisierung korrigiert, die nach Südtiroler Meinung das ‚Gruber-De Gasperi-Abkommen' verfälschte, indem sie an sich für Südtirol gedachte Privilegien auf ein größeres, überwiegend italienischsprachiges Gebiet ausdehnte. [...] Die beiden Provinzen sollen eine Reihe von zusätzlichen Gesetzgebungskompetenzen auf wirtschaftlichem und sozialem Gebiet, erweiterte Haushaltskompetenzen sowie das Recht erhalten, Staatsgesetze beim Verfassungsgerichtshof anzufechten." Zum zweiten Teil der österreichisch-italienischen Vereinbarungen schrieb Lahr: „Der ‚Operationskalender', die zweite Säule, auf der das Gebäude des Aussöhnungswerkes ruht, ist ein Pas de deux von 18 sorgfältig aufeinander abgestimmten Schritten der italienischen und der österreichischen Regierung mit dem Ziel, daß Wien nach Erfüllung der im ‚Paket' enthaltenen Versprechen durch Rom, also in vier bis fünf Jahren, den Streit vor der UNO formell als beigelegt erklärt." Vgl. den Schriftbericht; Referat I A 4, Bd. 440.

[4] Am 10. April 1972 berichtete Botschafter Lahr, Rom, über ein Gespräch mit dem Abteilungsleiter im italienischen Außenministerium. Ducci habe die Äußerungen der Bundesrepublik „mit Genugtuung" zur Kenntnis genommen und „ließ keine Beunruhigung erkennen". Er erwähnte, daß es in Italien Kreise gäbe, die in bezug auf alles, was sich in und um Südtirol tue, noch sehr empfindlich seien. Ihm sei dabei aufgefallen, daß, soweit Kritik geäußert werde, sich diese eher gegen deutsche als österreichische Kreise wende. Die italienische Regierung bemühe sich, der Empfindlichkeit dieser Kreise nach Möglichkeit Rechnung zu tragen, und empfehle uns das Gleiche. Dies richte sich nicht an die Bundesregierung, die immer eine korrekte Haltung eingenommen habe, sondern mehr an namentlich in Bayern befindliche Persönlichkeiten und Organisationen, deren Interesse für Südtirol aus Stammesgründen verständlich sei, die aber vielleicht nicht immer bedächten, wie ihre Äußerungen in Italien wirkten. Was speziell die ‚Stille Hilfe' angehe, so sei diese vielleicht nicht so sehr still, sondern schüttle bisweilen recht lautstark den Klingelbeutel und sei wohl in ihren Äußerungen nicht sehr wählerisch, um Mitleid für Südtirol zu erwecken. Er gebe aber zu, daß es für die Bundesregierung nicht einfach sei, hier regulierend einzugreifen. [...] Die Angelegenheit kann, sofern es nicht zu neuen italienischen Vorstellungen kommen sollte, als erledigt angesehen werden." Vgl. den Drahtbericht Nr. 374 vom 10. April 1972; VS-Bd. 9807 (I A 4); B 150, Aktenkopien 1972.

[5] Vortragender Legationsrat I. Klasse Munz informierte die Botschaft in Rom am 8. März 1972, daß der bayerische Ministerpräsident Goppel und der Präsident der Bundesanstalt für Arbeit, Stingl, an der Tagung der katholischen Familienverbände Südtirols teilgenommen hätten. Goppel habe dort außerdem die Festansprache gehalten. Vgl. den Drahterlaß Nr. 182; Referat I A 4, Bd. 440.

wärtiges Amt) hat in den letzten Jahren allerdings nur DM 1,2 Mio. jährlich betragen. Es wird im Prinzip weiterhin, wie schon verschiedentlich mit Botschafter besprochen, für wünschenswert gehalten, daß mit italienischer Seite möglichst bald diese Dinge besprochen werden, und zwar mit der Absicht, unsere Förderungsmaßnahmen in offene im Rahmen der auswärtigen Kulturarbeit überzuleiten.[6] Es ist jedoch vorgesehen, daß zunächst – etwa im Mai – ein Gespräch zwischen Vertreter Auswärtigen Amts und österreichischer Seite in Wien stattfindet, um Abstimmung mit Wien, das für derartige Förderungsmaßnahmen in erster Linie politisch legitimiert ist, herbeizuführen. Alsdann müßte Botschafter die Auffassung Dr. Mitterdorfers über Zeitpunkt und Inhalt eines deutsch-italienischen Gesprächs einholen.

Weiterer Erlaß nach vorgenanntem Gespräch in Wien.

[gez.] Forster

VS-Bd. 9756 (IV 1)

---

[6] Vortragender Legationsrat von Boehmer führte am 3. Oktober 1972 zu den Ursprüngen und Grundsätzen der Kulturförderung in Südtirol seitens der Bundesrepublik aus: „Das Motiv für die Übertragung der oben angeführten Förderungsmaßnahmen vom damaligen Bundesministerium für Gesamtdeutsche Fragen auf das Auswärtige Amt im Jahre 1968 war, die Förderung in ein politisch unverfängliches Verfahren überzuleiten, damit im Falle eines Bekanntwerdens der Förderungsmaßnahmen auf italienischer Seite möglichst keine das deutsch-italienische Verhältnis betreffenden Rückwirkungen entstehen würden." Außerdem sei seit 1968 „ständig geprüft worden, ob das Zuwendungsverfahren, das bislang von der üblichen haushaltsrechtlich vorgeschriebenen Technik abweicht und in streng vertraulicher Weise gehandhabt wird, in das normale offene Verfahren übergeleitet werden kann. Unsere Südtiroler Gesprächspartner haben das bislang nicht [...] für politisch vertretbar erklärt." Boehmer führte weitere Einzelheiten des möglichen offenen Verfahrens aus und empfahl „für die nächsten Jahre" ein Gesamtplafond von einer Million DM. Vgl. VS-Bd. 9756 (IV 1); B 150, Aktenkopien 1972.

79

Bundesminister Scheel, z. Z. Hinterthal, an Bundeskanzler Brandt, z. Z. Sardinien

30. März 1972[1]

Sehr geehrter Herr Bundeskanzler,

in meinem Urlaubsort lese ich, daß Herr Wischnewski nach dem Libanon gereist ist[2] und dort dem Präsidenten Frangieh eine Botschaft des Bundeskanzlers übergeben habe. Auf Rückfrage im Amt stelle ich fest, daß Herr Wischnewski mitgeteilt habe, er wolle für einen Deutschen aus seinem Wahlkreis, der im Libanon inhaftiert sei, intervenieren.[3] Zu diesem Zweck habe der Herr Bundeskanzler Herrn Wischnewski ein Einführungsschreiben mitgegeben. In Anbetracht des humanitären Zwecks dieser Reise hat das Nahost-Referat keinen Einspruch erhoben, was ich in Ordnung finde. Nunmehr erscheint die Reise Herrn Wischnewskis in der Presse aber als diejenige außenpolitische Aktion, die die Wiederaufnahme der Beziehungen zwischen dem Libanon und der Bundesrepublik zustande gebracht hat.[4]

---

[1] Das Schreiben wurde am 30. März 1972 von Staatssekretär Frank als Drahterlaß Nr. 1 an Bundeskanzler Brandt, z. Z. Sardinien, übermittelt.
Hat Legationsrat I. Klasse Vergau vorgelegen, der handschriftlich vermerkte: „Herrn Hallier z[ur] K[enntnis]n[ahme]."

[2] Der SPD-Abgeordnete Wischnewski hielt sich vom 25. bis 29. März 1972 im Libanon auf. Vgl. dazu auch Dok. 76.
Hans-Jürgen Wischnewski berichtete dazu im Rückblick: „Im März 1972 besuchte ich den Libanon. Eigentlich wollte ich in erster Linie einer Familie aus meinem Wahlkreis helfen, deren Sohn im Libanon eine Gefängnisstrafe verbüßte. [...] Natürlich wollte ich die Gelegenheit nutzen, die Aussichten für die Wiederaufnahme der diplomatischen Beziehungen zu erkunden. Ich bat also den Bundeskanzler um ein paar freundliche Zeilen für den libanesischen Staatspräsidenten Suleiman Frangié. Willy Brandt schrieb, daß er die Reise seines Freundes Wischnewski in den Libanon zum Anlaß nehme, ihm seine sehr herzlichen Grüße zu übermitteln. Mit diesem Brief ging ich zusammen mit unserem Geschäftsträger zum libanesischen Staatspräsidenten. Ich wurde sehr freundlich empfangen, der Präsident las den Brief sofort, und wir vertieften uns in ein Gespräch über die deutsch-libanesischen und deutsch-arabischen Beziehungen. Ich spürte, daß hier die Zeit für die Wiederaufnahme der diplomatischen Beziehungen reif war. Im Laufe des Gesprächs schlug der Präsident vor, noch für den Nachmittag das Kabinett einzuberufen und in dieser Sitzung die sofortige Wiederaufnahme der diplomatischen Beziehungen zur Bundesrepublik zu beschließen. ‚Dann können Sie schon morgen wieder Ihre Fahne im Libanon aufziehen.' Diese Schnelligkeit überraschte mich. Ich war zu diesem Zeitpunkt nicht Regierungsmitglied, aber schließlich war es ja die erklärte Politik der Bundesregierung, die baldige Wiederaufnahme der diplomatischen Beziehungen zu erreichen. Auch unser Geschäftsträger vertrat diese Ansicht. So gab es seit dem 30. März 1972 wieder diplomatische Beziehungen zum Libanon, und wir waren wieder einen Schritt weiter. Nach meiner Rückkehr nach Bonn gab es noch einigen Ärger. Der von mir hochgeschätzte Staatssekretär Paul Frank im Auswärtigen Amt glaubte nicht an den humanitären Anlaß meiner Reise. Er sah wohl in meinem Verhalten einen ungerechtfertigten Eingriff eines Vertreters der Legislative in die hier zuständige Arbeit der Exekutive." Vgl. WISCHNEWSKI, LEIDENSCHAFT, S. 144 f.

[3] Vortragender Legationsrat I. Klasse Redies teilte am 22. März 1972 mit, daß der SPD-Abgeordnete Wischnewski „neben Gesprächen mit libanesischer Regierung" den „Fall eines wegen Rauschgiftschmuggels verurteilten jungen Deutschen aus seinem Wahlkreis zur Sprache bringen" wolle. Vgl. den Drahterlaß Nr. 36; Referat I B 4, Bd. 554.

[4] Vgl. dazu den Artikel „Vor Wiederaufnahme der Beziehungen zu Beirut und Kairo"; DIE WELT vom 27. März 1972, S. 2.

Sie werden verstehen, sehr geehrter Herr Bundeskanzler, daß ein solcher Eindruck für die Vorstellung, die die Öffentlichkeit von einer nach Kompetenzen geregelten Regierungstätigkeit hat, nachteilig sein muß. Die Reisetätigkeit von Herrn Wischnewski, deren Intentionen ich durchaus positiv bewerte, bringt aber die Gefahr mit sich, daß die notwendige Trennung von Legislative und Exekutive in der Öffentlichkeit verwischt wird. Gewisse Formulierungen in dem im übrigen mit dem Auswärtigen Amt abgestimmten „Einführungsschreiben" verwischen den Unterschied noch mehr.[5] Sie könnten zu dem falschen Schluß führen, als enthielte dieser Brief in Wahrheit einen dringenden Wunsch nach Aufnahme der Beziehungen.[6] Es gibt aber keinen Anlaß, von uns aus den im Gange befindlichen Prozeß der Normalisierung der Beziehungen zu den arabischen Staaten zu beeinflussen oder zu beschleunigen. Gerade diejenigen arabischen Staaten, die in den vergangenen Jahren treu zu uns gehalten haben[7], hätten wenig Verständnis dafür, wenn die Bundesrepublik Deutschland als Bittsteller auftreten würde.

Auch der Aufenthalt von Herrn Günter Grass in Athen[8] gehört in diesen Zusammenhang. Selbstverständlich ist es Herrn Grass unbenommen, überall auf der Welt seine persönliche Meinung zu äußern. Selbst wenn er eine unserer Botschaften angreift, die auf Weisung des Auswärtigen Amts handelt, können wir dagegen wenig tun.[9] Zu bedauern ist aber, wenn er Gelegenheit erhält, öffentlich zu sagen, der Herr Bundeskanzler habe ihn zur Berichterstattung über seine Reise nach Griechenland empfangen. Dadurch hat seine Reise ein politisches Gewicht erhalten, das ihr in Anbetracht unserer Bemühungen, mit dem schwierigen und komplexen Problem Griechenland fertig zu werden, nicht gerecht wird. Die heute in der Presse erschienenen Berichte, wonach Herr Grass seine Tätigkeit auch auf die Vereinigten Staaten ausdehnt, laden nicht dazu ein, diese Beurteilung zu revidieren.

Ich schreibe dies alles nicht, sehr geehrter Herr Bundeskanzler, um Ihnen die notwendige und wohlverdiente Erholung unter italienischer Sonne zu vermie-

---

[5] Im Schreiben vom 24. März 1972 an Präsident Frangieh teilte Bundeskanzler Brandt mit, der SPD-Abgeordnete Wischnewski werde „Ihrer Regierung die Politik der Bundesregierung darlegen können. Ich habe es begrüßt, daß Ihre Regierung auf der kürzlichen Tagung der Arabischen Liga den Beschluß unterstützt hat, den einzelnen arabischen Staaten die Wiederaufnahme der Beziehungen zur Bundesrepublik Deutschland freizustellen. Ich hoffe, daß die Gespräche meines Freundes dazu beitragen werden, das Verhältnis zwischen unseren beiden Ländern einer baldigen Normalisierung zuzuführen." Vgl. Referat I B 4, Bd. 553.

[6] Zu ersten Presseveröffentlichungen über den geplanten Besuch des SPD-Abgeordneten Wischnewski berichtete Botschaftsrat Nowak am 21. Februar 1972: „Der durch die Behandlung der Angelegenheit entstandene Eindruck, Bundesregierung dränge nunmehr auf Normalisierung, hat sich inzwischen bereits in Meldungen umgesetzt, wonach wir die Wiederherstellung der Beziehungen durch das Angebot finanzieller und technischer Hilfeleistungen zu beschleunigen suchten, während der Libanon erst die Entscheidung des Ligarats in der Aufnahmefrage abwarten wolle." Vgl. den Drahtbericht Nr. 46; Referat I B 4, Bd. 553.

[7] Zum Abbruch der diplomatischen Beziehungen zur Bundesrepublik durch neun arabische Staaten zwischen dem 12. und 16. Mai 1965 vgl. Dok. 30, Anm. 3.
Nicht abgebrochen wurden die Beziehungen durch Libyen, Marokko und Tunesien.

[8] Zur Vortragsreise des Schriftstellers Grass nach Athen vgl. Dok. 61.

[9] Zu den Äußerungen des Schriftstellers Grass über die Botschaft in Athen nach seiner Rückkehr nach Deutschland vgl. Dok. 61, Anm. 10.

sen, sondern lediglich aus der Sorge heraus, daß die Bundesregierung diese Art von Tätigkeiten, und seien sie noch so gut gemeint, stärker unter Kontrolle nehmen sollte.

Ich habe soeben Ihren Brief, den Sie kurz vor Ihrer Abreise nach Sardinien an mich sandten, erhalten. Ihre Beurteilung teile ich in vollem Umfange. Auch ich halte es für wünschenswert, daß wir bald angesichts der schweren Etappen, vor denen wir stehen, ein Gespräch über den Rest der Legislaturperiode führen. Für Ihren Brief danke ich auf das allerherzlichste und wünsche Ihnen auch weiterhin einen guten und erholsamen Urlaub. Wir werden in den nächsten Wochen gute Nerven und frische Kräfte ganz sicherlich brauchen können.[10]

Mit herzlichem Gruß
[gez.] Ihr Walter Scheel

Büro Staatssekretär, Bd. 195

---

[10] Bundeskanzler Brandt antwortete am 31. März 1972: „Was Herrn Wischnewski angeht, so hatte ich ihn in den letzten Wochen mehrfach gebeten, sich um ein Gespräch mit Ihnen zu bemühen. Ich glaubte, dieses habe stattgefunden, als er mir von seiner bevorstehenden Reise in den Libanon erzählte. Das Schreiben an den dortigen Präsidenten wurde mir nach Abstimmung mit dem Auswärtigen Amt vorgelegt, so daß ich meinte, alles sei in Ordnung. [...] Schwieriger ist die Sache mit Herrn Grass. Er weiß, daß ich seine Aktion in Griechenland kritisch betrachte und daß unsere Außenpolitik sich nicht an seinen Maßstäben orientieren kann. Dies gilt erst recht für seine Äußerungen über Amerika, wenn diese richtig wiedergegeben wurden. Andererseits wollte ich ihm am vergangenen Sonntag seinen Gesprächswunsch nicht abschlagen. Von einer Berichterstattung im quasi-dienstlichen Sinne kann natürlich keine Rede sein. Da Griechenland ein in meiner Partei unterschiedlich beurteiltes Thema ist, habe ich Grass vorgeschlagen, dem bei meinem Parteivorstand bestehenden Ausschuß für internationale Beziehungen über seine Eindrücke zu berichten." Der Vorgang sei schwierig, und er selbst, Brandt, könne nur versuchen, „ihn so zu beeinflussen, daß unsere außenpolitischen Interessen nicht Schaden leiden und daß ich mir unnötigen Ärger in meiner Partei erspare." Vgl. VS-Bd. 10099 (Ministerbüro); B 150, Aktenkopien 1972.

80

Aufzeichnung des Staatssekretärs Bahr, Bundeskanzleramt

Geheim 1. April 1972[1]

Betr.: Arbeitsessen mit Henry Kissinger in Anwesenheit von Hillenbrand, Sonnenfeldt, Botschafter Pauls und dem Unterzeichnenden am 28.3.72 in Washington

Kissinger erkundigte sich nach der Lage der Ratifizierung.[2] Er war sehr interessiert, bis in Einzelheiten hinein über Zusammenwirken von Bundestag und Bundesrat, Vermittlungsausschuß, die Rolle Berlins zu hören.

Die Bundesregierung ginge fest davon aus, daß die Verträge ratifiziert werden. Man dürfe sich nicht durch die Nervosität anstecken lassen, die infolge des Wahlkampfes in Baden-Württemberg[3] auch anhalten werde.

Es wurde im einzelnen besprochen, warum die zu erwartenden Wahlergebnisse keine Rückwirkungen auf die Ratifizierung haben würden. Diese Lage würde sich nur ändern, falls am 23.4. die Ergebnisse sehr von dem abweichen sollten, was man jetzt absehen könne. Die dann verbleibende Zeit bis zur ersten Mai-Woche werde für Kontakte mit der Opposition wichtig sein.

Es gelte nach wie vor, daß auch die Opposition in wichtigen Teilen mit der Ratifizierung der Verträge rechne.

Ich erläuterte unser Interesse, den Verkehrsvertrag mit der DDR vor der Ratifizierung des Moskauer Vertrages zu paraphieren, falls unsere materiellen Interessen genügend berücksichtigt werden und die DDR ihre Bereitschaft erklärt, danach das Grundverhältnis zwischen beiden Staaten zu regeln. Auch Kissinger schätzt die Lage so ein, daß sowjetischer Druck auf die DDR nur bis zur Ratifizierung sicher sei.

Kissinger machte darauf aufmerksam, daß es für den Präsidenten wichtig sei, in welcher Situation er in bezug auf die Verträge seine Moskau-Reise[4] antrete.

In dem anschließenden persönlichen Gespräch[5] kam Kissinger auf diesen Punkt zurück. Es wäre gut, wenn in Bonn eine Situation geschaffen würde, die es dem Präsidenten ermöglichen könnte, in Moskau die Unterzeichnung des Schlußprotokolls (Berlin)[6] zu vereinbaren. Jedenfalls dürfe man sich nicht die Arbeit von mehr als einem Jahr kaputtmachen lassen. Die Haltung der Nicht-

---

1 Durchdruck.
2 Zum Stand des Ratifikationsverfahrens zum Moskauer Vertrag vom 12. August 1970 und zum Warschauer Vertrag vom 7. Dezember 1970 vgl. Dok. 55, Anm. 2.
   Am 4. Mai 1972 sollte die zweite Lesung der Gesetze zu den Verträgen im Bundestag stattfinden. Sie wurde auf den 10. Mai 1972 verschoben. Vgl. dazu Dok. 115 und Dok. 117.
3 Die Wahlen zum baden-württembergischen Landtag fanden am 23. April 1972 statt.
4 Präsident Nixon besuchte die UdSSR vom 22. bis 29. Mai 1972. Vgl. dazu Dok. 149 und Dok. 161.
5 Vgl. Dok. 81.
6 Zum Schlußprotokoll zum Vier-Mächte-Abkommen über Berlin vom 3. September 1971 vgl. Dok. 9, Anm. 11.

einmischung sei keine Indifferenz. Man werde die Möglichkeit finden, dies auch zum Ausdruck zu bringen.

Zum Thema europäischer Gipfel im Oktober[7] wurde ins Auge gefaßt, eine Abstimmung über die Außenbeziehungen der Gemeinschaft zu den USA vorher vorzunehmen.

Zu der von mir übermittelten Sorge des Bundeskanzlers über die weitere Währungsentwicklung erklärte Kissinger, daß er die Dinge genauso sehe. Es ist ein gemeinsames Interesse, eine Krise im Laufe des Jahres zu vermeiden. Die Entwicklung sei im Augenblick günstig. Wenn die Lage sich beruhige, könnte es möglich sein, etwas über die Perspektive, also einer partiellen Rückkehr zur Konvertibilität[8], zu sagen. Die Dinge mit Connally seien etwas schwierig.[9] Wir sollten es direkt wissen lassen, wenn wir den Eindruck hätten, es sei Gefahr im Verzug.

Im persönlichen Gespräch konzentrierte sich Kissinger ganz auf Fragen zur Vorbereitung des Moskau-Besuchs und äußerte sich sehr dankbar für die Informationen und Anregungen.

Seinerseits unterstrich er das überragende Interesse der Vereinigten Staaten an Entspannung und Entlastung, das man mit der Sowjetunion teile. Die USA wollten ernstlich und ehrlich weiterkommen. Man hoffe das Vertrauen, das sich durch das Berlin-Abkommen[10] entwickelt habe, ausbauen zu können.

Bahr[11]

Archiv der sozialen Demokratie, Depositum Bahr, Box 439

---

[7] Zum Stand der Überlegungen für eine europäische Gipfelkonferenz vgl. Dok. 31, Anm. 17, und Dok. 66.

[8] Präsident Nixon verkündete am 15. August 1971 in einer Rundfunk- und Fernsehansprache mehrere Maßnahmen zur Schaffung von Arbeitsplätzen, einer Begrenzung der Inflation und einer Stabilisierung des Dollar. Neben einer Aussetzung der Konvertibilität des Dollar in Gold oder andere Reservemittel sowie einer zehnprozentigen Importabgabe auf in die USA eingeführte Güter gab Nixon einen zehnprozentigen Steuerkredit für Investitionen in neue Ausrüstungen unter Ausschluß importierter Investitionsgüter („Buy-American-Klausel"), eine Aufhebung der Verkaufssteuer auf Automobile, eine Kürzung der Regierungsausgaben um 4,6 Mrd. Dollar im Haushaltsjahr 1971/72 sowie einen auf 90 Tage begrenzten Lohnpreisstop bekannt. Für den Wortlaut der Erklärung vgl. PUBLIC PAPERS, NIXON 1971, S. 886–891. Für den deutschen Wortlaut vgl. EUROPA-ARCHIV 1971, D 425–429.

[9] Am 16. Februar 1972 erklärte der amerikanische Finanzminister Connally im Kongreß, daß es 1972 nicht zu einer Rückkehr des Dollar zur Goldkonvertibilität kommen werde. Vgl. dazu den Artikel „No gold convertibility for Dollar this year"; INTERNATIONAL HERALD TRIBUNE vom 17. Februar 1972, S. 1.

[10] Für den Wortlaut des Vier-Mächte-Abkommens über Berlin vom 3. September 1971 vgl. EUROPA-ARCHIV 1971, D 443–453.

[11] Paraphe.

81

Aufzeichnung des Staatssekretärs Bahr, Bundeskanzleramt

Persönlich/Vertraulich! 1. April 1972

Nur für den Herrn Bundeskanzler[1]

Vermerk

Betr.: Besuch in Washington am 28.3.72

1) Die Atmosphäre mit Kissinger war zum ersten Mal herzlich zu nennen. Er machte von sich aus den Vorschlag, man solle sich alle drei Monate sehen.

Kissinger schimpfte auf die Bürokratie, mit der große Dinge überhaupt nicht gingen. Wenn wir die Sache nicht in die Hand genommen hätten, würde man jetzt noch im ersten Stadium der Berlin-Verhandlungen sein. Er hätte sehr viel von mir gelernt, sowohl im Denken wie in der Methodik, und es auch auf China angewendet.

Seine Frage, ob wir im Wahlkampf beabsichtigen, etwas über die Art des Zustandekommens der Berlin-Vereinbarungen[2] „lecken" zu lassen, verneinte ich entschieden. Er stimmte dem zu.

Kissinger regte an, ob man von den Russen noch etwas herauspressen könnte mit Rücksicht auf die Ratifizierung. Ich verwies auf die Absicht des Grundvertrages und auf den Zusammenhang, daß man wissen müsse, ob dies in bezug auf die endgültige Haltung der Opposition Folgen habe. Er wolle keinerlei Ratschläge geben, da er nach der hervorragenden Führung der Sache überzeugt sei, daß wir es auch weiter richtigmachen würden.

Meine Idee, der Präsident könnte in Moskau[3] das Datum der Unterzeichnung des Vier-Mächte-Abkommens vereinbaren, behagte ihm außerordentlich. Er wäre froh, wenn wir die Voraussetzungen dafür schaffen könnten.

Ich betonte, daß nicht der Eindruck nach außen entstehen dürfe, daß die Haltung Washingtons in bezug auf die Verträge[4] gleichgültig sei. Er wollte prüfen, ob der Präsident einen Brief an den Bundeskanzler schreibt, der nicht zur Veröffentlichung, wohl aber zum internen Gebrauch gegenüber der Opposition bestimmt sei.

---

[1] Hat Bundeskanzler Brandt vorgelegen.
[2] Für den Wortlaut des Vier-Mächte-Abkommens über Berlin vom 3. September 1971 vgl. EUROPA-ARCHIV 1971, D 443–453.
Neben den Verhandlungen der Botschafter Jackling (Großbritannien), Rush (USA) und Sauvagnargues (Frankreich) mit dem sowjetischen Botschafter in Ost-Berlin, Abrassimow, über ein Vier-Mächte-Abkommen über Berlin fanden von Mai bis August 1971 in Bonn informelle Gespräche des Staatssekretärs Bahr, Bundeskanzleramt, mit Rush und dem sowjetischen Botschafter Falin statt. Vgl. dazu AAPD 1971, II, Dok. 163, Dok. 198, Dok. 224, Dok. 261, Dok. 273 und Dok. 274.
[3] Präsident Nixon besuchte die UdSSR vom 22. bis 29. Mai 1972. Vgl. dazu Dok. 149 und Dok. 161.
[4] Für den Wortlaut des Vertrags vom 12. August 1970 zwischen der Bundesrepublik und der UdSSR vgl. BULLETIN 1970, S. 1094.
Für den Wortlaut des Vertrags vom 7. Dezember 1970 zwischen der Bundesrepublik und Polen über die Grundlagen der Normalisierung ihrer gegenseitigen Beziehungen vgl. BULLETIN 1970, S. 1815.

Die Möglichkeit des Scheiterns der Verträge wurde kaum besprochen. Wir stimmten überein, daß das überragende Interesse von Moskau und Washington an einer Weiterführung der Entspannung eine große Berlin-Krise ausschließe, wohl aber eine Krise ermöglicht, die unterhalb der Schwelle internationaler Verwicklungen liege und damit im wesentlichen die deutschen Interessen berühre.

2) Kissinger erkundigte sich, ob die Russen Mißtrauen gegen ihn hätten. Er habe das Problem, was man mit Rogers mache in Moskau.[5] Er machte sich zahlreiche Notizen über zu erörternde Themen. Über die Leistungen der Russen sprechen könne der Präsident besonders gut. Der Satz in Peking, daß mehr als von allen anderen Ländern von China und Amerika der Frieden abhänge, sei eine echte Panne gewesen, die in der Erleichterung des Schlußabends[6] und nach etwas zuviel Alkohol passiert sei und repariert werden müsse, ohne daß es Ärger mit den Chinesen gebe.

Er bat um Anregungen für einen Vertrauenstest zwischen den Amerikanern und Russen, falls mir irgendeine Idee dazu käme.

3) Nach den wesentlichen Ergebnissen in Peking befragt, erklärte er, ich könnte ganz sicher sein, daß der Kontakt außerhalb dessen, was die Zeitungen erreichen könne, etabliert sei. Man habe Taiwan gesichert, so daß dort Truppenabzüge möglich seien und sich die Sache später lösen könne.[7]

Während er im September noch Vorwürfe wegen der amerikanischen Japan-Politik gehört habe, habe man jetzt ein chinesisches Interesse festgestellt, daß die USA Japan nicht von der Leine lassen.

---

[5] Der amerikanische Außenminister Rogers begleitete Präsident Nixon bei dessen Besuch vom 22. bis 29. Mai 1972 in der UdSSR.

[6] Präsident Nixon hielt sich vom 21. bis 28. Februar 1972 in der Volksrepublik China auf. Vgl. dazu Dok. 47, Anm. 6 und 7.
In der Presse wurde über den Empfang, der am Abend des 27. Februar für die amerikanische Delegation in Shanghai gegeben wurde, gemeldet: „Mr. Nixon and Mr. Chou wound up their week of contacts in high spirits, at least outwardly. They downed a number of thimble-sized drinks in mutual tribute at a dinner here tonight and stood up to shake hands warmly on impulse when their host at the dinner, Chang Chun-chiao, the chairman of the Shanghai municipal revolutionary committee, saluted the agreement in his city. [...] A desire to help one another relieve the pressures generated by the Soviet Union was deemed to be another important stimulus toward agreement. On behalf of China, and also as an expression of shared attitudes, the communiqué twice vowed opposition to any efforts to establish ‚hegemony' in the Asia-Pacific region. It did not mention the Soviet Union, which Mr. Nixon will visit in late May for another summit conference, and Mr. Kissinger insisted that the language here was not aimed against any specific country. But this disavowal was widely described by American officials as merely a polite dodge for an effort to suggest to the Soviet Union that China and the United States would not allow their relations with Moscow to interfere with their own diplomatic prospects." Vgl. den Artikel „U.S., China Vow to Seek Détente in Asia; Nixon Hails ‚Week That Changed World'"; INTERNATIONAL HERALD TRIBUNE vom 28. Februar 1972, S. 1.

[7] Im Kommuniqué vom 27. Februar 1972 über den Besuch des Präsidenten Nixon in der Volksrepublik China wurden auch die amerikanischen und chinesischen Standpunkte hinsichtlich des Status der Republik China (Taiwan) dargelegt. Zur amerikanischen Position wurde ausgeführt: „The United States acknowledges that all Chinese on either side of the Taiwan Strait maintain there is but one China and that Taiwan is a part of China. The United States Government does not challenge that position. It reaffirms its interest in a peaceful settlement of the Taiwan question by the Chinese themselves. With this prospect in mind, it affirms the ultimate objective of the withdrawal of all U.S. forces and military installations from Taiwan. In the meantime, it will progressively reduce its forces and military installations on Taiwan as the tension in the area diminishes." Vgl. DEPARTMENT OF STATE BULLETIN, Bd. 66 (1972), S. 437 f.

Der Abzug aus Vietnam verlaufe ungestört.

Man sei einig, militärisch nichts gegeneinander zu unternehmen.

Schließlich die Erweiterung des Handels[8], die nicht viel zähle.

Alles werde viel Zeit erfordern. Die Chinesen seien vernünftig, ruhig, souverän, alte Kulturnation, wohl mehr als die Russen.

Bahr

Archiv der sozialen Demokratie, Depositum Bahr, Box 439

82

Staatssekretär Bahr, Bundeskanzleramt, an den Sicherheitsberater des amerikanischen Präsidenten, Kissinger

1. April 1972[1]

Top Secret

To: Henry Kissinger, White House, Washington

From: Egon Bahr

1) Vielen Dank für unser Gespräch[2], dem ich noch folgendes anfügen möchte:

Ich gehe von der Arbeitshypothese aus, daß die Sowjetunion die USA als eine Garantiemacht für die Situation in Europa sieht. Jedenfalls ist die sowjetische Zustimmung zur unbefristeten Präsenz der USA in der Mitte Europas durch das Berlin-Abkommen[3] ein Indiz.

Ich halte es für unsinnig, von dem sowjetischen Wunsch nach Abzug der Amerikaner aus Europa zu sprechen, da Moskau, sofern es einen solchen Wunsch noch hätte, ihn für unrealistisch und unrealisierbar halten muß.

Er würde auch gegen das sowjetische Interesse an einer Stabilisierung des Status quo in Europa gehen, der nur mit den USA möglich ist.

Daß die USA an einer Konferenz für Sicherheit und Zusammenarbeit in Europa teilnehmen sollen, entspricht den berühmten Realitäten und der russischen Einsicht in sie.

---

[8] Am 14. Februar 1972 gab die amerikanische Regierung bekannt, daß Beschränkungen im Handel mit der Volksrepublik China aufgehoben und künftig die gleichen Bestimmungen wie im Handel mit der UdSSR gelten würden. Vgl. dazu den Artikel „U.S. Puts China on Same Trade Basis as Russia"; INTERNATIONAL HERALD TRIBUNE vom 15. Februar 1972, S. 1.

[1] Durchdruck.

[2] Zu den Gesprächen des Staatssekretärs Bahr, Bundeskanzleramt, mit dem Sicherheitsberater des amerikanischen Präsidenten, Kissinger, am 28. März 1972 in Washington vgl. Dok. 80 und Dok. 81.

[3] Für den Wortlaut des Vier-Mächte-Abkommens über Berlin vom 3. September 1971 vgl. EUROPA-ARCHIV 1971, D 443–453.

Es wäre wichtig, im Interesse der Entspannung und Sicherheit einen entsprechenden Gedanken, sofern man sich in der Sache darüber einig ist, auch im Kommuniqué zu haben.

2) Wir hoffen, bis zum 1. November das Grundverhältnis zwischen den beiden Staaten vertraglich regeln zu können. Dieser Vertrag würde gleichzeitig mit dem Gesetz im Bundestag zu behandeln sein, das wir für den Antrag auf Mitgliedschaft bei den UN brauchen.

Gerade diese Möglichkeit führt zu einer harten Haltung gegen die Versuche auf Mitgliedschaft der DDR in der ECE im April und WHO im Mai.[4] Die Frage der Umweltkonferenz[5] könnte anders aussehen, wenn in der ersten Mai-Woche ratifiziert wird, ohne nochmalige Rückverweisung durch den Bundesrat.[6]

3) Auf der Prager Konferenz[7] ist der Auftrag erteilt worden, bis Ende April/Anfang Mai ein Experten-Papier über das Verhältnis von COMECON zur EWG auszuarbeiten. Die sachliche Bemerkung Breschnews zur EWG[8] war das äußerste, was jetzt denkbar ist, ohne daß eine politische Entscheidung als Ergebnis der Expertise vorliegt.

4) Die sowjetische Seite hatte dem Bundeskanzler eine Art Memorandum über ihre Haltung zur Ratifizierung übermittelt, die dieser intern im Auswärtigen Ausschuß des Bundestages verwandt hat.[9] Etwas ähnliches von amerikani-

---

[4] Die 27. ECE-Jahresversammlung fand vom 17. bis 28. April 1972 in Genf statt.
Die 25. WHO-Versammlung fand vom 9. bis 26. Mai 1972 in Genf statt.
Zu den Bemühungen der Bundesregierung, auf der WHO-Versammlung eine Vertagung des Antrags der DDR auf Aufnahme in die WHO zu erreichen, vgl. Dok. 54, Anm. 12.

[5] Zur einer Beteiligung der DDR an der UNO-Umweltkonferenz vom 5. bis 16. Juni 1972 in Stockholm vgl. Dok. 4.

[6] Zum Stand des Ratifikationsverfahrens zum Moskauer Vertrag vom 12. August 1970 und zum Warschauer Vertrag vom 7. Dezember 1970 vgl. Dok. 55, Anm. 2.
Am 4. Mai 1972 sollte die zweite Lesung der Gesetze zu den Verträgen im Bundestag stattfinden. Sie wurde auf den 10. Mai 1972 verschoben. Vgl. dazu Dok. 115 und Dok. 117.

[7] Am 25./26. Januar 1972 fand in Prag eine Konferenz des Politischen Beratenden Ausschusses der Teilnehmerstaaten des Warschauer Vertrags statt. Vgl. dazu Dok. 21, Anm. 4.

[8] Für die Äußerungen des Generalsekretärs des ZK der KPdSU, Breschnew, zur EWG am 20. März 1972 vor dem 15. Kongreß der Gewerkschaften der UdSSR vgl. Dok. 67, Anm. 5.

[9] Am 16. März 1972 erklärte Bundeskanzler Brandt im Auswärtigen Ausschuß des Bundestages: „Die Regierung der Sowjetunion hat mir mitgeteilt: 1) Der Vertrag bringe den unter gegenwärtigen Verhältnissen einzig möglichen und mühsam erreichten Interessenausgleich beider Seiten. 2) Die Feststellung der Unverletzbarkeit der europäischen Grenzen befreie die Bundesrepublik Deutschland von der Last des Vorwurfs revanchistischer Absichten und bringe ihr Vertrauen im Osten wie im Westen. 3) Die Sowjetunion sei gewillt, alles in ihren Kräften Stehende zu tun, damit der Moskauer Vertrag ein breites Feld der Zusammenarbeit zwischen unseren Ländern und eine qualitativ neue Etappe in den Beziehungen zweier großer europäischer Staaten einleiten sollte. Die Sowjetunion ist zum Abschluß groß angelegter, langfristiger Wirtschaftsabkommen und Einzelgeschäfte bereit. Sie bietet den Ausbau der Industrie-Kooperation ebenso an wie unsere Beteiligung an der Erschließung von Bodenschätzen in der Sowjetunion und die Zusammenarbeit auf dem Gebiet der Atomenergie und der Weltraumforschung. 4) Eine Vereitlung der Ratifikation würde unvermeidlich eine tiefe Vertrauenskrise gegenüber der gesamten Politik der Bundesrepublik Deutschland hervorrufen und die Beziehungen jahrelang an einem Rückschlag leiden lassen. 5) Eine derartige Entwicklung würde die bekannten Abkommen über West-Berlin zum Scheitern bringen. 6) Es würden neue und vielleicht irreparable Hindernisse für die Normalisierung der Beziehungen der Bundesrepublik zur DDR eintreten und die ersten Schritte, die in dieser Richtung erfolgt sind, zunichte machen. 7) Die Sowjetunion werde nicht von den Bestimmungen weichen, die im Moskauer

scher Seite würde allein in dem Gespräch zwischen Bundeskanzler, Scheel, Barzel und Schröder verwendet werden. Dabei gehe ich davon aus, daß die Reise des Präsidenten nach Moskau[10] in jedem Falle stattfindet und einen positiveren Aspekt hätte, wenn die Verträge[11] ratifiziert wären und der Termin für die Unterzeichnung des Schlußprotokolls[12] vereinbart werden könnte. Eine Darlegung der amerikanischen Auffassung und Interessen ist für eine freie Entscheidung der verantwortlichen Männer der Opposition selbstverständlich so wichtig und nötig wie immer.

Herzlichen Gruß
Bahr[13]

Archiv der sozialen Demokratie, Depositum Bahr, Box 439

Fortsetzung Fußnote von Seite 352

Vertrag niedergelegt sind [...]. 8) Die Sowjetunion weist darauf hin, daß der Moskauer Vertrag nach langen Jahren begonnen habe, Vertrauen herzustellen. Es sei keine einfache Sache gewesen, die umfassende und zeitraubende Arbeit innerhalb der eigenen Bevölkerung zu leisten, um nach bitteren Erfahrungen jene Atmosphäre zu schaffen, die auf der sowjetischen Seite notwendig ist, um das Verhältnis zur Bundesrepublik Deutschland auf eine neue Grundlage zu stellen. Sollten diese Hoffnungen trügen oder enttäuscht werden, werde es in der übersehbaren Zukunft unmöglich sein, eine solche Atmosphäre wieder herzustellen. 9) Die Sowjetunion wiederholt, daß sie für ein gutnachbarliches Verhältnis zur Bundesrepublik, für Vertrauen und gegenseitiges Verständnis eintritt." Vgl. die Anlage zum Schreiben des Bundesministers Ehmke vom 20. März 1972 an Bundesminister Scheel; Ministerbüro, Bd. 474.

10 Präsident Nixon besuchte die UdSSR vom 22. bis 29. Mai 1972. Vgl. dazu Dok. 149 und Dok. 161.

11 Für den Wortlaut des Vertrags vom 12. August 1970 zwischen der Bundesrepublik und der UdSSR vgl. BULLETIN 1970, S. 1094.
Für den Wortlaut des Vertrags vom 7. Dezember 1970 zwischen der Bundesrepublik und Polen über die Grundlagen der Normalisierung ihrer gegenseitigen Beziehungen vgl. BULLETIN 1970, S. 1815.

12 Zum Schlußprotokoll zum Vier-Mächte-Abkommen über Berlin vom 3. September 1971 vgl. Dok. 9, Anm. 11.

13 Paraphe.

83

Botschafter Allardt, Moskau, an das Auswärtige Amt

Z B 6-1-11948/72 VS-vertraulich   Aufgabe: 3. April 1972, 13.40 Uhr[1]
Fernschreiben Nr. 811   Ankunft: 3. April 1972, 12.40 Uhr
Citissime

Es ist bemerkenswert, wie das Thema der Ratifizierung des Vertrages vom 12. August 1970[2] fast ausschließlich die Gespräche beherrscht, die von den Sowjets in den letzten Wochen nicht nur mit mir und meinen Mitarbeitern, sondern auch mit westlichen Botschaftern geführt werden. Die Sowjets sind fieberhaft bemüht, sich ein möglichst umfassendes Bild über die interne Situation bei uns zu verschaffen, was nicht zuletzt auch dadurch geschieht, daß der Analyse der bundesdeutschen Massenmedien heute noch größere Aufmerksamkeit geschenkt wird, als dies vorher der Fall war.

Aus meinen Gesprächen wie auch aus meiner Unterrichtung über die von westlichen Kollegen mit Sowjets geführten Unterhaltungen entnehme ich, daß die Sowjets beginnen, sich mit der Möglichkeit einer Regierungsniederlage anläßlich der Ratifizierungsdebatte vertraut zu machen. Nicht wenig hat dazu auch das Wort des Regierungssprechers von einer möglichen Zufallsminderheit beigetragen.[3] Erst jetzt stellt man offenbar ernsthafte Betrachtungen darüber an, welche Initiativen von sowjetischer Seite für diesen Fall des Scheiterns ergriffen werden sollten. Dies bedeutet nicht etwa, daß die Reaktion auf ein Scheitern heute etwa weniger hart ausfallen würde, wie dies noch vor einigen Wochen erschien, oder daß man etwa bereit wäre, sich mit einem Scheitern abzufinden. Insoweit bleibt der Inhalt meiner einschlägigen Berichterstattung unberührt. Eher hat man begriffen, wie auch aus einer Bemerkung Podgornyjs[4] mir gegenüber hervorgeht, daß dunkle Drohungen höchstens kontrapro-

---

[1] Hat Ministerialdirektor von Staden am 4. April 1972 vorgelegen, der die Weiterleitung an Vortragenden Legationsrat I. Klasse Blumenfeld verfügte und um Rücksprache bat.
Hat Blumenfeld am 6. April 1972 vorgelegen, der die Weiterleitung an Vortragenden Legationsrat Stabreit verfügte und handschriftlich vermerkte: „Ist dies erl[edigt]?"
Hat Stabreit vorgelegen, der handschriftlich vermerkte: „Ich weiß nicht, worauf Frage abzielt!"
[2] Zum Stand des Ratifikationsverfahrens zum Moskauer Vertrag vom 12. August 1970 und zum Warschauer Vertrag vom 7. Dezember 1970 vgl. Dok. 55, Anm. 2.
[3] Am 25. März 1972 führte Staatssekretär Ahlers, Presse- und Informationsamt, in einem Interview mit dem Süddeutschen Rundfunk zur politischen Auseinandersetzung über die Ratifizierung des Moskauer Vertrags vom 12. August 1970 und des Warschauer Vertrags vom 7. Dezember 1970 aus: „Die innenpolitische Situation ist zweifellos schwierig, und sie ist auch von mancherlei Unsicherheiten gekennzeichnet. Wenn die Bundesregierung und auch ich gestern gesagt haben, die Regierung sei überzeugt davon, daß eine Mehrheit vorhanden ist, so schließt das nicht aus, daß es auch eine Zufallsminderheit geben könnte." Vgl. BULLETIN 1972, S. 682.
[4] Am 29. März 1972 berichtete Botschafter Allardt, Moskau, aus einem Gespräch mit dem Vorsitzenden des Obersten Sowjet, Podgornyj habe „eine gewisse Enttäuschung über die mangelnde Aktivität der Bundesregierung" erkennen lassen, „die Bevölkerung über die positiven Aspekte der nach Vertragsratifizierung gegebenen politischen Möglichkeiten im bilateralen wie im weltweiten Rahmen zu informieren. Die Haltung der zum Widerspruch gewissermaßen verpflichteten deutschen Opposition zu den Verträgen bezeichnete er als nicht im Negativen verfestigt, sondern schwankend. Im Falle der Ablehnung der Ostverträge ‚würde es lange dauern, bis wir wieder Wege gefunden haben werden, dahin zu kommen, wo wir heute sind'." Vgl. den Drahtbericht Nr. 777; Referat II A 4, Bd. 1509.

3. April 1972: Allardt an Auswärtiges Amt 83

duzent wirken. Aber die Gespräche, die in den letzten 14 Tagen u. a. mit dem amerikanischen[5], dem kanadischen[6], dem französischen Botschafter[7] über dieses Thema teils mit Gromyko, teils mit zuständigen Abteilungsleitern geführt wurden, und die dabei wiederholt vorgetragene sowjetische Bitte, daß die jeweils angesprochene Regierung ihren ganzen Einfluß in Bonn aufbieten sollte, um eine negative Entwicklung zu verhindern, deuten darauf hin, daß man nach Mitteln und Wegen sucht, um die Entwicklung im Bundestag positiv beeinflussen zu können. Auch Podgornyjs Reaktion auf meine Vorschläge, ebenso wie die Aktivität Falins in den letzten Wochen zeigen in dieselbe Richtung. Die Einigung über die Berlin-Klausel im Handelsvertrag[8] ist ein Beweis dafür, obwohl es keineswegs überzeugend wirkt, wenn die Sowjets jetzt offenbar komplizierten Verhandlungen als große Geste zur Ratifizierungserleichterung Zugeständnisse hergeben[9], die nach Zielsetzung und Geist des Berlin-Abkommens[10] selbstverständlich erscheinen, weil sie mit zu seiner Geschäftsgrundlage gehören. Im Auswärtigen Amt hat man das Zugeständnis einer „vollwertigen" Berlin-Klausel (nicht nur für den Handelsvertrag) sogar als sowjetische Verpflichtung angesehen, die sich aus dem Wortlaut des Abkommens von selbst ergebe. Ich verweise insoweit auf meinen Vortrag bei dem Herrn Bundesminister Anfang Oktober 1971 sowie die einschlägige Berichterstattung.

Die sowjetische Bereitschaft, kleine Zugeständnisse zu machen, zeigt aber ihr Interesse an einer Beeinflussung des Ratifizierungsprozesses, die sich nicht dem Vorwurf der Einmischung aussetzen kann. Ich bedaure es daher sehr, daß das Auswärtige Amt sich nicht in der Lage sah, mir für die – voraussehbaren und voraus berichteten – ausnahmslos mit großer Offenheit und bestem Klima geführten Abschiedsgespräche[11] irgendwelche einschlägigen Elemente zur Gesprächsführung zu geben, noch mich über Inhalt und Verlauf der offenbar mit Falin geführten Gespräche, von der Berlin-Klausel einmal abgesehen, zu unterrichten. Schon allein aus der Tatsache, daß die Sowjets, obwohl sicher-

---

5 Jacob D. Beam.
6 Robert A. D. Ford.
7 Roger Seydoux de Clausonne.
8 Zu den Gesprächen des Staatssekretärs Frank mit dem sowjetischen Botschafter Falin über eine Berlin-Klausel im Handelsabkommen zwischen der Bundesrepublik und der UdSSR vgl. Dok. 60 und Dok. 74. Vgl. dazu auch Dok. 86.
9 So in der Vorlage.
10 Für den Wortlaut des Vier-Mächte-Abkommens über Berlin vom 3. September 1971 vgl. EUROPA-ARCHIV 1971, D 443–453.
11 Am 3. April 1972 empfing Ministerpräsident Kossygin Botschafter Allardt, Moskau, der in den Ruhestand trat, zu einem Abschiedsgespräch, „das in seiner Offenheit persönliche Vertrautheit widerspiegelt, trotzdem aber teilweise nicht ohne Härten war". Allardt berichtete dazu: „Herr Kossygin legte in weiteren Ausführungen Wert darauf, mich zu einer Äußerung zu bringen, daß ich auch in Zukunft nicht gegen den Vertrag Stellung nehmen würde. Ich gab meiner Überzeugung Ausdruck, daß die Ratifizierung des Vertrages erforderlich sei, schon deshalb, um das zwischenzeitlich angesammelte Vertrauenskapital nicht zu gefährden. Gleichzeitig versuchte ich, ihm die Rolle der Opposition klarzumachen, die sich im Ziel, gute Beziehungen zur Sowjetregierung zu haben, mit der Regierung völlig einig sei. Eine wesentliche Differenz zur Regierung bestehe darin, daß diese die Sicherung des Selbstbestimmungsrechts des deutschen Volkes im Vertrag ausreichend gewahrt sehe, die Opposition jedoch nicht. Kossygin erwiderte darauf, die Selbstbestimmung des deutschen Volkes hätte in der Bildung der beiden deutschen Staaten ihren Ausdruck gefunden. Er gab klar zu erkennen, daß sie damit konsumiert sei und an den entstandenen Realitäten nicht gerührt werden dürfe." Vgl. den Drahtbericht Nr. 812; VS-Bd. 9018 (II A 4); B 150, Aktenkopien 1972.

355

lich über meine Vorbehalte gegenüber gewissen Aspekten des Vertrages und des Verhandlungs-Procederes unterrichtet, mir gegenüber mehr Aufmerksamkeit zeigen, als das hierzulande akkreditierten Botschaften normalerweise widerfährt, war zu entnehmen, daß sie fundierte Auffassungen zu respektieren pflegen, auch wenn es nicht die ihren sind. Schon aus diesem Grunde wäre die Gelegenheit, weitere Verbesserungsvorschläge im Rahmen dieser Unterhaltungen vorzutragen, günstig gewesen. In jedem Fall meine ich, daß die kurze noch zur Verfügung stehende Zeit mit allen Mitteln genutzt werden sollte, um von den Sowjets weitere Beiträge, die die Ratifizierung fördern könnten, herauszuholen.

[gez.] Allardt

VS-Bd. 9018 (II A 4)

84

Aufzeichnung des Staatssekretärs Bahr, Bundeskanzleramt

4. April 1972[1]

Betr.: Gespräch BK–Opposition

1) Das Gespräch sollte offensiv geführt werden.

Die Regierung hat eine Fülle von Informationen und Klarstellungen gegeben und von der Opposition die Antwort erhalten: Es reicht nicht.

Es wäre wenig fruchtbar, wenn das jetzige Gespräch nur eine neue Runde in dieser Kategorie wäre.

2) Die Opposition erklärt im Prinzip die Verträge für zustimmungsfähig, wenn die bekannten drei Punkte[2] befriedigend geklärt sind.[3]

Nun wird auch bei der Opposition niemand der Auffassung sein, daß mit einer ultimativen Haltung international viel erreichbar wäre oder daß es möglich wäre, gegenüber einem so schwierigen Partner wie der SU die eigenen Vorstellungen bis zum letzten Buchstaben durchzusetzen.

Daraus ergibt sich die Frage: Wie wirkt sich die Zustimmungsfähigkeit praktisch auf das Abstimmungsverhalten der Opposition aus?

---

[1] Hat Bundesminister Ehmke am 4. April 1972 vorgelegen.
[2] Vgl. dazu die Ausführungen des CDU/CSU-Fraktionsvorsitzenden Barzel vom 23. Februar 1972; Dok. 67, Anm. 16.
[3] Für den Wortlaut des Vertrags vom 12. August 1970 zwischen der Bundesrepublik und der UdSSR vgl. BULLETIN 1970, S. 1094.
Für den Wortlaut des Vertrags vom 7. Dezember 1970 zwischen der Bundesrepublik und Polen über die Grundlagen der Normalisierung ihrer gegenseitigen Beziehungen vgl. BULLETIN 1970, S. 1815.
Zum Stand des Ratifikationsverfahrens vgl. Dok. 55, Anm. 2.

3) Die Regierung erkennt an, daß die Opposition in einer schwierigen Lage ist; eine Modifizierung ihrer Haltung wird vor der letzten Aprilwoche nicht erwartet.

Die Regierung ist bereit, der Opposition eine Modifizierung ihrer Haltung zu erleichtern; natürlich auch nicht vor der letzten Aprilwoche.

Die Regierung hat natürlich die Haltung der Opposition außenpolitisch im Interesse der Verträge und der Klärung einiger Punkte benutzt. Insofern könnte man von gemeinsamen Erfolgen sprechen.

4) Die SU hat zweifellos besondere Anstrengungen unternommen, um zur Klärung bestimmter von der Opposition aufgeworfener Fragen beizutragen. Es ist klar, daß es für das Beiwerk der Verträge keine substantiellen weiteren Zugeständnisse der Ostseite mehr geben kann. Nicht einmal der Opposition sind entsprechende Forderungen eingefallen.

Politische Zugeständnisse, die für die Bundesrepublik von Interesse wären, können nur außerhalb der Verträge liegen. Das gilt für den Punkt schrittweiser vermehrter Freizügigkeit zwischen den beiden Teilen Deutschlands ebenso wie für unseren Wunsch, das Grundverhältnis der beiden Staaten zu regeln. In beiden Punkten nimmt die DDR eine negative Position ein.

Eine gewisse Einflußnahme der SU auf die DDR hängt von zwei Faktoren ab:
a) zeitlich: eine derartige Einflußnahme ist nur bis zur Ratifizierung, aber nicht danach zu erwarten,
b) politisch: warum soll sich die SU um weitere Punkte bemühen, wenn das Echo der Opposition unverändert negativ bleibt?

Mit anderen Worten: Eine unveränderte Haltung der Opposition könnte dahin führen, mögliche Zugeständnisse auf dem Gebiet der Freizügigkeit, die nach Kenntnis aller Informationen nur bis zum 4. Mai und nicht danach mit sowjetischer Unterstützung zu erhalten sind, nicht zu erreichen.

Hier handelt es sich um eine Weichenstellung für die Verantwortung der Demokraten in diesem Land, die innen- wie außenpolitisch von außerordentlicher Bedeutung ist.

5) Die Politik der Bundesregierung war und ist darauf angelegt, möglichst viele Interessen, sowohl unserer Verbündeten wie unserer anderen Partner, an einem positiven Ergebnis der Verträge und des Berlin-Abkommens[4] zu binden. Das ist in einem überraschenden Umfang gelungen. Anders wäre dieses Berlin-Abkommen nicht zu erreichen gewesen. Aber diese Verklammerung wirkt natürlich auch umgekehrt.

An dieser Stelle wäre die Information über die Haltung ausländischer Regierungen einzufügen.

6) Die amerikanische Politik hat sich darauf vorbereitet, eine Reihe von Abkommen mit der SU zu schließen. Wir sind darüber informiert worden, daß es sich um folgende Vorhaben handelt:

---

4 Für den Wortlaut des Vier-Mächte-Abkommens über Berlin vom 3. September 1971 vgl. EUROPA-ARCHIV 1971, D 443–453.

Einfügen: Hillenbrand vor dem NATO-Rat.[5]

Es bedarf wohl keiner Begründung für das Interesse des Präsidenten, seine Besprechungen am 22. Mai in Moskau[6] auf der Basis der ratifizierten Verträge abhalten zu können. Präsident Nixon würde es darüber hinaus begrüßen, wenn er bei seinem Besuch in der SU einen kurzfristigen Termin für die Unterzeichnung des Schlußprotokolls des Vier-Mächte-Abkommens[7] vereinbaren könnte. Die Drei Mächte sind interessiert, eine derartige Vereinbarung zu treffen, bevor die Ratifizierungsurkunden des Moskauer Vertrages hinterlegt sind. Ich glaube, das deutsche Interesse ist gleich; alle Junktims würden sich durch eine etwa parallele Abfolge auflösen.

7) Man könne Verständnis dafür haben, wenn die Opposition dieses Gespräch zu einem späteren Zeitpunkt fortsetzen würde, auch um die erhaltenen Informationen in Ruhe überdenken zu können.

Bei der Bedeutung der in diesem Zusammenhang aufgeworfenen Fragen sollte allerdings ein Termin in der kommenden Woche vereinbart werden.

Bahr[8]

P.S.: Verabredung eines weiteren Termins, auch wenn er nach 23. läge, würde als Zeichen des Einlenkens der Opposition verstanden werden. Es ist schwer für Opposition, abzulehnen.[9]

Archiv der sozialen Demokratie, Depositum Bahr, Box 160

---

[5] Der Abteilungsleiter im amerikanischen Außenministerium, Hillenbrand, informierte den Ständigen NATO-Rat am 27. März 1972 über den bevorstehenden Besuch des Präsidenten Nixon in Moskau. Zur Bewertung der Ausführungen durch Botschafter Pauls, Washington, vgl. Dok. 165, Anm. 3.
[6] Präsident Nixon besuchte die UdSSR vom 22. bis 29. Mai 1972. Vgl. dazu Dok. 149 und Dok. 161.
[7] Zum Schlußprotokoll zum Vier-Mächte-Abkommen über Berlin vom 3. September 1971 vgl. Dok. 9, Anm. 11.
[8] Paraphe.
[9] Ein Gespräch zwischen Vertretern der Regierungskoalition und Vertretern der CDU/CSU-Fraktion im Bundestag fand am 28. April 1972 statt. Vgl. dazu Dok. 117.

85

Aufzeichnung des Ministerialdirektors von Staden

II A 5-82.00-94.22-254/72 geheim 4. April 1972[1]

Dem Herrn Staatssekretär[2]

Betr.: Deutsch-rumänische Beziehungen

Zweck der Vorlage: Entscheidung über Procedere bei der weiteren Gestaltung der deutsch-rumänischen Beziehungen

Vorschlag: Baldige Staatssekretärsbesprechung auf der Grundlage der vorliegenden Aufzeichnung zur Vorbereitung eines Treffens mit Minister Macovescu, damit eine Klärung der offenen Sachfragen so rechtzeitig erfolgen kann, daß im positiven Falle die Vorbereitung des für Ende Juni 1972 vorgesehenen Besuches von Präsident Ceaușescu in der BRD[3] keine Schwierigkeiten bereitet

I. In den letzten Jahren hat sich das beiderseitige Interesse in den Beziehungen zwischen Rumänien und der BRD zunehmend auf drei Bereiche konzentriert:
– Finanzhilfe,
– Familienzusammenführung,
– Wiedergutmachung.

Während sich die Beziehungen in den übrigen Bereichen ohne besondere Schwierigkeiten entwickelten, hat es in diesen Fragen unterschiedliche Auffassungen gegeben, die zu Enttäuschungen der einen oder anderen Seite und zu gewissen Reibungen geführt haben. Dabei hat sich vor allem als nachteilig erwiesen, daß diese wichtigen Fragen von beiden Seiten in einer Weise behandelt wurden, als ob sie beziehungslos nebeneinander stünden und nicht einen wesentlichen Bestandteil des deutsch-rumänischen Verhältnisses in seiner Gesamtheit bildeten und daher auch in einem gewissen Zusammenhang gesehen werden müßten.

Um die weitere Entwicklung der deutsch-rumänischen Beziehungen von Belastungen frei zu halten, erscheint es notwendig, die beiderseitigen Vorstellungen und Möglichkeiten zu diesen Fragen grundsätzlich zu klären und sich konkret über deren künftige Behandlung zu einigen. Eine verbindliche Absprache auf hoher Ebene zwischen den beiden Außenministerien ist erforderlich[4], weil

---

[1] Die Aufzeichnung wurde von Vortragender Legationsrätin I. Klasse Finke-Osiander und von Legationsrat I. Klasse Hallensleben konzipiert.
[2] Hat Staatssekretär Frank laut Vermerk des Legationsrats I. Klasse Vergau vom 12. April 1972 vorgelegen.
[3] Zu den Überlegungen hinsichtlich eines Besuchs des Präsidenten Ceaușescu in der Bundesrepublik vgl. Dok. 38, Anm. 5.
[4] Dieses Wort wurde von Staatssekretär Frank hervorgehoben.

- die rumänische Regierung des öfteren trotz entsprechender Unterrichtung über Entscheidungen der Bundesregierung härtnäckig auf gewisse Fragen zurückgekommen ist (Wiedergutmachung)[5];
- die rumänische Regierung von ihr zweifellos gedeckte, aber auf besonderen Kanälen und auf niedriger Ebene gegebene schriftliche Zusagen nicht eingehalten hat (Familienzusammenführung);
- es in beiderseitigem Interesse liegt, wesentliche Fragen der deutsch-rumänischen Beziehungen zusammenfassend und grundsätzlich in dem für Außenbeziehungen zuständigen Ressort zu behandeln und nicht der Unklarheit, den Mißverständnissen und dem Zufall auszusetzen, die bei der Zersplitterung von Zuständigkeiten und bei nichtoffiziellen Gesprächspartnern unvermeidlich sind.

II. Die Bundesregierung hat am 16. Februar 1972 erneut entschieden, mit keinem Staat in neue Verhandlungen über allgemeine Wiedergutmachung einzutreten. Diese Frage sollte daher gesondert von den übrigen behandelt werden, um auch in der Form nach außen wie nach innen deutlich hervortreten zu lassen, daß sie im materiellen Sinne nicht Thema der weiteren Gestaltung der bilateralen Beziehungen sein kann. (Daß eine solche gesonderte Behandlung auch gegenüber den beteiligten deutschen Stellen von vornherein angebracht ist, weil sich andernfalls selbst lediglich intern als Arbeitshypothese hergestellte Zusammenhänge nicht geheimhalten lassen, zeigt das jugoslawische Beispiel.)

Für das geplante Gespräch von StS Frank mit Minister Macovescu wird zu diesem Thema folgendes Vorgehen empfohlen (vgl. hierzu beigefügte Zuschrift V 7-80 SL/4-94.22[6]):

---

[5] Am 22. Dezember 1972 stellte Präsident Ceaușescu im Gespräch mit Botschafter Wickert, Bukarest, einen Zusammenhang zwischen Familienzusammenführung und Wiedergutmachung her. Vgl. dazu AAPD 1971, III, Dok. 449.
Wickert sah darin „ein eindeutiges – oder soll man sagen: unverfrorenes? – Junktim zwischen einer globalen deutschen Wiedergutmachungssumme und einem rumänischen Entgegenkommen bei der Familienzusammenführung", wobei die Forderung nach Wiedergutmachungsleistungen nicht neu sei: „Wenn wir uns auf seine Forderung einließen, der unsere gesetzlichen Regelungen entgegenstehen, hätte er einen doppelten Erfolg: Er würde die für seine Wirtschaft dringend notwendigen Devisen erhalten und gleichzeitig einen Präzendenzfall schaffen, für den ihm seine Verbündeten im Warschauer Pakt dankbar sein müßten. Ich könnte mir aber denken, daß Ceaușescu sich nicht lange zieren würde, wenn wir ihm als Gegenleistung für die Familienzusammenführung der ‚Härtefälle' eine Summe unter anderer Firmierung, d. h. nicht als Wiedergutmachung zahlen würden, wobei die Höhe der Summe sicher entscheidend wäre." Vgl. das Schreiben vom 7. Januar 1972 an Staatssekretär Frank; VS-Bd. 9043 (II A 5); B 150, Aktenkopien 1972.
[6] Dem Vorgang beigefügt. In der Aufzeichnung vom 23. März 1972 legte Referat V 7 dar, daß Rumänien am 21. November 1971 Verhandlungen über Opfer pseudo-medizinischer Versuche aus der Zeit des Nationalsozialismus und über Rückerstattungsforderungen vorgeschlagen habe. Staatssekretär Frank habe jedoch zuletzt während der deutsch-rumänischen Konsultationen am 21./22. Februar 1972 erklärt, daß die Bundesregierung nicht in Verhandlungen über allgemeine Wiedergutmachung eintreten werde. Referat V 7 vermerkte dazu, die Entschädigung für Opfer pseudo-medizinischer Versuche sei Rumänien bereits zugesagt worden. Dagegen sei es nicht mehr möglich, Forderungen aus dem Bundesrückerstattungsgesetz vom 19. Juli 1957 anzumelden. Die Wiedergutmachungsleistungen an westliche Staaten seien freiwillig und in einer Zeit erfolgt, in die die Bundesrepublik noch den Alleinvertretungsanspruch vertreten habe. Nach der Regierungserklärung vom 28. Oktober 1969 könne es „für Wiedergutmachungsforderungen nur zwei deutsche Adressaten geben. Forderungen nur gegen die Bundesrepublik und damit Vorwurf, allein verantwortlich zu sein, bedeutet Diskriminierung der Bundesrepublik. Einen völkerrechtlichen An-

Bei der Zusammenkunft wird in Beantwortung der rumänischen Verbalnoten vom 2. März[7] und 27. April 1971 eine Verbalnote oder ein Memorandum überreicht, das in der Form des von Referat V 7 entworfenen Memorandums (Anlage 2 der Zuschrift V 7[8]) unseren bereits mündlich mehrfach erläuterten Standpunkt kurz wiederholt.

StS Frank erklärt dazu ergänzend mündlich, daß diese Beantwortung der rumänischen Verbalnoten unsere vollständige und abschließende Stellungnahme zu dem gesamten Fragenkomplex enthält. Wir sehen uns daher außerstande, etwaige weitere rumänische Anfragen – außer zu dem Problem der Opfer pseudomedizinischer Versuche – zu beantworten. Im Interesse der deutsch-rumänischen Beziehungen, an deren umfassender und störungsfreier Entwicklung beiden Seiten gelegen ist, legen wir auf eine klare Darlegung unseres Standpunktes wert, damit darüber künftig nicht wieder Mißverständnisse entstehen können. Eine erneute Aufnahme dieses Fragenkomplexes in irgendeiner Form würde jedenfalls nicht förderlich auf die bilateralen Beziehungen wirken.

Um größtmögliche Klarheit zu erreichen, schlägt StS Frank vor, einen zusätzlichen vertraulichen Briefwechsel im Sinne der Anlage 3 der Zuschrift V 7[9] vorzunehmen. Damit würde die rumänische Seite im Gegensatz zu ihrem Verhalten auf die bisherigen mündlichen deutschen Äußerungen unzweideutig bestätigen, daß sie unseren Standpunkt zur Kenntnis genommen hat. Sollte sie zu einem solchen Schritt unter keinen Umständen bereit sein, könnten wir uns mit der Übergabe unseres Papiers und der zusätzlichen mündlichen Erläuterung begnügen, weil der rumänischen Seite auf diese Weise unser Standpunkt jedenfalls schriftlich dargelegt wird.

Fortsetzung Fußnote von Seite 360

    spruch auf Gleichbehandlung, d.h. Nichtdiskriminierung, worauf sich die Oststaaten berufen könnten, gibt es in diesem Bereich nicht. Rumänien hat in seinem Friedensvertrag mit den Alliierten von 1947 für sich und seine Staatsangehörigen auf alle Forderungen aus Verlusten und Schäden, die während des Krieges entstanden, verzichtet. Diese Verzichtsklausel ist auch dadurch motiviert, daß in Rumänien (wie auch Ungarn) erhebliche Judenverfolgungen aus eigener Veranlassung stattgefunden haben. Eine Diskussion über Wiedergutmachungsforderungen könnte das deutsch-rumänische Verhältnis nur belasten. [...] Eine Abschlußquittung oder einen Forderungsverzicht werden wir von Rumänien nur erhalten, wenn wir entsprechend ihren Vorstellungen zahlen." Vgl. VS-Bd. 9042 (II A 5); B 150, Aktenkopien 1972.

7 Mit Verbalnote vom 2. März 1971 übermittelte die rumänische Botschaft eine Dokumentation über rumänische Opfer aus der Zeit des Nationalsozialismus und schlug die Aufnahme von Verhandlungen vor. Vgl. die Anlage zur Aufzeichnung des Referats V 7 vom 23. März 1972; VS-Bd. 9042 (II A 5); B 150, Aktenkopien 1972.

8 In dem Entwurf eines Memorandums wurde ausgeführt, daß sich die Bundesregierung aus „rechtlichen und politischen Gründen nicht in der Lage" sehe, in neue Verhandlungen über allgemeine Wiedergutmachungsforderungen einzutreten. Dies gelte nicht nur gegenüber Rumänien, sondern gegenüber jedem anderen Staat. Die Wiedergutmachung könne frühestens bei Abschluß eines Friedensvertrages mit Gesamtdeutschland erörtert werden: „Die Bundesregierung ist jedoch bereit, aus humanitären Gründen rumänischen Staatsangehörigen, die menschenunwürdigen pseudo-medizinischen Versuchen in deutschen Konzentrationslagern unterworfen wurden, eine finanzielle Hilfe zu gewähren. Einer solchen Entschädigung müßten dieselben Kriterien zugrunde gelegt werden wie den bereits mit anderen osteuropäischen Staaten abgeschlossenen Verträgen." Ferner wurde dargelegt, daß Entschädigungen nach dem Bundesrückerstattungsgesetz vom 19. Juli 1957 aus rechtlichen und politischen Gründen nicht möglich seien. Vgl. VS-Bd. 9042 (II A 5); B 150, Aktenkopien 1972.

9 Anlage 3 der Aufzeichnung des Referats V 7 vom 23. März 1972 enthielt zwei Entwürfe für einen Briefwechsel. Vgl. VS-Bd. 9042 (II A 5); B 150, Aktenkopien 1972.

III. Im Rahmen des bilateralen Verhältnisses zur BRD ist Rumänien zweifellos an der Pflege der wirtschaftlichen Beziehungen und hier vor allem an unserer finanziellen Unterstützung (Kredite) gelegen.[10] Unsere bisherigen Leistungen sind beachtlich (vgl. beigefügte Aufzeichnung III A 6-84.00/2-94.22 vom 5. April 1972[11] sowie ebenfalls beigefügten Beitrag von III A 6[12] zur Konferenzmappe der Konsultationen im Februar 1972[13]).

Angesichts der wirtschaftlichen Schwierigkeiten des Landes und seiner Bemühungen, sich einer zu einseitigen Bindung an die Warschauer-Pakt-Staaten zu entziehen, haben die Wirtschaftsbeziehungen zu uns schon allein vom Volumen her (zweiter Handelspartner nach der Sowjetunion; bei weitem größter westlicher Gläubiger) zweifellos unverändert eine erhebliche Bedeutung.

– Es ist mit Sicherheit davon auszugehen, daß die rumänische Seite den Erfolg des geplanten und vom Herrn Bundeskanzler befürworteten Besuchs von Präsident Ceaușescu daran messen wird, wie weit wir bereit sind, die zinsverbilligte Kreditaktion fortzuführen (zumal rumänischerseits die Äußerung von Bundeskanzler Brandt gegenüber Ministerpräsident Maurer im Sommer 1970[14] als eine entsprechende Zusage ausgelegt wird).

Bisher hat die Bundesregierung für die rumänischen Wünsche stets Verständnis gezeigt, ohne einen Zusammenhang mit anderen Bereichen der bilateralen Beziehungen herzustellen. Die grundsätzliche Bereitschaft der Bundesregierung, Rumänien die Lösung bestimmter (wirtschaftlicher) Probleme auch weiterhin zu erleichtern, wird jedoch in erheblichem Umfang davon beeinflußt,

---

[10] Zum Stand der Kreditverhandlungen mit Rumänien vgl. Dok. 38, Anm. 18.

[11] Dem Vorgang beigefügt. Vortragender Legationsrat I. Klasse Klarenaar führte aus, Rumänien seien im Rahmen der Konsolidierungsaktion folgende Kredithilfen gewährt worden: „Bundesverbürgter ungebundener Finanzkredit in Höhe von 100 Mio. DM vom 3. März 1970. Die Rückzahlung sollte am 31. März d[ieses] J[ahre]s erfolgen; Umschuldung der Fälligkeiten des zweiten Halbjahres 1970 und des ersten Halbjahres 1971 aus Handelsschulden aus dem Schadenstitel des Bundeshaushalts in Höhe von 80% der Fälligkeiten (im Zusammenhang mit der Hochwasserkatastrophe vom Frühjahr 1970). Fälligkeitssumme in Finanzvereinbarung vom 17. Juli 1970: rd. 265 Mio. DM, davon 80% Kreditbetrag: rd. 210 Mio. DM; Zinssatz 4%, Laufzeit 8½ Jahre bei 3½ Freijahren. Fortsetzung der Umschuldungsaktion für das 2. Halbjahr 1971. Fälligkeitssumme in der Finanzvereinbarung vom 26. Juni 1971: rd. 127 Mio. DM, davon 80% Kreditbetrag: rd. 100 Mio. DM. [...] Die Fortsetzung der Konsolidierungsaktion durch Einräumung ungebundener Finanzkredite zu Marktzinsen erscheint kaum möglich, nachdem in den Verhandlungen über die Vereinbarung eines neuen Zinssatzes für die Prolongation des ungebundenen Finanzkredits vom 3. März 1970 mit der rumänischen Seite keine Einigung erzielt werden konnte (Forderung KfW – 7,48%, rumänisches Angebot: 6,25%). Die Rückzahlung des Kredits sollte deshalb am 31. März 1972 erfolgen." Vgl. VS-Bd. 9042 (II A 5); B 150, Aktenkopien 1972.

[12] Dem Vorgang beigefügt. In der undatierten Aufzeichnung wies Referat III A 6 darauf hin, daß Rumänien seit Mitte der sechziger Jahre „aus politischen und wirtschaftlichen Gründen eine Vorzugsbehandlung durch die Bundesregierung erfahren" habe. Elemente dieser Vorzugsbehandlung seien ein hoher Liberalisierungsgrad der Einfuhr aus Rumänien und dadurch erhöhte Liefermöglichkeiten, hohe Kontingente, besonders im Textilbereich, Einräumung einer Zollmeistbegünstigung, Unterstützung des rumänischen Antrags auf Mitgliedschaft im GATT sowie die großzügige Bereitstellung von Gewährleistungen des Bundes trotz einer gefährdeten Finanzlage Rumäniens. So sei die Bundesrepublik mit 1,74 Mrd. DM der größte Gläubiger Rumäniens und bei weitem der wichtigste westliche Abnehmer rumänischer Erzeugnisse. Vgl. VS-Bd. 9042 (II A 5); B 150, Aktenkopien 1972.

[13] Die Konsultationen zwischen der Bundesrepublik und Rumänien fanden am 21./22. Februar 1972 statt. Für das Gespräch des Bundeskanzlers Brandt mit dem rumänischen Ersten Stellvertretenden Außenminister Macovescu am 22. Februar 1972 vgl. Dok. 38.

[14] Bundeskanzler Brandt führte am 23. Juni 1970 ein Gespräch mit Ministerpräsident Maurer. Vgl. AAPD 1970, II, Dok. 276.

wie weit es gelingt, die gegenseitigen Beziehungen insgesamt von Störungen freizuhalten. So hat es für uns in der Vergangenheit immer wieder erhebliche innenpolitische Schwierigkeiten bereitet, daß die Familienzusammenführung aus Rumänien sich nicht im Einklang mit der sonstigen günstigen Entfaltung der deutsch-rumänischen Beziehungen entwickelt hat. In der deutschen Öffentlichkeit ist z. B. sehr kritisch vermerkt worden, daß im Jahre des Besuchs von Präsident Heinemann in Rumänien (Mai 1971)[15] die Familienzusammenführung aus Rumänien gegenüber dem Vorjahr (1970) auf etwa 1/3 der Umsiedlerzahl zurückgegangen ist (vgl. hierzu beigefügte Aufzeichnung V 6-86.50-94.22 Nr. 422/72 geh. vom 28.3.1972[16]).

Wir müssen deshalb die rumänische Seite darauf hinweisen, daß die Gesamtheit der bilateralen Beziehungen in einem inneren Zusammenhang steht. Die wechselseitigen Beziehungen in allen Bereichen sollten von etwa gleicher Qualität sein, so daß nicht eine Seite in einem Bereich eine Haltung einnehmen darf, die die Interessen der anderen Seite völlig vernachlässigt. Ebenso wie Rumänien auf wirtschaftlichem Gebiet (Kreditfrage) konkreten Nutzen aus dem bilateralen Verhältnis ziehen kann, ist auch uns daran gelegen, auf gleichermaßen greifbare Resultate unserer Beziehungen zu Rumänien verweisen zu können. Die spürbare Erhöhung der Ausreisezahlen von Personen deutscher Volkszugehörigkeit aus Rumänien im Rahmen der Familienzusammenführung würde für uns ein solches Ergebnis sein.

Das Auswärtige Amt sollte sich in der Staatssekretärsbesprechung gegenüber den Ressorts dafür einsetzen, daß wir nach Maßgabe der rumänischen Bereitschaft, unserem Anliegen entgegenzukommen, die grundsätzliche Wohlwollenserklärung des Bundeskanzlers gegenüber Ministerpräsident Maurer vom Juni 1970 im weitestmöglichen Umfang honorieren. Dieses günstigste mögliche Angebot würde wie folgt lauten:

Die BRD ist in Fortsetzung der bisherigen Maßnahmen zu einer umschuldungsähnlichen Finanzregelung für die Fälligkeiten des zweiten Halbjahres 1972 zu einem Vorzugszinssatz von 4% bereit (das erste Halbjahr kann nicht mehr berücksichtigt werden, weil die deutschen Forderungen durch die laufenden rumänischen Zahlungen zum Teil bereits erloschen sind). Diese Regelung würde eine Zinsersparnis von etwa DM 24 Mio. (gegenüber dem Marktzins 7,5%) unter Berücksichtigung einer mittleren Laufzeit von sechs Jahren ausmachen.

Weitere Absprachen zu denselben Bedingungen können grundsätzlich im Dezember 1972 für die Fälligkeiten des ersten Halbjahres 1973 und im Juni 1973 für die Fälligkeiten des zweiten Halbjahres 1973 vorgesehen werden. Das würde eine weitere Zinsersparnis von zusammen etwa 46 Mio. bedeuten und die Gesamtersparnis auf DM 70 Mio. bis Ende 1973 erhöhen[17] (vgl. hierzu beige-

---

[15] Bundespräsident Heinemann hielt sich vom 17. bis 20. Mai 1971 in Rumänien auf.

[16] Dem Vorgang nicht beigefügt.
In der Aufzeichnung des Referats V 6 vom 28. März 1972 wurde festgestellt, daß 1971 2800 Umsiedler aus Rumänien eingetroffen seien, während die Zahl der Umsiedler 1970 noch bei 6500 gelegen habe. Vgl. VS-Bd. 9043 (II A 5); B 150, Aktenkopien 1972.

[17] An dieser Stelle Fußnote in der Vorlage: „Wir müssen bei unseren Überlegungen allerdings berücksichtigen, daß sich die Errechnung des Zinsgewinns aus rumänischer Sicht vermutlich weniger günstig darstellt als in unseren Überlegungen. Da Frankreich und andere westliche Länder

fügte Aufzeichnung III A 6-84.00/2-94.22 vom 5. April 1972, insbesondere auch zur Frage einer möglichen Staffelung des deutschen Angebots[18]).

StS Frank sollte für sein Gespräch mit Minister Macovescu ermächtigt sein, entsprechende Zusicherungen zu geben.

Zur Frage der Umsiedlung sollten wir in diesem Gespräch der rumänischen Seite vorschlagen, auf der Basis der bereits zwischen den beiden Seiten bestehenden inoffiziellen schriftlichen Vereinbarungen parallel zu den Absprachen über die Kreditfrage offiziell etwa folgende Absprache zu treffen:

Die rumänische Seite sichert zu, beginnend mit 1972 jährlich 10 000 umsiedlungswillige Deutschstämmige aus Rumänien ausreisen zu lassen, so daß bis Ende 1975 die von rumänischer Seite in der vorliegenden Vereinbarung als möglich bezeichnete Zahl von 40 000 erreicht wird.

Die BRD trägt weiterhin den hiermit zusammenhängenden finanziellen Problemen der rumänischen Seite dadurch Rechnung, daß sie sich mit der bisherigen technischen Abwicklung der Vereinbarung grundsätzlich einverstanden erklärt. Allerdings erscheint nach einer offiziellen Absprache hierüber die Einschaltung von Mittelspersonen entbehrlich. Die BRD wird künftig nach der erfolgten Ausreise von jeweils insgesamt 1000 Personen eine Pauschalsumme von etwa DM 3 Mio. zum Ausgleich der entstandenen Ausbildungskosten leisten (der gegenwärtige Satz pro Person liegt bei ungefähr 3250 DM).[19]

Fortsetzung Fußnote von Seite 363
Marktkredite zu günstigeren Zinssätzen (etwa 6,25%) bieten können, bleibt bei dem theoretischen Vergleich zwischen diesen und unserem Vorzugszins von 4% ein geringerer Gewinn als DM 70 Mio. übrig (grob etwa DM 44 Mio.). Der von uns zusätzlich gebotene Vorteil liegt allerdings in der Tatsache, daß die anderen Länder einfache Kredite bieten (über das mögliche Volumen können wir nur Vermutungen anstellen), während unsere Vorzugszinsregelung auf einen Transferaufschub von Fälligkeiten Anwendung findet. Dieser Aufschub ist eine kaschierte Umschuldung, die nach internationalen Gepflogenheiten nie bilateral, sondern stets multilateral unter Offenlegung der gesamten finanziellen Lage des betreffenden Schuldners durchgeführt wird."
[18] Dem Vorgang beigefügt. Vortragender Legationsrat I. Klasse Klarenaar wies auf den Zusammenhang zwischen einer Umschuldung für Rumänien und dem Problem der Umsiedlung hin und führte dazu aus: „1) Falls die rumänische Seite auf dem uns besonders interessierenden Gebiet der Umsiedlung zu keinem Entgegenkommen bereit ist, muß es bei dem in den Verhandlungen Anfang März d[ieses] J[ahres] gemachten deutschen Angebot bleiben, nämlich: zwei bundesverbürgte ungebundene Finanzkredite zu Marktkonditionen für das Jahr 1972 in Höhe von je 100 Mio. DM, wobei den Rumänen zunächst nur ein ungebundener Finanzkredit für das erste Halbjahr 1972 angeboten und über den zweiten ungebundenen Finanzkredit erst Mitte 1972 verhandelt werden sollte. Ende 1972 müßten dann neue Verhandlungen über die letztmalige Fortsetzung der Konsolidierungshilfe für das erste Halbjahr 1973 geführt werden. 2) Falls die rumänische Seite zu einem begrenzten Entgegenkommen bereit ist, Umschuldungsaktion zu 4% für das zweite Halbjahr 1972 (rumänische Fälligkeiten rd. 140 Mio. DM); Kreditbetrag rd. 112 Mio. DM. 3) Falls die rumänische Seite zu einem weitergehenden Entgegenkommen bereit ist, Umschuldungsaktion zu 4% bis Mitte 1973 (rumänische Fälligkeiten des zweiten Halbjahres 1972 rd. 140 Mio. DM und des ersten Halbjahres 1973 rd. 133 Mio. DM = rd. 273 Mio. DM); Kreditbetrag: rd. 218 Mio. DM. 4) Falls die rumänische Seite zu einem außerordentlichen Entgegenkommen bereit sein sollte, Umschuldungsaktion zu 4% für das erste Halbjahr 1972 und erste Halbjahr 1973 sowie das zweite Halbjahr 1973 als Kompensation für die nicht durchgeführte Umschuldungsaktion für das erste Halbjahr 1972. Die Fälligkeitssumme für die Zeit vom 1. Juli 1972 bis 31. Dezember 1973 würde rd. 400 Mio. DM betragen; Kreditbetrag: rd. 320 Mio. DM." Vgl. VS-Bd. 9042 (II A 5); B 150, Aktenkopien 1972.
[19] Der Passus „Die BRD wird ... ungefähr 3250 DM" wurde von Ministerialdirektor von Staden eingeklammert. Dazu vermerkte er handschriftlich: "Hier habe ich Zweifel. Hier sollte doch wohl versucht werden, den alten Zahlungsmodus beizubehalten. Wenn eine gute Vereinbarung über die F[amilien]z[usammenführung] vorliegt, kann dieser Modus ja auf deren Kadenz umgestellt werden."

In dem Gespräch zwischen StS Frank und Minister Macovescu sollte in diesem Sinne eine möglichst verbindliche Einigung erzielt werden.[20] Welche Form diese Einigung annimmt, dürfte wesentlich von der rumänischen Grundsatzreaktion auf unsere Überlegungen abhängen. Eine schriftliche Fixierung der Absprache wäre wünschenswert.[21]

Staden

VS-Bd. 9042 (II A 5)

[20] Am 18. April 1972 notierte Staatssekretär Frank aus einer Staatssekretärbesprechung vom Vortag, die Teilnehmer seien übereingekommen, an dem Grundsatz festzuhalten, „daß die Bundesregierung gegenüber Rumänien keine Wiedergutmachung leistet. Eine Ausnahme bildet der Komplex der Opfer medizinischer Versuche, zu dessen Regelung das Rote Kreuz eingeschaltet werden sollte." Zur Frage der Familienzusammenführung sei die rumänische Seite „bereits im Besitz eines Angebots der Bundesregierung, für jeden Fall von Familienzusammenführung eine entsprechende finanzielle Leistung zu erbringen. Trotz dieses Angebots ist die Familienzusammenführung ins Stocken geraten. Die Besprechungsteilnehmer waren der Auffassung, daß eine Verbesserung im Kreditbereich das nicht bewirken kann, was nicht einmal durch Barleistungen zu erreichen ist." Zudem sei es auch nicht möglich, auf die rumänischen Wünsche im Kreditbereich einzugehen. Frank zog den Schluß, daß es angesichts dieses Ergebnisses nicht ratsam erscheine, seine für Ende April 1972 geplante Reise nach Rumänien durchzuführen. Vgl. VS-Bd. 9042 (II A 5); B 150, Aktenkopien 1972.
Mit Schreiben vom 18. April 1972 an den rumänischen Ersten Stellvertretenden Außenminister Macovescu verschob Frank die Reise nach Rumänien unter Hinweis auf die andauernde Meinungsbildung innerhalb der Bundesregierung. Vgl. Referat III A 6, Bd. 475.

[21] Am 19. Mai 1972 notierte Ministerialdirigent van Well, daß „die protokollarische Vorbereitung des Staatsbesuches von Präsident Ceauşescu (letzte Juniwoche) eingeleitet" sei, und schlug vorbereitende Gespräche vor. Hauptanliegen der Bundesregierung seien Fortschritte bei der Familienzusammenführung: „Wenn wir den Gesamtkomplex der mit der Umsiedlung verbundenen Fragen nicht in einem vorbereitenden Gespräch vorklären, müssen wir damit rechnen, daß in dieser Frage während des Staatsbesuches keine befriedigenden und ausreichend klaren Zugeständnisse der Rumänen erzielt werden können." Vgl. VS-Bd. 9042 (II A 5); B 150, Aktenkopien 1972.
Am 31. Mai 1972 teilte der rumänische Botschafter Oancea Ministerialdirektor von Staden mit: „Besuch Ceauşescus sei von rumänischer Seite als Krönung der bisherigen günstigen Entwicklung der deutsch-rumänischen Beziehungen zur Schaffung noch festerer Grundlagen für die künftige Entwicklung gedacht. Rumänische Seite habe Wunsch, dabei gemeinsame Zielsetzungen für die nächsten vier bis fünf Jahre abzustecken. Sie denke dabei insbesondere an Kooperation mit deutschen Firmen, Einfuhren aus der BRD im Rahmen des rumänischen Fünfjahresplans, Zusammenarbeit auf Drittmärkten, Fortsetzung der Kreditbeziehungen unter den bisher gewährten Bedingungen sowie daran, andere steckengebliebene Fragen eventuell zu besprechen. Angesichts dieser Zielsetzungen habe die rumänische Seite den für den Staatsbesuch vorgesehenen protokollarischen Rahmen als nicht befriedigend empfunden. Auch habe sich dieser nicht mit den vom Bundeskanzler im Gespräch mit Vizeminister Macovescu geäußerten Vorstellungen gedeckt. Unter dem Gesichtspunkt der Wahrung der Gegenseitigkeit hätten unsere Vorschläge auch nicht dem Rahmen des Besuches von Präsident Heinemann in Rumänien entsprochen." Vgl. den Drahterlaß Nr. 360 der Vortragenden Legationsrätin I. Klasse Finke-Osiander vom 2. Juni 1972 an die Botschaft in Bukarest; VS-Bd. 9042 (II A 5); B 150, Aktenkopien 1972.
Ceauşescu besuchte die Bundesrepublik vom 26. bis 30. Juni 1973. Für die Gespräche mit Bundeskanzler Brandt am 27. und 29. Juni 1973 vgl. AAPD 1973.

86

Aufzeichnung des Ministerialdirigenten van Well

II A 1-84.25/966III/72 VS-vertraulich 4. April 1972

Betr.: Deutsch-sowjetische Gespräche über die Berlin-Klausel
Bezug: Vermerke vom 20.[1], 27.[2] und 28. März 1972[3]

Am 31. März teilte mir der sowjetische Botschaftsrat Koptelzew mit, daß seine Regierung der zwischen Staatssekretär Frank und Botschafter Falin ausgearbeiteten Berlin-Klausel für den Handelsvertrag zustimme. Sie lautet:

„Entsprechend dem Vier-Mächte-Abkommen vom 3. September 1971 wird dieser Vertrag in Übereinstimmung mit den festgelegten Verfahren auf Berlin (West) ausgedehnt."

Ich unterrichtete Koptelzew, daß uns die Regierungen der drei Westmächte inzwischen hätten wissen lassen, daß sie gegen diese Klausel keine Bedenken erheben.

Koptelzew sagte dann, daß er beauftragt sei, eine mündliche Erklärung folgenden Inhalts abzugeben:

Die sowjetische Seite nimmt diese Formel an, ausgehend von der Auffassung, daß sich die Gültigkeit dieses Vertrags in Übereinstimmung mit dem Vier-Mächte-Abkommen vom 3. September 1971 und nach Beendigung der dazu festgelegten Verfahren auf Berlin (West) ausdehnen wird.

Ich erwiderte, ich sähe erhebliche Schwierigkeiten, falls die sowjetische Seite darauf bestehen sollte, diese Erklärung abzugeben. Sie entspreche genau der sowjetischen Ausgangsposition bei den Gesprächen Frank–Falin über die Berlin-Klausel. Nach deutscher und alliierter Auffassung sei diese Ausgangsposition für uns nicht akzeptabel. Wir könnten sie auch nicht als einseitige sowjetische Auffassung widerspruchslos zur Kenntnis nehmen, da dann die gemeinsame Berlin-Klausel anders ausgelegt würde, als die deutsche und alliierte Seite es tun müßten. Ich müßte mir deshalb vorbehalten, eine Gegenerklärung abzugeben, um unseren Rechtsstandpunkt aufrechtzuerhalten. Das wäre eine mißliche Situation, weil dann ein offener Dissens vorläge, mit dem wir gerade in den letzten Wochen und Monaten bekanntlich im Zusammenhang mit dem Moskauer Vertrag nicht die besten Erfahrungen gemacht hätten.

Koptelzew meinte, ich möge doch die Sache nicht zu hochspielen. Es handle sich nur um eine einseitige mündliche Erklärung, die wir nicht zu akzeptieren brauchten; wir brauchten sie nur widerspruchslos zur Kenntnis zu nehmen. Es sei nicht daran gedacht, später von dieser Erklärung Gebrauch zu machen. Mit seiner, Koptelzews, Erklärung mir gegenüber sei die Sache erledigt.

Ich wiederholte, daß ich mich mit diesem Verfahren nicht einverstanden erklären könne. Falls die sowjetische Seite ihre Meinung nicht ändere, hielte ich es

---
[1] Vgl. Dok. 60.
[2] Vgl. Dok. 74.
[3] Zur Aufzeichnung des Ministerialdirigenten van Well vom 28. März 1972 vgl. Dok. 74, Anm. 12.

für notwendig, daß Staatssekretär Frank und Botschafter Falin sich am 3. April nachmittags noch einmal treffen und daß die Abreise unserer Delegation in der Schwebe gehalten werde.

Nach mehrfachen Telefonanrufen, zwischen denen sich Koptelzew mit Botschafter Falin und Moskau in Verbindung setzte, erklärte die sowjetische Seite sich zu folgender Formel für die einseitige mündliche Erklärung bereit:

„Die sowjetische Seite nimmt diese Formel an, indem sie davon ausgeht, daß die im Vier-Mächte-Abkommen vom 3. September 1971 genannten Voraussetzungen für die Ausdehnung dieses Vertrags auf Berlin (West) erfüllt sein werden und daß das Vier-Mächte-Abkommen in Kraft tritt."

Ich hatte zunächst verlangt, es müsse davon gesprochen werden, daß die im Vier-Mächte-Abkommen genannten Voraussetzungen für die Ausdehnung dieses Vertrags auf Berlin (West) vorliegen. Moskau forderte dann jedoch statt „vorliegen" „eingehalten werden". Ich lehnte dies mit der Begründung ab, daß dieses Wort „eingehalten werden" eine Verpflichtung bedeute, wobei unklar sei, wer sich hier verpflichtet. Falin erklärte sich dann mit dem neutralen Terminus „erfüllt sein werden" einverstanden.

Zu der Endfassung der Formel sagte ich Koptelzew, daß ich hier keine Schwierigkeiten sähe, da sie nur das ausführe, was unserer Ansicht nach selbstverständlich sei. Ich würde Staatssekretär Frank in der Sache Vortrag halten.

Am 3. April nachmittags erklärte sich Staatssekretär Frank damit einverstanden, daß wir gegen diese einseitige mündliche Erklärung der Sowjets keinen Widerspruch erheben.

Mit Botschafter Falin wurde ferner am 31. März abgeklärt, daß die deutsche Seite die Presse wie folgt unterrichtet:

„Am Montag, dem 3. April, wird sich eine Delegation der Bundesregierung unter Leitung von Botschafter Dr. Hermes nach Moskau begeben, um die seit längerer Zeit unterbrochenen Handelsvertragsverhandlungen fortzusetzen. Nachdem in den letzten Tagen erfolgreiche Vorgespräche zwischen Staatssekretär Frank und Botschafter Falin stattgefunden haben, die auch zu einer Einigung über die Ausdehnung des Vertrags auf Berlin (West) führten, sind die Voraussetzungen für abschließende Verhandlungen gegeben."

Nachdem Herr Koptelzew mir am 31. März mitgeteilt hatte, daß die Sowjetunion die Berlin-Klausel akzeptiere ohne Rücksicht darauf, ob wir noch eine Einigung über die einseitige sowjetische Erklärung erreichen, habe ich dem sowjetischen Wunsch entsprochen, Herrn Botschafter Hermes mitzuteilen, daß der Abreise der Delegation am 3. April nunmehr keine Hindernisse mehr im Wege stünden.[4]

van Well

VS-Bd. 9018 (II A 4)

---

[4] Die Delegation der Bundesrepublik hielt sich vom 3. bis 7. April 1972 in Moskau auf. Am 6. April 1972 berichtete Botschaftsrat I. Klasse Peckert, Moskau, daß die Verhandlungen über das Langfristige Abkommen über den Handel und die wirtschaftliche Zusammenarbeit abgeschlossen seien. Alle bislang offenen Fragen seien zur „vollen Zufriedenheit gelöst" worden. Dies betreffe insbeson-

87

Botschafter Pauls, Washington, an Bundesminister Scheel

Z B 6-1-11980/72 geheim　　　　　　　　Aufgabe: 5. April 1972, 11.40 Uhr
Fernschreiben Nr. 818　　　　　　　　　Ankunft: 5. April 1972, 12.55 Uhr

Für Bundesminister und Staatssekretär Dr. Frank[1] ausschließlich

Im Anschluß an DB Nr. 703 vom 20.3.72 – Tagebuchnummer 334/72 geheim[2]

In Unterredung mit Außenminister habe ich Rogers West-Ost-Lage und gegenwärtigen Stand des Ratifizierungsverfahrens mit seinen in den nächsten Wochen möglichen Implikationen[3] dargestellt. Aus der Unterredung, der Rogers mit zahlreichen, guten Informationsstand anzeigenden Zwischenfragen folgte, gewann ich den Eindruck, daß amerikanische Regierung aus ihrer bisher geübten Enthaltsamkeit während der Ratifizierungsdebatte herauszugehen nicht bereit ist. Rogers machte klar, daß Weißes Haus und Außenminister unsere Politik auf dem Boden bisheriger Erklärungen[4] unterstützten und daß wir diese Äußerungen voll verwenden könnten, sie stellten heute wie zu der Zeit, als sie geäußert seien, den Standpunkt des Präsidenten[5] und der amerikanischen Regierung dar. Er wollte sich aber nicht zu einer Wiederholung verstehen, weil schon das als eine Einmischung in die innerdeutsche Debatte verstanden wer-

---

Fortsetzung Fußnote von Seite 367
dere „die Einbeziehung Berlins (West) in dem von Staatssekretär Frank und Botschafter Falin festgelegten Wortlaut; den Liberalisierungsartikel, in dem unser Vorbehalt gegenüber einer vollständigen Liberalisierung bis zum Ende der Abkommensdauer am 31. Dezember 1974 klar zum Ausdruck kommt; den Kreditartikel, in dem nur möglichst günstige Kredite (nicht die günstigsten) genannt werden; den Zahlungsverkehrsartikel, bei dem im deutschen Text Deutsche Mark und im russischen Text Deutsche Mark mit dem Zusatz (BRD) genannt werden. Damit wird zum ersten Mal in einem deutsch-sowjetischen Vertrag im russischen Text die Bezeichnung unserer Währung richtig wiedergegeben, wenn auch mit dem Zusatz BRD." Vgl. den Drahtbericht Nr. 855; Referat III A 6, Bd. 510.
Das Abkommen wurde am 7. April 1972 von Botschafter Hermes und dem sowjetischen Stellvertretenden Außenhandelsminister Manschulo paraphiert. Vgl. dazu BULLETIN 1972, S. 727 f.

[1] Hat Staatssekretär Frank am 5. April 1972 vorgelegen, der handschriftlich vermerkte: „BM Ehmke ist unterrichtet."

[2] Botschafter Pauls, Washington, teilte mit: „Aufgrund einer Reihe von Eindrücken und Beobachtungen der letzten zehn Tage habe ich am Wochenende ein sehr ernstes Gespräch mit dem Leiter der Europaabteilung des State Department geführt und habe Außenminister Rogers um eine Unterredung gebeten. Ich möchte erreichen, daß die amerikanische Regierung ihre früher abgegebene positive Erklärung zur Ostpolitik, z. B. außenpolitischer Bericht des Präsidenten vom Februar, Bericht des Außenministers vom 8. März und Bemerkungen des Außenministers vor dem außenpolitischen Ausschuß des Senats, in nächster Zeit in einer geeigneten, zusammengefaßten Form wiederholt. Bitte diese Information nicht gegenüber dortiger amerikanischer Botschaft zu benutzen. Rege an, Herrn Bundeskanzler zu unterrichten." Vgl. VS-Bd. 501 (Büro Staatssekretäre); B 150, Aktenkopien 1972.

[3] Zum Stand des Ratifikationsverfahrens zum Moskauer Vertrag vom 12. August 1970 und zum Warschauer Vertrag vom 7. Dezember 1970 vgl. Dok. 55, Anm. 2.
Am 4. Mai 1972 sollte die zweite Lesung der Gesetze zu den Verträgen im Bundestag stattfinden. Sie wurde auf den 10. Mai 1972 verschoben. Vgl. dazu Dok. 115 und Dok. 117.

[4] Zu den außenpolitischen Berichten des Präsidenten Nixon und des amerikanischen Außenministers Rogers vom 9. Februar bzw. 8. März 1972 vgl. Dok. 62, Anm. 4.

[5] Richard M. Nixon.

den könne. Ein Standpunkt, der mir inzwischen von dem einzig maßgeblichen Gesprächspartner im Weißen Haus bestätigt wurde. Das ist die augenblickliche Lage. Ich habe mit beiden Gesprächspartnern weiteren Kontakt in dieser Sache abgesprochen. Begründung des amerikanischen Standpunkts ergibt sich aus meiner bisherigen Berichterstattung.

Aus dem Eindruck eines Abends in der sowjetischen Botschaft und einer Unterhaltung, die ich dort zu dritt mit dem maßgeblichen außenpolitischen Berater des Präsidenten[6] und Dobrynin hatte, kann ich meine bisherige Berichterstattung, daß die beiden Weltmächte sich durch parlamentarische Entscheidungen einer europäischen Macht nicht von ihrem Willen – gerade nach Peking[7] und im Interesse beider – einen Ausgleich zu finden, abbringen lassen werden, nur bestätigen. Es gibt im Augenblick gewiß keine Absprachen, wohl aber ein im Grundsätzlichen übereinstimmendes Interesse. Es ist eine provinzielle Torheit zu glauben, daß sich aus dem russisch-chinesischen Konflikt und aus der Konstellation Washington–Peking–Moskau Chancen für eine europäische Restaurationspolitik ergäben. Das Gegenteil ist der Fall.

Rege an, Herrn Bundeskanzler zu unterrichten.

[gez.] Pauls

VS-Bd. 502 (Büro Staatssekretär)

---

6 Henry Kissinger.
7 Präsident Nixon hielt sich vom 18. bis 27. Februar 1972 in der Volksrepublik China auf. Vgl. dazu Dok. 47, Anm. 6 und 7.

88

Ministerialdirigent Heipertz, Prag, an das Auswärtige Amt

Z B 6-1-11984/72 geheim
Fernschreiben Nr. 163

Aufgabe: 5. April 1972, 17.50 Uhr
Ankunft: 5. April 1972, 20.25 Uhr

Betr.: Übergabe des Schreibens von Herrn Staatssekretär Frank vom 20. März 1972[1] an Vizeminister Goetz

Bezug: Drahterlaß Nr. 146 vom 22.3.72[2]

Entgegen uns am 4. April vormittags vom Ministerbüro zuteil gewordener Auskunft, daß Herr Goetz Außenminister Chnoupek nach Ostberlin[3] begleitet habe und erst gegen Wochenende zurückkehre, wurde am Nachmittag gleichen Tages über Außenhandelsministerium mitgeteilt, daß Vizeminister Goetz zur Entgegennahme Briefes am 5. April, 11.00 Uhr, zur Verfügung stehe.

Bei dieser Lage ist anzunehmen, daß Herr Goetz Aufenthalt in Ostberlin unterbrochen hat, um seinen Außenminister noch während Gesprächen mit Winzer über unseren Standpunkt zu unterrichten.

---

[1] Staatssekretär Frank dankte dem tschechoslowakischen Stellvertretenden Außenminister Goetz für dessen Schreiben vom 7. Februar 1972 und bedauerte, „daß es der tschechoslowakischen Regierung nicht möglich ist, die Formulierung über die Ungültigkeit des Münchener Abkommens anzunehmen, die wir bei unserem letzten Sondierungsgespräch in Rothenburg ob der Tauber erarbeitet hatten". Weiter teilte Frank mit, daß die Bundesregierung den tschechoslowakischen Vorschlag vom 7. Februar 1972, „wonach das Münchener Abkommen ‚rechtswidrig und nichtig war'", nicht akzeptieren könne: „Durch eine solche Formulierung würde sich die Bundesregierung auf den Standpunkt einer Ungültigkeit ex tunc begeben, wozu sie aufgrund der wiederholt vorgetragenen Gründe nicht in der Lage ist." Frank fuhr fort: „In dem Bemühen, zu einer für beide Seiten annehmbaren Formulierung über die Ungültigkeit des Münchener Abkommens zu gelangen, beehre ich mich, Ihnen nachstehend folgenden Gegenentwurf zu übermitteln. Der Entwurf greift auf einen früher von Ihnen ausgesprochenen Vorschlag zurück, das Problem der Ungültigkeit des Münchener Abkommens von der Frage der Kontinuität der Grenzen her anzupacken. Der Entwurf ist darüber hinaus durch eine Formulierung über die Gewährleistung der Unverletzlichkeit der Grenze zwischen der Bundesrepublik und der Tschechoslowakei erweitert worden. Folgt Wortlaut des Gegenvorschlags: ‚Artikel I. 1) Die Bundesrepublik Deutschland und die Tschechoslowakische Sozialistische Republik stellen übereinstimmend fest, daß das Münchener Abkommen vom 29. September 1938 durch eine Politik, die auf die Zerstörung der Unabhängigkeit und der Einheit des gesamten tschechoslowakischen Staates gerichtet war und damit von Anfang an ein ungerechtes und deshalb zu verurteilendes Ziel hatte, hinfällig (zaniklo) geworden ist. 2) Die Grenze zwischen der Bundesrepublik und der Tschechoslowakischen Sozialistischen Republik verläuft daher so, wie sie in den Artikeln 27, 81 und 82 des Friedensvertrages von Versailles vom 28. Juni 1919 für Deutschland und die Tschechoslowakei festgelegt worden war und am 31. Dezember 1937 bestanden hat. Die Unverletzlichkeit dieser Grenze wird von der Bundesrepublik Deutschland und der Tschechoslowakischen Sozialistischen Republik gewährleistet. 3) Die Bundesrepublik Deutschland und die Tschechoslowakische Sozialistische Republik haben gegeneinander keinerlei Gebietsansprüche und werden solche Ansprüche auch in Zukunft nicht erheben.'" Abschließend bot Frank an, „zur Fortsetzung unserer Gespräche nach Prag zu kommen, wenn einigermaßen Aussicht auf konkrete Fortschritte gegeben ist". Vgl. VS-Bd. 9044 (II A 5); B 150, Aktenkopien 1972.

[2] Vortragende Legationsrätin I. Klasse Finke-Osiander bat Ministerialdirigent Heipertz, Prag, das Antwortschreiben des Staatssekretärs Frank vom 20. März 1972 „baldmöglichst" an den tschechoslowakischen Stellvertretenden Außenminister Goetz „persönlich zu übermitteln". Vgl. Referat 214, Bd. 1492.

[3] Der tschechoslowakische Außenminister Chnoupek hielt sich vom 4. bis 7. April 1972 in Ost-Berlin auf. Vgl. dazu den Artikel „Brüderlich mit der ČSSR verbunden"; NEUES DEUTSCHLAND vom 8. April 1972, S. 1.

Gesprächsablauf:

I. Das Gespräch, das eine Stunde dauerte – es wurde in deutscher Sprache geführt –, verlief in sachlicher Form. Herr Goetz wurde von Dr. Hendrych, ich von VLR I Rouget begleitet.

Herr Goetz äußerte sich nach Lektüre des Briefes zunächst allgemein in dem Sinne, daß er gehofft habe, daß sein Formulierungsvorschlag vom 7. Februar 1972 für uns akzeptabel sei. Eine erste Durchsicht zeige ihm jedoch, daß der Herr Staatssekretär in diesem Brief praktisch den Standpunkt wiederhole, den er Herrn Mika dargelegt habe. Ausgehend von der ihm für die Sondierungsgespräche erteilten Vollmacht könne er allerdings jetzt schon sagen, daß dieser Vorschlag für seine Regierung nicht annehmbar sei. Man werde den Vorschlag jedoch gründlich studieren.

Zu den einzelnen Artikeln äußerte sich Herr Goetz wie folgt:

Wenn er Artikel I.1) kommentiere, so käme er zu dem Schluß, daß die rechtliche Aussage in der Formulierung „Unrecht" zu schwach sei. Seiner Erinnerung nach sei in Rothenburg ob der Tauber der adäquate Begriff „ungerecht" verwandt worden.[4] Ferner würden nur die Ziele des Münchener Abkommens[5] verurteilt.

Was den Grenzartikel betreffe, so beziehe er sich nur auf die heutige Lage. Darüber habe man schon in Rothenburg ob der Tauber diskutiert. Eine Notwendigkeit, die heutige Lage zu fixieren, bestünde nach seiner Meinung nicht, da dies im Rahmen eines Gewaltverzichts erfolgen könne. Aus der Formulierung gehe hervor, daß das Münchener Abkommen praktisch bis heute gültig sei, da die „historische Lücke" offen bleibe.

Artikel 3) erscheine ihm nach seiner Auffassung – vorbehaltlich weiterer Prüfung – akzeptabel. Er decke sich inhaltlich mit der in Rothenburg ob der Tauber gefundenen Formulierung.

Insgesamt müsse er feststellen, daß dieser Vorschlag die Hauptfrage nicht löse. Wenn er richtig verstehe, so sei Herr Staatssekretär Frank der Auffassung, daß eine fünfte Runde nur notwendig sei, wenn er die Möglichkeit sehe, in Verhandlungen einzutreten, d.h. wenn sich konkrete Fortschritte abzeichnen würden. Wenn dies nicht der Fall wäre, so verstünde er diese Einstellung in dem Sinne, daß dann keine Möglichkeit der Fortsetzung von Gesprächen bzw. Verhandlungen gegeben sei.

Herr Goetz betonte erneut, daß die Wertung unseres Vorschlages zwar seine persönliche Meinung reflektiere, wiederholte jedoch, daß vom Gesichtspunkt seiner Vollmacht aus der Vorschlag zu fünfzig Prozent nicht akzeptabel sei.

Er unterstrich, daß er es hoch einschätze, daß der Herr Staatssekretär in einer so schwierigen Situation – Ratifizierung der Ostverträge – die Zeit gefunden habe, sich auf seinen Brief vom 7. Februar 1972 zu äußern. Er werde gleiches

---

[4] Vgl. dazu die Formulierung zum Münchener Abkommen vom 29. September 1938, die Staatssekretär Frank während der vierten Runde der Gespräche mit der ČSSR über eine Verbesserung des bilateralen Verhältnisses am 18./19. November 1971 in Rothenburg ob der Tauber vorschlug; Dok. 44, Anm. 27.

[5] Für den Wortlaut des Münchener Abkommens vom 29. September 1938 vgl. ADAP, D, II, Dok. 675.

tun, ohne sich schon jetzt auf den Zeitpunkt einer Antwort festlegen zu können.

Ich replizierte zu Artikel I.1), daß Herr Staatssekretär Frank in vier Sondierungsrunden[6] unseren mit dem Völkerrecht übereinstimmenden Rechtsstandpunkt zum Münchener Abkommen ausführlich dargelegt habe und daß wir nur einem Kompromiß zustimmen könnten, der die Glaubwürdigkeit der deutschen Ostpolitik nicht in Frage stelle.

Zu Artikel I.2) bemerkte ich, daß die nunmehr gefundene Formulierung dem tschechoslowakischen Bedürfnis nach Sicherstellung der Kontinuität der Grenzen und des Staatsgebietes vollauf Rechnung trage. Insofern könnte ich nicht der Auffassung zustimmen, daß diese Lösung die „historische Lücke" nicht schließe.

II. Anschließend kam Herr Goetz auf das Ratifizierungsverfahren[7] und den mit der Tschechoslowakei abzuschließenden Vertrag zu sprechen. Wenn die Ostverträge ratifiziert würden, so seien – wenn er gut informiert wäre – auch die Herren der Opposition bereit, einem Separatabkommen mit der ČSSR zuzustimmen. Er wolle hier nicht mehr auf die von ihm vorgetragene Argumentation zum Münchener Abkommen zurückkommen, als Lösungsmöglichkeit biete sich z.B. weiterhin die in der Wiener Arbitrage getroffene Regelung[8] an.

Der Herr Bundeskanzler habe in seinem Gespräch mit Gomułka[9] seinerzeit zum Ausdruck gebracht, daß mit der ČSSR keine mit Polen vergleichbaren Probleme bestünden, da es sich im polnischen Vertrag[10] um die Hergabe ehemaliger deutscher Gebiete handele. Dies träfe auf die ČSSR nicht zu. Aus diesem Grunde sei ihm, Goetz, schwer verständlich, warum nach Abschluß der Ratifizierung ein Vertrag mit der Tschechoslowakei nicht abgeschlossen werden könne. Wenn man sich moralisch-politisch über das Münchener Abkommen geeinigt habe, käme der Frage der Folgenbeseitigung nur symbolische Bedeutung zu.

Ich antwortete hierauf, daß wir uns trotz unterschiedlicher Standpunkte bemühen sollten, einen gemeinsamen Nenner zu finden. Wir sollten keine Zeit verlieren, sondern alles im Sinne einer für beide Seiten akzeptablen Lösung versuchen. Er, Herr Goetz, werde seine Regierung sicherlich konsultieren, und ich bäte darum, insbesondere auf unser Entgegenkommen in Artikel I.2) hinzuweisen.

---

[6] Die Gespräche zwischen der Bundesrepublik und der ČSSR über eine Verbesserung des bilateralen Verhältnisses fanden vom 31. März bis 1. April 1971 in Prag, am 13./14. Mai in Bonn, am 27./28. September in Prag und am 18./19. November 1971 in Rothenburg ob der Tauber statt.

[7] Zum Stand des Ratifikationsverfahrens zum Moskauer Vertrag vom 12. August 1970 und zum Warschauer Vertrag vom 7. Dezember 1970 vgl. Dok. 55, Anm. 2.

[8] Aufgrund von Gesuchen der tschechoslowakischen und der ungarischen Regierung fällten Außenminister von Ribbentrop und sein italienischer Amtskollege Graf Ciano am 2. November 1938 den I. Wiener Schiedsspruch, der die Tschechoslowakische Republik zur Abtretung eines Teils der südlichen Slowakei und der Karpatho-Ukraine an Ungarn verpflichtete. Für den Wortlaut vgl. HOHLFELD, Dokumente, Bd. IV, S. 498–500.

[9] Für das Gespräch des Bundeskanzlers Brandt mit dem Ersten Sekretär des ZK der PVAP, Gomułka, am 7. Dezember 1970 in Warschau vgl. AAPD 1970, III, Dok. 589.

[10] Für den Wortlaut des Vertrags vom 7. Dezember 1970 zwischen der Bundesrepublik und Polen über die Grundlagen der Normalisierung ihrer gegenseitigen Beziehungen vgl. BULLETIN 1970, S. 1815.

Herr Goetz hielt dem entgegen, daß der Mann auf der Straße bei Annahme dieses Artikels argumentieren werde, daß das Münchener Abkommen bis zum Tage der Unterzeichnung des tschechoslowakisch-deutschen Vertrages gültig gewesen sei. Deshalb wolle seine Regierung eine Formulierung, die die rechtlichen Aspekte und nicht die faktische Lage berücksichtige. Wenn man unseren Vorschlag akzeptiere, so akzeptiere man etwas, was „in der ganzen Welt nie in Frage gestanden habe". Selbst die britische Regierung vertrete die Auffassung, daß das Münchener Abkommen zumindest ab 15. März 1939 ungültig, nichtig geworden sei.[11] Auch die deutsche Völkerrechtslehre habe sich in der Zwischenzeit zu der Erkenntnis durchgerungen, daß das Münchener Abkommen in dem Augenblick ungültig geworden sei, in dem Hitler es zerrissen habe. Die Frage, ob das Münchener Abkommen nur sechs Monate oder fünf Jahre gültig gewesen sei, sei in diesem Zusammenhang irrelevant. Er wolle noch einmal auf das polnische Beispiel zurückkommen. Polen konnte nichts anderes akzeptieren als die endgültige Anerkennung der Grenze.

Wenn man sich nicht einig werden könne, wozu solle man dann einen Vertrag anstreben, dann könnte man die Dinge für weitere Generationen so lassen, wie sie jetzt seien. Jede tschechoslowakische Regierung, von Beneš bis heute, habe den Standpunkt vertreten, den er in den vier Sondierungsrunden erläutert habe.

III. Die weiteren Ausführungen von Herrn Goetz konzentrierten sich auf die in den deutschen Massenmedien, insbesondere der Springer-Presse, verbreitete Auffassung, daß in der Tschechoslowakei die „kälteste neue Welle gegen die Bundesregierung" ausgebrochen sei. Er war sichtlich bestrebt, diesem Eindruck energisch entgegenzuwirken, und betonte nachdrücklich, daß diese Bundesregierung die realistischste Bundesregierung seit Kriegsende sei und daß man ihre Politik unterstütze.

Als Beispiel für die in der Bundesrepublik betriebene „Verhetzung" führte er die Ausführungen von Axel Springer an – Überlaufen zweier hochstehender tschechoslowakischer Offiziere nach dem Westen – und erklärte, daß entsprechende tschechoslowakische Reaktionen in der Presse sich nur gegen diese Methoden, nicht aber gegen die Bundesrepublik richten würden.

Im übrigen bemerkte er in diesem Zusammenhang, daß man sich bei uns z.B. aufrege, wenn die tschechoslowakische Presse sich gegen die personelle Zusammensetzung des neuen Vorstands der Sudetendeutschen Landsmannschaften wende, aber nicht reagiere, wenn der „Vorwärts" in einer seiner letzten Ausgaben zu gleichen Schlußfolgerungen gelange[12]. Vergleiche man die von

---

11 Die britische Regierung vertrat die Ansicht, daß das Münchener Abkommen vom 29. September 1938 erst mit dem deutschen Einmarsch in Prag und der Proklamation des „Reichsprotektorats" Böhmen und Mähren am 15./16. März 1939 hinfällig geworden sei. Vgl. dazu das Schreiben des britischen Außenministers Eden vom 5. August 1942 an den Außenminister der tschechoslowakischen Exilregierung, Masaryk; DzD I/3, S. 649.
Zur britischen Haltung vgl. auch Dok. 101.

12 Die „Sozialdemokratische Wochenzeitung für Politik, Wirtschaft und Kultur" erhob den Vorwurf, daß von zehn Mitgliedern des Präsidiums der Sudetendeutschen Landsmannschaft „mindestens sieben aktiv mitgewirkt" hätten an dem, „was letztlich die Katastrophe von 1945 bewirkt hat". Dazu wurde ausgeführt: „Nun wäre es ja immerhin denkbar, daß diese einst als aktive Nazis hervorgetretenen S[udetendeutsche] L[andsmannschaft]-Präsidiumsmitglieder Lehren aus der Vergangenheit gezogen und sich zu aufrichtigen Demokraten entwickelt haben könnten. Dagegen spricht

unserer Seite gegen die ČSSR gerichteten Angriffe mit den tschechoslowakischen gegen die Bundesrepublik, so käme er zu dem Ergebnis, daß ein quantitativer wie qualitativer Vergleich zugunsten der Tschechoslowakei ausfalle.

Anschließend kam Goetz kurz auf den gegen mich gerichteten Tribuna-Artikel zu sprechen, und daß Herr Staatssekretär diesen Vorfall mit Herrn Mika erörtert habe. Er möchte hier nur darauf hinweisen, was die deutsche Presse am Vorabend von Rothenburg ob der Tauber über ihn berichtet habe z.B.: „Goetz, der Mörder, der reif für ein Gericht sei". Er möchte hierzu noch sagen, daß er über die Veröffentlichung in Tribuna erstaunt gewesen sei und Inhalt dieses Artikels nicht billige.

Goetz unterstrich in diesem Gesprächsabschnitt nachdrücklich, daß Partei und Regierung „kein Interesse an einer Kampagne gegen die Bundesregierung" hätten. Das tschechoslowakische Interesse sei ehrlich und werde nicht von propagandistischen Überlegungen bestimmt.

Ich erwiderte, daß der Tribuna-Artikel mich persönlich nicht getroffen habe, da die über mich gemachten Angaben wahrheitswidrig und aus der Luft gegriffen seien. Er müsse aber auch verstehen, daß wir derartige Ausführungen in einem politischen Gesamtzusammenhang lesen und interpretieren würden, und daß der Zeitpunkt der Veröffentlichung die Schlußfolgerung nahegelegt habe, daß von tschechoslowakischer Seite uns gegenüber eine gewisse Verhärtung sich abzuzeichnen beginne.

Goetz kam dann, um die „Pressefreiheit" des Landes zu demonstrieren – jeder Chefredakteur sei für die in seiner Zeitung erschienenen Artikel verantwortlich –, auf den Artikel von Doudera zum Münchener Abkommen zurück (vgl. DB Nr. 145 vom 27.3.72[13]). Er habe diesen Artikel morgens, wie jeder andere Bürger, in der Zeitung gelesen und sich sofort mit Herrn Doudera in Verbindung gesetzt. Dieser habe ihm gesagt, daß Frau Nacken von der FAZ ihn schon gefragt habe, ob es sich hier um eine offizielle Stellungnahme des tschechoslowakischen Außenministeriums handele. Dies sei nicht der Fall. Man gewann den Eindruck, daß Goetz die von Doudera verfolgte Tendenz, eine Fortsetzung der Gespräche mit der ČSSR habe nur nach Abschluß der Ratifizierung Sinn, herunterspielen und im Gegenteil – trotz unterschiedlicher Auffassungen – Interesse an einer Gesprächsfortsetzung zum Ausdruck bringen wollte. Seine Bemerkung, „gelegentlich müßten die Chefredakteure den Kopf gewaschen bekommen", dürfte sich auch auf Doudera bezogen haben.

Fortsetzung Fußnote von Seite 373
jedoch nicht allein Stil und Inhalt ihrer öffentlichen Äußerungen seit 1945, sondern auch die Tatsache, daß sie sich mit vielen anderen, zum Teil weit stärker kompromittierten NS-Prominenten zu einem ‚Orden' zusammengeschlossen haben, dem ‚Witiko-Bund'. Dort wurden und werden die Fäden gesponnen, die SL-Führung mit nahezu allen Gruppen [...] der äußersten Rechten [...] eng verknüpfen.". Es stelle sich die Frage, „ob die Subventionen, die ‚Witiko'-Bund (und natürlich auch der SL) noch 1971 von Bonn gewährt wurden, auch in diesem Jahr mithelfen sollen, den Kampf der rechten Ultras gegen die Versöhnungspolitik Willy Brandts zu finanzieren." Vgl. den Artikel: „Naziclique führt Sudetendeutsche"; VORWÄRTS vom 16. März 1972, S. 8.

13 Ministerialdirigent Heipertz, Prag, teilte mit: „Stellvertretender Chefredakteur Rude Pravo, Doudera, bringt in Artikel unter Überschrift ‚Historische Verantwortlichkeit' als offizielle Auffassung zu bewertende Formulierung, aus der hervorgeht, daß tschechoslowakische Seite sich im Falle Ratifizierung Ostverträge verspricht, daß wir Prager Forderung hinsichtlich Ungültigkeit Münchener Abkommens akzeptieren, bzw. ein Nichtzustandekommen Ratifizierung Fortsetzung Gespräche gegenstandslos mache." Vgl. Referat 214, Bd. 1492.

Goetz kam anschließend auf die bilateralen Beziehungen im allgemeinen zu sprechen und hob hervor, daß seine Regierung diese in einem größeren europäischen Zusammenhang sehe, insbesondere auch unter dem Gesichtspunkt einer Europäischen Sicherheitskonferenz.

IV. Abschließend bat mich Herr Goetz, Herrn Staatssekretär Frank seinen Dank für die Antwort und Grüße zu übermitteln. Er werde antworten, wenn seine Regierung so weit sei. Er könne nicht sagen wann, da man nicht unter Zeitdruck stünde.[14]

[gez.] Heipertz

VS-Bd. 9043 (II A 5)

89

Aufzeichnung des Vortragenden Legationsrats Eitel, Bundeskanzleramt

Geheim 7. April 1972[1]

Betr.: Verkehrsverhandlungen der Staatssekretäre Bahr und Kohl am 5./6. April 1972 in Bonn

In dieser Verhandlungsrunde fanden zwei Delegationssitzungen statt, aus denen folgendes festzuhalten ist:

Im Bereich der technischen Regelungen wurde über eine Reihe weiterer Bestimmungen Übereinstimmung erzielt. In den politisch schwierigen Fragen haben beide Seiten – abgesehen von der Präambeldiskussion – im wesentlichen ihre Standpunkte[2] aufrechterhalten.

---

[14] Am 29. Mai 1972 antwortete der tschechoslowakische Stellvertretende Außenminister Goetz Staatssekretär Frank, daß der Vorschlag der Bundesregierung vom 20. März 1972 zur Frage der Ungültigkeit des Münchener Abkommens für die tschechoslowakische Regierung „aus Ihnen gut bekannten Gründen nicht annehmbar ist, da er die zeitweise Gültigkeit des Münchener Abkommens zum Ausdruck bringt. Angesichts der Tatsache, daß der gegenseitige Briefwechsel nicht zum erwünschten Fortschritt führte, sowie unter Bezugnahme auf die unlängst erfolgten Äußerungen der führenden Politiker der Bundesrepublik Deutschland, vor allem des Herrn Bundeskanzlers Willy Brandt, über die Bereitschaft der Bundesrepublik Deutschland, in kurzer Zeit die Gespräche zwischen der Tschechoslowakischen Sozialistischen Republik und der Bundesrepublik Deutschland fortzusetzen, wiederhole ich meine Einladung für Sie und Ihre Begleitung zu einer weiteren Runde unserer Gespräche in Prag." Vgl. VS-Bd. 9043 (II A 5); B 150, Aktenkopien 1972.
Zur fünften Gesprächsrunde zwischen der Bundesrepublik und der ČSSR am 29. Juni 1972 in Prag vgl. Dok. 192.

[1] Durchdruck.
[2] Zu den unterschiedlichen Standpunkten vgl. vor allem das 37. Gespräch des Staatssekretärs Bahr, Bundeskanzleramt, mit dem Staatssekretär beim Ministerrat der DDR, Kohl, am 22./23. März 1972; Dok. 68.

Im einzelnen:

1) Form des Vertrages

StS Kohl bestand wiederum auf einer Vollmachtsklausel in der Präambel (Bevollmächtigung der Unterhändler durch die Staatsoberhäupter) und einer normalen Ratifikationsklausel (Austausch der von den Staatsoberhäuptern ausgefertigten Ratifikationsurkunde).

StS Bahr betonte, daß für uns aus internen Gründen eine Mitwirkung der Staatsoberhäupter beim Abschluß des Vertrages nicht in Betracht komme.

2) Präambel

Der neue Vorschlag StS Bahrs

„In dem Bestreben, gutnachbarliche Beziehungen beider Staaten zueinander zu entwickeln, wie sie zwischen voneinander unabhängigen Staaten üblich sind,"

wurde von StS Kohl akzeptiert; er fügte jedoch hinzu, daß er vielleicht noch einmal darauf zurückkommen werde.

3) Generalnorm

StS Kohl zog seine in der letzten Runde erklärte Zustimmung zum Begriff „internationale Praxis" wieder zurück und bestand auf einer Erwähnung der „internationalen Normen" (oder Regeln) im Zusammenhang mit der Verpflichtung beider Seiten, den Verkehr auf der Grundlage der Gegenseitigkeit und der Nichtdiskriminierung im größtmöglichem Umfang zu gewähren, zu erleichtern und möglichst zweckmäßig zu gestalten.

4) Verhältnis Verkehrsvertrag – Transitabkommen

StS Kohl lehnte erneut ab, im Verkehrsvertrag auf die gesonderte Regelung des Berlin-Verkehrs ausdrücklich hinzuweisen.

StS Bahr bestand auf dieser Klausel. Ohne einen solchen Hinweis wäre die Auslegung möglich, daß der Verkehrsvertrag in seiner jetzigen Fassung subsidiär auch für den Berlin-Verkehr gilt.

5) Beförderungsgenehmigungen im gewerblichen Güterstraßenverkehr

StS Kohl machte deutlich, daß es der DDR auf die Fixierung des (international üblichen) Prinzips ankomme; (sie möchte dann aber wegen der Gefahr der (wirtschaftlich für sie ungünstigen) Kontingentierungen den gesamten LKW-Verkehr wieder davon ausnehmen).

StS Bahr erklärte, daß dies nicht annehmbar sei. Die BRD wolle den jetzigen Zustand aufrechterhalten. Wenn es jedoch das Prinzip der Beförderungsgenehmigungen gebe, so müsse man auch die Konsequenz der Kontingentierungen akzeptieren.

6) Luftverkehr

Es wurde Übereinstimmung über folgenden Protokollvermerk erzielt:

Die Regierung der Bundesrepublik Deutschland und die Regierung der Deutschen Demokratischen Republik stimmen darin überein, zu gegebener Zeit Verhandlungen über ein Luftverkehrsabkommen aufzunehmen, um die Zusammenarbeit auf dem Gebiet des Luftverkehrs zu entwickeln.

7) Haftpflichtversicherung

In den Expertengesprächen ist der Entwurf einer Ressortvereinbarung ausgearbeitet worden, in dem nur noch wenige Fragen offen sind. Das schwierigste Problem ist hier die Einbeziehung Berlins (West) in das vorgesehene Abkommen der Verbände.

8) Einbeziehung Berlins (West)
(Verkehr Berlin–DDR und Berlin–Polen/ČSSR/skandinavische Länder)
Die gegensätzlichen Positionen stehen sich unverändert hart gegenüber.
Die Staatssekretäre kamen überein,
– die Paßfrage,
– die Anwendung der ECE-Konventionen,
– die Frage der Grenzübergänge,
– die Frage des Schiffsverkehrs in der Elbe

in persönlichen Gesprächen[3] weiter zu behandeln.
Die nächste Verhandlungsrunde wird am 12. April 1972 in Ost-Berlin stattfinden.[4]

[Eitel][5]

VS-Bd. 8562 (II A 1)

90

Aufzeichnung des Staatssekretärs Bahr, Bundeskanzleramt

Geheim 7. April 1972[1]

Betr.: Persönliche Gespräche mit StS Kohl am 5. und 6. April 1972 in Bonn

1) Die persönlichen Gespräche entwickelten sich von Anfang an in einem gespannten und gereizten Klima. Die Auseinandersetzungen waren heftig, ermüdend, dem weiteren Gang der Verhandlungen kaum förderlich. Ich hatte den Eindruck, daß auch Kohl nur mit Mühe das Wort Krise vermied.

---

[3] Zu den persönlichen Gesprächen des Staatssekretärs Bahr, Bundeskanzleramt, mit dem Staatssekretär beim Ministerrat der DDR, Kohl, am 5./6. April 1972 vgl. Dok. 90.
[4] Zum 39. Gespräch des Staatssekretärs Bahr, Bundeskanzleramt, mit dem Staatssekretär beim Ministerrat der DDR, Kohl, vgl. Dok. 95 und Dok. 98.
[5] Vermuteter Verfasser der nicht unterzeichneten Aufzeichnung.
[1] Ablichtung.
Hat Staatssekretär Frank am 16. April 1972 vorgelegen.
Hat Bundeskanzler Brandt vorgelegen.

2) Er beklagte sich über die Erklärungen, die aus Anlaß der Aufnahme diplomatischer Beziehungen mit dem Libanon abgegeben worden sind.² Nach den in Ost-Berlin vorliegenden Informationen hätte die BRD 200 Mio. D-Mark zugesagt, um die Aufnahme diplomatischer Beziehungen zur DDR zu verhindern.³ Dies hätte auf seiner Seite Empörung, Verärgerung hervorgerufen und zu dem Hinweis geführt, hier sehe man die wirkliche Haltung der Bundesregierung. Alle schönen Worte seien für die Katz.

Zu einem späteren Zeitpunkt habe ich ihm gesagt, daß die Bundesregierung keinen Pfennig bezahlt oder zugesagt habe. Wir waren selbst überrascht, daß der Libanon nicht mehr als ein Generalkonsulat erwäge.⁴ Kohl wies darauf hin, daß eine kleine Geste des guten Willens auf internationalem Gebiet unsere Verhandlungen erleichtern und seine persönliche Stellung wieder etwas stärken könne. Er vermochte nicht einzusehen, was uns die Aufnahme diplomatischer Beziehungen zwischen dem Libanon und der DDR geschadet hätte.

3) Er brachte seine Stellungnahme zur WHO⁵ wieder vor. Ich lehnte ab.

4) Er schlug einen geheimen Protokollvermerk vor:

„Die Regierung der BRD erkennt die Notwendigkeit an, daß die Regierung der DDR im Zusammenhang mit dem Inkrafttreten des Verkehrsvertrages gleichberechtigtes Mitglied von TIR⁶ und ADR⁷ wird. Da die Mitgliedschaft in beiden Übereinkommen von der Mitgliedschaft in der ECE abhängt, wird die Bundesregierung die baldmögliche Aufnahme der DDR als gleichberechtigtes Mitglied in die ECE unterstützen."

Ich habe ihm erklärt, daß dies völlig unmöglich sei; es vermittle den Eindruck, daß er die Ratifizierung der Verträge⁸ torpedieren wolle. Zusätzlich wiederholte ich meine Ablehnung geheimer Protokollvermerke.

5) Zum Thema Elbe⁹:

Am ersten Tag beschränkte sich die Auseinandersetzung auf das Teilthema Kontrollpunkte. Schnackenburg bedeute eine Demonstration unseres Rechtsstandpunktes. Die Aufhebung von Hohnstorf im Norden bedeute die Korrektur

---

² Zur Wiederaufnahme der diplomatischen Beziehungen zwischen der Bundesrepublik und dem Libanon am 30. März 1972 vgl. Dok. 76.

³ Dieser Satz wurde von Staatssekretär Frank durch ein Frage- und ein Ausrufezeichen hervorgehoben.

⁴ Zur Absicht der DDR, ein Generalkonsulat im Libanon zu errichten, vgl. Dok. 76, Anm. 7.

⁵ Vgl. dazu die Äußerungen des Staatssekretärs beim Ministerrat der DDR, Kohl, in den Vier-Augen-Gesprächen mit Staatssekretär Bahr, Bundeskanzleramt, am 9./10. März 1972; Dok. 51.

⁶ Für den Wortlaut des Zollübereinkommens vom 15. Januar 1959 über den internationalen Warentransport mit Carnets TIR („TIR-Übereinkommen") vgl. UNTS, Bd. 348, S. 13–101. Für den deutschen Wortlaut vgl. BUNDESGESETZBLATT 1961, Teil II, S. 650–741.

⁷ Für den Wortlaut des europäischen Übereinkommens 30. September 1957 über die internationale Beförderung gefährlicher Güter auf der Straße (ADR) vgl. UNTS, Bd. 619, S. 78–97. Für den deutschen Wortlaut vgl. BUNDESGESETZBLATT 1969, Teil II, S. 1489–1501.

⁸ Für den Wortlaut des Vertrags vom 12. August 1970 zwischen der Bundesrepublik und der UdSSR vgl. BULLETIN 1970, S. 1094.
Für den Wortlaut des Vertrags vom 7. Dezember 1970 zwischen der Bundesrepublik und Polen über die Grundlagen der Normalisierung ihrer gegenseitigen Beziehungen vgl. BULLETIN 1970, S. 1815.

⁹ Zu den Rechtsauffassungen der Bundesrepublik und der DDR hinsichtlich des Grenzverlaufs an der Elbe vgl. Dok. 12, Anm. 13.

378

eines Fehlers, den die BRD gemacht habe und die wir jetzt als Zugeständnis verkaufen wollten. Die DDR werde sich dann genötigt sehen, einen weiteren Kontrollpunkt bei Boizenburg zu errichten, wo ihr Staatsgebiet verlassen werde.

Wir würden mit Sicherheit nicht mit der Errichtung beider Kontrollpunkte im Norden einverstanden sein, selbst wenn die DDR die Umlegung von Schnackenburg bezahlen würde. Wenn die BRD auf Schnackenburg bestünde, aus welchen Gründen auch immer, werde die DDR ihren Kontrollpunkt nach Norden verlegen. Es gebe auch die Möglichkeit von vier Kontrollpunkten.

Er schlug eine Formulierung der Kontrollfreiheit im Binnenverkehr auf Beiderseitigkeit vor. Dies lehnte ich am zweiten Tag ab. Er fragte, ob ich die einseitige Kontrollmöglichkeit der DDR damit akzeptieren würde.

Unsere Erwägungen zur praktischen Regelung des Verkehrs bezeichnete er als den vergeblichen Versuch, jetzt festzuschreiben, was wir während der Zwischenfälle 1965/66[10] nicht erreicht hätten. Die Gesamthaltung der BRD stelle einen Rückfall hinter längst überwunden geglaubte Positionen dar.

Wir kamen am zweiten Tag überein, das Thema zurückzustellen und damit auch die unter Vorbehalt erfolgte Verständigung über den Hufeisenverkehr in Berlin[11]. Kohl präzisierte: Die DDR sei zu einer Regelung bereit, die die heutige reibungslose Praxis sichere. Er akzeptiere meinen Zusatz: „und die Rechtsauffassung keiner der beiden Seiten präjudiziert".

6) Zum Thema der Personaldokumente (Art. 5[12]):

Auch hier verstärkte sich bei Kohl der Eindruck einer verhärteten Haltung unsererseits. Unser Formulierungsvorschlag[13] würde z.B. die Wiedereinführung des Travel board system[14] ermöglichen. Winzer habe ihn gewarnt: Sobald die DDR sich einverstanden erklärt habe mit neutralen Formulierungen, würde bei uns der Pferdefuß zum Vorschein kommen.

---

10 Am 2. Juni 1965 wurden von seiten der DDR einseitig die provisorischen Fahrterlaubnisscheine für die Binnenschiffahrt durch die DDR gekündigt. Vgl. dazu AAPD 1965, II, Dok. 251.
11 Schiffsverkehr auf dem Teltow-Kanal zwischen Berlin-Lichterfelde und Berlin-Neukölln durch Ost-Berliner Gebiet.
12 Während des 37. Gesprächs des Staatssekretärs Bahr, Bundeskanzleramt, mit dem Staatssekretär beim Ministerrat der DDR, Kohl, am 22./23. März 1972, wurden Veränderungen am Vertragsentwurf der DDR vom 20. Januar 1972 vorgenommen. Einzelne Vertragsartikel wurden umnumeriert. Vgl. dazu die Aufzeichnung des Gesprächs vom 22. März 1972; VS-Bd. 8562 (II A 1); B 150, Aktenkopien 1972.
Artikel 5, der wortgleich mit Artikel 6 des Entwurfs der DDR vom 20. Januar 1972 für einen Vertrag über Fragen des Verkehrs war: „Die Deutsche Demokratische Republik und die Bundesrepublik Deutschland erkennen gegenseitig die vom anderen Vertragsstaat für seine Bürger ausgestellten Reisepässe und amtlichen Dokumente, die zum Führen von Transportmitteln berechtigen sowie die amtlichen Dokumente für die auf seinem Gebiet zugelassenen Transportmittel an. Diese Dokumente sind mitzuführen und auf Verlangen der zuständigen Organe der Vertragsstaaten vorzuweisen." Vgl. VS-Bd. 8561 (II A 1); B 150, Aktenkopien 1972.
13 Zum Vorschlag des Staatssekretärs Bahr, Bundeskanzleramt, vom 9. März 1972 vgl. Dok. 72, Anm. 11.
14 Bis zum 26. März 1970 konnten Einwohner der DDR nur in NATO-Staaten einreisen, wenn sie im Besitz von Temporary Travel Documents waren, die vom Allied Travel Office der Drei Mächte in Berlin (West) ausgestellt wurden. Zur Suspendierung der TTD-Regelung vgl. AAPD 1970, I, Dok. 129.

Es sei außerdem völlig sinnlos, über Personalausweise zu sprechen. Er mache folgenden Vorschlag: Reisende weisen sich durch die von den zuständigen Organen bzw. Behörden der Vertragsstaaten ausgestellten amtlichen Personaldokumente, die zum Grenzübertritt berechtigen, aus.

Er machte außerdem einen Vorschlag für einen geheimen Protokollvermerk: „Die BRD erklärt unter Bezugnahme auf Art. 5, daß die zuständigen Behörden der BRD die von der DDR ausgestellten Pässe im grenzüberschreitenden Verkehr sowohl zwischen der DDR und der BRD als auch zwischen der BRD und dritten Staaten uneingeschränkt wie die Pässe anderer Staaten behandeln werden."

Ich erklärte mit Vorbehalt, daß mit der Änderung: „uneingeschränkt als ordnungsgemäß ausgestellte Pässe behandeln" die Formulierung überlegenswert sei. Er erklärte diese Änderung für nicht akzeptabel. Er habe im Abkürzungsverfahren das „Finalprodukt" vorgelegt.

Einen geheimen Protokollvermerk lehnte ich im übrigen abermals ab. Er lehnte eine Erklärung zum Protokoll ab.

7) CIM/CIV[15]

Auch unter Heranziehung der Herren Freier und Gerber ergab sich keine Möglichkeit, einen beschleunigten Weg zum Beitritt beider Staaten zu CIM/CIV als möglich zu finden. Es stellte sich heraus, daß die von uns erwogene Möglichkeit nicht vier Monate, sondern drei Wochen Zeitersparnis bringt; unbefriedigend bei einer auf mindestens zehn Monate anzusetzenden Prozedur.

Kohls Vorschlag, in einem Protokollvermerk zu formulieren, daß der Beitritt „im Zusammenhang mit dem Inkrafttreten" eingeleitet wird, was uns die Möglichkeit einer Einleitung im Sommer schaffen solle, konnte ich aus grundsätzlichen Erwägungen einer Präjudizierung des Parlaments nicht akzeptieren.

Damit waren wir auch auf diesem an sich harmlosen Gebiet, in dem wir unseren guten Willen am ehesten glaubten beweisen zu können, festgefahren. Hier wies Kohl darauf hin, daß nach den Vorstellungen der BRD, soweit er den Zeitungen entnehme, bald ein Grundvertrag abgeschlossen werden solle. Die internationalen Folgen eines derartigen Vertrages würden also nach unserer Logik eher eintreten als der Beitritt zu CIM und CIV. Vielleicht kann überlegt werden, den Beitritt zu CIM/CIV unabhängig vom Verkehrsvertrag einzuleiten, sofern im Vertrag selbst die Geltung vereinbart wird und zum Zeitpunkt der Einleitung Verhandlungen über eine grundsätzliche Regelung des Verhältnisses beider Staaten im Gange sind.

8) Ich erinnerte, daß in den sachlichen Formulierungen immer stärker das Problem des Einschlusses West-Berlins auftauche, das wir bisher zurückgestellt hätten. Kohl war das völlig bewußt. Er erklärte, es führe kein Weg zu einer Berlin-Klausel.

a) Die Verkehrsfragen seien im wesentlichen für West-Berlin durch das Transitabkommen gelöst.

---

[15] Für den Wortlaut des Internationalen Übereinkommens vom 25. Februar 1961 über den Eisenbahnfrachtverkehr (CIM) vgl. BUNDESGESETZBLATT 1964, Teil II, S. 1520–1579.
Für den Wortlaut des Internationalen Übereinkommens vom 25. Februar 1961 über den Eisenbahn-Personen- und -Gepäckverkehr (CIV) vgl. BUNDESGESETZBLATT 1964, Teil II, S. 1898–1951.

b) Uns seien die besonderen Zuständigkeiten der Vier bzw. Drei Mächte bekannt.

c) Wenn es noch etwas zu regeln gebe, dann müsse das zwischen Senat und DDR geschehen.

d) Er wies auf die Formulierung des Vier-Mächte-Abkommens hin: „ausgedehnt werden können"[16]. Die Einbeziehung West-Berlins erfordere eine Zustimmung, die die DDR niemals geben werde.

e) Er verwies auf die Anlage III, wonach Fragen der Kommunikation zwischen Senat und DDR direkt zu vereinbaren seien.[17]

f) Wenn ich meine Argumentation auf den Teil II D[18] zu stützen versucht hätte, so wolle er nur mit Interesse feststellen, daß dies das Ausland betreffe.

g) Er wies auf die spezifische Lage Berlins hin, die zu keinem anderen Staat gegeben sei und der nur durch Vereinbarung mit der DDR entsprochen werden könne.

h) Schließlich gebe es eine Vielzahl von Artikeln im AVV, die nicht auf Berlin anzuwenden seien: z.B. Reichsbahn, Binnenwasserstraßen, Seeschiffahrt, Elbe.

Ich kündigte ihm eine ausführliche Stellungnahme unsererseits für die nächste Woche an.[19] Er glaube doch wohl nicht im Ernst, daß wir eine gesonderte Verkehrssünderkartei, Haftpflichtversicherung oder Führerscheinsystem für West-Berlin einführen würden. Es gab im übrigen beiderseits keine Erwiderungen auf Einzelargumente des anderen. Er erklärte, daß nichts auf der Welt die DDR in diesem Punkte bewegen könne. Er habe zu Hause die Einschätzung vertreten, daß in den Formelfragen (Bevollmächtigung und Ratifizierung) und Einbeziehung Berlins die beiden schwierigsten Punkte lägen, an denen der zügige Abschluß der Verhandlungen scheitern könnte. Er müsse jetzt feststellen, daß die Fragen der Pässe und der Elbe dazu gekommen seien. Man verhandle heute und morgen in Moskau[20], nach meiner verhärteten Haltung zu urteilen, unter ganz falschen Voraussetzungen. Er werde entsprechend be-

---

[16] Vgl. Anlage IV A Absatz 2b) des Vier-Mächte-Abkommens über Berlin vom 3. September 1971; Dok. 25, Anm. 9.

[17] In Anlage III des Vier-Mächte-Abkommens über Berlin vom 3. September 1971 wurde ausgeführt: „1) Communications between the Western Sectors of Berlin and areas bordering on these Sectors and those areas of the German Democratic Republic which do not border on these Sectors will be improved. 2) Permanent residents of the Western Sectors of Berlin will be able to travel to and visit such areas for compassionate, family, religious, cultural or commercial reasons, or as tourists, under conditions comparable to those applying to other persons entering these areas. In order to facilitate visits and travel, as described above, by permanent residents of the Western Sectors of Berlin, additional crossing points will be opened. 3) The problems of the small enclaves, including Steinstuecken, and of other small areas may be solved by exchange of territory. 4) Telephonic, telegraphic, transport and other external communications of the Western Sectors of Berlin will be expanded. 5) Arrangements implementing and supplementing the provisions of paragraphs 1 to 4 above will be agreed by the competent German authorities." Vgl. EUROPA-ARCHIV 1971, D 449f.

[18] Für Teil II D des Vier-Mächte-Abkommens über Berlin vom 3. September 1971 vgl. Dok. 45, Anm. 4.

[19] Zum 39. Gespräch des Staatssekretärs Bahr, Bundeskanzleramt, mit dem Staatssekretär beim Ministerrat der DDR, Kohl, am 12. April 1972 in Ost-Berlin vgl. Dok. 95 und Dok. 98.

[20] Der Erste Sekretär des ZK der SED, Honecker, hielt sich vom 4. bis 10. April 1972 in Moskau auf. Vgl. dazu den Artikel „Ergebnisreiches Treffen zwischen Erich Honecker und Leonid Breshnew", NEUES DEUTSCHLAND vom 11. April 1972, S. 1.

richten. Wenn wir glaubten, die DDR in dieser Phase zu derartigen Zugeständnissen im letzten Augenblick zwingen zu können, so würden wir uns irren.

9) Wir konnten keinen Artikel im persönlichen Gespräch vereinbaren. Es gab zunehmend auf beiden Seiten Verhärtungen. Wir haben nicht einmal alle Punkte besprochen, die wir in der Delegationssitzung für das persönliche Gespräch zurückgestellt hatten.

Kohl weigerte sich, über Reiseerleichterungen zu sprechen.

10) Er erklärte sein völliges Unverständnis, warum wir uns weigerten, in der Präambel von „normalen Beziehungen" zu sprechen, die wir früher selbst gefordert hätten, und deutete die Bereitschaft an, im Falle einer Einigung darüber den Punkt des Weltpostvereins fallen zu lassen. Ich schlug unter Hinweis auf die Honecker-Rede in Leipzig vor, von „gutnachbarlichen Beziehungen" zu sprechen[21], was er unter dem Vorbehalt einer Prüfung annahm. Wir hatten damit unseren einzigen Fortschritt erreicht.

11) Zum Thema der neuen Antragsformulare für Transitvisa gewann ich, gerade nach Hinzuziehung eines Experten der DDR, den sicheren Eindruck, daß die Führung dort die Konsequenzen der Beibehaltung des vereinfachten Verfahrens über Ostern[22] mit der Ergänzung des Antrags nicht klar gewesen sind. Ich konnte Kohl davon überzeugen, welche negativen Auswirkungen jeder Zeitverlust der notwendigen Korrektur haben würde. Die Ausfüllung der Frage nach der Staatsangehörigkeit durch „deutsch" oder „Deutscher" dürfe zu keiner Zurückweisung führen. Er gab mir am Nachmittag des 6.4. die Versicherung, daß dieses Problem zu meiner Zufriedenheit erledigt sei. Wir vereinbarten, auf Befragen zu erklären, daß wir darüber nicht zu verhandeln gehabt hätten.

12) Am Anfang unserer persönlichen Gespräche teilte er mir mit, daß die DDR in Kürze die entsprechenden Maßnahmen treffen werde, um das Problem der erleichterten Päckchensendungen und der Kinderzusammenführungen[23] positiv zu erledigen.

[Bahr]

VS-Bd. 8563 (II A 1)

---

[21] Am 10. März 1972 führte der Erste Sekretär des ZK der SED, Honecker, auf einer Veranstaltung der Bezirksparteiorganisation der SED Leipzig aus: „Wer von Frieden redet, aber den Weg zu sicherem Frieden blockiert, macht sich nicht nur unglaubwürdig, sondern schadet den Völkern. Schließlich wird es nur die Ratifizierung der zur Erörterung stehenden Verträge ermöglichen, die Abkommen zwischen der DDR und der BRD sowie zwischen der DDR und Westberlin in Kraft zu setzen und eine Entwicklung einzuleiten, die zu einem friedlichen Nebeneinander zwischen der DDR und der BRD führt, zu dessen letzten Endes zu gutnachbarlichen Beziehungen im Interesse des Friedens". Vgl. HONECKER, Reden, Bd. 1, S. 472 f.

[22] Zur zeitlich befristeten Anwendung des Transitabkommens vom 17. Dezember 1971 zu Ostern und Pfingsten 1972 vgl. Dok. 49, Anm. 10.

[23] Zum Problem der Geschenkpaket-Sendungen und der Ausreise von Kindern aus der DDR vgl. die Vier-Augen-Gespräche des Staatssekretärs Bahr, Bundeskanzleramt, mit dem Staatssekretär beim Ministerrat der DDR, Kohl, am 22./23. März 1972; Dok. 72.

91

Aufzeichnung des Ministerialdirigenten van Well

II A 1-84.20/2-1261/72 VS-vertraulich 10. April 1972[1]

Eilt sehr

Über Herrn Staatssekretär[2] Herrn Minister[3]

Betr.: Maßnahmen der Alliierten gegen die NPD in Berlin (West)[4]

Bezug: Weisung des Herrn Ministers vom 7.2.1972 auf Vorlage vom 4.2.1972 –
II A 1-84.20/2-393/72 VS-vertraulich (wieder beigefügt)[5]

I. Zweck der Vorlage

Unterrichtung und Stellungnahme zu beabsichtigten Maßnahmen der Alliierten gegen die NPD in Berlin (West)

II. Vorschlag

1) Zustimmung zu dem Vorhaben der Alliierten,

---

[1] Die Aufzeichnung wurde von Vortragendem Legationsrat I. Klasse Blech und Legationsrat I. Klasse Kastrup konzipiert.

[2] Hat Staatssekretär Frank am 11. April 1972 vorgelegen.

[3] Hat Bundesminister Scheel am 12. April 1972 vorgelegen, der handschriftlich vermerkte: „R[ücksprache]. Wirkung auf die B[undes]T[ags-]Debatte. Jetzt nur auf Parteitag beschränken, andere Dinge später."

[4] Am 26. Januar 1972 vermerkte Ministerialdirigent van Well: „Die drei alliierten Botschafter hatten gegen Ende der Berlin-Verhandlungen Abrassimow zugesagt, noch vor Unterzeichnung des Schlußprotokolls Maßnahmen gegen die NPD in Berlin (West) zu ergreifen, sofern eine befriedigende Einbeziehung Berlins in das Transitabkommen, die Verpflichtung der Alliierten beschränke sich auf eine Untersagung öffentlicher Betätigung. Die Briten neigen der amerikanischen Ansicht zu." Ein Gespräch mit dem Botschaftsrat an der sowjetischen Botschaft in Ost-Berlin, Chotulew, habe ergeben, „daß die Sowjets lediglich ein Verbot öffentlicher Aktivitäten erwarten". Entsprechende Überlegungen würden in der Bonner Vierergruppe nun angestellt. Vgl. VS-Bd. 8554 (II A 1); B 150, Aktenkopien 1972.

[5] Dem Vorgang beigefügt. In dem Sprechzettel für ein Koalitionsgespräch am 7. Februar 1972 äußerte Referat II A 1 Bedenken dagegen, daß die Drei Mächte „alsbald und ohne besonderen Anlaß" Maßnahmen gegen die NPD in Berlin (West) ergreifen könnten. Es sei zu befürchten, daß eine solche Vorgehensweise während der Debatte über die Ratifizierung der Ostverträge eine „Erörterung über die unausbleibliche Frage, ob die Alliierten mit der Sowjetunion beim Abschluß des Vier-Mächte-Abkommens Geheimabsprachen getroffen haben und ob weitere Geheimabsprachen der Alliierten oder der Bundesregierung mit der sowjetischen Seite bestehen", in Gang setzen und „innenpolitische Polemik" zur Folge haben werde. Daher solle gegen die NPD ein Verbot öffentlicher Aktivitäten erst dann ausgesprochen werden, „wenn ein konkreter und der Öffentlichkeit einleuchtender Anlaß etwa in Form einer bestimmten Veranstaltung besteht".

Dazu vermerkte Bundesminister Scheel handschriftlich für Ministerialdirektor van Well: „Man sollte die drei Verbündeten bitten, nur dann etwas zu unternehmen, wenn ein aktueller Anlaß besteht – wenn z. B. die NPD ihren Bundesvorsitzenden in Berlin sprechen lassen wollte. Die drei Verbündeten sollten die S[owjet]U[nion] wissen lassen, daß die Abrede nicht vergessen sei, aber erst zu einem geeigneten Zeitpunkt etwas konkret unternommen werden würde. (Merke: Die SU hatte auch verabredet, das Schlußprotokoll zu unterzeichnen)." Vgl. VS-Bd. 8554 (II A 1); B 150, Aktenkopien 1972.

- den Landesparteitag der Berliner NPD am 29.4.1972 in Berlin (West) zu verbieten,
- diese Veranstaltung zum Anlaß zu nehmen, bestimmte öffentliche Aktivitäten der Partei in Berlin (West) zu untersagen.

2) Erörterung der Angelegenheit in der Kabinettssitzung vom 12.4.1972.

III. 1) Auf Weisung des Herrn Ministers wurden die Alliierten Mitte Februar gebeten, gegen die NPD in Berlin (West) nur dann etwas zu unternehmen, wenn ein aktueller und der Öffentlichkeit einleuchtender Anlaß besteht. Die Alliierten erklärten sich mit einem solchen Vorgehen einverstanden.

2) Am 29.4.1972 soll nunmehr der Landesparteitag der Berliner NPD in Berlin (West) abgehalten werden. Nach Erkenntnissen des Bundesamts für Verfassungsschutz sollen als Redner auch Mitglieder des Bundesvorstandes der Partei auftreten. Da man in Kreisen der Parteimitglieder mit der Möglichkeit eines Verbotes der Veranstaltung rechnet, sind bereits Vorkehrungen getroffen worden, im Falle alliierter Maßnahmen die Veranstaltung kurzfristig nach Hannover zu verlegen.

3) Die Alliierten beabsichtigen, den Parteitag – wie bereits im Oktober 1969[6] und Mai 1971[7] – durch den Erlaß einer BK/O (Entwurf Anlage 1)[8] zu verbieten. Es ist ferner vorgesehen, diese Veranstaltung zum Anlaß zu nehmen, bestimmte öffentliche Aktivitäten der Partei zu untersagen. In dem Entwurf[9] der BK/O sind diese wie folgt spezifiziert, in dem verboten werden soll,

- irgendeine andere öffentliche Veranstaltung oder einen Umzug abzuhalten,
- irgendwelche für die Öffentlichkeit zugängliche Räumlichkeiten zu unterhalten,
- in irgendeiner Form die Politik oder Aktivitäten der Partei zu publizieren.

Das Verbot des Parteitages soll auf ein entsprechendes Gesuch des Regierenden Bürgermeisters[10] ausgesprochen und ihm in einem Schreiben der Alliierten Kommandantur (Entwurf Anlage 2)[11] mitgeteilt werden.

---

[6] Am 7. Oktober 1969 wurde ein für den 25. Oktober 1969 in Berlin (West) vorgesehener Landesparteitag der NPD auf Antrag des Regierenden Bürgermeisters von Berlin, Schütz, von der Alliierten Kommandantur verboten. Vgl. dazu den Artikel „NPD-Parteitag in Berlin verboten"; FRANKFURTER ALLGEMEINE ZEITUNG vom 8. Oktober 1969, S. 1.

[7] Der für den 29. Mai 1971 geplante Parteitag der NPD in Berlin (West) wurde auf Antrag des Regierenden Bürgermeisters von Berlin, Schütz, von der Alliierten Kommandantur verboten. Vgl. dazu die Meldung: „NPD-Parteitag in Berlin verboten"; SÜDDEUTSCHE ZEITUNG vom 28. Mai 1971, S. 1.

[8] Dem Vorgang beigefügt. Der Entwurf vom 9. März 1972 für eine BK/O lautete: „1) The Congress of the Berlin Nationaldemokratische Partei Deutschlands (NPD) which it is proposed to hold in Berlin on 29 April 1972 is prohibited. Participation in such a meeting shall be regarded as a breach of this Order. 2) It is further prohibited in Berlin for the NPD to hold any other public meeting or any procession, to maintain any premises open to the public or to publicize its policies or activities in any way. 3) The appropriate Senat authorities will take all necessary steps to ensure the paragraphs 1 and 2 of this Order are implemented. This Order will be transmitted to the Governing Mayor, Berlin, for such action as may be necessary in relation to it, including publication in accordance with BK/O (64) 4." Vgl. VS-Bd. 8554 (II A 1); B 150, Aktenkopien 1972.

[9] An dieser Stelle Fußnote in der Vorlage: „Anlage 3".

[10] Klaus Schütz.

[11] Dem Vorgang beigefügt. Im Entwurf vom 9. März 1972 für ein Schreiben der Alliierten Kommandantur an den Regierenden Bürgermeister von Berlin, Schütz, wurde auf das Verbot der für den

IV. Die von den Alliierten beabsichtigten Maßnahmen entsprechen unseren Vorstellungen von einem Vorgehen gegen die NPD in Berlin (West). Eine konkrete Veranstaltung wird zum Anlaß genommen, die öffentliche Betätigung der Partei in recht bestimmt definierten Grenzen zu untersagen. Es wird deshalb vorgeschlagen, dem Vorhaben der Alliierten zuzustimmen. Der Berliner Senat ist einverstanden.

Im Hinblick auf die innenpolitische Problematik sollte die Angelegenheit in der nächsten Kabinettssitzung vom 12.4.1972 erörtert werden, und zwar auch die Frage des Zeitpunktes der alliierten Maßnahmen.[12] Die Alliierten sind – wie sie in der heutigen Sitzung der Bonner Vierergruppe mitteilten – bereit, kurzfristig gegen die NPD vorzugehen und Maßnahmen erst nach den Landtagswahlen in Baden-Württemberg[13] zu ergreifen.[14]

van Well

VS-Bd. 8554 (II A 1)

Fortsetzung Fußnote von Seite 384

25. Oktober 1969 und den 29. Mai 1971 anberaumten Parteitage der NPD verwiesen und ausgeführt: „2) The Allied Kommandatura has been in consultation with the Senat with regard to the proposal of the NPD to hold a congress in the Western Sectors of Berlin on 29 April 1972. 3) In your letter of ... 1972, you have expressed concern that this meeting would present a threat to public order in Berlin and requested the Allied Kommandatura to prohibit it. The Kommandatura, having taken account of your request, has today issued an Order prohibiting the holding of this meeting. 4) In doing so, the A[llied] K[ommandatura] has confirmed its previous policy of prohibiting public activities of the NPD in Berlin and has decided to place this prohibition on a general footing in order to avert the need to take action on an ad hoc basis in the future. Paragraph 2 of the Order therefore specifies the public activities of the NPD in the W[estern] S[ectors of] B[erlin] which are prohibited." Vgl. VS-Bd. 8554 (II A 1); B 150, Aktenkopien 1972.

12 Am 17. April 1972 vermerkte Referat L 1 zur Kabinettssitzung von 12. April: „BM Scheel berichtet von der Absicht der drei alliierten Mächte, den für den 29.4.1972 vorgesehenen Landesparteitag der NPD Berlin zu verbieten und aus diesem Anlaß bestimmte weitere, generelle Einschränkungen der Aktivität der Berliner NPD zu erwirken. Das Kabinett nimmt Kenntnis. Auf Grund von Bedenken, die BM Genscher aus innenpolitischen Gründen äußert, beschließt das Kabinett ferner, den alliierten Mächten gegenüber anzuregen, ihre Maßnahmen gegen die NPD Berlin zunächst auf das Verbot des Landesparteitages zu beschränken." Vgl. VS-Bd. 8554 (II A 1); B 150, Aktenkopien 1972.

13 Die Wahlen zum baden-württembergischen Landtag fanden am 23. April 1972 statt.

14 Am 11. Mai 1972 wurde der für den 13./14. Mai 1972 vorgesehene Landesparteitag der NPD in Berlin (West) von der Alliierten Kommandatura verboten. Vgl. dazu die BK/O (72) 4; GESETZ- UND VERORDNUNGSBLATT FÜR BERLIN 1972, S. 890.

92

Aufzeichnung des Vortragenden Legationsrats I. Klasse Redies

I B 4-84.00-92.19-153/72 geheim   11. April 1972

Herrn Staatssekretär[1] zur Unterrichtung

Betr.: Rüstungswirtschaftliche Zusammenarbeit mit Israel

Auf der Nahost-Expertentagung vom 4. bis 7. April in Brüssel kam der britische Vertreter, Mr. Patrick Laver, gegenüber Herrn VLR Bente auf die kürzlich bekanntgewordene Lieferung zweier U-Boote an Israel zu sprechen, die in der arabischen Welt zu erheblicher Verstimmung gegenüber Großbritannien führte.[2] Für den ursprünglichen Gedanken, Teile der U-Boote aus der Bundesrepublik zu beziehen, war vom Auswärtigen Amt im August 1971 nach einer Entscheidung des Herrn Ministers die Genehmigung abgelehnt worden (Vorgang anliegend[3]).

---

[1] Hat Staatssekretär Frank am 11. April 1972 vorgelegen, der handschriftlich vermerkte: „Dem Herrn Minister vorzulegen. Ich habe heute Herrn BM Ehmke gegenüber noch einmal betont, wie wichtig es sei, in diesem Komplex Klarheit zu bekommen. Sonst laufen wir ein sehr großes Risiko. Es geht nicht nur um die Beziehungen zu Ägypten, sondern um die Glaubwürdigkeit der deutschen Außenpolitik. Ich würde mich nicht wundern, wenn die Ägypter schon Wind von der Sache hätten. Vgl. Bericht aus Kairo vom 7.4.72 (liegt bei)." Vgl. Anm. 5.
Hat Bundesminister Scheel am 14. April 1972 vorgelegen, der handschriftlich vermerkte: „Auf Chefbesprechung drängen!"

[2] Dazu berichtete Gesandter Jesser, Kairo, am 10. März 1972: „Bisherige britische Stellungnahmen zu Berichten über Lieferung von zwei britischen U-Booten an Israel und insbesondere der Hinweis, es handle sich nur um kleine Küstenschutzboote ohne militärische oder politische Bedeutung, haben die Erregung der hiesigen Presse nicht beschwichtigen können. Die doppeldeutige Erklärung des Foreign Office, daß alle Entscheidungen über Exportlizenzen ‚unter Berücksichtigung des bestehenden militärischen Gleichgewichts zwischen Israel und seinen noch immer feindseligen arabischen Nachbarn' getroffen würden, hat sogar Öl in die Flammen der Empörung gegossen. Hiesige britische Botschaft ist an enge Sprachregelung gebunden und empfiehlt deshalb, nähere Auskünfte in London einzuholen. Da das britisch-israelische Geschäft mittelbare Rückwirkungen auf das deutsch-arabische Verhältnis haben kann, wäre ich dankbar für baldige Übermittlung aller etwa in London erhältlichen Auskünfte zum Sachverhalt." Vgl. den Drahtbericht Nr. 149; VS-Bd. 9876 (I B 4); B 150, Aktenkopien 1972.

[3] Dem Vorgang beigefügt. In einer Aufzeichnung vom 16. Juni 1971 vermerkte Vortragender Legationsrat I. Klasse Redies, daß der britische Botschafter am 11. Juni 1971 Staatssekretär Freiherr von Braun von der Genehmigung für die Firma Vickers zum Bau von drei U-Booten und deren Ausfuhr nach Israel in Kenntnis gesetzt habe. Jackling habe mitgeteilt, es „sei daran gedacht, die Dieselmotoren, Generatoren und Teile des Steuerungssystems von deutschen Firmen zu beziehen. Die Bewaffnung werde ausschließlich aus Großbritannien kommen. Die Firma Vickers denke daran, die U-Boote später in Zusammenarbeit mit den deutschen Firmen auch in anderen Ländern zu verkaufen. Die britische Regierung würde es begrüßen, wenn von deutscher Seite die erforderliche Zustimmung gegeben werde. Mit der israelischen Regierung sei strengste Geheimhaltung vereinbart worden." Vgl. VS-Bd. 9876 (I B 4); B 150, Aktenkopien 1971.
Am 23. Juli 1971 führte Vortragender Legationsrat Bente aus: „Referat I B 4 meldet schwerste politische Bedenken gegen deutsche Zulieferungen für U-Boote der britischen Vickerswerft mit Endverbleib im nahöstlichen Spannungsgebiet (Israel) an und schlägt eine Versagung der Ausfuhr gem[äß] Paragraph 7 des Außenwirtschaftsgesetzes vor, um zu erwartende erhebliche Störungen der auswärtigen Beziehungen der Bundesrepublik zu verhüten. Die geheimen Waffenlieferungen nach Israel vor 1965 waren ein wesentliches mitwirkendes Motiv für den Abbruch der diplomatischen Beziehungen von neun arabischen Ländern zur Bundesrepublik. Sie vergiften noch heute das deutsch-arabische Verhältnis. [...] Wie die Ereignisse 1965 gezeigt haben, ist mit einer Geheimhaltung nicht zu rechnen. Hinzu kommt, daß interessierte Kreise, die eine Verbesserung unserer Be-

Mr. Laver erwähnte gegenüber Herrn Bente unter Bezugnahme auf diese Entscheidung, daß gleichwohl das elektronische Gerät in den U-Booten von deutscher Seite komme. Die Engländer hätten uns jedoch keine Schwierigkeiten machen wollen und dies deshalb verschwiegen.

Allerdings wisse er, daß ohnehin eine enge rüstungswirtschaftliche Zusammenarbeit zwischen der Bundesrepublik und Israel auf elektronischem Gebiet bestehe. Außerdem sei bekannt, daß eine von Großbritannien, Italien und der Bundesrepublik gemeinsam geplante Rakete, deren Produktion weitgehend einer deutschen Firma übertragen worden sei, von dieser Firma in der Negev-Wüste gemeinsam mit den Israelis erprobt werde. Die israelische Seite habe die Engländer kürzlich zu einer Vorführung in Negev eingeladen, worauf man sich aber nicht eingelassen habe.

Wenn diese Dinge bekannt würden, hätten wir sicherlich mit erheblichen politischen Schwierigkeiten im Nahen Osten zu rechnen.[4] Von englischer Seite werde man dann allerdings jede Verantwortung hierfür ablehnen.

Der Herr Minister hatte in einem ebenfalls beigefügten Schreiben vom 16. März an den Herrn Bundeskanzler eine Chefbesprechung zu dem Fragenkomplex vorgeschlagen.[5] Hierauf ist eine Antwort bisher noch nicht eingegangen.

Redies

VS-Bd. 9876 (I B 4)

Fortsetzung Fußnote von Seite 386
 ziehungen zur arabischen Welt nicht gern sehen, die Ägypter anscheinend mit Material gegen uns versorgen." Vgl. VS-Bd. 9876 (I B 4); B 150, Aktenkopien 1971.
 Vgl. dazu auch AAPD 1971, II, Dok. 278.

4 Dazu berichtete Botschafter Jesser, Kairo, am 7. April 1972: „Aus besonderer Quelle wird mir folgendes bekannt: Ägyptisches Verteidigungsministerium habe Kenntnis davon erlangt, daß Bundesverteidigungsministerium die Konstruktionspläne des neu entwickelten, modernsten Waffensystems, der 110 mm-Rakete (die in der zweiten Hälfte der siebziger Jahre die konventionelle Artillerie weitgehend ersetzen soll), an israelische Armee überliefert habe. Zum Wahrheitsgehalt der Meldung kann ich selbstverständlich keine Stellung nehmen. Ich bin jedoch der Auffassung, daß der Gegenstand der Nachricht gründlich überprüft werden müßte." Vgl. den Drahtbericht Nr. 222; VS-Bd. 9876 (I B 4); B 150, Aktenkopien 1972.

5 Dem Vorgang beigefügt. Bundesminister Scheel teilte Bundeskanzler Brandt mit, seit Herbst 1971 seien dem Auswärtigen Amt „von verschiedener Seite Hinweise zugegangen, wonach arabischen Regierungen, vor allem Ägypten, Informationen über eine neue geheime Zusammenarbeit zwischen der Bundesrepublik und Israel auf militärischem Sektor vorliegen". Eine Anfrage im Bundesministerium der Verteidigung habe ergeben, „daß in der Tat Formen rüstungswirtschaftlicher und wissenschaftlicher Zusammenarbeit bestehen, mit denen der Bundessicherheitsrat offensichtlich nicht befaßt worden ist". Scheel bezeichnete diesen Vorgang als „bedenklich" und betonte: „Seit der Einstellung der Waffenlieferungen an Israel im Jahre 1965 haben die verschiedenen Bundesregierungen immer wieder versichert, daß es keine neuen Geheimabkommen mit Israel geben werde. Erstmalig seit dem Abbruch der Beziehungen scheint es uns nunmehr zu gelingen, eine Vertrauensbasis in deutsch-arabischen Verhältnis wiederherzustellen. Es müßte für unsere Position im arabischen Raum wie für das Ansehen der Bundesregierung und ihrer Politik schwerwiegende Folgen haben, wenn bekannt würde, daß erneut eine geheime militärische Zusammenarbeit eingeleitet worden ist. Ich rege an, den Fragenkomplex in einer Chef-Besprechung unter Beteiligung des Bundeskanzleramts, des B[undes]M[inisteriums der] V[erteidigun]g und des B[undes]M[inisteriums für] W[irtschaft und] F[inanzen] zu erörtern." Vgl. VS-Bd. 9876 (I B 4); B 150, Aktenkopien 1972.

93

Gespräch des Bundesministers Scheel mit dem sowjetischen Botschafter Falin

II A 4-82.00-94.29-1320/72 VS-vertraulich 12. April 1972[1]

Die Unterredung fand auf Ersuchen des Botschafters statt. Es wurden folgende Themen behandelt:

1) Rückführung und Familienzusammenführung,

2) Aussichten der Wahlen in Baden-Württemberg,

3) das bevorstehende Spitzengespräch mit den Führern der Opposition[2].

Zu 1) Botschafter *Falin* überreichte das anliegende Aide-mémoire zur Frage der Rückführung und Familienzusammenführung.[3] Die sowjetische Regierung habe die anläßlich seines letzten Besuches in Moskau im November 1971 vorgetragene Bitte des Ministers in Sachen Familienzusammenführung[4] wohlwollend und eingehend geprüft. Das Ergebnis sei in dem Aide-mémoire niedergelegt. Der Bundesminister dankte für die wohlwollende Behandlung dieser Frage, die in der öffentlichen Meinung der Bundesrepublik Deutschland sehr aufmerksam verfolgt werde. Die Entwicklungen in diesem Bereich würden stets kommentierend begleitet, besonders wenn Schwierigkeiten auftauchten, die der positiven Entwicklung der Beziehungen nicht dienlich seien. Die Sowjetunion habe kürzlich großzügig Ausreisen aus anderen Volksbereichen gestattet.[5] Dies habe hier Kritik ausgelöst, weil offensichtlich die Ausreise von Deutschen nicht zufriedenstellend war. Er, der Minister, freue sich, daß jetzt auch in der nächsten Zeit deutsche Ausreisewillige ausreisen könnten. Dies sei ein neues positives Element in den gegenseitigen Beziehungen. Im Gegensatz zum

---

[1] Die Gesprächsaufzeichnung wurde von Vortragendem Legationsrat I. Klasse Blumenfeld am 13. April 1972 gefertigt.
Hat Vortragendem Legationsrat I. Klasse Hofmann und Vortragendem Legationsrat Hallier am 13. April 1972 vorgelegen.

[2] Zur Vorbereitung des Gesprächs des Bundeskanzlers Brandt mit dem CDU/CSU-Fraktionsvorsitzenden Barzel und dem Vorsitzenden der CSU-Landesgruppe, Stücklen, vgl. Dok. 84. Das Gespräch fand am 28. April 1972 statt. Vgl. dazu Dok. 117.

[3] Dem Vorgang beigefügt. In dem Aide-mémoire vom 12. April 1972 wurde erklärt: „Die zuständigen sowjetischen Stellen geben ihre Zustimmung zur Ausreise von 182 Familien (an die 700 Personen), die die Übersiedlung zu ihren Verwandten mit dem Wohnsitz in der Bundesrepublik Deutschland beantragt haben. Die Frage der Ausreise von weiteren Personen, die in den vom Herrn Bundesminister des Auswärtigen überreichten Listen genannt worden sind, wird zur Zeit bearbeitet. Die Listen von Personen, die in die Bundesrepublik ausreisen, werden der Botschaft der Bundesrepublik in Moskau je nach Abschluß der zur Erledigung von Formalitäten festgelegten Verfahren überreicht. Personen, deren Anträge bereits bearbeitet sind, können in die Bundesrepublik von der zweiten Aprilhälfte d[ieses] J[ahres] an zu einem für sie genehmen Termin und mit Rücksicht auf die Zeit ausreisen, die sie jeweils zur Erledigung der mit Ausreise zusammenhängenden persönlichen Angelegenheiten in Anspruch nehmen werden." Vgl. VS-Bd. 10102 (Ministerbüro); B 150, Aktenkopien 1972.

[4] Bundesminister Scheel hielt sich vom 25. bis 30. November 1971 in der UdSSR auf. Für das Gespräch mit dem sowjetischen Außenminister Gromyko am 29. November 1971 über Familienzusammenführung vgl. AAPD 1971, III, Dok. 418.

[5] Zu den Ausreisen aus der UdSSR nach Israel vgl. Dok. 28, Anm. 27.

Problem in der Volksrepublik Polen sei in der Sowjetunion der Bereich zahlenmäßig begrenzt. Eine Bereinigung dieses Problems sei daher, wie er hoffe, verhältnismäßig schnell möglich. Viele Bürger hätten ihn, den Minister, auf Einzelfälle angesprochen. Dies sei jedoch stets in einem freundlichen und objektiven Ton und ohne Polemik geschehen. Er bäte auch, dem Außenminister Gromyko seinen Dank zu übermitteln. Er werde das gezeigte sowjetische Entgegenkommen im Parlament und in der Öffentlichkeit verwerten. Botschafter Falin erklärte sich damit einverstanden.

Der *Bundesminister* sagte sodann, er habe im Zusammenhang mit der Familienzusammenführung einen Wunsch hinsichtlich der damit zusammenhängenden Frage des Besuchsverkehrs zwischen beiden Ländern. Es sei wichtig, daß nunmehr dieser Besuchsverkehr in beiden Richtungen gefördert werde und daß Hindernisse nach Möglichkeit beseitigt würden. Die sowjetischen Gebühren für Ausreisevisa seien sehr hoch, und es sei wünschenswert, wenn hier insbesondere für Besuchsreisen, wenn schon nicht für die endgültige Ausreise, Erleichterungen geschaffen werden könnten. *Falin* warf ein, die Visagebühren gelten für sämtliche sowjetische Staatsbürger, so daß die Staatsbürger deutscher Nationalität durchaus gleich behandelt würden. Er könne sich aber organisatorische Maßnahmen zur Erleichterung der Ausreise durchaus vorstellen. Im übrigen seien die Ausreisekosten z. B. bei Hochschulabsolventen sehr viel höher als die normalen Gebühren von 400 Rubel. So hätten z. B. Hochschulabsolventen, die nach Israel auswanderten, die vom Staat verauslagten Studiengebühren zu ersetzen. Diese betragen in Einzelfällen weit über 100 000 Rubel, bei einem Absolventen eines Konservatoriums sogar bis zu 300 000 Rubel.

Bundesminister erwiderte, diese Fälle erinnerten ihn an die Kosten der Ausbildung von Düsenjägerpiloten, die sogleich nach ihrer militärischen Ausbildung lukrativere Posten bei der Lufthansa anstrebten. Hier versuche man durch Verpflichtung von längerer Dauer vorzubeugen. Er, der Minister, wollte diesen Wunsch nach einer Erleichterung der Besuchsreisen einmal vorgetragen haben.

Zu 2) *Falin* erkundigte sich nach der Meinung des Herrn Bundesministers über die Aussichten der Landtagswahlen in Baden-Württemberg.[6] *Bundesminister* führte dazu folgendes aus:

Sein Eindruck sei außerordentlich positiv. Die FDP sei dabei, an Boden zu gewinnen, was auch die Meinungsforscher bestätigen. Auch die Chance der SPD sei positiv. Doch dies erst in den letzten Wochen. Die Osterreiseregelungen[7] hätten einen sehr starken Eindruck gemacht und die Stimmung zugunsten der Regierungsparteien beeinflußt. Diese positive Stimmung sei jedoch noch nicht stabilisiert, und sie könnte leicht wieder umschlagen. Die CDU habe eine gute Ausgangsposition gehabt, doch habe sie nunmehr unter dem besagten Stimmungsumschwung zu leiden. Es sei nicht ausgeschlossen, daß die CDU die ab

---

[6] Die Wahlen zum baden-württembergischen Landtag fanden am 23. April 1972 statt. Zum Ergebnis vgl. Dok. 104, Anm. 5.

[7] Zur zeitlich befristeten Anwendung des Transitabkommens vom 17. Dezember 1971 zu Ostern und Pfingsten 1972 vgl. Dok. 49, Anm. 10.

solute Mehrheit bekomme. Bei der Bundestagswahl 1969 habe die CDU über 50%, die NPD 4% erhalten.[8] Sicherlich werde die CDU diesmal einen großen Teil der FDP-Stimmen erhalten und damit ganz nah an die 50% herankommen. Er, der Minister, könne sich denken, daß es zwischen der CDU einerseits und der SPD/FDP-Kombination andererseits letztlich um einige tausend Stimmen gehen könne. Der Wahlkampf werde hauptsächlich vom Bundeskanzler und von ihm, dem Bundesminister, bestritten. Er persönlich habe in 70 bis 80 Veranstaltungen gesprochen. Wie er glaube, habe sich dies ausgewirkt.

Er, der Bundesminister, hoffe, daß bei der zweiten Lesung der Verträge im Bundestag bereits eine verfassungsmäßige Mehrheit von mindestens 249 Stimmen für die Verträge zusammenkomme.[9] Dann, so hoffe er, werde der Bundesrat keine Einwände erheben, da er die Ratifizierung dann nur verzögern, nicht aber aufhalten könne. Die Regierung rechne nicht damit, daß sie ihre knappe Mehrheit verbreitern könne, obwohl sie sich ernsthaft darum bemühe. Die Opposition lehne die Verträge nicht ab, weil sie keine Normalisierung der Beziehungen zur Sowjetunion und zu den östlichen Staaten wolle. Sie habe aber andere Ansichten über die Möglichkeiten hierzu. Nach der Ratifizierung würden die Mitglieder der Opposition realistischere Vorstellungen entwickeln. Bei der bisherigen Auseinandersetzung hätten sich die Regierung und die sie tragenden Parteien nicht schlecht geschlagen. Es gebe jetzt mehr Anhänger der Verträge als zuvor, und die Opposition sehe dies durchaus. Sie sei nicht mehr so selbstbewußt wie im Anfang. Im übrigen habe sie ja auch nie ganz nein gesagt. Es komme jetzt sehr darauf an, wie die deutsche Demokratie Außenpolitik auf gemeinsamer Basis machen könne, und zwar ohne Emotionen. Alles in allem sei er, der Minister, diszipliniert optimistisch.

Falin warf ein, er, der Minister, habe es in diesem Wahlkampf leichter, da er ja gewissermaßen körperlich eine erfolgreiche Außenpolitik zu vertreten habe. Der *Bundesminister* erwiderte, dies sei in der Tat die Chance der FDP in Baden-Württemberg. Seine Versammlungen seien stets überfüllt. Wenn die FDP jetzt Fortschritte mache, dann sei dies auch eine Chance für 1973[10]. Er, der Minister, habe gewußt, daß die Entscheidung aus dem Jahr 1969 für die Koalition mit der SPD die FDP bis ins Mark erschüttern würde und daß es mindestens vier Jahre dauern würde, bis dieser Schock überwunden sei. Jetzt hätte die Koalition gezeigt, daß sie vernünftige Arbeit leisten könne. Vieles käme auf uns zu – Wahl, Haushalt[11], Ratifizierung – man könne aber zuversichtlich in die Zukunft sehen.

---

[8] Bei den Wahlen zum Bundestag am 28. September 1969 entfielen auf die CDU und CSU 46,1 Prozent, auf die SPD 42,7 Prozent, auf die FDP 5,8 Prozent und auf die NPD 4,3 Prozent der Stimmen. Vgl. dazu BULLETIN 1969, S. 1083.
[9] Zum Stand des Ratifizierungsverfahrens zum Moskauer Vertrag vom 12. August 1970 und zum Warschauer Vertrag vom 7. Dezember 1970 vgl. Dok. 55, Anm. 2.
Die zweite Lesung der Gesetze zu den Verträgen im Bundestag sollte am 4. Mai 1972 stattfinden. Sie wurde auf den 10. Mai 1972 verschoben. Vgl. dazu Dok. 115 und Dok. 117.
[10] Im Oktober 1973 sollten turnusgemäß die Wahlen zum Bundestag stattfinden.
[11] Die Haushaltsdebatte im Bundestag fand am 28. April 1972 statt. Vgl. dazu Dok. 117, Anm. 8.

Zu 3) *Falin* fragte nach den Aussichten der bevorstehenden Aussprache mit den Führern der Opposition. Der *Bundesminister* führte dazu folgendes aus: Bei aller Konfrontation auch im Grundsätzlichen diene dieses Zusammentreffen der Weitergabe nüchterner Informationen über Meinungen der Sowjetunion und der Regierungen der Verbündeten. Vieles habe der eigene diplomatische Dienst zusammengetragen. Diese Informationen der Opposition dienen nicht der Polemik. Wir wollten davon nicht in der Öffentlichkeit Gebrauch machen. Wir gingen davon aus, daß die Opposition die gleiche Ansicht vertrete. Sicherlich werden auch die Kollegen von der Opposition ihre Meinungen präzisieren. Diese seien von den Beratungen in den Ausschüssen nicht unbeeinflußt geblieben. Herr Barzel habe bekanntlich einige Fragen gestellt, einige davon seien vielleicht zufriedenstellend beantwortet, andere nicht. Wir müssen überlegen, wie man der Opposition die nächsten Schritte erleichtern könnte. Allerdings könne dies nur auf der Basis der Texte geschehen, die verbindlich seien. Im übrigen habe die Opposition ja noch einen gewissen Bewegungsspielraum. Die Regierung habe Verständnis dafür, daß die Opposition ihre Haltung vor den Wahlen in Baden-Württemberg nicht ändern könne, denn dies würde in die Reihen der Opposition Unsicherheit bringen.

Falin warf ein, Vertreter der CDU hätten ihm erklärt, daß die Haltung der CDU gegenüber den Verträgen Wählerstimmen koste. Der *Bundesminister* erwiderte darauf, in der Tat würde die CDU in der Mitte Wähler verlieren, ändere sie jedoch ihre Haltung zu den Verträgen, dann würde sie Verluste auf der rechten Seite erleiden. Herr Filbinger habe die NPD liquidiert. Jetzt verliere er Wähler auf der anderen Seite. Ändere er seine Position, so würde er Wähler von Rechts verlieren. Die CDU sei unsicher. Jetzt gewinne die FDP von der CDU, ändere die CDU ihre Haltung zu den Verträgen, so würde dies auf Kosten der FDP gehen. Dies sei aber insgesamt besser für die Demokratie, denn der Bereich der NPD soll nicht von der CDU besetzt werden.

Falin warf ein, wenn Adenauer an der Spitze der CDU wäre, würde er sagen, Verträge ja, Innenpolitik nein. *Bundesminister* stimmte zu. Dazu gehöre aber Entscheidungskraft, doch diese habe keiner der Herren an der Spitze der CDU. Dort gebe es zur Zeit keine unangefochtene Person und daher keine Kraft wie die Adenauers. Sollte die CDU in Baden-Württemberg nicht die absolute Mehrheit bekommen, so würde dies nicht ohne Einfluß auf die CDU-Spitze bleiben. Diese Unruhe würde die Regierung ausnutzen. *Falin* sagte, auch in den deutsch-sowjetischen Beziehungen bahnten sich wichtige Ereignisse an. Interessant seien die Gespräche, die Ministerpräsident Kühn mit Außenminister Gromyko und Generalsekretär Breschnew geführt habe.[12] Dies mache Ein-

---

[12] Der nordrhein-westfälische Ministerpräsident Kühn hielt sich vom 10. bis 12. April 1972 in der UdSSR auf. Am 10. April traf er mit dem sowjetischen Außenminister Gromyko, am 11. April 1972 mit dem Generalsekretär des ZK der KPdSU, Breschnew, zusammen. Gegenüber beiden Gesprächspartnern führte Kühn aus, daß seitens der Bundesregierung eine Stellungnahme der sowjetischen Regierung begrüßt würde, daß der Moskauer Vertrag vom 12. August 1970 einen späteren Friedensvertrag nicht ausschließe. Sowohl Gromyko als auch Breschnew lehnten eine solche Erklärung ab. Vgl. dazu die Drahtberichte Nr. 912 und Nr. 930 des Botschafters Sahm, Moskau, vom 11. April 1972; VS-Bd. 9025 (II A 4); B 150, Aktenkopien 1972.
Zu den Oppositionsparteien im Bundestag führte Breschnew gegenüber Kühn aus: „Bei seinen Reden vor dem Gewerkschaftskongreß hätte er ursprünglich die Absicht gehabt, noch härter zu spre-

druck auf die Bewohner in beiden Ländern. Es wäre falsch, wenn wir jetzt nichts tun würden.

Der *Bundesminister* erwiderte, man müsse so tun, als ob der Vertrag schon ratifiziert sei. So habe das Kabinett der Benennung zweier zusätzlicher Mitglieder für die Wirtschaftskommission[13] zugestimmt. Es seien dies Ministerialdirektor Hanemann vom BMWF und Generaldirektor Hansen von den Farbwerken Hoechst. Am 19. April würde in Bonn die konstituierende Sitzung dieser Kommission stattfinden.[14] Jetzt sei auch die Ratifizierung des Moskauer Vertrages im Obersten Sowjet angelaufen. Außenminister Gromyko habe eine bedeutsame Rede gehalten[15], die sich mit unseren Vorstellungen decke.

Abschließend übermittelte Botschafter *Falin* Grüße des Generalsekretärs Breschnew, die der Herr Bundesminister erwiderte.

Die Unterredung dauerte etwa eine Stunde. Sie verlief in aufgeschlossener Atmosphäre. Es waren ferner anwesend: von sowjetischer Seite der Erste Sekretär Koptelzew, von deutscher Seite VLR I Dr. Blumenfeld.

VS-Bd. 10102 (Ministerbüro)

Fortsetzung Fußnote von Seite 391

chen und etwa zu sagen, es sei ihm zuwider, mit der CDU zu reden, die seit 20 Jahren nichts unternommen hätte, um die Beziehungen zu den sozialistischen Ländern zu verbessern. Er hätte aber schließlich davon abgesehen, eine solche Äußerung zu machen, da ihm dies als eine Einmischung in innere Angelegenheiten der Bundesrepublik hätte ausgelegt werden können." Vgl. den Drahtbericht Nr. 930; VS-Bd. 9025 (II A 4); B 150, Aktenkopien 1972.

[13] Zur Einrichtung einer Kommission der Bundesrepublik und der UdSSR für wirtschaftliche und wissenschaftlich-technische Zusammenarbeit vgl. Dok. 74.

[14] Zur konstituierenden Sitzung der Kommission der Bundesrepublik und der UdSSR für wirtschaftliche und wissenschaftlich-technische Zusammenarbeit am 19. April 1972 vgl. Dok. 114, Anm. 12.

[15] Zu den Ausführungen des sowjetischen Außenministers Gromyko am 12. April 1972 vor den Kommissionen für auswärtige Angelegenheiten des Unions- und des Nationalitätenrats des Obersten Sowjet im Rahmen der Debatte über die Ratifizierung des Moskauer Vertrags vom 12. August 1970 vgl. Dok. 104, Anm. 12 und 30.

94

Ministerialdirigent van Well an die Botschaft in Moskau

II A 1-84.25/Astr.-875/72 VS-vertraulich Aufgabe: 12. April 1972, 15.47 Uhr[1]
Fernschreiben Nr. 1660 Plurex

Betr.: Astronautenrettungsvertrag[2]
hier: Hinterlegung der Ratifikationsurkunde in Moskau
Bezug: DB Nr. 387 vom 16.2.1972 – III A 7-85 VS-vertraulich[3]

1) Unsere Ratifikationsurkunden zum Astronautenrettungsvertrag sind in London und Washington am 17. Februar 1972 mit der herkömmlichen, unqualifizierten Berlin-Klausel hinterlegt worden. Trotz der Weigerung der Sowjetunion als dritter Depositarmacht, unsere Ratifikationsurkunde entgegenzunehmen, ist unser Beitritt zu dem Vertrag damit gegenüber allen Vertragspartnern wirksam geworden. Das State Department beabsichtigt, demnächst in Washington an alle Vertragspartner eine Zirkularnote mit dem Text unserer Ratifikationsurkunde zu senden.

2) Die Sowjetunion hatte bereits beim Weltraumvertrag[4] die Annahme unserer Ratifikationsurkunde unter Hinweis auf die in ihr enthaltene Berlin-Klausel abgelehnt.[5] In diesem Fall hatte Staatssekretär von Braun im März 1971 den sowjetischen Geschäftsträger[6] zu sich gebeten und ihm unter Darlegung unseres Rechtsstandpunktes bezüglich der Zuständigkeit der Bundesrepublik Deutschland, Berlin in den vorliegenden Vertrag einzubeziehen, ein Memorandum überreicht.[7] Eine solche Reaktion erscheint jetzt nicht als opportun, nachdem die Gespräche zwischen Staatssekretär Frank und Botschafter Falin über eine Berlin-Klausel im deutsch-sowjetischen Wirtschaftsabkommen zu einem befriedigenden Ergebnis geführt haben.[8]

---

[1] Der Drahterlaß wurde von Legationsrat I. Klasse Kastrup konzipiert.
[2] Für den Wortlaut des Übereinkommens vom 22. April 1968 über die Rettung und Rückführung von Raumfahrern sowie die Rückgabe von in den Weltraum gestarteten Gegenständen (Astronautenbergungsabkommen) vgl. UNTS, Bd. 672, S. 119–189. Für den deutschen Wortlaut vgl. BUNDESGESETZBLATT 1971, Teil II, S. 238–242.
[3] Zum Drahtbericht des Botschafters Allardt, Moskau, vgl. Dok. 37, Anm. 3.
[4] Für den Wortlaut des Abkommens vom 27. Januar 1967 über die Grundsätze zur Regelung der Tätigkeit der Staaten bei der Erforschung und Nutzung des Weltraums, einschließlich des Mondes und anderer Himmelskörper vgl. UNTS, Bd. 610, S. 205–301. Für den deutschen Wortlaut vgl. EUROPA-ARCHIV 1967, D 1–5.
[5] Am 23. Februar 1971 berichtete Botschafter Allardt, Moskau, das sowjetische Außenministerium habe erklärt, daß die sowjetische Regierung die Ratifikationsurkunde zum Weltraumvertrag vom 27. Januar 1967 „nicht annehmen könne, da in dieser Westberlin als zum räumlichen Geltungsbereich des Vertrages gehörend erwähnt sei. Die Sowjetregierung sei nur bereit, eine Ratifikationsurkunde entgegenzunehmen, die korrekt, d. h. ohne Erwähnung Berlins, ausgestellt sei." Vgl. den Drahtbericht Nr. 348; Referat II A 4, Bd. 1082.
[6] Alexander Pawlowitsch Bondarenko.
[7] Für das am 26. Februar 1971 übergebene Memorandum vgl. Referat 501, Bd. 1166.
[8] Zu den Gesprächen des Staatssekretärs Frank mit dem sowjetischen Botschafter Falin am 20. sowie am 25./26. März 1972 vgl. Dok. 60 und Dok. 74.
Zur Einbeziehung von Berlin (West) in das Langfristige Abkommen zwischen der Bundesrepublik

3) Das sowjetische Argument, der Vertrag habe militärischen Charakter, trifft in dieser Form nicht zu. Es ist jedoch nicht unproblematisch, ob durch den Vertrag nicht Vorbehaltsrechte der drei Alliierten berührt werden. Die alliierte Kommandantur hatte am 10. November 1968 in dem Vertrag eine unqualifizierte Berlin-Klausel akzeptiert, in einer BK/L 71(4) vom 26.2.1971 aber auf folgendes hingewiesen:

„In dem unwahrscheinlichen Fall, daß sich ein in dem Abkommen in Erwägung gezogener Unglücksfall in Berlin ereignen sollte, müssen politische und praktische Erwägungen, die gewöhnlich mit der Durchführung von Vereinbarungen in Berlin nicht in Verbindung stehen, in Betracht gezogen werden. Die alliierte Kommandantur oder die zuständigen Sektorenbehörden werden daher von Fall zu Fall entscheiden, welche Behörden für Berlin tätig werden sollen."

Wir selbst haben beim Meeresbodenvertrag[9] auf Wunsch der Alliierten der Tatsache, daß der Vertrag Sicherheitsfragen berühren könnte, in dem Vertragsgesetz und in der Ratifikationsurkunde dadurch Rechnung getragen, daß noch zu Beginn des Ratifizierungsverfahrens im Oktober vergangenen Jahres die Berlin-Klausel um folgenden Zusatz ergänzt wurde:

„wobei die Rechte und Verantwortlichkeiten der alliierten Behörden und die Befugnisse, die ihnen auf den Gebieten der Abrüstung und der Entmilitarisierung zustehen, berücksichtigt werden".

Im Hinblick auf diese Probleme sollte auch über das zweite sowjetische Argument eine detaillierte und intensive Erörterung vermieden werden.

4) Dennoch ist es angezeigt, die von der Sowjetunion geäußerte Rechtsauffassung nicht unwidersprochen zu lassen. Staatssekretär Frank hat das Problem gegenüber Botschafter Falin am 28.2.1972 bereits angesprochen.[10] Darüber hinaus wird die Botschaft gebeten, bei sich bietender Gelegenheit im sowjetischen Außenministerium auf derselben Ebene, auf der das Gespräch am 16.2.1972 stattfand, darauf hinzuweisen, daß wir die Begründung der sowjetischen Regierung mit der die Annahme unserer Ratifikationsurkunde zum Astronautenrettungsvertrag abgelehnt wurde, nicht akzeptieren können. Mit Rücksicht auf die Gespräche zwischen Staatssekretär Frank und Botschafter Falin, die bezüglich der Einbeziehung Berlins in das deutsch-sowjetische Wirtschaftsabkommen und die Gemischte Wirtschaftskommission zu einem ersten Ergebnis geführt hätten, würden wir davon absehen, uns im einzelnen und förmlich gegen die sowjetischen Rechtsauffassungen zu verwahren. Dieses Vorgehen gegenüber der sowjetischen Seite ist in der Bonner Vierergruppe mit den Alliierten konsultiert worden.

Fortsetzung Fußnote von Seite 393
und der UdSSR über den Handel und die wirtschaftliche Zusammenarbeit, das am 7. April 1972 in Moskau paraphiert wurde, vgl. Dok. 86.

[9] Für den Wortlaut des Vertrags vom 11. Februar 1971 über das Verbot der Anbringung von Nuklearwaffen und anderen Massenvernichtungswaffen auf dem Meeresboden und im Meeresuntergrund vgl. UNTS, Bd. 955, S. 116–180. Für den deutschen Wortlaut vgl. EUROPA-ARCHIV 1970, D 548–551.

[10] Vgl. Dok. 44.

5) Um Bericht zu gegebener Zeit wird gebeten.[11]

van Well[12]

VS-Bd. 8558 (II A 1)

95

Aufzeichnung des Bundeskanzleramts

Geheim 13. April 1972[1]

Betr.: Verkehrsverhandlungen der Staatssekretäre Bahr und Kohl in Ostberlin am 12. April 1972

In beiden Delegationssitzungen konnte die Formulierung der technischen Vertragsbestimmungen weitgehend abgeschlossen werden.[2] Aus der Diskussion der politisch relevanten Punkte ist folgendes festzuhalten:

1) Präambel

StS Kohl betonte den dringenden Wunsch seiner Regierung, in die Präambel den Satz aufzunehmen:

„in dem Bestreben, normale gutnachbarliche Beziehungen beider Staaten zueinander zu entwickeln, wie sie zwischen voneinander unabhängigen Staaten üblich sind".

StS Kohl fügte damit in seinen Vorschlag das Wort „normale" wieder ein, das er in der letzten Verhandlungsrunde[3] zunächst fallengelassen hatte. StS Bahr behielt sich eine endgültige Stellungnahme zu diesem Punkt vor.

---

[11] Botschafter Sahm, Moskau, teilte am 5. Mai 1972 mit: „Mitarbeiter hat am 4. Mai bei Gelegenheit einer Vorsprache im sowjetischen Außenministerium Weisung gemäß Ziffer 4 des Bezugserlasses auf gleicher Ebene, auf der das Gespräch am 16.2.1972 stattfand, ausgeführt. Gesprächspartner nahm Ausführungen lediglich zur Kenntnis und versuchte nicht, Thema zu vertiefen. Er könne vorläufig nur sowjetischen Standpunkt wiederholen. Es bleibe damit vorerst bei der Feststellung, daß beide Seiten in dieser Frage einen verschiedenen Standpunkt hätten. Die Einbeziehung Berlins in das Astronautenrettungsabkommen sei für die Sowjetunion eine prinzipielle Frage. Eine weitere Reaktion wurde nicht angekündigt, ist aber nach Prüfung der Frage durch das S[owje]tische]A[ußen]M[inisterium] nicht ausgeschlossen." Vgl. den Drahtbericht Nr. 1150; VS-Bd. 8558 (II A 1); B 150, Aktenkopien 1972.

[12] Paraphe.

[1] Ablichtung.
Hat laut Vermerk des Legationsrats I. Klasse Vergau vom 15. April 1972 Staatssekretär Frank vorgelegen.

[2] In den Delegationssitzungen am Vormittag und am Nachmittag des 12. April 1972 wurde Einigung erzielt über den Wortlaut der Präambel eines Vertrags über Fragen des Verkehrs sowie der Artikel 1, 5, 9, 15, 28, 29 und 30, der Protokollvermerke zu den Artikeln 2 und 22 sowie über eine Vereinbarung zwischen dem Bundesminister der Justiz und dem Minister der Finanzen der DDR über den Ausgleich von Schäden aus Kraftfahrzeugfällen. Vgl. dazu die Gesprächsaufzeichnung; VS-Bd. 8562 (II A 1); B 150, Aktenkopien 1972.

[3] Zum 38. Gespräch des Staatssekretärs Bahr, Bundeskanzleramt, mit dem Staatssekretär beim Ministerrat der DDR, Kohl, am 5./6. April 1972 vgl. Dok. 89 und Dok. 90.

2) Bevollmächtigung der Unterhändler

StS Kohl brachte die Bereitschaft seiner Seite zum Ausdruck, auf die Erwähnung der Bevollmächtigung durch die Staatsoberhäupter in der Präambel zu verzichten, falls die Bundesrepublik „normale gutnachbarliche Beziehungen" akzeptiere und in die Schlußbestimmungen der Hinweis aufgenommen werde: „zu urkund dessen haben die Bevollmächtigen der Vertragsstaaten diesen Vertrag unterzeichnet".

StS Bahr sagte Prüfung zu.

3) Generalnorm

Im Zusammenhang mit der generellen Verpflichtung beider Seiten, den Verkehr in größtmöglichem Umfang zu gewähren, zu erleichtern und möglichst zweckmäßig zu gestalten, ließ StS Kohl erkennen, daß er sich mit einer Bezugnahme auf die „internationale Praxis" (statt „internationale Normen") zufriedengeben würde, falls die Bundesrepublik den von ihm vorgeschlagenen Präambelsatz akzeptiere.

4) Einbeziehung Berlins

Die Positionen beider Seiten sind unverändert.

5) TIR/ADR[4]

Die Frage der Geltung der Konventionen (und die damit verknüpfte Frage der Mitgliedschaft der DDR in der ECE) ist weiterhin offen.

6) CIM/CIV[5]

Die Staatssekretäre kamen überein, daß die Absicht beider Seiten, den Beitritt beider Staaten zu den Konventionen so schnell wie möglich herbeizuführen, in einem Briefwechsel festgehalten werden soll.

7) Beförderungsgenehmigungen

Der Vorschlag StS Bahrs, daß beide Seiten auf die Anwendung des (international üblichen) Genehmigungsverfahrens für die gewerbliche Beförderung von Personen und Gütern verzichten, wird von der DDR geprüft.

8) Reiseerleichterungen

9) Grenzübergänge

Beide Punkte sind weiterhin offen.

10) Haftpflichtversicherung

In den Expertengesprächen wurde Übereinstimmung über den Text eines Ressortabkommens erzielt, in dem lediglich die Frage der Einbeziehung Berlins noch offen ist.[6]

---

[4] Für den Wortlaut des Zollübereinkommens vom 15. Januar 1959 über den internationalen Warentransport mit Carnets TIR („TIR-Übereinkommen") vgl. UNTS, Bd. 348, S. 13–101. Für den deutschen Wortlaut vgl. BUNDESGESETZBLATT 1961, Teil II, S. 650–741.
Für den Wortlaut des europäischen Übereinkommens 30. September 1957 über die internationale Beförderung gefährlicher Güter auf der Straße (ADR) vgl. UNTS, Bd. 619, S. 78–97. Für den deutschen Wortlaut vgl. BUNDESGESETZBLATT 1969, Teil II, S. 1489–1501.

[5] Für den Wortlaut des Internationalen Übereinkommens vom 25. Februar 1961 über den Eisenbahnfrachtverkehr (CIM) vgl. BUNDESGESETZBLATT 1964, Teil II, S. 1520–1579.
Für den Wortlaut des Internationalen Übereinkommens vom 25. Februar 1961 über den Eisenbahn-Personen- und -Gepäckverkehr (CIV) vgl. BUNDESGESETZBLATT 1964, Teil II, S. 1898–1951.

[6] Das Abkommen zwischen dem Bundesminister der Justiz und dem Minister der Finanzen der DDR

11) Eisenbahngrenzabkommen

Am 13. April begannen in Ostberlin Verhandlungen zwischen Vertretern der Deutschen Bundesbahn und Vertretern des Verkehrsministeriums der DDR über ein Eisenbahngrenzabkommen, in dem technische Fragen geregelt werden sollen.

12) Ratifikationsklausel

StS Kohl hielt seine Forderung nach einer normalen Ratifikationsklausel (d. h. Austausch der durch die Staatsoberhäupter auszufertigenden Ratifikationsurkunde) aufrecht.

StS Bahr blieb bei seinem Vorschlag, den Vertrag durch einen Notenwechsel der Regierungen in Kraft zu setzen.

Die Verhandlungen werden am 19./20. April in Bonn fortgesetzt werden.[7]

VS-Bd. 8562 (II A 1)

96

Botschafter Pauls, Washington, an das Auswärtige Amt

Z B 6-1-12082/72 geheim   Aufgabe: 13. April 1972, 18.10 Uhr[1]
Fernschreiben Nr. 899   Ankunft: 14. April 1972, 01.32 Uhr

Auch für Brüssel NATO, BMVg

Auf Plurex 1545 vom 30.3.1972 – II B 2 – 80.20/2-246/72 geh.[2]

Betr.: MBFR
       hier: amerikanische Haltung

Zur Information

1) Die von der Botschaft in den letzten Wochen mit Regierungsvertretern geführten Gespräche lassen nicht auf eine deutliche amerikanische Präferenz für

---

Fortsetzung Fußnote von Seite 396
  DDR über den Ausgleich von Schäden aus Kraftfahrzeugunfällen (mit Protokollvermerk) wurde am 26. April 1972 unterzeichnet. Für den Wortlaut vgl. ZEHN JAHRE DEUTSCHLANDPOLITIK, S. 181.
[7] Zum 40. Gespräch des Staatssekretärs Bahr, Bundeskanzleramt, mit dem Staatssekretär beim Ministerrat der DDR, Kohl, am 19./20. April 1972 vgl. Dok. 105–108.

[1] Hat Ministerialdirigent van Well am 17. April 1972 vorgelegen, der die Weiterleitung an Ministerialdirigent Diesel, Vortragenden Legationsrat I. Klasse Heimsoeth und Referat II A 1 verfügte.
  Hat Heimsoeth am 17. April 1972 vorgelegen.
  Hat Diesel am 17. April 1972 vorgelegen, der die Weiterleitung an Referat II A 3 verfügte.
  Hat Vortragendem Legationsrat I. Klasse Blech am 18. April 1972 vorgelegen.
  Hat Vortragendem Legationsrat I. Klasse Freiherr von Groll am 19. April 1972 vorgelegen, der handschriftlich vermerkte: „Sehr wichtig!"
[2] Ministerialdirektor von Staden erörterte im Hinblick auf den Besuch des Präsidenten Nixon vom 22. bis 30. Mai 1972 in der UdSSR die Position der USA zu MBFR und führte dazu aus: „Es verstärkt sich hier der Eindruck, daß in Washington eine deutliche Präferenz für die baldige Aufnahme von multilateralen West-Ost-MBFR-Gesprächen vor, jedenfalls aber parallel zu und unab-

eine baldige Aufnahme multilateraler Ost-West MBFR-Diskussionen schließen. Sie vermitteln eher den Eindruck, daß die amerikanische Regierung zwar voll und ganz zu dem Brosio-Angebot[3] steht, jedoch kaum damit rechnet, daß dieses oder ein vergleichbares Verfahren in naher Zukunft realisiert werden könnte. Dabei mag auch eine gewisse Desillusionierung über die Möglichkeit von Truppenreduzierungen mitwirken. Sie ist gerade bei denjenigen Gesprächspartnern festzustellen, die ursprünglich noch am aufgeschlossensten für baldige MBFR waren.

Man will allerdings unbedingt den Anschein vermeiden, als ob etwa das westliche Interesse an MBFR nachließe, denn dann wären Auswirkungen auf Senator Mansfields Aktivität in der Frage der amerikanischen Truppenpräsenz in Europa[4] zu befürchten. Es werden daher auch Überlegungen darüber angestellt, wie lange das Brosio-Angebot zweckmäßigerweise noch aufrechterhalten werden sowie ob und wann Brosio etwa durch eine andere Persönlichkeit (z. B. Harmel) ersetzt werden sollte. Gesprächspartner ließen andererseits aber keine Zunahme des bisherigen amerikanischen Interesses an Ost-West-Gesprächen über MBFR erkennen. Nach ihren Vorstellungen soll über eine Fortentwicklung der westlichen MBFR-Position der NATO-Ministerrat Ende Mai in Bonn[5] entscheiden. Bei der Vorbereitung des bevorstehenden Besuchs des amerikanischen Außenministers in Europa[6] scheint dieses Thema nach dem bisherigen Stand der Überlegungen nicht im Mittelpunkt zu stehen.

Einzelne Gesprächspartner schließen nicht aus, daß Nixons Moskau-Besuch[7] die sowjetische Haltung in der Frage von Gesprächen über Truppenreduzierungen etwas auflockern könnte. Ganz überwiegend wird die Auffassung ver-

Fortsetzung Fußnote von Seite 397
hängig von einer multilateralen KSE-Vorbereitungsphase besteht, und daß hierüber während des Besuches des amerikanischen Präsidenten in Moskau gesprochen werden soll." Die Bundesregierung sei „immer davon ausgegangen, daß MBFR vor, parallel zu oder im Rahmen der KSE (z. B. in einem besonderen Gremium) behandelt werden könnte. Die vermutete amerikanische Präferenz würde dieser Auffassung nicht widersprechen. Dabei legen wir jedoch Wert darauf, daß unabhängig von dem zeitlichen Zusammenhang zwischen MBFR und KSE die Sicherheitsproblematik auf einer KSE zur Sprache kommt, d. h. daß auch bestimmte Elemente der MBFR-Thematik im KSE-Rahmen erörtert werden (z. B. Joint Declaration, stabilisierende Maßnahmen). [...] Für den Fall, daß es an Stelle der Brosio-Mission zu multilateralen West-Ost-Gesprächen vor oder parallel zu und unabhängig von dem Beginn multilateraler KSE-Vorbereitungen kommt, muß sichergestellt werden, daß eine ausreichende multilaterale Explorationsphase substantiellen Verhandlungen vorausgeht; der kollektive Charakter des Brosio-Sondierungsmandats erhalten bleibt, ein prozeduraler Vorschlag der NATO nicht hinter das Brosio-Mandat zurückfallen darf; Explorationsgespräche daher von einer Gruppe geführt werden, die aus Vertretern der unmittelbar interessierten Regierungen besteht (etwa entsprechend dem Brosio-Team, wir werden in jedem Fall auf der Teilnahme eines deutschen Experten bestehen); die Wahl des Sprechers bei solchen Explorationen die Frage des Vorsitzes bei späteren Verhandlungen nicht in Richtung auf bilaterale Tendenzen präjudizieren darf." Vgl. VS-Bd. 9384 (II B 2); B 150, Aktenkopien 1972.

[3] Zur Beauftragung des ehemaligen NATO-Generalsekretärs Brosio, Sondierungsgespräche in Moskau über MBFR zu führen, vgl. Dok. 32, Anm. 2.

[4] Zu den Bestrebungen des Senators Mansfield, eine Reduzierung der in Europa stationierten amerikanischen Truppen zu erreichen, vgl. Dok. 62, Anm. 9.

[5] Zur NATO-Ministerratstagung am 30./31. Mai 1972 vgl. Dok. 159.

[6] Der amerikanische Außenminister Rogers hielt sich vom 2. bis 7. Mai 1972 zu Konsultationen der NATO-Mitgliedstaaten in Europa auf. Vgl. dazu Dok. 128, besonders Anm. 2.

[7] Präsident Nixon besuchte die UdSSR vom 22. bis 30. Mai 1972. Vgl. dazu Dok. 149 und Dok. 161.

treten, daß der Moskau-Besuch das amerikanisch-sowjetische Verhältnis günstig beeinflussen werde und damit, zumindest auf längere Sicht, auch Fortschritte auf einem so kompliziertem Gebiet wie dem der Truppenstationierung ermöglichen könnte.

2) Das Verhältnis zwischen KSE und MBFR spielt bei solchen Überlegungen naturgemäß eine Rolle. Allgemein herrscht hier z.Zt. eher der Eindruck vor, daß MBFR gegenüber den Bemühungen um eine KSE etwas ins Hintertreffen geraten ist, und man bedauert dies nicht.

In Abänderung früherer amerikanischer Positionen schließt man eine Erörterung gewisser Sicherheitsaspekte aus MBFR auf einer KSE nicht mehr aus. Man stellt sich auf Arbeitsebene nun auch die Frage, ob das Verhältnis zwischen beiden etwas enger gestaltet werden könnte. Dabei wird der Gedanke in die Erwägungen einbezogen, vorbereitende Ost-West MBFR-Gespräche in Helsinki während der multilateralen KSE-Vorbereitung zu führen, allerdings nicht unter Beteiligung sämtlicher KSE-Teilnehmer. Die amerikanische Regierung sei immer davon ausgegangen, daß sich KSE und MBFR zu irgendeinem Zeitpunkt aufeinander zubewegen würden. Vielleicht rücke dieser Augenblick jetzt näher.

Ob einer solchen Erwägung das Bestreben zugrunde liegt, MBFR zu fördern, oder eine besonders gründliche, ausgedehnte KSE-Vorbereitung sicherzustellen (unter Berücksichtigung der besonders im Weißen Haus herrschenden Skepsis gegen KSE und MBFR), läßt sich schwer beurteilen. Vermutlich sind beide Motive maßgebend. Hinzukommen mag der Wunsch, sich im Hinblick auf Nixons Moskau-Besuch positiver zu dem sowjetischen KSE-Gedanken zu stellen, soweit möglich. (Daß sich die amerikanische Haltung zu KSE im ganzen gesehen etwas gelockert hat, ist wiederholt berichtet worden).

3) Die amerikanische MBFR-Position muß im Licht der Bemühungen Mansfields um Truppenreduzierungen gesehen werden. Über die Absichten Mansfields gibt es gegenwärtig bemerkenswert unterschiedliche Meinungen. So meinte ein Gesprächspartner im State Department, es sei nicht auszuschließen, daß Mansfield noch vor der Abreise des Präsidenten nach Moskau eine neue Initiative ergreifen werde. An anderer Stelle im State Department erwartet man dagegen keine solche mehr vor den amerikanischen Wahlen.[8] Von einem anderen Gesprächspartner (Pentagon) war zu hören, daß man sich zwar nicht vor Nixons Moskau-Reise, wohl aber zwischen seiner Rückkehr aus Moskau und den Wahlen auf eine neue Aktion Mansfields gefaßt machen müsse.[9] Der Senator selbst hat offenbar noch nicht entschieden, welcher Zeitpunkt ihm am günstigsten erscheint. Aus meiner letzten Unterredung mit Mansfield hatte ich den Eindruck, daß auf jeden Fall noch vor den Wahlen mit einer neuen Initiative zu rechnen ist.

---

[8] Am 7. November 1972 fanden in den USA die Präsidentschaftswahlen sowie Wahlen zum Repräsentantenhaus, Teilwahlen zum Senat und zu den Gouverneursämtern statt.
[9] Der Passus „nicht vor Nixons ... machen müsse" wurde von Vortragendem Legationsrat I. Klasse Freiherr von Groll hervorgehoben. Dazu vermerkte er handschriftlich: „Wohl r[ichtig]!"

Die große Mehrzahl aller Gesprächspartner war der Ansicht, daß die Frage der amerikanischen Truppen in Europa im Wahlkampf aller Voraussicht nach keine besondere Rolle spielen werde. Unter den denkbaren demokratischen Präsidentschaftskandidaten würden lediglich Senator McGovern und allenfalls Senator Kennedy vielleicht versucht sein, Truppenabzüge aus Europa in ihr Wahlprogramm aufzunehmen.

Im übrigen zeigen sich die Regierungsvertreter bei dem Gedanken an eine neue Aktion Mansfields bemerkenswert selbstbewußt: Der Präsident werde kraft seiner Autorität durchaus in der Lage sein, ihr zu begegnen, wobei die verstärkten europäischen Verteidigungsleistungen und eine glaubwürdige Aufrechterhaltung des westlichen MBFR-Angebots zusätzlich hilfreich wirkten. Vereinzelt gibt es auch Hinweise dafür, daß man in Erwägung zieht, die KSE-Vorbereitung als weiteres Hilfsmittel gegen Mansfields Bestrebungen einzusetzen, was durch ein Zusammenrücken von MBFR und KSE erleichtert würde.

4) Hinsichtlich der sowjetischen Haltung glaubt man, ein im wesentlichen unverändertes Interesse an einer baldigen KSE zu sehen. Mehr als früher zeigen sich hier aber Zweifel, ob es gegenwärtig überhaupt ein echtes sowjetisches Interesse an Ost-West-Verhandlungen über Truppenreduzierungen gibt. Man fragt sich, ob gewisse sowjetische Äußerungen, die in diese Richtung deuten, in sowjetischer Sicht nicht in erster Linie Ausdruck des Bemühens waren, vom Westen aufgebaute Hindernisse auf dem Wege zu einer KSE zu beseitigen.

Verschiedene Gesprächspartner meinten, daß die sowjetische Regierung hauptsächlich, wenn nicht ausschließlich, an bilateralen amerikanisch-sowjetischen Gesprächen über die Stationierung der beiderseitigen Truppen interessiert sei. Hierauf würden sich die USA aber nicht einlassen. Allerdings liege es nahe, daß Nixon bei seinem Besuch in Moskau versuche, die sowjetische Haltung zur MBFR-Position der Allianz zu testen.

5) Die amerikanische Regierung sieht der weiteren Entwicklung von MBFR offenbar mit Geduld, einer deutlichen Skepsis und ohne sich besonders gedrängt zu fühlen, entgegen.

[gez.] Pauls

VS-Bd. 9007 (II A 3)

97

Gespräch des Staatssekretärs Bahr, Bundeskanzleramt, mit Vertretern der Drei Mächte

II A 1-85.50 VV-302I/72 geheim 14. April 1972[1]

An dem Gespräch nahm der französische Botschafter Sauvagnargues, der britische[2] und der amerikanische Gesandte[3], die drei Botschaftsräte sowie MD Sanne und VLR Bräutigam teil.

Staatssekretär *Bahr* berichtete von der letzten Verhandlungsrunde in Ostberlin[4], daß DDR-Staatssekretär Kohl insgesamt eine positivere Haltung eingenommen habe. Nach seinem Eindruck hätten sich die Gespräche Honeckers in Moskau[5] günstig ausgewirkt.

Bei der positiven Einstellung der DDR gebe es allerdings eine Ausnahme, die Frage der Einbeziehung Berlins in den Verkehrsvertrag. Er, Bahr, habe Kohl nochmals die sachlichen Gründe erläutert, warum die Einbeziehung Berlins in den Verkehrsvertrag erforderlich sei. Dabei habe er auch darauf hingewiesen, daß Berlin nicht in der Lage sein werde, selbst Abkommen mit der DDR zu schließen, als ob es ein Völkerrechtssubjekt wäre. Er habe dann angedeutet, daß die BRD vielleicht auf eine Berlin-Klausel verzichten könne, wenn Berlin in die Sachregelung einbezogen werde und man dem Parlament und der Öffentlichkeit dies klar sagen könne. Die Form sei für uns nicht so wichtig wie die Sachregelung.

Kohl habe dies zunächst als einen interessanten Gedanken bezeichnet, sei aber später auf diesen Punkt zurückgekommen und habe gesagt, daß ein solcher Weg noch schlimmer als eine Berlin-Klausel sei. Berlin würde dann nämlich durch die BRD ohne Klausel und gewissermaßen „reichsunmittelbar" in den Vertrag mit der DDR einbezogen. Die Haltung der DDR zur Frage der Einbeziehung Berlins generell sei „nein" ohne jede Einschränkung. Die Sowjetunion habe diese Haltung gebilligt und die DDR sogar noch darin bestärkt, keinen Millimeter von dieser Position abzuweichen.

Er könne sich vorstellen, so sagte Staatssekretär Bahr, daß man bis Ende dieses Monats mit dem Verkehrsvertrag fertig sein werde, mit der einzigen Aus-

---

[1] Die Gesprächsaufzeichnung wurde von Vortragendem Legationsrat Bräutigam gefertigt und am 14. April 1972 Staatssekretär Frank zugeleitet. Dazu vermerkte Bräutigam: „Es wird darauf hingewiesen, daß StS Bahr – einer Äußerung nach zu urteilen – beabsichtigt, am Sonntag, dem 16. April, mit dem Bundeskanzler über die Problematik des Verkehrsvertrages und insbesondere die Frage der Einbeziehung Berlins zu sprechen."
Hat Frank am 14. April 1972 vorgelegen. Vgl. den Begleitvermerk; VS-Bd. 8562 (II A 1); B 150, Aktenkopien 1972.
[2] Reginald Alfred Hibbert.
[3] Frank E. Cash.
[4] Zum 39. Gespräch des Staatssekretärs Bahr, Bundeskanzleramt, mit dem Staatssekretär beim Ministerrat der DDR, Kohl, vgl. Dok. 95 und Dok. 98.
[5] Der Erste Sekretär des ZK der SED, Honecker, hielt sich vom 4. bis 10. April 1972 in Moskau auf. Vgl. dazu den Artikel „Ergebnisreiches Treffen zwischen Erich Honecker und Leonid Breshnew"; NEUES DEUTSCHLAND vom 11. April 1972, S. 1.

nahme dieser Frage. Man werde sich dann überlegen müssen, ob man den Vertrag unter solchen Umständen paraphieren könne.

Zur Frage der Reiseerleichterungen berichtete Staatssekretär Bahr, daß Kohl auch diesmal keine Zusagen gemacht habe. Das gleiche gelte für die Frage der Verhandlungen über einen Grundvertrag. Er habe allerdings den Eindruck, daß die DDR zu beiden Punkten in der nächsten Woche[6] etwas sagen werde. Sollte sich jedoch herausstellen, daß in diesen beiden Punkten keine Fortschritte gemacht werden könnten, so sei der Verkehrsvertrag für uns kaum noch interessant. Sollte dagegen nur noch die Frage der Einbeziehung Berlins offen sein, so hätten wir das Für und Wider eines Verkehrsvertrages ohne Einbeziehung Berlins politisch abzuwägen. Diese schwierige Entscheidung würde letztlich durch den Bundeskanzler getroffen werden müssen.

Staatssekretär Bahr fuhrt fort, er persönlich – und er könne hier nur für seine Person sprechen – sei zu dem Ergebnis gekommen, in der nächsten Verhandlungsrunde den Versuch zu machen, Berlin in ähnlicher Weise in den Verkehrsvertrag einzubeziehen, wie das beim Transitabkommen gemacht worden sei, d.h. durch einen Austausch einer Reihe von Mitteilungen.[7] Dabei sei er sich bewußt, daß die Regelung dieser Frage im Verkehrsvertrag präjudizierende Wirkung für die Zukunft haben könne. Ferner spiele die Frage eine Rolle, ob unter dem Begriff „communications" im Sinne von Teil II C[8] und Annex III des Vier-Mächte-Abkommens[9], hinsichtlich derer der Senat zu Verhandlungen mit der DDR ermächtigt worden sei, auch der allgemeine Verkehr falle.

Botschaftsrat *Dean* sagte, wenn man das wolle, könne man den allgemeinen Verkehr als einen Teil der „communications" im Sinne des Vier-Mächte-Abkommens ansehen.

Botschafter *Sauvagnargues* stimmte dem zu, wies aber auf die Nachteile hin, da Verkehrsabmachungen zwischen dem Senat und der DDR als Indiz für eine autonome politische Einheit West-Berlin verstanden werden könnten. Vielleicht könne man jedoch eine praktische Lösung finden, indem man die Bestimmungen des Verkehrsvertrages über den Güterverkehr auch auf West-Berlin anwende, ohne daß darüber ein regelrechter Vertrag zwischen dem Senat und der DDR geschlossen werde. Er könne sich z.B. – wenn er hier einmal ein „Impromptu" äußern dürfe – eine Vereinbarung Senat–DDR vorstellen, wonach die Bestimmungen des Verkehrsvertrages über den Güterverkehr auch auf Berlin (West) angewandt würden.

Botschaftsrat *Dean* wies auf die Möglichkeit hin, daß der Senat unter dem Dach des Vier-Mächte-Abkommens – und darauf müsse ausdrücklich Bezug

---

6 Zum 40. Gespräch des Staatssekretärs Bahr, Bundeskanzleramt, mit dem Staatssekretär beim Ministerrat der DDR, Kohl, am 19./20. April 1972 vgl. Dok. 105–108.

7 Zur Einbeziehung von Berlin (West) in das Transitabkommen vom 17. Dezember 1971 vgl. AAPD 1971, III, Dok. 432.

8 In Teil II C des Vier-Mächte-Abkommens über Berlin vom 3. September 1971 wurde ausgeführt: „The Government of the Union of Soviet Socialist Republics declares that communications between the Western sectors of Berlin and areas bordering on these Sectors and those areas of the German Democratic Republic which do not border on these Sectors will be improved. […] Detailed arrangements concerning travel, communications and the exchange of territory, as set forth in Annex III, will be agreed by the competent German authorities." Vgl. EUROPA-ARCHIV 1971, D 444 f.

9 Zu Anlage III des Vier-Mächte-Abkommens über Berlin vom 3. September 1971 vgl. Dok. 90, Anm. 17.

14. April 1972: Gespräch zwischen Bahr und Vertretern der Drei Mächte   97

genommen werden – eine Vereinbarung mit der DDR über den Verkehr schließe, ähnlich wie im Falle der Besuchsregelung[10].

Botschafter *Sauvagnargues* erklärte, er habe bei seinen Bemerkungen eine rein praktische Vereinbarung im Auge gehabt, aber auch der von Botschaftsrat Dean aufgezeigte Weg erscheine ihm möglich. Der Botschafter stellte sodann die Frage, ob das Problem der Einbeziehung Berlins auch ungeregelt bleiben könne.

Staatssekretär *Bahr* sagte, seiner Meinung nach nicht, er könne aber hier der politischen Entscheidung nicht vorgreifen. Dabei müsse man sich bewußt sein, daß die DDR in diesem Bereich über ein erhebliches Störpotential verfüge. Vielleicht werde es ohne Regelung für einige Zeit gutgehen, aber niemand könne sagen für wie lange.

Auf das Problem der Reiseerleichterungen zurückkommend, sagte Staatssekretär Bahr, er nehme an, daß die DDR Zugeständnisse in diesem Bereich nur in Form einer einseitigen Erklärung machen werde. Wie sie aussehen würden, wisse er nicht. Er sei etwas skeptisch, ob die DDR die Altersgrenze für Reisende in die Bundesrepublik herabsetzen werde. Dieser Punkt habe in der öffentlichen Diskussion der Bundesrepublik eine große Rolle gespielt und sei eine Forderung der Opposition.[11] Der DDR falle es erfahrungsgemäß schwer, dann Zugeständnisse zu machen. Er könne sich allerdings vorstellen, daß die DDR zu einer allmählichen Verbesserung des Reiseverkehrs bereit sei. Es liege schließlich auch im eigenen Interesse der DDR, das Odium loszuwerden, als beschränke sie den Reiseverkehr stärker, als andere Ostblockstaaten dies tun. Wegen ihrer Sorge, daß damit die Flucht aus der DDR erleichtert werde oder es zu Provokationen komme, könne dies jedoch nur eine allmähliche Entwicklung sein.

Zum Problem der Pässe erklärte Staatssekretär Bahr, es sei zu seiner Überraschung gelungen, sich auf eine neutrale Formel zu einigen.[12] Kohl habe nicht einmal auf einem Protokollvermerk zu dieser neutralen Formulierung bestanden, sondern sich mit einer von ihm abgegebenen Erklärung begnügt, daß die BRD die Pässe der DDR als ordnungsgemäß ausgestellte Pässe behandeln werde.[13] Der Bundesinnenminister[14] habe einer solchen Formel zugestimmt.

---

10 Für den Wortlaut der Vereinbarung vom 20. Dezember 1971 zwischen der Regierung der DDR und dem Senat von Berlin über Erleichterungen und Verbesserungen des Reise- und Besucherverkehrs vgl. EUROPA-ARCHIV 1972, D 77–80.
11 Vgl. dazu die Äußerungen des CDU/CSU-Fraktionsvorsitzenden Barzel am 23. Februar 1972 im Bundestag; Dok. 51, Anm. 16.
12 Am 12. April 1972 wurde folgende Fassung des Artikels 5 eines Vertrags über Fragen des Verkehrs vereinbart: „Die DDR und die BRD erkennen gegenseitig die vom anderen Vertragspartner ausgestellten amtlichen Dokumente, die zum Führen von Transportmitteln berechtigen, sowie die amtlichen Dokumente für die auf seinem Gebiet zugelassenen Transportmittel an, soweit im Art. 19 nichts anderes vereinbart ist. Reisende weisen sich durch die von den zuständigen Organen bzw. Behörden der Vertragsstaaten ausgestellten amtlichen Personaldokumente, die zum Grenzübertritt berechtigen, aus." Vgl. VS-Bd. 8562 (II A 1); B 150, Aktenkopien 1972.
13 Zur Paßfrage gab Staatssekretär Bahr, Bundeskanzleramt, während des 39. Gesprächs mit dem Staatssekretär beim Ministerrat der DDR, Kohl, am 12. April 1972 zu Protokoll: „Ich erkläre unter Bezugnahme auf diesen Satz, daß die Behörden der Bundesrepublik Deutschland die von der DDR ausgestellten Pässe im grenzüberschreitenden Verkehr sowohl zwischen der DDR und der BRD als auch zwischen der Bundesrepublik Deutschland und dritten Staaten uneingeschränkt wie andere entsprechend der internationalen Praxis ordnungsgemäß ausgestellte Pässe behandeln werden." Vgl. die Gesprächsaufzeichnung; VS-Bd. 8562 (II A 1); B 150, Aktenkopien 1972.
14 Hans Dietrich Genscher.

403

Botschafter *Sauvagnargues* bezeichnete diese Einigung als wichtigen Fortschritt. Staatssekretär *Bahr* fügte noch hinzu, diese Regelung bedeute keine Anerkennung der Staatsangehörigkeit der DDR, und sie mache keine neue Praxis notwendig.

Auf die Frage des französischen Botschafters, ob er mit einem Abschluß der Verhandlungen noch in diesem Monat rechne, sagte Staatssekretär Bahr, er halte das an sich für möglich, er habe aber keine große Hoffnung, daß man die Frage der Einbeziehung Berlins lösen könne. Für die DDR sei dies ein emotionales Problem.[15] Sie komme seinem Eindruck nach über diese Probleme nicht so schnell hinweg.

Botschafter *Sauvagnargues* meinte, auch er könne sich vorstellen, daß die DDR eine Einbeziehung Berlins in den Verkehrsvertrag als eine weitere Verschlechterung ihrer eigenen Position gegenüber Westberlin ansehen würde, die noch über die Vier-Mächte-Regelung hinausgehe.

VS-Bd. 8562 (II A 1)

98

Aufzeichnung des Staatssekretärs Bahr, Bundeskanzleramt

Geheim   **14. April 1972**[1]

Betr.: Persönliche Gespräche mit Herrn Kohl am 12.4.1972 in Berlin

1) Zum Thema Elbe wurde in der Form Einverständnis erzielt, wie sie später in der Delegationssitzung festgehalten wurde.[2]

Das gleiche gilt für den Präambelsatz[3], den Artikel 5[4] und den dazugehörigen Protokollvermerk[5], den Verzicht der DDR auf den Weltpostverein.

---

[15] Dieser Satz wurde von Staatssekretär Frank hervorgehoben. Dazu vermerkte er handschriftlich: „Nicht nur emotionell!"

[1] Ablichtung.
Hat laut Vermerk des Legationsrats I. Klasse Vergau vom 17. April 1972 Staatssekretär Frank vorgelegen.

[2] Im Verlauf des 39. Gesprächs des Staatssekretärs Bahr, Bundeskanzleramt, mit dem Staatssekretär beim Ministerrat der DDR, Kohl, wurde folgender Wortlaut des ersten Satzes des Artikels 22 eines Vertrags über Fragen des Verkehrs verabschiedet: „Die Vertragsstaaten gewährleisten einen reibungslosen Binnenschiffsverkehr zwischen km 472,6 bis km 566,3 der Elbe." Dazu wurde ein Protokollvermerk vereinbart: „Zwischen der Deutschen Demokratischen Republik und der Bundesrepublik Deutschland besteht Übereinstimmung, daß Binnenschiffe der Deutschen Demokratischen Republik, die auf dem Grenzstreckenabschnitt der Elbe im Binnenverkehr zwischen Häfen der Deutschen Demokratischen Republik eingesetzt sind, mit einer besonderen Flagge gekennzeichnet werden und nicht der Grenzabfertigung durch Behörden der Bundesrepublik Deutschland unterliegen." Vgl. die Gesprächsaufzeichnung; VS-Bd. 8562 (II A 1); B 150, Aktenkopien 1972.

[3] Zur Einigung in der Formulierung der Präambel vgl. Dok. 95.

[4] Für Artikel 5 eines Vertrags über Fragen des Verkehrs vgl. Dok. 97, Anm. 12.

[5] Zur Einigung in der Paßfrage vgl. Dok. 97, Anm. 13.

Zu CIM/CIV[6] wies ich darauf hin, daß zu prüfen sei, ob für einen Beitrittsantrag der BRD ein Gesetz erforderlich sei. Kohl bezweifelte dies mit dem Argument, daß die CIM/CIV-Bestimmungen bereits innerstaatliches Recht der BRD geworden sein müssen. Es wird von der Prüfung dieser Frage abhängen, ob im Interesse der Zeitersparnis eine Beantragung der Mitgliedschaft im Laufe des Sommers möglich ist.

Es ist beiden Seiten bewußt, daß der Beitritt zu TIR/ADR[7] das ECE-Problem aufwirft. Kohl regte dazu an, zu überlegen, ob eine Suspendierung des Artikels helfen könnte. Er formulierte dies in der Delegationssitzung dann auch in bezug auf CIM/CIV.

Unsere Wünsche auf einige Klärungen im Zusammenhang mit CIM/CIV beantwortete Kohl zunächst damit, daß nach seiner Kenntnis alle betriebenen Verkehrsstrecken ohne Ausnahme einbezogen würden. Auf den Hinweis, daß es jedem Staat freistünde, bestimmte Strecken anzumelden oder auch löschen zu lassen, erklärte er, darauf zurückkommen zu wollen, nachdem er sich sachkundig gemacht hätte.

Ich habe vorgeschlagen, in einem Briefwechsel festzuhalten, daß alle gegenwärtig benutzten Transitstrecken angemeldet werden und von besonderen Regelungen des Transitabkommens und der Information der DDR von dem Eisenbahnabkommen unberührt bleiben.

3) Zum Problem zusätzlicher Grenzübergänge konnte keinerlei Fortschritt erreicht werden. Es gab auch nicht die Andeutung einer möglichen Änderung der Haltung der DDR in der Fortsetzung der Vertragsverhandlungen.

4) Zum Thema Beförderungsgenehmigungen habe ich auf die Zusammenhänge mit einer möglichen Pauschalierung hingewiesen. Wenn es dazu käme, seien wir nicht bereit, dies einseitig zu unseren Lasten zu machen. Wegekosten nach dem Wegfall des Leberpfennigs[8] und die Abgabenfreiheit für Treibstoffe hingen zusammen. Kohl bat, dies bis zum nächsten Mal zurückzustellen, um sich sachkundig zu machen.

Er bat, den Komplex Beförderungsgenehmigungen noch einmal zu überdenken. Der DDR gehe es um das Festschreiben der heutigen Praxis.

---

6 Für den Wortlaut des Internationalen Übereinkommens vom 25. Februar 1961 über den Eisenbahnfrachtverkehr (CIM) vgl. BUNDESGESETZBLATT 1964, Teil II, S. 1520–1579.
  Für den Wortlaut des Internationalen Übereinkommens vom 25. Februar 1961 über den Eisenbahn-Personen- und -Gepäckverkehr (CIV) vgl. BUNDESGESETZBLATT 1964, Teil II, S. 1898–1951.
7 Für den Wortlaut des Zollübereinkommens vom 15. Januar 1959 über den internationalen Warentransport mit Carnets TIR („TIR-Übereinkommen") vgl. UNTS, Bd. 348, S. 13–101. Für den deutschen Wortlaut vgl. BUNDESGESETZBLATT 1961, Teil II, S. 650–741.
  Für den Wortlaut des europäischen Übereinkommens 30. September 1957 über die internationale Beförderung gefährlicher Güter auf der Straße (ADR) vgl. UNTS, Bd. 619, S. 78–97. Für den deutschen Wortlaut vgl. BUNDESGESETZBLATT 1969, Teil II, S. 1489–1501.
8 Am 22. September 1967 stellte Bundesminister Leber vor der Presse ein verkehrspolitisches Programm vor, das u. a. eine Neuregelung der Beförderungssteuer vorsah. Danach sollten Motorfahrzeuge mit einer zulässigen Nutzlast von unter vier Tonnen von der Beförderungssteuer befreit, solche mit einer Nutzlast von über vier Tonnen mit einer gestaffelten Steuer zwischen vier und sechs Pfennig je Tonnenkilometer belegt werden. Als weitere Maßnahme wurden Lastkraftwagen über vier Tonnen Nutzlast im gewerblichen Güterfernverkehr mit einer Steuer in Höhe von einem Pfennig je Tonnenkilometer belegt. Für den Wortlaut der Erklärung vgl. BULLETIN 1967, S. 881–888.

Jeder Staat könne heute Beförderungsgenehmigungen erteilen. Wenn wir uns nicht einigten, stehe es jeder Seite im freien Ermessen, wann und wie sie von diesem Recht Gebrauch mache. Heute gebe es nur solche Genehmigungen für den Kraftomnibus-Personenverkehr. Der Vorschlag der DDR laufe darauf hinaus, nichts am gegenwärtigen Zustand zu ändern. Ein gewisses Interesse der DDR, z. B. bei Regierungswechsel in der BRD, nicht mit drastischen Genehmigungsverfahren konfrontiert zu werden, sei sicher verständlich. Der Vorschlag der DDR diene der Sicherheit beider Seiten. Es wäre schade, wenn es nicht geregelt würde, weil jeder daran rühren könnte. Im übrigen hätte die DDR keine Sorge vor einer Kontingentierung, weil es schwer vorstellbar sei, daß die BRD bei ihren Prinzipien vertreten könnte, den DDR-Verkehr zu kontingentieren. Das Thema soll in Bonn weiterbehandelt werden.

5) Beide Seiten wiederholten ihren Standpunkt zur 100-DM-Grenze für Geschenke.

6) Zum Thema Personenverkehr habe ich Kohl darauf hingewiesen, daß bei Frachtschiffen die Diskriminierung zu beseitigen sei, da nicht einzusehen sei, warum die DDR nicht könne, was Polen könne; daß außer positiven Aspekten kein negativer für die Möglichkeit eines Besuchsverkehrs zwischen Hamburg und Magdeburg zu erkennen sei. Er wollte darauf noch zurückkommen.

7) Zur Benutzung der Vokabel „Zoll" erklärte er, die DDR habe den Eindruck, daß diese Formulierung für die BRD annehmbar sei, da unbestritten Zollbehörden seit 20 Jahren tätig seien, jeder Staat das Recht habe, seinem bestehenden Zollregime bestimmte Weisungen zu geben und im Vertrag von „Zoll" ausdrücklich nur im Zusammenhang mit der Zollfreiheit gesprochen werde.

Ich habe dann auf die grundsätzlich damit aufgeworfenen Fragen hingewiesen und auf mögliche Rückwirkungen, die keiner Seite erwünscht seien. Er hat darauf zugesagt, sich dafür einzusetzen, daß die DDR auf diese Vokabel verzichtet.

Ich habe ihm umgekehrt zugesagt, mich für die Benutzung der Vokabeln „Import" und „Export" einzusetzen, nachdem er erklärt hat, daß in der amtlichen Statistik der BRD die Benutzung dieser Worte geläufig sei. Er könne dafür zahlreiche Belege bringen.

Er unterstrich im übrigen die Bereitschaft der DDR, langfristige Vereinbarungen über den Handel zu treffen.

8) Berlin

Ich habe Kohl auf seine letztmalig[9] vorgetragenen Argumente folgendes erwidert:

1) Es treffe nicht zu, daß die Verkehrsfragen für Berlin (West) im wesentlichen durch das Transitabkommen geregelt seien.

2) Die Zuständigkeiten der Vier bzw. Drei Mächte stellten kein Hindernis dafür dar, zwischen der DDR und der BRD größere Abkommen in ihrer Wirksamkeit auf West-Berlin zu übertragen, sofern Status und Sicherheitsfragen nicht berührt werden.

---

[9] Vgl. dazu die Vier-Augen-Gespräche des Staatssekretärs Bahr, Bundeskanzleramt, mit dem Staatssekretär beim Ministerrat der DDR, Kohl, am 5./6. April 1972; Dok. 90.

3) Es sei interessant, festzustellen, daß die Ablehnung, sich auf II D[10] zu beziehen, auf der Linie der besonderen Lage im geteilten Deutschland liege.

4) Es liege nahe, das Handelsabkommen zwischen der BRD und der SU zum Vorbild zu nehmen.[11]

5) Die vorgesehenen materiellen Regelungen erforderten die Einbeziehung, da es sich um eine vollständige Integration West-Berlins in das Verkehrsrecht und -system des Bundes handelt. Eine Kompetenz des Senats zur eigenständigen Verhandlung von Verkehrsfragen mit Drittstaaten sei rechtlich und praktisch ausgeschlossen. Berlin kann von sich aus keine Gegenseitigkeit im Verkehr mit Drittstaaten gewähren, da es kein Völkerrechtssubjekt sei.

Zulassung und Registrierung von Transportmitteln seien einheitlich. Auch West-Berliner Fahrzeuge müßten den gleichen Regelungen unterliegen und sowohl von der BRD als auch von West-Berlin in die DDR einfahren können. Das gelte auch für den Transitverkehr dieser Fahrzeuge durch die DDR in Drittstaaten.

6) Unter Berücksichtigung der von der DDR vorgetragenen Argumente könnten wir dazu kommen, auf eine ausdrückliche Berlin-Klausel im Vertrag zu verzichten. Das setze voraus, daß zwischen der BRD und der DDR in angemessener Form eine Einigung über die Geltung für Berlin-West erfolge. Sie müsse der Bundesregierung gestatten, gegenüber Parlament und den Drei Mächten eine befriedigende Erklärung zu dieser Frage abgeben zu können.

Kohl bezeichnete zunächst den unter 6) vorgetragenen Gedanken als interessant. Nach einer Pause bezeichnete er ihn als völlig unannehmbar. Dies Entgegenkommen sei eine besondere Teufelei; während die Einbeziehung West-Berlins gegenüber allen Staaten eine Klausel erfordere, würde dies den Anspruch der BRD beinhalten, gegenüber der DDR West-Berlin unmittelbar vertreten zu können.

Er wolle aber nicht weiter argumentieren, sondern den Standpunkt der DDR so zusammenfassen: Nein, nein, nein.

Die Haltung der DDR sei nicht nur durch die SU gedeckt, sondern bestärkt. Man werde keinen Millimeter nachgeben.

Ich habe demgegenüber darauf hingewiesen, daß für mich dieses Thema nicht erledigt sei.

9) Zum Thema des Reiseverkehrs habe ich unsere Vorstellungen wiederholt. Er erklärte, daß nach der öffentlichen Debatte um die Herabsetzung des Rentenalters entschieden worden sei, diese für möglich gehaltene Maßnahme nicht zu machen. Man denke nicht daran, zu dem Eindruck beizutragen, als könne sich die Opposition Federn an den Hut stecken.[12] Meine Gegenvorstellungen fruchteten nicht. Er könne mir versichern, daß diese Entscheidung nach grundsätz-

---

[10] Für Teil II D des Vier-Mächte-Abkommens über Berlin vom 3. September 1971 vgl. Dok. 45, Anm. 4.
[11] Zur Einbeziehung von Berlin (West) in das am 7. April 1972 paraphierte Langfristige Abkommen zwischen der Bundesrepublik und der UdSSR über den Handel und die wirtschaftliche Zusammenarbeit vgl. Dok. 86.
[12] Vgl. dazu die Äußerungen des CDU/CSU-Fraktionsvorsitzenden Barzel am 23. Februar 1972 im Bundestag; Dok. 51, Anm. 16.

lichen Überlegungen gefällt wurde und nicht zu revidieren sei. Vielleicht könne man in einem halben Jahr wieder darüber reden.

10) Kohl beklagte sich, daß dem gesamten Prozeß geschadet würde, wenn die Probleme auf offenem Markt abgehandelt werden. Er bezog sich insbesondere auf den „Spiegel"-Artikel[13] und die Frage von Grenzübergängen. Ich habe ihm gesagt, daß gerade der Mangel an Information zur Spekulation über alle Themen führte, die seit Monaten auf dem Markt seien. Die DDR müsse sich Empfindlichkeiten auf diesem Sektor abgewöhnen.

11) Zum Thema Libanon fragte er, ob ich dementieren könne, daß 200 Mio. $, amtlich oder unamtlich, zugesagt worden seien. Ich dementierte und fügte hinzu, daß wir diplomatische Beziehungen nur ohne Vorbedingungen aufnähmen.[14]

12) Die DDR ist in einer Reihe von wichtigen Punkten entgegengekommen. Die Verhandlung brachte deutliche Fortschritte. Das Thema Berlin ist allerdings zu dem Punkt geworden, an dem, von allen Zeitvorstellungen abgesehen, der Vertrag überhaupt scheitern kann.

Bahr

VS-Bd. 8563 (II A 1)

---

[13] Unter der Überschrift „Nachher kommt die finstere Nacht" wurde berichtet: „Im Bonner Kanzler-Bungalow stockten die deutsch-deutschen Verhandlungen zwischen Kanzleramts-Staatssekretär Egon Bahr und dem DDR-Staatssekretär Michael Kohl über den Abschluß eines Verkehrsvertrages, obwohl der technische Teil des Abkommens fertig ausgehandelt ist. DDR-Unterhändler Kohl wartete auf ein Signal aus dem Osten. Wenn sich die beiden deutschen Staatssekretäre Mitte dieser Woche in Ost-Berlin wieder treffen werden, können beide damit rechnen, daß der neue Entspannungs-Bescheid aus Moskau eingetroffen sein wird. Bonns Ost-Experten erwarten, daß KPdSU-Chef Breschnew seinem Ost-Berliner Besucher Honecker mindestens zwei Zugeständnisse abhandeln kann. Die DDR-Regierung soll weitere Grenzübergänge für den Straßenverkehr nach der BRD (bisher fünf) öffnen; das Reisealter für DDR-Bürger, die die BRD besuchen dürfen, von bisher 65 für Männer und 60 für Frauen um mindestens fünf, vielleicht gar 15 Jahre herabsetzen." Vgl. DER SPIEGEL, Nr. 16 vom 10. April 1972, S. 21 f.

[14] Zur Wiederaufnahme der diplomatischen Beziehungen zwischen der Bundesrepublik und dem Libanon am 30. März 1972 vgl. Dok. 76.

99

Bundesminister Ehmke an Staatssekretär Frank

VS-vertraulich 14. April 1972

Lieber Herr Frank,

Botschafter Čačinović hat mir heute nachmittag den beiliegenden Brief[1] übergeben mit einem nicht gezeichneten Vermerk als Anlage, den ich ebenfalls beifüge.[2]

Die jugoslawische Seite geht also auf unseren Vorschlag[3] ein:

1) Verschiebung der Verhandlungen über Wiedergutmachung als zur Zeit nicht lösbar. Dies soll in einer abgestimmten beiderseitigen Erklärung festgestellt werden.

Der zweite Absatz des dem Brief beigefügten Vermerks spricht davon, daß ein Betrag von 400 Mio. DM für die Wiedergutmachung ein Entgegenkommen gegenüber der jugoslawischen Forderung „darstellt". Das ist neutral formuliert. Es ist nicht gesagt, daß wir einen solchen Betrag – neben den 300 Mio. Kapitalhilfe – für diskutierbar erklärt hätten. Der Passus hat sogar den Vorteil, daß er ein gewisses Abrücken der Jugoslawen von ihrer ursprünglichen Forderung von 1,2 Mrd. darstellt. Ich habe den Botschafter aber auch noch einmal ausdrücklich darauf aufmerksam gemacht, daß bei einer etwaigen Wiederaufnahme von Wiedergutmachungsverhandlungen auch die Höhe der Entschädigung erneut voll zur Diskussion stehen müßte.

Am Ende des ersten Absatzes des Vermerks spricht die jugoslawische Seite ja nun auch von der „Möglichkeit einer Schlechterstellung gegenüber dritten Staaten". Das ist das, was wir die Präjudiz-Wirkung nennen.

2) Die jugoslawische Seite nimmt das Kapitalhilfeangebot an. Da ich die Unterlagen nicht hier habe, kann ich nicht feststellen, ob die Bedingungen in dem Brief zutreffend wiedergegeben sind. Ich gehe aber davon aus.

3) Schließlich bedankt sich die jugoslawische Seite im dritten Absatz des Vermerks für unser Entgegenkommen in bezug auf die Stabilisationsdarlehen, d. h. für die Inaussichtstellung einer Verlängerung dieser Darlehen, denen wir die kurze Laufzeit ja nur gegeben haben, um einen niedrigen Zinssatz zu ermöglichen.[4]

Mein Vorschlag ist folgender: Das Auswärtige Amt sollte – m. E. ohne Bezugnahme auf den beigefügten Vorgang – der jugoslawischen Seite folgendes schreiben:

Wir schlagen vor:

1) In einer abgestimmten beiderseitigen Mitteilung feststellen, daß zur Zeit eine Einigung über die Wiedergutmachungsfrage nicht möglich sei und daß die

---

[1] Dem Vorgang beigefügt. Für das Schreiben vom 14. April 1972 vgl. VS-Bd. 9036 (II A 5).
[2] Dem Vorgang beigefügt. Für den Vermerk vom 14. April 1972 vgl. VS-Bd. 9036 (II A 5).
[3] Zum Vorschlag der Bundesregierung, Wiedergutmachungszahlungen in Höhe von 100 Mio. DM und 300 Mio. DM Kapitalhilfe an Jugoslawien zu geben, vgl. Dok. 56.
[4] Zur Gewährung eines Stützungskredits an Jugoslawien vgl. Dok. 56, Anm. 5.

Verhandlungen daher verschoben würden. Zu diesem Punkt würde ich dem Brief auch unsererseits einen Vermerk beifügen, daß bei einer späteren Wiederaufnahme der Verhandlungen auch über die Summe einer Entschädigung neu verhandelt werden müßte.

2) Die Bundesregierung bietet der jugoslawischen Regierung – unabhängig von der Wiedergutmachungsfrage – sofort 300 Mio. Kapitalhilfe zu den genannten Bedingungen an. Die Verhandlungen darüber sollten – so auch eine Anregung des jugoslawischen Botschafters – von Delegationen geführt werden, deren Auftrag sich nur auf diese Frage bezieht (während die Arbeit der Wiedergutmachungs-Delegation ruht).

3) Wir seien hinsichtlich der Stabilisierungsdarlehen bereit, rechtzeitig über eine Verlängerung dieser Darlehen zu sprechen (wie Schöllhorn sagte, bleibt uns eh nichts anderes übrig).

Damit würden die internen Verhandlungen von uns in die offizielle Phase überführt werden, und die jugoslawische Seite würde dann darauf im Sinne der beigefügten Unterlagen antworten.

Sollten Sie mit diesen Vorschlägen einverstanden sein, schlage ich ein kurzes Gespräch von uns mit den Kollegen Schöllhorn und Emde vor, um sie zu unterrichten.

Sollten Sie mit meinem Vorschlag nicht einverstanden sein, möchte ich darum bitten, daß zunächst wir noch einmal über die Frage sprechen.

Wir sollten jetzt schnell handeln, um endlich einen Fortschritt mit den Jugoslawen zu erzielen.[5]

Beste Grüße
Ihr Ehmke

VS-Bd. 9036 (II A 5)

---

[5] Ministerialdirektor von Staden vermerkte am 2. Mai 1972 zur Vorbereitung einer Kabinettssitzung am 3. Mai 1972, das Kabinett solle hinsichtlich der Wiedergutmachungsproblematik die am 17. Dezember 1970 verabschiedeten Richtlinien ändern und folgende Verfahrensvorschläge beschließen: „1) Die Bundesregierung erklärt sich bereit, mit Jugoslawien Verhandlungen über die Gewährung von Kapitalhilfe bis zur Höhe von DM 300 Mio. zu den vorgesehenen Bedingungen aufzunehmen (Laufzeit 30 Jahre, acht tilgungsfreie Jahre, Zinssatz 2,5%). Sie macht die Aufnahme dieser Verhandlungen nicht von einer deutsch-jugoslawischen Einigung in der Wiedergutmachungsfrage abhängig. 2) Vor Aufnahme der Verhandlungen muß der jugoslawischen Seite gegenüber schriftlich klargestellt werden, daß die Bundesregierung keine Möglichkeit sieht, auf absehbare Zeit (d. h. zumindest für die Amtszeit dieser Regierung) die Verhandlungen über Wiedergutmachung wieder aufzunehmen, da die Bundesregierung außerstande ist, in dieser Frage über ihr vorliegendes Angebot hinauszugehen. Die jugoslawische Seite sollte in geeignet erscheinender Weise bestätigen, daß sie diese Mitteilung der Bundesregierung zur Kenntnis genommen hat. 3) Der Inhalt der schriftlichen Mitteilung der Bundesregierung an die jugoslawische Regierung sowie die technischen Einzelheiten zum weiteren Procedere sollten zwischen den Staatssekretären der beteiligten Ressorts (Bundeskanzleramt, Auswärtiges Amt, Bundesministerium für wirtschaftliche Zusammenarbeit, Bundesministerium für Wirtschaft und Finanzen) abgestimmt werden." Vgl. VS-Bd. 9036 (II A 5); B 150, Aktenkopien 1972.

Das Kabinett stimmte laut handschriftlichem Vermerk des Bundesministers Scheel vom 3. Mai 1972 den Vorschlägen zu. Vgl. den Begleitvermerk; VS-Bd. 9036 (II A 5); B 150, Aktenkopien 1972. Zur Übermittlung der Vorschläge an die jugoslawische Regierung vgl. Dok. 174.

100

Aufzeichnung des Vortragenden Legationsrats I. Klasse Blech

II A 1-85.50 VV-303/72 geheim   15. April 1972

Über Herrn Staatssekretär[1] Herrn Minister[2]

Betr.: Verkehrsverhandlungen Bahr–Kohl

Die Verhandlungen haben einen Stand erreicht, daß eine Paraphierung des Vertragstextes noch in diesem Monat möglich erscheint. Es sind nur noch wenige politisch wichtige Fragen offen, über die nach den Vorstellungen von Staatssekretär Bahr in der kommenden Woche eine Entscheidung getroffen werden soll. Staatssekretär Bahr hat angedeutet, daß er über den Komplex an diesem Wochenende mit dem Bundeskanzler sprechen will. Die nächste – möglicherweise letzte – Verhandlungsrunde ist am 19./20. April in Bonn.[3]

Um sicherzustellen, daß die aus der Sicht des Auswärtigen Amts entscheidenden Gesichtspunkte berücksichtigt werden, wird vorgeschlagen, noch vor dem 19. April in einer Ministerbesprechung die wichtigen Grundsatzfragen des Verkehrsvertrags und den Zeitpunkt der Paraphierung zu erörtern und Verhandlungsrichtlinien für Staatssekretär Bahr festzulegen.

Eine Aufzeichnung über die politischen Hauptprobleme des Verkehrsvertrages liegt bereits vor.[4] Als Anlage werden ein Vermerk über die letzte Verhandlungsrunde Bahr–Kohl vom 12. April[5] und ein Vermerk zur Frage der Einbeziehung Berlins beigefügt. Sie sind von VLR Bräutigam verfaßt, der der Verhandlungsdelegation der Bundesregierung angehört und daher mit der Problematik aufs engste vertraut ist.

Blech

---

[1] Hat Staatssekretär Frank am 16. April 1972 vorgelegen, der handschriftlich für Bundesminister Scheel vermerkte: „Die beigefügten zwei Aufzeichnungen sollten Sie zur Sprache bringen, möglichst vor der Kab[inetts]Si[tzung]."

[2] Hat Vortragendem Legationsrat I. Klasse Hofmann am 17. April 1972 vorgelegen, der für Bundesminister Scheel handschriftlich vermerkte: „Die beigefügte Aufzeichnung vom 15. April 1972 vom Referat II A 1 ist soeben (17. April, 10.30 Uhr) bei uns eingegangen. Ich habe festgestellt, daß die nächste Verhandlungsrunde am Mittwoch, den 19. April, 10.30 Uhr, hier in Bonn beginnt. Da Sie bis Mitternacht des Dienstag im Wahlkampf sind, wäre ein Gespräch mit Herrn Bahr, das von dem Haus für dringend erforderlich gehalten wird, nur am Mittwoch vormittag unmittelbar vor Beginn der nächsten Verhandlungsrunde möglich. Ich bitte um Weisung. Interessant ist, daß bis jetzt die Sache nicht auf der Tagesordnung des Kabinetts steht, obwohl sie offensichtlich entscheidungsreif ist."
Hat Scheel laut Vermerk des Vortragenden Legationsrats Hallier vom 17. April 1972 vorgelegen. Vgl. VS-Bd. 8563 (II A 1); B 150, Aktenkopien 1972.

[3] Zum 40. Gespräch des Staatssekretärs Bahr, Bundeskanzleramt, mit dem Staatssekretär beim Ministerrat der DDR, Kohl, am 19./20. April 1972 vgl. Dok. 105–108.

[4] Vortragender Legationsrat I. Klasse Blech legte am 11. April 1972 eine Aufzeichnung über „den Stand der Verkehrsverhandlungen und die politischen Hauptprobleme" vor. Vgl. VS-Bd. 8562 (II A 1); B 150, Aktenkopien 1972.

[5] Zum 39. Gespräch des Staatssekretärs Bahr, Bundeskanzleramt, mit dem Staatssekretär beim Ministerrat der DDR, Kohl, vgl. Dok. 95 und Dok. 98.

[Anlage 1]

Betr.: Verkehrsverhandlungen Bahr–Kohl am 12. April in Ost-Berlin

Würdigung

Die Formulierung der Vertragsbestimmungen über die technische Verkehrsabwicklung ist – abgesehen von wenigen Punkten – abgeschlossen. Mit der Fertigstellung dieser Teile des Vertrags ist in der kommenden Verhandlungsrunde zu rechnen.

Bei der Lösung der politischen Hauptfragen sind in dieser Runde Fortschritte gemacht worden. Offen sind noch folgende Fragen:

1) Präambel

2) Ratifizierungsklausel

3) Reiseerleichterungen

4) Grenzübergänge

5) ECE-Konventionen

6) Einbeziehung Berlins

Sie bilden ein „Paket", über das voraussichtlich zusammen entschieden werden muß. Nach dem letzten persönlichen Gespräch der Staatssekretäre Bahr und Kohl hat sich der Eindruck verstärkt, daß die Einbeziehung Berlins in den Verkehrsvertrag der schwierigste Punkt[6] der gesamten Verhandlungen ist. Wir können nicht ausschließen, daß sich die Bundesregierung in der nächsten Woche vor die Frage gestellt sieht, ob sie einen Verkehrsvertrag ohne förmliche Einbeziehung Berlins akzeptiert oder ob sie, weil diese Frage nicht lösbar ist, auf den gesamten Verkehrsvertrag und gewisse Reiseerleichterungen, zu denen die DDR vielleicht bereit sein wird, verzichten soll.

Die nächste Verhandlungsrunde wird am 19./20. April in Bonn stattfinden. Sie wird möglicherweise die letzte sein. Offenbar streben beide Unterhändler eine Paraphierung des Vertrages noch in diesem Monat an.

Wichtige Einzelfragen

1) Vertragsform

Beide Seiten sind sich einig, daß der Verkehrsvertrag ein Staatsvertrag sein soll (also kein Regierungsabkommen), der den gesetzgebenden Körperschaften zur Genehmigung vorzulegen ist.

Kohl hat am 12. April seine Bereitschaft erklärt, in der Präambel auf einen Hinweis auf die Bevollmächtigung der Unterhändler durch die Staatsoberhäupter zu verzichten und statt dessen in die Schlußbestimmungen folgende Formel aufzunehmen:

„Zur urkund dessen haben die dazu gehörig Bevollmächtigten der Vertragsstaaten diesen Vertrag unterzeichnet".

---

[6] Die Wörter „Einbeziehung Berlins" und „der schwierigste Punkt" wurden von Staatssekretär Frank hervorgehoben. Dazu vermerkte er handschriftlich: „Schwierige Entscheidung f[ür] die B[undes]Reg[ierung]. Ich meine, daß wir auf die Berlin-Klausel nicht verzichten können."

Er hat dieses Zugeständnis allerdings davon abhängig gemacht, daß die Bundesrepublik den von der DDR gewünschten Präambelsatz (siehe Ziffer 2) akzeptiert.

Die Frage der Ratifizierungsklausel ist weiterhin offen.

2) Präambel

Die DDR besteht auf folgender Formulierung:

„In dem Bestreben, normale gutnachbarliche Beziehungen beider Staaten zueinander zu entwickeln, wie sie zwischen voneinander unabhängigen Staaten üblich sind".

Staatssekretär Bahr hatte das letzte Mal vorgeschlagen, das Wort „normale (Beziehungen)" zu streichen. Kohl schien zunächst damit einverstanden, hielt aber diesmal seine ursprüngliche Forderung aufrecht.

Der Vorschlag Kohls wäre vielleicht akzeptabel, wenn die DDR eine Zusicherung geben würde, daß nach der Ratifizierung der Ostverträge Verhandlungen über einen Grundvertrag beginnen können. Äußerungen von Mitgliedern der DDR-Delegation am Rande der Verhandlungen vermittelten den Eindruck, daß die DDR vielleicht dazu bereit sein könnte.

3) Generalnorm

Kohl ließ erkennen, daß er im Zusammenhang mit der allgemeinen Verpflichtung beider Seiten, den Verkehr zu erleichtern und möglichst zweckmäßig zu gestalten, den Begriff „internationale Praxis" (statt international Normen) akzeptieren könnte, falls sich die Bundesrepublik mit dem von der DDR gewünschten Präambelsatz einverstanden erklärt.

4) ECE-Konvention

Die DDR verfolgt weiterhin das Ziel, ähnlich wie bei CIM/CIV[7] jetzt eine Zusicherung von uns zu erhalten, daß ihr der Beitritt zur ECE im Juli ermöglicht wird. Die Frage ist offen. Über mögliche Überlegungen der beiden Staatssekretäre, wie dies geschehen könnte, ist nichts Näheres bekannt.[8]

5) Reiseerleichterungen

Kohl hat in einem persönlichen Gespräch mit Bahr ausgeschlossen, daß die Altersgrenze für Reisende der DDR in die Bundesrepublik herabgesetzt wird. Offenbar scheint die DDR jedoch andere Erleichterungen (in Form einer einseitigen Regelung außerhalb des Vertrags) ins Auge zu fassen. Näheres ist noch nicht bekannt.

6) Grenzübergänge

Bisher gibt es keine Anzeichen, daß die DDR bereit wäre, jetzt oder später weitere Grenzübergänge zu öffnen.

---

[7] Für den Wortlaut des Internationalen Übereinkommens vom 25. Februar 1961 über den Eisenbahnfrachtverkehr (CIM) vgl. BUNDESGESETZBLATT 1964, Teil II, S. 1520–1579.
Für den Wortlaut des Internationalen Übereinkommens vom 25. Februar 1961 über den Eisenbahn-Personen- und -Gepäckverkehr (CIV) vgl. BUNDESGESETZBLATT 1964, Teil II, S. 1898–1951.

[8] Zu diesem Absatz vermerkte Staatssekretär Frank handschriftlich: „Jetzt können wir noch keine Erklärung abgeben, weil die DDR sonst damit hausieren geht."

7) Paßfrage

Es wurde Übereinstimmung über folgende Vertragsbestimmung erzielt: „Im grenzüberschreitenden Verkehr weisen sich die Reisenden durch ein amtliches Personaldokument, das zum Grenzübertritt berechtigt, aus".[9]

Das BMI hat der Formel zugestimmt.

8) Beförderungsgenehmigungen

Die Positionen beider Seiten haben sich angenähert. Es erscheint jetzt möglich, daß auf der Grundlage unseres letzten Kompromißvorschlags (beide Seiten verzichten auf die Anwendung des Genehmigungsverfahrens) eine Einigung zustande kommt.

9) Elbe

Das Grenzproblem[10] ist endgültig ausgeklammert worden. In den Vertrag soll eine Bestimmung aufgenommen werden, nach der beide Seiten eine reibungslose Schiffahrt auf dem Grenzabschnitt gewährleisten.[11]

Das BMI ist einverstanden.

10) Einbeziehung Berlins

Die Positionen beider Seiten sind unverändert.[12]

Staatssekretär Bahr hat in der letzten Runde die praktischen Gründe für die Einbeziehung Berlins (Regelung des Verkehrs Berlin–DDR) in den Vordergrund gestellt und die Möglichkeit angedeutet, Berlin ohne förmliche Vertragsklausel in die Regelung einzubeziehen. Kohls Haltung war ablehnend.

[Anlage 2]

Betr.: Einbeziehung Berlins (West) in den Verkehrsvertrag mit der DDR

1) StS Bahr hat in der letzten Runde die praktischen Gründe für die Einbeziehung Berlins (Regelung des Verkehrs Berlin – DDR) in den Vordergrund gestellt und die Möglichkeit angedeutet, Berlin ohne förmliche Vertragsklausel in den Vertrag einzubeziehen. Kohls Haltung war ablehnend.

2) Die Alliierten sind der Auffassung, daß die Frage der Einbeziehung Berlins in Verträge mit der DDR nicht durch das Vier-Mächte-Abkommen geregelt ist. Sie sagen, daß die Regelung dieser Frage im Ermessen der Bundesrepublik liege. Sie haben jedoch die Möglichkeit angedeutet, daß der Verkehr Berlin – DDR auch unter dem Dach des Vier-Mächte-Abkommens durch eine Vereinbarung Senat – DDR geregelt werden könne.

3) Grundsätzlich gibt es folgende Lösungsmöglichkeiten:

a) Vertragsklausel (oder Briefwechsel oder förmliche Erklärung zu Protokoll)

b) formlose Absprache Bahr – Kohl (eventuell mit Mitteilung DDR an den Senat)

c) Vereinbarung Senat – DDR.

---

9 Zur Einigung in der Paßfrage vgl. Dok. 97, Anm. 13.
10 Zu den Rechtsauffassungen der Bundesrepublik und der DDR hinsichtlich des Grenzverlaufs an der Elbe vgl. Dok. 12, Anm. 13.
11 Vgl. dazu den ersten Satz des Artikels 22 eines Vertrags über Fragen des Verkehrs; Dok. 98, Anm. 2.
12 Der Passus „10) Einbeziehung ... unverändert" wurde von Staatssekretär Frank hervorgehoben. Dazu vermerkte er handschriftlich: „Das ist die zentrale Frage."

Nach dem Eindruck Bahrs wird die DDR a) sicher nicht, b) wahrscheinlich nicht akzeptieren; c) ist mit Kohl noch nicht erörtert worden. Trotz des Vier-Mächte-Dachs dürfte er diesen Weg interessant finden.

4) Nach Auffassung der Abt. Pol ist nur Modell a) eine befriedigende Lösung. Modell b) kann zu großen Schwierigkeiten führen. Zudem wäre hier die Einbeziehung Berlins rechtlich schwer nachweisbar. Modell c) könnte als Judiz für eine autonome politische Einheit West-Berlins gewertet werden und wäre ein schwerwiegender Präzedenzfall für die Zukunft. Außerdem würden praktisch die Bindungen Berlin – BRD im Bereich des Verkehrswesens in Frage gestellt.

Vorschlag: Wir sollten auf Regelung gemäß a) bestehen.

5) Wir müssen uns bei der Entscheidung dieser Frage bewußt sein, daß die DDR mit der Ablehnung der Einbeziehung Berlins verschleiert ihren Territorialanspruch auf West-Berlin aufrechtzuerhalten sucht.[13] Gerade darum ist es für die Zukunft entscheidend wichtig, daß die DDR das Vertretungsrecht der BRD für West-Berlin akzeptiert. Wenn sie dies jetzt nicht tut, wird diese Frage auf lange Zeit ein gefährlicher Streitpunkt im innerdeutschen Verhältnis bleiben.

VS-Bd. 8563 (II A 1)

101

Aufzeichnung des Ministerialdirigenten Diesel

II A 5-82.00-94.27/1433/72 VS-vertraulich   18. April 1972[1]

Aufzeichnung dem Herrn Staatssekretär[2]

Betr.: Bevorstehender Besuch des Herrn Bundeskanzlers in London[3];
       hier: Gewisse britische Besorgnisse hinsichtlich der das Münchener Abkommen betreffenden Aspekte der deutsch-tschechoslowakischen Sondierungen[4]

Zweck der Vorlage:
Unterrichtung des Herrn Staatssekretärs und Anregung auf Unterrichtung des Herrn Bundeskanzlers vor seinen Londoner Gesprächen

---

[13] Der Passus „daß die DDR ... aufrechtzuerhalten sucht" wurde von Staatssekretär Frank hervorgehoben. Dazu vermerkte er handschriftlich für Bundesminister Scheel: „Ich halte die Einbeziehung West-Berlins für unverzichtbar. Vgl. P[unkt] 5 dieser Aufzeichnung, dem ich beipflichte."

[1] Die Aufzeichnung wurde von Vortragendem Legationsrat Gorenflos und Legationsrat I. Klasse Vogel konzipiert.

[2] Hat Staatssekretär Frank laut Vermerk des Legationsrats I. Klasse Vergau vorgelegen.

[3] Bundeskanzler Brandt hielt sich vom 20. bis 22. April 1972 in Großbritannien auf. Vgl. dazu Dok. 104 und Dok. 109.

[4] Zu den Gesprächen zwischen der Bundesrepublik und der ČSSR über eine Verbesserung ihres bilateralen Verhältnisses vgl. Dok. 88.

Das britische Außenministerium hat im Februar d. J. die Botschaft London auf gewisse britische Besorgnisse hinsichtlich der das Münchener Abkommen betreffenden Aspekte der deutsch-tschechoslowakischen Sondierungsgespräche hingewiesen, soweit sie durch die Presse bekanntgeworden sind.[5]

Die Botschaft London hat jetzt erneut auf diese britischen Bedenken aufmerksam gemacht; sie hält es offensichtlich für möglich, daß die britische Seite bei den bevorstehenden Gesprächen des Herrn Bundeskanzlers in London auf die Angelegenheit zurückkommen könnte (s. Anl. 2. Ex. d. DB Nr. 973 vom 17.4. aus London – II A 5 1406/72 VS-v[6]).

Einzelheiten zu den britischen Besorgnissen ergeben sich aus dem hiermit vorgelegten Sachstand.

Über den Stand der deutsch-tschechoslowakischen Sondierungsgespräche hat zuletzt Herr D Pol die britische Regierung bei der deutsch-britischen Direktoren-Konsultation am 20.12.1971[7] unterrichtet; die Einzelheiten der zwischen der Bundesregierung und der tschechoslowakischen Regierung ausgetauschten Formulierungsvorschläge zum Münchener Abkommen wurden hierbei der britischen Seite nicht mitgeteilt.

Die Unterabteilung II A regt an, daß der Herr Staatssekretär den Herrn Bundeskanzler noch vor seinen Londoner Gesprächen noch einmal auf die britischen Bedenken aufmerksam macht, die das Auswärtige Amt seinerzeit auch dem Bundeskanzleramt mitgeteilt hatte. Außerdem wird angeregt, daß der Herr Staatssekretär die mit der ČSSR ausgetauschten Formulierungsvorschläge zum Münchener Abkommen zu seinen Unterlagen für die bevorstehenden Londoner Gespräche nimmt.

Diesel

---

[5] Bereits am 16. Februar 1972 wies Gesandter Schmidt-Pauli, London, auf britische Bedenken bezüglich der Haltung der Bundesregierung zum Münchener Abkommen vom 29. September 1938 hin. Vgl. dazu den Drahtbericht Nr. 372; VS-Bd. 9044 (II A 5); B 150, Aktenkopien 1972.
Vgl. dazu auch den Drahtbericht Nr. 381 von Schmidt-Pauli vom 17. Februar 1972; VS-Bd. 5838 (V 1); B 150, Aktenkopien 1972.

[6] Dem Vorgang beigefügt. Botschafter von Hase, London, regte an, Bundeskanzler Brandt vor dessen Besuch von 20. bis 22. April 1972 in London über die britischen Bedenken betreffend eine Ungültigkeitserklärung zum Münchener Abkommen von 1938 zu informieren. Vgl. VS-Bd. 9044 (II A 5); B 150, Aktenkopien 1972.

[7] Botschafter von Hase, London, berichtete am 22. Dezember 1971 über die Konsultationen auf Direktorenebene. Ministerialdirektor von Staden habe zum Stand der Gespräche mit der ČSSR ausgeführt, daß die Bundesrepublik daran festhalte, „einer ex-tunc-Ungültigkeitserklärung nicht zuzustimmen", und anstrebe, „eine beiderseits akzeptable Formel zu finden (München politisch zu verurteilen und nicht mehr gültig; keine Festlegung zum Zeitpunkt)". Daraufhin habe die britische Seite ihren Standpunkt betont, nämlich „daß München 1938 gültig zustande gekommen ist und Auswirkungen gehabt hat. Der Vertrag sei erst durch den Einmarsch vom März 1939 verletzt worden." Vgl. den Schriftbericht Nr. 3040; VS-Bd. 9817 (I A 5); B 150, Aktenkopien 1971.

Anlage

Gewisse britische Besorgnisse hinsichtlich der das Münchener Abkommen betreffenden Aspekte der deutsch-tschechoslowakischen Sondierungen

Sachstand

Im Februar d. J. hat der Westeuropa-Referent im britischen Außenministerium auf Weisung von Sir Thomas Brimelow Botschaft London auf gewisse britische Besorgnisse hinsichtlich der das Münchener Abkommen betreffenden Aspekte der deutsch-tschechoslowakischen Sondierungsgespräche hingewiesen, soweit sie durch die Presse bekanntgeworden sind. Das britische Außenministerium erklärte, man gehe davon aus, daß im Auswärtigen Amt erwogen wird, den Verhandlungsstillstand wegen des ex nunc – ex tunc-Problems dadurch zu überwinden, daß in ein deutsch-tschechoslowakisches Abkommen eine Art „moralischer" Verurteilung des Münchener Abkommens aufgenommen wird. Das Foreign Office würde eine nicht allzu späte Unterrichtung über die möglicherweise noch nicht festgelegte deutsche Verhandlungsposition zu dieser Frage begrüßen.

Begründung der britischen Bitte:

Auch Großbritannien hat Münchener Abkommen unterzeichnet. Was immer im Licht der Geschichte über das Abkommen gesagt werden könne, so darf doch an ehrlichen Absichten Chamberlains nachträglich seitens einer England befreundeten Regierung kein Zweifel gesetzt werden. Abkommen sei zweifellos mindestens eine Zeitlang gültig gewesen. Foreign Office hoffe auch, daß durch offizielle „moralische" Wertung Münchener Abkommens nicht gewissen Propaganda-Thesen des Ostens Vorschub geleistet werde, die darauf hinausliefen, Münchener Abkommen etwa als Element eines „konspirativen faschistischen Plans" zu sehen, an dem auch Großbritannien beteiligt gewesen sei.

Botschaft London hat berichtet, daß folgende zwei Gesichtspunkte für britische Haltung mitbestimmend sein dürften:

1) Außenminister Douglas-Home (geboren 1903) war als junger Abgeordneter 1938 Parliamentary Private Secretary von Neville Chamberlain und hat ihn in dieser Eigenschaft nach München begleitet.

2) Briten haben als wichtiges Motiv ihrer Position immer auf Unsicherheit in internationaler Vertragspraxis hingewiesen, die durch Vorgänge wie ex-tunc-Ungültigkeitserklärung eines gültig zustandegekommenen Vertrages entstehen würde. Diese Besorgnis geht auch darauf zurück, daß früheres Abhängigkeitsverhältnis zahlreicher Überseegebiete von Großbritannien auf „ungleichen Verträgen" beruhte, deren Ungültigkeit von Anfang an oder moralische Verwerflichkeit die heute weitgehend selbständig gewordenen Partner behaupten. Dies gibt früher abhängigen Gebieten Anlaß zur Erhebung von Schadensersatzansprüchen, die sie mit „unrechtmäßiger Ausnutzung von Abhängigkeitsverhältnissen" zu begründen suchen (z. B. hohe Schadensersatzansprüche der Demokratischen Volksrepublik Jemen nach Erlangung ihrer Unabhängigkeit 1967 auf Grund Behauptung, Großbritannien habe Aden unrechtmäßig in Besitz genommen und südarabisches Protektoratsgebiet durch Aufoktroyierung ungleicher Schutzverträge in seine Hände gebracht; Großbritannien hat diese Ansprüche stets zurückgewiesen). Briten befürchten daher, solche Scha-

densersatzforderungen würden durch Vorgänge wie ex-tunc-Ungültigkeitserklärung Münchener Abkommens erheblich gestützt.

Im März d. J. hat sich – offensichtlich auf entsprechende Weisung – auch britische Botschaft in Prag bei unserer dortigen Handelsvertretung über die deutsche Haltung zur Frage des Münchener Abkommens erkundigt.[8]

VS-Bd. 9044 (II A 5)

102

Gespräch des Staatssekretärs Frank mit dem griechischen Botschafter Delivanis

I A 4-82.00/94.08-1352/72 VS-vertraulich   19. April 1972[1]

Demarche des griechischen Botschafters, Herrn M. Delivanis, bei Herrn Staatssekretär Dr. Frank am 19.4.1972 – 17.15 Uhr

Aus dem Gespräch zwischen Herrn Staatssekretär Dr. Frank und Botschafter Delivanis ist festzuhalten:

Botschafter *Delivanis* eröffnet das Gespräch mit der Bemerkung, er habe nicht die Absicht, über die Note[2] zu sprechen, die sich wie ein Kriminalroman lese. Er sei angewiesen, herauszufinden, was wirklich geschehen ist.[3]

---

[8] Ministerialdirigent Heipertz, Prag, berichtete am 29. März 1972, daß er am Vortag vom britischen Botschafter Scrivener auf die Haltung der Bundesregierung zum Münchener Abkommen vom 29. September 1938 angesprochen worden sei. Offenbar habe Scrivener feststellen wollen, ob die Bundesregierung geneigt sei, auf die tschechoslowakische Forderung nach einer Ungültigkeitserklärung einzugehen, und ausgeführt, daß Premierminister Chamberlain mit dem Abschluß des Abkommens seinerzeit zwar „keine ‚politische Glanzleistung' vollbracht, die britische Regierung aber durch seine Unterschrift verpflichtet habe". Vgl. den Drahtbericht Nr. 150; Referat II A 5, Bd. 1492.

[1] Die Gesprächsaufzeichnung wurde von Vortragendem Legationsrat Reitberger gefertigt.
Ministerialdirigent Simon leitete die Gesprächsaufzeichnung am 20. April 1972 über Ministerialdirektor von Staden an Staatssekretär Frank „zur Unterrichtung und mit der Bitte um Genehmigung" weiter.
Hat Staden am 21. April 1972 vorgelegen.
Hat Legationsrat I. Klasse Vergau am 29. Mai 1972 vorgelegen, der das Wort „Genehmigung" hervorhob und vermerkte: „Hat StS Frank vorgelegen." Vgl. den Begleitvermerk; VS-Bd. 9806 (I A 4); B 150, Aktenkopien 1972.

[2] Botschafter Limbourg, Athen, berichtete am 18. April 1972, der Staatssekretär im griechischen Außenministerium, Xanthopoulos-Palamas, habe ihm eine Verbalnote übergeben, in der die griechische Regierung Auskunft über die Hintergründe der Ausreise des am 15. April 1972 aus der Haft entlassenen Professors Mangakis und seiner Ehefrau verlange. Teil der Verbalnote sei ein Bericht des Personals des amerikanischen Luftwaffenstützpunkts auf dem Flughafen Hellenikon. Vgl. dazu den Drahtbericht Nr. 158; VS-Bd. 9806 (I A 4); B 150, Aktenkopien 1972.
Limbourg berichtete am 18. April 1972 ergänzend: „Palamas wiederholte mir gegenüber die ihm gegenüber gestern gemachte Feststellung des Ministerpräsidenten, daß weder er noch sonst irgendjemand Herrn Mangakis die Ausreise gestattet habe. Der Ministerpräsident habe wörtlich gesagt, daß es sich um eine ‚evasion' handle. Er müsse mir ganz offen sagen, daß dieses Verfahren ‚inadmissible' und der Bundesrepublik Deutschland nicht würdig sei. [...] Gleichwohl müsse er immer wieder darauf hinweisen, daß es sich um eine ‚question très, très grave' handele. Hier sei

Staatssekretär *Frank* entgegnet, der Bericht (Note) stütze sich auf die Angaben einer Militärperson; er handele sich um eine professionelle Darstellung im Fachjargon. Man müsse aber jetzt prüfen, was sich tatsächlich ereignet hat. Im Augenblick könne er nichts dazu sagen, und es liege im Interesse unserer gegenseitigen Beziehungen, wenn möglichst wenig in der Öffentlichkeit „erklärt" würde. Er selbst müsse einmal sehen, inwieweit Herr Limbourg durch sein persönliches Erscheinen mitgewirkt habe an einer Sache, die er nicht kannte, die aber auch er selbst – Staatssekretär Frank – nicht kannte.[4] Es wäre daher am allerbesten, wenn man gemeinsam versuchte, etwas Gras über die Sache wachsen zu lassen, solange zumindest, bis man alles geprüft habe. Es wäre nicht gut, wenn es darüber zu einer Eskalation, zu Protesten, zu Unzufriedenheit oder gar zu Maßnahmen käme – andererseits habe er Verständnis dafür, daß jemand, der die Zusammenhänge nicht kenne, sehr hart reagiere.

Fortsetzung Fußnote von Seite 418

die ‚dignité nationale' in erheblichem Maße verletzt worden." Limbourg teilte ferner mit, daß er durch den Abteilungsleiter im griechischen Außenministerium, Lagakos, gebeten worden sei, von der Teilnahme an dem für den Abend des 18. April 1972 stattfindenden jährlichen Diner der in Athen akkreditierten Missionschefs abzusehen. Vgl. den Drahtbericht Nr. 157; VS-Bd. 501 (Büro Staatssekretär); B 150, Aktenkopien 1972.

3 Botschafter Limbourg, Athen, übermittelte am 19. April 1972 eine Darstellung der Vorfälle um die Ausreise des Professors Mangakis. Am 15. April 1972 sei gegen Mittag bei einem Haftprüfungstermin entschieden worden, die Inhaftierung von Mangakis aus gesundheitlichen Gründen für acht Monate zu unterbrechen. Er sei wenig später durch eine Journalistin von dpa über Gerüchte unterrichtet worden, nach denen ein Abgesandter des Bundesministers Schmidt sowie eine Sekretärin des Bundesministers Ehmke in Athen angekommen seien, um Mangakis abzuholen. Hierüber habe er den Persönlichen Referenten von Ehmke, Wienholtz, unterrichtet. Nachdem Schulz-Willicke, der Adjutant des Staatssekretärs Mommsen, Bundesministerium der Verteidigung, sowie die Sekretärin Becker in der Botschaft der Bundesrepublik eingetroffen seien, habe er an beide die Frage gestellt, „ob der Abtransport von Herrn und Frau Mangakis griechischerseits genehmigt sei. Dies wurde mir von beiden und auch in mehreren Ferngesprächen, die ich mit dem Persönlichen Referenten von Bundesminister Professor Ehmke führte, ausdrücklich bestätigt." Becker habe ihn darüber informiert, daß am Vorabend des 15. April 1972 und noch in der darauffolgenden Nacht „die zuständigen deutschen Stellen sich nochmals die Korrektheit des ins Auge gefaßten Vorhabens ausdrücklich hätten bestätigen lassen. Es hätten am Abend des Freitags noch zusätzliche Besprechungen in Athen durch einen amerikanischen Mittelsmann mit höchsten griechischen Regierungsstellen – wahrscheinlich sogar mit Ministerpräsident Papadopoulos – stattgefunden." Der amerikanische Botschafter Tasca habe jedoch bestritten, von etwaigen Verhandlungen am Abend des 14. April 1972 zu wissen, und die Richtigkeit dieser Informationen bezweifelt. In einem weiteren Gespräch mit Wienholtz sei ihm, Limbourg, versichert worden, daß er sich „auf die Bonn gegenüber gemachten Zusicherungen hundertprozentig verlassen könne, daß Herr Bundesminister Professor Ehmke den Fall Mangakis jetzt und ohne weiteren Aufschub erledigt haben möchte und daß der Herr Bundesminister für das Unternehmen und seine Folgen die volle Verantwortung übernehme". Vgl. den Drahtbericht Nr. 162; VS-Bd. 501 (Büro Staatssekretär); B 150, Aktenkopien 1972.

4 Botschafter Limbourg teilte am 19. April 1972 weiter mit, er habe sich bei den Anwälten des Professors Mangakis erkundigt, ob die Entlassungspapiere ein Ausreiseverbot enthielten. Dies sei verneint worden. Im Einvernehmen mit dem Persönlichen Referenten des Bundesministers Ehmke, Wienholtz, habe er sich bereit gefunden, zum amerikanischen Luftwaffenstützpunkt auf dem Flughafen Hellenikon zu fahren, „um festzustellen, ob das Ehepaar Mangakis ungehindert passieren könne und der Abflug, wie den Bonner Stellen zugesichert, vonstatten gehe". Er sei um 17.45 Uhr, ca. 45 Minuten vor dem Ehepaar Mangakis, auf dem Luftwaffenstützpunkt angekommen. Gegen 18.25 Uhr seien Professor Mangakis und seine Frau in Begleitung der Sekretärin Becker in einem Dienstwagen der Botschaft eingetroffen, den sie jedoch, mit dem Taxi aus der Stadt kommend, erst am Kontrollpunkt des Flughafens Hellenikon bestiegen hätten. Beide hätten sofort das Flugzeug betreten, das wenig später abgeflogen sei. Vgl. den Drahtbericht Nr. 162; VS-Bd. 501 (Büro Staatssekretär); B 150, Aktenkopien 1972.

Botschafter *Delivanis* erkundigte sich danach, ob auch hinsichtlich der Rolle Botschafter Limbourgs mit restloser Aufklärung zu rechnen sei.[5]

Staatssekretär *Frank* verleiht seinem Erstaunen darüber Ausdruck, daß der Botschafter in der griechischen Verbalnote überhaupt erwähnt wurde.

Der Botschafter sei als hilfsbereiter Mensch bekannt; er würde zu jedem Menschen, der seiner bedürfe, auf den Flugplatz kommen. Im vorliegenden Fall habe er aus Bonn hierzu keine Weisung bekommen.

Botschafter *Delivanis* erwähnt die Anwesenheit auf dem Flugplatz des Adjutanten des BMVtg[6] sowie der Sekretärin von Bundesminister Ehmke. Letzterer sei mit Professor Mangakis eng befreundet gewesen[7]; dies habe ihm der damalige Bundesaußenminister Brandt beim ersten Zusammentreffen mitgeteilt. Auch mit dem Kulturminister Hahn und dem Vorsitzenden der Westdeutschen Rektorenkonferenz[8] habe er über Mangakis gesprochen und – im deutschen Sinn – nach Athen berichtet; leider vergeblich. Deshalb sei er am Sonnabend-Abend[9] „angenehm enttäuscht" gewesen, als er – aus dem Munde des griechischen Exiljournalisten Bakojannis (Bayerischer Rundfunk) von der Freilassung Mangakis' erfahren habe. Dies würde die deutsch-griechischen Beziehungen verbessern und seine Tätigkeit erleichtern, und man werde – so habe er gedacht – Mangakis über kurz oder lang auch nach Deutschland reisen lassen.

Staatssekretär *Frank* wiederholt, er kenne den Vorgang nicht in den Einzelheiten. Nach Lektüre verschiedener Zeitungsmeldungen sei er befriedigt über die Haftentlassung Mangakis' gewesen. Eine andere Frage sei die Ausreise „auf

---

[5] Botschafter Limbourg, Athen, stellte dazu am 19. April 1972 fest: „Meine gesamte Tätigkeit im Zusammenhang mit der Abreise von Professor Mangakis aus Griechenland war ausschließlich darauf gerichtet, sicherzustellen, daß die Ausreise auf legale Weise erfolgte und ein Mißverständnis ausgeschlossen war. Aufgrund der von mir hier in Athen gewonnenen Erkenntnisse habe ich bis in die letzte Stunde des Unternehmens Zweifel daran gehabt, daß tatsächlich eine griechische Genehmigung zum Verlassen des Landes an diesem Tag und auf diese Weise vorgelegen hat. Ich habe mich erst durch den persönlichen Augenschein an der Airbase selbst und die Tatsache, daß mir einer der kontrollierenden Amerikaner persönlich bekannt war, beruhigt gefühlt. Meine Tätigkeit hat mithin nicht, wie in der Note behauptet, der Vorbereitung und Durchführung des Unternehmens gedient, sondern vielmehr sicherstellen, daß eine Aktion erheblichen politischen Gewichts ohne Belastung für das deutsch-griechische Verhältnis zu einem guten Ende geführt wurde." Vgl. den Drahtbericht Nr. 162; VS-Bd. 501 (Büro Staatssekretär); B 150, Aktenkopien 1972.

[6] Siegfried Schulz-Willicke.

[7] Horst Ehmke vermerkte zu den Vorgängen um die Ausreise des Professors für Strafrecht Mangakis rückblickend: „Die Bundesregierung hatte noch unter Brandt die Fortführung der Waffenlieferungen an Griechenland, zu denen wir innerhalb des Bündnisses verpflichtet waren, auf meinen Vorschlag hin mit der Forderung nach Freilassung von politischen Gefangenen verknüpft. Vom Regierungschef der Junta, Papadopoulos, verlangte ich als Zeichen guten Willens die Freilassung von Professor Mangakis und seiner Frau Aky. Mangakis war in Freiburg als Gastprofessor mein Kollege gewesen. Die Junta hatte ihn wegen aktiven Widerstands zu achtzehn Jahren Zuchthaus verurteilt. Papadopoulos ließ sich unter Umgehung von Innenminister Pattakos auf meine Forderung ein. Mit Hilfe des deutschen und des amerikanischen Botschafters in Athen ließ ich das Ehepaar Mangakis im April 1972 mit einer Luftwaffenmaschine vom amerikanischen Militärstützpunkt bei Athen in die Bundesrepublik holen. Der übergangene Innenminister, der alles mitbekommen, aber nicht interveniert hatte, erhob nach dem Abflug ein großes Geschrei über diese ‚illegale Ausreise', worauf auch der Junta-Chef so tat, als ob wir das Ehepaar Mangakis gekidnappt hätten." Vgl. EHMKE, Mittendrin, S. 252.

[8] Gerd Roellecke.

[9] 15. April 1972.

diese Weise" (wobei Einzelheiten noch nicht bekannt seien) – es werde entscheidend sein, ob der Entlassungsschein Mangakis' den normalerweise üblichen Vermerk „Darf das Land nicht verlassen" trägt. Möglich, daß dieser Vermerk fehlt. Wie gesagt – dies verbleibe zu prüfen, ebenso wie die Frage, wer diese Aktion verabredet hat. Immerhin handele es sich ja nicht um eine Flucht aus dem Gefängnis.

Botschafter *Delivanis* sieht in der Entlassung deshalb einen wichtigen Schritt (im Sinne einer Verbesserung der beiderseitigen Beziehungen), weil Mangakis „so gut bekannt ist". Der Name habe eine entscheidende Rolle gespielt. Er habe immer die Meinung vertreten, daß es den deutsch-griechischen Beziehungen dienlich wäre, wenn Mangakis später einmal nach Deutschland gekommen wäre. Die Art und Weise, wie er nun tatsächlich gekommen sei, habe in Athen eine „große Nervosität ausgelöst".

Staatssekretär *Frank* versichert, deutscherseits werde man nichts unternehmen, was geeignet sei, die bestehende Erregung noch zu steigern. Vor allem werde man keine Erklärung abgeben – was wollte man in dieser Phase auch erklären? Wichtig sei die Tatsache der Entlassung von Mangakis vor allem für die Weiterentwicklung gewisser Dinge, die Botschafter Delivanis ja kenne. Dem Ereignis komme somit eine Art Schlüsselposition zu: Er gehe von der Annahme aus, daß die Seite, die die vorerwähnten Dinge bisher blockiert habe, nun wohl eher geneigt sei, der Entwicklung freien Lauf zu lassen. In dieser Lage gebe jeder Tag Zeitablauf zusätzliche Gelegenheit zu ruhigerer Betrachtungsweise. – Sollte die griechische Regierung allerdings unter dem Eindruck stehen, man habe mit einem „Piratenstück" die griechische Souveränität verletzen wollen, dann gewinne diese – oben erwähnte – Frage eine andere Dimension. Vielleicht ergebe sich am Rande der NATO-Ministerratstagung in Bonn[10] eine Gelegenheit, mit Vize-Außenminister Xanthopoulos-Palamas auch über diese Frage zu sprechen.[11]

Botschafter *Delivanis* meint, es wäre jetzt doch ein recht „schlimmer" Augenblick, nach Athen zurückzugehen.[12] Die Londoner „Times" melde am Montag, Mangakis sei mit Zustimmung der griechischen Regierung nach Deutschland ausgereist.[13] So habe er es selbst gesehen und so, habe er immer gedacht, würde es eines Tages kommen. Er habe erwartet, daß Mangakis mit einer norma-

---

10 Zur NATO-Ministerratstagung am 30./31. Mai 1972 vgl. Dok. 159.
11 Zum Gespräch des Bundesministers Scheel mit dem Staatssekretär im griechischen Außenministerium, Xanthopoulos-Palamas, am 29. Mai 1972 vgl. Dok. 152.
12 Der griechische Botschafter Delivanis wurde nach Lissabon versetzt.
13 Am 17. April wurde in der Tageszeitung „The Times" gemeldet: „Professor George-Alexander Mangakis, a prominent Greek political prisoner, serving an 18-year prison sentence for sedition, has been spirited away from Greece by the West German Government with the consent of the Greek regime. The professor and his wife were flown to Bonn last night on board a special jet aircraft sent by the West German Defence Minister. It took off from the American air base near Athens airport. Herr Peter Limbourg, the West German Ambassador, supervised the operation. [...] It is still uncertain what price the West German Government has agreed to pay for the release of Mr Mangakis. Informed sources indicated that Bonn might now be willing to resume direct military aid to Greece as well as consent to the financing of the Greek economy by the European Investment Bank. Both forms of assistance were largely suspended after the 1967 coup in Greece." Vgl. den Artikel „Greek political prisoner flown away in W[est] German jet"; THE TIMES vom 17. April 1972, S. 7.

len Linienmaschine gekommen wäre. Auch Bakojannis (Bayerischer Rundfunk) habe sich in dieser Richtung ausgedrückt.

Staatssekretär *Frank* stellt erneut fest, daß die Einzelheiten „dieser Operation" im Auswärtigen Amt nicht bekannt seien. Er wisse nicht, wieweit sie mit der Athener Regierung abgesprochen gewesen sei. Die Beteiligten müßten erst noch befragt werden. US-Botschafter Tasca (Athen) habe jede Aussage verweigert – genauso müsse man hier verfahren, andernfalls käme es zu einer Eskalation der Erklärungen. Man habe Botschafter Limbourg von einem Diner ausgeladen – Solidarisierungsabsichten wolle man jedoch nicht fördern.[14] Man tue gut daran, die Angelegenheit im menschlichen Bereich zu lassen und sie nicht zum Politikum hochzustilisieren. Ein Mensch sei nach drei Jahren Gefängnis entlassen worden und in die Freiheit abgereist ... .

Botschafter *Delivanis* weist darauf hin, daß einer solchen Interpretation doch wohl die Ausreise unter diesen Umständen im Wege stehe.

Staatssekretär *Frank* erklärt, er nehme an, daß Mangakis wohl kaum Öl ins Feuer gießen werde.

Botschafter *Delivanis* erwidert hierauf, dies habe er – im Fernsehen – leider schon getan.[15] Dabei habe er keineswegs den Eindruck eines kranken Mannes gemacht. In Athen kritisiere man, daß nur eine im Ausland bekannte Elite unter den politischen Häftlingen freigelassen werde. Man spekuliere für übermorgen (21.4. – Jahrestag des Machtwechsels in Athen 1967[16]) auf eine Generalamnestie für viele Inhaftierte.

---

[14] Botschafter Limbourg, Athen, berichtete am 18. April 1972, der österreichische Botschafter Steiner habe den Doyen des Diplomatischen Korps in Athen, den zypriotischen Botschafter Kranidiotis, gebeten, mit dem Staatssekretär im griechischen Außenministerium, Xanthopoulos-Palamas, wegen der Ausladung des Botschafters der Bundesrepublik von dem am gleichen Abend stattfindenden jährlichen Diner der in Athen akkreditierten Missionschefs Fühlung aufzunehmen. Über die Unterredung zwischen Xanthopoulos-Palamas und Kranidiotis habe Steiner ihm, Limbourg, mitgeteilt, Xanthopoulos-Palamas habe erklärt, „er könne weder eine Solidaritätskundgebung des Diplomatischen Korps akzeptieren, noch zulassen, daß ich an dem Diner teilnehme. Mein Verhalten in der bewußten Angelegenheit sei ‚punishable' und als ein schwerer Eingriff in die inneren Angelegenheiten des Gastlandes zu werten. Lediglich meine Immunität bewahre mich vor Maßnahmen griechischerseits." Vgl. den Drahtbericht Nr. 159; VS-Bd. 501 (Büro Staatssekretär); B 150, Aktenkopien 1972.
Limbourg berichtete am 19. April 1972, daß die befreundeten Botschafter westlicher Staaten, die ursprünglich erwogen hätten, „aus Gründen der Solidarität der Abendeinladung des stellvertretenden Außenministers fernzubleiben", sich angesichts der noch ungeklärten Angelegenheit doch entschieden hätten, „an Veranstaltung teilzunehmen, Xanthopoulos-Palamas gegenüber jedoch zum Ausdruck zu bringen, daß sie das gezeigte Verhalten der griechischen Regierung gegenüber einem Kollegen nicht billigen könnten". Der niederländische Botschafter Barkman habe ihm berichtet, Xanthopoulos-Palamas habe ihm gegenüber sein Bedauern darüber zum Ausdruck gebracht, „daß er die ‚Empfehlung', dem Abendessen fernzubleiben, durch einen Dritten habe übermitteln lassen, wodurch sie wohl eine unerwünschte Schärfe erhalten habe. Ihm sei es vor allem darum gegangen, einen denkbaren Zusammenstoß mit dem impulsiven Ersten stellvertretenden Ministerpräsidenten Pattakos anläßlich des Diners zu vermeiden." Vgl. den Drahtbericht Nr. 161; VS-Bd. 9806 (I A 4); B 150, Aktenkopien 1972.
[15] In der Presse wurde berichtet, Professor Mangakis habe nach seiner Ankunft in der Bundesrepublik „einen leidenschaftlichen Appell an alle ‚europäischen demokratischen Kräfte'" gerichtet, „sich für die Freilassung aller Gefangenen in Griechenland einzusetzen". Darüber hinaus habe er sich für eine „tatsächliche Aufhebung des Belagerungszustandes in Griechenland" ausgesprochen. Vgl. den Artikel „Kontroverse um Mangakis' Freilassung"; SÜDDEUTSCHE ZEITUNG vom 19. April 1972, S. 10.
[16] In der Nacht vom 20. zum 21. April 1967 kam es in Griechenland zu einem Putsch der Armee.

Staatssekretär *Frank* fordert den Botschafter auf, so zu berichten, daß eine Beruhigung möglich wird. Trotz zahlreicher Presseanfragen habe man in Bonn stets erklärt, das Auswärtige Amt sehe keinen Anlaß zur Stellungnahme. Die übertriebene Beteiligung der Öffentlichkeit mache bald ein direktes Gespräch von Regierung zu Regierung unmöglich. Niemand in Bonn nehme diese Angelegenheit auf die leichte Schulter; andererseits müsse man sie unter Kontrolle halten. Er – Staatssekretär Frank – sei bereit, die für einen späteren Zeitpunkt vorgesehene Konsultation in Athen vorzuziehen[17] – seine Reise nach Athen sei allerdings nicht als Canossa-Gang zu verstehen. Das Essentielle der deutsch-griechischen Beziehungen müsse unberührt bleiben. Der Fall Mangakis dürfe auf keinen Fall diese Beziehungen beeinträchtigen. Was die zu Ende gehende Tätigkeit des Botschafters angehe, so habe er immer den Eindruck gehabt, daß beide Seiten mit verschiedenen Rollen stets versucht hätten, „die Dinge im Griff zu behalten". Nur in einer Atmosphäre der Ruhe werde dies weiterhin möglich sein.[18]

VS-Bd. 9806 (I A 4)

---

[17] Staatssekretär Frank hielt sich am 27./28. September 1972 in Griechenland auf. Vgl. dazu Dok. 303.
[18] Ministerialdirektor von Staden vermerkte am 21. April 1972, der griechische Botschafter habe am Vorabend Bundesminister Scheel aufgesucht, „um auf Weisung seiner Regierung sofortige Abberufung von Botschafter Limbourg aus Athen zu verlangen. Herr Delivanis, der sich in persönlich liebenswürdiger Form äußerte, bezeichnete den zugrundeliegenden Vorgang als unverständlich und rügte weisungsgemäß die Verletzung der griechischen Souveränität. Das Schlimmste sei die Anwesenheit des deutschen Botschafters auf dem Flugplatz gewesen. Wie der Botschafter weiter ausführte, war das in Frage stehende Bundeswehrflugzeug als Kurierflugzeug gemeldet worden. Man habe, wie der Botschafter fortfuhr, nicht erwartet, daß die Sache so weit gehen würde." Vgl. Referat I A 4, Bd. 435.
Am 24. April 1972 wurde in der Presse berichtet, daß die griechische Regierung nicht mehr auf einer sofortigen Abreise von Limbourg bestehe. Vgl. die Meldung „Limbourg muß nicht kurzfristig abreisen"; FRANKFURTER ALLGEMEINE ZEITUNG vom 24. April 1972, S. 1.
Limbourg verließ Athen am 6. Mai 1972.

103

Generalkonsul Scheel, Helsinki, an das Auswärtige Amt

Z B 6-1-12185/72 VS-vertraulich　　　　　　Aufgabe: 19. April 1972, 15.55 Uhr[1]
Fernschreiben Nr. 115　　　　　　　　　　Ankunft: 20. April 1972, 11.02 Uhr

Betr.:　Gespräch Generalkonsul Scheel mit Staatspräsident Kekkonen

Bezug: Drahterlaß Nr. 58 vom 17.4.1972 – I A 5-82.00/0-94.06[2]

I. Die gestrige Unterredung mit Präsident Kekkonen verlief in einer guten Atmosphäre. Nachdem ich mich für die Gelegenheit bedankt hatte, Kekkonen unseren Standpunkt darzulegen, schilderte ich unsere derzeitige Situation in Anlehnung an die Rede des Herrn Bundesministers vor dem Auswärtigen Ausschuß am 6. März 1972[3] und erläuterte, warum wir auf die finnische Initiative vom 10.9.1971[4] nicht in dem von Finnland gewünschten Sinn eingehen können.

Kekkonen gab anschließend eine Darstellung der Gesichtspunkte, nach denen die finnische Regierung ihr Verhalten in der Deutschlandfrage einrichten müsse. Finnland, obwohl ein Staat mit westlicher Regierungs- und Wirtschaftsform, befinde sich in der bekannten Ausnahmesituation am Rande des Ostblocks. Daher das Prinzip der Gleichbehandlung der beiden deutschen Staaten. Er erläuterte dabei, ohne darauf Bezug zu nehmen, seine Rede vom 27. März 1972[5], indem er ausführte, wie sich das Verhältnis der beiden deutschen Staa-

---

[1] Hat Vortragendem Legationsrat I. Klasse Thomas am 25. April 1972 vorgelegen.
[2] Ministerialdirektor von Staden übermittelte für das bevorstehende Gespräch des Generalkonsuls Scheel, Helsinki, mit Präsident Kekkonen eine Sprachregelung zur Initiative der finnischen Regierung vom 10. September 1971 und zu den Verhandlungen zwischen Finnland und der EWG sowie zur Europäischen Sicherheitskonferenz. Vgl. Referat I A 5, Bd. 419.
[3] Zu den Ausführungen des Bundesministers Scheel am 6./7. März 1972 im Auswärtigen Ausschuß des Bundestags vgl. Dok. 55, Anm. 2.
[4] Zur Initiative der finnischen Regierung vom 10. September 1971 vgl. Dok. 9, besonders Anm. 4.
[5] Präsident Kekkonen erklärte am 27. März 1972 vor der Vollversammlung des Ökumenischen Arbeitskreises für Information in Helsinki, Finnland besitze eine besondere Voraussetzung, um als Gastgeberland für die Europäische Sicherheitskonferenz aufzutreten: „Diese Voraussetzung sind unsere gleichmäßigen und neutralen Beziehungen zum Herzgebiet der Probleme in Europa, zu den beiden Erben des ehemaligen Deutschen Reichs. Die Vertretung der Deutschen Demokratischen Republik und der Bundesrepublik Deutschland sind in unserem Land auf derselben Ebene. Die finnische Regierung unterhält gute offizielle Beziehungen zu beiden Staaten Deutschlands und behandelt sie gleichwertig." Finnland werde von der Deutschen Frage unmittelbar berührt: „Aus von uns unabhängigen Gründen werden unsere Beziehungen zu den deutschen Staaten durch eine provisorische Lösung geregelt. In den Beziehungen zwischen Finnland und den beiden deutschen Staaten muß eine gerechte, ausgewogene und dauerhafte Klärung erfolgen, die das gesamte Erbe des Zweiten Weltkriegs in Betracht zieht." Die finnische Regierung sei sich bewußt, „wie es die Regierungen aller Länder tun, daß das Endergebnis der Entwicklung in der Deutschen Frage zwei deutsche Staaten sein wird, deren Beziehungen zur Außenwelt den allgemeinen Formen internationaler Praxis entsprechen. Aufgabe der finnischen Regierung ist es, diese Frage auf eine Weise zu behandeln, die mit dem allgemeinen Entwicklungsprozeß in Europa übereinstimmt und den Anforderungen der finnischen Neutralitätspolitik sowie den für gut befundenen Grundprinzipien unserer bisherigen Deutschland-Politik entspricht. [...] Auch in der Zukunft wissen wir wohl selbst am besten, was unseren Bedürfnissen entspricht, und wir sind in der Lage, unser Verhältnis zu den beiden Deutschlands in Verbindung und parallel mit dem europäischen Verhandlungsprozeß zu entscheiden, nicht an ihn gebunden, aber doch in Übereinstimmung mit ihm, und

ten zueinander entwickeln würde, sei einstweilen noch völlig offen (s. auch Drahtbericht Nr. 108 vom 12.4.72 VS-v[6]). Kekkonen lobte nachdrücklich die Entspannungspolitik der Bundesregierung, die er zu unterstützen und nicht zu stören beabsichtige. Finnland stelle deshalb seine Bemühungen in eigener Sache zurück. Er sei im übrigen über unsere Reaktion auf die finnische Initiative keineswegs, wie in der deutschen Presse behauptet worden sei, verstimmt gewesen oder habe sie gar als Niederlage empfunden. Wörtlich fügte er hinzu: Nichts ist anders gelaufen, als wir uns vorgestellt hatten. Er betonte stark, daß die Sowjetunion weder hinter der finnischen Initiative gestanden noch sich darüber irritiert gezeigt habe. Mit dem größten Interesse verfolge Finnland das Schicksal der Ostverträge. Man sei beunruhigt bei dem Gedanken, daß sie etwa nicht ratifiziert werden könnten. Auch nach der Ratifizierung werde es naturgemäß noch lange dauern, bis alle offenen Fragen zwischen der Bundesrepublik und der DDR gelöst seien. Wie lange Finnland die Entwicklung dieses Prozesses abwarten und wie es weiter agieren werde, könne er beim besten Willen heute noch nicht sagen. Jedenfalls hätte die Aktivität der DDR (zur Zeit findet in Finnland ein „Monat der Anerkennung der DDR" statt) keinen Einfluß auf die Beschlüsse der finnischen Regierung. Bei Nichtratifizierung der Ostverträge ergebe sich eine völlig neue Situation, die eine völlig neue Beurteilung erfordern werde.

Ich dankte dem Präsidenten für seine Ausführungen und wies darauf hin, daß die Bundesregierung keineswegs einseitig nur von Finnland etwas verlange. Sie habe trotz der Schwierigkeiten, die die finnische Initiative ihr bereitet hätte, nicht aufgehört, sich zum Anwalt der finnischen Interessen gegenüber der EWG zu machen, und beabsichtige, dies auch in Zukunft zu tun. Kekkonen nahm dies mit großer Befriedigung zur Kenntnis. Über Einzelheiten ist nicht gesprochen worden.

Besorgt zeigte sich Kekkonen über Pressemeldungen, wonach die Bundesregierung im Falle eines einseitigen Vorgehens Finnlands in der Deutschlandfrage sich weigern würde, zur KSZE nach Helsinki zu kommen, und auch ihre Verbündeten entsprechend beeinflussen wolle. Ich erwiderte, in dieser Form hätte sich die Bundesregierung nie geäußert. Allerdings seien derartige Äußerungen aus den Reihen der Opposition bekannt geworden. Kekkonen betonte, selbst-

Fortsetzung Fußnote von Seite 424
wir kommen hinsichtlich einer friedlichen Entwicklung und den Erfordernissen unserer eigenen Politik zu einem befriedigenden Ergebnis." Vgl. den Drahtbericht Nr. 87 des Generalkonsuls Hauber, Helsinki, vom 27. März 1972; Referat I A 5, Bd. 419.

[6] Generalkonsul Scheel, Helsinki, berichtete über ein Gespräch mit dem finnischen Außenminister Sorsa, bei dem ein Non-paper der finnischen Regierung übergeben worden sei. Dieses enthielt die Stellungnahme zur Reaktion der Bundesregierung auf die Initiative der finnischen Regierung vom 10. September 1971, wie sie von Scheel im Gespräch mit dem finnischen Außenminister Mattila am 21. Februar 1972 mitgeteilt worden sei. Finnland sei dem Vorschlag der Bundesregierung entsprechend seinerseits bereit, „den Gedankenaustausch zwischen Finnland und der Bundesrepublik Deutschland solcherweise zu erweitern, daß der Leiter der Handelsvertretung der Bundesrepublik Deutschland in Finnland, Herr Generalkonsul Scheel, im Namen der Bundesregierung in Helsinki mit Vertretern des Ministeriums für Auswärtiges klärende Gespräche über Fragen führen würde, deren Gegenstand eine weitere Klärung der in der bekannten Initiative Finnlands enthaltenen Grundprobleme sowie die Problematik der Konferenz für Sicherheit und Zusammenarbeit in Europa sein soll. Vertreter des Ministeriums für Auswärtiges Finnlands sind unmittelbar bereit, solche Gespräche zu beginnen." Vgl. VS-Bd. 8589 (II A 3); B 150, Aktenkopien 1972.
Zum Gespräch zwischen Scheel und Mattila vgl. Dok. 9, Anm. 27.

verständlich sei die Konferenz auch dann wünschenswert, wenn sie nicht in Helsinki stattfinde.

Kekkonen schloß die Unterredung mit der Feststellung, daß er ein klares Bild von der Haltung der Bundesregierung gegenüber der finnischen Initiative habe und seinerseits versucht habe, den finnischen Standpunkt zu erläutern. Er sagte mir auf meine Bitte zu, mich zu einem Gespräch im gleichen Rahmen zu empfangen, falls und bevor die finnische Regierung in der Deutschlandfrage erneut tätig werde. Im übrigen wurde vereinbart, die Tatsache der Unterredung und ihren Inhalt vertraulich zu behandeln.

II. Kekkonen machte einen sehr frischen und ausgeruhten Eindruck. Behauptungen seiner Gegner, er sei den Anforderungen seines Amts nicht mehr gewachsen, schienen mir, jedenfalls soweit man es nach einer dreiviertelstündigen Unterredung beurteilen kann, abwegig. Er hat gestern öffentlich seine Bereitschaft erklärt, das Amt auch nach Ablauf der jetzigen Periode im Jahre 1974 weiter auszuüben.

In der Sache ist Kekkonen meines Erachtens uns so weit entgegengekommen wie möglich. Seine Versicherung, selbst noch nicht zu wissen, wie Finnland im einen oder anderen Falle entscheiden werde, muß natürlich cum grano salis verstanden werden. Daß er, jedenfalls in Gedanken, ein einseitiges Vorgehen nicht völlig ausschließt, beweist sein Interesse für die Frage, ob die Bundesregierung im Falle eines solchen noch zur KSE nach Helsinki kommen würde. Seine Zusage, bis zum Abschluß des Ratifizierungsverfahrens[7] stillzuhalten, kann jedenfalls wohl als verbindlich angesehen werden. Für die Folgezeit scheint mir die Erwartung gerechtfertigt, daß Finnland in eine positive Entwicklung nicht störend eingreifen möchte. Allerdings ließ Kekkonen durchblicken, daß Finnland mit der Regelung seiner Beziehungen zu den beiden deutschen Staaten nicht so lange werde warten können wie etwa die Alliierten. Finnland möchte nicht als letzter den Anerkennungszug besteigen. Es wird nach eigenem Ermessen entscheiden, wann es dazu Zeit ist.

Über die Weiterführung der Informationsgespräche mit dem Außenministerium im Zusammenhang mit der finnischen Initiative ist nicht gesprochen worden. Über den nur bedingten Wert dieser Gespräche scheint Kekkonen sich völlig im klaren zu sein.

III. Am 14.4.1972 erschien in der Wochenzeitung Suomen Kuvalehti, in der Kekkonen selbst gelegentlich unter dem Pseudonym „Liimatainen" schreibt, ein Artikel zur Deutschlandfrage unter einem erst kürzlich aufgetauchten Pseudonym „Veikko Viisi". Wer unter diesem Namen schreibt, hat sich bisher nicht feststellen lassen. Es fiel auf, daß Kekkonen während unseres Gesprächs teilweise Gedankengänge und sogar Formulierungen verwendete, die denen des Artikels entsprachen. Allerdings geht der Artikel in den Erwägungen, was nach einem etwaigen Scheitern des Ratifizierungsverfahrens zu geschehen habe, über Kekkonens Ausführungen hinaus. Es heißt in dem Artikel: „Die Einschätzung der europäischen Lage, die Ausgangspunkt der finnischen Initiative vom letzten September war, gilt dann nicht mehr. Die deutsche Anerkennungs-

---

[7] Zum Stand des Ratifikationsverfahrens zum Moskauer Vertrag vom 12. August 1970 und zum Warschauer Vertrag vom 7. Dezember 1970 vgl. Dok. 55, Anm. 2.

frage bleibt dann als Symbol eines Streites, zu dem das neutrale Finnland nicht Stellung nehmen kann."

Vollständiger Wortlaut des Artikels in Übersetzung folgt mit besonderem Pressetelegramm.[8]

Es bleibt zu hoffen, daß Kekkonen seine Zusage wahrmachen wird, mich vor einem neuen Tätigwerden der finnischen Regierung in der Deutschlandfrage zu empfangen. Ich halte es in diesem Zusammenhang für besonders wichtig, daß die vereinbarte vertrauliche Behandlung gewahrt bleibt.

[gez.] Scheel

VS-Bd. 9819 (I A 5)

104

Gespräch des Bundeskanzlers Brandt mit Premierminister Heath in London

Z A 5-26.A/72 geheim 20. April 1972[1]

Der Herr Bundeskanzler traf am 20. April 1972 um 16.00 Uhr in 10 Downing Street mit dem britischen Premierminister Herrn Edward Heath zu einem Vier-Augen-Gespräch zusammen.[2]

Der *Premierminister* sagte einleitend, er sei daran interessiert zu erfahren, wie sich die Ostpolitik weiter entwickeln werde. Seine Regierung habe den Bundeskanzler in dieser Politik immer unterstützt und halte sie für richtig. Man verfolge die Entwicklung mit Interesse, und er würde es begrüßen, wenn die Berlin-Vereinbarung[3] unterzeichnet würde, wozu seine Regierung bereit sei.

Der Herr *Bundeskanzler* führte aus, er habe keinen Zweifel, daß die Verträge ratifiziert würden.[4] Er glaube nicht, daß der Bundesrat, selbst wenn die CDU

---

[8] Generalkonsul Scheel übermittelte den Wortlaut des Artikels in der Wochenzeitung „Suomen Kuvalehti" mit Drahtbericht Nr. 116 vom 20. April 1972. In dem Artikel wurde zur Initiative der finnischen Regierung vom 10. September 1971 ausgeführt: „Wenn wir jetzt die Grundsätze der Gleichzeitigkeit und der Gleichbehandlung aufgeben und einseitig einen Anerkennungsvertrag mit Ostdeutschland schließen würden, so würden nicht nur unsere Beziehungen zu Westdeutschland Schaden leiden, sondern unsere Neutralitätsposition verlöre ihren Boden. Der Westen würde danach gewiß nicht mehr Helsinki als Gastgeberstadt der KSE gutheißen." Vgl. Referat I A 5, Bd. 419.

[1] Ablichtung.
Die Gesprächsaufzeichnung wurde von Vortragendem Legationsrat I. Klasse Weber am 24. April 1972 gefertigt.

[2] Bundeskanzler Brandt hielt sich vom 20. bis 22. April 1972 in Großbritannien auf. Vgl. dazu auch Dok. 109.

[3] Für den Wortlaut des Vier-Mächte-Abkommens über Berlin vom 3. September 1971 vgl. EUROPA-ARCHIV 1971, D 443–453.

[4] Zum Stand des Ratifizierungsverfahrens zum Moskauer Vertrag vom 12. August 1970 und zum Warschauer Vertrag vom 7. Dezember 1970 vgl. Dok. 55, Anm. 2.

die Wahlen in Baden-Württemberg⁵ gewinne, die Verträge zurückweisen werde, wenn die Regierung 249 Stimmen bekomme. Möglicherweise werde der Bundesrat eine gewisse Besorgnis zum Ausdruck bringen, und selbst wenn er die Verträge zurückweise, werde dies die Ratifizierung nur um einige Wochen hinausschieben. Es gebe in der CDU einige Abgeordnete, die, wenngleich sie nicht mit dem gesamten Inhalt der Verträge einverstanden seien, dennoch für die Ratifizierung seien. Die Haltung der Opposition bestimme sich durch die Einstellung zur Thematik als solcher, doch gehe es ihr auch um einen verständlichen innenpolitischen Machtkampf. Die Ostpolitik werde als Thema auch nach Ratifizierung der Verträge nicht verschwinden.

Die Frage des *Premierministers*, ob sie auch im Wahlkampf 1973⁶ ein wichtiges Thema sein werde, bejahte der Herr *Bundeskanzler*. Die Opposition werde auf dieser Grundlage weiterarbeiten.

Der *Premierminister* fragte sodann, wann die Ratifizierung abgeschlossen sein werde.

Wie der Herr *Bundeskanzler* ausführte, sei der Abend des 4. Mai das entscheidende Datum. Er rechne mit 249 Stimmen, wobei er nicht annehme, daß 246 Stimmen gegen die Verträge abgegeben würden.⁷ Einige Mitglieder der Opposition würden, zumindest was den Vertrag mit Polen angehe, krank sein. Sollte der Bundesrat ein Veto einlegen, so werde das Verfahren Mitte Juni abgeschlossen sein. Ein wichtiger Aspekt dieser Frage betreffe die Reise Präsident Nixons nach Moskau.⁸ Er habe ihn (Bundeskanzler) darauf angesprochen, weil er die Russen fragen wolle, wann das Berlin-Abkommen unterzeichnet werden könne. Da die Russen aber nun einmal das Junktim hergestellt hätten⁹, lasse es sich nicht einfach auflösen.

Zu den Folgen der Verträge führte der Herr Bundeskanzler aus, daß sich im handelspolitischen Bereich gewisse Verbesserungen ergeben könnten. Derzeit befände sich eine kleine sowjetische Wirtschaftskommission in der Bundesrepublik.¹⁰ Das derzeitige Handelsvolumen mit der Sowjetunion belaufe sich auf

---

5 Die Wahlen zum baden-württembergischen Landtag fanden am 23. April 1972 statt. Auf die CDU entfielen 52,9 Prozent, auf die SPD 37,6 Prozent und auf FDP/DVP 8,9 Prozent der Stimmen.
6 Im Oktober 1973 sollten turnusgemäß die Wahlen zum Bundestag stattfinden.
7 Am 4. Mai 1972 sollte die zweite Lesung der Gesetze zum Moskauer Vertrag vom 12. August 1970 und zum Warschauer Vertrag vom 7. Dezember 1970 im Bundestag stattfinden. Sie wurde auf den 10. Mai 1972 verschoben. Vgl. dazu Dok. 115 und Dok. 117.
8 Präsident Nixon besuchte die UdSSR vom 22. bis 29. Mai 1972. Vgl. dazu Dok. 149 und Dok. 161.
9 Zum sowjetischen Gegenjunktim zwischen der Ratifizierung des Moskauer Vertrags vom 12. August 1970 und der Unterzeichnung des Schlußprotokolls zum Vier-Mächte-Abkommen über Berlin vgl. Dok. 28, Anm. 13.
10 Eine sowjetische Wirtschaftsdelegation hielt sich anläßlich der konstituierenden Sitzung der Kommission der Bundesrepublik und der UdSSR für wirtschaftliche und wissenschaftlich-technische Zusammenarbeit am 19. April 1972 in Bonn auf. Vgl. dazu Dok. 114, Anm. 12.
Anschließend besuchte die Hannover-Messe, die vom 20. bis 28. April 1972 stattfand. In der Presse wurde dazu gemeldet: „Abseits der Messe wird in den großen Hotels von Hannover weiter über Ostgeschäfte verhandelt. Die russische Delegation unter Leitung des Stellvertretenden Ministerpräsidenten Nowikow sucht in Hannover Kontakte mit deutschen Industriellen, vor allem, um die Industrie zu Investitionen in der Sowjetunion zu animieren. Die Verhandlungen werden am Wochenende auch mit Vertretern der Bundesregierung in Hannover fortgesetzt. Aus Kreisen der Gesprächsteilnehmer ist zu hören, daß die Sowjetunion Milliarden für die Erschließung von Rohstoffvorkommen sucht." Vgl. den Artikel „Die Messe in Hannover kommt auf Touren"; FRANKFURTER ALLGEMEINE ZEITUNG vom 22. April 1972, S. 17.

1,2 % unseres gesamten Außenhandels, und selbst wenn im Verlauf der nächsten Jahre diese Zahl verdoppelt werden sollte, so sei sie noch nicht höher als die unseres Handelsvolumens mit Luxemburg.

Was die Tschechoslowakei angehe, so seien die Sondierungsgespräche im Augenblick aufgeschoben.[11] In Gromykos Rede anläßlich der Ratifizierungsdebatte in Moskau sei ein interessantes Element enthalten gewesen, das nach deutscher Interpretation eine gewisse Neigung der Sowjets erkennen lasse, der starren Linie nicht mehr länger zu folgen.[12] Man nehme an, daß die Sowjets den Tschechen entsprechende Empfehlungen gegeben hätten. Die Bundesregierung könne eine ex-tunc-Lösung nicht akzeptieren. Man sei bereit, das Vorgehen Hitlers gegenüber der Tschechoslowakei als Unrecht zu qualifizieren, doch habe das Abkommen für die Betroffenen juristische Folgen gehabt. Falls die Tschechen eine etwas flexiblere Haltung einnähmen, werde bald ein Abkommen möglich sein.

Am schwierigsten sei die Situation im Verhältnis zur DDR. Bei der Ausarbeitung eines allgemeinen Verkehrsvertrags seien gewisse Fortschritte erzielt worden. Hierbei handelt es sich um die erste offizielle Vereinbarung zwischen den beiden Regierungen, von den Zusatzvereinbarungen zur Ausfüllung des Vier-Mächte-Abkommens[13] abgesehen. Der Vertrag werde auf den von ihm behandelten Gebieten einige Verbesserungen bringen. Zwei Bereiche seien noch offen: einmal, wie Berlin im Rahmen des Vertrages behandelt werden solle, und zum anderen die äußere Form des Vertrags. Die Ostdeutschen wollten ihm einen feierlichen Charakter geben, wogegen wir ihn in etwas bescheidenerer Form präsentieren wollten. Er glaube, daß die noch offenen Fragen vielleicht noch vor dem Sommer gelöst werden könnten.

---

[11] Gespräche zwischen der Bundesrepublik und der ČSSR über eine Verbesserung des bilateralen Verhältnisses fanden vom 31. März bis 1. April 1971 in Prag, am 13./14. Mai in Bonn, am 27./28. September in Prag und am 18./19. November 1971 in Rothenburg ob der Tauber statt. Vgl. dazu zuletzt AAPD 1971, III, Dok. 398.
Die Gespräche wurden am 29. Juni 1972 wiederaufgenommen. Vgl. dazu Dok. 192.

[12] Über die Ausführungen des sowjetischen Außenministers Gromyko am 12. April 1972 vor den Kommissionen für auswärtige Angelegenheiten des Unions- und des Nationalitätenrats des Obersten Sowjet zur ČSSR wurde in der Presse berichtet: „Der Meinungsaustausch zwischen der BRD und der ČSSR zu Fragen ihrer Beziehungen wird fortgeführt. Vor allem werden Fragen behandelt, die die Nichtigkeit des Münchener Abkommens betreffen, das der erste große Aggressionsakt Hitlerdeutschlands, gewissermaßen die Schwelle zum Zweiten Weltkrieg, war." Für den Bericht über die Beratungen vgl. den Artikel „V interesach narodov Evropy"; PRAVDA vom 13. April 1972, S. 2. Für den deutschen Wortlaut vgl. EUROPA-ARCHIV 1972, D 309–314.
Botschafter Sahm, Moskau, wies am 17. April 1972 darauf hin, daß Gromyko hinsichtlich der Charakterisierung des Münchener Abkommens vom 29. September 1938 vom bisher üblichen Sprachgebrauch abgewichen sei: „Die Sowjets haben sich und die Tschechoslowakei im Vertrag vom 6. Mai 1970 auf die Qualifizierung des Münchener Abkommens als ‚ungültig von Anfang an mit allen sich daraus ergebenden Folgen' festgelegt. Nachdem in letzter Zeit in offiziellen Verlautbarungen der Zusatz ‚mit allen sich daraus ergebenden Folgen' fallengelassen worden war, vermeidet Gromyko jetzt auch, von der Nichtigkeit ex tunc zu sprechen. Er greift auch nicht den Text der Absichtserklärung – ‚daß die mit der Ungültigkeit des Münchener Abkommens verbundenen Fragen ... in einer für beide Seiten annehmbaren Form geregelt werden sollen' – auf, sondern beschränkt sich darauf, das Münchener Abkommen als den ersten Akt der Aggression Hitlerdeutschlands zu bezeichnen." Vgl. den Drahtbericht Nr. 987; Referat 214, Bd. 1492.

[13] Zu den im Schlußprotokoll zum Vier-Mächte-Abkommen über Berlin vom 3. September 1972 genannten ergänzenden Vereinbarungen zwischen der DDR und der Bundesrepublik bzw. dem Senat von Berlin vgl. Dok. 9, Anm. 14.

Man habe Grund zu der Annahme, daß die DDR Maßnahmen durchführen werde, die menschliche Erleichterungen brächten. Dies sei eine seiner Schwierigkeiten mit Herrn Barzel, der darüber eine vertragliche Vereinbarung wolle. Er selbst halte das für unmöglich und glaube, man könne diese Erleichterungen nur im Zusammenhang mit dem Verkehrsvertrag bekommen, da die DDR sie allein aufgrund ihrer eigenen Souveränität gewähren wolle. Zu diesen Erleichterungen werde, wie man hoffe, für Reisen in die Bundesrepublik eine Herabsetzung der Altersgrenze von 65 bzw. 60 auf 55 bzw. 50 Jahre gehören. Die Russen hätten zu verstehen gegeben, daß Honecker bei seinem Besuch in Moskau[14] auf drei Gebieten Bereitschaft zu größerer Kooperation gezeigt habe: Besucher aus der Bundesrepublik sollten künftig nicht nur einmal, sondern dreimal in die DDR reisen dürfen; es dürften nicht nur Verwandte, sondern auch Bekannte besucht werden; in gewissem Umfang sollte der Tourismus ausgeweitet werden. Diese Maßnahmen wären sehr nützlich, denn sie trügen dazu bei, die menschlichen Verbindungen aufrechtzuerhalten. Vor kurzem habe nun Honecker in Sofia eine Erklärung über einen Grundvertrag abgegeben, ohne dieses Wort zu benutzen.[15] Man habe deutscherseits gewußt, daß bei dieser Gelegenheit etwas gesagt würde. Die Äußerung Honeckers komme der eigenen Interpretation nahe, und er habe einige Formulierungen benutzt, die er selbst (Bundeskanzler) im Jahre 1970 Stoph gegenüber[16] gebraucht habe.

Es werde nicht einfach sein, diesen Vertrag auszuhandeln. Nach seiner Vorstellung müsse eine Form gefunden werden, die es beiden Seiten trotz aller Schwierigkeiten erlaube, die Situation der beiden deutschen Staaten in einem friedensvertraglosen Zustand sowie die Situation Berlins zu erläutern und gleichzeitig normale Beziehungen herzustellen. In diesem Zusammenhang könne auch über die deutsche Mitwirkung in internationalen Organisationen gesprochen werden.

Er rechne damit, daß es einige Monate dauern werde, einen solchen Grundvertrag auszuhandeln. Deswegen stelle sich aus verschiedenen Gründen die Frage des Beitritts der beiden deutschen Staaten zu den Vereinten Nationen nicht mehr im Jahre 1972. Nach dem Grundgesetz müsse für diesen Zweck ein Gesetz verabschiedet werden.[17] Die Frage des deutschen Beitritts werde sich so-

---

[14] Der Erste Sekretär des ZK der SED, Honecker, hielt sich vom 4. bis 10. April 1972 in Moskau auf. Vgl. dazu den Artikel „Ergebnisreiches Treffen zwischen Erich Honecker und Leonid Breshnew"; NEUES DEUTSCHLAND vom 11. April 1972, S. 1.

[15] Am 18. April 1972 erklärte der Erste Sekretär des ZK der SED, Honecker, während eines Aufenthaltes in Sofia: „Die Deutsche Demokratische Republik ist bereit, nach der Ratifizierung der Verträge zwischen der UdSSR und der VR Polen mit der BRD in einen Meinungsaustausch über die Herstellung normaler Beziehungen zwischen der Deutschen Demokratischen Republik und der Bundesrepublik Deutschland einzutreten und die hierfür erforderlichen völkerrechtsmäßigen Vereinbarungen zu treffen. Es könnte eine Entwicklung eingeleitet werden – das möchte ich hier ausdrücklich wiederholen –, die zu einem friedlichen Nebeneinander zwischen der DDR und der BRD führt, zu normalen gutnachbarlichen Beziehungen mit dem Ausblick zu einem Miteinander im Interesse des Friedens, im Interesse der Bürger beider Staaten." Vgl. HONECKER, Reden, Bd. 1, S. 502 f.

[16] Bundeskanzler Brandt traf am 19. März 1970 in Erfurt sowie am 21. Mai 1970 in Kassel mit dem Vorsitzenden des Ministerrats der DDR, Stoph, zusammen. Vgl. dazu AAPD 1970, I, Dok. 124 bzw. AAPD 1970, II, Dok. 226.

[17] Vgl. dazu Artikel 59 des Grundgesetzes vom 23. Mai 1949; Dok. 57, Anm. 6.

mit erst für die Generalversammlung 1973[18] stellen. Dies bedeute, daß die Bürde, die man den Freunden und Verbündeten auferlege, ihnen noch nicht abgenommen werden könne. Er denke dabei insbesondere an die WHO[19] und die Stockholmer Umweltkonferenz[20]. Er bedaure, daß sich dieses Problem noch stelle, und danke für die große Unterstützung, welche die britische Regierung bisher der Bundesregierung habe zuteil werden lassen. Er würde es begrüßen und wäre dankbar, wenn die britische Regierung diese Unterstützung auch weiterhin gäbe. Insbesondere wisse man auch den britischen Anteil am Zustandekommen der Berlin-Vereinbarungen zu schätzen. Sir Roger Jackling habe in kritischen Augenblicken der Verhandlung eine wichtige Rolle gespielt.

Der *Premierminister* fragte, welche Mindestvoraussetzungen erfüllt sein müßten, bevor an einen Beitritt der beiden deutschen Staaten zu den VN gedacht werden könne.

Der Herr *Bundeskanzler* sagte, es müßte etwas mehr Freizügigkeit für die Menschen geben. Sodann müßte die Grundvereinbarung in einen Rahmen gestellt werden, durch den die Spaltung Deutschlands nicht akzeptiert werde; andererseits müsse diese Vereinbarung aber die gleiche Form erhalten wie sonstige völkerrechtliche Verträge. Dies sei ein schwieriges Problem. Im Gegensatz zur Bundesregierung, die auch Elemente in eine Vereinbarung aufgenommen sehen wolle, die sich aus der Tatsache ergäben, daß ein Friedensvertrag nicht bestehe, wolle die DDR ein Höchstmaß an „Normalität" herstellen und den Eindruck erwecken, als ob sie allein über den weiteren Gang der Entwicklung entscheiden könne. In diesem Zusammenhang würden sich eine Reihe von Fragen stellen. Eine Konsequenz sei beispielsweise, daß dann die Bundesrepublik nicht mehr allein für die Folgen der Handlungen des früheren Reichs verantwortlich sei. In diesem Zusammenhang erwähnte der Herr Bundeskanzler die finnischen Überlegungen und die dabei angesprochene Reparationsfrage.[21]

Der *Premierminister* fragte, ob nach der Ratifizierung und der Unterzeichnung des Berlin-Abkommens nicht für viele Länder die Versuchung einer Anerkennung der DDR groß sei. Wenn die DDR erst einmal anerkannt sei, könne man ihr nur schwerlich die Unterstützung vorenthalten. Damit könne ein ganzer Prozeß in Bewegung gesetzt werden, der möglicherweise den Verhandlungsspielraum der Bundesrepublik einenge.

Der Herr *Bundeskanzler* sagte, es gebe 30 bis 35 Staaten in der ganzen Welt, die in den kommenden Monaten die DDR möglicherweise anerkennen würden. Einige würden dies schrittweise tun, und einige neutrale würden nicht unverzüglich diplomatische Beziehungen herstellen, sondern zunächst Handelsmissionen oder Konsulate errichten. Die Schweden dürften wahrscheinlich ihre Handelsmission formalisieren, wogegen Indien wahrscheinlich darüber hinausgehen werde, da sich Frau Gandhi erheblichem Druck ausgesetzt sehe.[22]

---

18 Die XXVIII. Generalversammlung der UNO fand von 18. September bis 18. Dezember 1973 statt.
19 Die 25. WHO-Versammlung fand vom 9. bis 26. Mai 1972 in Genf statt.
20 Die UNO-Umweltkonferenz fand vom 5. bis 16. Juni 1972 in Stockholm statt. Vgl. dazu Dok. 180.
21 Vgl. dazu Artikel 6 des Vertragsentwurfs der finnischen Regierung, der am 10. September 1971 Generalkonsul Scheel, Helsinki, übergeben wurde; Dok. 9, Anm. 24.
22 Zu einer möglichen Anerkennung der DDR durch Indien vgl. Dok. 122.

Dennoch bleibe genügend Verhandlungsspielraum, weil die DDR die Aufnahme in die Vereinten Nationen wünsche. Er verstehe das nicht unbedingt und sehe auch nicht notwendigerweise einen Vorteil darin, doch erblicke man in Ostberlin in der UNO-Mitgliedschaft die Krone.

Die Frage des *Premierministers*, wie die Reaktion der arabischen Länder sein werde, beantwortete der Herr *Bundeskanzler* mit dem Hinweis, daß es in diesem Fall umgekehrt sei. Es stelle sich kein neues Problem, da die meisten bereits Beziehungen mit der DDR hergestellt hätten. In jüngster Zeit hätten Algerien[23], der Sudan[24] und der Libanon[25] die Beziehungen wiederhergestellt. Im Falle Ägyptens sehe es so aus, daß bald mit der Wiederaufnahme von Beziehungen gerechnet werden könne.[26] Im Irak sei die Situation schwieriger.[27]

Der *Premierminister* fragte sodann, ob es seitens der Sowjetunion eine Zusage an die DDR gebe, sie erforderlichenfalls auch allein in die Vereinten Nationen zu bringen.

Der Herr *Bundeskanzler* antwortete, daß sein Gespräch mit Breschnew im September 1971[28] keinen derartigen Hinweis enthalten habe. Sollte die Ratifizierung aber mehr Zeit in Anspruch nehmen, so sei es denkbar, daß sich die Russen dafür einsetzten, der DDR den gleichen Beobachterstatus zu verschaffen, wie ihn die Bundesrepublik bereits habe. Er glaube aber nicht, daß sich die Sowjets für die alleinige Mitgliedschaft der DDR stark machen würden.

Die Frage des *Premierministers*, ob der Herr *Bundeskanzler* glaube, die Situation bis 1973 halten zu können, bejahte er. Aus praktischen Gründen sehe er keine andere Möglichkeit, denn der Grundvertrag und das im Bundestag erforderliche Gesetz könnten nicht in diesem Jahr unter Dach und Fach gebracht werden. Wenn beide deutsche Staaten Mitglieder der Vereinten Nationen seien, entstünden zwar einige neue Probleme, gleichzeitig entfielen aber auch einige Schwierigkeiten. Bisher sei ein zu großer Teil der Außenpolitik darauf

---

[23] Die diplomatischen Beziehungen zwischen der Bundesrepublik und Algerien wurden am 21. Dezember 1971 wieder aufgenommen. Vgl. dazu AAPD 1971, III, Dok. 446.

[24] Die diplomatischen Beziehungen zwischen der Bundsrepublik und dem Sudan wurden am 23. Dezember 1971 wieder aufgenommen. Vgl. dazu AAPD 1971, III, Dok. 435.

[25] Zur Wiederaufnahme diplomatischer Beziehungen zwischen der Bundesrepublik und dem Libanon am 30. März 1972 vgl. Dok. 76.

[26] Zur Wiederaufnahme der diplomatischen Beziehungen zwischen der Bundesrepublik und Ägypten vgl. Dok. 127.

[27] Am 20. März 1972 berichtete Botschaftsrat Landau, Bagdad: „Nach Auffassung Präsident Bakrs und Saddam Husseins baldige Normalisierung deutsch-irakischer Beziehungen geboten, irakische Initiative jedoch schwer angängig. Man denke an deutschen, durch Note an Außenministerium zu übermittelnden Vorschlag, deutsche Delegation nach Bagdad zu entsenden oder irakische Delegation nach Bonn einzuladen. Presseattacken seien bedeutungslos, Entscheidungen würden von Bakr und Saddam Hussein getroffen." Vgl. den Drahtbericht Nr. 40; Referat I B 4, Bd. 535.
Ministerialdirigent Müller antwortete am 27. März 1972, die Bundesrepublik sei „grundsätzlich jederzeit" zur Normalisierung der Beziehungen mit dem Irak bereit. Gespräche müßten „jedoch in jedem Falle gut vorbereitet sein, um Fehlschlag zu vermeiden. Es erschiene uns deshalb richtig, zunächst Kontakte zum Außenministerium und dortiger Vertretung zu intensivieren". Vgl. den Drahterlaß; Referat I B 4, Bd. 535.
Zu einer Wiederaufnahme der diplomatischen Beziehungen zwischen der Bundesrepublik und dem Irak vgl. Dok. 257.

[28] Bundeskanzler Brandt hielt sich vom 16. bis 18. September 1971 zu Gesprächen mit dem Generalsekretär des ZK der KPdSU, Breschnew, in Oreanda auf. Vgl. dazu AAPD 1971, II, Dok. 310, Dok. 311, Dok. 314 und Dok. 315.

gerichtet gewesen, die DDR nicht hochkommen zu lassen. Außerdem habe dies auch finanzielle Belastungen verursacht. Wenn man einigen afrikanischen Ländern sagen könne, falls sie glaubten, in der DDR bessere Freunde zu finden, so stehe es jedem frei, diese dort zu suchen, dann verfüge man über größere Bewegungsfreiheit. Schließlich brauche man die eigenen Entschlüsse nicht davon abhängig zu machen, was Herrn Tombalbaye genehm sei.

Der *Premierminister* erkundigte sich sodann, ob auch die Anerkennung, ähnlich wie der UNO-Beitritt, eines Gesetzes bedürfe.

Der Herr *Bundeskanzler* erläuterte, der Grundvertrag, der ihm vorschwebe, bedeute keine Anerkennung. Es solle damit nicht die Spaltung Deutschlands und deren Folgen anerkannt werden, vielmehr betrachte man die Teilung als einen ungerechten Akt. Dieser Aspekt sollte aber beiseite gelassen werden, und der Vertrag habe die Herstellung von Beziehungen zum Ziel. Auch die Art der beiderseitigen Vertreter könne Ausdruck der besonderen Situation sein. Man wolle keine Botschafter, sondern Vertreter mit anderer Amtsbezeichnung. Dieser Grundvertrag werde der Ratifizierung bedürfen.

Der *Premierminister* bemerkte, es lasse sich schwer vorstellen, wie dies in einer kürzeren Frist erreicht werden könne. Er fragte sodann, ob Breschnew und Kossygin sehr hilfsbereit gewesen seien.

Der Herr *Bundeskanzler* erwiderte, dies gelte für Breschnew in höherem Maße als für Kossygin, mit dem er auch nicht so oft zusammengetroffen sei. Breschnew scheine sich auf die Beziehungen mit Westeuropa und den Vereinigten Staaten zu konzentrieren, wogegen sich Kossygin mehr den wirtschaftspolitischen und praktischen Fragen widme. Während der letzten Wochen seien sie vielleicht zu hilfreich gewesen, weil sie das Regierungssystem der Bundesrepublik nicht verstanden hätten. Eines sei jedoch sehr nützlich gewesen: Gromyko habe das Schreiben zur deutschen Einheit[29], eine einseitige Erklärung, aber dennoch ein Bestandteil des Vertrags, an die Mitglieder des außenpolitischen Ausschusses verteilt und in seiner Rede darauf Bezug genommen.[30] Außerdem sei dieser Brief in der Prawda und im sowjetischen Fernsehen erwähnt worden. Da das System im Ostblock zentralisiert sei, habe auch die DDR zum ersten Mal diesen Brief erwähnen müssen.

Es gebe sodann noch die Frage der Beziehungen zwischen der Sowjetunion und der EWG, worüber die CDU in Sorge sei. Herr Barzel habe verlangt, daß die Sowjetunion die EWG anerkennen solle.[31] Er selbst werde nach Rücksprache

---

29 Zum „Brief zur deutschen Einheit" vom 12. August 1970 vgl. Dok. 55, Anm. 11.
30 Am 12. April 1972 gab der sowjetische Außenminister Gromyko vor den Kommissionen für auswärtige Angelegenheiten des Unions- und des Nationalitätenrats des Obersten Sowjet eine Erklärung zum Moskauer Vertrag vom 12. August 1970 ab. Dabei informierte er „über ein Schreiben des Außenministers der BRD, das die sowjetische Seite am Tage der Unterzeichnung des Vertrages, am 12. August 1970, erhalten hat, und in dem die Ansichten der westdeutschen Seite zu den Fragen der Selbstbestimmung dargelegt werden. Die Deputierten machten sich mit dem Wortlaut des Briefes bekannt." Für den Bericht über die Beratungen vgl. den Artikel „V interesach narodov Evropy"; PRAVDA vom 13. April 1972, S. 2. Für den deutschen Wortlaut vgl. EUROPA-ARCHIV 1972, D 309–314.
31 Vgl. dazu die Ausführungen des CDU/CSU-Fraktionsvorsitzenden Barzel am 23. Februar 1972 im Bundestag; Dok. 67, Anm. 16.

mit Herrn Hallstein[32] in einer Erklärung am 5. Mai zu diesem Thema etwas sagen.[33] Breschnew habe inzwischen die Wirtschaftsgemeinschaft als eine Realität bezeichnet.[34] Ende Februar/Anfang März sei auf einer Konferenz des Warschauer Pakts eine kleine Kommission eingesetzt worden, die die Politik des Ostens gegenüber der Gemeinschaft ausarbeiten solle. Er habe seinen Leuten gesagt, man müsse sehr sorgfältig zu Werke gehen, denn einmal könne die Bundesregierung sich nicht zum Sprecher der Gemeinschaft machen, und zum anderen schaffe man durch zu starken Druck Schwierigkeiten für einige Mitglieder des Warschauer Pakts. Werde die östliche Position kurzfristig formuliert, dann finde darin vor allem die russische Politik ihren Niederschlag, und andere Länder wie Polen, Rumänien und Ungarn beispielsweise hätten nicht genügend Möglichkeit, ihren Einfluß geltend zu machen.

Der *Premierminister* sagte, Breschnew scheine, was die Erweiterung der Gemeinschaft betreffe, realistisch zu sein.

Der Herr *Bundeskanzler* wies darauf hin, daß er die Politische Union aber weiterhin angreifen werde.

Der *Premierminister* fragte sodann nach dem möglichen Datum für eine KSE im Zusammenhang mit der Ratifizierung.

Wie der Herr *Bundeskanzler* darlegte, denke er, daß der NATO-Ministerrat auf seiner Bonner Tagung Ende Mai[35] wieder einen Passus über die multilaterale Vorbereitung nach Inkrafttreten des Berlin-Abkommens aufnehmen werde. Er rechne damit, daß die Konferenz nicht vor dem späten Frühjahr 1973 zustande kommen werde.

Der *Premierminister* sagte, die Amerikaner würden gewiß noch einige Zeit nach den Präsidentschaftswahlen[36] benötigen, und für sie sei das Frühjahr vielleicht zu früh.

Der Herr *Bundeskanzler* bemerkte, daß es auch die Bundesrepublik nicht eilig habe.

Der *Premierminister* fragte, wieviel den Russen daran liege.

Der Herr *Bundeskanzler* erwiderte, die Russen wollten diese Konferenz immer noch oder zumindest eine Art Vorkonferenz.

Der *Premierminister* erwähnte, daß den Franzosen am meisten daran zu liegen scheine, wenngleich Pompidou nicht sehr stark gedrängt habe. Auch bei ihnen

---

[32] Zum Gespräch des Bundeskanzlers Brandt mit dem CDU-Abgeordneten Hallstein vermerkte Vortragender Legationsrat I. Klasse Schönfeld am 27. April 1972, Brandt habe „angedeutet, daß es im Rahmen des Ratifizierungsverfahrens günstig sein könnte, durch eine Erklärung der Bundesregierung zum Problem der Beziehungen osteuropäischer Staaten zur EG eine Klärung herbeizuführen". Vgl. Büro Staatssekretär, Bd. 197.

[33] In einer Erklärung zum Europatag am 5. Mai 1972 führte Bundeskanzler Brandt aus: „Die Europäische Gemeinschaft ist kein gegen irgend jemand gerichteter Block. Sie ist zur Kooperation und Kommunikation mit der Sowjetunion und den osteuropäischen Staaten bereit und könnte damit die Impulse für die Belebung der Ost-West-Kontakte weiterführen, die der Europarat als Forum der politischen Diskussion gegeben hat." Vgl. BULLETIN 1972, S. 929.

[34] Vgl. dazu die Rede des Generalsekretärs des ZK der KPdSU, Breschnew, am 20. März 1972 auf dem 15. Kongreß der Gewerkschaften der UdSSR; Dok. 67, besonders Anm. 5.

[35] Zur NATO-Ministerratstagung am 30./31. Mai 1972 vgl. Dok. 159.

[36] Die Präsidentschaftswahlen in den USA fanden am 7. November 1972 statt.

dürften taktische Überlegungen mit im Spiele sein. Er selbst könne heute nur schwerlich sehen, was bei einer solchen Konferenz herauskommen solle.

Der Herr *Bundeskanzler* sagte, es werde nicht weniger sein, als was bei den Vereinten Nationen herauskomme. Über den Verlauf führte der Herr Bundeskanzler aus, daß jeder eine Rede halten wolle. Was die Sicherheit angehe, so könne er sich kaum vorstellen, wie dieses Thema, von allgemeinen Erklärungen abgesehen, sinnvollerweise auf der Plenarsitzung erörtert werden könne. Dies sollte in einem Ausschuß geschehen und vielleicht könnten gewisse Grundsätze erörtert werden. Länder wie Jugoslawien, Ungarn und Rumänien glaubten, daß eine KSE, die sich auf eine europäische Erklärung über den Gewaltverzicht einige, ihnen zusätzlichen Schutz und größere Sicherheit gebe.

Wie der *Premierminister* sagte, werde im Zusammenhang mit einer solchen Erklärung auch die Frage der Nichteinmischung in die Souveränität anderer Länder eine Rolle spielen.

Der Herr *Bundeskanzler* nannte als besondere zusätzliche Themen Umweltfragen und kulturelle Fragen.

Der *Premierminister* hielt es für zweckmäßig, auch die Frage größerer Freizügigkeit anzuschneiden.

Der Herr *Bundeskanzler* wies daraufhin, daß man es nicht den Kommunisten allein überlassen dürfe, als Verkünder einer besseren Zukunft aufzutreten. Außerdem müsse Klarheit darüber bestehen, daß man die NATO noch lange brauchen werde. Die Hoffnung auf eine Zukunft, die es den Staaten im Westen und im Osten gestatten werde, ihre Verteidigungslasten zu mindern, dürfe nicht nur von einer Seite verbreitet werden.

Der *Premierminister* erklärte, der Hauptton der östlichen Propaganda werde auf dem Frieden liegen. Dem könne man zwar zustimmen, doch bedeute dies praktisch noch nicht allzu viel. Seitens des Westens müßte die Freizügigkeit sowie freier kultureller Austausch, Austausch von Informationen und Ideen usw. vorgehoben werden. Dies sei ebenfalls ein Aspekt eines besseren Lebens für die Menschen.

Der Herr *Bundeskanzler* bezeichnete es als besonders wichtig, daß der Prozeß des westeuropäischen Zusammenschlusses nicht geschwächt werden dürfe.

Der *Premierminister* unterstrich, daß die reale militärische Stärke der Sowjets zunehme. Die weitere Entwicklung hänge möglicherweise davon ab, was Nixon bei seinem Besuch erreichen werde.

Wie der Herr *Bundeskanzler* hervorhob, müsse auch klargemacht werden, daß man nicht nur über Europa sprechen und den Mittelmeerraum und den Nahen Osten sich selbst überlassen könne. Er nehme an, daß Nixon in Moskau auch über den Nahen Osten als eine der kritischen Regionen sprechen werde.

Wie der *Premierminister* sagte, hätten die Sowjets im Nahen Osten ihre Position verstärkt, und der Vertrag mit dem Irak[37] gebe ihnen militärisch eine gün-

---

[37] Zum Vertrag vom 9. April 1972 zwischen dem Irak und der UdSSR über Freundschaft und Zusammenarbeit vgl. Dok. 63, Anm. 10.

stigere Situation als der Vertrag mit Ägypten[38]. Er sehe nicht, wie man den Sowjets in diesem Bereich Einhalt gebieten könne. Er glaube auch, daß sich Nixon in Moskau auf SALT konzentrieren und versuchen werde, zu einem Abkommen, vielleicht über ABM, zu gelangen.

Wie der Herr *Bundeskanzler* bemerkte, scheine man sehr nah an den Punkt herangekommen zu sein, an dem die ersten beiden Abkommen geschlossen werden könnten.

Der *Premierminister* führte aus, was das ABM-Abkommen betreffe, so hätten seine Regierung es lieber gesehen, wenn man sich auf ein Null-Abkommen geeinigt hätte. Auch eine „non-transfer"-Klausel[39] wäre für die britische Seite akzeptabel. Sobald sich aber das Gespräch der Begrenzung solcher Systeme zuwenden würde, die eine direkte Bedeutung für Europa hätten, könnten gewisse Schwierigkeiten für Großbritannien und auch für die Beziehungen zu den Vereinigten Staaten entstehen. Im übrigen werde es angesichts der jüngsten Entwicklungen in Vietnam[40] für Nixon in Moskau nicht einfach werden. Es sei auch schwer zu sehen, was er mit den Russen über den Nahen Osten vereinbaren könne.

Der Herr *Bundeskanzler* sagte, Nixon scheine von der Überlegung auszugehen, daß die sowjetische Bereitschaft, zu einer Regelung der schwirigen Berlin-Frage zu gelangen, die Hoffnung rechtfertige, sich auch in anderen Bereichen mit ihnen einigen zu können. Es wäre nützlich, wenn Nixon ausfindig machen könnte, ob die Russen an der Regelung anderer Fragen überhaupt interessiert seien. In Ägypten sehe es so aus, als ob die Dinge eine Wende nehmen könnten, sofern ein Abkommen zustande komme. Schwieriger sei die Lage im Irak. Die Russen seien in Ägypten sehr unpopulär.

Der *Premierminister* erwähnte, daß in jüngster Zeit das Verhältnis zu Großbritannien wieder besser geworden sei. Es stelle sich die Frage, ob die Israelis in einem amerikanischen Wahljahr überhaupt bereit seien, etwas zu akzeptieren.

Der Herr *Bundeskanzler* vertrat die Auffassung, daß es einige israelische Führer gebe, die es zumindest versuchen wollten. Er selbst müsse in der zweiten Jahreshälfte Israel besuchen. Die an ihn ergangene Einladung sei etwas merkwürdig, denn sie sei zuerst in der Öffentlichkeit diskutiert worden.[41] Angesichts der deutschen Vergangenheit könne man aber nicht ablehnen. Von Zeit zu Zeit treffe er mit Nahum Goldmann zusammen, der über gute und vielseitige Kontakte verfüge und bestätigt habe, daß einige israelische Persönlichkeiten an einer Regelung interessiert seien.

---

[38] Für den Wortlaut des Vertrags vom 27. Mai 1971 zwischen Ägypten und der UdSSR über Freundschaft und Zusammenarbeit vgl. EUROPA-ARCHIV 1971, D 280–283.

[39] Zur Absicht, eine „non-transfer"-Klausel in ein ABM-Abkommen aufzunehmen, vgl. Dok. 75.

[40] Am 31. März 1972 eröffnete die Demokratische Republik Vietnam (Nordvietnam) eine Offensive gegen die Republik Vietnam (Südvietnam), die die heftigsten Kämpfe seit der Tet-Offensive 1968 zur Folge hatte. Ab 10. April 1972 bombardierten amerikanische Kampfflugzeuge erstmals seit vier Jahren wieder Ziele in Nordvietnam. Am 16. April 1972 wurden der Hafen von Haiphong und Ziele im Großraum von Hanoi angegriffen. Vgl. dazu EUROPA-ARCHIV 1972, Z 92 f. und Z 104.

[41] Zur Einladung an Bundeskanzler Brandt zu einem Besuch in Israel vgl. Dok. 28, Anm. 28. Brandt besuchte Israel vom 7. bis 11. Juni 1973.

Der *Premierminister* erwähnte sodann im Zusammenhang mit der KSE die derzeitige Situation Jugoslawiens, die wegen der Unabhängigkeitsbewegungen und des Alters Titos nicht ohne Gefahr sei. Der britisch-jugoslawische Handel mit landwirtschaftlichen Erzeugnissen werde nach dem britischen Beitritt Schaden nehmen.

Der Herr *Bundeskanzler* sagte, die Bundesrepublik werde Jugoslawien einige neue Kredite geben, obschon die jugoslawische Position der Bundesrepublik gegenüber schwach sei. Man wolle ihnen aber bei der Lösung ihrer besonderen Probleme helfen.[42] Auch Italien als Nachbar könnte helfen. Es gehe nicht nur darum, wirtschaftspolitische Fragen zu lösen, sondern man müsse ihnen Hoffnung geben, da andernfalls die Gefahr eines Auseinanderbrechens und einer russischen Intervention noch größer werde. Die Russen seien in ihren Kontakten auch ziemlich unkonventionell und hätten außerhalb des Landes auch Verbindungen mit Ustašis. Tito sei daran gelegen, den Handel mit der EG auszuweiten.

Der *Premierminister* wies daraufhin, daß sich während der letzten zehn Jahre die Handelsbeziehungen zwischen Jugoslawien und der EG sowie mit Großbritannien gut entwickelt hätten. Nach dem Beitritt sei aber damit zu rechnen, daß die landwirtschaftlichen Einfuhren aus Jugoslawien zurückgingen, da Großbritannien die entsprechenden Erzeugnisse günstiger aus Dänemark und Frankreich beziehen könne. Zum Ausgleich könne man vielleicht daran denken, zwischen Jugoslawien und der erweiterten Gemeinschaft ein Abkommen zu schließen.

Der Premierminister sprach sodann über Zypern, wo die jüngste Entwicklung schwer zu verstehen sei. Makarios rücke immer weiter nach links, und das sowjetische Interesse wachse. Ein weiteres erschwerendes Element sei die Tatsache, daß Grivas sich wieder auf der Insel aufhalte. Britischerseits werde alles unternommen, um die Beteiligten dazu zu bewegen, die Waffen abzuliefern. Sollte es Griechenland gelingen, Makarios durch eine andere Persönlichkeit zu ersetzen und Grivas zum Verlassen der Insel zu bewegen, so sei es vielleicht möglich, zu einer Regelung zu gelangen.[43]

---

[42] Zur Bereitschaft der Bundesregierung, Jugoslawien Kapitalhilfe und einen Stützungskredit zu gewähren, vgl. Dok. 99.

[43] Ende August 1971 verließ der ehemalige Kommandant der griechisch-zypriotischen Nationalgarde, Grivas, seinen Wohnsitz in Athen, wo er unter Überwachung stand, und begab sich nach Zypern. Dort lebte er zunächst im Untergrund. Botschafter Török, Nikosia, führte dazu am 15. September 1971 aus: „Was den General veranlaßt haben könnte, gerade jetzt nach Zypern zu kommen, sei schwer erkennbar. Vielleicht habe er den Eindruck, daß das Zypernproblem jetzt in seine entscheidende Phase getreten sei und er die nationale Pflicht habe, die Fahne der Enosis hochzuhalten. Nicht auszuschließen sei auch, daß er von Papadopulos zu diesem Schritt ermutigt wurde, um den Erzbischof unter Druck zu setzen und den Athener Wünschen gefügig zu machen." Vgl. den Schriftbericht; Referat I A 4, Bd. 469.
Am 5. April 1972 teilte Török mit: „Zwischen Staatspräsident Makarios und General Grivas haben Gespräche stattgefunden. Wunsch Athener Regierung nach ihrem gemeinsamen Ausscheiden aus politischem Leben nach Regierungsumbildung habe beide Männer einander nähergebracht. Sie seien sich darüber einig, daß Insel nicht geteilt und auch nicht absoluter Herrschaft Mutterländer unterworfen werden dürfe. Hoffnung Generals, daß Athen gezwungen wäre, zyprischen Kampf um Enosis zu unterstützen, falls hiesige Regierung ihn aufnehmen würde, und daß Türkei mit Überlassung britischer Flottenstützpunkte zufriedengestellt werden könnte, halte Staatspräsident jedoch für illusorisch. Trotzdem habe direkte Kontaktaufnahme zwischen beiden Männern zu Begnadigung verurteilter Grivas-Anhänger durch Staatspräsidenten geführt, der sich gleichzeitig

Er selbst sehe aber noch nicht, wie diese Voraussetzungen zu erfüllen seien, da Makarios sehr geschickt operiere.

Sodann dankte der Premierminister dem Herrn Bundeskanzler für die Unterstützung im Falle Malta.[44] Der Herr Bundeskanzler habe sehr viel Geduld mit Mintoff gehabt.

Der Herr *Bundeskanzler* erklärte, Mintoff sei sehr enttäuscht gewesen, daß er, im Gegensatz zu den Amerikanern, den Botschafter[45] nicht empfangen habe. Die Malteser hätten daraufhin versucht, über Kreisky einen Termin zustande zu bringen.

Der *Premierminister* bemerkte, es bleibe nur abzuwarten, ob sich Mintoff an die Vereinbarung[46] halten werde.

Der Herr *Bundeskanzler* erwähnte, daß von deutscher Seite jemand nach Malta entsandt worden sei, um die Lage der Werften zu prüfen.[47] Es sollte nicht zu schwierig sein, die Wirtschaft der Insel etwas zu beleben.

Wie der *Premierminister* erklärte, würde sich die Lage sofort ändern, wenn der Suezkanal wieder geöffnet würde. Durch sein Verhalten habe Mintoff der Wirtschaft erheblichen Schaden zugefügt, so daß die derzeitige Lage höchst unbefriedigend sei.

Der Premierminister kam sodann auf das europäische Gipfeltreffen im Oktober[48] zu sprechen.

Der Herr *Bundeskanzler* führte hierzu aus, eine sehr wichtige Frage in diesem Zusammenhang bestehe darin, wie die Institutionen leistungsfähiger gemacht werden könnten. Darüber habe der Premierminister vor einiger Zeit interessante Ausführungen im Unterhaus gemacht.[49] Zwei andere Fragen seien vielleicht noch wichtiger.

Was den Ministerrat angehe, so würde er es begrüßen, wenn man zusätzlich zu den ständigen Vertretern eine Art ständigen Rat errichten würde, dessen Mit-

---

Fortsetzung Fußnote von Seite 437

grundsätzlich bereit erklärt hat, Gefolgsleute Generals bei sich bietender Gelegenheit im Kabinett aufzunehmen. Wichtigstes Ergebnis Gespräche sei Verbesserung innerzyprischen Klimas gewesen." Vgl. den Schriftbericht; Referat I A 4, Bd. 470.

44 Zu den Verhandlungen zwischen Großbritannien und Malta über ein Stützpunkte-Abkommen vgl. Dok. 53.

45 Joseph Attard Kingswell.

46 Für den Wortlaut des Vertrags vom 26. März 1972 zwischen Großbritannien und Malta über über die Benutzung von Militärstützpunkten vgl. UNTS, Bd. 843, S. 121–181.

47 Am 2. September 1971 entsandte die Bundesrepublik für die Dauer von längstens sechs Monaten einen Werftgutachter nach Malta, der die maltesische Regierung bei der Reorganisation und dem Ausbau der Trockendocks der Werft in Valletta beraten sollte. Vgl. dazu das Schreiben des Botschafters von Wendland, Valletta, vom 27. Oktober 1971 an Ministerpräsident Mintoff; Referat III A 5, Bd. 763.

48 Zum Stand der Überlegungen für eine europäische Gipfelkonferenz vgl. Dok. 31, Anm. 17, und Dok. 66.

49 Am 13. April 1972 antwortete Premierminister Heath im britischen Unterhaus auf die Frage, ob das Europäische Parlament über die notwendige organisatorische und personelle Ausstattung verfüge, um als vollwertige demokratische Institution arbeiten zu können: „If my right hon[ourable] and learned Friend is referring to questions of location, procedure and so on, then these are obviously matters which will be of very great concern to us when we become a member of the Community, as I have assured him personally on previous occasions. I have always believed that those who are most strongly opposed to our membership will be most strongly in favour of making the European Parliament work." Vgl. HANSARD, Commons, Bd. 834, Sp. 1431.

glieder Ministerstellvertreter oder Staatssekretäre wären. Die Routinearbeiten könnten dann von den ständigen Vertretern wahrgenommen werden und die Lücke zwischen der reinen Routine und der eigentlichen Arbeit des Rats, wobei er an Tagungen der Außenminister oder der Finanzminister denke, ließe sich auf diese Weise schließen. Als er Außenminister gewesen sei, habe es sich beispielsweise als schwierig erwiesen, alle sechs Wochen eine Sitzung abzuhalten. Oft habe es acht Wochen gedauert. Dieses System funktioniere nicht, vor allem nach der Erweiterung. Er sehe eine Lösung dieser Schwierigkeit in der Bereitstellung von zwei Vertretern: zum einen gebe es die ständigen Vertreter, die Diplomaten seien, zum anderen die Staatssekretäre, die ihrerseits an Kabinettssitzungen teilnehmen könnten. Die Staatssekretäre könnten zwei oder drei Tage lang in den Hauptstädten tätig sein und während des Rests der Woche in Brüssel. Pompidou habe vorgeschlagen, in den beteiligten Ländern die Kabinettssitzungen am gleichen Tag abzuhalten.

Was die Kommission angehe, so hänge viel davon ab, wer benannt werde. Der Rang und die Bedeutung der Mitglieder, die von den einzelnen Regierungen benannt würden, gäben gewisse Hinweise. Dies gelte auch für Großbritannien. Einige seiner Kabinettskollegen, ebenso einige italienische Kreise, hätten die Befürchtung geäußert, daß die Franzosen die Kommission verkleinern wollten. Er teile diese Auffassung nicht. Die Franzosen wünschten vielmehr eine ausgewogene Kommission.

Eine weitere Schwierigkeit bestehe darin, wie die 14 Mitglieder ihre Arbeit organisierten. Vielleicht sollte man diese Frage ihnen nicht ausschließlich überlassen, wenn sie im Januar 1973 zusammenträten. Wenngleich sich die Frage als solche nicht auf die Tagesordnung für das Gipfeltreffen setzen lasse, so halte er es doch für ratsam, wenn sich einige von uns der Frage annähmen, wie die Zuständigkeiten ausgewogen werden könnten. So wollten wir beispielsweise nicht den Bereich „Landwirtschaft", würden es aber andererseits auch nicht gerne sehen, wenn ein Italiener diesen Bereich übernehmen würde. Über diese Dinge könne man auf der offiziellen Konferenz nicht sprechen, doch inoffiziell sollte dieses Thema zwischen drei oder vier Regierungschefs erörtert werden. Entscheidend sei, wer für die nächste Periode welchen Bereich übernehme.

Was das Europäische Parlament angehe, so würde er es begrüßen, die Überlegungen des Premierministers zu hören. Er selbst befinde sich in einem gewissen Konflikt mit seinen Kollegen, denn die Mitglieder des Parlaments wollten nicht nur mehr Rechte bekommen, sondern auch direkt gewählt werden. Er lege Wert darauf, in der Gesprächsniederschrift vermerkt zu sehen, daß er die in seiner Konferenzmappe enthaltenen Ansichten zu diesem Thema nicht teile. Er halte auch den Gedanken nicht für gut, die Hälfte der Mitglieder durch die Parlamente ernennen und die andere Hälfte unmittelbar wählen zu lassen. Die Auffassung, daß dem Europäischen Parlament mehr Befugnisse gegeben werden müßten, teile er jedoch. Eine Schwierigkeit, die er sehe, bestehe darin, daß Abgeordnete einer Regierungspartei, die nur über eine geringe Mehrheit verfüge, nicht ausreichend an der Arbeit des Europäischen Parlaments mitwirken könnten.

Der *Premierminister* führte zur Frage des Rats aus, daß es ihm vor allem darum gehe, möglichst viele seiner Kabinettsmitglieder mit den Problemen und der Arbeitsweise der Gemeinschaft vertraut werden zu lassen. Deshalb sei er auch gegen den ursprünglichen Vorschlag Pompidous, Europaminister zu ernennen[50], gewesen. Pompidou habe seine Position revidiert und von Ministern gesprochen, die die Außenminister entlasten könnten.[51] Aufgrund der Erfahrung, die man in den Vereinten Nationen gemacht habe, befürchte er, daß sich solche Minister nach einiger Zeit zu Bürokraten entwickelten, was der Sache nicht dienlich wäre. Man denke vielmehr daran, einen erstklassigen Mann zu ernennen. Wenn eine Arbeitsteilung zwischen den permanenten Vertretern und den Staatssekretären möglich wäre, so sei dies eine gute Idee, der er aufgeschlossen gegenüber stehe.

Zur Kommission führte der Premierminister aus, daß man entweder einen Beamten oder jemanden mit politischer Erfahrung benennen könne. Britischerseits gebe man einer „high-calibre" Persönlichkeit mit politischer Erfahrung den Vorzug. Darüber habe er auch mit Pompidou gesprochen[52] und ihm gesagt, dieser Haltung liege nicht die Überlegung zugrunde, daß die Kommission eine Art europäischer Regierung werden solle, vielmehr gehe es darum, daß die Mitglieder der Kommission wissen müßten, wie man mit Regierungen und Ministern umzugehen habe. Dies könnten die Mitglieder der Kommission nur, wenn sie selbst eigene Erfahrung hätten. Da dies in der Vergangenheit nicht der Fall

---

[50] Zum Vorschlag des Staatspräsidenten Pompidou vom 21. Januar 1971 vgl. Dok. 1, Anm. 12.

[51] Auf einer Pressekonferenz am 16. März 1972 führte Staatspräsident Pompidou auf die Frage nach seinem Vorschlag zur Einsetzung von Europaministern aus: „De toute manière, lorsque j'en ai parlé, j'en avais parlé comme d'une éventualité relativement lointaine et je suis toujours dans cet esprit. Car un ministre chargé des Affaires européennes, cela veut dire, en effet, que l'Europe aurait pris une réalité suffisamment forte pour être traitée indépendamment des Affaires étrangères. Or, je dois dire, qu'à l'heure actuelle, cela me paraît difficile à réaliser et en tout cas tout à fait incompatible avec la volonté de tous les ministres des Affaires étrangères, qui ne tiennent pas à se déssaisir de ce qu'ils considèrent comme essentiel dans leurs attributions. Je ne crois donc pas que, pour le moment, on puisse envisager autre chose qu'un Secrétaire d'Etat dépendant du ministre des Affaires étrangères." Vgl. LA POLITIQUE ÉTRANGÈRE 1972, I, S. 117.

[52] Premierminister Heath traf am 18./19. März 1972 mit Staatspräsident Pompidou auf seinem Landsitz in Chequers zusammen. Gesandter Blomeyer-Bartenstein, Paris, berichtete am 20. März 1972, daß über die Themen „1) die monetäre und wirtschaftliche Situation im internationalen und im europäischen Bereich, 2) die europäischen Institutionen, 3) die KSZE, 4) das europäische Ost-West-Problem, 5) einige außereuropäische Fragen (Pakistan, Zypern, Mittlerer Osten), 6) bilaterale Frage insbesondere auf dem Gebiet des Handels und der Industrie" gesprochen worden sei. Zu europapolitischen Fragen sei ausgeführt worden: „Hinsichtlich der Rolle der Kommission in einer erweiterten Gemeinschaft sei man sich darüber einig gewesen, daß sie ihre ursprünglichen Aufgaben weiter durchführen solle [...]. Hinsichtlich der Europäischen Versammlung sei man sich darüber einig gewesen, daß zur Zeit direkte Wahlen nicht in Betracht kämen. Europaminister sollten nicht sofort eingesetzt werden. Zunächst könne man sich auf europäische Staatssekretäre beschränken, die in Brüssel arbeiteten, aber doch zu ihrem Ministerium gehörten. Ihre Sitzungen würden etwas anderes darstellen als diejenigen des Rats und der Ständigen Vertreter. Hier sei eine vertiefte Studie erforderlich. Das politische Sekretariat sei von beiden Seiten bejaht worden. Pompidou hätte Paris als Sitz gewünscht, um einen deutlichen Unterschied zu den Arbeiten der Gemeinschaft und der NATO zu schaffen. Heath hätte umgekehrt als richtig bezeichnet, alles in Brüssel zu konzentrieren." Bei der Besprechung zum Thema KSZE „habe sich gezeigt, daß Heath mit Unruhe einer Konferenz entgegensehe, die zu einer Beschränkung oder Begrenzung der westlichen Verteidigungskraft führen würde [...]. Nach englischer Auffassung könne die multilaterale Phase der Vorbereitung nicht vor der Ratifizierung der Verträge und den Wahlen in den Vereinigten Staaten beginnen. Nach französischer Ansicht dagegen könnte sie sofort in Angriff genommen werden, wenn alle Partner hiermit einverstanden wären. [...] Über MBFR sei wenig gesprochen worden. Lediglich im Sinne einer beiderseitigen Erwähnung der Gefahren, die in ihr lägen." Vgl. den Drahtbericht Nr. 820; VS-Bd. 9802 (I A 3); B 150, Aktenkopien 1972.

gewesen sei, erklärten sich hieraus einige der Fehler, die frühere Kommissionen begangen hätten. Pompidou habe dieser Überlegung nicht widersprochen.

Der Herr *Bundeskanzler* sagte, was den Vorsitz angehe, so denke Pompidou an ein jetziges Kabinettsmitglied, ohne daß er deswegen Herrn D.[53] hinauswerfen wolle. Für die deutsche Seite wäre dies akzeptabel.

Der *Premierminister* sagte vertraulich, er denke daran, als britische Kommissionsmitglieder je einen Konservativen und einen Angehörigen der Labour Party zu bestimmen. Er habe darüber allerdings noch nicht mit Wilson gesprochen, weshalb er um vertrauliche Behandlung dieser Mitteilung bitte. Er fragte, ob an einen bestimmten Zeitpunkt gedacht sei, an dem die Namen bekannt gegeben werden sollten.

Der Herr *Bundeskanzler* verneinte diese Frage und sagte, dies bleibe dem Premierminister überlassen.

Der *Premierminister* führte weiter aus, er habe Pompidou gesagt, wenn die Namen auf dem Gipfeltreffen oder bereits zuvor bekanntgegeben würden, könnten sich die Kommissionsmitglieder bereits im November treffen und ihre Arbeit für den Januar planen. Bei dieser Gelegenheit könnte auch über die Aufteilung der Portefeuilles gesprochen werden.

Der Herr *Bundeskanzler* sagte, er begrüße den Grundsatz der Überparteilichkeit und würde ihn auch gern verwirklichen, doch werde es möglicherweise dieses Mal noch nicht gehen. Dieses Verfahren sei vor der jetzigen Regierung, einer Koalitionsregierung, nicht abgewandt worden.

Wie der *Premierminister* sagte, sei es für die britische Seite einfacher, da sie jetzt von vorn anfange.

Der Herr *Bundeskanzler* bemerkte, daß die Bundesrepublik über fünf wichtige Positionen verfüge: zwei Kommissionsmitglieder[54], einen Präsidenten der Investitionsbank[55] sowie einen Richter[56] und einen Generalanwalt[57] beim Europäischen Gerichtshof.

Der *Premierminister* führte weiter aus, hinsichtlich des Europäischen Parlaments habe man britischerseits gewisse Schwierigkeiten. Von allen Parlamenten tage das Unterhaus am häufigsten. Eine britische Studiengruppe werde aufgrund ihrer Eindrücke in Brüssel über diese Frage berichten. In diesem Zusammenhang erwähnte er das Schreiben Schumanns, in dem dieser seiner Sorge über eine Tendenz Ausdruck verliehen habe, Sitzungen des Straßburger Europa-Parlaments nach Brüssel zu verlagern. Was die unmittelbare Wahl der Parlamentsmitglieder angehe, teile er die Auffassung des Herrn Bundeskanzlers. Er könne einer direkten Wahl nicht zustimmen. Vielleicht lasse sich ein Kompromiß der Art finden, daß die für das Parlament gewählten Mitglieder gleichzeitig ex officio Mitglieder von Westminster seien. Möglicherweise könne man

---

53 Vermutlich Jean François Deniau.
  Zu den Überlegungen des Staatspräsidenten Pompidou zur Besetzung der EG-Kommission vgl. Dok. 31.
54 Ralf Dahrendorf und Wilhelm Haferkamp.
55 Ulrich Meyer-Cording.
56 Hans Kutscher.
57 K. L. Roemer.

sich auf dem Gipfeltreffen darauf einigen, eine Studie über die derzeitigen Befugnisse des Parlaments und Möglichkeiten ihrer Erweiterungen anfertigen zu lassen.

Der Herr *Bundeskanzler* sagte, es würde in einigen Ländern sicher enttäuschen, wenn nicht ein wenig mehr herauskäme als nur eine Studie. Er würde versuchen, zusätzlich zu dieser Studie eine gewisse echte Verbesserung zustande zu bringen.

Der *Premierminister* wies daraufhin, daß man britischerseits keine Erfahrung habe, er jedoch bereit sei, jeden echten Fortschritt zu prüfen.

Der Herr *Bundeskanzler* sprach ferner davon, die Möglichkeit des Parlaments, gegenüber Rat und Kommission Fragen zu stellen, zu erweitern.

Im vergangenen Jahr habe er einen Vorschlag gemacht, der allerdings von der Versammlung nicht unterstützt worden sei. Er sei davon ausgegangen, daß der Einfluß des Parlaments dadurch gestärkt werden könne, daß jedes Mitglied einen Vertreter habe. Deutscherseits sei eine Reihe fähiger Abgeordneter im Europa-Parlament, die jedoch in der Regel nicht zur ersten Garnitur gehörten. Ihm scheine es aber wichtig, daß auch die Abgeordneten, die in den nationalen Parlamenten eine führende Rolle bekleideten, dem Europa-Parlament angehörten. Durch die Benennung eines Vertreters würde es ihnen ermöglicht, ein- oder zweimal jährlich ebenfalls an den Sitzungen des Europa-Parlaments teilzunehmen. Er glaube, daß die Debatte einen anderen Charakter bekäme, wenn Leute wie Barzel und Wehner daran teilnähmen. Dann könnte sich auch weder der Rat noch die Kommission den Fragen entziehen, die von solchen Parlamentariern gestellt würden. Sein Vorschlag sei nicht sehr günstig aufgenommen worden, da er persönliche Interessen berührt habe, sei doch die Straßburger Tätigkeit sehr lukrativ. Seine Anregung sei verwässert worden, und jetzt gebe es nur Begegnungen zwischen den Führern der politischen und nationalen Gruppen mit den Führern der nationalen Parlamente in den jeweiligen Hauptstädten.

Der *Premierminister* sagte, bei der Durchsicht der Liste infrage kommender britischer Mitglieder für das Europäische Parlament seien vereinzelt Schwierigkeiten aufgetreten, da die betreffenden Abgeordneten sich dem Vorwurf ausgesetzt sähen, sie vernachlässigten ihren Wahlkreis. Dieses habe im einen oder anderen Fall eine abschreckende Wirkung gehabt, da das Europäische Parlament an 110 Tagen im Jahr tage. Deshalb halte er den Vorschlag mit den Stellvertretern für nützlich.

Der Herr *Bundeskanzler* sagte, durch diese Regelung würde das Parlament gleichzeitig flexibler und stärker.

Der *Premierminister* schnitt sodann die Frage des politischen Sekretariats an.[58]

Der Herr *Bundeskanzler* führte aus, daß Pompidou den Ort nicht erwähnt habe, seine Mitarbeiter – bis zur Ebene Alphands – jedoch den Eindruck vermittelt hätten, als sei der Ort genannt worden. Er selbst trete für Brüssel ein.

---

[58] Zum Vorschlag, ein Sekretariat für die Europäische Politische Zusammenarbeit einzurichten, vgl. Dok. 31, besonders Anm. 6.

Wenn man erst einmal damit anfange, andere Orte ins Auge zu fassen, dann wäre auch die Frage berechtigt, warum das Europäische Parlament in Straßburg und nicht in London sein sollte. Außerdem müßte er dann auch deutsche Ansprüche geltend machen.[59]

Der *Premierminister* wies daraufhin, daß die Italiener dann sicher auch etwas für sich verlangten.

Der Herr *Bundeskanzler* führte weiter aus, daß, von einem kleinen permanenten Stab abgesehen, jedes Mitglied einen Diplomaten in das Sekretariat entsenden würde, der entweder der EWG oder der bilateralen Mission angehören würde, wogegen die Staatssekretäre oder Ministerstellvertreter für beides zuständig wären. Das deutsche Interesse bestehe darin, in den kommenden Jahren die beiden Bereiche möglichst nahe aneinander heranzuführen. Dem könne schon in der Organisationsform Rechnung getragen werden. Der Vorschlag Thorns, das Sekretariat in Luxemburg anzusiedeln[60], erscheine ihm nicht sehr vernünftig.

Der *Premierminister* erklärte, Pompidou habe deutlich gesagt, man wünsche das Sekretariat in Paris zu sehen, worauf er ebenso deutlich geantwortet habe, daß die britische Regierung Brüssel den Vorzug gebe. Dies sei auch in der Berichterstattung Alphands deutlich zum Ausdruck gekommen. Es erscheine ihm nur vernünftig, den wirtschaftlichen und den politischen Bereich möglichst nahe beieinander anzusiedeln. Er bezog sich auf die Struktur des britischen Cabinet Secretariat, das in drei Bereiche unterteilt sei: Innen-, Außen- und Verteidigungspolitik. Ein ähnliches Arrangement bestünde darin, wenn dem Sekretariat des Ministerrats, das sich mit den Fragen der Römischen Verträge befasse, eine Gruppe angegliedert würde, die die politischen Fragen behandle.

Der Herr *Bundeskanzler* sagte, ihm schiene dies akzeptabel, doch wäre es wahrscheinlich mehr, als die Franzosen im heutigen Zeitpunkt akzeptieren könnten.

Abschließend erwähnte der Herr Bundeskanzler im Zusammenhang mit der KSE einen Punkt, der vielleicht lächerlich erscheine. Er betreffe die Sprachenfrage. Zusätzlich zu Englisch, Französisch und Russisch sollte Deutsch Amtssprache werden, da auf der Konferenz neben den beiden deutschen Staaten auch Österreich und die Schweiz vertreten seien. Besonders in einer Situation, in der wir schwierige Verhandlungen über Vergangenheit und Zukunft der deutschen Nation führten, wäre die Zulassung der deutschen Sprache von Nutzen. Diese Gründe unterschieden sich von etwaigen Gründen, die Italien für die Zulassung von Italienisch anführen könnte.

---

[59] Am 18. Februar 1972 erläuterte Ministerialdirektor von Staden, daß die Bundesregierung in der Frage des Ortes eines Sekretariats für Europäische Politische Zusammenarbeit Brüssel bevorzuge, um „die Verbindung zur Europäischen Gemeinschaft" zu erleichtern. Daher sei es sinnvoll, in der Stadt, die Sitz der Europäischen Gemeinschaften sei, auch das Sekretariat einzurichten. Von französischer Seite sei jedoch am Rande der Konsultationsbesprechungen am 10./11. Februar 1972 in Paris mitgeteilt worden, daß Frankreich „– wenigstens zu Beginn – an Lokalisierung in Paris gelegen sei". Vgl. den Runderlaß Nr. 822; Referat 200, Bd. 108868.

[60] Der luxemburgische Außenminister Thorn erklärte am 20. April 1972 in einem Interview, ein Sekretariat für die Europäische Politische Zusammenarbeit solle „in einer der drei schon vorhandenen europäischen Hauptstädte", nicht aber in Paris seinen Sitz haben. Vgl. BULLETIN DER EG 6/1972, S. 133.

Der *Premierminister* bat, ins Protokoll aufzunehmen, daß er diesen Vorschlag sehr nachhaltig unterstütze.

Der Herr *Bundeskanzler* wies darauf hin, daß bei den Berlin-Verhandlungen die gemeinsame Sprache in der Gruppe der vier Botschaftsräte Deutsch gewesen sei.

Das Gespräch endete gegen 17.50 Uhr.

P.S. Die Frage der Abstimmungsergebnisse in Norwegen und Dänemark[61] sowie die Frage des Verhältnisses der EG zu den Rest-EFTA-Ländern wurden bereits auf der Fahrt vom Flugplatz besprochen.

Bundeskanzleramt, AZ: 21-30 100 (56), Bd. 37

105

Aufzeichnung des Staatssekretärs Bahr, Bundeskanzleramt

Geheim 20. April 1972[1]

Betr.: Verkehrsverhandlungen der Staatssekretäre Bahr und Kohl in Bonn am 19./20. April 1972

Zu Beginn wies StS Kohl auf die Rede von SED-Sekretär Honecker in Sofia hin, in der dieser die Bereitschaft der DDR zu einem Meinungsaustausch über die Herstellung normaler Beziehungen und die hierfür erforderlichen völkerrechtsgemäßen Vereinbarungen festgestellt habe.[2] StS Bahr brachte seine Genugtuung über diese Erklärung zum Ausdruck.

Im Laufe dieser Verhandlungsrunde wurde der Text des Verkehrsvertrages bis auf wenige Punkte fertiggestellt. Offen sind hier noch folgende Probleme:

– Grenzübergänge,

– Einbeziehung Berlins,

– Fragen im Zusammenhang mit der Anwendung der Eisenbahnübereinkommen CIM/CIV[3] und der ECE-Konventionen,

– Formulierung für die Inkraftsetzung des Vertrages.

---

61 In Norwegen und Dänemark fanden am 25./26. September bzw. am 2. Oktober 1972 Volksabstimmungen über einen Beitritt zu den Europäischen Gemeinschaften statt.

1 Ablichtung.
Hat laut Vermerk des Legationsrats I. Klasse Vergau Staatssekretär Frank vorgelegen.

2 Zur Rede des Ersten Sekretärs des ZK der SED, Honecker, vom 18. April 1972 vgl. Dok. 104, Anm. 15.

3 Für den Wortlaut des Internationalen Übereinkommens vom 25. Februar 1961 über den Eisenbahnfrachtverkehr (CIM) vgl. BUNDESGESETZBLATT 1964, Teil II, S. 1520–1579.
Für den Wortlaut des Internationalen Übereinkommens vom 25. Februar 1961 über den Eisenbahn-Personen- und -Gepäckverkehr (CIV) vgl. BUNDESGESETZBLATT 1964, Teil II, S. 1898–1951.

Aus den Delegationssitzungen[4] sind folgende Einzelpunkte festzuhalten:

1) Vertragsform

Es wurde Übereinstimmung erzielt, statt einer Vollmachtsklausel in der Präambel (mit Erwähnung des Bundespräsidenten) folgende Formel in die Schlußbestimmungen aufzunehmen:

„Zu urkund dessen haben die Bevollmächtigten der Vertragsstaaten diesen Vertrag unterzeichnet."

StS Bahr hat darauf bestanden, daß der Vertrag entsprechend unserem Vorschlag für einen Notenwechsel der Regierungen in Kraft gesetzt wird.

StS Kohl hat im Prinzip zugestimmt. Die Formulierung dieser Klausel in den Schlußbestimmungen und der Wortlaut des Notenwechsels ist aber noch offen.

2) Präambel

Der Formulierung

„In dem Bestreben, einen Beitrag zur Entspannung in Europa zu leisten und normale gutnachbarliche Beziehungen beider Staaten zueinander zu entwickeln, wie sie zwischen von einander unabhängigen Staaten üblich sind"

wurde von den Verhandlungsführern zugestimmt.

3) Generalnorm

Bei der Verpflichtung beider Seiten, den Verkehr auf der Grundlage der Gegenseitigkeit und Nichtdiskriminierung in größtmöglichem Umfang zu gewähren, zu erleichtern und möglichst zweckmäßig zu gestalten, soll auf die „internationale Praxis" (statt „internationale Normen") Bezug genommen werden.

4) Geltungsbereich des Vertrages

StS Bahr erklärte sich damit einverstanden, daß der Hinweis auf die gesonderte Regelung des Berlin-Verkehrs entfällt. Er betonte jedoch in der Delegationssitzung, daß der Verkehrsvertrag nicht für den Berlin-Verkehr gilt und daß das Transitabkommen und der Verkehrsvertrag nebeneinander stehen.

StS Kohl bestätigte, daß der Verkehrsvertrag das Transitabkommen nicht ersetzen solle.

5) Reiseerleichterungen

Die Frage wurde in einem persönlichen Gespräch behandelt.[5]

6) Grenzübergänge

StS Kohl hat wiederum die Öffnung zusätzlicher Grenzübergänge abgelehnt. Er wies darauf hin, daß nicht einmal die bestehenden Grenzübergänge voll ausgelastet seien.

StS Bahr betonte, daß diese Frage für die Bundesregierung von besonderem Gewicht sei.

Der Komplex soll in der nächsten Runde weiter behandelt werden.

---

[4] Vgl. dazu die Gesprächsaufzeichnung vom 20. April 1972; VS-Bd. 8563 (II A 1); B 150, Aktenkopien 1972.

[5] Zu den Vier-Augen-Gesprächen des Staatssekretärs Bahr, Bundeskanzleramt, mit dem Staatssekretär beim Ministerrat der DDR, Kohl, am 19./20. April 1972 vgl. Dok. 106.

7) Eisenbahn-Übereinkommen CIM/CIV

Während über den Beitritt beider Staaten zu CIM/CIV grundsätzlich Übereinstimmung besteht, ist die Frage des Zeitpunktes und die Klärung bestimmter Punkte im Zusammenhang mit der Anwendung dieser Konventionen auf den Eisenbahnverkehr BRD–DDR noch offen.

8) ECE-Konventionen

StS Kohl betonte, daß ein reibungsloser Verkehr auch die Geltung internationaler Verkehrskonventionen auf der Grundlage gleichberechtigter Mitgliedschaft zur Voraussetzung habe. Dabei deutete er an, daß sich andere Dinge, die im Gespräch seien, verzögern würden, wenn die DDR weiterhin am Beitritt zu den ECE-Konventionen (welcher Mitgliedschaft in der ECE voraussetzt) gehindert werde.

9) Beförderungsgenehmigungen

Es wurde Übereinstimmung erzielt, daß beide Seiten das Genehmigungsrecht im gewerblichen Güterkraftverkehr nicht ausüben. Das Genehmigungsverfahren wird damit auf den Omnibuslinienverkehr (den es z. Zt. praktisch nicht gibt) beschränkt. Das bedeutet, daß der gegenwärtige Zustand im wesentlichen aufrechterhalten wird.

10) Einbeziehung Berlins

Dieser Komplex wurde von den Staatssekretären in einem persönlichen Gespräch behandelt.

Die Verhandlungen werden am 26./27. April 1972 in Ost-Berlin fortgesetzt.[6]

[Bahr][7]

VS-Bd. 8563 (II A 1)

---

[6] Zum 41. Gespräch des Staatssekretärs Bahr, Bundeskanzleramt, mit dem Staatssekretär beim Ministerrat der DDR, Kohl, am 25./26. April 1972 in Ost-Berlin vgl. Dok. 112.
[7] Vermuteter Verfasser der nicht unterzeichneten Aufzeichnung.

106

Aufzeichnung des Staatssekretärs Bahr, Bundeskanzleramt

Geheim 20. April 1972[1]

Betr.: Persönliche Gespräche mit Herrn Kohl am 19. und 20. April 1972 in Bonn

1) Die persönlichen Gespräche am ersten Tage galten hauptsächlich der Vorbereitung der Delegationssitzungen zu den Artikeln, die am 20.4. auch verabschiedet wurden.[2]

2) Kohl hat sich darüber beklagt, daß im März dieses Jahres, besonders zum Ende des Monats, eine Massierung von Ballon-Einflügen mit unfreundlichem Material festgestellt worden sei. Insbesondere im Raum Uelzen/Stendal. Es wäre sinnvoll, wenn das abgebaut würde. Ich habe ihn auf ähnliche Aktivitäten der DDR hingewiesen. Es könnte möglich sein, dies beiderseits abzubauen.

3) Ich habe ihn auf die unkorrekten Bezeichnungen der Bundesrepublik Deutschland in Atlanten der DDR hingewiesen. Kohl erklärte, dies könne nur aus alter Zeit stammen, sie seien keine „West-Deutschland-Fanatiker". Es werde in Ordnung gebracht.

4) Kohl entledigte sich ohne Schärfe des Auftrages, gegen die Amtshandlungen zu protestieren, die der Bundespräsident bei seinem Besuch in West-Berlin vornehme.[3] Ich habe darauf entsprechend erwidert.

5) Ich habe das Thema von Reiseerleichterungen forciert. Kohl erklärte dazu, daß auf politischer Ebene – entgegen früheren Überlegungen – beschlossen worden sei, von der Herabsetzung des Rentenalters abzusehen, nachdem dies, trotz Warnungen, fast in Form einer Kampagne durch die Opposition gefordert worden sei.[4] Man denke nicht daran, dem nachzugeben und Maßnahmen zu treffen, die die Opposition als ihren Erfolg ansehen könnte. Ich habe entsprechend geantwortet und unsere Forderungen aufrechterhalten. Kohl erklärte es als sinnlos, darüber weiter zu sprechen.

Die DDR sei bereit, eine Reihe von Reiseerleichterungen im Verkehr von West nach Ost vorzusehen und mit Inkrafttreten des Verkehrsvertrages einseitig einzuführen.

Kohl lehnte jede förmliche Vereinbarung darüber ab. Er erklärte sich unter Bedenken bereit, die Idee einer „Information" zu prüfen, die eine Formalisierung bedeuten würde. Darüber soll in Berlin weiter gesprochen werden.

---

[1] Ablichtung.
[2] Zu den Verhandlungen über den Text eines Vertrags über Fragen des Verkehr vgl. Dok. 105.
[3] Bundespräsident Heinemann hielt sich vom 20. bis 23. April 1972 in Berlin (West) auf. Er verlieh dem Regierenden Bürgermeister von Berlin, Schütz, das Große Bundesverdienstkreuz. Ein weiterer Programmpunkt war ein Empfang des Traditionsvereins aus der Zeit der Weimarer Republik, „Reichsbanner Schwarz-Rot-Gold". Vgl. dazu die Meldung „Heinemann in Berlin"; DIE WELT vom 21. April 1972, S. 2.
[4] Vgl. dazu die Äußerungen des CDU/CSU-Fraktionsvorsitzenden Barzel am 23. Februar 1972 im Bundestag; Dok. 51, Anm. 16.

Er erklärte sich einverstanden, daß ich als Ergebnis unserer Besprechungen der Presse gegenüber die Hoffnung auf Reiseerleichterungen nach Inkrafttreten des AVV ausspreche.

6) Zum Thema der Einbeziehung Berlins habe ich ihm die in der Anlage beigefügten Auffassungen vorgetragen und erläutert.

Am zweiten Tage erklärte er dazu: Meine Ausführungen stimmten nicht mit der Sache und der Rechtslage – insbesondere des Vier-Mächte-Abkommens – überein. Die Ablehnung der DDR stehe nicht im Gegensatz zu Absichten und Festlegungen des Vier-Mächte-Abkommens, auf den realen Gegebenheiten aufbauend, alles zu regeln, was Schwierigkeiten zwischen den beiden Staaten oder gegenüber Dritten schaffen könnte.

Er möchte festhalten, daß völkerrechtliche Vereinbarungen ausgedehnt werden können. Dies müsse also nicht geschehen. Der Sinn sei, daß die Ausdehnung nur möglich werde, wenn das mit dem dritten Staat jeweils vereinbart und ausdrücklich erwähnt wird. Ohne oder gegen dessen Willen könne die BRD keine Ausdehnung vornehmen.

Zur Gesetzgebungspraxis würden wir übersehen, daß durch das Vier-Mächte-Abkommen eine neue Lage geschaffen wird. Die automatische Ausdehnung sei nicht mehr möglich.

Er unterstrich: Die DDR akzeptiere die Festlegungen des Vier-Mächte-Abkommens in vollem Umfange. Das bedeute für Verkehr konkrete Regelungen mit dem Senat, da Kommunikation eindeutig Verkehrsfragen umfasse.[5] Eine Fülle von Übersetzungen belegten das. Gerade weil die DDR sich an das Vier-Mächte-Abkommen halte, sollten Verkehrsprobleme für Berlin so geregelt werden, wie das dort vorgesehen sei.

Im übrigen hätte ich Fragen aufgeworfen, wie Zahlungsverkehr oder Handel, die mit unseren Verhandlungen nichts zu tun haben.

Wenn der Besucherverkehr vereinbart werden konnte, warum solle es dann bei anderen Verkehrsfragen nicht möglich sein. Gerade bei Verkehr dürfe die Lage Berlins mitten in der DDR nicht außer acht gelassen werden. Kein anderer Staat befinde sich gegenüber West-Berlin in einer vergleichbaren Situation.

Was die einheitlichen Vorschriften für Zulassung von Transportmitteln usw. angehe, gebe es keine Probleme. Eine Unterscheidung sei leicht möglich. Im TA werden West-Berliner Zulassungen anerkannt.[6] Die DDR sei zu zusätzlichen Absprachen mit dem Senat bereit. Probleme der gleichen Firma seien kein stichhaltiges Argument (Siemens-Zulassungen in Drittstaaten). Die Behandlung richte sich nach den Zulassungsorten; falls keine Regelung, dann durch die Praxis.

---

[5] Vgl. dazu Teil II C des Vier-Mächte-Abkommens über Berlin vom 3. September 1971; Dok. 97, Anm. 8.

[6] In Artikel 8 Absatz 2 des Abkommens vom 17. Dezember 1971 zwischen der Regierung der Bundesrepublik und der Regierung der DDR über den Transitverkehr von zivilen Personen und Gütern zwischen der Bundesrepublik und Berlin (West) war festgelegt: „Die Zulassungen für Kraftfahrzeuge und Anhänger sowie Fahrerlaubnisse für Kraftfahrer werden gegenseitig anerkannt." Vgl. EUROPA-ARCHIV 1972, D 71.

Die Postvereinbarung[7] habe technischen Charakter und könnte unsere Verhandlungen nicht präjudizieren.

Nach dem Vier-Mächte-Abkommen sollen die Transportverbindungen nach außen erweitert werden entsprechend den kompetenten Behörden. Da sie über das Gebiet der DDR verliefen, sei seine Regierung mit dem Senat zuständig.

Gesetz und Briefwechsel seien kein gangbarer Weg. Kohl bat um Verständnis, daß ihn meine Darlegungen nicht überzeugen konnten. Er bat außerdem, die Fragen nicht zu komplizieren. Es sei nicht Absicht der DDR, an der praktischen Handhabung des Verkehrs West-Berliner Güter und Bürger etwas zu ändern.

Er faßte zusammen: Hier steht Position gegen Position. Er wisse nicht, wie man aus dieser Situation herauskommt.

Ich habe mir eine ausführliche Erwiderung vorbehalten, aber auf zwei Gesichtspunkte sofort aufmerksam gemacht:

a) Es gebe keine automatische Ausdehnung von Gesetzen, sondern ein festgelegtes Verfahren.[8] Dies werde nicht geändert. Es würden weder bisherige Gesetze revidiert noch künftige ohne Berlin-Klausel verabschiedet werden.

b) Unter den zuständigen deutschen Behörden seien nicht nur Senat und DDR, sondern auch Bundesregierung zu verstehen. Außerdem habe der Senat durch die Drei Mächte nur eine begrenzte Autorisierung erhalten. Es dürfe keinen rechtsfreien Raum geben. Was nicht als Ausfluß des Vier-Mächte-Abkommens vom Senat geregelt würde, müsse in Vereinbarungen zwischen der BRD und der DDR geregelt werden, soweit Regelungen erfolgen. Es wäre gut, dieses Problem ein für allemal zu lösen.

Kohl wiederholte, daß die Haltung seiner Seite unbeweglich sei. Unter diesen Umständen schlug ich vor, nicht – wie geplant – bereits am 24., sondern erst

---

[7] Für den Wortlaut des Protokolls vom 30. September 1971 über Verhandlungen zwischen dem Bundesministerium für das Post- und Fernmeldewesen und dem Ministerium für Post- und Fernmeldewesen der DDR sowie für den Wortlaut der Vereinbarung über die Errichtung und Inbetriebnahme einer farbtüchtigen Richtfunkstrecke zwischen der Bundesrepublik und der DDR vgl. BULLETIN 1971, S. 1522–1524.

[8] Nach Artikel 87 Absatz 2 der Verfassung von Berlin vom 1. September 1950 konnte das Abgeordnetenhaus von Berlin durch Gesetz feststellen, „daß ein Gesetz der Bundesrepublik Deutschland unverändert auch in Berlin Anwendung findet". Vgl. VERORDNUNGSBLATT FÜR GROSS-BERLIN vom 29. September 1950, S. 439.
Dazu führte die Alliierte Kommandatura Berlin mit BK/O (50) 75 vom 29. August 1950 aus: „Artikel 87 wird dahingehend aufgefaßt, daß während der Übergangsperiode Berlin keine der Eigenschaften des zwölften Landes besitzen wird. Die Bestimmungen dieses Artikels betreffend das Grundgesetz finden nur in dem Maße Anwendung, als es zwecks Vorbeugung eines Konfliktes zwischen diesem Gesetz und der Berliner Verfassung erforderlich ist. Ferner finden die Bestimmungen irgendeines Bundesgesetzes in Berlin erst Anwendung, nachdem seitens des Abgeordnetenhauses darüber abgestimmt wurde und dieselben als Berliner Gesetz verabschiedet worden sind." Vgl. DOKUMENTE ZUR BERLIN-FRAGE 1944–1966, S. 154.
Am 8. Oktober 1951 erläuterte die Alliierte Kommandatura Berlin dazu in einem Schreiben an den Regierenden Bürgermeister von Berlin und den Präsidenten des Abgeordnetenhauses: „Das Abgeordnetenhaus von Berlin darf ein Bundesgesetz mit Hilfe eines Mantelgesetzes, das die Bestimmungen des betreffenden Bundesgesetzes in Berlin für gültig erklärt, übernehmen". Vgl. BK/O (51) 56 in der Fassung der BK/O (55) 10 vom 14. Mai 1955; DOKUMENTE ZUR BERLIN-FRAGE 1944–1966, S. 166.

am 26. April die Verhandlungen fortzusetzen.[9] Dies ist wahrscheinlich gleichbedeutend mit der Entscheidung, den Verkehrsvertrag, wenn überhaupt, erst nach der Ratifizierung paraphieren zu können; denn eine Änderung der DDR-Haltung zur Einbeziehung Berlins ist, wenn überhaupt, in der kommenden Woche nicht zu erwarten.

Bahr

[Anlage]

Betr.: Einbeziehung von Berlin (West) in Verträge zwischen der BRD und der DDR

I. Die beharrliche Weigerung der DDR, der Einbeziehung von Berlin (West) in den Verkehrsvertrag zuzustimmen, berührt grundsätzliche Probleme der künftigen Gestaltung der Beziehungen zwischen den beiden deutschen Staaten und kann zu schwerwiegenden Konsequenzen führen.

1) Aus der Haltung der DDR geht hervor, daß sie grundsätzlich auch die Befugnis der BRD, in allen nicht die Sicherheit und den Status betreffenden Angelegenheiten die Interessen von Berlin (West) zu vertreten, bestreiten und offenbar auch künftig der Einbeziehung von Berlin (West) in die von beiden Seiten angestrebten Verträge, sei es auf dem Gebiete der Wirtschaft, des Rechts, der Finanzen, der Kultur o. a. widersprechen will.

Diese Haltung steht im Gegensatz zu den Absichten und Erwartungen, die alle anderen Beteiligten mit den Berlinverhandlungen und ihren Ergebnissen als den entscheidenden Voraussetzungen für eine „Normalisierung" verbunden haben. Es ging darum, unter dem Stichwort „Respektierung der in diesem Gebiet entstandenen Lage" eine Regelung zu finden, die das entscheidende Hindernis für jede positive Entwicklung zwischen West und Ost aus dem Themenkreis der beteiligten Staaten als nicht mehr aktuell ausscheiden würde.

Demgegenüber beabsichtigt die DDR offenbar, die Befugnis der BRD zur Vertretung der Interessen von Berlin (West) zu bestreiten. Diese von den Vier Mächten bestätigte Befugnis, die auf der Respektierung der bestehenden Bindungen zwischen der BRD und Berlin (West) beruht, ist aber ein tragendes Element des Abkommens vom 3. September 1971[10]. Die DDR würde, wenn sie bei ihrer Haltung bleibt, eine Quelle fortgesetzter Schwierigkeiten zwischen den beiden deutschen Staaten und gegenüber dritten Staaten schaffen.

Dies wirft auch die Frage auf, ob die DDR noch andere mit der Vertretung von Berlin (West) durch die BRD und mit den Bindungen zusammenhängende praktische Regelungen des Vier-Mächte-Abkommens in Frage stellen will.

Wird die DDR auch gegen die Vertretung der Interessen von Berlin (West) durch die BRD in internationalen Organisationen und auf internationalen Konferenzen, an denen die DDR künftig teilnehmen wird, d. h. im Bereich multila-

---

[9] Zum 41. Gespräch des Staatssekretärs Bahr, Bundeskanzleramt, mit dem Staatssekretär beim Ministerrat der DDR, Kohl, am 25./26. April 1972 in Ost-Berlin vgl. Dok. 112.
[10] Vgl. dazu Teil II D sowie die Anlagen IV und IV B des Vier-Mächte-Abkommens über Berlin vom 3. September 1971; Dok. 25, Anm. 9, Dok. 37, Anm. 4, und Dok. 45, Anm. 4.

teraler Verträge, innerhalb derer ja auch Rechtsbeziehungen zwischen der DDR und der BRD entstehen werden, streiten?
Wird die DDR die Teilnahme von Personen mit ständigem Wohnsitz in Berlin (West) gemeinsam mit Teilnehmern aus der BRD am bilateralen Austausch mit der DDR verweigern, im multilateralen Austausch zu erschweren suchen? Wird die DDR Einladungen zu Veranstaltungen in Berlin (West), die von der Bundesregierung und dem Senat gemeinsam ausgesprochen werden, ablehnen und in den Organen internationaler Organisationen darauf hinwirken, daß derartige Veranstaltungen möglichst nicht nach Berlin (West) vergeben werden?
2) Die DDR verläßt auch den Boden der gemeinsamen Bemühungen um eine Berlin-Regelung auf der Grundlage der bestehenden, realen Gegebenheiten, wenn sie in Konsequenz ihrer Haltung zur Einbeziehung von Berlin (West) in Verträge mit der BRD fordert, daß unsere Seite sich in einem wichtigen Zweig der Bindungen, nämlich auf dem Gebiet des Rechtes, vollständig von der gegenwärtigen Praxis entfernt.
Bekanntlich soll der Verkehrsvertrag die Billigung der gesetzgebenden Körperschaften erhalten und damit bindendes Recht in der BRD werden. Gesetze, die nicht in den Vorbehaltsbereich fallen, müssen entsprechend der seit zwei Jahrzehnten bestehenden Rechtslage eine Berlinklausel erhalten und werden durch Mantelgesetz nach Berlin übernommen. Dieses festgelegte Verfahren gestattet es den Drei Mächten, ihre bekannten Verantwortlichkeiten wahrzunehmen, bevor das betreffende Gesetz in Berlin (West) gilt. Ohne die Berlineinbeziehung in den Verkehrsvertrag würde dieses Verfahren in einem Bereich aufgegeben werden müssen, in dem rechtlich und praktisch eine vollständige Integration besteht, in dem dem Senat auch keinerlei Gesetzgebungskompetenz zusteht oder zugestanden werden kann. Dies wäre Abkehr von unserer jahrzehntelangen, durch das Dritte Überleitungsgesetz[11] gesetzlich fixierten Rechtspraxis. Keine Bundesregierung wäre willens oder in der Lage, dies zu vertreten, von der Frage der Zustimmung der für Berlin (West) verantwortlichen Drei Mächte ganz abgesehen. Es ist daher ausgeschlossen, daß ein Zustimmungsgesetz zu dem Verkehrsvertrag ohne rechtlich gesicherte Einbeziehung Berlins (West) eine Mehrheit im Bundestag oder Bundesrat erhalten wird.
Außerdem stellt sich die Frage, ob die DDR in den Bereichen Handel und Post die bisherigen Lösungen ändern will.
II. Ein gesonderter Verkehrsvertrag zwischen dem Senat und der DDR hätte auch schwere praktische Nachteile: Jedes Gesetz und jeder Vertrag der BRD mit anderen Staaten im Bereich des Verkehrs gilt auch in Berlin (West).[12] Es gibt daher keine Unterscheidung zwischen Fahrzeugen, Gütern, Transportmit-

---

[11] In den Artikeln 12 bis 15 des Gesetzes vom 4. Januar 1952 über die Stellung des Landes Berlin im Finanzsystem des Bundes (Drittes Überleitungsgesetz) war die Übernahme von Bundesrecht in Berlin (West) geregelt. Vgl. BUNDESGESETZBLATT 1952, Teil I, S. 3 f.
[12] Die Einbeziehung von Berlin (West) in Verträge der Bundesrepublik war durch die Verordnung der Alliierten Kommandantur BKC/L (52) 6 vom 21. Mai 1952 geregelt. Darin wurde festgelegt, daß Berlin (West) im Text aller Verträge, in die es einbezogen werden sollte, ausdrücklich genannt werden mußte. Für den Wortlaut vgl. DOKUMENTE ZUR BERLIN-FRAGE 1944–1966, S. 175–177.

teln, ihren Zulassungs- und Beförderungsbedingungen, den für den Verkehr benötigten Dokumenten usw. in der BRD und in Berlin (West). Transportmittel, die in Berlin oder im Bund zugelassen sind, im Bund oder in Berlin ihren Standort haben, deren Eigentümer im Bund oder in Berlin wohnt, transportieren Personen oder Güter aus dem Bund oder aus Berlin in die DDR. Sie fahren von Berlin aus oder von der BRD aus. Sie können von Hannover Waren nach Leipzig bringen und von dort nach Berlin fahren. Wann soll der Vertrag mit der BRD, wann der mit dem Senat angewendet werden? Mit wem in Berlin soll der Versicherungsschutz geregelt werden? Einen Berliner HUK-Verband gibt es nicht.

Welches wären die Konsequenzen für andere Verträge mit der DDR?

Z. B. bei einem Verrechnungsabkommen, einem Abkommen über den Zahlungsverkehr (Währungseinheit)? Beabsichtigt die DDR, entsprechende Konsequenzen im Handel zu ziehen? Ab 1.1.1974 werden die Verträge mit der EWG abzuschließen sein. Wird die DDR dann auch die Zugehörigkeit von Berlin (West) zur Mitgliedschaft der BRD in der EWG bestreiten und einen Handelsvertrag mit dem Senat abschließen wollen?

Die Organisation und das System der Verwaltung läßt auch eine Unterscheidung in vielen anderen Bereichen nicht zu, z.B. in der Gesundheits-, Alters- und Sozialfürsorge, in der Verbrechensbekämpfung usw.

Ein Eingehen auf die Vorstellungen der DDR würde die Desintegration von Berlin (West) erfordern, die im Widerspruch zu dem Ergebnis des Vier-Mächte-Abkommens stehen würde.

III. Es trifft zu, daß nicht jede Einzelfrage der Vertretungsbefugnis im Vier-Mächte-Abkommen ausdrücklich geregelt ist. Die Bestätigung der Bindungen in Teil II B[13] des Vier-Mächte-Abkommens gibt aber einen wichtigen Anhaltspunkt für die generelle Geltung des Vertretungsgrundsatzes mit Ausnahme der Fragen von Sicherheit und Status.

Die Aufrechterhaltung des geltenden Verfahrens bezüglich der Anwendbarkeit der Gesetzgebung der BRD auf Berlin (West) durch das von dem sowjetischen Botschafter[14] akzeptierte Schreiben der drei Botschafter an den Bundeskanzler[15] bekräftigt praktisch die Gesetzgebungkompetenzen des Bundes auf diesen Gebieten. Die Gesetzgebungskompetenz begründet aber auch die Kompetenz zum Abschluß von Verträgen, deren Inhalt geltendes Recht in der BRD werden soll.

---

[13] Teil II B des Vier-Mächte-Abkommens über Berlin vom 3. September 1971: „The Governments of the French Republic, the United Kingdom and the United States of America declare that the ties between the Western Sectors of Berlin and the Federal Republic of Germany will be maintained and developed, taking into account that these sectors continue not to be a constituent part of the Federal Republic of Germany and not to be governed by it. Detailed arrangements concerning the relationship between the Western Sectors of Berlin and the Federal Republic of Germany are set forth in Annex II." Vgl. EUROPA-ARCHIV 1971, D 444.

[14] Pjotr Andrejewitsch Abrassimow.

[15] Für das Schreiben der Botschafter Jackling (Großbritannien), Rush (USA) und Sauvagnargues (Frankreich) vom 3. September 1971 an Bundeskanzler Brandt vgl. EUROPA-ARCHIV 1971, D 455–457.

Die Worte „ausgedehnt werden können" in Annex IV A bringen die Ermächtigung der Drei Mächte zum Ausdruck. In der Antwort der Sowjetunion heißt es positiv, daß sie keine Einwände gegen diese Verfahren hat.

Der Hinweis auf die Anlage III zum Vier-Mächte-Abkommen, wonach Fragen der Kommunikation zwischen Senat und DDR direkt zu vereinbaren seien, geht fehl. Nach Ziffer 5 der Anlage III sollen Regelungen zur Durchführung und Ergänzung der Bestimmungen der Absätze 1 bis 4 zwischen den zuständigen deutschen Behörden vereinbart werden.[16] Die Zuständigkeit selbst ist im Vier-Mächte-Abkommen nicht geregelt. Die Vereinbarung vom 30.9.1971 zwischen den Postministerien der beiden Staaten zeigt aber, daß auch die DDR keineswegs nur Vereinbarungen mit dem Senat schließen will. Im übrigen sind unter Kommunikation in Ziffer 1 der Anlage III jene Themen zu verstehen, die der Senat bereits in Gesprächen mit der DDR behandelt hat (Müllablagerung usw.).

Der Verkehrsvertrag regelt Angelegenheiten, die weit über den dort angesprochenen Themenkreis hinausgehen. Dies wird auch daran deutlich, daß im Verkehrsvertrag der Transit in Drittstaaten behandelt wird. Der Verkehr aus Berlin (West) nach Polen o. ä. kann nicht unter den Begriff Kommunikation zwischen Berlin (West) und der DDR gefaßt werden.

Zusammenfassung

Aus politischen, rechtlichen und praktischen Gründen muß Berlin (West) in die Verträge der BRD mit allen anderen Staaten einbezogen werden, soweit nicht Fragen der Sicherheit und des Status berührt sind. Es kommt dabei nicht auf die Form an, in der das geschieht. Wichtig ist nur, daß die für die Ausdehnung von Gesetzen auf Berlin (West) „established procedures", die das Vier-Mächte-Abkommen ausdrücklich bestätigt hat, angewendet werden können.

Es erscheint zweckmäßig, aus Anlaß des Verkehrsvertrages ein Verfahren zu entwickeln, das auch bei künftigen Verträgen – soweit sie eine Einbeziehung Berlins (West) zulassen – Anwendung finden kann. Nur so läßt sich ein dauernder Streit verhindern, der den Erfolg der Vier-Mächte-Regelung in Frage stellen würde. Z. B. wäre vorstellbar, daß Verträge zwischen der BRD und der DDR keine Berlin-Klausel enthalten, in einem Briefwechsel aber die Anwendung auf Berlin (West) vereinbart wird. Das Zustimmungsgesetz der BRD würde eine Berlin-Klausel erhalten, die Übernahme durch Berlin (West) durch das übliche Mantelgesetz erfolgen.

VS-Bd. 8563 (II A 1)

---

[16] Für Anlage III des Vier-Mächte-Abkommens über Berlin vom 3. September 1971 vgl. Dok. 90, Anm. 17.

107

Aufzeichnung des Ministerialdirigenten Sanne, Bundeskanzleramt

Geheim 20. April 1972[1]

Betr.: Persönliches Gespräch der Staatssekretäre Bahr und Kohl unter Beteiligung von Experten am 20. April 1972 in Bonn;
hier: Artikel 32 – Schlußbestimmungen –

Im persönlichen Gespräch am 19. April hatte Staatssekretär Kohl einen neuen Vorschlag zur Formulierung von Artikel 32[2], einen Entwurf für einen Notenwechsel[3] und einen Entwurf für eine bei Paraphierung bzw. Unterzeichnung abzugebende Erklärung überreicht (Anlage).[4]

---

[1] Ablichtung.

[2] Dem Vorgang beigefügt. Der Vorschlag der DDR vom 19. April 1972 für Artikel 32 eines Vertrags mit der Bundesrepublik über Fragen des Verkehrs lautete: „Dieser Vertrag wird auf unbestimmte Zeit geschlossen. Er kann fünf Jahre nach seinem Inkrafttreten mit einer Frist von drei Monaten zum Ende des jeweiligen Kalenderjahres gekündigt werden. Dieser Staatsvertrag tritt an dem Tage in Kraft, an dem die beiden Vertragsseiten sich gegenseitig auf diplomatischen Wege durch Notenwechsel mitteilen, daß die nach der Verfassung der Deutschen Demokratischen Republik bzw. dem Grundgesetz der Bundesrepublik Deutschland erforderlichen international üblichen Voraussetzungen für das Inkrafttreten dieses Vertrages erfüllt sind." Vgl. VS-Bd. 8563 (II A 1); B 150; Aktenkopien 1972.

[3] Dem Vorgang beigefügt. Im Vorschlag der DDR vom 19. April 1972 für einen Notenwechsel zum Vertrag mit der Bundesrepublik über Fragen des Verkehrs wurde ausgeführt: „Die entsprechend der Verfassung der Deutschen Demokratischen Republik/dem Grundgesetz der Bundesrepublik Deutschland für den Abschluß und die Bestätigung von Staatsverträgen mit anderen Staaten zuständigen Organe der Deutschen Demokratischen Republik/der Bundesrepublik Deutschland haben dem am ... Mai 1972 unterzeichneten Vertrag zwischen der Deutschen Demokratischen Republik und der Bundesrepublik Deutschland/der Bundesrepublik Deutschland und der Deutschen Demokratischen Republik über Fragen des Verkehrs ihre Zustimmung gegeben. Die obengenannten Organe der Deutschen Demokratischen Republik/der Bundesrepublik Deutschland nehmen außerdem von der Note der Regierung der Bundesrepublik Deutschland/der Deutschen Demokratischen Republik an die Regierung der Deutschen Demokratischen Republik/der Bundesrepublik Deutschland vom heutigen Tage Kenntnis, in der mitgeteilt wird, daß die entsprechend dem Grundgesetz der Bundesrepublik Deutschland/der Verfassung der Deutschen Demokratischen Republik für den Abschluß und die Bestätigung von Staatsverträgen mit anderen Staaten zuständigen Organe der Bundesrepublik Deutschland/der Deutschen Demokratischen Republik dem erwähnten Vertrag ihre Zustimmung gegeben haben. Damit sind die international üblichen Voraussetzungen für das Inkrafttreten dieses Staatsvertrages gegeben, so daß er entsprechend den Bestimmungen seines Artikels 32 mit dem heutigen Tag völkerrechtswirksam werde." Vgl. VS-Bd. 8563 (II A 1); B 150, Aktenkopien 1972.

[4] Dem Vorgang beigefügt. Der Vorschlag der DDR vom 19. April 1972 für eine bei der Paraphierung bzw. der Unterzeichnung des Vertrags mit der Bundesrepublik über Fragen des Verkehrs abzugebende Erklärung lautete: „Dieser Staatsvertrag zwischen den beiden voneinander unabhängigen Staaten ist in international üblicher Form geschlossen worden. Er wird nach seiner Bestätigung durch die in der Verfassung der Deutschen Demokratischen Republik bzw. dem Grundgesetz der Bundesrepublik Deutschland dafür vorgesehenen Organe dieselbe völkerrechtliche Verbindlichkeit haben wie andere Staatsverträge, die die Deutsche Demokratische Republik bzw. die Bundesrepublik Deutschland mit dritten Staaten vereinbart haben." Vgl. VS-Bd. 8563 (II A 1); B 150, Aktenkopien 1972.

Staatssekretär Bahr erklärte, seine Seite habe dazu Überlegungen angestellt. Als erstes Ergebnis überreiche er die vorläufige Formulierung eines Gegenvorschlags (Anlage).[5]

Aus der anschließenden Diskussion hielt Staatssekretär Kohl zusammenfassend fest, daß die BRD bereit sei, einen Notenwechsel über die Inkraftsetzung des Verkehrsvertrages durch die Delegationsleiter unterzeichnen zu lassen. Auch ein Briefaustausch der Regierungschefs sei ins Auge gefaßt worden. Staatssekretär Bahr habe aber die seines Erachtens richtige Auffassung vertreten, daß dies optisch schön wäre, vom Normalverfahren jedoch abweichen würde.

Staatssekretär Bahr ergänzte, daß der von ihm vorgetragene Vorschlag für die Fassung des Artikels 32 und den Notenwechsel unter Berücksichtigung der Wünsche der DDR zustande gekommen sei. Wir hätten in der Formulierung und in den Zusammenhängen unseres Vorschlags die Sorge der DDR auszuschließen versucht, daß die vorgesehene Art der Inkraftsetzung von irgend jemand als ein „innerdeutscher" Vorgang mißdeutet werden könnte.

Staatssekretär Kohl bemerkte, daß schon die Formulierung „innerstaatliche Voraussetzungen" gewisse Bedenken bei ihm auslöse. Er wolle aber noch keine Stellung zum Vorschlag der BRD nehmen, sondern sich die Prüfung bis zur nächsten Runde vorbehalten.[6]

Sanne

VS-Bd. 8563 (II A 1)

---

[5] Dem Vorgang beigefügt. Der Vorschlag der Bundesrepublik vom 20. April 1972 für Artikel 32 eines Vertrags mit der DDR über Fragen des Verkehrs lautete: „Dieser Vertrag wird auf unbestimmte Zeit geschlossen. Er kann fünf Jahre nach seinem Inkrafttreten mit einer Frist von drei Monaten zum Ende des jeweiligen Kalenderjahres gekündigt werden. Dieser Vertrag tritt an dem Tage in Kraft, an dem die beiden Regierungen sich gegenseitig durch Notenwechsel mitteilen, daß die innerstaatlichen Voraussetzungen für das Inkrafttreten dieses Vertrages erfüllt sind. Zu urkund dessen haben die Bevollmächtigten der Vertragsstaaten diesen Vertrag unterzeichnet."
Im Vorschlag der Bundesrepublik vom 20. April 1972 für eine Note an die DDR zum Vertrag über Fragen des Verkehrs wurde ausgeführt: „Die Regierung der Bundesrepublik Deutschland beehrt sich, der Regierung der Deutschen Demokratischen Republik davon Kenntnis zu geben, daß die gesetzgebenden Körperschaften der Bundesrepublik Deutschland dem am ... in Berlin unterzeichneten Vertrag ihre Zustimmung gegeben haben und damit die für das Inkrafttreten des Vertrages erforderlichen innerstaatlichen Voraussetzungen auf seiten der Bundesrepublik Deutschland erfüllt sind."
Der Vorschlag der Bundesrepublik vom 20. April 1972 für eine bei der Paraphierung bzw. der Unterzeichnung des Vertrags mit der DDR über Fragen des Verkehrs abzugebende Erklärung lautete: „Dieser Vertrag zwischen unseren beiden Staaten ist in international üblicher Form geschlossen worden. Er wird nach seiner Bestätigung durch die gesetzgebenden Körperschaften dieselbe Verbindlichkeit haben wie andere Staatsverträge, die die Bundesrepublik Deutschland mit dritten Staaten geschlossen hat. Mit dem in Aussicht genommenen Notenwechsel werden die Voraussetzungen für das Inkrafttreten dieses Vertrages erfüllt sein, der dann entsprechend den Bestimmungen seines Artikels 32 völkerrechtswirksam wird." Vgl. VS-Bd. 8563 (II A 1); B 150, Aktenkopien 1972.

[6] Artikel 32 wurde in dem von der Bundesrepublik am 20. April 1972 vorgeschlagenen Wortlaut als Artikel 33 in den am 12. Mai 1972 paraphierten und am 26. Mai 1972 unterzeichneten Vertrag zwischen der Bundesrepublik und der DDR über Fragen des Verkehrs übernommen. Vgl. BULLETIN 1972, S. 987.
Für den am 26. April 1972 zwischen Staatssekretär Bahr, Bundeskanzleramt, und dem Staatssekretär beim Ministerrat der DDR, Kohl, vereinbarten Notenwechsel bzw. die von der Bundesregierung und der DDR abzugebende Erklärung vgl. Dok. 112, Anm. 3 und 4.

108

**Aufzeichnung des Ministerialdirigenten Sanne,
Bundeskanzleramt**

Geheim 20. April 1972[1]

Betr.: Persönliches Gespräch der Staatssekretäre Bahr und Kohl unter Beteiligung von Experten am 20. April 1972 in Bonn

Das Gespräch behandelte Fragen im Zusammenhang mit dem Beitritt beider Staaten zu den Eisenbahnübereinkommen CIM und CIV[2].

1) Staatssekretär Bahr legte dar, daß erstmals eine multilaterale Konvention auch zwischen der BRD und der DDR gelten soll. Um auszuschließen, daß der Beitritt zu CIM/CIV als implizierte völkerrechtliche Anerkennung der DDR durch die BRD verstanden wird, beabsichtige die Bundesregierung, ihren unveränderten Standpunkt in der Anerkennungsfrage durch eine Erklärung (Disclaimer) zum Beitrittsantrag zu bekräftigen. Im übrigen müsse er Staatssekretär Kohl davon in Kenntnis setzen, daß die Drei Mächte sich eine Prüfung vorbehalten haben, ob durch das vorgesehene Verfahren der alliierte Zugang auf dem Schienenwege nach Berlin (West) berührt wird und ob sich Auswirkungen für den zivilen Transitverkehr ergeben, der im Vier-Mächte-Abkommen und im Transitabkommen geregelt ist.

Staatssekretär Kohl erwiderte, daß die beiden Staaten ja bereits Mitglieder einer Reihe internationaler Konventionen seien, die im Rahmen der Vereinten Nationen abgeschlossen worden sind. In dieser Hinsicht seien rechtliche Beziehungen zwischen den beiden Staaten entstanden, denn sie müßten die betreffenden Konventionen im gegenseitigen Verhältnis anwenden.

Herr Bräutigam stellte fest, daß, wie immer man politisch dazu stehen möge, nach unserer Auffassung in den genannten Fällen Rechtsbeziehungen zwischen der BRD und der DDR durch unsere Disclaimer ausgeschlossen worden seien.

Über diesen Punkt konnte keine einheitliche Auffassung hergestellt werden. Staatssekretär Kohl verwahrte sich jedoch nachdrücklich gegen eine Absicht der Bundesregierung, einen Disclaimer im Zusammenhang mit dem Beitritt der beiden Staaten zu CIM/CIV abzugeben. Dieser würde die beiderseitige Absicht, zu normalen völkerrechtsgemäßen Beziehungen zu gelangen, wieder in Frage stellen. Bliebe die Bundesregierung bei ihrer bisherigen Praxis, Anerkennungsvorbehalte auszusprechen, so müsse man mit fortgesetzten Reibungen zwischen den beiden Staaten rechnen.

2) Staatssekretär Kohl warf in diesem Zusammenhang die grundsätzliche Frage auf, wie man sich im Endzustand das Verhältnis der beiden deutschen Staa-

---

[1] Ablichtung.
[2] Für den Wortlaut des Internationalen Übereinkommens vom 25. Februar 1961 über den Eisenbahnfrachtverkehr (CIM) vgl. BUNDESGESETZBLATT 1964, Teil II, S. 1520–1579.
Für den Wortlaut des Internationalen Übereinkommens vom 25. Februar 1961 über den Eisenbahn-Personen- und -Gepäckverkehr (CIV) vgl. BUNDESGESETZBLATT 1964, Teil II, S. 1898–1951.

ten im internationalen Bereich vorzustellen habe. Nach seiner Auffassung müsse es das „Finalprodukt" sein, daß zwischen ihnen ein normales völkerrechtliches Verhältnis entsteht. Die Vier Mächte würden wohl dazu Erklärungen abgeben. Das sei aber auch alles, was er sich vorstellen könne.

Staatssekretär Bahr widersprach dieser Auffassung mit der Bemerkung, daß es nach seiner Meinung solange ein völkerrechtliches Sonderverhältnis zwischen den beiden deutschen Staaten geben werde, bis es zu einem Friedensvertrag komme. Er wisse zwar auch, daß die DDR immer erklärt habe, die völkerrechtliche Anerkennung durch die BRD sei Voraussetzung, um auch nur Verhandlungen mit ihr aufzunehmen, aber er müsse darauf hinweisen, daß die Willenserklärung, die zu einer völkerrechtlichen Anerkennung nötig wäre, von der Bundesregierung nicht beabsichtigt sei.

3) Staatssekretär Kohl ging auf die Frage des geplanten Briefwechsels über den beabsichtigten Beitritt zu CIM/CIV ein[3] und stellte fest, daß dieser wohl nur möglich sei, wenn die Prüfung der Rechtslage durch die Bundesregierung ergebe, daß ein Zustimmungsgesetz des Bundestages in dieser Frage nicht erforderlich sei. Staatssekretär Bahr bestätigte dies.

Staatssekretär Kohl stellte dann die Frage, ob es nicht denkbar sei, daß im Falle der Notwendigkeit eines Gesetzes für die BRD die DDR, bei der diese Notwendigkeit nicht bestehe, ihrerseits unmittelbar nach Unterzeichnung einen Beitrittsantrag stellen würde. Werde die BRD in einem solchen Falle diesem Antrag Schwierigkeiten machen?

Staatssekretär Bahr bezeichnete dieses Verfahren als eine interessante Möglichkeit, die man prüfen müsse. Sollte das Ergebnis der Prüfung positiv sein, werde die Bundesregierung selbstverständlich keine derartigen Schwierigkeiten machen.

4) Über die Einbeziehung von Berlin (West) im Zuge einer Mitgliedschaft beider Staaten bei CIM/CIV wurde nur kurz gesprochen. Staatssekretär Bahr stellte fest, daß es sich hier – mehr noch als sonst – um ein Sonderproblem handele. Zwar würden die Eisenbahn- und S-Bahnstrecken in Berlin (West) von der DDR betrieben, aber im Falle des Beitritts zu CIM/CIV komme es nicht nur auf die Anmeldung von Strecken an, sondern auch auf die Frage des Hoheitsgebiets der Staaten, die Mitglied seien.

Es wurde vereinbart, über diese Frage in der nächsten Runde[4] weiter zu sprechen.

Sanne

VS-Bd. 8563 (II A 1)

---

3 In der Delegationssitzung am 20. April 1972 führte Staatssekretär Bahr, Bundeskanzleramt, aus, „daß man die Möglichkeit eines Briefwechsels besprochen habe, durch den, unabhängig vom AVV, zum frühestmöglichen Zeitpunkt nach Unterzeichnung des AVV die Stellung des Antrags auf Mitgliedschaft beim CIM und CIV vereinbart werden solle." Vgl. die Gesprächsaufzeichnung; VS-Bd. 8563 (II A 1); B 150, Aktenkopien 1972.

4 Zum 41. Gespräch des Staatssekretärs Bahr, Bundeskanzleramt, mit dem Staatssekretär beim Ministerrat der DDR, Kohl, am 25./26. April 1972 in Ost-Berlin vgl. Dok. 112.

109

Gespräch des Bundeskanzlers Brandt
mit Premierminister Heath in London

Z A 5-27.A/72 geheim 21. April 1972[1]

Der Herr Bundeskanzler traf am 21. April 1972 um 10.30 Uhr mit dem britischen Premierminister Heath zu einem zweiten Gespräch unter vier Augen zusammen.[2]

Der *Premierminister* fragte einleitend, wie sich die Gipfelkonferenz im Oktober[3] abspielen werde.

Der Herr *Bundeskanzler* sagte, er könne nur aufgrund seiner Erfahrungen in Den Haag[4] sprechen. Man habe im voraus Teile des Kommuniqués vorbereitet, und der größte Teil der Arbeit sei im Kommuniqué-Ausschuß geleistet worden, der aus leitenden Beamten zusammengesetzt gewesen sei und parallel zu den Regierungschefs getagt habe. Er selbst habe eine Rede vorbereitet, deren eine Hälfte er am ersten Tag und die zweite Hälfte am zweiten Tag[5] benutzt habe. Die Tagesordnung sei endgültig erst nach Zusammentritt der Konferenz festgelegt worden.

Für die bevorstehende Gipfelkonferenz schwebten ihm folgende Punkte vor: Wirtschafts- und Währungsunion, Erhöhung der Leistungsfähigkeit der Institutionen und Außenbeziehungen, wobei der letzte Punkt zweckmäßigerweise untergliedert werde. Die Außenminister hätten bereits ein erstes Gespräch geführt.[6] Es sollte dann Einvernehmen darüber erzielt werden, wer welches Thema in Darlegungen von etwa zehn bis fünfzehn Minuten Dauer einführe. Im Anschluß daran könne die Aussprache stattfinden.

Der *Premierminister* verwies auf seine Erfahrungen mit den Commonwealth-Konferenzen, die sich im Lauf der Jahre erheblich geändert hätten. Als nur neun oder zehn Länder vertreten gewesen seien, habe man sich im Kabinettssaal in Anwesenheit der Außenminister getroffen und über die anstehenden Probleme diskutiert, ohne daß vorbereitete Reden verlesen worden wären. Meist seien diese Begegnungen sehr nützlich und ertragreich gewesen. Heute seien 31 Länder, jeweils mit Delegationen von zwölf Vertretern, anwesend, es würden Reden verlesen und es geschehe praktisch überhaupt nichts.

---

[1] Ablichtung.
Die Gesprächsaufzeichnung wurde von Vortragendem Legationsrat I. Klasse Weber am 24. April 1972 gefertigt.
[2] Bundeskanzler Brandt hielt sich vom 20. bis 22. April 1972 in Großbritannien auf. Vgl. dazu auch Dok. 104.
[3] Zum Stand der Überlegungen für eine europäische Gipfelkonferenz vgl. Dok. 31, Anm. 17, und Dok. 66.
[4] Zur Konferenz der Staats- und Regierungschefs der EG-Mitgliedstaaten am 1./2. Dezember 1969 in Den Haag vgl. AAPD 1969, II, Dok. 385.
[5] Für den Wortlaut der Rede des Bundeskanzlers Brandt vom 1. Dezember 1969 vgl. BULLETIN 1969, S. 1241–1243.
[6] Zur Konferenz der Außenminister der EG-Mitgliedstaaten und -Beitrittsstaaten am 20. März 1972 in Brüssel vgl. Dok. 66.

Der Herr *Bundeskanzler* führte weiter aus, daß er an eine erste, etwas feierliche Runde denke, in der die historische Bedeutung der Konferenz unterstrichen werde. Dabei würden erst die Sechs und dann die Vier Erklärungen abgeben. Für die Erörterung der eigentlichen Themen sollte eine zweite Runde vorgesehen werden.

Der Herr Bundeskanzler fragte, inwieweit der Premierminister daran denke, auf dem Gipfel im Zusammenhang mit der politischen Zusammenarbeit auch die Frage der Verteidigung anzuschneiden.

Der *Premierminister* erwiderte, er habe bisher nicht daran gedacht, dieses Thema anzusprechen.

Der Herr *Bundeskanzler* bemerkte, daß das Thema erwähnt werden sollte, da die politische Zusammenarbeit wohl kaum behandelt werden könne, ohne daß man auch auf die politischen Aspekte der Verteidigung eingehe. Im Augenblick habe man nichts besseres als die Eurogroup innerhalb des Atlantischen Bündnisses.[7] Er hoffe, daß man in diesem Bereich wieder zu besseren Kontakten mit den Franzosen gelangen werde.

Die Frage des *Premierministers*, ob die Franzosen ihre Haltung geändert hätten, verneinte der Herr *Bundeskanzler*. Die bilateralen Kontakte seien zwar gut, und es bestehe auf französischer Seite auch größere Bereitschaft als zuvor, über dieses Fragen zu sprechen. Es lägen jedoch keine Anzeichen dafür vor, daß sich die grundsätzliche französische Einstellung zur NATO geändert habe.

Der *Premierminister* bestätigte, daß solche Anzeichen auch nicht in Chequers[8] festzustellen gewesen seien, weshalb man das Thema nicht erörtert habe.

Der Herr *Bundeskanzler* fragte, ob mit Pompidou darüber gesprochen worden sei, wie die Verbindung zwischen der EG und den Vereinigten Staaten normalisiert oder institutionalisiert werden könnte.

Der *Premierminister* verneinte diese Frage.

Der Herr *Bundeskanzler* legte dar, daß deutscherseits mit den Franzosen darüber gesprochen worden sei[9] und Pompidou mehr Aufgeschlossenheit gezeigt habe als früher. Pompidou habe jedoch darauf hingewiesen, daß dies auf eine Weise geschehen müsse, die es den Vereinigten Staaten nicht gestatte, die Gemeinschaft zu regieren. Deutscherseits sei man der Auffassung, daß die in Brüssel mit der amerikanischen Mission bestehenden Kontakte sowie die Kontakte mit dem Büro der EG in Washington für Routinezwecke zwar gut seien, jedoch nicht ausreichten. Statt von Zeit zu Zeit, wenn es die Lage erforderlich mache,

---

[7] Vor dem Hintergrund amerikanischer und britischer Vorschläge für eine engere europäische Zusammenarbeit im Bereich der Verteidigung bildete sich Anfang 1969 ein informeller Gesprächskreis, an dem Belgien, die Bundesrepublik, Dänemark, Großbritannien, Italien, Luxemburg, die Niederlande und Norwegen teilnahmen. Auf ihrem ersten Treffen am 15. Januar 1969 beschlossen die acht Staaten, daß die „Eurogroup" allen europäischen NATO-Mitgliedstaaten offenstehen sollte, insbesondere Frankreich, das der Einladung zur Teilnahme nicht gefolgt war. Vgl. dazu AAPD 1969, I, Dok. 27.
Seit 1970 fanden regelmäßige Zusammenkünfte der „Eurogroup" auf der Ebene der Verteidigungsminister statt.

[8] Zum Treffen des Premierministers Heath mit Staatspräsident Pompidou am 18./19. März 1972 vgl. Dok. 104, Anm. 52.

[9] Vgl. dazu die deutsch-französischen Konsultationsbesprechung am 10. Februar 1972 in Paris; Dok. 29.

eine Sitzung einzuberufen, wäre es besser, einmal jährlich eine regelmäßige Zusammenkunft vorzusehen, auf der seitens der Gemeinschaft nicht nur die Kommission, sondern auch der Ministerrat vertreten sein sollten. Deutscherseits wolle man in dieser Frage nicht zu weit gehen, doch wolle man das Thema auf dem Gipfel zur Sprache bringen.

Der *Premierminister* führte aus, daß in diesem Rahmen auch ein neues Forum für die Erörterung der währungspolitischen Fragen erblickt werden könnte. Die Vereinigten Staaten wünschten auch handelspolitische Fragen zu erörtern, was man britischerseits jedoch für einen Fehler halten würde, da hierfür das bereits bestehende Forum von GATT besser geeignet wäre. Er sähe keine Schwierigkeiten voraus, wenn auf der Gipfelkonferenz darüber allgemein gesprochen werde. Die Schwierigkeiten des vergangenen August[10] sehe er nicht so sehr darin, daß es an der erforderlichen Maschinerie gefehlt habe, vielmehr seien die verfügbaren Möglichkeiten nicht genutzt worden. Die Amerikaner hätten ihre Konferenz in Camp David[11] gehabt und die Ergebnisse ohne vorherige Konsultation anderer Länder der Welt mitgeteilt. Sie hätten sich beispielsweise des Forums der Notenbankgouverneure in Basel oder sonstiger Institutionen bedienen können. Er sei der Auffassung, daß die währungspolitischen Gespräche intensiviert und beschleunigt werden sollten. Die Verwirklichung der Beschlüsse vom vergangenen Dezember[12] erfolge nur sehr schleppend. Ende der Woche werde in Rom[13] ein multilaterales Treffen stattfinden[14], doch seien bisher bei der Erarbeitung neuer Regelungen keine großen Fortschritte erzielt worden.

Für Großbritannien, besonders nach dem Beitritt, sei die Frage der Sterling-Guthaben von besonderer Bedeutung. Wenn beispielsweise statt bisher benutzter Reservewährungen neue Verfahren wie besondere Ziehungsrechte eingeführt würden, so berühre dies das Pfund unmittelbar, weil immer noch ein großer Teil offizieller Reserven auf Sterling laute. Wenn man sich auf Sonderziehungsrechte einige, wofür seine Regierung eintrete, wäre eine möglichst rasche Entscheidung zu begrüßen. Er halte es ferner für richtig, wenn sich die zehn Finanzminister der erweiterten Gemeinschaft auf eine gemeinsame euro-

---

[10] Am 15. August 1971 verkündete Präsident Nixon die Aufgabe der Dollar-Konvertibilität sowie weitere wirtschafts- und währungspolitische Maßnahmen. Vgl. dazu Dok. 80, Anm. 8.
Am 16. August 1971 wurden als Reaktion die Devisenmärkte in den EG-Mitgliedstaaten geschlossen und erst am 23. August 1971 wieder geöffnet. Zur Reaktion des EG-Ministerrats vgl. AAPD 1971, II, Dok. 276.

[11] Die von Präsident Nixon am 15. August 1971 verkündeten währungspolitischen Maßnahmen wurden am 13. August 1971 auf einer Konferenz mit seinen Wirtschaftsberatern in Camp David beschlossen. Vgl. dazu FRUS 1969–1976, III, S. 466.

[12] Zu der am 17./18. Dezember 1971 auf der Konferenz der Wirtschafts- und Finanzminister sowie der Notenbankpräsidenten der Zehnergruppe in Washington erzielten Einigung über eine Neuordnung des Weltwährungssystems („Smithsonian Agreement") vgl. Dok. 29, Anm. 5.

[13] Korrigiert aus: „London".

[14] Am 24./25. April 1972 fand in Rom eine Tagung der Finanzminister der EG-Mitgliedstaaten und -Beitrittsstaaten sowie der Notenbankgouverneure statt. Erörtert wurde die am 24. April 1972 in Kraft getretene Verengung der Bandbreiten zwischen den Währungen der EG-Mitgliedstaaten, die Möglichkeiten einer Einigung auf bestimmte fiskal- und konjunkturpolitische Verhaltensweisen, die Einkommenspolitik der einzelnen Staaten und die weitere Vorbereitung der Währungsunion. Vgl. dazu den Artikel „Finanzminister um Harmonisierung bemüht"; FRANKFURTER ALLGEMEINE ZEITUNG vom 26. April 1972, S. 6.
Vgl. dazu auch FRUS 1969–1976, III, S. 615–617.

päische Position einigten. Je eher dies geschehe, desto besser sei es. Er würde es begrüßen, wenn Bundesminister Schiller dazu beitragen könnte, daß die Dringlichkeit dieser Frage überall erkannt werde.

Der Herr *Bundeskanzler* bemerkte, auch die Bundesregierung sei an einer Beschleunigung interessiert. Innerhalb der Gemeinschaft hätten die Notenbankpräsidenten einen guten Anfang gemacht. Daneben sollte es eine Art Lenkungsausschuß für die Wirtschaftspolitik geben. Außerdem sei an eine gemeinsame Währungspolitik und eine gemeinsame Stabilitätspolitik zu denken. Der Ministerrat als solcher sei für diese Aufgaben nicht effektiv genug. Deswegen glaube er, daß sich parallel zur Gruppe der Notenbankpräsidenten, wann immer dies erforderlich sei, die stellvertretenden Finanzminister treffen sollten.[15] Die Franzosen wären mit einem solchen Vorgehen einverstanden.

Der *Premierminister* erklärte, auch für die britische Seite bedeute dieser Vorschlag keine Schwierigkeiten. Man würde ihn begrüßen.

Der Premierminister unterstrich, daß im Zusammenhang mit der Wirtschaftspolitik eine Frage von besonderem Interesse für Großbritannien sei. Wenn man zu engeren währungspolitischen Regelungen gelange – und die Einführung geringerer Bandbreiten zu Beginn der nächsten Woche sei ein erster Anfang – so sei es für Großbritannien wichtig, eine Regionalpolitik zu entwickeln. Wenn die Dinge in Unordnung gerieten, so hätten darunter die in den landwirtschaftlichen und wirtschaftlich weniger entwickelten Regionen lebenden Menschen am stärksten zu leiden. Deshalb müsse das Niveau der einzelnen Regionen auch möglichst ausgeglichen sein. Dann werde auch der Druck auf die Regierungen nachlassen, die Paritäten zu ändern. Hierüber habe er auch mit Pompidou gesprochen.

Im Vereinigten Königreich gäbe es einige Regionen, die in der Vergangenheit eine überhitzte Wirtschaft gehabt hätten, wie beispielsweise die Midlands und der Süden. Demgegenüber herrsche in Schottland und Wales Arbeitslosigkeit. Angesichts dieser Situation würden für die Midlands und den Süden immer wieder deflationistische Maßnahmen gefordert, was die Lage für die übrigen Regionen aber nur noch weiter verschärfen würde. Die einzige andere Alternative wäre eine Wechselkursänderung. Er hoffe daher, daß man sich auf der Gipfelkonferenz auf die Grundzüge einer Regionalpolitik werde einigen können. Derzeit konzentriere sich die Gemeinschaft auf die gemeinsame Landwirtschaftspolitik, da diese für die Sechs von besonderer Bedeutung sei.[16] In

---

[15] Zum Vorschlag der Bundesregierung hinsichtlich einer Richtlinie zur Förderung von Stabilität und Wachstum sowie eines konjunkturpolitischen Lenkungsausschusses vgl. Dok. 31, Anm. 14.

[16] Auf der Tagung der Landwirtschaftsminister der EG-Mitgliedstaaten vom 13. bis 16. März und vom 20. bis 24. März 1972 wurden „nach 85-stündigen Verhandlungen" folgende Ergebnisse erzielt: „Einigung über die Einhaltung des Ausgabenplafonds von 285 Mio. Rechnungseinheiten für den Europäischen Agrarfonds bei der Finanzierung der Strukturmaßnahmen; Einigung über besondere Maßnahmen für die Landwirtschaft im Falle von Paritätsänderungen; Festsetzung der Agrarpreise 1972–1973; Verabschiedung einer gemeinsamen Agrarstrukturpolitik." Zum Ausgleich der Währungsverluste der Landwirtschaft in Staaten, die ihre Währungen aufgewertet hatten, wurde beschlossen: „Ermächtigung an die aufwertenden Mitgliedstaaten, mit Hilfe nationaler Maßnahmen, z. B. Steuermaßnahmen (Mehrwertsteuer), einen Teil oder die Gesamtheit der Aufwertungsverluste auszugleichen; Grenzausgleich für den Teil der Aufwertungsverluste, die nicht durch die vorgenannten nationalen Maßnahmen abgedeckt sind; gemeinsame finanzielle Verantwortung für den Grenzausgleich; stufenweiser Abbau des Grenzausgleichs, wobei jeder degressive

Großbritannien jedoch seien nur 3% der arbeitenden Bevölkerung in der Landwirtschaft tätig, die überdies weitgehend mechanisiert sei und einer Umstrukturierung bedürfe. Auf der anderen Seite gebe es einige Industriegebiete, in denen noch Zustände wie im 19. Jahrhundert herrschten. Diese Bereiche seien auch nicht durch den Krieg in Mitleidenschaft gezogen worden, so daß sich die Notwendigkeit einer neuen Kapitalausrüstung nicht ergeben habe. Außerdem habe die erste Labour-Regierung die amerikanische Anleihe des Jahres 1947 für Zwecke der Schuldentilgung benutzt, statt eine Kapitalregenerierung in den bedürftigen Industriegebieten durchzuführen. In diesen Bereichen sei eine Umstrukturierung erforderlich. Während der vergangenen neun Monate seien Pläne hierfür ausgearbeitet worden, und man habe nunmehr detailliertere Vorstellungen entwickelt. So hoffe er, daß die Gemeinschaft bereit sein werde, einer Regionalpolitik nicht nur im landwirtschaftlichen, sondern auch im industriellen Bereich zuzustimmen.

Der Herr *Bundeskanzler* wies darauf hin, daß hierdurch einige Bereiche angesprochen würden, die im Vertrag von Rom[17] nur sehr vage geblieben seien. Hierzu gehöre beispielsweise auch das Verkehrswesen. Diese Fragen sollten im Zusammenhang mit der Wirtschafts- und Währungsunion erörtert werden.

Wie der *Premierminister* unterstrich, sei es um so wichtiger, zu einer ausgeglicheneren Wirtschaft zu gelangen, je enger man in einer Wirtschaftsunion aneinander rücke. Geschehe dies nicht, so werde der Druck aus den weniger entwickelten Regionen zunehmen.

Der Herr *Bundeskanzler* sagte, diese Fragen sollten nicht der Zuständigkeit der Gemeinschaft unterstellt werden, sondern den nationalen Regierungen vorbehalten bleiben, die bei ihren Maßnahmen sich jedoch an Regeln und Verfahren halten sollten, die die Regierungschefs vereinbart hätten. Er würde es ungern sehen, wenn für diesen Bereich eine neue Bürokratie in Brüssel entstünde.

Der *Premierminister* schloß sich diesen Überlegungen an und trat dafür ein, die praktischste Lösung zu finden.

Der Premierminister erwähnte sodann, der Herr Bundeskanzler habe vor kurzem eine wichtige Rede (Leverkusen) zu Fragen des Umweltschutzes und des sozialen Fortschritts gehalten.[18]

Fortsetzung Fußnote von Seite 461
    Schritt durch andere Maßnahmen kompensiert wird, um Einkommensverluste der Landwirtschaft zu vermeiden". Vgl. den Runderlaß Nr. 29 des Vortragenden Legationsrats I. Klasse Heimsoeth vom 28. März 1972; Referat 240, Bd. 167.
17 Für den Wortlaut der Römischen Verträge vom 25. März 1957 vgl. BUNDESGESETZBLATT 1957, Teil II, S. 753–1223.
18 Bundeskanzler Brandt bezeichnete es beim Kongreß der Friedrich-Ebert-Stiftung am 13. April 1972 in Leverkusen als Aufgabe der Europäischen Gemeinschaften, „zu erreichen, daß der soziale Fortschritt im umfassenden Sinne des Wortes nicht mehr nur als ein Anhängsel des wirtschaftlichen Wachstums betrachtet wird. Er muß vielmehr zur Richtschnur für die Arbeit in allen Bereichen des inneren Ausbaus der Gemeinschaft werden. Steuerpolitik, Agrarpolitik, Regionalpolitik, Umweltschutz und Bildungspolitik, aber auch Mitbestimmung und Fusionskontrolle – die Tätigkeit der Gemeinschaft in all diesen Bereichen darf in Zukunft nicht mehr allein oder überwiegend unter dem Gesichtspunkt eines begrenzt wirtschaftlichen Nutzens gesehen und behandelt werden, sondern vielmehr unter dem Gesichtspunkt des Nutzens für den Menschen." Vgl. BULLETIN 1972, S. 770.

Der Herr *Bundeskanzler* sagte, er habe in diesem Zusammenhang einige Themen erwähnt und beabsichtige, anläßlich seiner zweitägigen Begegnung mit Ministerpräsident Krag[19] noch mehr darüber zu sagen. Er halte es für außerordentlich wichtig, der Bevölkerung zu zeigen, daß es den Regierungen um mehr gehe als nur darum, die Industrie wirksamer zu machen. Hier müsse eine neue Dimension erkannt werden. Mit der erweiterten Gemeinschaft habe man die Chance, zum fortschrittlichsten Gebiet der Welt in diesem Bereich zu werden. Dies erfordere aber, daß man nicht nur in den Vorstellungen der traditionellen Sozialgesetzgebung denke, vielmehr müsse auch die Regionalpolitik, die Steuerpolitik und der Umweltschutz in den Kreis der Betrachtungen mit einbezogen werden. Er wisse nicht, ob ihm Erfolg beschieden sein werde, doch wolle er versuchen, für die Gipfelkonferenz einige Elemente dessen, was man Gesellschaftspolitik nenne, zusammenzustellen. Das Thema sei vor einigen Jahren im Monnet-Ausschuß erörtert worden, doch sei die damalige Betrachtungsweise nicht richtig gewesen, da die Gewerkschaftsvertreter nur an den unter dem Römischen Vertrag errichteten Sozialfonds[20] gedacht hätten. Dies sei nicht die Frage. Vielmehr müsse es um eine Koordinierung der Politik in den verschiedensten Bereichen gehen.

Der *Premierminister* erkundigte sich, ob der Herr Bundeskanzler bestimmte Vorstellungen bezüglich der Umweltprobleme habe.

Der Herr *Bundeskanzler* erwiderte, wirtschaftspolitisch gesehen müßten gewisse gemeinsame Regeln erarbeitet werden, da sonst die Wettbewerbssituation beeinträchtigt werde. Es müsse geprüft werden, wie dieser Aspekt mit der gemeinsamen Verantwortlichkeit der Gemeinschaft verbunden werden könne. Darüber hinaus stelle sich die Frage, wie die Zusammenarbeit innerhalb der Gemeinschaft mit anderen Bereichen der Zusammenarbeit mit den übrigen europäischen Ländern verknüpft werden könne. Er halte es nicht für möglich, daß die Gipfelkonferenz hier ins Detail gehe, doch wäre es von Vorteil, wenn man sich darauf einigen könnte, daß dies ein Thema sei, das eines gemeinsamen Vorgehens bedürfe.

Der *Premierminister* begrüßte diese Überlegung. Er erwähnte, daß während der letzten fünfzehn Jahre in Großbritannien viel geschehen sei zur Reinerhaltung der Luft und der Flüsse. Die Flußmündungen sowie die Küste seien aber noch in schlechtem Zustand. Dies seien zum Teil Aufgaben, die von Großbritannien nur in Zusammenarbeit mit der Bundesrepublik, Frankreich, den Niederlanden und Belgien gelöst werden könnten. Weitere Aufgabenbereiche seien die Luftverschmutzung durch den Verkehr, die Entwicklung von Kraftfahrzeugen, die Lärmbekämpfung sowie die Entwicklung von Flugzeugen. Diese Aufgaben hätten auch einen besonderen Reiz für die jüngere Generation. Es sei aufschlußreich, daß vor fünfzehn Jahren, als die Römischen Verträge abgeschlossen worden seien, noch niemand an diese Aufgaben gedacht habe.

Der Herr *Bundeskanzler* bemerkte, die Europabegeisterung der fünfziger Jahre, die ein sehr starkes idealistisches Element enthalten habe, lasse sich nicht

---

[19] Bundeskanzler Brandt und Ministerpräsident Krag trafen bei Kundgebungen der sozialdemokratischen Parteien beider Staaten am 13. Mai 1972 in Flensburg und Apenrade zusammen.
[20] Artikel 123 des EWG-Vertrags vom 25. März 1957 bestimmte die Einrichtung eines Europäischen Sozialfonds (ESF). Für den Wortlaut vgl. BUNDESGESETZBLATT 1957, Teil II, S. 850.

mehr zurückbringen. Man müsse diesen Aufgaben einen gewissen politischen Sexappeal verleihen, und die Öffentlichkeit müsse erkennen, daß es nicht um etwas gehe, was nur für Manager, für die Industrie und für die Bürokraten in Brüssel von Interesse sei, sondern daß alle diese Dinge einen unmittelbaren Einfluß auf das eigene Leben haben.

Der *Premierminister* erklärte, ein Bereich, der für ihn von besonderer Bedeutung sei, betreffe das europäische Gesellschaftsrecht. Gerade hier erblicke er einen besonderen Anreiz für junge Menschen, die eine Ausbildung als Techniker und Wissenschaftler gehabt hätten. Für sie bestünden viel größere Chancen, wenn es ein europäisches Gesellschaftsrecht gäbe.

Der Herr *Bundeskanzler* bemerkte, daß im Rahmen der Sechs daran schon seit Jahren gearbeitet werde, doch sei es vielleicht ganz gut, daß man noch nicht zu weit vorangekommen sei.

Eine Schwierigkeit ergebe sich auf deutscher Seite aus der Mitbestimmung, für die in den meisten Ländern der Gemeinschaft keine allzu große Begeisterung bestehe. In einigen Ländern werde dies sogar von den Gewerkschaften abgelehnt, weil sie gegen jede Form organisierter Beziehungen zwischen Arbeitnehmern und Arbeitgebern seien.

Die Frage des *Premierministers*, ob dieses Verfahren funktioniere, bejahte der Herr *Bundeskanzler*. Es würde in Deutschland aber ein psychologisches Problem aufwerfen, wenn europäische Gesellschaften in Deutschland eine solche Regelung nicht vorsehen würden, da man darin einen Rückschritt und einen Ausschluß von der Verantwortung erblicken würde.

Die Frage des *Premierministers*, ob eine ausländische Gesellschaft, die sich in der Bundesrepublik niederlasse, automatisch dieses System vorsehen müsse, bejahte der Herr *Bundeskanzler*. Er wies jedoch darauf hin, daß dies im einzelnen von der Organisationsform der Gesellschaft abhänge.

Der *Premierminister* sagte, er glaube nicht, daß dieses Problem Großbritannien vor unüberwindliche Schwierigkeiten stellen würde.

Der Herr *Bundeskanzler* erläuterte, daß diese Frage bisher in der Zuständigkeit des Justizministeriums gewesen sei, doch wenn man Fortschritte erzielen wolle, müßten auch jene Bereiche herangezogen werden, die etwas von Wirtschaft verstünden.

Er fragte sodann, ob Pompidou die Frage des Namens erwähnt habe. Er habe mit ihm kurz darüber gesprochen, da die Bezeichnung Europäische Wirtschaftsgemeinschaft nicht mehr zutreffend sei. Wenn der Name nicht schon vergeben wäre, würde er die Bezeichnung Westeuropäische Union vorziehen, wobei sich die Frage stelle, ob nicht eines Tages die jetzige WEU in der Europäischen Gemeinschaft aufgehen könne.

Der *Premierminister* sagte, dies sei eine interessante Frage, doch habe Pompidou sie nicht angeschnitten.

Der Herr *Bundeskanzler* wies darauf hin, daß es wichtig sei, unter welchem Namen diese Institution den Völkern vorgestellt werde. Pompidou habe von einer Union der westeuropäischen Staaten gesprochen, doch gefalle ihm selbst Westeuropäische Union besser. Er selbst könne nicht einsehen, warum in einigen Jahren der jetzt bestehende Apparat der WEU nicht in der Gemeinschaft aufgehen könne. Wenn einige Mitglieder Bedenken gegen einen vollen Beitritt hätten, könnten sie als Konsultativmitglieder mitwirken. Durch eine Verschmelzung der WEU mit der EG könne auch ein kleines Element der Verteidigung mit eingebracht werden.

Der *Premierminister* erwähnte in diesem Zusammenhang, daß auf diese Weise auch die parlamentarische Arbeit etwas rationalisiert werden könnte, denn derzeit müßten Parlamentarier den Sitzungen von vier Parlamenten beiwohnen.

Der Premierminister fragte ferner, ob auf dem Gipfeltreffen Verteidigungsfragen erörtert werden sollten.

Der Herr *Bundeskanzler* riet zur Vorsicht, da Pompidou gewisse Schwierigkeiten mit Debré habe. Die Amerikaner müßten aber wissen, daß Bemühungen im Verteidigungsbereich auf der Grundlage des Atlantischen Bündnisses erfolgten und nur die europäische Verantwortung gestärkt werden solle. Auf diese Weise unterstütze man jene Kreise, die sich einem amerikanischen Abzug aus Europa widersetzten, und führe gleichzeitig der Sowjetunion vor Augen, daß Europa bereit sei, seinen Teil der Verantwortung zu übernehmen.

Der *Premierminister* erwähnte sodann die Rüstungsbeschaffungen und die Deckung des eigenen Rüstungsbedarfs. Dies sei ein praktischer Bereich, in dem die französische Mitwirkung eine bedeutsame Rolle spielen könne.

Der Herr *Bundeskanzler* erwähnte, daß wir gewisse Vorhaben gemeinsam mit den Franzosen ausführten. Eine Schwierigkeit bestehe darin, daß unsere Devisenausgleichsregelung mit den Amerikanern[21] ohne Beschaffungen aus den Vereinigten Staaten nicht möglich gewesen wäre.

Der *Premierminister* betonte, daß man britischerseits der Zusammenarbeit bei dem MRCA-Projekt[22] große Bedeutung beimesse. Man wolle ferner über engere Zusammenarbeit auf dem Gebiet des Flugzeugbaus und des Baus von Flugzeugmotoren sprechen.

Der Herr *Bundeskanzler* sagte, die deutsche Haltung bezüglich des MRCA-Vorhabens habe sich nicht geändert und er hoffe, daß es nicht zu einer Kostenexplosion komme.[23] Bezüglich anderer Projekte wie beispielsweise des Airbus-

---

[21] Für den Wortlaut des Abkommens vom 10. Dezember 1971 zwischen der Bundesrepublik und den USA über einen Devisenausgleich für die Zeit vom 1. Juli 1971 bis 30. Juni 1973 vgl. FRUS 1969–1976, III, S. 213 f. Für den deutschen Wortlaut vgl. Referat III A 5, Bd. 844. Vgl. dazu auch AAPD 1971, III, Dok. 438.

[22] Im Sommer 1968 beschlossen Belgien, die Bundesrepublik, Großbritannien, Italien, Kanada und die Niederlande die Entwicklung eines „Multi Role Combat Aircraft" (MRCA). Dieses sollte die bisher verwendeten Flugzeugtypen F 104-Starfighter und Fiat-G 91 ersetzen und sowohl große konventionelle Waffenladungen ins Ziel bringen als auch bei der Unterstützung im Erdkampf, der Aufklärung und als Jäger dienen können. Vgl. dazu die Aufzeichnung des Ministerialdirigenten Sahm vom 7. Januar 1969; VS-Bd. 1913 (201); B 150, Aktenkopien 1969.
1970 und 1971 wurden Zweifel an der Wirtschaftlichkeit des Vorhabens laut. Vgl. dazu AAPD 1971, I, Dok. 87, und AAPD 1971, II, Dok. 240.
Am 9. September 1971 teilte das Bundesministerium der Verteidigung mit, daß die Bundesrepublik, Großbritannien und Italien eine Fortsetzung des MRCA-Projekts beschlossen hätten: „Auf Grund des zufriedenstellenden Ergebnisses der Überprüfung haben alle drei Regierungen einer Fortsetzung der gemeinsamen Entwicklungsarbeit an diesem Projekt zugestimmt, ohne die Arbeits- und Kostenteilung zu verändern. Dieses Programm bleibt für die zukünftige Ausrüstung der drei Luftwaffen und der deutschen Marine von größter Bedeutung." Vgl. AdG 1971, S. 16525.

[23] Am 21. Januar 1972 notierte Ministerialdirigent Simon, das Bundesministerium der Verteidigung werde am 25. Januar 1972 eine Vorentscheidung darüber treffen, ob das MRCA-Projekt oder das

Projekts mit Frankreich bestehe unser Problem darin, daß wir keinen zu großen Teil des Kuchens für uns haben wollten. Uns gehe es nicht um einen proportionalen Anteil, wir seien auch mit weniger zufrieden.[24]

Der *Premierminister* bemerkte hierzu, auch britischerseits gehe man nicht von einer proportionalen Beteiligung aus. Dies wäre nicht richtig. Man solle vielmehr den Gegebenheiten Rechnung tragen, und es sei vernünftiger, wenn sich jeder auf das konzentriere, wozu er am besten in der Lage sei. Auf diese Weise komme man zu einem gewissen Ausgleich.

Auf eine Frage des Herrn Bundeskanzlers eingehend, sagte der Premierminister, derzeit werde im Kabinett geprüft, ob eine Beteiligung am Post-Apollo-Programm[25] empfehlenswert sei. Man habe nicht den Eindruck, auf diese Wei-

Fortsetzung Fußnote von Seite 465

in Kooperation mit Frankreich entwickelte Kampfflugzeug Alpha-Jet „aus Kostengründen fallengelassen werden soll bzw. muß". Eine Weiterführung beider Projekte sei „angesichts ihrer hohen Kosten (MRCA ca. 14 Mrd. DM bis 1983; Alpha Jet ca. 1,8 Mrd. DM bis 1980) nur unter Verzicht auf unentbehrliche andere Rüstungsvorhaben möglich [...]. Das eigentlich Gravierende wäre, daß wir in beiden Fällen als unzuverlässiger Partner dastehen würden, dem für eine langfristig angelegte Zusammenarbeit das Durchhaltevermögen fehlt und mit dem man daher in Zukunft Opfer und Anstrengungen erfordernde Großprojekte besser nicht gemeinsam in Angriff nimmt." Vgl. VS-Bd. 8103 (201); B 150, Aktenkopien 1972.

Bundesminister Schmidt entschied jedoch, beide Projekte weiterzuführen, da die Bundesrepublik es sich „aus politischen Gründen nicht leisten" könne, das Alpha-Jet-Projekt fallenzulassen. Vgl. die Aufzeichnung des Vortragenden Legationsrats I. Klasse Hansen vom 27. Januar 1972; VS-Bd. 8103 (201); B 150, Aktenkopien 1972.

[24] Am 26. September 1967 vereinbarten die Bundesrepublik, Frankreich und Großbritannien die gemeinsame Entwicklung eines Großraumflugzeugs für Kurz- und Mittelstrecken („Airbus"). Nachdem sich die britische Regierung im April 1969 aus dem Projekt zurückgezogen hatte, unterzeichneten Bundesminister Schiller und der französische Verkehrsminister Chamant am 29. Mai 1969 in Paris eine Rahmenvereinbarung zum Bau des „Airbus A-300 B". Vgl. dazu den Artikel „Das Abkommen über den europäischen Airbus A-300"; NEUE ZÜRCHER ZEITUNG, Fernausgabe vom 31. Mai 1969, S. 7.

Am 15. August 1970 wies Staatssekretär Freiherr von Braun darauf hin, daß die zum Zeitpunkt der Vereinbarung geschätzte Zahl von Aufträgen für den „Airbus" in Höhe von 1200 bis 1500 Stück auf etwa 300 bis 500 Stück zurückgenommen werden müsse. Damit sei das Vorhaben wirtschaftlich nicht mehr rentabel. Ende September 1970 entschied das Bundeskabinett dennoch, das Projekt fortzuführen. Vgl. dazu AAPD 1970, II, Dok. 393 und AAPD 1970, III, Dok. 442. Vgl. dazu auch AAPD 1971, I, Dok. 88.

Am 7. April 1972 bekräftigte Ministerialdirektor Herbst, daß das Projekt trotz kommerzieller Bedenken fortgesetzt werden müsse: „Schwere Belastung der deutsch-französischen Beziehungen wäre bei Airbus-Abbruch zu erwarten. Airbus der Bemühungen, eine Kernstück der europäischen Zivilluftfahrtindustrie aufzubauen. [...] Gewicht und Ruf der Verläßlichkeit der Bundesrepublik Deutschland würden beeinträchtigt." Vgl. VS-Bd. 8798 (III A 5); B 150, Aktenkopien 1972.

[25] Im Rahmen ihrer Planungen für die Zeit nach Abschluß des Apollo-Mondlandungs-Projekts bot die NASA im Herbst 1969 den in der Europäischen Weltraumkonferenz zusammengeschlossenen Staaten eine Zusammenarbeit in der Raumfahrt an. Die Europäer sollten u. a. bei der Entwicklung einer ständig bemannten Raumstation (Space Station), eines Raumtransporters (Space Shuttle) und eines Raumschleppers (Space Tug) mitarbeiten. Vgl. dazu die gemeinsame Kabinettsvorlage der Bundesminister Scheel und Leussink vom 18. März 1970; Referat I A 6, Bd. 207. Vgl. dazu auch BULLETIN 1970, S. 168.

Während in den USA „diejenigen Kreise zunehmend Gehör" fanden, „die die europäischen Wünsche als zu weitgehend und das finanzielle Engagement Europas als zu gering" für eine Zusammenarbeit ansahen, sahen die Europäer das amerikanische Angebot als nicht zufriedenstellend an, insbesondere nachdem „die Aufträge für den ‚Space Shuttle' (Weltraumfähre), das Kernstück des Post-Apollo-Programms, ausschließlich an die amerikanische Industrie gehen" sollten. Auch waren die USA nicht bereit, eine Garantie zu geben, daß Trägerraketen für den Abschuß europäischer Satelliten zur Verfügung gestellt würden. Während Frankreich daher dafür plädierte, „Europa mit einer eigenständigen Trägerraketenkapazität zu versehen", setzte sich die Bundesrepublik dafür ein, die Möglichkeiten einer europäischen Beteiligung am Post-Apollo-Programm weise zu allzu großen neuen Erkenntnissen zu gelangen. Was das europäische Programm für Weltraumfragen angehe, so sollte sichergestellt werden, daß die Kosten nicht davonliefen.

Der Herr *Bundeskanzler* erwähnte, daß die Franzosen sehr an einem europäischen Programm interessiert seien. Im Februar habe darüber ein Gespräch zwischen Schiller und Giscard[26] stattgefunden. Frankreich stehe dem Post-Apollo-Programm auch nicht mehr so kritisch gegenüber wie früher. Bei einigen europäischen Dingen habe man den Eindruck, als ob man noch auf die Volksschule gehe, obgleich man die höhere Schule besuchen könnte. Wernher von Braun habe geraten, solange wie möglich zu warten, weil man dann für weniger Geld mehr bekomme.

Der *Premierminister* sagte, dies sei eine Frage, die im europäischen Rahmen ausdiskutiert werden sollte.[27]

Der Herr *Bundeskanzler* bemerkte, in diesem Zusammenhang müsse ein Wort über EURATOM gesagt werden. Er würde es begrüßen, wenn es möglich wäre, in engem Kontakt festzustellen, ob man sich für EURATOM nicht auf ein Mehrjahresprogramm einigen könne. EURATOM befinde sich in einer kritischen Situation und könne mit einjährigen Programmen nicht existieren.

Der *Premierminister* erklärte, dies sei ein Sektor, auf dem Großbritannien einen Beitrag leisten könne. Er verwies auf die bereits bestehenden Abmachungen mit der Bundesrepublik und den Niederlanden[28] und wiederholte, daß Großbritannien hier helfen könne.

Er führte weiter aus, daß die Frage der Energieversorgung für Westeuropa von großer Bedeutung sei. Er verwies auf die Erfahrungen mit den ölproduzierenden Ländern und sagte, wenn es nicht gelinge, zu gemeinsamen Anstrengungen zu kommen, werde man immer wieder das Opfer von Erpressungen werden. Die einzige Lösung sehe er in der Entwicklung alternativer Versorgungsquellen, wobei er in erster Linie an die Atomenergie, aber auch an Nordseeöl denke. Die Erschließung neuer Energiequellen setze aber voraus, daß klare und eindeutige Entscheidungen getroffen würden.

Fortsetzung Fußnote von Seite 466

ter zu prüfen. Vgl. die Aufzeichnung des Ministerialdirigenten Robert vom 21. Juli 1971; Ministerbüro, Bd. 364. Vgl. dazu auch AAPD 1971, I, Dok. 63.

[26] Bundesminister Schiller und der französische Wirtschafts- und Finanzminister Giscard d'Estaing trafen anläßlich der deutsch-französischen Konsultationen am 10./11. Februar 1972 zusammen.

[27] Am 19. Mai 1972 tagte in Paris die Europäische Weltraumkonferenz. Sie befand, daß konkrete Verhandlungen mit den USA über eine Beteiligung am Post-Apollo-Programm noch nicht möglich seien, und beschloß, daß eine hochrangige „fact finding mission" vom 12. bis 16. Juni 1972 in Washington folgende Fragen klären sollte: „a) Garantien für die Lieferung konventioneller amerikanischer Raketen für europäische Nutzlasten sowie für die Gestattung der Mitbenutzung des Post-Apollo-Transportsystems einschließlich der Klärung der Startprioritäten und der Startkosten; b) Zusagen betr. den Ankauf der von Europa entwickelten Bauteile wie Tug oder Modul durch die USA (Klärung der Stückzahlen und des Verpflichtungszeitraums); c) Zugangsmöglichkeiten Europas zu amerikanischer Technologie für Post-Apollo- und rein europäische Zwecke (z. B. Nutzung der Tug-Technologie für eine europäische Rakete); d) Finanzierungs- und Managementbedingungen; e) Fragen der völkerrechtlichen Form für die gegenseitigen Verpflichtungen". Vgl. die Aufzeichnung des Vortragenden Legationsrats Pabsch vom 24. Mai 1972; Ministerbüro, Bd. 364.

[28] Am 4. März 1970 unterzeichneten die Bundesrepublik, Großbritannien und die Niederlande in Almelo ein Übereinkommen über die Zusammenarbeit bei der Entwicklung und Nutzung des Gasultrazentrifugenverfahrens zur Herstellung angereicherten Urans. Für den Wortlaut vgl. BUNDESGESETZBLATT 1971, Teil II, S. 930–949.

Der Herr *Bundeskanzler* verwies auf die im Vergleich zu anderen Ländern sehr schwache Position der Bundesrepublik. Er habe über dieses Thema auch bei seinem Besuch im Iran[29] gesprochen. 42% des deutschen Ölbedarfs würden von Libyen gedeckt, was aber viel zu hoch sei.

Der *Premierminister* bezeichnete es als schwierig, auf die ölproduzierenden Länder Einfluß auszuüben. Die Ölgesellschaften hätten nur wenig Bewegungsspielraum. Libyen habe beispielsweise BP über Nacht ohne Entschädigung verstaatlicht[30], woraufhin BP darum gebeten habe, daß andere Gesellschaften kein Öl aus diesem Gebiet abnehmen sollten. Die britischen Gesellschaften hätten sich daran zwar auch gehalten, doch im weiteren Bereich sei es kaum möglich, einer Annahme der von diesen Ländern gestellten Bedingungen auszuweichen. Die Aussichten für die Zukunft seien höchst ungünstig.

Der Herr *Bundeskanzler* erwähnte sodann den Schiffsbau, ein Gebiet, auf dem man auch zusammenarbeiten müsse, wenn man nicht Japan gegenüber in eine hoffnungslose Position geraten wolle.

Der *Premierminister* bemerkte, es sei nicht nur wichtig, eine Verbindung zu den Vereinigten Staaten herzustellen; er halte es auch für wichtig, vergleichbare Kontakte mit Japan zu unterhalten. Die Japaner hätten ein hochentwickeltes und gut organisiertes System der Wirtschaftspenetration. Politisch fühlten sie sich durch die amerikanische Chinapolitik hintergangen und kämen sich nun verloren und verlassen vor.

Der Herr *Bundeskanzler* hob hervor, daß bezüglich der Vereinigten Staaten das Motiv nicht in einer Furcht vor amerikanischer Konkurrenz bestehe, sondern in der Notwendigkeit einer Zusammenarbeit, um Konflikte zu vermeiden.

Dem stimmte der *Premierminister* zu.

Der Herr *Bundeskanzler* erkundigte sich sodann nach den Beziehungen Großbritanniens zu China.

Der *Premierminister* erklärte, man habe sich gerade mit den Chinesen über das Problem Taiwan geeinigt, und als Folge dieser Einigung würden die bisherigen Geschäftsträger durch Botschafter abgelöst.[31] Gegenwärtig finde auch ein Austausch von Handelsmissionen statt. Nach Kriegsende sei Eden davon ausgegangen, daß der Status von Taiwan nicht entschieden (undecided) sei. Dies sei auch die Auffassung der Rechtsberater gewesen. Vor der Reise Nixons nach Peking[32] habe man über die englischen Überlegungen mit den Amerikanern gesprochen, doch hätten sie keine klare Antwort gegeben. Er habe dann Nixon gesagt, man wolle mit einer Entscheidung bis nach der Reise warten. Nunmehr bestehe Einvernehmen darüber, daß Taiwan eine Provinz Chinas

---

[29] Zum Aufenthalt des Bundeskanzlers Brandt vom 5. bis 8. März 1972 im Iran vgl. Dok. 47.

[30] Am 7. Dezember 1971 beschloß die libysche Regierung, die Erdölgesellschaft British Petroleum zu verstaatlichen und die libyschen Guthaben bei britischen Banken abzuziehen.

[31] Am 13. März 1972 vereinbarten Großbritannien und die Volksrepublik China die Umwandlung ihrer jeweiligen diplomatischen Vertretungen zu Botschaften. Vgl. dazu den Artikel „British ambassador back in Peking after 22-year break"; THE TIMES vom 14. März 1972, S. 1.

[32] Präsident Nixon besuchte die Volksrepublik China vom 21. bis 28. Februar 1972. Vgl. dazu Dok. 47, Anm. 6 und 7.

sei. Auch die Rechtssachverständigen hätten dem schließlich zugestimmt. Der Generalkonsul in Taiwan[33] sei abberufen worden.

Der Herr *Bundeskanzler* sagte, die Bundesrepublik habe keine Beziehungen mit Taiwan gehabt. Es gäbe nur private Handelsverbindungen dorthin. Was unser Verhältnis zu China angehe, so werde mancherorts die Vermutung geäußert, wir hätten Angst vor den Russen. Dies treffe nicht zu. Er habe über China auch mit Breschnew[34] gesprochen. Dieses Gespräch habe zwar nicht bei der ersten Begegnung 1970[35] stattgefunden, da ihm mitgeteilt worden sei, daß Breschnew hierüber nicht sprechen wolle. Vor der zweiten Begegnung habe er aber Breschnew wissen lassen, daß er das Thema gern erörtern würde. Nachdem Breschnew von sich aus die Frage nicht angeschnitten habe, sei er darauf eingegangen und habe auf die Regierungserklärung von 1969 verwiesen, in der es geheißen habe, daß die Bundesrepublik normale Beziehungen mit jedem anderen Staat zu errichten wünsche, der dies ebenfalls wolle.[36] Dies schließe die Volksrepublik China nicht aus. Darauf habe Breschnew gefragt, ob dies schon morgen geschehen werde. Diese Frage habe er verneint und ihm auch versichert, daß man die Sowjets ebenso wie die Amerikaner und die Japaner dies vorher wissen lassen werde.[37] Darauf habe Breschnew eine Stunde lang über dieses Thema gesprochen. Für ihn selbst seien diese Darlegungen eine ungewöhnliche Erfahrung gewesen. Ihm gehe es darum, zunächst einmal das Verhältnis zur Sowjetunion und zu Polen zu regeln, danach wolle man mit China sprechen. Schröder werde im Juni nach Peking reisen[38], doch nicht im Auftrag der Regierung.

Der *Premierminister* fragte, ob er als Vorsitzender des Außenpolitischen Ausschusses oder in persönlicher Eigenschaft nach China gehe.

Der Herr *Bundeskanzler* erwiderte, er werde in persönlicher Eigenschaft dorthin gehen. Was künftige Gespräche angehe, so könnten diese möglicherweise in Paris stattfinden.[39] Bevor die beiden deutschen Staaten ihre Aufnahme in die Vereinten Nationen beantragen könnten, müsse man die Ansichten der Chinesen kennenlernen, da sie über ein Veto im Sicherheitsrat verfügten.

Der *Premierminister* bemerkte, daß man aus Washington nur wenig über die Nixon-Reise erfahren habe.

---

33 Thomas Duffy.
34 Vgl. dazu das Gespräch des Bundeskanzlers Brandt mit dem Generalsekretär des ZK der KPdSU, Breschnew, am 18. September 1971 in Oreanda; AAPD 1971, II, Dok. 314.
35 Für das Gespräch des Bundeskanzlers Brandt mit dem Generalsekretär des ZK der KPdSU, Breschnew, am 12. August 1970 in Moskau vgl. AAPD 1970, II, Dok. 388.
36 Zu den Ausführungen des Bundeskanzlers Brandt vom 28. Oktober 1969 vgl. Dok. 6, Anm. 20.
37 Zur Zusage des Bundesministers Brandt vom 10. Mai 1967 an Ministerpräsident Sato, und vom 18. September 1971 an den Generalsekretär des ZK der KPdSU, Breschnew, Japan bzw. die UdSSR vor einer Aufnahme diplomatischer Beziehungen zur Volksrepublik China zu unterrichten, vgl. Dok. 6, Anm. 26 und 27.
  Am 29. Dezember 1971 äußerte Brandt gegenüber Präsident Nixon in Key Biscayne, daß Japan, die UdSSR und die USA im Falle einer Kontaktaufnahme mit der Volksrepublik China informiert werden müßten. Vgl. dazu AAPD 1971, III, Dok. 452.
38 Der CDU-Abgeordnete Schröder hielt sich vom 14. bis 28. Juli 1972 in der Volksrepublik China auf. Vgl. dazu Dok. 216.
39 Zu den Überlegungen der Bundesregierung zu Gesprächen mit der Volksrepublik China über eine Aufnahme diplomatischer Beziehungen vgl. Dok. 6.

Der Herr *Bundeskanzler* sagte, Bahr habe bei seinem Besuch in den Vereinigten Staaten[40] von Kissinger einen Bericht bekommen, der aber nicht viel mehr sagte, als was bereits in dem Schreiben des Präsidenten enthalten gewesen sei.

Der Herr Bundeskanzler sagte sodann, er nähme an, daß Nixon wiedergewählt werde.[41]

Der *Premierminister* stimmte dem zu, sofern in Vietnam nichts ganz Schlimmes geschehe. Die Demokraten seien alles andere als in sich geschlossen.

Was die Chinesen angehe, so sei es richtig, daß sie in den Vereinten Nationen eine sehr wichtige Rolle spielen könnten.

Der Herr *Bundeskanzler* bemerkte, der DDR gegenüber versuchten die Chinesen immer noch, die Entwicklung so darzustellen, als sei sie von den Russen im Stich gelassen worden.

Der *Premierminister* erklärte, die Chinesen operierten gegenwärtig auf dem indischen Subkontinent sehr vorsichtig. Die britische Regierung stehe mit Frau Gandhi, Mujib und Bhutto in Verbindung und bemühe sich, eine Begegnung zwischen Frau Gandhi und Bhutto zustande zu bringen. Ein Treffen zwischen Mujib und Bhutto zeichne sich noch nicht ab. Man habe Bangla Desh auch davon abgeraten, großangelegte Kriegsverbrecherprozesse abzuhalten. Es gebe dort genügend andere vordringlichere Probleme.

Der Premierminister regte abschließend an, daß der Herr Bundeskanzler und er bei der Vorbereitung des Gipfeltreffens im Oktober in Verbindung miteinander bleiben.

Der Herr *Bundeskanzler* sagte, ohne beispielsweise den Italienern gegenüber, die man brauche, arrogant sein zu wollen, glaube er doch, daß es vor allem auf Übereinstimmung zwischen Großbritannien, Frankreich und der Bundesrepublik ankomme. Vor der Konferenz im Haag habe er besonders im Hinblick auf die Frage der Erweiterung Pompidou eine Botschaft zukommen lassen[42] und sei auch mit ihm vor der eigentlichen Konferenz zusammengetroffen.[43] Es gäbe sicher einige Fragen, die vorzugsweise nicht durch die gesamte Maschinerie der Auswärtigen Ämter gingen.

---

[40] Zum Aufenthalt des Staatssekretärs Bahr, Bundeskanzleramt, am 28. März 1972 in Washington vgl. Dok. 80–82.

[41] Am 7. November 1972 fanden in den USA die Präsidentschaftswahlen sowie Wahlen zum Repräsentantenhaus, Teilwahlen zum Senat und zu den Gouverneursämtern statt.

[42] Für das Schreiben des Bundeskanzlers Brandt vom 27. November 1969 an Staatspräsident Pompidou vgl. AAPD 1969, II, Dok. 380.

[43] Bundeskanzler Brandt und Staatspräsident Pompidou trafen am Abend des ersten Tages der Konferenz der Staats-und Regierungschefs der EG-Mitgliedstaaten am 1./2. Dezember 1969 in Den Haag zusammen. Willy Brandt notierte dazu im Rückblick: „Die tatsächliche Verständigung wurde am Abend des ersten Konferenztages im Gespräch zwischen Pompidou und mir erreicht, ‚am Rande' des Essens, zu dem Königin Juliana auf ihr Stadtschloß eingeladen hatte. Der Präsident wollte sich davon überzeugen, daß die deutsch-französische Zusammenarbeit in meinem Verständnis durch die Erweiterung keinen Schaden leiden würde. Vor allem lag ihm auch daran, die für ihn innenpolitische so wichtige Agrarmarktfinanzierung gesichert zu sehen. Ich sicherte dies zu." Vgl. BRANDT, Begegnungen, S. 321.

Was die Ratifizierung der Erweiterung angehe, so werde diese Mitte Mai erfolgen und eine Demonstration der nationalen Einheit werden.[44]

Das Gespräch endete gegen 12 Uhr.

Bundeskanzleramt, AZ: 21-30 100 (56), Bd. 37

110

Aufzeichnung des Ministerialdirigenten van Well

II A 1-85.50/VV-331 geheim 24. April 1972[1]

Herrn Staatssekretär[2]

Betr.: Einbeziehung Berlins in den Allgemeinen Verkehrsvertrag

Zweck der Vorlage: Herbeiführung einer Entscheidung auf politischer Ebene

Vorschlag:

Die Bundesregierung sollte in den Verhandlungen mit der DDR auf einer Einbeziehung Berlins in den Verkehrsvertrag bestehen. Die von den Alliierten zur Diskussion gestellte Alternative, eine Vereinbarung Senat–DDR unter dem Dach des Vier-Mächte-Abkommens[3], sollte nicht in Erwägung gezogen werden.

Sachstand

1) DDR-Staatssekretär Kohl hat in der letzten Verhandlungsrunde in Bonn[4] erneut eine Einbeziehung Berlins in den Verkehrsvertrag abgelehnt und darauf hingewiesen, daß der Senat nach Teil II C[5] und Annex III 1)[6] für die Regelung der „Kommunikationen" mit der DDR zuständig sei.

2) Die Alliierten haben den Standpunkt eingenommen, daß sie gegen eine Einbeziehung Berlins in den Verkehrsvertrag keine Einwendungen haben, aber auch eine Vereinbarung Senat–DDR unter dem Dach des Vier-Mächte-Abkommens denkbar wäre. Die Entscheidung in dieser Frage liege bei der Bundesregierung.

---

44 Der Bundestag stimmte am 21. Juni 1972 dem Vertrag und dem Beschluß vom 22. Januar 1972 über den Beitritt von Dänemark, Großbritannien, Irland und Norwegen zu den Europäischen Gemeinschaften ohne Gegenstimmen und Enthaltungen zu. Vgl. dazu BT STENOGRAPHISCHE BERICHTE, Bd. 80, S. 11369.

1 Die Aufzeichnung wurde von Vortragendem Legationsrat I. Klasse Blech und von Vortragendem Legationsrat Bräutigam konzipiert.

2 Hat Staatssekretär Frank am 26. April 1972 vorgelegen, der die Weiterleitung an Bundesminister Scheel verfügte und dazu handschriftlich vermerkte: „Erl[edigt]."

3 Zum Vorschlag der Drei Mächte vom 14. April 1972 vgl. Dok. 97.

4 Zum 40. Gespräch des Staatssekretärs Bahr, Bundeskanzleramt, mit dem Staatssekretär beim Ministerrat der DDR, Kohl, am 19./20. April 1972 vgl. Dok. 105–108.

5 Zu Teil II C des Vier-Mächte-Abkommens über Berlin vom 3. September 1971 vgl. Dok. 97, Anm. 8.

6 Für Anlage III Absatz 1 des Vier-Mächte-Abkommens über Berlin vom 3. September 1971 vgl. Dok. 90, Anm. 17.

3) Staatssekretär Bahr hat in einem Gespräch mit den Alliierten am 21. April erklärt, daß für die Bundesregierung beide Wege zur Regelung des Verkehrs Berlin–DDR in Betracht kämen. Es sei dagegen nicht möglich, diesen Komplex ungeregelt zu lassen.[7]

Begründung des Vorschlags

Rechtlich

1) Nach dem Vier-Mächte-Abkommen soll die Verbesserung der „Kommunikationen" zwischen Berlin (West) und der DDR zwischen den „zuständigen deutschen Behörden" vereinbart werden. Zuständig für die Regelung des allgemeinen Verkehrs in Berlin (West) ist nach der internen Kompetenzverteilung nicht der Senat, sondern der Bund.

2) Die Durchführung der in dem Verkehrsvertrag enthaltenen Regelungen bedarf eines Gesetzes bzw. eines Zustimmungsgesetzes. Mangels eigener Gesetzgebungskompetenzen könnte das Berliner Abgeordnetenhaus einen separaten Verkehrsvertrag mit der DDR gar nicht implementieren. Der Bund könnte das Zustimmungsgesetz zum Verkehrsvertrag aber nicht auf Berlin ausdehnen, wenn der Verkehrsvertrag selbst nicht auf Berlin erstreckt worden ist.

Falls das Abgeordnetenhaus jedoch von den Alliierten zur Implementierung eines separaten Verkehrsvertrages Senat–DDR ermächtigt würde – was in Änderung der bestehenden Kompetenzverteilung möglich wäre –, so würden damit in einem nicht unwichtigen Teilbereich die bestehenden Bindungen reduziert, denn Berlin erhielte über eine Anordnung der Alliierten eigene Zuständigkeiten, die bisher Bundeszuständigkeiten waren.

3) Wenn die Bundesregierung heute der Auslegung zustimmt, daß alle „Kommunikationen" Westberlins mit der DDR zum Gegenstand von Vereinbarungen Senat–DDR gemacht werden können, so könnte sie in anderen Bereichen, die Kommunikationen im weiteren Sinne betreffen, separaten Vereinbarungen Senat–DDR kaum widersprechen. Dies gilt zum Beispiel für:

– Rechts- und Amtshilfe,
– kultureller und wissenschaftlich-technischer Austausch,
– Umweltprobleme,

vielleicht sogar

– Zahlungsverkehr,
– Handel.

Die Liste zeigt, daß die Einbeziehung Berlins in den Verkehrsvertrag ein wichtiger Präzedenzfall ist. Wenn wir in diesem Fall der Auffassung der DDR

---

[7] In dem Gespräch führte Staatssekretär Bahr, Bundeskanzleramt, zur Einbeziehung von Berlin (West) in einen Vertrag zwischen der Bundesrepublik und der DDR über Fragen des Verkehrs aus, daß „diese Frage wohl auch in der nächsten Runde noch nicht gelöst werden könne. Das bedeute, daß man wahrscheinlich in der nächsten Woche noch nicht fertig werde, es sei denn, daß ein Wunder geschehe und die DDR ihren Standpunkt in der Berlin-Frage ändere, womit er nicht rechne." Zur Haltung der Bundesregierung erläuterte er: „Entweder regele man den Verkehr West-Berlin – DDR unter dem Dach des Vier-Mächte-Abkommens durch eine Vereinbarung Senat – DDR, oder Berlin werde in den Verkehrsvertrag einbezogen. Es sei dagegen ausgeschlossen, daß dieser Bereich ungeregelt bleibe." Vgl. die Aufzeichnung des Vortragenden Legationsrats Bräutigam vom 21. April 1972; VS-Bd. 8563 (II A 1); B 150, Aktenkopien 1972.

entgegenkommen, so könnte die separate Vereinbarung Senat–DDR die Regel, die Berlin-Klausel in Verträgen der Bundesrepublik mit der DDR die Ausnahme werden.

Politisch

4) Wenn den schon abgeschlossenen Vereinbarungen des Senats mit der DDR über die Besuchsregelung[8] und den Gebietsaustausch[9] weitere folgen, so würde der Eindruck einer dritten politischen Einheit in Deutschland verstärkt werden. Zwar liegt die Vertretung Berlins (West) gegenüber Drittstaaten aufgrund des Vier-Mächte-Abkommens eindeutig bei der Bundesrepublik[10], im innerdeutschen Bereich könnten jedoch die bestehenden Bindungen Berlin–Bund durch eine Zunahme von Beziehungen Berlin–DDR allmählich reduziert werden. Hier sollte der Satz gelten: „Wehret den Anfängen."

5) Hinter den Bemühungen der DDR um „besondere" Beziehungen zu Westberlin steht, auch wenn dies nicht offen ausgesprochen wird, der Territorialanspruch der DDR. Um diesem Anspruch nicht Vorschub zu leisten, sollten direkte vertragliche Beziehungen zwischen Westberlin und der DDR auf das Notwendigste beschränkt bleiben. Gegen einen intensiven Austausch Westberlins mit der DDR im Rahmen vertraglicher Regelungen BRD–DDR ist natürlich nichts einzuwenden.

6) Hinter der Bereitschaft der Alliierten, weitere Vereinbarungen Westberlins mit der DDR unter dem Dach des Vier-Mächte-Abkommens zuzulassen, steht sicher auch das Interesse, auf die Entwicklung der Beziehungen Westberlins zur DDR stärker Einfluß zu nehmen und das Gewicht des Bundes hier zurückzudrängen. Vielleicht kommt hierin auch eine allgemeine Tendenz der Alliierten zum Ausdruck, stärker als bisher auf die Verwaltung Westberlins einzuwirken und sich nicht mehr auf rein politische Kontrollfunktionen zu beschränken.

van Well

VS-Bd. 8563 (II A 1)

---

[8] Für den Wortlaut der Vereinbarung vom 20. Dezember 1971 zwischen der Regierung der DDR und dem Senat von Berlin über Erleichterungen und Verbesserungen des Reise- und Besucherverkehrs vgl. EUROPA-ARCHIV 1972, D 77–80.

[9] Für den Wortlaut der Vereinbarung vom 20. Dezember 1971 zwischen der Regierung der DDR und dem Senat von Berlin über die Regelung der Frage von Enklaven durch Gebietsaustausch vgl. ZEHN JAHRE DEUTSCHLANDPOLITIK, S. 178 f.

[10] Vgl. dazu Anlage IV A und IV B zum Vier-Mächte-Abkommen über Berlin vom 3. September 1971; Dok. 25, Anm. 9, und Dok. 37, Anm. 4.

111

Aufzeichnung des Vortragenden Legationsrats I. Klasse Thomas

I A 5-82.20/94.09/1393/72 VS-vertraulich 24. April 1972

Über Herrn Dg I A[1] Herrn D Pol[2]

Betr.: Gespräch Staatssekretär Frank mit Sir Thomas Brimelow am 20. April 1972 im FCO[3]

I. Im Rahmen des Bundeskanzlerbesuchs[4] führte Staatssekretär Frank am 20. April, 16.00 Uhr, ein einstündiges Gespräch mit Sir Thomas Brimelow. Teilnehmer: Staatssekretär Frank, Gesandter Dr. von Schmidt-Pauli, VLR I Dr. Thomas;
Sir Thomas Brimelow, Mr. James, Leiter des West-Europan Departments; Mr. Bullock, Referent Sowjetunion; Mr. Gladstone, Deutschland-Referent.

II. 1) Ratifizierung der Ostverträge[5], Inkraftsetzung des Berlin-Abkommens[6]

Sir Thomas Brimelow drückte Hoffnung auf Ratifizierung der Verträge aus. Für den Fall der Nicht-Ratifizierung müsse sicherlich mit einem Rückschlag der Entspannungsbemühungen, wenn nicht mit Ärgerem gerechnet werden. Sicher gebe es dann auch kein Berlin-Abkommen.

Dies habe Sir Alec kürzlich auch Birrenbach gesagt und empfohlen, die CDU/CSU solle diese Konsequenz sorgfältig überdenken.

Eine andere Bundesregierung müsse das Gespräch mit den Sowjets wieder aufnehmen, würde aber erheblichen Schwierigkeiten begegnen, weil sich der neue Kanzler in einer schwachen Verhandlungsposition befinden würde.

Könne aber von der Ratifizierung ausgegangen werden, so wäre der nächste Schritt die Inkraftsetzung des Berlin-Abkommens, womit die von der NATO gesetzten Vorbedingungen für die KSZE[7] erfüllt seien.

Staatssekretär Frank erwiderte hierzu im Laufe des Gesprächs, auch er gehe von der Ratifizierung der Ostverträge aus, die er als gesichert bezeichnete. Sollte jedoch die Ratifizierung scheitern, so bliebe abzuwarten, ob die Sowjets das Berlin-Abkommen nicht doch in Kraft setzen würden. Sie würden vermutlich

---

[1] Hat dem Vertreter des Ministerialdirigenten Simon, Vortragendem Legationsrat I. Klasse Hansen, am 25. April 1972 vorgelegen.
[2] Hat Ministerialdirektor von Staden am 25. April 1972 vorgelegen.
[3] Foreign and Commonwealth Office.
[4] Bundeskanzler Brandt hielt sich vom 20. bis 22. April 1972 in Großbritannien auf. Für die Gespräche mit Premierminister Heath am 20./21. April 1972 vgl. Dok. 104 und Dok. 109.
[5] Zum Stand des Ratifikationsverfahrens zum Moskauer Vertrag vom 12. August 1970 und zum Warschauer Vertrag vom 7. Dezember 1970 vgl. Dok. 55, Anm. 2.
[6] Für den Wortlaut des Vier-Mächte-Abkommens über Berlin vom 3. September 1971 vgl. EUROPA-ARCHIV 1971, D 443–453.
Zum Schlußprotokoll, mit dem das Abkommen in Kraft gesetzt werden sollte, vgl. Dok. 9, Anm. 11.
[7] Vgl. dazu Ziffer 9 des Kommuniqués der NATO-Ministerratstagung am 3./4. Dezember 1970 in Brüssel sowie Ziffer 9 des Kommuniqués der NATO-Ministerratstagung am 3./4. Juni 1971 in Lissabon; Dok. 28, Anm. 10.

anstreben, den für sie positiven Teil der Ostverträge auf anderer Weise zu erreichen. Ihr zweites Eisen im Feuer wäre dann die KSZE. Sie könnten versuchen, die KSZE zu einer Friedenskonferenz mit dem Ergebnis eines für sie günstigen multilateralen Ersatzfriedensvertrages umzufunktionieren. Hierfür müßten sie aber notgedrungen zunächst das Berlin-Abkommen in Kraft setzen. Eine derartige sowjetische Taktik würde die dann amtierende deutsche Regierung in eine außerordentlich schwierige Situation bringen.

Sir Thomas Brimelow bemerkte, die sowjetische Regierung werde vermutlich eine diplomatische Kampagne in Gang setzen, die auf eine Abhaltung der KSZE ohne vorherige Unterzeichnung des Berlin-Abkommens ziele. Staatssekretär Frank räumte ein, daß sie dies zunächst versuchen könnte, bei Erfolglosigkeit ihrer Bemühungen schließlich aber doch das Schlußprotokoll unterschreiben würde.

2) Multilaterale Vorbereitung der KSZE

Sir Thomas legte die Meinungsverschiedenheiten im westlichen Lager in ähnlicher Weise dar, wie im Drahtbericht Nr. 867 aus London vom 6. April 1972 – II A 3-84.10/5 geschildert. Er erwähnte bei dieser Gelegenheit auch die von Luns dem britischen Außenminister[8] und Verteidigungsminister[9] gegenüber geäußerte Sorge der übrigen NATO-Partner vor Vorentscheidungen im Rahmen der Zehn. Als Beispiel hierfür erwähnte er ein italienisches MBFR-Papier, das bei der letzten Konferenz der Politischen Direktoren[10] von Herrn von Staden und ihm selbst aus diesem Grunde als unzweckmäßig bezeichnet worden sei.

Staatssekretär Frank führte aus, unsere Position liege etwa zwischen der amerikanischen und der „westeuropäischen". Wenn es, wie er glaube, erforderlich sei, Mißverständnissen über die Tagesordnung der Konferenz vorzubeugen, so müsse bei der multilateralen Vorbereitung auch über Substanzfragen gesprochen werden. Dies würde auch über das Problem hinweghelfen, daß im Osten der unrichtige Eindruck entstünde, die auf Termingründen (Gipfelkonferenz[11], Präsidentschaftswahlen USA[12]) beruhende Verzögerung des Konferenzbeginns könne andere Gründe haben.

Sir Thomas legte noch einmal die Vorteile dar, die sich für ihn aus der französischen Auffassung ergeben würden. Die britische Haltung sei aber sehr flexibel. In britischer Sicht erscheine die KSZE nicht sehr nützlich, aber auch nicht sehr schädlich, auf jeden Fall unabwendbar; bei dieser Sachlage scheine eine geräuschlose Diskussion der Substanz in den von der Hauptkonferenz eingesetzten „Ausschüssen" das geringste Risiko des Fehlschlags, zugleich aber auch eine Chance des Erfolgs zu bieten.

Erörtert wurde sodann die Frage der Ebene der multilateralen Vorbereitungen. Hier führte Sir Thomas aus, dem östlichen Druck in Richtung Verhand-

---

[8] Alexander F. Douglas-Home.
[9] Lord Peter Carrington.
[10] Das Politische Komitee im Rahmen der Europäischen Politischen Zusammenarbeit tagte am 11./12. April 1972 in Luxemburg.
[11] Zum Stand der Überlegungen für eine europäische Gipfelkonferenz vgl. Dok. 31, Anm. 17, und Dok. 66.
[12] Die Präsidentschaftswahlen in den USA fanden am 7. November 1972 statt.

lungen auf höherer Ebene (Vizeminister) müsse durch Hartnäckigkeit begegnet werden. Der Widerstand gegen eine Anhebung der Verhandlungsebene solle nur für den Fall gelockert werden, daß die innerdeutschen Gespräche inzwischen genügend Fortschritte gemacht hätten. Nach seiner Ansicht sei das westliche Interesse an der Beschränkung auf die Missionschefs in Helsinki ausschließlich durch die Rücksicht auf die DDR-Problematik begründet.

Sir Thomas betonte, die britische Regierung fühle sich bezüglich des gesamten Projekts KSZE unter keinerlei Druck.

3) Innerdeutsche Verhandlungen

Staatssekretär Frank legte dar, daß das Verkehrsabkommen zur Zeit vor allem noch an der Frage der Einbeziehung Berlins scheitere. Ihm habe die kürzliche Rede Honeckers in Sofia[13] gewisse Hoffnungen gemacht. Herr Kohl habe immerhin gerade gestern erstmalig eine gewisse Flexibilität angedeutet.[14] Im Augenblick sei aber das Verkehrsabkommen noch nicht gesichert. Selbst wenn es scheitere, seien aber Verhandlungen über den Generalvertrag jederzeit möglich und für das nächste Ziel (VN-Mitgliedschaft) sogar viel wichtiger. Dauer etwaiger Verhandlungen über Generalvertrag wäre allerdings nicht abzusehen. Er habe Falin vor Augen geführt, daß die gesamte politische Situation 1973 (Wahljahr[15] usw.) weniger günstig und 1974 nicht vorauskalkulierbar sei. Sollten die Sowjets diese Lage erkennen, so könne eine VN-Mitgliedschaft in diesem Herbst nicht ausgeschlossen werden, zumal die erste Voraussetzung (Beschluß des Sicherheitsrats) für den Fall des Zusammenwirkens der Vier Mächte jederzeit geschaffen werden könne.

Sir Thomas zeigte sich an diesen Ausführungen besonders interessiert, meinte jedoch, er sei weniger optimistisch bezüglich der VN-Mitgliedschaft in diesem Jahr. Andererseits verkenne auch er nicht, daß es nach 1973 kaum noch möglich sein werde, die DDR aus den Sonderorganisationen herauszuhalten.

Dieser Punkt des Gesprächs endete mit der Feststellung des Einverständnisses, daß Risiken der nächsten Zeit nur mit äußerster Solidarität im westlichen Lager gemeistert werden könnten. Sir Thomas erwähnte hierzu, daß die Briten den Besuch von Rogers[16] nutzen wollten, um die Amerikaner auf die Notwendigkeit hinzuweisen, „to be fully commited to Europe".

4) WHO

Einvernehmen, daß Abstimmungsaussichten auch in diesem Jahr günstig seien.[17] Staatssekretär Frank betonte unseren Widerstand gegen einen Beobachterstatus der DDR, fügte jedoch hinzu, daß die Bundesregierung aus dieser Frage kein grundsätzliches Problem machen wolle. Auf Frage von Sir Thomas, wie dies zu verstehen sei, wies Staatssekretär Frank auf Zusammenhang un-

---

[13] Zur Rede des Ersten Sekretärs des ZK der SED, Honecker, vom 18. April 1972 vgl. Dok. 104, Anm. 15.

[14] Vgl. dazu die Vier-Augen-Gespräche des Staatssekretärs Bahr, Bundeskanzleramt, mit dem Staatssekretär beim Ministerrat der DDR, Kohl, am 19. April 1972; Dok. 106.

[15] Im Oktober 1973 sollten turnusgemäß die Wahlen zum Bundstag stattfinden.

[16] Der amerikanische Außenminister Rogers hielt sich am 4. Mai 1972 in Großbritannien auf. Vgl. dazu den Artikel „Mr. Rogers hopes for arms treaty with Russia"; THE TIMES vom 5. Mai 1972, S. 6.

[17] Zu den Bemühungen der Bundesregierung, auf der WHO-Versammlung vom 9. bis 26. Mai 1972 eine Vertagung des Antrags der DDR auf Aufnahme in die WHO zu erreichen, vgl. Dok. 54, Anm. 12.

serer Position in den internationalen Organisationen mit dem Stand der innerdeutschen Verhandlungen hin.

5) Britisch-sowjetische Beziehungen

Sir Thomas legte dar, daß die Beziehungen allmählich wieder etwas besser geworden seien. Zufällig würde Botschafter Killick gerade heute endlich sein erstes Gespräch mit Gromyko führen, sei somit also aus der „Tiefkühltruhe" heraus.[18] Auch die letzte britische Handelsmission in die UdSSR[19] sei erfolgreich abgeschlossen worden. Lediglich das Visa-Problem für Diplomaten mache Schwierigkeiten: Die britische Regierung werde die ungerechtfertigt hohe Zahl geforderter Diplomatenvisen nicht ausstellen und nehme in Kauf, daß die Sowjets die Visa für eine kleinere Zahl britischer Diplomaten ebenfalls verweigere.

6) Vietnam

Abschließend wurde noch kurz die Frage diskutiert, ob die derzeitige nordvietnamesische Offensive[20] mit den Sowjets abgestimmt worden sei. Das FCO scheint sich der Auffassung zu nähern, daß die Nordvietnamesen den Offensivtermin auf eigene Faust festgelegt haben. Sir Thomas stützte sich dabei auf einen entsprechenden Bericht des britischen Botschafters in Moskau.

Thomas

VS-Bd. 9826 (I A 5)

---

[18] Dazu wurde in der britischen Presse berichtet: „Sir John Killick, the British Ambassador, today met Mr. Gromyko, the Soviet Foreign Minister, for the first time in more than six months. [...] It was understood unofficially that Sir John made certain proposals for improvements in bilateral relations, which deteriorated sharply last year when Britain expelled more than a hundred Soviet officials from London for spying. Mr. Gromyko's reaction to the latest British proposals was said to be reasonably receptive. The fact that such a meeting has taken place is encouraging after the months during which the ambassador has been unable even to pay routine courtesy calls on Soviet Ministers." Vgl. die Meldung „Mr. Gromyko in talks with British envoy"; THE TIMES vom 21. April 1972, S. 8.
Zu dem Gespräch vgl. auch DBPO, Serie III/1, S. 462 f.

[19] Eine britische Handelsdelegation hielt sich vom 19. bis 25. März 1972 in der UdSSR auf. Vgl. dazu DBPO, Serie III/1, S. 447, Anm. 4.

[20] Zur Offensive vom 31. März 1972 vgl. Dok. 104, Anm. 40.

112

Aufzeichnung des Ministerialdirigenten Sanne, Bundeskanzleramt

Geheim 26. April 1972[1]

Zusammenfassung der Ergebnisse der Verhandlungen der Staatssekretäre Bahr und Kohl über einen Verkehrsvertrag am 25. und 26. April 1972 in Berlin (Ost)

1) Die Verhandlungen begannen auf Initiative von StS Kohl schon am 25. April nachmittags mit einem persönlichen Gespräch, in dem er StS Bahr die Bereitschaft der DDR mitteilte, die Verhandlungen abzuschließen und den Verkehrsvertrag noch in dieser Woche zu paraphieren. Um zu diesem Ergebnis zu gelangen, sei die DDR zu erheblichen Konzessionen bei den noch offenen Punkten bereit.

2) In einer Nachtsitzung, an der von jeder Seite zwei weitere Mitarbeiter teilnahmen, wurden die noch offenen Artikel formuliert und der gesamte Text redaktionell überarbeitet. Zwei abschließende Delegationssitzungen fanden am 26. April statt.[2]

3) Die wichtigsten Ergebnisse:

Formfragen

Der Vertrag wird durch Notenwechsel nach Zustimmung der gesetzgebenden Körperschaften in Kraft gesetzt.[3] In einer Erklärung bei Paraphierung werden die Delegationsleiter feststellen, daß der Vertrag in international üblicher Form geschlossen worden ist und nach Inkrafttreten völkerrechtswirksam werden wird.[4]

---

[1] Ablichtung.
  Hat Staatssekretär Frank am 28. April 1972 vorgelegen, der die Weiterleitung an Ministerialdirektor von Staden verfügte.
  Hat Staden am 2. Mai 1972 vorgelegen.

[2] Für die Sitzung im kleineren Kreise am 25./26. April 1972 von 21.30 Uhr bis 4.00 Uhr sowie für die beiden Delegationssitzungen am Vormittag und am Abend des 26. April 1972 vgl. die Gesprächsaufzeichnungen; VS-Bd. 8563 (II A 1); B 150, Aktenkopien 1972.

[3] Während des 41. Gesprächs des Staatssekretärs Bahr, Bundeskanzleramt, mit dem Staatssekretär beim Ministerrat der DDR, Kohl, am 26. April 1972 wurde folgender Wortlaut eines Notenwechsels vereinbart (Auszug): „Die Regierung der Bundesrepublik Deutschland/der Deutschen Demokratischen Republik beehrt sich, der Regierung der Deutschen Demokratischen Republik/der Bundesrepublik Deutschland davon Kenntnis zu geben, daß die nach dem Grundgesetz der Bundesrepublik Deutschland/der Verfassung der Deutschen Demokratischen Republik zuständigen Organe dem am ... 1972 in Berlin unterzeichneten Vertrag über Fragen des Verkehrs ihre Zustimmung gegeben haben. Damit sind die für das Inkrafttreten dieses Vertrages erforderlichen innerstaatlichen Voraussetzungen auf seiten der Bundesrepublik Deutschland/der Deutschen Demokratischen Republik erfüllt." Vgl. Anlage 3 zur Gesprächsaufzeichnung über die Delegationssitzung am Vormittag des 26. April 1972; VS-Bd. 8563 (II A 1); B 150, Aktenkopien 1972.

[4] Folgender Wortlaut der bei Vertragsunterzeichnung seitens der Bundesregierung bzw. in analoger Fassung von der Regierung der DDR abzugebenden Erklärung wurde vereinbart: „Dieser Vertrag ist in international üblicher Form geschlossen worden. Er wird nach seiner Bestätigung durch die im Grundgesetz vorgesehenen Organe dieselbe Verbindlichkeit haben wie andere Staatsverträge, die die Bundesrepublik Deutschland mit dritten Staaten geschlossen hat. Mit dem vereinbarten Notenwechsel über das Vorliegen der verfassungsmäßigen Voraussetzungen für das Inkrafttreten

Einbeziehung Berlins

Bei Unterzeichnung wird einvernehmlich erklärt, daß der Vertrag in Übereinstimmung mit dem Vier-Mächte-Abkommen auf Berlin (West) sinngemäß angewandt werden soll.[5] Das Zustimmungsgesetz der BRD wird die übliche Berlin-Klausel erhalten. Die DDR erwartet keine Äußerung des Senates gegenüber der DDR.

Reiseerleichterungen

StS Kohl war nicht zu einer formellen Vereinbarung im Rahmen des Vertragswerkes bereit. Er übergab aber eine Information über die Absichten der DDR, Reiseerleichterungen in beiden Richtungen nach Inkrafttreten des Vertrages zu gewähren, insbesondere

- für Bürger der BRD jährlich mehrmals Besuche von Verwandten und Bekannten in der DDR auf deren Antrag,
- Einreisen aus anderen Gründen auf Einladung von Institutionen in der DDR,
- Touristenreisen im Rahmen der Hotelkapazität der DDR,
- Erhöhung der Freigrenze um das Mehrfache für Geschenke bei Einreise in die DDR,
- Genehmigung zur Benutzung von Pkw bei Reisen in die DDR in größerem Umfang als bisher,
- Ermöglichung der Reisen von Bürgern der DDR in die BRD bei dringenden Familienangelegenheiten.[6]

Fortsetzung Fußnote von Seite 478

dieses Vertrages wird er entsprechend den Bestimmungen seines Artikels 33 völkerrechtswirksam werden." Vgl. Anlage 4 zur Gesprächsaufzeichnung über die Delegationssitzung am Vormittag des 26. April 1972; VS-Bd. 8563 (II A 1); B 150, Aktenkopien 1972.

5 Zur Einbeziehung von Berlin (West) bestätigte Staatssekretär Bahr, Bundeskanzleramt, in der Delegationssitzung am Vormittag des 26. April 1972, „daß Staatssekretär Kohl ihm erklärt habe, was die Frage anlange, wie die BRD im Rahmen ihrer Gesetzgebung die Anwendung der Bestimmungen des AVV auf Berlin (West) regele, so sei dies eine Angelegenheit der BRD, vorausgesetzt, daß dies in Übereinstimmung mit dem Vierseitigen Abkommen erfolge. StS Kohl habe ihm ferner mitgeteilt, daß er nach der Unterzeichnung des AVV folgende Erklärung abgeben werde: ‚Die Bestimmungen des Vertrages zwischen der Deutschen Demokratischen Republik und der Bundesrepublik Deutschland über die Fragen des Verkehrs vom ... 1972 werden in Übereinstimmung mit dem Vierseitigen Abkommen vom 3. September 1971 auf Berlin (West) unter der Voraussetzung sinngemäß angewandt, daß Berlin (West) seinerseits die Einhaltung der Bestimmungen des Verkehrsvertrages gewährleistet.'" Bahr fügte hinzu, daß er dieser Regelung zustimme „unter dem Vorbehalt, daß er heute mittag noch die Zustimmung des Herrn Bundeskanzlers und dessen Stellvertreters einholen werde." Vgl. die Gesprächsaufzeichnung; VS-Bd. 8563 (II A 1); B 150, Aktenkopien 1972.

6 Für die Information der Regierung der DDR zur Frage der Reiseerleichterungen vgl. Anlage 8 zur Gesprächsaufzeichnung über die Delegationssitzung am Vormittag des 26. April 1972; VS-Bd. 8563 (II A 1); B 150, Aktenkopien 1972. Vgl. ferner BULLETIN 1972, S. 989.
Zum Abschluß der Verhandlungen über den Verkehrsvertrag zwischen der Bundesrepublik und der DDR erklärte der Staatssekretär beim Ministerrat der DDR, Kohl, am 26. April 1972 außerdem, „daß es im Ergebnis der Inkraftsetzung des Verkehrsvertrages zu Reiseerleichterungen im Verkehr zwischen den beiden Staaten kommen wird. Auf Antrag von Bürgern der DDR werden die zuständigen Organe der DDR den Besuch von Verwandten und Bekannten aus der BRD zur jährlich mehrmaligen Einreise in die DDR erlauben. Wenn hierzu Einladungen der entsprechenden Institutionen oder Organisationen der DDR vorliegen, können Bürger der BRD auch aus kommerziellen, kulturellen, sportlichen oder religiösen Gründen in die DDR einreisen. Es werden Touristenreisen von Bürgern der BRD in die DDR auf Grund von Vereinbarungen zwischen den Reisebüros beider Staaten ermöglicht werden. In größerem Umfang als bisher wird es gestattet sein, bei

Internationale Organisationen

In einem Briefwechsel zu CIM und CIV[7] wird festgestellt, daß

- beide Seiten den Beitritt nach Unterzeichnung des Verkehrsvertrages beantragen werden,
- Artikel 11 des Vertrages[8] bis zum Wirksamwerden des Beitritts suspendiert bleibt,
- beide Staaten ihr Streckennetz im bisherigen Umfang den beiden Eisenbahnabkommen unterstellen,
- das Transitabkommen vom Dezember 1971 und die Rechtslage der Schienenwege in Berlin (West) vom Beitritt unberührt bleiben.[9]

Laut Protokollvermerk bleibt Artikel 28[10] bis zur Mitgliedschaft beider Staaten in den ECE-Abkommen TIR[11] und ADR[12] suspendiert.[13]

Fortsetzung Fußnote von Seite 479

Reisen in die DDR Pkw zu benutzen. Die Freigrenze für mitgeführte Geschenke bei Reisen in die DDR wird erhöht werden. Die Regierung der Deutschen Demokratischen Republik wird in dringenden Familienangelegenheiten Bürgern der DDR die Reise nach der BRD ermöglichen. Es ist selbstverständlich, daß Voraussetzung für die nach Inkrafttreten des Verkehrsvertrages möglichen Reiseerleichterungen die Ratifizierung der Verträge der UdSSR und der VR Polen mit der BRD ist. Dies alles steht in einem untrennbaren Zusammenhang." Vgl. BULLETIN 1972, S. 990.

[7] Für den Wortlaut des Internationalen Übereinkommens vom 25. Februar 1961 über den Eisenbahnfrachtverkehr (CIM) vgl. BUNDESGESETZBLATT 1964, Teil II, S. 1520–1579.
Für den Wortlaut des Internationalen Übereinkommens vom 25. Februar 1961 über den Eisenbahn-Personen- und -Gepäckverkehr (CIV) vgl. BUNDESGESETZBLATT 1964, Teil II, S. 1898–1951.

[8] Für Artikel 11 des Vertrages zwischen der Bundesrepublik und der DDR über Fragen des Verkehrs wurde am 26. April 1972 folgender Wortlaut vereinbart: „1) Für die Beförderung von Reisenden und Gepäck gelten das Internationale Übereinkommen über den Eisenbahn-Personen- und -Gepäckverkehr (CIV) und seine Zusatzabkommen. 2) Für die Beförderung von Frachtgut gelten das Internationale Übereinkommen über den Eisenbahnfrachtverkehr und seine Zusatzabkommen." Vgl. Anlage 1 zur Gesprächsaufzeichnung über die Delegationssitzung am Vormittag des 26. April 1972; VS-Bd. 8563 (II A 1); B 150, Aktenkopien 1972. Vgl. auch BULLETIN 1972, S. 983.

[9] Für den am 26. April 1972 vereinbarten Wortlaut eines Schreibens des Staatssekretärs Bahr, Bundeskanzleramt, an den Staatssekretär beim Ministerrat der DDR, Kohl, zum Beitritt von Bundesregierung und DDR zum Internationalen Übereinkommen vom 25. Februar 1961 über den Eisenbahnfrachtverkehr (CIM) und zum Internationalen Übereinkommen vom 25. Februar 1961 über den Eisenbahn-Personen- und -Gepäckverkehr (CIV) vgl. Anlage 5 zur Gesprächsaufzeichnung über die Delegationssitzung am Vormittag des 26. April 1972; VS-Bd. 8563 (II A 1); B 150, Aktenkopien 1972. Vgl. auch BULLETIN 1972, S. 989.

[10] Für Artikel 28 des Vertrages zwischen der Bundesrepublik und der DDR über Fragen des Verkehrs wurde am 26. April 1972 folgender Wortlaut vereinbart: „Für Gütertransporte im Straßenverkehr gelten: – das Zollübereinkommen vom 15. Januar 1959 über den internationalen Warentransport mit Carnets TIR; – das Europäische Übereinkommen vom 30. September 1957 über die internationale Beförderung gefährlicher Güter auf der Straße (ADR)." Vgl. Anlage 1 zur Gesprächsaufzeichnung über die Delegationssitzung am Vormittag des 26. April 1972; VS-Bd. 8563 (II A 1); B 150, Aktenkopien 1972. Vgl. auch BULLETIN 1972, S. 986.

[11] Für den Wortlaut des Zollübereinkommens vom 15. Januar 1959 über den internationalen Warentransport mit Carnets TIR („TIR-Übereinkommen") vgl. UNTS, Bd. 348, S. 13–101. Für den deutschen Wortlaut vgl. BUNDESGESETZBLATT 1961, Teil II, S. 650–741.

[12] Für den Wortlaut des europäischen Übereinkommens vom 30. September 1957 über die internationale Beförderung gefährlicher Güter auf der Straße (ADR) vgl. UNTS, Bd. 619, S. 78–97. Für den deutschen Wortlaut vgl. BUNDESGESETZBLATT 1969, Teil II, S. 1489–1501.

[13] Für den am 26. April 1972 vereinbarten Protokollvermerk zu Artikel 28 eines Vertrags zwischen der Bundesrepublik und der DDR über Fragen des Verkehrs vgl. Anlage 2 zur Gesprächsaufzeichnung über die Delegationssitzung am Vormittag des 26. April 1972; VS-Bd. 8563 (II A 1); B 150, Aktenkopien 1972. Vgl. auch BULLETIN 1972, S. 988.

4) Am 26. April, kurz vor Mitternacht, gaben die Delegationsleiter auf einer gemeinsamen Pressekonferenz inhaltlich abgestimmte Erklärungen über die Bedeutung des Vertragswerkes ab.[14]

5) Die Paraphierung ist für Anfang Mai in Bonn[15], die Unterzeichnung für Mitte Mai in Berlin (Ost)[16] in Aussicht genommen.

Sanne

VS-Bd. 8563 (II A 1)

113

Aufzeichnung des Ministerialdirigenten von Schenck

V 1-86.00/4-344/72 VS-vertraulich 26. April 1972[1]

Betr.: Auswirkung der Ratifizierung der Ostverträge auf die Haltung des Vatikans bezüglich der Neuordnung der kirchlichen Verhältnisse in den früheren deutschen Ostgebieten[2]

Bezug: a) Dortige Zuschrift vom 8.3.1972 – I A 4-82.00-94.30-753 I/72 VS-v
b) Dortige Vorlage an Herrn D Pol vom 3.3.1972
– I A 4-82.00-94.30-753/72 VS-v[3]

---

[14] Zum Abschluß der Verhandlungen über den Verkehrsvertrag zwischen der Bundesrepublik und der DDR erklärte der Staatssekretär beim Ministerrat der DDR, Kohl, am 26. April 1972: „Der Verkehrsvertrag ist der erste, international üblichen Regeln entsprechende Staatsvertrag zwischen der Deutschen Demokratischen Republik und der Bundesrepublik Deutschland. Er wird die gleiche Verbindlichkeit haben wie andere Staatsverträge, die die DDR und die BRD mit dritten Staaten abgeschlossen haben." Staatssekretär Bahr bestätigte dies und führte weiter aus, der Vertrag werde „nach seiner Unterschrift die Möglichkeit eröffnen, auch einen Meinungsaustausch über die Fragen zu beginnen, die für das Nebeneinander und hoffentlich dann auch einmal Miteinander beider Staaten und der in ihnen lebenden Menschen von grundsätzlicher und praktischer Bedeutung sind." Kohl habe ihm „die entsprechende Passage der Rede des Ersten Sekretärs des ZK der SED, Erich Honecker, in Sofia mit der darin ausgeführten Bereitschaft in aller Form übergeben". Vgl. BULLETIN 1972, S. 990 f.
[15] Zur Paraphierung des Vertrags zwischen der Bundesrepublik und der DDR über Fragen des Verkehrs am 12. Mai 1972 vgl. Dok. 119.
[16] Zur Unterzeichnung des Vertrags zwischen der Bundesrepublik und der DDR über Fragen des Verkehrs am 26. Mai 1972 vgl. Dok. 146.
[1] Die Aufzeichnung wurde von den Vortragenden Legationsräten Fleischhauer und von Richthofen konzipiert.
[2] Nach dem Zweiten Weltkrieg verzichtete der Heilige Stuhl auf eine Neugliederung der Kirchenprovinzen in den Gebieten des Deutschen Reiches unter polnischer Verwaltung. Erst am 25. November 1970 kündigte der Heilige Stuhl an, nach der Ratifizierung des Warschauer Vertrags vom 7. Dezember 1970 eine Neugliederung der Diözesen in den Gebieten östlich von Oder und Neiße vornehmen zu wollen. Vgl. dazu AAPD 1970, III, Dok. 570.
[3] Am 3. März 1972 resümierte Vortragender Legationsrat I. Klasse Munz für Ministerialdirektor von Staden ein Gespräch des Botschafters Böker, Rom (Vatikan), mit Staatssekretär Frank. Böker habe zu bedenken gegeben, „ob es zweckmäßig sein könne, dem Vatikan nach Ratifizierung der Ostverträge die Einschaltung einer Zwischenlösung nahezulegen für die Regelung der kirchlichen

Die Gruppe Völkerrecht[4] nimmt zur Frage der rechtlichen Folgen, die beim Inkrafttreten der Ostverträge für die kirchliche Situation in den Gebieten östlich der Oder-Neiße eintreten, wie folgt Stellung:

I. Rechtslage bis zum Inkrafttreten der Ostverträge

1) Völkerrechtlicher Status der Gebiete östlich der Oder-Neiße

Die Gebiete östlich der Oder-Neiße in den Grenzen des Deutschen Reiches vom 31.12.1937 sind bis zum Inkrafttreten des Warschauer Vertrages vom 7.12.1970 für die Bundesrepublik deutsches Gebiet unter fremder Verwaltung.

Die völkerrechtliche Beurteilung des Status der Gebiete östlich von Oder und Neiße kann sich indessen in diesem Satz nicht erschöpfen. Bei der völkerrechtlichen Beurteilung der Rechtslage dieser Gebiete ist zu beachten, daß sie durch die Beschlüsse der Siegermächte auf der Potsdamer Konferenz aus der sowjetischen Besatzungszone herausgelöst und Polen bzw. der Sowjetunion überantwortet wurden.[5] Damit erhielt Polen einen Verwaltungsauftrag mit einer ge-

---

Fortsetzung Fußnote von Seite 481

Verhältnisse in den ehemaligen deutschen Ostgebieten. StS Frank erwiderte, daß wir dem Vatikan gegenüber den Vertrag mit Polen nicht anders interpretieren könnten als gegenüber dem polnischen Verhandlungspartner. Auf keinen Fall dürfe der Eindruck der Widersprüchlichkeit entstehen. Allenfalls könne man dem Vatikan unsere Auffassung von der Rechtslage einschl[ießlich] dem Friedensvertragsvorbehalt darlegen, wobei es dem Vatikan überlassen bleiben müsse, welche Schlüsse er daraus ziehen wolle. [...] Botschafter Böker machte darauf aufmerksam, daß die Polen zwar hinsichtlich ihrer Westgebiete eine Neuregelung wünschten, nicht dagegen hinsichtlich der an die Sowjetunion abgetretenen polnischen Ostgebiete. Gewisse Probleme könnten auch daraus erwachsen, daß die Diözese Allenstein eine Jurisdiktion auch über sowjetisches Gebiet im ehemaligen Ostpreußen haben werde." Vgl. VS-Bd. 9808 (I A 4); B 150, Aktenkopien 1972. Am 8. März 1972 teilte Munz Vortragendem Legationsrat I. Klasse von Schenck mit: „Herr D Pol wäre für eine Prüfung der Frage dankbar, welche kirchenrechtlichen Konsequenzen sich für den Vatikan hinsichtlich der Neuordnung der kirchlichen Verhältnisse in den früheren deutschen Ostgebieten im Falle der Ratifizierung der Ostverträge bei Berücksichtigung unserer Rechtsauffassung (Friedensvertragsvorbehalt) ergeben könnten". Vgl. VS-Bd. 5848 (V 1); B 150, Aktenkopien 1972.

[4] Die Wörter „Die Gruppe Völkerrecht" wurden von Ministerialdirigent von Schenck handschriftlich eingefügt. Dafür wurde gestrichen: „Referat V 1".

[5] In Abschnitt IX des Kommuniqués vom 2. August 1945 über die Konferenz von Potsdam (Potsdamer Abkommen) war festgelegt: „Die drei Regierungschefs bekräftigten ihre Auffassung, daß die endgültige Festlegung der Westgrenze Polens bis zur Friedensregelung zurückgestellt werden soll. Die drei Regierungschefs kommen überein, daß bis zur endgültigen Bestimmung der Westgrenze Polens die früheren deutschen Gebiete östlich einer Linie, die von der Ostsee unmittelbar westlich von Swinemünde und von dort die Oder entlang bis zur Einmündung der westlichen Neiße und die westliche Neiße entlang bis zur tschechoslowakischen Grenze verläuft, einschließlich des Teils von Ostpreußen, der im Einklang mit der auf dieser Konferenz erzielten Vereinbarung nicht der Verwaltung der Union der Sozialistischen Sowjetrepubliken unterstellt wird, und einschließlich des Gebiets der früheren Freien Stadt Danzig der Verwaltung des polnischen Staates unterstellt werden und insofern nicht als Teil der sowjetischen Besatzungszone in Deutschland betrachtet werden sollen." Vgl. DzD II/1, S. 2118.
Abschnitt VI des Kommuniqués vom 2. August 1945 über die Konferenz von Potsdam (Potsdamer Abkommen) besagte: „Die Konferenz prüfte einen Vorschlag der sowjetischen Regierung, daß bis zur endgültigen Entscheidung der territorialen Fragen bei der Friedenregelung der an die Ostsee grenzende Abschnitt der Westgrenze der Union der Sozialistischen Sowjetrepubliken von einem Punkt an der Ostküste der Danziger Bucht nach Osten nördlich von Braunsberg-Goldap bis zum Schnittpunkt der Grenzen Litauens, der Polnischen Republik und Ostpreußens verlaufen soll. Die Konferenz hat grundsätzlich dem Vorschlag der sowjetischen Regierung betreffend die endgültige Übergabe der Stadt Königsberg und des vorstehend beschriebenen angrenzenden Gebiets an die Sowjetunion vorbehaltlich einer Prüfung der tatsächlichen Grenze durch Sachverständige zugestimmt. Der Präsident der Vereinigten Staaten und der britische Premierminister erklärten, daß sie den Vorschlag der Konferenz bei der bevorstehenden Friedensregelung unterstützen werden." Vgl. DzD II/1, S. 2115.

wissen adjudikatorischen Tendenz, während die Behandlung Nordostpreußens deutliche Zeichen einer Adjudikation und eines rein formalen Friedensvertragsvorbehalts trägt. In der Folgezeit haben die Sowjetunion und die Volksrepublik Polen die ihnen überantworteten Gebiete regelrecht annektiert und vollkommen in ihr Staatsgebiet einverleibt. Die hiergegen gerichteten Rechtsverwahrungen[6] haben sich immer in erster Linie gegen Polen gerichtet und sind im Laufe der Zeit insofern schwächer geworden, als sie sich auf den Hinweis der noch ausstehenden Friedensregelung beschränkten. Es ist insoweit eine gewisse Konsolidierung der Rechtsposition Polens und der Sowjetunion eingetreten, die im Falle der Sowjetunion und Nordostpreußens allerdings stärker ist als im Falle Polens und der übrigen Oder-Neiße-Gebiete. Das ändert aber nichts daran, daß die Gebiete östlich der Oder-Neiße für die BRD bisher nach wie vor formal deutsches Staatsgebiet unter fremder Verwaltung sind und daß diese Gebiete nach wie vor in den Bereich der Vier-Mächte-Rechte und -Verantwortlichkeiten gehören.

2) Kirchliche Situation

a) Für die in den[7] deutschen Gebieten östlich der Oder-Neiße bestehende Diözesanorganisation und Zirkumskription ist das Reichskonkordat vom 20. Juli 1933[8] maßgebend.

Das Reichskonkordat ist – wie auch das Bundesverfassungsgericht in den Gründen seines Urteils vom 26.3.1957 festgestellt hat – im Verhältnis zwischen dem Heiligen Stuhl und der Bundesrepublik weiterhin in Kraft.[9] Der Heilige Stuhl teilt diese Auffassung und hat sich seinerseits an die in diesem Konkordat enthaltenen Bestimmungen auch in bezug auf die Diözesen östlich der Oder-Neiße gehalten.

b) Dies kommt namentlich darin zum Ausdruck, daß der Heilige Stuhl in territorialer und in personeller Hinsicht von einer definitiven rechtlichen Neuordnung in diesen Diözesen mit Rücksicht auf eine noch ausstehende Klärung der völkerrechtlichen Situation Abstand genommen hat. Gemäß Art. 11 Abs. 1 des Reichskonkordats[10] sind die aufgrund des Konkordats zwischen dem Heiligen

---

6 Dieses Wort wurde von Ministerialdirigent von Schenck handschriftlich eingefügt. Dafür wurde gestrichen: „Proteste".
7 An dieser Stelle wurde von Ministerialdirigent von Schenck gestrichen: „früheren".
8 Für den Wortlaut des Konkordats vom 20. Juli 1933 zwischen dem Deutschen Reich und dem Heiligen Stuhl vgl. REICHSGESETZBLATT 1933, Teil II, S. 679–690.
9 Für das Urteil des Zweiten Senats des Bundesverfassungsgerichts vgl. BUNDESVERFASSUNGSGERICHT, ENTSCHEIDUNGEN, Bd. 6, S. 309–367.
10 Artikel 11 Absatz 1 des Konkordats vom 20. Juli 1933 zwischen dem Deutschen Reich und dem Heiligen Stuhl: „Die gegenwärtige Diözesanorganisation und -zirkumskription der katholischen Kirche im Deutschen Reich bleibt bestehen. Eine in Zukunft etwa erforderlich erscheinende Neueinrichtung eines Bistums oder einer Kirchenprovinz oder sonstige Änderungen der Diözesanzirkumskription bleiben, soweit es sich um Neubildungen innerhalb der Grenzen eines deutschen Landes handelt, der Vereinbarung mit der zuständigen Landesregierung vorbehalten. Bei Neubildungen oder Änderungen, die über die Grenzen eines deutschen Landes hinausgreifen, erfolgt die Verständigung mit der Reichsregierung, der es überlassen bleibt, die Zustimmung der in Frage kommenden Länderregierungen herbeizuführen. Dasselbe gilt entsprechend für die Neuerrichtung oder Änderung von Kirchenprovinzen, falls mehrere deutsche Länder daran beteiligt sind. Auf kirchliche Grenzverlegungen, die lediglich im Interesse der örtlichen Seelsorge erfolgen, finden die vorstehenden Bedingungen keine Anwendung." Vgl. REICHSGESETZBLATT 1933, Teil II, S. 682.

Stuhl und dem Freistaat Preußen vom 14.6.1929[11] errichteten Diözesen Erzbistum Breslau, Bistum Ermland und Freie Prälatur Schneidemühl bis heute erhalten geblieben.

Unter Berücksichtigung der fremden Verwaltung dieser Gebiete werden lediglich provisorische Maßnahmen getroffen, um die seelsorgerischen Belange der polnischen Katholiken wahrzunehmen.

aa) Im Jahre 1945 erhielt der polnische Kardinal Hlond durch besondere päpstliche Vollmachten für alle unter polnischer Verwaltung gestellten Gebiete eine Generaladministratur. Der Kardinal teilte die betroffenen Gebiete in Jurisdiktionsgebiete auf, die sich nach den neuen Gegebenheiten richteten. Es entstanden vier Bezirke mit Sitz in

- Breslau,
- Oppeln,
- Landsberg an der Warthe,
- Allenstein.

bb) Im Jahre 1967 wurden die in diesen vier Bezirken tätigen, von Kardinal Wyszyński ernannten Generalvikare vom Papst zu Apostolischen Administratoren „auf Zeit" ernannt. Die Ernennung zu Apostolischen Administratoren hatte zur Folge, daß diese nicht mehr Kardinal Wyszyński, sondern dem Papst unterstanden.[12]

c) In den früheren päpstlichen Jahrbüchern bis einschließlich des Annuario Pontificio 1970 war zu „Breslau" folgende Fußnote enthalten:

„Wie bekannt ist, pflegt der Heilige Stuhl nicht zu definitiven Veränderungen der Diözesangrenzen zu schreiten, bevor nicht etwaige Fragen des Völkerrechts, die die fraglichen Gebiete betreffen, durch Verträge, die die volle Anerkennung gefunden haben, geregelt worden sind. Eine derartige Situation ist gegeben in Gebieten, die zur Erzdiöze Breslau, zur Diözese Ermland, zur Prälatur nullius Schneidemühl sowie in geringem Maße zu anderen Diözesen gehören. In dieser Lage hat der Heilige Stuhl, um – in pflichtgemäßer Erfüllung seiner Sendung – die seelsorgerische Betreuung der zahlreichen in diesen Gebieten lebenden Gläubigen sicherzustellen, Apostolische Administratoren, die von Auxiliarbischöfen unterstützt werden, mit der Leitung der Seelsorge der Gläubigen beauftragt."[13]

Im Annuario Pontificio 1971 und 1972 ist diese Fußnote unter Breslau (Wrocław) ebenso wie die Aufführung der Kapitelvikare entfallen.[14] Der Heilige

---

11 Für den Wortlaut des Vertrags vom 14. Juni 1929 zwischen dem Freistaat Preußen und dem Heiligen Stuhl vgl. PREUSSISCHE GESETZESSAMMLUNG 1929, S. 152–160.
12 Am 27. Mai 1967 wurde bekanntgegeben, daß Papst Paul VI. hinsichtlich „der Gebiete, die nach der Potsdamer Konferenz in polnische Verwaltung übergingen", beschlossen habe, „die vier Prälaten, die bisher die Betreuung der Katholiken in diesen Gebieten des Generalvikariats seiner Eminenz des Kardinalerzbischofs von Gnesen und Warschau leiteten, zu apostolischen Administratoren ‚ad nutum Sanctae Sedis' mit den Fakultäten residierender Bischöfe zu ernennen". Die Diözesangrenzen würden davon unberührt bleiben. Vgl. die Aufzeichnung des Vortragenden Legationsrats I. Klasse Blomeyer-Bartenstein vom 27. Mai 1967; VS-Bd. 5647 (V 1); B 150, Aktenkopien 1967.
Vgl. dazu auch AAPD 1967, II, Dok. 180.
13 Vgl. ANNUARIO PONTIFICIO per l'anno 1970, S. 80.
14 Für die Eintragungen zu „Breslau" in den Jahren 1971 und 1972 vgl. ANNUARIO PONTIFICIO per l'anno 1971, S. 81f. und ANNUARIO PONTIFICIO per l'anno 1972, S. 85f.

Stuhl hat der Bundesregierung für die Änderung innerkirchliche, mit dem Charakter des Annuario Pontificio als technisches Handbuch zusammenhängende Gründe genannt und ihr versichert, daß sich an der völkerrechtlichen Betrachtung der deutschen Ostgebiete nichts geändert habe. Der Heilige Stuhl werde die Diözesangrenzen erst dann ändern, wenn die völkerrechtlichen Fragen gelöst seien.

d) Im Rahmen des auch für die Gebiete östlich der Oder-Neiße-Linie bisher geltenden Reichskonkordats hat der Heilige Stuhl die Bundesregierung bisher als Funktionsnachfolgerin der Reichsregierung behandelt; dies galt auch entsprechend für die im Reichskonkordat erwähnte Zuständigkeit der damaligen Reichsstatthalter.

– Die Diözesan-Zirkumskription, die nach Art. 11 Abs. 1 Satz 3 des Reichskonkordats eine Verständigung mit der Bundesregierung vorausgesetzt hatte, wurde bisher nicht geändert.

– Auch wurden keine polnischen Bischöfe ernannt, da die Ernennung von Bischöfen, die nicht die deutsche Staatsangehörigkeit besitzen, gemäß Art. 14 des Reichskonkordats[15] des Einvernehmens der Bundesregierung bedurft hätte.

II. Rechtslage nach Inkrafttreten der Ostverträge

1) Völkerrechtlicher Status

a) Der Moskauer Vertrag unterstellt die Oder-Neiße-Linie ausdrücklich dem völkerrechtlichen Gewaltverbot. Insoweit wird sie einer Staatsgrenze gleichgestellt. Der Moskauer Vertrag geht aber darüber nicht hinaus. Zwar bezeichnet sein Art. 3 dritter Unterabsatz die Oder-Neiße-Linie ausdrücklich als die Westgrenze Polens.[16] Damit wird eine weitgehende Bereitschaft der Bundesrepublik Deutschland zum Ausdruck gebracht, die Oder-Neiße-Linie als Westgrenze Polens anzuerkennen, jedenfalls aber nicht mehr in Frage zu stellen. Eine verbindliche Vorwegnahme der später in Art. I des Warschauer Vertrages getroffenen Feststellung liegt darin aber noch nicht. Von der Ratifizierung des Warschauer Vertrages an, in dessen Artikel I die Bundesrepublik Deutschland und die Volksrepublik Polen übereinstimmend feststellen, daß

die bestehende Grenzlinie, deren Verlauf in Kapitel IX der Beschlüsse der Potsdamer Konferenz vom 2.8.45 von den USA, Großbritannien und der So-

---

[15] In Artikel 14 des Konkordats vom 20. Juli 1933 zwischen dem Deutschen Reich und dem Heiligen Stuhl wurde festgelegt: „Die Kirche hat grundsätzlich das freie Besetzungsrecht für alle Kirchenämter und Benefizien des Staates oder der bürgerlichen Gemeinden ohne Mitwirkung dieser, soweit nicht durch die in Artikel 2 genannten Konkordate andere Vereinbarungen getroffen sind. [...] Außerdem besteht Einvernehmen über folgende Punkte: 1) Katholische Geistliche, die in Deutschland ein geistliches Amt bekleiden oder eine seelsorgerliche oder Lehrtätigkeit ausüben, müssen: a) deutsche Staatsangehörige sein, b) ein zum Studium an einer deutschen höheren Lehranstalt berechtigendes Reifezeugnis erworben haben, c) auf einer deutschen staatlichen Hochschule, einer deutschen kirchlichen akademischen Lehranstalt oder einer päpstlichen Hochschule in Rom ein wenigstens dreijähriges philosophisch-theologisches Studium abgelegt haben. 2) Die Bulle für die Ernennung von Erzbischöfen, Bischöfen, eines Koadjutors cum iure successionis oder eines Praelatus nullius wird erst ausgestellt, nachdem der Name des dazu Ausersehenen dem Reichstatthalter in dem zuständigen Lande mitgeteilt und festgestellt ist, daß gegen ihn Bedenken allgemein politischer Natur nicht bestehen." Vgl. REICHSGESETZBLATT 1933, Teil II, S. 682 f.

[16] Für Artikel 3 des Vertrags vom 12. August 1970 zwischen der Bundesrepublik und der UdSSR vgl. Dok. 64, Anm. 10.

wjetunion festgelegt worden ist, die westliche Staatsgrenze der Volksrepublik Polen bildet,[17]

wird die Bundesrepublik Deutschland nicht mehr bestreiten können, daß die Gebiete östlich der Oder-Neiße-Linie polnisches Staatsgebiet sind. Daran ändert auch der Umstand nichts, daß die Bundesrepublik Polen gegenüber klargestellt hat, daß sie beim Abschluß des Warschauer Vertrages nur für sich selber handelt, daß eine Friedensregelung für ganz Deutschland durch die genannten Verträge weder vorweggenommen worden ist noch ersetzt werden kann und daß die Rechte und Verantwortlichkeiten der Vier Mächte, wie sie in den Verträgen aus der Kriegs- und Nachkriegszeit ihren Niederschlag gefunden haben, nicht berührt werden.[18]

b) In Anbetracht dieser Umstände ist der Warschauer Vertrag jedoch trotz der in ihm enthaltenen Aussage über die Grenze seinem Inhalt und seinem Charakter nach nicht als ein Grenzvertrag zu qualifizieren und erst recht nicht einem Friedensvertrag gleichzustellen. Denn Art. I des Warschauer Vertrages schafft weder die Grenze noch deren rechtliche Grundlagen. Er bewirkt insbesondere keine Zession deutschen Gebietes an Polen, die außerhalb der völkerrechtlichen und verfassungsrechtlichen Verfügungsbefugnis der Bundesrepublik gelegen hätte. Die Bundesrepublik Deutschland nimmt die bestehende Grenze vielmehr mit dem Inkrafttreten des Vertrages von Warschau als eine Gegebenheit hin, die sie Polen gegenüber nicht mehr in Frage stellen will. Die polnische Gebietshoheit hat völkerrechtlich noch keinen endgültigen und vorbehaltlosen Charakter, solange der von den Drei Mächten aufrechterhaltene Vorbehalt fortbesteht, daß die endgültige Festlegung der Grenzen Deutschlands erst in einem Friedensvertrag mit ganz Deutschland erfolgen kann. Der Polen auf der Potsdamer Konferenz zuerkannte Rechtstitel der „Administration" ist im Verhältnis der Drei Mächte zu Polen noch nicht beendet und noch nicht durch eine endgültige Anerkennung der polnischen Souveränität über diese Gebiete abgelöst worden.

c) Für das unter sowjetischer Verwaltung stehende Gebiet Nordostpreußens gilt insofern etwas anderes, als Art. I des Warschauer Vertrages sich nur auf die polnische Westgrenze bezieht, nicht dagegen auf die polnisch-sowjetische Grenze in Ostpreußen. Der Moskauer Vertrag entfaltet für diese Grenze keine andere Wirkung als in bezug auf die Oder-Neiße-Grenze: Er stellt diese Grenze in bezug auf das Gewaltverbot allen anderen Staatsgrenzen gleich.

2) Kirchliche Lage

Für die kirchliche Situation in den Gebieten östlich der Oder-Neiße-Linie ergibt sich daraus für die Zeit nach der Ratifikation der Ostverträge folgendes:

a) Die Bundesregierung würde im Widerspruch insbesondere zu Art. I des Warschauer Vertrages handeln, wenn sie in bezug auf die früheren deutschen Ostgebiete weiterhin im Verhältnis zum Heiligen Stuhl Rechte aus dem Reichs-

---

17 Vgl. BULLETIN 1970, S. 1815.
18 Vgl. dazu die Note der Bundesregierung vom 19. November 1970 an die Drei Mächte; BULLETIN 1970, S. 1816.
 Vgl. dazu auch die Erläuterung des Bundespresseamtes „Zum Vertrag mit der Volksrepublik Polen"; BULLETIN 1970, S. 1818.

konkordat herleiten wollte. Sie wird insbesondere auch nicht mehr in Funktionsnachfolge der Reichsstatthalter in diesen Gebieten handeln können, d. h.

aa) Änderungen der Diözesanorganisation und Zirkumskription nicht mehr von ihrem Einverständnis abhängig machen und

bb) die Ernennung von Bischöfen, die nicht die deutsche Staatsangehörigkeit besitzen, nicht mehr von ihrer Zustimmung abhängig machen können.

b) Der Heilige Stuhl wird seinerseits davon ausgehen dürfen, daß die Gebiete östlich der Oder-Neiße unter polnischer Verwaltung von der Bundesrepublik Deutschland als polnisches Staatsgebiet[19] angesehen werden. Wir werden dem Heiligen Stuhl keine Verletzung des Reichskonkordats vorwerfen können, wenn er in Zukunft von dieser rechtlichen Gegebenheit ausgeht und

aa) die Diözesanorganisation und -zirkumskription einseitig ändert,

bb) polnische Bischöfe in diesen Diözesen ernennt.

c) Wir werden es in Zukunft wohl auch hinnehmen müssen, daß der Heilige Stuhl die Diözesen östlich der Oder-Neiße unter polnischer Verwaltung im Annuario Pontificio unter „Polen" und nicht mehr wie bisher unter „Germania" aufführt.

d) In bezug auf Nordostpreußen wird sich die Frage nicht stellen, da die Errichtung von Bistümern in der UdSSR nicht aktuell ist.

3) Allerdings wird der Heilige Stuhl entsprechend seiner Haltung, keine definitiven Veränderungen vorzunehmen, bevor völkerrechtliche Probleme, die damit zusammenhängen, geklärt sind, die gegebene Rechtslage einschließlich der fortbestehenden Rechtsvorbehalte auch künftig in Betracht ziehen müssen. Es könnte sich deshalb empfehlen, dem Heiligen Stuhl nach dem Austausch der Ratifikationsurkunden das Inkrafttreten des Warschauer Vertrages mit den dazugehörigen Rechtsvorbehalten zu notifizieren, um klarzustellen, wie wir den völkerrechtlichen Status der ehemaligen deutschen Ostgebiete nach Inkrafttreten der Ostverträge ansehen. Desgleichen könnte daran gedacht werden, daß wir den Drei Mächten nahelegen, dem Heiligen Stuhl auch ihrerseits den Notenwechsel über die Aufrechterhaltung der Rechte und Verantwortlichkeiten der Vier Mächte für Deutschland als Ganzes zur Kenntnis zu bringen. Damit würde es dem Heiligen Stuhl schwerer gemacht, bei kirchlichen Veränderungen in diesen Gebieten etwa außer acht zu lassen, daß die polnische Gebietshoheit, solange die diesbezüglichen Vorbehalte fortbestehen, noch nicht endgültig und vorbehaltlos anerkannt ist. Welche Schlüsse der Vatikan daraus zieht, würde sich zeigen müssen. Eine Fühlungnahme mit dem deutschen Episkopat über das Katholische Büro vor Einleitung eines offiziellen Schrittes der Bundesregierung gegenüber dem Heiligen Stuhl dürfte sich empfehlen, da dies auch in der bisherigen Praxis bei gegebener Veranlassung üblich war.

Die Gruppe Völkerrecht bittet um vorherige Beteiligung, falls von dieser Stellungnahme außerhalb des Hauses Gebrauch gemacht werden soll.

Schenck

VS-Bd. 9808 (I A 4)

[19] Dieses Wort wurde von Ministerialdirigent von Schenck handschriftlich eingefügt. Dafür wurde gestrichen: „Gebiet".

114

Botschafter Sahm, Moskau, an das Auswärtige Amt

Z B 6-1-12271/72 VS-vertraulich　　　　　　Aufgabe: 26. April 1972, 20.45 Uhr[1]
Fernschreiben Nr. 1076　　　　　　　　　　Ankunft: 26. April 1972, 20.23 Uhr
Citissime

Bezug: DB Nr. 1075 vom 26.4.1972 – II A 4 VS-v[2]

Folgt Aufzeichnung über mein Gespräch mit dem Vorsitzenden des Präsidiums des Obersten Sowjets der UdSSR, Podgornyj, anläßlich der Überreichung des Beglaubigungsschreibens am 26. April 1972 von ca. 12.20 bis 13.00 Uhr.[3]

Anwesend waren der Sekretär des Präsidiums des Obersten Sowjets, Georgadse, der Stellvertretende Außenminister Smirnow, der Zweite Sekretär der Dritten Europäischen Abteilung, Smirnow, als Dolmetscher der sowjetischen Seite, sowie Herr Weiß als Dolmetscher der deutschen Seite.

Podgornyj fragte einleitend, ob der Botschafter schon einmal in der Sowjetunion gewesen sei.

Botschafter erwiderte, er sei noch niemals in der Sowjetunion und somit auch nicht in Moskau gewesen, so daß er Neuling sei, sowohl hinsichtlich der Geographie, der Menschen wie auch des Geistes, der hier herrsche.

Dem entgegnete Podgornyj, das habe wohl auch seine Vorteile. Wenn jemand bereits einmal in einem Land gewesen sei, so vergleiche er das, was heute sei, mit dem, was früher gewesen sei. Derjenige, der noch nie in einem Land gewesen sei, glaube, daß es hier schon immer so gewesen sei. Ihm falle dann um so mehr auf, was in der Zeit seines Hierseins an Neuem geschaffen werde.

Botschafter bemerkte, er glaube, daß offenbar Sinn und Unbefangenheit auch von Vorteil seien, da man die Dinge so sehe, wie sie sich in Wirklichkeit darstellten. So könnten – auch negative – Erinnerungen nicht belastend wirken.

Podgornyj fuhr fort, Botschafter habe da sicherlich recht, denn so oder so komme das, was gewesen sei, in Assoziationen wieder. Die Aufgabe bestehe jetzt jedoch darin – und so verstehe er auch die Rolle eines Botschafters –, weg von Problemen, die zwei Staaten trennten, die die Beziehungen zwischen zwei Staaten belasteten (viele solcher Probleme könne man mit jedem Staat finden), nach besseren und vornehmeren Wegen und Möglichkeiten Ausschau zu hal-

---

[1] Hat Ministerialdirektor von Staden am 28. April 1972 vorgelegt, der handschriftlich für Vortragenden Legationsrat I. Klasse Hansen vermerkte: „S. 5 sollte bei der Ratifizierungserklärung, Punkt EG, mitverwandt werden." Vgl. Anm. 13 und 15.
Hat Hansen am 28. April 1972 vorgelegt, der handschriftlich vermerkte: „Sofort. G[ruppen]L[eiter] III E gemäß Vermerk D Pol."
Hat Gesandtem Poensgen am 28. April 1972 vorgelegen.
Hat Vortragendem Legationsrat I. Klasse Blumenfeld vorgelegen.
[2] Botschafter Sahm, Moskau, übermittelte einen ersten Bericht über sein Gespräch mit dem Vorsitzenden des Präsidiums des Obersten Sowjet der UdSSR, Podgornyj, am 26. April 1972. Vgl. dazu Anm. 6.
[3] Zum Gespräch des Botschafters Sahm, Moskau, mit dem Vorsitzenden des Präsidiums des Obersten Sowjet der UdSSR, Podgornyj, am 26. April 1972 vgl. auch SAHM, Diplomaten, S. 298–301.

ten, damit die Beziehungen zwischen zwei Staaten verbessert würden, um so mehr, als in dem konkreten Fall – wie Botschafter angedeutet habe – die Beziehungen über einen langen Zeitraum hinweg nicht die besten gewesen seien. Man könne jedoch offen sagen, daß in unseren Beziehungen auf politischem, wirtschaftlichem, wissenschaftlich-technischem und kulturellem Gebiet erhebliche Fortschritte zu verzeichnen seien. Die Geschichte habe sich – obwohl Kriege diese Entwicklung auch unterbrochen hätten – im Verlaufe der Jahrhunderte so gestaltet, daß es sehr enge wirtschaftliche und wissenschaftlich-technische Beziehungen zwischen der Sowjetunion und Deutschland gegeben habe. So seien auch jetzt seit Vertragsabschluß, und obwohl der Vertrag noch nicht ratifiziert sei[4], bereits positive Ergebnisse bei der Verbesserung und Ausweitung der Beziehungen zwischen den beiden Staaten zu verzeichnen, wovon Botschafter in seiner Rede[5] und er (Podgornyj) in seiner Antwort[6] gesprochen hätten. Man könne unumwunden sagen, daß die Perspektiven für die weitere Entwicklung der Beziehungen sehr günstig seien. Die Bundesrepublik sei kein armer Staat. Sie habe viel zu bieten und mit anderen zu teilen. Auch die Sowjetunion sei nicht so arm, sie könne ihrerseits in großem Umfang entsprechende Bedürfnisse der Bundesrepublik befriedigen. Wenn der Vertrag ratifiziert werde, wenn das Schlußprotokoll des vierseitigen Abkommens[7] unterzeichnet sei – und er wisse, daß zwischen der Bundesrepublik und der DDR intensive Verhandlungen über einen Verkehrsvertrag geführt würden, hierher gehöre auch der Beschluß über Besuche und Einreisen[8] – so würde das insgesamt einen Hintergrund für die Entwicklung unserer Beziehungen schaffen. Zur Zeit sei bei uns die schwierigste Periode angebrochen, womit er den innenpolitischen Kampf zwischen den Parteien meine. Deshalb wolle er Botschafter fragen, wie dieser die gegenwärtige Lage beurteile. Er spreche jetzt nicht von der Ratifi-

---

[4] Für den Wortlaut des Vertrags vom 12. August 1970 zwischen der Bundesrepublik und der UdSSR vgl. BULLETIN 1970, S. 1094.
Zum Stand des Ratifikationsverfahrens vgl. Dok. 55, Anm. 2.

[5] Für den am 20. März 1972 vorgelegten Entwurf der Rede des Botschafters Sahm anläßlich der Übergabe des Beglaubigungsschreibens vgl. Referat II A 4, Bd. 1513.

[6] Der Vorsitzende des Präsidiums des Obersten Sowjet der UdSSR, Podgornyj, führte aus: „Die Zeit seit der Unterzeichnung des Vertrags bestätigte die Lebensfähigkeit und Richtigkeit der Linie auf die Normalisierung der Beziehungen zwischen unseren Staaten. Jetzt besteht das Hauptsächliche darin, den Moskauer Vertrag in Kraft zu setzen und damit die Beziehungen zwischen unseren Staaten auf ein qualitativ neues Niveau zu heben. Von der Lösung dieser Aufgabe wird zweifellos die Gegenwart und die Zukunft der Beziehungen zwischen der UdSSR und der Bundesrepublik, der weitere Fortschritt in der Entspannung in Europa abhängen. Die Gegner der Ratifizierung des Moskauer Vertrags verbreiten intensiv die Version über die Möglichkeit irgendwelcher Verhandlungen mit der Sowjetunion über eine Änderung des Vertrages. Diejenigen, die sich heute bemühen, solche Erfindungen zu verbreiten, betrügen bewußt die Bevölkerung der Bundesrepublik Deutschland. Die Sowjetunion, wie mehrmals betont wurde, wird auf keine Änderung des Moskauer Vertrages eingehen, von wem solche Absichten auch geäußert werden mögen." Vgl. den Drahtbericht Nr. 1075 des Botschafters Sahm, Moskau, vom 26. April 1972; VS-Bd. 9019 (II A 4); B 150, Aktenkopien 1972.

[7] Für den Wortlaut des Vier-Mächte-Abkommens über Berlin vom 3. September 1971 vgl. EUROPA-ARCHIV 1971, D 443–453.
Zum Schlußprotokoll vgl. Dok. 9, Anm. 11.

[8] Zur zeitlich befristeten Anwendung des Transitabkommens vom 17. Dezember 1971 zu Ostern und Pfingsten 1972 vgl. Dok. 49, Anm. 10.

zierung, sondern von dem Mißtrauensantrag im Zusammenhang mit der Haushaltsdebatte.[9] Was könne man erwarten?

Botschafter führte aus, er sei nun bereits zwei Wochen in Moskau und so von der unmittelbaren Information in Bonn etwas entfernt. Die Ereignisse entwickelten sich mit großer Geschwindigkeit und hätten viele Beobachter überrascht. Deshalb könne er nur ein Urteil als Kenner der Bonner Verhältnisse und Beobachter abgeben. Er glaube, daß die derzeitige Entwicklung einen großen Vorteil habe, nämlich daß die Frage des innenpolitischen Machtkampfes zwischen Regierung und Opposition getrennt werde von der außenpolitischen Frage der Vertragsratifizierung. Er habe es immer für schlecht gehalten, daß die Frage der Gestaltung der Beziehungen zur Sowjetunion ein Hebel sein soll für den innerpolitischen Machtkampf. Wenn die morgige Abstimmung im Bundestag über den Antrag der Opposition für die Regierung positiv ausgehen werde, so werde in der nächsten Woche die Debatte über Fragen des Vertrages und der Beziehungen zur Sowjetunion geführt werden, es werde keine Vermischung von zwei verschiedenen Problemen mehr geben. Er persönlich sei zuversichtlich, daß der jetzige Bundeskanzler im Amt verbleiben werde und daß in der nächsten Woche im Bundestag eine Mehrheit für den Vertrag stimmen werde.[10] Er müsse jedoch hinzufügen, daß diese Zuversicht etwas mit Hoffnung verbunden sei.

Podgornyj erwiderte, seiner Meinung nach sei die Frage des Mißtrauensantrages wegen des Haushalts und die Frage der Ratifizierung schwer zu trennen, da die erstere auch mit der letzteren zusammenhänge. Haushaltsfragen seien eine rein innenpolitische Angelegenheit. Doch die Frage der Vertragsratifizierung[11] habe bereits internationale Aspekte. Natürlich hingen die Frage des Mißtrauensantrags und die Frage der Vertragsratifizierung zusammen, da die Opposition einen Führungswechsel wolle. Er habe bereits gesagt und wolle das wiederholen, daß die Sowjetunion ebenso wie die Bundesrepublik an der Ratifizierung interessiert sei. Es ließe sich nicht sagen, welche von beiden Seiten die Ratifizierung nötiger habe. Klar sei nur dies: Keine Seite werde etwas verlieren, vielmehr würden beide Seiten gewinnen, da die Frage der Ratifizierung in gewissem Sinne verbunden sei mit dem vierseitigen Abkommen, in dem bedeutende Fragen im Interesse Westberlins und der Bundesrepublik gelöst würden, und da außerdem die Ratifizierung zu einer Stabilisierung in Europa und insgesamt in der Welt führen würde. Damit würden in gewissem Sinne günstige Voraussetzungen für eine europäische Sicherheitskonferenz geschaffen, und praktisch alle Staaten in Europa seien an einer entsprechenden Lösung der

---

[9] Nachdem die Koalition aus SPD und FDP durch den Übertritt des SPD-Abgeordneten Hupka zur CDU am 3. März 1972 und den Austritt des Abgeordneten Helms aus der FDP am 23. April 1972 die Mehrheit im Bundestag verloren hatte, stellte die CDU/CSU-Fraktion am 24. April 1972 den Antrag, Bundeskanzler Brandt das Mißtrauen auszusprechen und den CDU/CSU-Fraktionsvorsitzenden Barzel zu seinem Nachfolger zu wählen. Von den 260 Abgeordneten, die an der Abstimmung am 27. April 1972 im Bundestag teilnahmen, stimmten 247 für den Antrag und 10 dagegen; 3 Abgeordnete enthielten sich der Stimme. Die erforderliche absolute Mehrheit von 249 Stimmen wurde damit nicht erreicht. Vgl. dazu BT STENOGRAPHISCHE BERICHTE, Bd. 79, S. 10697–10714.

[10] Am 4. Mai 1972 sollte die zweite Lesung der Gesetze zum Moskauer Vertrag vom 12. August 1970 und zum Warschauer Vertrag vom 7. Dezember 1970 im Bundestag stattfinden. Sie wurde auf den 10. Mai 1972 verschoben. Vgl. dazu Dok. 115 und Dok. 117.

[11] Korrigiert aus: „Vertragsfinanzierung".

Probleme im Sinne der Entspannung interessiert. Im anderen Falle könne eine Situation entstehen, wodurch eine Nichtratifizierung alle diese Maßnahmen zumindest verzögern würde. Die sowjetische Seite könne nur hoffen, daß morgen die Regierung, die den Vertrag unterzeichnet habe und für seine Verwirklichung eintrete, in ihrem Amt bestätigt werde, und daß alle Fragen, die damit zusammenhingen, positiv gelöst würden. Natürlich könne man hier, wie Botschafter schon gesagt habe, an diesem Tisch in Moskau nicht vorhersagen, wie die Dinge sich entwickeln würden. Hinzu komme, daß Abgeordnete ihre Partei wechselten, wovon auch vieles abhängen könne. Im Bundestag verfüge keine Partei über eine bedeutende Mehrheit. Die sowjetische Seite glaube trotzdem, daß der gesunde Menschenverstand die Oberhand behalten werde und daß bei der Ratifizierung des Vertrages und bei anderen Schritten in Richtung auf eine Verbesserung der Beziehungen die Vernunft obsiegen werde.

In letzter Zeit hätten sich – obwohl der Vertrag noch nicht ratifiziert sei, aber in der Hoffnung auf die Ratifizierung – zwischen den Behörden und Politikern auf beiden Seiten bedeutende Kontakte entwickelt. Es sei eine Gemischte Kommission für die wissenschaftlich-technische und wirtschaftliche Zusammenarbeit zwischen den beiden Ländern gegründet worden. Aus diesem Anlaß habe sich der stellvertretende Vorsitzende des Ministerrats der UdSSR, Nowikow, in Bonn aufgehalten.[12] Die erste Sitzung sei abgeschlossen. Natürlich könne man bei einer ersten Sitzung nicht viele Fragen lösen. Man könne nur die Möglichkeit beider Seiten abtasten und nach den möglichen Richtungen einer Zusammenarbeit suchen. Die weiteren Sitzungen der Gemischten Kommission würden sicherlich für beide Seiten nutzbringend werden.

Man müsse außerdem in Betracht ziehen, daß die BRD Mitglied[13] der NATO und die Sowjetunion Mitglied einer anderen militärischen Gruppierung sei. Das kompliziere zunächst nicht die Beziehungen. Niemand würde verlangen wollen, daß die Bundesrepublik aus der NATO ausscheide und die Sowjetunion aus dem Warschauer Vertrag.

Die sowjetische Seite habe ihre Ansicht über die Existenz der EWG zum Ausdruck gebracht.[14] Man lebe auf der Erde, auf einem Planeten, und alles, was

---

[12] Zur Einrichtung einer Kommission der Bundesrepublik und der UdSSR für wirtschaftliche und wissenschaftlich-technische Zusammenarbeit vgl. Dok. 74.
Die Kommission trat unter der Leitung des Bundesministers Schiller und des sowjetischen Stellvertretenden Ministerpräsidenten Nowikow am 19. April 1972 in Bonn zu ihrer konstituierenden Sitzung zusammen. Sie verabschiedete neben einer Geschäftsordnung ein Kommuniqué und ein Protokoll, die „eine Berlin-Klausel nach dem von Staatssekretär Frank und Botschafter Falin vereinbarten Muster" enthielten. Beschlossen wurden zudem die Einsetzung einer Arbeitsgruppe, die „bis zur nächsten Sitzung der Kommission Möglichkeiten der Zusammenarbeit in der verarbeitenden Industrie, in der Grundstoffindustrie und im Energiewesen prüfen" sollte, die Aufnahme von Verhandlungen über ein Abkommen über die wissenschaftlich-technische Zusammenarbeit, die Abhaltung nationaler Ausstellungen ab 1974 und die vorrangigen Themen für die wissenschaftlich-technische Zusammenarbeit. Vgl. die Aufzeichnung des Vortragenden Legationsrats I. Klasse Blumenfeld vom 20. April 1972; Referat II A 4, Bd. 1517. Für das Kommuniqué vgl. auch BULLETIN 1972, S. 824 f.
Zum Aufenthalt der sowjetischen Delegation vom 20. bis 28. April 1972 auf der Hannover-Messe vgl. auch Dok. 104, Anm. 10.

[13] Beginn der Seite 5 des Drahtberichts. Vgl. Anm. 1.

[14] Vgl. dazu die Rede des Generalsekretärs des ZK der KPdSU, Breschnew am 20. März 1972 vor dem 15. Kongreß der Gewerkschaften der UdSSR; Dok. 67, besonders Anm. 5.

existiere, müsse man als Realität ansehen. In den Fragen der weiteren Beziehungen werde viel davon abhängen, welchen Standpunkt die EWG gegenüber dem RGW einnehmen werde, er glaube, da die Bundesrepublik Mitglied der EWG sei und da die EWG gewisse Hindernisse, Handelsschranken auf dem Wege des Handelsaustausches zwischen unseren beiden Ländern schaffe, daß es nicht befriedigend wäre, wenn die Bundesrepublik eines so bedeutenden Handelspartners wie der Sowjetunion beraubt werde. Daran sei nicht nur die Bundesrepublik interessiert, sondern auch andere Staaten und natürlich auch die Sowjetunion. Doch sei dies eine Frage, die in der Zukunft entschieden werde, d. h. welche Beziehungen man schaffen werde, welche Formen gefunden werden könnten, die beiden Seiten befriedigen würden, dies sei wohl genug für ein erstes Gespräch.

Botschafter kenne den sowjetischen Standpunkt, und die SU kenne unseren Standpunkt. „Wollen wir Realisten sein und die richtigen Lösungen finden." Botschafter persönlich wolle er viel Erfolg wünschen bei der Erfüllung seiner wichtigen, schweren und großen Mission, insbesondere in einer so bedeutenden Periode, da wir an einem Wendepunkt in unseren Beziehungen und überhaupt im Hinblick auf die Lage in Europa und der ganzen Welt stünden. Er wünsche Botschafter größten Erfolg bei seiner Arbeit und rechne auf seine Unterstützung in den Fragen der Verbesserung der Beziehungen zwischen beiden Ländern. Er bitte, dem Herrn Bundespräsidenten, dem Herrn Bundeskanzler, dem Herrn Bundesaußenminister, der gesamten Regierung und dem Volk der Bundesrepublik Deutschland die besten und herzlichsten Grüße und Wünsche für Erfolg und Wohlergehen zu übermitteln.

Botschafter dankte für die Darlegung der sowjetischen Ansicht zur derzeitigen Lage. Er könne mit Befriedigung feststellen, daß sich die Beurteilung der sowjetischen Seite weitgehend mit der der Bundesregierung decke. Man befinde sich zur Zeit sicher in einer kritischen Phase, und er habe es begrüßt, daß Podgornyj von „verzögern" gesprochen habe, da er glaube, daß die Männer[15] in der Bundesrepublik, die für das Vertragswerk verantwortlich seien, auch bei vorübergehenden Schwierigkeiten nicht aufhören würden, für das Vertragswerk und seine Verwirklichung zu kämpfen.

Bei Erfüllung seiner Aufgabe habe er den besten Willen, zu einer Verbesserung der Beziehungen beizutragen. Seine Möglichkeiten hingen natürlich in beträchtlichem Maße von der sowjetischen Seite ab. Die heutige Begegnung habe ihn in seinem Bestreben ermutigt. Er danke Podgornyj für die Möglichkeit, dem Bundespräsidenten, Bundeskanzler und Bundesaußenminister dessen Grüße und Wünsche übermitteln zu können. Bereits sein Vorgänger, Botschafter Allardt, habe diese Ehre gehabt, solche Wünsche zu übermitteln. Er selbst sei beauftragt, dem Vorsitzenden die besten Wünsche des Herrn Bundespräsidenten sowie die respektvollen Empfehlungen des Bundeskanzlers und des Außenministers zu überbringen.

Botschafter fügte als persönliche Bemerkung hinzu, auch in der Geschichte der Sowjetunion dürfte es nicht so oft vorkommen, daß Vater und Sohn von dem

---

[15] Ende der Seite 5 des Drahtberichts. Vgl. Anm. 1.

Staatspräsidenten empfangen würden. Sein Vater sei 1929 als Senatspräsident von Danzig von Podgornyjs großem Vorgänger Kalinin empfangen worden.[16]

Podgornyj bemerkte, der Vater des Botschafters sei später doch auch Bürgermeister von Berlin gewesen.[17] Er danke dem Botschafter, daß er ihn daran erinnert habe. Podgornyj erklärte abschließend, Botschafter könne bei seiner Arbeit zur Festigung der Freundschaft und Zusammenarbeit zwischen beiden Ländern auf die Unterstützung des Präsidiums des Obersten Sowjets, der sowjetischen Regierung und seine persönliche Unterstützung rechnen.

[gez.] Sahm

VS-Bd. 9019 (II A 4)

115

Aufzeichnung des Staatssekretärs Bahr, Bundeskanzleramt

28. April 1972[1]

Herrn Bundeskanzler

1) Ich rechne damit, daß sich die Opposition für die Ratifizierung der Verträge gewinnen läßt.[2] Der Druck von amerikanischer Seite wie durch die Industrie auf die CDU/CSU nimmt zu.

Teile der Industrie haben der Union ihre Unterstützung für den Sturz der Regierung danach zugesagt.

---

[16] Rückblickend führte Heinrich Sahm zu seinem Aufenthalt vom 6. bis 16. Juli 1929 in der UdSSR aus: „Zur Führung von Wirtschaftsverhandlungen, in der Hauptsache über Schiffbauten, begab sich eine Danziger Delegation unter meiner Führung nach Rußland. [...] Am Nachmittag des ersten Tages war großer Empfang bei Kalinin, der höchsten Spitze der Sowjetunion, im Palais des Zaren auf dem Kreml. Beim Eintritt in den Kreml erstattete dessen Kommandant eine militärische Meldung, beim Betreten des Palais gleiche Begrüßung durch einen hohen Offizier, militärische Ehrenwachen und Ehrenbezeugungen. Der Kommandant führte uns in die Empfangsräume des Präsidenten Kalinin (früherer Salon der Zarin), wo Kalinin an der Spitze von Vertretern der Regierung und des Moskauer Sowjets die Danziger Delegation begrüßte. Im zwanglosen einstündigen Beisammensein, bei dem Erfrischungen aller Art gereicht wurden (köstlichste Früchte), wurden Import- und Exportfragen allgemeiner Art erörtert. Blitzlichtaufnahmen." Vgl. SAHM, Erinnerungen, S. 151 f.

[17] Heinrich Sahm war von 1931 bis 1935 Oberbürgermeister von Berlin.

[1] Durchdruck.

[2] Zum Stand des Ratifikationsverfahrens zum Moskauer Vertrag vom 12. August 1970 und zum Warschauer Vertrag vom 7. Dezember 1970 vgl. Dok. 55, Anm. 2.
Für den 4. Mai 1972 war die zweite Lesung der Gesetze zu den Verträgen im Bundestag vorgesehen. Am 27. April 1972 scheiterte im Bundestag ein Mißtrauensantrag der CDU/CSU-Fraktion. Vgl. dazu Dok. 114, Anm. 9.
Dazu notierte Rainer Barzel im Rückblick: „Was sollte nun werden? [...] Jetzt zurücktreten, so wurde dem kühler werdenden Kopf bald entschieden, wäre unverantwortlich: Neuwahlen standen bevor. Keiner wußte damals, wann sie stattfinden würden. Noch im Juni? Vor der Olympiade? Über die Verträge? Mit diesem Fiasko und mit einer Personaldiskussion in Wahlen gehen? [...] Unsere Marschroute war klar: Wir wollten das Vertragswerk zustimmungsfähig machen und bald neu wählen." Vgl. BARZEL, Drahtseil, S. 70 f.

2) Als Ideal-Konzept der Opposition ergibt sich daraus:

a) unter möglichst guten Bedingungen eine Methodik zur Ratifizierung der Verträge zu vereinbaren;

b) keine Vereinbarung über Neuwahlen.

(Sofern ein konstruktives Mißtrauensvotum nach Ratifizierung unsicher erscheint, ist es das Interesse der Union, für die Neuwahlen soviel Zeit wie möglich zu gewinnen, damit das Interesse der Bevölkerung an den dann gesicherten Verträgen nachläßt; nicht mehr die Verträge, sondern die Politik für die nächsten vier Jahre stehen dann zur Debatte.)

3) Daraus folgt für uns:

Vereinbarung über die Ratifizierung nur gleichzeitig mit Vereinbarung über Neuwahlen innerhalb 21 Tagen.

Die CDU muß aus der Antihaltung zu den Verträgen heraus. Sie ist nach Westen und gegenüber der Industrie gelähmt, solange die Verträge nicht ratifiziert sind.

4) Für das heutige Gespräch mit der Opposition[3] folgere ich:

Die Regierung hält aus internationalen Erwägungen streng am Terminplan der Ratifizierung fest. Sie bietet der Opposition Mitwirkung durch Entschließung an[4], die vorher abzustimmen ist. Sollte es dazu nicht kommen, wird sie auch ohne Mitwirkung der Opposition die Verträge zur Abstimmung stellen. Die Opposition wird damit die Verantwortung für ein eventuelles Scheitern zu tragen haben.

Es ist klar, daß eine Verschiebung der Abstimmung über die Verträge um wenige Tage möglich ist, unter der Voraussetzung, daß der Bundesrat sicher keine Zurückweisung vornimmt.[5]

---

[3] Zur Aufnahme von Gesprächen mit der CDU/CSU-Fraktion berichtete Horst Ehmke im Rückblick: „Noch am Tage des gescheiterten Mißtrauensvotums luden Brandt und Scheel die Herren Barzel und Stücklen zu einem Gespräch ins Kanzleramt ein. Genscher, Ahlers und ich entwarfen für den Kanzler einen Aufruf zu neuer Gemeinsamkeit der Parteien in der Deutschland- und Außen-, der Währungs- und Finanzpolitik sowie in Fragen der inneren Sicherheit. Am folgenden Tag – die zweite Lesung des Haushalts ging weiter – gab ich die Erklärung Rainer Barzel. Der reagierte positiv, wollte aber natürlich erst einmal die Abstimmung über den Haushalt des Bundeskanzlers - ‚Einzelplan 04' - abwarten. [...] Wir endeten bei einem Patt, 247:247. Damit war der Kanzleretat abgelehnt. Wir brauchten Neuwahlen. Aber zuerst brauchten wir aus außen- wie aus innenpolitischen Gründen, darüber war ich mir mit Brandt sofort einig, die Ostverträge." Vgl. EHMKE, Mittendrin, S. 157 f.
Zum Gespräch des Bundeskanzlers Brandt mit Barzel sowie den Abgeordneten Schröder (CDU), Strauß (CSU) und Stücklen (CSU) am 28. April 1972 vgl. Dok. 117.

[4] Am 28. April 1972 nahm Bundeskanzler Brandt im Bundestag zu der durch das Ergebnis des konstruktiven Mißtrauensvotums vom Vortag entstandenen Situation Stellung. Auch bei dem „relativen Gleichgewicht der politischen Kräfte" sei die Bundesregierung der Auffassung, „die Ratifizierung der Ostverträge notfalls auch mit einer ganz knappen Mehrheit durchsetzen zu müssen. Denn wir sind nun einmal davon überzeugt, daß die Möglichkeiten des Liegenlassens und des ‚So nicht' oder des ‚Noch nicht' keine Alternativen sind. [...] Ich stelle eine mehrfach gegebene Anregung zur Diskussion, in der nächsten Woche anläßlich der Abstimmung über die Verträge in einer gemeinsamen Entschließung dieses Hohen Hauses die außenpolitischen Ziele unseres Landes, in deren Gesamtzusammenhang die Verträge gehören, erneut zu bekunden." Die Regierung sei bereit, einen Entwurf vorzulegen. Vgl. BT STENOGRAPHISCHE BERICHTE, Bd. 79, S. 10758.

[5] Zu den Möglichkeiten für „eine kurzfristige Verschiebung der zweiten Lesung der Ostverträge" notierte Ministerialdirigent van Well am 28. April 1972, daß eine Verschiebung um zwei Wochen

Ich bin überzeugt, daß Barzel dann von sich aus die Frage nach Neuwahlen anschneiden wird. In diesem Falle würde ich hinzufügen, daß die Vereinbarung über die Ratifizierung an eine Vereinbarung über Neuwahlen innerhalb von 21 Tagen gebunden ist.

5) Nur eine derartige Vereinbarung ist nach meiner Einschätzung der Lage geeignet, ein erfolgreiches konstruktives Mißtrauensvotum nach erfolgter Ratifizierung zu unterlaufen.

Die Spekulation der Opposition, daß für den Wahlkampf die Politik für die nächsten vier Jahre im Mittelpunkt steht, wird mit großer Sicherheit in der Bevölkerung durch drei Faktoren zu überwinden sein:

a) Die CDU/CSU ist umgefallen.

b) Der psychologische Effekt der Inkraftsetzung des Berlin-Abkommens[6] wird uns kostenlose Propaganda bringen.

c) Ich halte es für erreichbar, die Reiseerleichterungen[7] in einer solchen Situation dann vorzuverlegen, um sie bei Unterschrift des Verkehrsvertrages[8] wirksam werden zu lassen.

Nach allem, was passiert ist, können wir entsprechender Schritte der östlichen Partner zur Unterstützung im Wahlkampf sicher sein.

Bahr[9]

Archiv der sozialen Demokratie, Depositum Bahr, Box 104

Fortsetzung Fußnote von Seite 494

auf den 17./18. Mai 1972 möglich sei. Danach gehe der Bundestag bis zum 3. Juni 1972 in die Pfingstpause; eine Entscheidung aber müsse vor dem am 22. Mai 1972 beginnenden Besuch des Präsidenten Nixon in der UdSSR und vor der NATO-Ministerratstagung am 30./31. Mai 1972 fallen, auf der über die multilaterale Vorbereitung der Europäischen Sicherheitskonferenz und MBFR beraten werde: „Sollte die NATO-Tagung wegen der Ungewißheit um die Ostverträge wiederum nicht zu weiterführenden Entscheidungen in diesen Fragen kommen können, so besteht die Gefahr von Spannungen unter den Verbündeten und von Alleingängen. Einige Verbündete werden darauf drängen, die KSZE-Multilateralisierung nunmehr ohne Rücksicht auf die deutschen Aspekte (Ostverträge, Berlin-Abkommen) in Gang zu setzen." Nixon würde „ohne Gewißheit in der Frage der Ostverträge [...] Möglichkeiten nicht ausschöpfen können, durch seine Gespräche in Moskau die weitere Entwicklung des Verhältnisses zwischen der Bundesrepublik und der DDR zu fördern." Vgl. Ministerbüro, Bd. 474.

Die zweite Lesung fand am 10. und 17. Mai 1972 statt.

6 Für den Wortlaut des Vier-Mächte-Abkommens über Berlin vom 3. September 1971 vgl. EUROPA-ARCHIV 1971, D 443–453.
Es wurde mit der Unterzeichnung des Schlußprotokolls am 3. Juni 1972 in Kraft gesetzt.

7 Zu den von der DDR am 26. April 1972 zugesagten Reiseerleichterungen vgl. Dok. 112, Anm. 6.

8 Der Vertrag zwischen der Bundesrepublik und der DDR über Fragen des Verkehrs wurde am 12. Mai 1972 paraphiert und am 26. Mai 1972 unterzeichnet. Vgl. dazu Dok. 119 und Dok. 146.

9 Paraphe.

116

Aufzeichnung des Ministerialdirektors von Staden

II A 1-85.50/VV-353/72 geheim 28. April 1972[1]

Über Herrn Staatssekretär[2] Herrn Minister[3]

Betr.: Ergebnis der Verkehrsverhandlungen Bahr/Kohl

Zweck der Vorlage:

Unterlage für die Kabinettsentscheidung über die Paraphierung des Verkehrsvertrages.

Vorschlag: Zustimmung

Gesamtwürdigung:

Die politische Bedeutung des Vertrages liegt weniger in den verkehrstechnischen Regelungen, die im wesentlichen den bisherigen Zustand fixieren, sondern in der Tatsache, daß

– zum ersten Mal ein Staatsvertrag abgeschlossen werden soll, der nicht unter dem Dach der Vier-Mächte-Verantwortlichkeiten steht;

– für die Zeit nach Inkrafttreten des Vertrages substantielle Reiseerleichterungen zugesichert worden sind[4];

– entsprechend der Rede Honeckers[5] nach Ratifizierung der Ostverträge ein Meinungsaustausch über die Regelung der Beziehungen beginnen kann.

Die Verwirklichung des Regierungsprogramms im Bereich der Deutschlandpolitik ist damit ein wichtiges Stück vorangekommen. Nach Lage der Dinge muß dieser Vertrag, auch wenn sein Inhalt allein nicht sehr wichtig ist, als ein notwendiger Schritt auf dem Weg zu einer Regelung des Verhältnisses der beiden Staaten in Deutschland angesehen werden.

Obwohl es sich um den ersten Staatsvertrag zwischen der Bundesrepublik und der DDR handelt, bedeutet sein Abschluß nicht die völkerrechtliche Anerkennung der DDR, sondern lediglich die völkerrechtswirksame Regelung eines Teilgebiets der Beziehungen.

Die besondere Lage in Deutschland, der wir bei der Regelung der Beziehungen Rechnung zu tragen haben, kommt im Vertrag selbst nur marginal und in gewissen formalen Aspekten zum Ausdruck, da im Verkehrsbereich kaum noch spezifische, beide Teile verbindende Elemente bestehen. Dafür wird der Ver-

---

[1] Die Aufzeichnung wurde vom Vortragenden Legationsrat I. Klasse Blech und von Vortragendem Legationsrat Bräutigam konzipiert.
[2] Hat Staatssekretär Frank am 28. April 1972 vorgelegen.
[3] Hat Bundesminister Scheel am 3. Mai 1972 vorgelegen.
[4] Zu den von der DDR am 26. April 1972 zugesagten Reiseerleichterungen vgl. Dok. 112, besonders Anm. 6.
[5] Zur Rede des Ersten Sekretärs des ZK der SED, Honecker, am 18. April 1972 in Sofia vgl. Dok. 104, Anm. 15.

trag eine allmähliche Intensivierung des Verkehrs erleichtern, soweit die politische Gesamtentwicklung der Beziehungen dies zuläßt.

Ergebnis der Verhandlungen

1) Form des Vertrages

Der Verkehrsvertrag bedarf der Zustimmung der gesetzgebenden Körperschaften, da er die Gesetzgebung des Bundes berührt.

Der Vertrag wird nicht, wie es in Art. 59 GG[6] für Verträge „mit auswärtigen Staaten" vorgesehen ist, vom Bundespräsidenten abgeschlossen. Der Bundespräsident hat weder eine Vollmacht für die Unterzeichnung des Vertrages ausgestellt, noch ist ein Austausch von Ratifikationsurkunden (die von den Staatsoberhäuptern ausgefertigt werden) vorgesehen. Vielmehr soll der Vertrag durch einen Notenwechsel der Regierungen in Kraft gesetzt werden.[7] Die umstrittene Frage, ob Art. 59 des GG auch auf Verträge mit der DDR Anwendung findet, ist damit nicht präjudiziert.

2) Präambel

Der politisch entscheidende Präambelsatz lautet:

„in dem Bestreben, einen Beitrag zur Entspannung in Europa zu leisten und normale gutnachbarliche Beziehungen beider Staaten zueinander zu entwickeln, wie sie zwischen voneinander unabhängigen Staaten üblich sind".

Dieser Satz enthält eine Art Absichtserklärung für die Entwicklung der Beziehungen. Es könnte naheliegen, normale gutnachbarliche Beziehungen im Sinne diplomatischer Beziehungen zu verstehen. Dies ist jedoch nicht gemeint. Der Satz unterstreicht vielmehr, daß es sich um eine Entwicklung handelt, d.h. einen vielleicht langfristigen Prozeß. Außerdem zeigt das Wort „gutnachbarlich" an, daß es in diesem Prozeß nicht nur um die Regelung der zwischenstaatlichen Beziehungen geht, sondern um die Gestaltung des gesamten Verhältnisses zwischen den beiden Teilen Deutschlands und der in ihnen wohnenden Menschen.

3) Einbeziehung Berlins (West)

Die Verhandlungsführer haben Einvernehmen über folgende, bei Unterzeichnung abzugebende Erklärung erzielt:

„Es besteht Übereinstimmung, daß die Bestimmungen des Vertrages zwischen der DDR und der BRD über Fragen des Verkehrs vom ... in Übereinstimmung mit dem Vier-Mächte-Abkommen vom 3.9.1971 auf Berlin (West) unter der Voraussetzung sinngemäß Anwendung finden werden, daß in Berlin (West) die Einhaltung der Bestimmungen des Vertrages gewährleistet wird."[8]

Nach langem zähem Widerstand hat die DDR mit dieser Formel der Einbeziehung Berlins in nachweisbarer Form zugestimmt und damit einer wichtigen Forderung der Bundesregierung entsprochen. Dies dürfte auch die Lösung der gleichen Frage in künftigen Verträgen erleichtern.

---

[6] Für Artikel 59 des Grundgesetzes vom 23. Mai 1949 vgl. Dok. 57, Anm. 6.
[7] Zu dem vereinbarten Notenwechsel vgl. Dok. 112, Anm. 3.
[8] Zur Einbeziehung von Berlin (West) in ein Abkommen zwischen der Bundesrepublik und der DDR über Fragen des Verkehrs vgl. Dok. 112, besonders Anm. 5.

4) Reiseerleichterungen

Die DDR hat – zwar einseitig, aber gegenüber der Bundesrepublik – zugesichert, nach Inkrafttreten des Verkehrsvertrages folgende Reiseerleichterungen zu gewähren:

- für Deutsche aus der Bundesrepublik mehrmalige Besuche von Verwandten und Bekannten in der DDR,
- Reisen aus kommerziellen, kulturellen und sportlichen Gründen auf Grund von Einladungen,
- Touristenreisen im Rahmen der Hotelkapazität der DDR,
- Erhöhung der Freigrenze für das Mitführen von Geschenken,
- Benutzung von Pkws in größerem Umfang als bisher,
- Ausreisegenehmigungen für Bürger der DDR in die Bundesrepublik bei dringenden Familienangelegenheiten.

Diese Ankündigung ist von großer politischer Tragweite. Auch wenn die konkrete Durchführung der Erleichterungen vom guten Willen der DDR-Behörden abhängt und damit stets politischen Einflüssen unterworfen bleibt, so wird Ostberlin diese Reiseerleichterungen doch nicht ohne weiteres wieder rückgängig machen können, wenn die Voraussetzungen einmal dafür gegeben sind.

5) Grenzübergangsstellen

Eine Öffnung neuer Übergänge konnte nicht erreicht werden. Veränderungen sollen jedoch künftig vorher besprochen werden.

6) Internationale Konventionen

Die Bundesrepublik hat zugesagt, einem Beitritt der DDR zu den internationalen Eisenbahn-Konventionen nach Unterzeichnung des Verkehrsvertrages nicht mehr entgegenzuwirken.[9] Da es sich hierbei um eine Zusammenarbeit auf technischem Gebiet allein in Europa handelt, bei der die DDR de facto seit vielen Jahren mitwirkt, dürften die politischen Auswirkungen auf den internationalen Status der DDR begrenzt sein.

Die Anwendung von zwei ECE-Konventionen (die ECE-Mitgliedschaft oder Konsultativstatus voraussetzen) ist bis zur Aufnahme der DDR in diese Organisation suspendiert worden.[10] Zusagen hinsichtlich der Beitrittsbemühungen der DDR sind nicht gemacht worden.

---

[9] Für den am 26. April 1972 vereinbarten Wortlaut eines Schreibens des Staatssekretärs Bahr, Bundeskanzleramt, an den Staatssekretär beim Ministerrat der DDR, Kohl, zum Beitritt von Bundesregierung und DDR zum Internationalen Übereinkommen vom 25. Februar 1961 über den Eisenbahnfrachtverkehr (CIM) und zum Internationalen Übereinkommen vom 25. Februar 1961 über den Eisenbahn-Personen- und Eisenbahn-Personen-Gepäckverkehr (CIV) vgl. Anlage 5 zur Gesprächsaufzeichnung über die Delegationssitzung am Vormittag des 26. April 1972; VS-Bd. 8563 (II A 1); B 150, Aktenkopien 1972.

[10] Für den am 26. April 1972 vereinbarten Protokollvermerk zur Suspendierung von Artikel 28 des Vertrags zwischen der Bundesrepublik und der DDR über Fragen des Verkehrs, in dem auf das Zollübereinkommen vom 15. Januar 1959 über den internationalen Warentransport mit Carnets TIR („TIR-Übereinkommen") und auf das europäische Übereinkommen vom 30. September 1957 über die internationale Beförderung gefährlicher Güter auf der Straße (ADR) Bezug genommen wurde, vgl. Anlage 2 zur Gesprächsaufzeichnung über die Delegationssitzung am Vormittag des 26. April 1972; VS-Bd. 8563 (II A 1); B 150, Aktenkopien 1972.

7) Technische Verkehrsabwicklung

Die vorgesehenen Regelungen stellen insgesamt eine Sicherung des bisherigen (keineswegs unbefriedigenden) Zustands dar. Eine Einführung der (international üblichen) Beförderungsgenehmigungen im Güterkraftverkehr konnte vermieden werden, wodurch dieses letzte Element des einmal gemeinsamen Verkehrsgebietes Deutschland erhalten worden ist. Eine praktisch wichtige Verbesserung ist die Ermöglichung des Binnenschifftransits nach Polen und in die ČSSR.

8) Gebühren

Die von der DDR erhobenen Straßenbenutzungsgebühren konnten nicht beseitigt werde. Die Bundesrepublik erhebt demgegenüber keine Kraftfahrzeugsteuer von Lkws aus der DDR. Die DDR bleibt damit weiterhin gegenüber Ausländern privilegiert.

9) Luftverkehr

Die Regelung des Luftverkehrs ist aufgeschoben worden, da für uns die Voraussetzungen zum Anflug West-Berlins noch nicht gegeben sind. In einem Protokollvermerk ist jedoch festgehalten worden, daß „zu gegebener Zeit" ein Luftverkehrsabkommen geschlossen werden soll.[11]

10) Schiffsverkehr auf der Elbe

Die Klärung des umstrittenen Grenzverlaufs[12] ist ausgeklammert worden. Beide Seiten sind übereingekommen, einen reibungslosen Schiffsverkehr auf diesem Streckenabschnitt zu gewährleisten und bei den Arbeiten zur Unterhaltung des Stromes zusammenzuwirken.[13]

---

[11] Der am 26. April 1972 vereinbarte Protokollvermerk zum Luftverkehr lautete: „Die Bundesrepublik Deutschland und die Deutsche Demokratische Republik stimmen darin überein, zu gegebener Zeit Verhandlungen über ein Luftverkehrsabkommen aufzunehmen, um die Zusammenarbeit auf dem Gebiet des Luftverkehrs zu entwickeln." Vgl. Anlage 2 zur Gesprächsaufzeichnung über die Delegationssitzung am Vormittag des 26. April 1972; VS-Bd. 8563 (II A 1); B 150, Aktenkopien 1972.

[12] Zu den Rechtsauffassungen der Bundesrepublik und der DDR hinsichtlich des Grenzverlaufs an der Elbe vgl. Dok. 12, Anm. 13.

[13] In dem am 26. April 1972 vereinbarten Protokollvermerk zu Artikel 23 eines Vertrags zwischen der Bundesrepublik und der DDR über Fragen des Verkehrs wurde festgelegt: „1) Zwischen der Bundesrepublik Deutschland und der Deutschen Demokratischen Republik besteht Übereinstimmung, daß sich ihre zuständigen Behörden beziehungsweise Organe über Arbeiten zur Erhaltung eines ordnungsgemäßen Zustandes für den Wasserabfluß und die Erhaltung der Schiffahrt auf der Elbe zwischen Kilometer 472,6 und Kilometer 566,3 [...] rechtzeitig vorher informieren. [...] 2) Das Fahrwasser, die Strombauwerke und Hafeneinfahrten auf diesem Abschnitt der Elbe werden entsprechend der bisherigen Praxis gekennzeichnet. [...] 3) Bei Unfällen und Havarien in diesem Abschnitt der Elbe werden die Untersuchung und Ausfertigung der Protokolle von den zuständigen Behörden beziehungsweise Aufsichts- und Kontrollorganen desjenigen Vertragstaates vorgenommen, dessen Binnenschiff am Unfall oder an der Havarie beteiligt ist. Sind Binnenschiffe beider Vertragstaaten am Unfall oder an der Havarie beteiligt, werden ihre zuständigen Behörden beziehungsweise Organe die Untersuchung gesondert vornehmen und die Protokolle austauschen. 4) Binnenschiffe der Deutschen Demokratischen Republik, die auf diesem Grenzstreckenabschnitt der Elbe im Binnenverkehr zwischen Häfen der Deutschen Demokratischen Republik eingesetzt sind, werden mit einer besonderen Flagge gekennzeichnet und unterliegen nicht der Grenzabfertigung durch Behörden der Bundesrepublik Deutschland." Vgl. Anlage 2 zur Gesprächsaufzeichnung über die Delegationssitzung am Vormittag des 26. April 1972; VS-Bd. 8563 (II A 1); B 150, Aktenkopien 1972. Vgl. auch BULLETIN 1972, S. 987 f.

11) Kommission

Zur Beilegung von Meinungsverschiedenheiten und anderen Schwierigkeiten bei der Anwendung des Vertrages wird eine ständige Kommission aus Vertretern der Verkehrsministerien beider Seiten gebildet werden.[14] In der Kommission können auch Vorschläge für weitere Verbesserungen und Erleichterungen des Verkehrs erörtert werden.[15]

Staden

VS-Bd. 8563 (II A 1)

117

Aufzeichnung des Bundesministers Ehmke

1. Mai 1972[1]

Vermerk über das Gespräch zwischen Regierungskoalition und Opposition am Freitag, dem 28. April 1972, 18.00 bis 22.20 Uhr, unterbrochen durch ein gemeinsames Abendessen[2]

Teilnehmer:

Bundeskanzler, Herbert Wehner, Wolfgang Mischnick, die Bundesminister Scheel, Schmidt, Schiller, Genscher, Ehmke;

Dr. Barzel, Dr. Strauß, Dr. Schröder, Richard Stücklen.

Der Bundeskanzler leitete ein mit der Bemerkung, daß man vor allem über die Frage Weiterbehandlung des Haushalts und der Verträge[3] sprechen müsse.

---

[14] Die Einrichtung einer Kommission zur Erörterung von Fragen im Zusammenhang mit der Umsetzung des Vertrages zwischen der Bundesrepublik und der DDR über Fragen des Verkehrs war in dem am 26. April 1972 vereinbarten Artikel 32 festgelegt. Vgl. die Gesprächsaufzeichnung über die Delegationssitzung am Vormittag des 26. April 1972; VS-Bd. 8563 (II A 1); B 150, Aktenkopien 1972. Vgl. auch BULLETIN 1972, S. 987.

[15] In dem am 26. April 1972 vereinbarten Protokollvermerk zu Artikel 32 eines Vertrags zwischen der Bundesrepublik und der DDR über Fragen des Verkehrs wurde bestimmt: „Die entsprechend Artikel 32 zu bildende Kommission kann zu gegebener Zeit auch Fragen der weiteren Erleichterung und zweckmäßigen Gestaltung des Personen- und Güterverkehrs beraten. Entsprechende Vorschläge bedürfen der Entscheidung durch die Regierungen oder deren zuständige Behörde beziehungsweise Organe." Vgl. Anlage 2 zur Gesprächsaufzeichnung über die Delegationssitzung am Vormittag des 26. April 1972; VS-Bd. 8563 (II A 1); B 150, Aktenkopien 1972. Vgl. auch BULLETIN 1972, S. 988.

[1] Die Aufzeichnung wurde laut handschriftlichem Vermerk des Bundesministers Ehmke vom 2. Mai 1972 Bundeskanzler Brandt „von Hand zu Hand" zugeleitet.

[2] Zu dem Gespräch vgl. auch BRANDT, Erinnerungen, S. 295–298.
Zum Hintergrund des Gesprächs vgl. Dok. 115, besonders Anm. 3 und 4.

[3] Für den Wortlaut des Vertrags vom 12. August 1970 zwischen der Bundesrepublik und der UdSSR vgl. BULLETIN 1970, S. 1094.
Für den Wortlaut des Vertrags vom 7. Dezember 1970 zwischen der Bundesrepublik und Polen über die Grundlagen der Normalisierung ihrer gegenseitigen Beziehungen vgl. BULLETIN 1970, S. 1815.

Vorweg wolle er aber einiges zur Klarstellung sagen zu den Vorwürfen von Dr. Barzel, in Sachen SHB[4] und Berlin-Position der Bundesregierung (angebliche Bahr-Äußerung in den Moskauer Verhandlungen[5]) unrichtig informiert worden zu sein.[6] Dr. Barzel nahm die Klarstellung entgegen, bat aber darum, die Berlin-Frage bei späterer Gelegenheit noch einmal zu diskutieren.

Der Bundeskanzler schlug vor, die Fragen der internationalen und europäischen Währungs- und Finanzpolitik sowie die Fragen des Bund-Länder-Verhältnisses auf dem Finanzsektor an diesem Abend nicht zu diskutieren. Bundesminister Schiller erklärte sich bereit, zu beiden Fragen ein Papier zu erarbeiten, auf dessen Grundlage mit der Opposition weitergesprochen werden solle.

Der Bundeskanzler schlug außerdem vor, auch die Frage der Art. 111/112 GG[7] nicht heute zu behandeln. Herr Dr. Barzel meldete Zweifel an, ob die Ableh-

---

4 Am 26. April 1972 führte der CDU/CSU-Fraktionsvorsitzende Barzel im Bundestag aus: „Der Bundeskanzler erklärte heute vor 14 Tagen auf meine Vorhaltung, die sich auf amtliche Unterlagen gründete, daß Zahl und Wirksamkeit der Aktionseinheiten zwischen kommunistischem ‚Spartakus' und ‚Sozialdemokratischem Hochschulbund' an einzelnen deutschen Universitäten anwüchsen, die Sozialdemokratie habe sich davon distanziert. Auf die Vorhaltung, dann müsse man diesen Leuten doch untersagen, den Namen der Sozialdemokraten zu führen, wurde mir vom Kanzler erwidert, das ginge nicht. Herr Bundeskanzler, ich bin dem nachgegangen. Der ‚Sozialdemokratische Hochschulbund' hat in einer Dokumentation vom 30. Oktober 1971 eine Vereinbarung vom 3. Juli 1961 zwischen dem SPD-Vorstand und diesem Hochschulbund zitiert. Danach hat Ihr Vorstand dem SHB, dem ‚Sozialdemokratischen Hochschulbund', das Recht zuerkannt, sich ‚sozialdemokratisch' zu nennen, und hat diesem Bund mitgeteilt, dies sei eine widerrufliche Genehmigung. Wo ist dieser Widerruf, Herr Bundeskanzler?" Vgl. BT STENOGRAPHISCHE BERICHTE, Bd. 79, S. 10658. Vgl. dazu ferner die Ausführungen von Barzel vom 28. April 1972; BT STENOGRAPHISCHE BERICHTE, Bd. 79, S. 10761.
5 Am 18. April 1972 wurden in der Presse Auszüge aus den Protokollen über die Verhandlungen des Staatssekretärs Bahr, Bundeskanzleramt, mit der sowjetischen Regierung im Jahre 1970 veröffentlicht, die zuvor einigen Abgeordneten anonym zugesandt worden waren. Danach hatte Bahr am 30. Januar 1970 gegenüber dem sowjetischen Außenminister Gromyko in Moskau geäußert: „Berlin gehört nach übergeordnetem Recht nicht zur Bundesrepublik [...]. West-Berlin ist nicht Teil der Bundesrepublik ... Die Beziehungen der Bundesrepublik zu Berlin sind identisch mit den Beziehungen zur ‚DDR'." Vgl. den Artikel „Aus den Protokollen zum Moskauer Vertrag"; DIE WELT vom 18. April 1972, S. 7.
6 Der CDU/CSU-Fraktionsvorsitzende Barzel erinnerte am 26. April 1972 im Bundestag an eine Erklärung seiner Fraktion vom September 1970 „mit Einlassungen zu Berlin", der Bundeskanzler Brandt öffentlich zugestimmt habe. Brandt müsse jetzt zumindest klären, „ob der Teil der von uns als Fälschung empfundenen, von der Regierung als überwiegend richtig bestätigten Mitteilungen über Herrn Bahr und Berlin zutreffen. Dann, Herr Bundeskanzler, dann wäre eine Position von Herrn Bahr zu Beginn des Jahres 1970 weggegeben worden, die die Basis unserer monatelangen Zusammenarbeit im Interesse einer Berlin-Lösung war." Vgl. BT STENOGRAPHISCHE BERICHTE, Bd. 79, S. 10659.
Zum Hintergrund dieser Ausführungen vgl. Anm. 30.
7 Artikel 111 des Grundgesetzes vom 23. Mai 1949 (Auszug): „Ist bis zum Schluß eines Rechnungsjahres der Haushaltsplan für das folgende Jahr nicht durch Gesetz festgestellt, so ist bis zu seinem Inkrafttreten die Bundesregierung ermächtigt, alle Ausgaben zu leisten, die nötig sind, a) um gesetzlich bestehende Einrichtungen zu erhalten und gesetzlich beschlossene Maßnahmen durchzuführen, b) um die rechtlich begründeten Verpflichtungen des Bundes zu erfüllen, c) um Bauten, Beschaffungen und sonstige Leistungen fortzusetzen oder Beihilfen für diese Zwecke weiter zu gewähren, sofern durch den Haushaltsplan eines Vorjahres bereits Beiträge bewilligt worden sind." Artikel 112 des Grundgesetzes vom 23. Mai 1949: „Haushaltsüberschreitungen und außerplanmäßige Ausgaben bedürfen der Zustimmung des Bundesministers der Finanzen. Sie darf nur im Falle eines unvorhergesehenen und unabweisbaren Bedürfnisses erteilt werden." Vgl. BUNDESGESETZBLATT 1949, S. 15.

nung des EPl 04 in der zweiten Lesung[8] durch einen Änderungsantrag in der dritten Lesung einfach korrigiert werden könne. Experten verträten die Meinung, daß finanzrechtlich eine neue Vorlage erforderlich sei.

Der Bundeskanzler schlug vor, auch die Fragen der inneren Sicherheit an diesem Abend auszuklammern und statt dessen einen neuen Gesprächstermin ins Auge zu fassen. Bundesminister Genscher ergänzte, daß dabei u. a. der Ministerpräsidenten-Beschluß[9], die Frage der Betätigung ausländischer politischer Parteien, die Änderung des Verfassungsschutz-Gesetzes[10] und einige andere Punkte gründlich erörtert werden müßten.

Der Bundeskanzler schnitt das Neuwahlen-Thema an und sprach Dr. Barzel auf seine Äußerung an, Neuwahlen seien die sympathischste Lösung.[11] Die Bundesregierung sei nur bereit, den Weg in diese Richtung zu beschreiten, wenn die Opposition darauf verzichte, Neuwahlen durch ein neues konstruktives Mißtrauensvotum zu unterlaufen. Er sei bereit, heute abend darüber zu reden.

Der Bundeskanzler ging dann zur Frage der Verträge über. Die Entscheidung dulde angesichts des internationalen Entspannungsfahrplans keinen Aufschub,

---

[8] Bei den Beratungen im Bundestag über den Haushalt der Bundesregierung – zweite Lesung – wurde am 28. April 1972 über den „Einzelplan 04 – Geschäftsbereich des Bundeskanzlers und des Bundeskanzleramtes" abgestimmt. Mit 247 Ja- und 247 Nein-Stimmen bei einer Enthaltung wurde der Einzelplan 04 abgelehnt. Vgl. dazu BT STENOGRAPHISCHE BERICHTE, Bd. 79, S. 10787.

[9] Am 28. Januar 1972 beschlossen die Ministerpräsidenten der Länder Grundsätze über die Mitgliedschaft von Beamten in extremen Organisationen: „Nach den Beamtengesetzen von Bund und Ländern und den für Angestellte und Arbeiter entsprechend geltenden Bestimmungen sind die Angehörigen des Öffentlichen Dienstes verpflichtet, sich zur freiheitlich-demokratischen Grundordnung, auch im Sinne des Grundgesetzes positiv zu bekennen und für deren Erhaltung einzutreten. Verfassungsfeindliche Bestrebungen stellen eine Verletzung dieser Verpflichtung dar. Die Mitgliedschaft von Angehörigen des Öffentlichen Dienstes in Parteien oder Organisationen, die die verfassungsmäßige Ordnung bekämpfen – wie auch die sonstige Förderung solcher Parteien und Organisationen –, wird daher in aller Regel zu einem Loyalitätskonflikt führen. Führt das zu einem Pflichtverstoß, so ist im Einzelfall zu entscheiden, welche Maßnahmen der Dienstherr ergreift. Die Einstellung in den Öffentlichen Dienst setzt nach den genannten Bestimmungen voraus, daß der Bewerber die Gewähr dafür bietet, daß er jederzeit für die freiheitlich-demokratische Grundordnung im Sinne des Grundgesetzes eintritt. Bestehen hieran begründete Zweifel, so rechtfertigen diese in der Regel eine Ablehnung." Vgl. BULLETIN 1972, S. 142.

[10] Am 22. September 1970 brachte die Bundesregierung den Entwurf eines Gesetzes zur Änderung des Gesetzes vom 27. September 1950 über die Zusammenarbeit des Bundes und der Länder in Angelegenheiten des Verfassungsschutzes (Verfassungsschutz-Änderungsgesetz) im Bundestag ein. Für den Wortlaut vgl. BT ANLAGEN, Bd. 142, Drucksache Nr. VI/1179.
Im Verfassungsschutz-Änderungsgesetz vom 7. August 1972 wurden die Aufgaben des Bundesamtes für Verfassungsschutz dahingehend neu definiert, daß die Behörde Nachrichten sammeln und auswerten sollte über: „1) Bestrebungen, die gegen die freiheitliche demokratische Grundordnung, den Bestand und die Sicherheit des Bundes oder eines Landes gerichtet sind oder eine ungesetzliche Beeinträchtigung der Amtsführung von Mitgliedern verfassungsmäßiger Organe des Bundes oder eines Landes zum Ziele haben, 2) sicherheitsgefährdende oder geheimdienstliche Tätigkeiten im Geltungsbereich dieses Gesetzes für eine fremde Macht, 3) Bestrebungen im Geltungsbereich dieses Gesetzes, die durch Anwendung von Gewalt oder darauf gerichtete Vorbereitungshandlungen auswärtige Belange der Bundesrepublik Deutschland gefährden." Vgl. BUNDESGESETZBLATT 1972, Teil I, S. 1382.

[11] Der CDU/CSU-Fraktionsvorsitzende Barzel antwortete am 28. April 1972 im Bundestag auf die Anregung des Bundeskanzlers Brandt, auch über Neuwahlen zu sprechen, daß ihm Neuwahlen als die „sympathischste Lösung" erschienen: „Den Weg dazu kann nur der Bundeskanzler freimachen." Vgl. BT STENOGRAPHISCHE BERICHTE, Bd. 79, S. 10762.

auch wenn es auf zwei oder drei Tage nicht ankomme.¹² Dies hätten uns die Alliierten deutlich gemacht.

Die Bundesregierung werde bis Montag¹³ 18.00 Uhr Herrn Barzel den Entwurf einer gemeinsamen Entschließung des Bundestages über Grundsätze der Deutschland- und der Außenpolitik übermitteln.¹⁴ Eine solche Entschließung solle allen Regierungen mitgeteilt werden, mit denen wir diplomatische Beziehungen hätten. Von einer Präambel zu den Vertragsgesetzen halte er dagegen schon auf Grund der Erfahrungen, die man 1963 mit Frankreich gemacht habe¹⁵, nichts. Bei der Entschließung müsse außerdem klar sein, daß sie nicht gegen Buchstaben und Geist des Vertrages verstoßen dürfe. Eventuell würde durch eine solche Entschließung der Weg frei zu einer Zustimmung der Opposition zu den Verträgen oder aber doch zu einer wirklichen Freigabe der Abstimmung.

Was die drei von Dr. Barzel genannten Punkte¹⁶ betreffe, an denen sich entscheide, ob die Verträge für die Opposition „zustimmungsfähig" werden könnten, führte der Kanzler folgendes aus:

a) Über die EWG-Frage habe er bereits mit Prof. Hallstein gesprochen.¹⁷ Er werde in seiner Rede für die zweite Lesung der Verträge zu dieser Frage eine Erklärung hereinnehmen, die er mit Prof. Hallstein besprechen und evtl. auch mit den anderen EWG-Regierungen abstimmen werde.¹⁸

---

¹² Zu einer möglichen Verschiebung der zweiten Lesung der Gesetze zum Moskauer Vertrag vom 12. August 1970 und zum Warschauer Vertrag vom 7. Dezember 1970 vgl. Dok. 115, Anm. 5.
Die zweite Lesung fand am 10. und 17. Mai 1972.

¹³ 1. Mai 1972.

¹⁴ Zum Zustandekommen einer Entschließung des Bundestags berichtete Rainer Barzel im Rückblick: „Brandt und ich kamen überein, eine Resolution zum Vertrag zu formulieren und diese als amtliches Dokument der Bundesrepublik Deutschland in das Moskauer Ratifikationsverfahren einzubringen – er, um seinen Vertrag zu retten, ich, um durch ein besseres Vertragswerk die deutsche Frage völkerrechtlich wirksam offenzuhalten. Wir wollten auf diese Weise den Verträgen über die Hürden helfen, ich wollte zudem das Vertragswerk unmißverständlich machen und verbessern. Dazu war es unerläßlich, daß die Sowjets der Entschließung nicht widersprachen." Vgl. BARZEL, Tür, S. 128.
Zu den Beratungen über einen Entschließungsentwurf vgl. Dok. 121, Anm. 4.

¹⁵ Für den Wortlaut der Präambel zum Gesetz vom 15. Juni 1963 zur Gemeinsamen Erklärung und zum Vertrag vom 22. Januar 1963 mit Frankreich über die deutsch-französische Zusammenarbeit vgl. BUNDESGESETZBLATT 1963, II, S. 705.
Zur Diskussion über die Einfügung einer Präambel in das Zustimmungsgesetz vgl. AAPD 1963, I, Dok. 136.

¹⁶ Vgl. dazu die Ausführungen des CDU/CSU-Fraktionsvorsitzenden Barzel vom 23. Februar 1972 im Bundestag; Dok. 67, Anm. 16.

¹⁷ Zum Gespräch des Bundeskanzlers Brandt mit dem CDU-Abgeordneten Hallstein am 14. April 1972 vgl. Dok. 104, Anm. 32.

¹⁸ Am 10. Mai 1972 führte Bundeskanzler Brandt anläßlich der zweiten Lesung der Gesetze zum Moskauer Vertrag vom 12. August 1970 und zum Warschauer Vertrag vom 7. Dezember 1970 im Bundestag aus, „daß die Verständigung über den Komplex der Europäischen Gemeinschaft nicht schwer zu erreichen war. Es war in den Beratungen nicht umstritten – was die Bundesregierung auch früher gesagt hat –, daß nämlich die Sowjetunion aus dem Vertrag keinerlei Rechte herleiten kann, gegen die Entwicklung der Europäischen Wirtschaftsgemeinschaft oder gegen deren Weiterentwicklung bis zu einer Politischen Union zu intervenieren. [...] Von sowjetischer Seite ist versichert worden, die Sowjetunion stehe der EWG nicht feindselig gegenüber, sie wolle sie nicht unterminieren, sie schließe eine Zusammenarbeit mit ihr nicht aus und verfolge die Entwicklung." Vgl. BT STENOGRAPHISCHE BERICHTE, Bd. 80, S. 10890.

b) Was das Selbstbestimmungsrecht und den Brief zur deutschen Einheit[19] betreffe, so könne vielleicht erreicht werden, daß die sowjetische Seite uns ihre Meinung hierzu notifiziere (der Bundeskanzler war zu diesem Punkt sehr allgemein; es wurde nicht klar, daß die sowjetische Seite evtl. die Ausführungen Außenminister Gromykos vor dem Ausschuß des Obersten Sowjets[20] notifizieren würde).

c) Was die Freizügigkeit im geteilten Deutschland betreffe – richtiger die menschlichen Erleichterungen –, so sei die Bundesregierung ja seit langem bei einem stufenweisen Vorgehen: Berlin-Zugang, Berlin-Besuche, die vier Elemente der DDR-Erklärung beim Abschluß der Verhandlungen über den Verkehrsvertrag[21], Verkehrsvertrag selbst[22] und der in Aussicht genommene Grundvertrag.[23] Hier sollten sich Staatssekretär Bahr und ein Vertreter der Opposition zusammensetzen – Dr. Barzel versprach, einen solchen Vertreter bis Dienstag[24] zu benennen –, um herauszufinden, inwieweit die operativen Schritte der Bundesregierung mit dem sogenannten „Stufenplan" von Dr. Barzel[25] verglichen und in Übereinstimmung gebracht werden könnten.

Der Bundeskanzler betonte abschließend, daß die Einwände der Opposition teilweise hilfreich gewesen wären, was er im Bundestag auch zum Ausdruck bringen werde.[26] Jedenfalls habe die Bundesregierung – was Bundesminister

[19] Zum „Brief zur deutschen Einheit" vom 12. August 1970 vgl. Dok. 55, Anm. 11.
[20] Zu den Ausführungen des sowjetischen Außenministers Gromyko vor den Kommissionen für auswärtige Angelegenheiten des Unions- und des Nationalitätenrats des Obersten Sowjet über den am 12. August 1970 übergebenen „Brief zur deutschen Einheit" vgl. Dok. 104, Anm. 30.
[21] Zur Erklärung des Staatssekretärs beim Ministerrat der DDR, Kohl, vom 26. April 1972 vgl. Dok. 112, Anm. 6.
[22] Der Vertrag zwischen der Bundesrepublik und der DDR über Fragen des Verkehrs wurde am 12. Mai 1972 paraphiert und am 26. Mai 1972 unterzeichnet. Vgl. dazu Dok. 119 und Dok. 146.
[23] Die Gespräche des Staatssekretärs Bahr, Bundeskanzleramt, mit dem Staatssekretär beim Ministerrat der DDR, Kohl, über einen Grundlagenvertrag zwischen der Bundesrepublik und der DDR begannen am 15. Juni 1972 in Ost-Berlin. Vgl. dazu Dok. 170 und Dok. 172.
[24] 2. Mai 1972.
[25] Am 4. Januar 1972 bezeichnete der CDU/CSU-Fraktionsvorsitzende Barzel in einem Artikel für den „Deutschland-Union-Dienst" ein „Stufen-Programm zunehmender Freizügigkeit" als notwendig: „Warum setzt sich die Bundesregierung nicht zum Ziel, mit der Regierung der DDR ein Abkommen auszuhandeln, das ein Programm zunehmender Freizügigkeit in beiden Richtungen enthält, das im Laufe einer vereinbarten mehrjährigen Frist verwirklicht wird? In einem festgelegten mehrjährigen, stufenweisen Prozeß sollte z. B. die Altersgrenze für Ost-West-Reisende gesenkt werden, bis in einer absehbaren Zeit auch junge Menschen aus der DDR in die Bundesrepublik reisen können. Reisen in dringenden Familienangelegenheiten sollten in beiden Richtungen unbehindert sein. Der Heirat von Personen aus beiden Teilen Deutschlands sollte nichts in den Weg gelegt werden. Warum sollen nicht – etwa in der Form der Berliner Tagespassierscheine – Wochenendbesuche Westdeutscher bei Verwandten in der DDR möglich sein? Entsprechend der gesenkten Altersgrenze der Ost-West-Reisenden sollten Wochenendbesuche von Besuchern aus Mitteldeutschland bei ihren Verwandten in der Bundesrepublik eingerichtet werden. Ein derartiges zu vereinbarendes Stufenprogramm böte durch verbürgte menschliche Erleichterungen die Gewähr für einen innerdeutschen Ausgleich, für einen tatsächlichen Modus vivendi." Vgl. TEXTE ZUR DEUTSCHLANDPOLITIK, Bd. 9, S. 504 f.
[26] Bundeskanzler Brandt führte am 10. Mai 1972 im Bundestag aus, ihm liege daran, „festzuhalten, daß die Regierung bei ihren Verhandlungen selbstverständlich auch auf die Haltung einer starken Opposition hingewiesen hat, auf ihre – der Opposition – Grundsätze für Versöhnung und Ausgleich ebenso wie auf ihre Forderungen und die Notwendigkeit, ein Ergebnis zu erzielen, das von der großen Majorität unseres Volkes akzeptiert werden kann. Die Heftigkeit der innenpolitischen Auseinandersetzung hat die Vertreter der Bundesregierung nicht davon abgehalten, im gemeinsamen Interesse dieses Staates jedes brauchbare Argument, auch das der Opposition, zu nutzen,

Scheel unterstrich – natürlich von diesen Argumenten in ihrer Verhandlungsführung Gebrauch gemacht. Der Bundeskanzler fügte hinzu, daß die Opposition die Verhandlungen der Regierung zum Teil aber auch erschwert habe. So habe die öffentliche Forderung Dr. Barzels nach Herabsetzung des Rentenalters – trotz vorheriger Warnung von Staatssekretär Bahr im Kontakt-Ausschuß[27], diese Frage nicht öffentlich zu behandeln – diese Möglichkeit für den Augenblick verschüttet.[28] (Dr. Barzel warf ein, ihm sei dieser Ratschlag aus dem Kontakt-Ausschuß nicht weitergegeben worden.) Der Bundeskanzler schloß ab mit dem Bemerken, es sei zu prüfen, ob man in Sachen Verträge und in Sachen Neuwahlen gemeinsam weiterkommen könne.

Für die Opposition antwortete Dr. Barzel. (In das spätere Gespräch griffen wiederholt auch Richard Stücklen und vereinzelt Dr. Strauß ein. Dr. Schröder äußerte sich den Abend lang überhaupt nicht.)

Dr. Barzel antwortete dem Bundeskanzler etwa wie folgt:

Die Opposition sei bereit, seriöse Gespräche über eine gemeinsame Deutschland- und Außenpolitik zu führen. Er würde es nicht für verantwortlich halten, falls die Bundesregierung die Verträge zur Abstimmung bringe, ohne sich der erforderlichen 249 Ja-Stimmen sicher sein zu können.

Er sei erstaunt über die Mitteilung des Bundeskanzlers, daß unsere Verbündeten auf die Einhaltung des internationalen Fahrplanes drängten. Hier müsse man wohl die gegenseitigen Informationen einmal gegenseitig überprüfen. Auch er habe ja seine Kontakte, und nach seinem Eindruck seien die Verbündeten, vor allem die Vereinigten Staaten, an der Einhaltung von Fahrplänen weit weniger interessiert als an der Stabilität der Demokratie in Deutschland, und das heißt: an einer gemeinsamen Deutschland- und Außenpolitik von Regierung und Opposition. Auch von den von Bundesminister Schmidt im Bundestag angeschnittenen Sorgen aus dem militärischen Bereich[29] sei ihm nichts bekannt. Er habe ausländische Gesprächspartner aus der NATO über Mittag gesehen und für diese Sorgen keine Bestätigung finden können.

Die Frage des SHB sei ihm nun klarer. Er sei allerdings der Meinung, ohne daß das seine Sache wäre, daß die SPD auf jeden Fall dem SHB den Namen entziehen sollte. Ihm würde das Prozeßrisiko in einem solchen Fall wurscht sein.

Fortsetzung Fußnote von Seite 504
    obwohl es uns manche Vertreter der Opposition – dies sei in aller Offenheit hinzugefügt – durch ihre Polemik während der Verhandlungen ja auch nicht immer ganz leicht gemacht haben." Vgl. BT STENOGRAPHISCHE BERICHTE, Bd. 80, S. 10892.

[27] Die Bildung eines parlamentarischen Kontaktausschusses ging auf einen Vorschlag des Bundesministers Scheel vom 3. September 1971 an den CDU/CSU-Fraktionsvorsitzenden Barzel zurück. In dem Ausschuß sollten Vertreter der Fraktionen über die Verhandlungen mit der DDR informiert werden und ihrerseits Anregungen für die Verhandlungsführung weitergeben. Vgl. dazu AAPD 1971, II, Dok. 297.

[28] Vgl. dazu die Ausführungen des Staatssekretärs beim Ministerrat der DDR, Kohl, in den Vier-Augen-Gesprächen mit Staatssekretär Bahr, Bundeskanzleramt, am 9./10. März 1972 in Ost-Berlin; Dok. 51.

[29] Bundesminister Schmidt führte am 28. April 1972 im Bundestag aus, ihm sei aus Brüssel „amtlich mitgeteilt worden, in welch großer Sorge die Vereinigten Generalstabschefs des Nordatlantischen Bündnisses um das Berlin-Abkommen sind". Vgl. BT STENOGRAPHISCHE BERICHTE, Bd. 79, S. 10770.

Die Äußerungen von Staatssekretär Bahr über Berlin hätten auch sein Verhältnis zur eigenen Fraktion belastet, denn er habe die ganze Berlin-Sache auf seine und Richard Stücklens Verantwortung genommen. Die Bundesregierung habe seinerzeit der aus einer Pressekonferenz übernommenen Feststellung in der Präambel zum Berlin-Papier der Opposition von 1970 zugestimmt, daß Berlin kein drittes Deutschland sei.[30] Jetzt ergebe sich aus den „Protokollen", daß Bahr schon vorher, und zwar im Januar 1970, erklärt haben solle, Berlin sei kein Teil Deutschlands.[31] (Der Bundeskanzler warf ein, was Bahr erreicht habe, sei ja viel besser als die Präambel des CDU-Papiers. Bundesminister Scheel ergänzte, daß es sich hier nur um terminologische Mißverständnisse handeln könne: „Teil", „Bestandteil" etc.) Die Sache solle zwischen Regierung und Opposition weiter behandelt werden.

Was die parlamentarische Lage betreffe, so sollten Dienstag die zuständigen Gremien – Ältestenrat und Bundestagspräsident[32] – über die weitere Parlamentsarbeit sprechen. Er wolle sich da nicht einmischen.

Wenig halte er von dem Vorschlag, eine Art Geschäft zu machen etwa nach dem Motto: Ihr helft uns bei den Verträgen; wir helfen Euch dabei, zu Neuwahlen zu kommen. Die gemeinsame Außenpolitik sei doch wohl in sich eine so wichtige Sache, daß man sie nicht derart mit anderen Dingen verbinden könne. Aber er sei bereit, auch über Neuwahlen zu sprechen. (Dazu kam dann aber nichts mehr.)

Was die Entschließung zur Deutschland- und Außenpolitik betreffe, so habe er verstanden, daß sie allen Regierungen notifiziert werden solle. Er sei bereit, das zu prüfen, und bäte um einen entsprechenden Entwurf der Bundesregierung.

Was die EWG-Frage betreffe, so habe er sie in Moskau als Punkt 1) vorgebracht[33], weil er gemeint habe, die Frage – die übrigens vor der Unterschrift

---

[30] In der Präambel des Arbeitspapiers des CDU/CSU-Fraktionsvorsitzenden Barzel vom 11. September 1970 wurde der Wunsch zum Ausdruck gebracht, eine „gemeinsame, vertraulich erarbeitete Berlin-Position der drei Westmächte, der Bundesregierung, der CDU/CSU und des Berliner Senats" zu erstellen: „Sie muß berücksichtigen den Geist des Vertrages mit der Sowjetunion, wie ihn die Bundesregierung darstellt, nachdem ja ‚von der bestehenden wirklichen Lage' ausgegangen wird (Art. 1) und alle ‚Verträge und Vereinbarungen' mit Dritten (Art. 4) unberührt bleiben. Zu den Realitäten und zu den Vereinbarungen gehören – übrigens entsprechend dem Willen der Berliner – die Zusammengehörigkeit West-Berlins und der Bundesrepublik Deutschland – also zum Beispiel auch die Finanzhilfe des Bundes, die Anwesenheit des Bundes und die Tatsache, daß West-Berlin im Auftrag der Westmächte von der Bundesregierung nach außen vertreten wird. [...] Aus Berlin darf kein drittes Deutschland werden." Vgl. BARZEL, Streit, S. 226. Vgl. dazu auch BARZEL, Drahtseil, S. 117f.
Zu den Beratungen zwischen Bundeskanzler Brandt, Barzel und dem CSU-Abgeordneten Stücklen über diese Vorschläge am 16. September 1970 vgl. AAPD 1970, III, Dok. 429.
[31] Vgl. dazu Anm. 5.
Für das Gespräch des Staatssekretärs Bahr, Bundeskanzleramt, mit dem sowjetischen Außenminister Gromyko am 30. Januar 1970 in Moskau vgl. AAPD 1970, I, Dok. 28.
[32] Kai-Uwe von Hassel
[33] Der CDU/CSU-Fraktionsvorsitzende Barzel hielt sich vom 10. bis 16. Dezember 1971 in der UdSSR auf. Vgl. dazu BARZEL, Drahtseil, S. 145–152.
Zum Gespräch mit Ministerpräsident Kossygin am 15. Dezember 1971 in Moskau vgl. AAPD 1971, III, Dok. 444.

unter den Moskauer Vertrag mit der Regierung erörtert worden sei[34] – sei die leichteste. Zu seinem Erstaunen habe er dann feststellen müssen in Moskau, daß Kossygin – obwohl er durch das Gespräch Barzels mit Gromyko auf die Frage vorbereitet gewesen sei[35] – sich völlig stur gestellt habe. Die Frage bedürfe weiterer Klärung. Er wolle jetzt dazu nichts weiter sagen, da Prof. Hallstein ihm auch noch nichts über sein Gespräch mit dem Bundeskanzler berichtet habe.

Was die Fragen des Friedensvertragsvorbehaltes, des Modus vivendi und der Selbstbestimmung betreffe – auch die NATO ginge ja davon aus, daß es sich um einen Modus vivendi handele –, so müßten diese Fragen mit der sowjetischen Seite in verbindlicher Weise geklärt werden.

Hinsichtlich der Freizügigkeit wolle auch er keinen öffentlichen Streit über „Stufenpläne", zumal der Bundeskanzler sich bereit erklärt habe, die Haltung der Opposition zu würdigen. Man müsse die Pläne vergleichen und abstimmen.

Die Opposition sei bereit, die Gesamtbesprechung über Außen- und Deutschlandpolitik und die parlamentarische Lage ernsthaft weiterzuführen. Die Koalition möge aber bedenken, daß er erst in der nächsten Woche wirklich handlungsfähig sein werde, da erst am Dienstag früh um 9.00 Uhr das Parteipräsidium zusammentreten könne, das er zu diesem Zweck von Freitag[36] auf Dienstag vorverlegt habe.

Richard Stücklen warf die Frage auf, ob die Sowjetunion nach der Ratifizierung der Verträge noch Druck auf die DDR in Richtung weiterer menschlicher Erleichterungen ausüben werde. Der Bundeskanzler und Bundesminister Scheel antworteten, jetzt würden sie keinen Druck ausüben, sondern vielmehr erst nach der Ratifizierung der Verträge, da es ja auch dann noch Fragen zwischen Bonn und Moskau, aber auch zwischen Bonn und Ost-Berlin zu regeln gäbe.

Bundesminister Scheel legte ausführlich die in Nuancen unterschiedlichen Stellungnahmen der sowjetischen Seite zur EWG-Frage dar, aus denen sich ergebe, daß insofern ein Lernprozeß in der Sowjetunion eingesetzt habe. Die Russen seien Leute, die Tatsachen respektierten.

Zum Problem des Modus vivendi wies der Außenminister darauf hin, daß über die Tatsache, daß wir keinen Friedensvertrag für ganz Deutschland schließen könnten, doch kein Streit bestehe. Andererseits sei die Frage, ob die Entspannung in der Welt und in Europa mit uns oder aber ohne uns mit der Gefahr eines gegen uns vonstatten gehe.

---

[34] In Gesprächen mit CDU-Abgeordneten am 13. Mai 1970 bzw. Abgeordneten aller im Bundestag vertretenen Parteien am 15. Juli 1970 teilte Bundesminister Scheel mit, daß durch „einseitige Instrumente die Nichtbehinderung der europäischen Einigung" durch den Vertrag mit der UdSSR sichergestellt werden solle. Vgl. AAPD 1970, II, Dok. 314.

[35] Am 14. Dezember 1971 berichtete Botschafter Allardt, Moskau, der CDU/CSU-Fraktionsvorsitzende Barzel habe am Vortag den sowjetischen Außenminister gefragt, „wie die Sowjetregierung es mit ihrem Sinn für europäische Realitäten vereinbare, die EWG nicht anzuerkennen, obwohl auch sie bei der KSE eine wichtige Rolle spielen werde". Gromyko habe geantwortet: „Die sowjetische Regierung sei prinzipiell gegen militärische und überhaupt gegen Gruppierungen. [...] Außerdem hätte seine Regierung auch die Ziele der EWG-Teilnehmerstaaten noch nicht begriffen." Vgl. den Drahtbericht Nr. 2758; VS-Bd. 10066 (Ministerbüro); B 150, Aktenkopien 1971.

[36] 5. Mai 1972.

Der Bundeskanzler kam darauf zu sprechen, daß offenbar ein Meinungsunterschied darin bestehe, daß die Bundesregierung an dem Mai-Termin für die Abstimmung über die Verträge unbedingt festhalten müsse, während Dr. Barzel offenbar sich auf eine langfristige Suche nach Gemeinsamkeit begeben wolle. (Dr. Barzel warf ein, so habe er das nicht gemeint; er wolle durchaus seriös reden.) Der Bundeskanzler betonte noch einmal, die zweite Lesung brauche nicht am 3. Mai zu beginnen, könne aber nur wenige Tage verschoben werden, wenn man nicht mit schwerwiegenden Folgerungen für die Bundesrepublik den internationalen Fahrplan durcheinanderbringen wolle.

Bundesminister Schmidt berichtete über den besorgten Bericht, den der neue General-Inspekteur, Admiral Zimmermann, aus den letzten NATO-Beratungen mitgebracht habe. Dort sei man unter Sicherheitsgesichtspunkten geradezu entsetzt gewesen von dem Gedanken, das Berlin-Abkommen[37] könne scheitern. (Dr. Barzel wiederholte, er habe andere Informationen.)

Bundesminister Schmidt warf dann die Frage der sogenannten „Protokolle" auf. Er müsse leider sagen, er habe den Eindruck, daß der Opposition nahestehende Beamte ihre Pflichten zur Geheimhaltung fortlaufend verletzten und in diesem strafbaren Verhalten auch noch dadurch ermuntert würden, daß die Opposition von diesen Indiskretionen politisch Gebrauch mache. Insofern sei bei ihm ein tiefes Mißtrauen vorhanden.

Dr. Barzel und Dr. Strauß wiesen diese Vorwürfe scharf zurück, wobei Dr. Strauß Minister Ehmke den unsubstantiierten Vorwurf machte, den BND in unerträglicher Weise zu mißbrauchen. Da die Diskussion unangenehm zu werden drohte, beschloß man, zunächst einmal abendzuessen.

Während des Essen gab es spitze Bemerkungen hin und her; die Atmosphäre lockerte sich aber wieder auf.

Nach dem Essen berieten die Vertreter der Koalition und der Opposition zunächst etwa eine Stunde untereinander. Dann trat der Gesprächskreis wieder zusammen.

Herr Dr. Barzel erklärte für seine Freunde, sie seien mit dem bisherigen Gesprächsverlauf zufrieden. Es handele sich hier um eine seriöse Sache. Er betonte noch einmal, der Termin für die Vertragsabstimmung sei nicht so wichtig wie die Wiedergewinnung von Stabilität der deutschen Demokratie durch Gemeinsamkeit in der deutschen Außenpolitik.

Was die Frage der Wahlen betreffe, so sei sie bisher offen.

Anschließend wurde über Termine gesprochen. Dr. Barzel würde Bundesminister Ehmke noch am Samstag[38] einige Unterlagen über seine bisherigen Stellungnahmen zur Deutschland- und Außenpolitik überbringen lassen. Die Regierung wird Herrn Dr. Barzel bis Montag 18.00 Uhr den Entwurf einer Entschließung zur Deutschland- und Außenpolitik zustellen, die Herr Dr. Barzel noch am Montag abend mit den Herren der Opposition, die an diesem Ge-

---

[37] Für den Wortlaut des Vier-Mächte-Abkommens über Berlin vom 3. September 1971 vgl. EUROPA-ARCHIV 1971, D 443–453.
Zum Schlußprotokoll, mit dem das Vier-Mächte-Abkommen in Kraft gesetzt werden sollte, vgl. Dok. 9, Anm. 11.
[38] 29. April 1972.

spräch teilgenommen hätten, erörtern würde. Am Dienstag früh würde dann das Parteipräsidium tagen, und der Ältestenrat müßte versuchen, sich über den weiteren Gang der parlamentarischen Arbeit zu verständigen. Bis spätestens Dienstag werde Dr. Barzel auch einen Vertreter der Opposition benennen, der mit Staatssekretär Bahr über stufenweise Fortschritte auf dem Gebiet der menschlichen Erleichterungen zwischen BRD und DDR sprechen würde.[39]

Herr Mischnick warf noch einmal die Terminfrage auf. Herr Dr. Barzel antwortete noch einmal, die Zeitfrage sei nicht so wichtig wie die Frage der Gemeinsamkeit.

Bundesminister Schmidt meinte, man solle Dienstag sehen, ob der heute begonnene Versuch überhaupt Sinn habe. Man müsse also Dienstag erneut Kontakt miteinander haben. Sonst müsse Mittwoch[40] die Vertragsdebatte beginnen.

Richard Stücklen antwortete, bis Dienstag sei wohl zu kurze Zeit; es wäre der Sache nicht dienlich, wenn die CDU/CSU-Fraktion sich unter Zeitdruck gesetzt fühle. Etwas verschieben könne man schon darum, weil der Bundesrat auf die Einhaltung der Fristen bereits verzichtet habe und es ihm sicher auf eine weitere Abkürzung der Fristen nicht wesentlich ankomme.

Die Herren Strauß und Wehner betonten, daß es nicht gut wäre, wenn eine öffentliche Erörterung über die Entwürfe einer gemeinsamen Erklärung stattfände. Dann würden gleich alle möglichen Versionen auf dem Markt sein.

Herr Stücklen schlug vor, daß man sich am Dienstag abend, spätestens Mittwoch 14.00 Uhr treffe. Dies wurde vereinbart.[41]

Der Bundeskanzler betonte abschließend die Vorteile, die Gemeinsamkeit des Vorgehens in der Deutschland- und Außenpolitik mit sich bringen könnte, wobei diese Gemeinsamkeit nicht in allen Teilbereichen bestehen müßte. (Dr. Barzel: „Natürlich nicht"). Im übrigen sei der bestehende Interessengegensatz ja deutlich. Die Opposition meine, die Regierung sei in Bedrängnis. Die Regierung selbst sehe das so nicht. Sie habe sicher erhebliche Schwierigkeiten, aber sie würde mit den Verträgen stehen oder fallen und im Falle eines negativen Votums den Gang zu den Wählern suchen.

Dr. Barzel bemerkte, er wolle darauf nicht antworten. Jeder könne sich denken, wie seine Rede zu dieser Frage aussehen würde.

Der Versuch von Bundesminister Scheel, auf die Frage der Einsicht in die Aufzeichnungen zurückzukommen und umfassende Auskünfte für die Oppositionsführung durch die Staatssekretäre Bahr und Frank anzubieten (nach wie vor aber keine Einsicht, sondern eben nur volle Auskunft), scheiterte am Widerstand Dr. Barzels trotz lebhafter Ermunterung des Außenministers durch Richard Stücklen, mit seiner Erklärung fortzufahren. Dr. Barzel erklärte, er

---

[39] Auf Vorschlag des CDU/CSU-Fraktionsvorsitzenden Barzel wurden am 3. Mai 1972 interfraktionelle Arbeitsgruppen zu den Themen Selbstbestimmungsrecht, Freizügigkeit und Europapolitik eingesetzt. Vgl. dazu den Artikel „Bemühungen um Einigung gehen weiter. Neues Treffen Brandt–Barzel"; FRANKFURTER ALLGEMEINE ZEITUNG vom 4. Mai 1972, S. 1.
Zu den Beratungen der Arbeitsgruppe „Freizügigkeit" am 3. Mai 1972 vgl. Dok. 118.
[40] 3. Mai 1972.
[41] Zum Gespräch am 3. Mai 1972 vgl. EHMKE, Mittendrin, S. 158.

sei müde, und außerdem warte seine Tochter zu Hause auf ihn. Und über die Frage, was das Parlament in der nächsten Woche mache, sei ohnehin nicht hier, sondern in den zuständigen Gremien des Bundestages zu entscheiden.

Die Sitzung endete etwa 22.20 Uhr.

Ehmke

Willy-Brandt-Archiv, Bestand Bundeskanzler, Mappe 73

118

Aufzeichnung des Vortragenden Legationsrats I. Klasse Blech

II A 1-83.00-1637/72 VS-vertraulich 4. Mai 1972[1]

Betr.: Abstimmung zukünftiger Deutschlandpolitik mit der Opposition

Am Abend des 3.5. beriet eine interfraktionelle Arbeitsgruppe „Freizügigkeit"[2], der die Bundesminister Genscher und Franke, Staatssekretär Bahr und die Abgeordneten Wienand, Mattick, Borm, Gradl, von Weizsäcker und Jaeger angehörten. Der Beratung lag ein von den CDU/CSU-Abgeordneten eingebrachtes Papier zugrunde, von dem ich kein Exemplar erhielt, in das ich jedoch Einblick nehmen konnte.[3] Es enthielt drei Punkte:

1) Eine allgemeine Feststellung über die Notwendigkeiten von faktischen Verbesserungen für die Menschen bei weiteren Regelungen mit der DDR (ohne daß übrigens in diesem Zusammenhang die Notwendigkeit des Modus vivendi-Charakters einer solchen Regelung zum Ausdruck gebracht wurde);

2) eine Reihe von konkreten faktischen Verbesserungen, die als notwendig betrachtet werden;

3) die Errichtung einer Arbeitsgruppe zur Abstimmung der Deutschlandpolitik zwischen Regierung, Regierungsparteien und Opposition.

Es wurde zunächst Punkt 3 beraten und nach einer längeren, kaum kontroversen Diskussion prinzipielle Einigkeit über folgendes hergestellt:

Im Prinzip wird

– ein Gremium der in Punkt 3 des CDU-Papiers empfohlenen Art bejaht.

– Es handelt sich um ein Gremium, in dem Regierung und Parlament beteiligt sind, nicht nur Regierung und Opposition.

---

[1] Hat Staatssekretär Frank am 4. Mai 1972 vorgelegen.
[2] Zur Einsetzung der Arbeitsgruppe vgl. Dok. 117, Anm. 39.
[3] Für den Wortlaut des Arbeitspapiers der CDU/CSU-Fraktion vom 3. Mai 1972 zum Thema „innerdeutsche Normalisierung" vgl. den Artikel „Streben nach nationaler Einheit"; DIE WELT vom 4. Mai 1972, S. 2.

– Es handelt sich um ein Gremium, das die Meinungsbildung bei allen Beteiligten unterstützen soll, ohne daß der Entscheidung der Regierung nach dem Grundgesetz nicht zulässige Einschränkungen auferlegt werden (insoweit gibt es keine verfassungsrechtlichen Bedenken).
– Die Wahrung der Vertraulichkeit ist von wesentlicher Bedeutung.
– Das Vertrauensmännergremium im letzten Stadium der Beratung der Pariser Verträge[4] ist ein akzeptables Modell, jedoch mit der Maßgabe, daß die Arbeitsgruppe nicht erst im letzten Moment der Behandlung eines Themas eingeschaltet wird, sondern dann, wenn ein Thema aus dem Stadium der Vorüberlegungen der Regierung in ein aktives Stadium rückt.
– Der Kreis soll möglichst klein gehalten werden (etwa 3:3 Mitglieder aus dem Parlament). Es soll keine Vertreter geben. Die Mitglieder der Arbeitsgruppe haben die Vertraulichkeit auch gegenüber ihrer Fraktion zu wahren und sind lediglich berechtigt, den Fraktionsvorsitzenden[5] über die Beratungen zu unterrichten. Sie sind ferner gehalten, gegenüber dem Fraktionsvorsitzenden die in der Arbeitsgruppe als richtig erkannten Erwägungen nachdrücklich zu vertreten.

Es wird davon ausgegangen, daß wenigstens ein Teil der Mitglieder der Arbeitsgruppe Angehörige des innerdeutschen Ausschusses sind.

Die Bildung einer solchen Arbeitsgruppe soll selbst nicht geheimgehalten, jedoch nur in allgemeinster Form und unauffällig publiziert werden.[6]

Bezüglich Punkt 1 des CDU-Papiers gab es keine eingehende Diskussion. Es wurde Einigkeit über die Zielsetzung faktischer Verbesserungen zugunsten der Menschen in Deutschland festgestellt.

Schwieriger war die Erörterung des Punktes 2. Die Vertreter der Regierung bzw. Regierungskoalition machten ganz deutlich, daß sie Punkt 2, d.h. der dort erhobenen Forderung menschlicher Erleichterungen (insbesondere z.B. die Senkung des Rentneralters) ohne weiteres zustimmen könnten, insoweit es sich um die konkrete Zielsetzung handle, daß eine solche Zustimmung jedoch nicht möglich sei, wenn diese Forderungen bedeuteten, daß sie vor der Ratifizierungsdebatte erfüllt werden müßten. Diese seien angesichts der Zeitvorstel-

---

[4] Während der Beratungen über die Pariser Verträge vom 21. bis 23. Oktober 1954 bat Bundeskanzler Adenauer Vertreter der in der Regierungskoalition vertretenen Parteien sowie der SPD-Fraktion zu Gesprächen nach Paris. Vgl. dazu die Artikel „Mendès-France stellt ein Ultimatum" und „Die Verträge und das Saarabkommen unterzeichnet"; FRANKFURTER ALLGEMEINE ZEITUNG vom 23. Oktober bzw. vom 25. Oktober 1954, jeweils S. 1.
Für den Wortlaut der Pariser Verträge vom 23. Oktober 1954 vgl. BUNDESGESETZBLATT 1955, Teil II, S. 213–576.
[5] Rainer Barzel (CDU/CSU), Wolfgang Mischnick (FDP), Herbert Wehner (SPD).
[6] Am 14. Juni 1972 trat die interfraktionelle Arbeitsgruppe für den Meinungsaustausch mit der DDR erstmals zusammen. Teilnehmer waren Staatssekretär Bahr, Ministerialdirektor Sanne und Vortragender Legationsrat Eitel, Bundeskanzleramt; ferner die Abgeordneten Mattick und Wienand (SPD), Achenbach und Borm (FDP), Gradl, Mende und von Weizsäcker (CDU) sowie Jäger (CSU). Zur Tätigkeit der Arbeitsgruppe führte Bahr dabei aus: „Hinsichtlich Methode und Stil werde die Basis für diese Sitzungen das Ergebnis der interfraktionellen Besprechungen vom Mai sein". Er werde die Mitglieder „voll und offen unterrichten. Er gehe weiter davon aus, daß die Vertraulichkeit dessen, was in der Arbeitsgruppe besprochen werde, voll gewahrt bleibe. Unberührt davon bleibe natürlich jeweils die Unterrichtung der Fraktionsspitzen." Vgl. die Gesprächsaufzeichnung; Ministerbüro, Bd. 513.

lungen, wie sie über den weiteren Verlauf des Ratifizierungsverfahrens zwischen dem Bundeskanzler und Fraktionsvorsitzenden der CDU/CSU erörtert worden seien[7], offensichtlich unmöglich. Von Regierungsseite wurde außerdem eindringlich dargelegt, welche Haltung die DDR im gegenwärtigen Stadium zum Problem menschlicher Erleichterungen einnehme und aus welchen Motiven dies geschehe.[8]

Hierauf wurde nach einer internen Beratung vom Abgeordneten Gradl zunächst auf die Schwierigkeit der Situation der CDU/CSU hingewiesen, indem er das Wort eines SPD-Führers bei der Vorbereitung des Godesberger Programms[9] zitierte: Es sei sehr schwer, ein großes Schiff auf einen neuen Kurs zu bekommen. Er und seine Freunde hätten nicht die Vorstellung, daß die in Punkt 2 aufgeführten Verbesserungen bis Dienstag verwirklicht sein müßten.

Er stellte sodann die Frage, ob es wirklich so ausgeschlossen sei, Ostberlin zu einem souveränen Entschluß in diesem Bereich zu bekommen.

Dies wurde vom Abgeordneten von Weizsäcker bestätigt und dahingehend präzisiert, daß ein Versuch doch immerhin vorstellbar sei, die DDR zu einer verbindlicheren Formalisierung dessen, was in Ansätzen bereits vorhanden sei, zu veranlassen. Auf keinen Fall sei es der Sinn, in interfraktionellen Diskussionen jetzt die Kontroverse zu entscheiden, ob vor oder nach der Ratifizierung in diesem Bereich mehr zu erreichen sei.

Staatssekretär Bahr erwiderte, daß er einen Versuch, auf die DDR nochmals außerhalb besonderer Verhandlungen einzuwirken, ad personam zuzusagen bereit sei, ohne zu wissen, ob der Bundeskanzler dem zustimme und ohne das Ergebnis voraussehen zu können. Wenn das Ergebnis negativ sei und die Sache der Zusammenarbeit von Regierung und Opposition gefährde, ziehe er es vor, von einem solchen Versuch abzusehen.[10]

Der Abgeordnete von Weizsäcker unterstrich, daß es für die CDU bei ihrer Kursbestimmung von Gewicht sei, ob ein solcher Versuch stattfinde. Sicher sei dies kein taktischer Punkt für die CDU, um die Regierung in Verlegenheit zu

---

[7] Dazu wurde in der Presse am 3. Mai 1972 berichtet, Bundeskanzler Brandt habe dem CDU/CSU-Fraktionsvorsitzenden Barzel vorgeschlagen, mit der Debatte der Ratifizierung der Ostverträge am 5. Mai 1972 zu beginnen; die Abstimmung solle in der am 8. Mai 1972 beginnenden Woche stattfinden. Barzel habe dazu geäußert, „er halte es für unverantwortlich, wenn die Regierung den Versuch einer Abstimmung über die Verträge zu einem Zeitpunkt vornehme, da die Mehrheit ungesichert sei". Vgl. den Artikel „Union: Die Resolution muß auch für Moskau verbindlich sein"; DIE WELT vom 3. Mai 1972, S. 1.
Am 4. Mai 1972 wurde mitgeteilt, daß Brandt und Barzel sich verständigt hätten, „daß so bald wie möglich im Bundestag über die Ostverträge abgestimmt werden soll, falls keine Einigung zwischen Regierung und Opposition bei den jetzigen Verhandlungen erreicht werden sollte." Falls sich Einigungsmöglichkeiten abzeichneten, soll zunächst weiterberaten und „voraussichtlich" am 10. Mai 1972 abgestimmt werden. Vgl. den Artikel „Gemischte Kommissionen bemühen sich um eine gemeinsame Position"; DIE WELT vom 4. Mai 1972, S. 1.
[8] Vgl. dazu die Ausführungen des Staatssekretärs beim Ministerrat der DDR, Kohl, in den Vier-Augen-Gesprächen mit Staatssekretär Bahr, Bundeskanzleramt, am 25./26. April 1972; Dok. 112. Zur Ablehnung einer Senkung des Rentenalters durch Kohl in den Vier-Augen-Gesprächen am 9./10. März 1972 vgl. Dok. 51.
[9] Für den Wortlaut des auf dem Parteitag vom 13. bis 15. November 1959 in Bad Godesberg beschlossenen Parteiprogramms der SPD vgl. PARTEIPROGRAMME, S. 38–57.
[10] Zu den Bemühungen des Staatssekretärs Bahr, Bundeskanzleramt, um eine stärkere Formalisierung der von seiten der DDR zugesagten Reiseerleichterungen vgl. Dok. 119.

bringen. Allerdings könnten er und seine beiden Freunde in dieser Diskussion nicht für die ganze Fraktion sagen, daß ein solcher Versuch unter allen Umständen positive Auswirkung auf das Verhalten der CDU habe.

Es bestand Einigkeit, daß es nicht Sache der interfraktionellen Gruppe sei, zu entscheiden, ob ein solcher Versuch unternommen werden soll. Es war offensichtlich, daß die CDU es der Regierung überlassen wollte, ob sie einen solchen Schritt unternimmt, und daß sie eine Festlegung der Regierung vermeiden und ein mögliches Fehlschlagen dieses Versuchs nicht zu einem negativen Faktor bei den Bemühungen um eine Zusammenarbeit werden lassen wollte.

Blech

VS-Bd. 8543 (II A 1)

119

Aufzeichnung des Staatssekretärs Bahr, Bundeskanzleramt

Geheim 5. Mai 1972[1]

42. Besprechung mit Staatssekretär Kohl am 5. Mai 1972 im Haus des Ministerrats

1) Ich habe unseren Wunsch nach einer erhöhten Formalisierung der „Information"[2] und einer weiteren Präzisierung der dort enthaltenen Angaben vorgebracht, erläutert, u.a. auch mit dem Hinweis auf die innenpolitische Lage der BRD[3]. Kohl reagierte entrüstet. Die Verhandlungen seien abgeschlossen, die Texte, und zwar alle Texte, seien das Ergebnis langwieriger und schwieriger Verhandlungen. Ich müsse wissen, unter welchen großen Schwierigkeiten die DDR zu substantiellen und bedeutenden Zugeständnissen bereit gewesen sei. Es sei wohl das mindeste, daß man auf seiten der BRD dies berücksichtige. Das Gesamtergebnis der Verhandlungen sei eindeutig zugunsten der BRD. Man könne auf seiner Seite nur mit Mühe erklären, daß das Verhandlungsergebnis den beiderseitigen Interessen Rechnung trage. Wer auch nur Teile in Frage stelle oder unzumutbare Forderungen erhebe, stelle das Ganze in Frage. Auch einseitige Zusicherungen gehörten zu dem Ganzen. Wer daran etwas ändern wolle, müsse alles von vorn beginnen.

---

[1] Ablichtung.
  Hat Staatssekretär Frank am 8. Mai 1972 vorgelegen, der die Weiterleitung an Ministerialdirektor von Staden verfügte.
  Hat Staden am 9. Mai 1972 vorgelegen.
[2] Zur Information über die Absicht der DDR, Reiseerleichterungen zu gewähren, vgl. Dok. 112, besonders Anm. 6.
[3] Zum Mißtrauensantrag der CDU/CSU-Fraktion gegen Bundeskanzler Brandt vom 24. April 1972 und zur Patt-Situation im Bundestag anläßlich der Abstimmung über den Haushalt des Bundeskanzleramtes am 28. April 1972 vgl. Dok. 114, Anm. 9, bzw. Dok. 117, Anm. 8.

Nachdem ich insistiert hatte, u. a. mit dem Hinweis, daß ich das gegebene Wort nicht in Frage stellte, aber der höhere Verbindlichkeitsgrad in der Öffentlichkeit wirksamer sei, erklärte Kohl sich bereit, mit seiner Führungsspitze zu sprechen. Dies war möglich während der Pause des Festaktes zum Tag der Befreiung[4] zwischen 18.45 und 19.15 Uhr.

Nach der Rückkehr erklärte er, er habe mit Herrn Honecker und Herrn Stoph gesprochen. Die DDR habe das Maximale getan. Er sei autorisiert, auch darauf hinzuweisen, was die DDR im Zusammenhang mit den Verhandlungen als künftig möglich im Sinne des Nebeneinander und seiner Regelung erklärt habe. Wenn unsere Seite dies nicht begreife, entstehe die Gefahr einer Blockierung nicht nur dieses Vertrages und der nach seinem Inkrafttreten zugesagten Reiseerleichterungen, sondern auch für den generellen Weg zu gutnachbarlichen Beziehungen zwischen den beiden Staaten. Die „Information" sei kein Spaß. „Was gegeben ist, ist gegeben. Man kann sich auf das Wort der DDR verlassen." Nur wer die Unglaubwürdigkeit eigener Erklärungen zum Gradmesser nehme, dürfe auch die Glaubwürdigkeit der DDR in Zweifel ziehen.

Ich habe festgehalten, daß ich diese direkte Bekräftigung der gegebenen Zusagen durch die Herren Honecker und Stoph in Bonn zur Kenntnis bringen werde. Bei ruhigem Nachdenken werde man vielleicht unseren Wunsch nach einer höheren Formalisierung verstehen.[5]

2) Wir vereinbarten den Austausch der Erklärungen zur Anwendung des Verkehrsvertrages auf Berlin (West) durch mit unserer Paraphe versehene Exemplare.[6]

3) Wir vereinbarten Paraphierung am 12. Mai 1972 (s. Anlage).

[Bahr]

[Anlage 1]

Paraphierung des Verkehrsvertrages am 12. Mai

Vereinbarte Mitteilung

Der Staatssekretär im Bundeskanzleramt der BRD, Egon Bahr, und der Staatssekretär beim Ministerrat der DDR, Dr. Michael Kohl, trafen am 5. Mai 1972 im Haus des Ministerrates der DDR zusammen. Dabei wurden die erfor-

---

[4] Anläßlich des 27. Jahrestags der „Befreiung vom Hitlerfaschismus" am 8. Mai 1972 fand am 5. Mai 1972 ein Festakt in der Staatsoper in Ost-Berlin statt. Vgl. dazu den Artikel „Die Taten der Befreier werden ewig fortbestehen"; NEUES DEUTSCHLAND vom 6. Mai 1972, S. 1 f.

[5] Mit dem paraphierten Vertrag zwischen der Bundesrepublik und der DDR über Fragen des Verkehrs, den Protokollvermerken sowie dem Briefwechsel über den Beitritt der Bundesrepublik bzw. der DDR zu den Internationalen Übereinkommen über den Eisenbahn-Personen- und -Gepäckverkehr (CIV) und über den Eisenbahnfrachtverkehr (CIM) sowie deren Zusatzabkommen wurde am 12. Mai 1972 auch die „Information der Deutschen Demokratischen Republik zu Reiseerleichterungen" veröffentlicht. Für den Wortlaut vgl. BULLETIN 1972, S. 989.
Die „Information" wurde anläßlich der Unterzeichnung des Verkehrsvertrags am 26. Mai 1972 in Form eines Briefwechsels bestätigt. Vgl. dazu Dok. 146.

[6] Für den Wortlaut der Erläuterungen zum Vertrag zwischen der Bundesrepublik und der DDR über Fragen des Verkehrs vgl. BULLETIN 1972, S. 994–996.

derlichen Absprachen für die Paraphierung des Verkehrsvertrages zwischen der DDR und der BRD getroffen, die am 12. Mai 1972 in Bonn erfolgen wird.[7]

[Anlage 2]

Zur Paraphierung des Verkehrsvertrages wurde zwischen Staatssekretär Bahr und Staatssekretär Dr. Kohl am 5. Mai 1972 folgendes vereinbart:

1) Die Paraphierung erfolgt am Freitag, dem 12. Mai 1972, um 12.00 Uhr im Bundeskanzleramt. Vorher treffen sich die Delegationsleiter um 10.30 Uhr, um die Paraphierung vorzubereiten.

2) Paraphiert werden

der Verkehrsvertrag,
die Protokollvermerke,
der Briefwechsel CIM/CIV und
der zur Bestätigung des Inkrafttretens des Vertrages vorgesehene Notenwechsel.[8]

3) Um 12.30 Uhr erfolgt die Freigabe des Vertragstextes, der Protokollvermerke und des Briefwechsels CIM/CIV und der Erklärung beider Verhandlungsführer bei der Paraphierung[9] an die Presse.

VS-Bd. 502 (Büro Staatssekretär)

---

[7] Vgl. auch BULLETIN 1972, S. 940.
[8] Für den Wortlaut des am 12. Mai 1972 paraphierten Vertrags zwischen der Bundesrepublik und der DDR über Fragen des Verkehrs, der Protokollvermerke sowie des Briefwechsels über den Beitritt der Bundesrepublik bzw. der DDR zu den Internationalen Übereinkommen über den Eisenbahn-Personen- und -Gepäckverkehr (CIV) und über den Eisenbahnfrachtverkehr (CIM) sowie deren Zusatzabkommen vgl. BULLETIN 1972, S. 982–989.
[9] Für den Wortlaut der Erklärungen des Staatssekretärs Bahr, Bundeskanzleramt, und des Staatssekretärs beim Ministerrat der DDR, Kohl, vom 12. Mai 1972 vgl. BULLETIN 1972, S. 991–993.

120

Aufzeichnung des
Vortragenden Legationsrats I. Klasse Hofmann

MB 581/72 geheim 5. Mai 1972

Herrn StS Dr. Frank[1]
Herrn StS von Braun

Betr.: Vier-Augen-Gespräche des Herrn Bundeskanzlers;
hier: Unterrichtung des Herrn Ministers

Der Herr Bundeskanzler hat seit Beginn der sozial-liberalen Regierung den Herrn Minister stets durch Übersendung entsprechender Gesprächsaufzeichnungen (meist Dolmetscher-Aufzeichnungen) über Vier-Augen-Gespräche unterrichtet, die er mit hochrangigen ausländischen Gesprächspartnern (Staatsoberhäuptern, Regierungschefs, Außenministern) geführt hat. Diese sind zur ausschließlichen Unterrichtung des Herrn Ministers bestimmt. Das Bundeskanzleramt unterrichtet getrennt davon die Arbeitseinheiten des Hauses über Gesprächspunkte, die nach seiner, des Bundeskanzleramts Meinung für die Arbeit des Auswärtigen Amts relevant sind. Zugegebenermaßen lassen diese Aufzeichnungen zeitlich etwas auf sich warten.

Der Hintergrund der Spezialunterrichtung für den Herrn Minister ist der, daß der Herr Bundeskanzler es seinerzeit als Außenminister stets als sachlich unmöglich (und wohl auch als persönlich kränkend) empfunden hat, daß ihn Bundeskanzler Kiesinger häufig über das Ergebnis seiner entsprechenden Gespräche im unklaren gelassen hat.

Ich habe stets die Herren Staatssekretäre, soweit deren Aufgabenbereiche jeweils betroffen waren, durch Übersendung der Gesprächsaufzeichnungen zur persönlichen Einsichtnahme unterrichtet und dabei in Kauf genommen und auch unterstellt, daß – soweit unbedingt erforderlich – auch andere hochrangige Angehörige des Hauses (z. B. Herr DPol) in irgendeiner Form unterrichtet werden.

Der beigefügte Vorgang[2] hat mich aber doch bestürzt. Die Gesprächsaufzeichnungen des Herrn Bundeskanzlers mit dem Schah von Persien[3] und Ministerpräsident Hoveyda sind sozusagen durch das halbe Haus gelaufen.[4] Ich muß pflichtgemäß darauf hinweisen, daß wir Gefahr laufen, uns eine wichtige Informationsquelle zu verstopfen, wenn dieses Verfahren Schule macht. Ich wäre daher dankbar, wenn künftig wieder verfahren werden könnte wie bisher.

Hofmann

VS-Bd. 520 (Büro Staatssekretär)

---

[1] Hat Staatssekretär Frank laut Vermerk des Legationsrats I. Klasse Vergau vorgelegen.
[2] Für die beigefügte Aufzeichnung des Bundeskanzlers Brandt vom 7. März 1972 vgl. Dok. 47.
[3] Mohammed Reza Pahlevi.
[4] Vgl. dazu Dok. 47, Anm. 1.

121

Gespräch des Bundesministers Scheel
mit dem sowjetischen Botschafter Falin

II A 4-82.00-94.29-1700/72 VS-vertraulich 6. Mai 1972¹

Unterredung zwischen dem Herrn Bundesminister des Auswärtigen und dem Botschafter der UdSSR Falin am 6. Mai 1972 um 12.30 Uhr

Die Unterredung fand statt in der Residenz des Herrn Ministers auf Wunsch des Botschafters. Ferner waren anwesend auf sowjetischer Seite der Erste Sekretär Koptelzew, auf deutscher Seite VLR I Dr. Blumenfeld.

Die Themen waren

1) Gedankenaustausch über die in Vorbereitung befindliche gemeinsame Entschließung der Fraktionen des Deutschen Bundestages zur Außenpolitik² und über die Haltung der sowjetischen Regierung dazu;

2) Übergabe des vollen Wortlautes der Rede des sowjetischen Außenministers Gromyko vom 12. April 1972 auf der gemeinsamen Sitzung der Kommissionen für Auswärtige Angelegenheiten des Obersten Sowjets aus Anlaß der Ratifizierung des deutsch-sowjetischen Vertrages.³

Zu 1) *Bundesminister* gab einleitend einen Überblick über den Stand der Bemühungen der Fraktionen um eine gemeinsame Basis.⁴

Die Gespräche seien jetzt unterbrochen, sie würden Anfang der kommenden Woche fortgesetzt. Man sei zwar weitergekommen, aber nicht so weit, wie die

---

¹ Die Gesprächsaufzeichnung wurde von Vortragendem Legationsrat I. Klasse Blumenfeld gefertigt und am 8. Mai 1972 an das Ministerbüro weitergeleitet mit dem Vermerk: „Der von Botschafter Falin überreichte Text der Rede Außenminister Gromykos entspricht inhaltlich dem in der sowjetischen Presse publizierten Text (vgl. Ost-Information vom 13.4.1972). Unter diesen Umständen könnte davon abgesehen werden, diesen Text dem Vermerk beizulegen." Vgl. dazu Anm. 13.
Hat Vortragendem Legationsrat I. Klasse Hofmann am 9. Mai 1972 vorgelegen, der handschriftlich vermerkte: „I. Ich habe Herrn Dingens heute folgenden Verteiler angegeben: Staatssekretär Dr. Frank, D Pol, D Pol 2, VRB, Botschaft Moskau (nur für Botschafter)". II. Reg[istratur], bitte Ablichtung dieses Anschreibens samt russischem Text (Original) weiterleiten an II A 4." Vgl. VS-Bd. 9019 (II A 4); B 150, Aktenkopien 1972.
Hat laut Vermerk von Hofmann vom 10. Mai 1972 Bundesminister Scheel vorgelegen.

² Zur Übereinkunft der Bundesregierung mit CDU und CSU, eine gemeinsame Entschließung der Fraktionen zu erarbeiten, vgl. Dok. 117.

³ Zu den Ausführungen des sowjetischen Außenministers Gromyko vor den Kommissionen für auswärtige Angelegenheiten des Unions- und des Nationalitätenrats des Obersten Sowjet vgl. Dok. 104, Anm. 12 und 30.

⁴ Ein erster Entwurf der Bundesregierung für eine Entschließung des Bundestags wurde am 2. Mai 1972 von der CDU/CSU-Fraktion als „völlig ungenügend" bezeichnet. Vgl. den Artikel „Union: Die Resolution muß auch für Moskau verbindlich sein"; DIE WELT vom 3. Mai 1972, S. 1.
Die CDU/CSU-Fraktion legte am 3. Mai 1972 einen eigenen Entschließungsentwurf vor. Für den Wortlaut vgl. den Artikel „Streben nach nationaler Einheit"; DIE WELT vom 4. Mai 1972, S. 2.
Zum Stand der Beratungen wurde am 5. Mai 1972 in der Presse gemeldet: „Nach Ansicht der Opposition könnte ein sowjetisches Hinnehmen einer bei der Ratifizierung beschlossenen Erklärung des Bundestages nicht genügen, wenn dieses Verhalten einem Nichtzurkenntnisnehmen gleichkäme. Die Union hält zumindest eine bestätigte Kenntnisnahme durch Moskau für notwendig." Vgl. den Artikel „Entscheidung über gemeinsame Erklärung zu den Ostverträgen soll heute fallen"; FRANKFURTER ALLGEMEINE ZEITUNG vom 5. Mai 1972, S. 1.

Regierung wolle. Die Schwierigkeit sei, einen ausgewogenen Text zu erarbeiten, dem wir zustimmen könnten. Die Opposition neige zu einer skeptischen Betrachtungsweise. Man habe aber bereits gewisse Annäherungen erzielt, und bei einiger Mühe werde auch etwas Vernünftiges herauskommen. Wesentlich sei es auch, daß keine unangemessenen Vorstellungen über den völkerrechtlichen Rang und die Möglichkeiten einer solchen Entschließung herrschten. Daher müsse man sich auf die Art der Übermittlung einigen. Die Koalitionsparteien würden sich Mühe geben. Es ginge ihnen ja nicht nur um die Abstimmung im Bundestag, sondern auch darum, was danach käme. Wenn die gegenwärtige Auseinandersetzung abgebaut werden könnte, so würde es eine gute Entwicklung geben. Bis Dienstag kommender Woche würden wir fixiert sein.

Falin warf ein, Dr. Barzel habe am 5. Mai erklärt, die Fraktion der CDU/CSU habe noch nicht entschieden, ob sie am kommenden Dienstag, dem 9. Mai, die Debatte beginnen möchte. Sie würde sich erst Dienstag morgen entscheiden.[5]

Bundesminister stimmte zu. Die Debatte werde in der kommenden Woche stattfinden. Den genauen Zeitpunkt habe der Ältestenrat noch nicht bestimmt. Am Montag, dem 8. Mai, würden die Fraktionen beraten. Dann werde sich herausstellen, ob eine gemeinsame Basis möglich sei. Für die CDU sei dies schwierig. Sie müsse es erreichen, daß ein Teil ihrer Abgeordneten der gemeinsamen Erklärung zustimmt und daß ein anderer Teil, der nicht zustimme, dies nicht als Kampfansage betrachte. Ein Teil wolle zustimmen. Die CDU-Fraktion müsse den Zwang lockern, ohne die Solidarität der Fraktion in Frage zu stellen. Die Führung der CDU-Fraktion halte die Frage weiter offen. Man sollte es aus übergeordneten Gründen der CDU möglichst leicht machen, die richtige Entscheidung zu treffen. Die Koalition sei geduldig, verteidige allerdings ihre außenpolitische Position. Er, der Minister, habe das Gefühl, daß eine ganze Reihe CDU-Kollegen genauso dächten. Eine gemeinsame Entschließung sei gut, nur dürfe sie den Charakter der Verträge nicht verändern. Es sei im übrigen auch im Interesse der Vertragspartner, wenn eine breitere Basis im Parlament und in der Öffentlichkeit für die Verträge[6] geschaffen werde. Er, der Minister, habe bisher nicht mit seinen Kollegen diskutiert, wie eine solche Entschließung übermittelt werden könne und an wen. Soweit sie Elemente enthalte, die die Vier Mächte angingen, sollte sie förmlich nur an diese gerichtet werden, nachrichtlich an die übrigen Partner. Eine weitere Frage sei nach der Prozedur, wie eine solche Entschließung beantwortet würde. Wenn sie an die Vier Mächte gerichtet sei, würden sich wohl die Vier Mächte verständigen, wie sie sie empfangen und beantworten oder nicht beantworten sollten.

Falin erwiderte, hier handele es sich um das Problem der Stellungnahme einer Seite. Der Außenminister Gromyko habe seinerseits Stellung genommen, er

---

[5] Am 6. Mai 1972 wurde in der Presse die Äußerung des CDU/CSU-Fraktionsvorsitzenden Barzel wiedergegeben, „noch stünden die Verträge nicht auf der Tagesordnung für die nächste Woche". Vgl. den Artikel „Nach einer Woche der Gespräche versteifte Fronten in Bonn"; DIE WELT vom 6./7. Mai 1972, S. 1.

[6] Für den Wortlaut des Vertrags vom 12. August 1970 zwischen der Bundesrepublik und der UdSSR vgl. BULLETIN 1970, S. 1094.
Für den Wortlaut des Vertrags vom 7. Dezember 1970 zwischen der Bundesrepublik und Polen über die Grundlagen der Normalisierung ihrer gegenseitigen Beziehungen vgl. BULLETIN 1970, S. 1815.

habe nicht geschwiegen. Es sei nicht leicht, wenn es bei einer einseitigen Entschließung bliebe. Dann brauche man keine Gegenreaktion der anderen Seite. Die sowjetische Seite würde auf ihre Weise antworten. Wenn sie einen Vorwand habe, werde sie etwas sagen, wie schon in Moskau, aber nicht wie Sie und wir es erwarteten. Für die sowjetische Seite würde es schwer sein, eine Antwort auf eine Entschließung zu geben. Heute könne er nur erklären: Es gebe keine Geheimabkommen. Die sowjetische wie die deutsche Seite gingen vom Text des Vertrages aus. Wenn die deutsche Seite dies für notwendig halte, könne er, Falin, dies schon heute erklären.

Bundesminister erwiderte, er würde empfehlen, keine isolierten Erklärungen abzugeben. Man solle erst abwarten, was herauskomme. Die Entschließung des Bundestages beziehe sich auf politische Grundsätze. Sie erfordere keine Sachreaktion der Sowjetunion. Es werde dort die Rede sein von europäischer Integration, von einer Friedensordnung, die zu einer Wiedervereinigung auf friedliche Weise führe. Eine Reaktion auf den Inhalt der Entschließung sei nicht das Entscheidende. Hauptsache sei die förmliche Übermittlung. Es gehe der Opposition darum, die Öffentlichkeit davon zu überzeugen, was beschlossen würde. Die Kollegen von der CDU hätten ihre Meinung ganz allmählich verändert. Man könnte z. B. an folgende Empfangsformel denken: „Wir bestätigen den Empfang der übermittelten Entschließung. Wir nehmen Gelegenheit festzustellen, daß der Vertrag vom 12. August 1970 nur aus sich selbst heraus zu interpretieren ist und daß es keine Nebenabreden oder Geheimabsprachen[7] dazu gibt."

Falin sagte, man solle Situationen auszuschließen versuchen, die nicht im Interesse beider Seiten seien. Wenn die deutsche Seite etwa sage, der Vertrag sei ein Modus vivendi und unterstreiche dies, solle dann die sowjetische Seite nicht auch unterstreichen, daß der Gewaltverzicht auch ein Modus vivendi sei?

Bundesminister erwiderte, der Gewaltverzicht sei kein Modus vivendi. Obgleich es noch keinen Friedensvertrag gebe, wollten wir die Dinge ordnen. Dies sei keine Situation, aus der heraus man Aggressionen entwickeln könne.

Falin replizierte, er teile die Auffassung, die der Minister anläßlich der ersten Lesung der Verträge ausgesprochen habe, die Bundesrepublik Deutschland handele für sich selbst und solange sie bestehe.[8] Dies sei klar.

Bundesminister sagte, dies sei das Problem der Oder-Neiße-Linie. Wir seien darin einig mit Polen. Wir könnten nicht etwas regeln, wozu wir kein Recht hätten, sondern nur Deutschland als Ganzes, und dies aus gutem Grunde. Aber wir hätten gesagt, wir könnten mit Polen vertraglich übereinstimmen, daß die Oder-Neiße-Linie die Westgrenze Polens bleibe. Wir würden in allen Lagen dazu stehen; auch wenn die Bundesrepublik Deutschland an einer Friedenskonferenz teilnehme, würde sie dazu stehen.

Falin erwiderte, wenn dies in einer gemeinsamen Entschließung stünde, dann sei es gut. Wenn aber darin stünde, daß die Verträge für die rechtliche Fixierung der Grenzen keine Bedeutung hätten, dann sei dies etwas anderes.

---

[7] Korrigiert aus: „Geheimansprachen".
[8] Für die Ausführungen des Bundesministers Scheel vom 23. Februar 1972 vgl. Dok. 34, Anm. 13.

Bundesminister sagte, die Opposition argumentiere hier unklar. Ihre führenden Leute sähen dies. Sie möchten dies mit Worten darstellen, die in den Köpfen vieler Menschen gebräuchlich seien. Man sollte darüber hinweggehen. Kein Mensch wolle aber über den Vertrag hinweggehen.

Falin erklärte, die sowjetische Position sei wie folgt: Die Sowjetunion verzichte auf ein Recht aus dem Kriege durch den Gewaltverzicht. Sie verzichte ohne Bedingungen, allerdings unter der Voraussetzung, daß manche Fragen geklärt würden. Daher sei es so außerordentlich schwierig gewesen, eine Ausgewogenheit im Verhältnis zu Polen und zur UdSSR herzustellen. Wenn nun durch die Entschließung die Ausgewogenheit verletzt würde, dann würden damit die Interessen beider Seiten in Frage gestellt. Dann könnte die Sowjetunion ihre Rechte aus dem Kriege bekräftigen. Dies sei für die Bundesrepublik sicherlich nicht interessant zu hören.

Bundesminister warf ein, die Entschließung werde im Einklang mit dem Buchstaben und dem Geist der Verträge stehen, wie dies der Bundeskanzler gesagt habe.

Falin bemerkte, wir sollten doch keine juristisch formale, sondern eine politische Entschließung anstreben mit den Grundzügen unserer Politik, nicht mit einer Interpretation der Verträge. Unser Vertrag sei für die Bundesrepublik und die Sowjetunion gemacht, nicht für Gesamtdeutschland. Im übrigen sei ja alles im Leben ein Provisorium. Wenn die Bundesregierung in Sachen Gemeinsamer Markt kontrahiere, unterstreiche sie ja auch nicht das Problem Deutschland als Ganzes. Das stünde im Hintergrund, vielleicht sogar nicht einmal im Hintergrund. Die beste Methode sei, von den Realitäten auszugehen.

Bundesminister erwiderte, der Fall einer Wiedervereinigung Deutschlands sei im Römischen Vertrag[9] geregelt. Wenn Deutschland wiedervereinigt sei, werde es aus dem EWG-Vertrag entlassen.

Falin warf ein, dies stünde aber nicht in anderen Abmachungen.

Bundesminister fuhr fort, dies sei geschehen, um der Bundesregierung freie Hand zu geben im Falle einer Wiedervereinigung und um uns nicht zu behindern. Dies habe einer seiner, des Ministers, Vorgänger[10] durchgesetzt.

Falin sagte, er wolle noch eine Erwägung vortragen. Wenn wir schon eine Entschließung machen, daß die Bundesrepublik Deutschland Mitglied der NATO sei und bleibe, so sei es möglich, daß die DDR ihre Mitgliedschaft zum War-

---

[9] Bei den Verhandlungen über die Verträge vom 25. März 1957 zur Gründung der Europäischen Wirtschaftsgemeinschaft bzw. der Europäischen Atomgemeinschaft wurde die Erklärung abgegeben: „Die Bundesregierung geht von der Möglichkeit aus, daß im Fall der Wiedervereinigung Deutschlands eine Überprüfung der Verträge über den Gemeinsamen Markt und EURATOM stattfindet." Dazu führte Staatssekretär Hallstein am 21. März 1957 im Bundestag aus: „Die Formulierung ‚Überprüfung der Verträge' ist absichtlich gewählt, um alle Möglichkeiten zu decken, die sich im Falle der Wiedervereinigung ergeben können. Außer den beiden extremen Möglichkeiten einer Beteiligung oder Nichtbeteiligung des wiedervereinigten Deutschlands an den Verträgen kommt ja eine dritte Möglichkeit in Betracht – und das ist vielleicht die wahrscheinlichste –, nämlich die, daß das wiedervereinigte Deutschland sich an der Gemeinschaft zu beteiligen wünscht, aber eine Anpassung der Verträge an die neu entstandene Lage erbitten muß." Vgl. BT STENOGRAPHISCHE BERICHTE, Bd. 35, S. 11332.

[10] Heinrich von Brentano.

schauer Vertrag[11] in entsprechender Weise betonen werde. Wenn die eine Seite etwas sage, dann aus Gründen des Gleichgewichts auch die andere. Wenn etwas einseitig sei, dann solle es auch einseitig bleiben und nicht anderthalbseitig. Der Minister habe alles schon früher gesagt in Moskau; die sowjetische Seite habe es nicht vergessen. Er, der Minister, brauche es nicht zu wiederholen. Wenn eine Reaktion erforderlich sei, dann könne die sowjetische Seite nicht nur sagen, „wir haben dies und jenes erhalten", sondern sie müßte zu diesem oder jenem Punkte eine eigene Meinung äußern. Dies wolle die deutsche Seite sicherlich nicht.

Bundesminister erwiderte, es komme ganz darauf an, was in der Entschließung stehe. Der Bundestag könne sich die Sache ja auch leicht machen. Er könne sich die Denkschrift der Bundesregierung zum Vertrag[12] in vollem Umfange zu eigen machen. Dort werde die Ausgewogenheit des Vertrages dargelegt. Dann könnten wir wohl eine Reaktion erwarten, die über ein reines Empfangen hinausgehe. Wir hatten jetzt festgestellt, wie die Lage sei und was es mit den rechtlichen Verpflichtungen auf sich habe. Wir wollten jetzt erst einmal weitersehen.

Zu 2) *Falin* überreichte im Auftrage seiner Regierung den vollen Text der Rede des Außenministers Gromyko während der Debatten der Kommissionen des Obersten Sowjets im russischen Original nebst inoffizieller deutscher Übersetzung (Anlage).[13]

Bundesminister dankte für die Überreichung. Dies werde möglicherweise hilfreich sein, und zwar die Tatsache, daß der Text übermittelt wurde wie auch der Inhalt.

Falin bemerkte, in diesem Text werde auch auf den Brief des Außenministers[14] Bezug genommen.

Bundesminister erwiderte, dies sei ihm bekannt. Der Bundestag habe ja seine Meinung auch geändert, daß der Brief nicht das erforderliche Ausmaß internationaler Geltung habe. Die wesentliche Besorgnis der CDU sei die, daß durch den Vertrag die Möglichkeit der Wiedererlangung der staatlichen Ein-

---

[11] Für den Wortlaut des Vertrags vom 14. Mai 1955 zwischen Albanien, Bulgarien, der ČSSR, der DDR, Polen, Rumänien, der UdSSR und Ungarn über Freundschaft, Zusammenarbeit und gegenseitigen Beistand vgl. GESETZBLATT DER DDR 1955, Teil I, S. 382–390.

[12] In der Denkschrift vom 11. Dezember 1971 zum Moskauer Vertrag vom 12. August 1970 gab die Bundesregierung in einem Allgemeinen Teil Informationen zu den Hintergründen und Zielsetzungen des Vertrags; in einem Besonderen Teil wurden die einzelnen Artikel des Vertrags erläutert. Zur Wiedervereinigung Deutschlands wurde erklärt, daß Artikel 3 des Vertrags „sich insgesamt nur gegen gewaltsame Grenzänderungen" wende, jedoch die „Anwendung dieses Grundsatzes auf die Grenze zwischen der Bundesrepublik Deutschland und der DDR keinen Verzicht auf die Fortsetzung der Politik der Bundesrepublik, die auf die Ausübung des Selbstbestimmungsrechtes der Deutschen gerichtet ist", bedeute. Dieses Ziel sei auch in dem Brief des Bundesministers Scheel vom 12. August 1970 an den sowjetischen Außenminister Gromyko formuliert: „Er ist ein Dokument, das im Zusammenhang mit dem Vertrag, auf den der Brief verweist, von einer Vertragspartei verfaßt und von der anderen entgegengenommen worden ist. Der Brief muß daher zur Interpretation des Vertrages herangezogen werden." Vgl. BULLETIN 1971, S. 2016 f.

[13] Dem Vorgang beigefügt sind der russische Text der Rede vom 12. April 1972 sowie eine deutsche Wiedergabe des Presse- und Informationsamts. Vgl. VS-Bd. 9019 (II A 4); B 150, Aktenkopien 1972. Vgl. auch Anm. 1.
Für die inoffizielle Übersetzung der Rede vgl. Ministerbüro, Bd. 475.

[14] Zum „Brief zur deutschen Einheit" vom 12. August 1970 vgl. Dok. 55, Anm. 11.

heit ausgeschlossen werde. Die Regierung und die Koalition haben dagegen gesagt, daß dies jederzeit möglich sei, wenn beide Staaten dies wollten oder die Einheit durch einen Friedensvertrag wiederhergestellt werde.

Falin sagte, dies sei klar festgestellt worden.

Bundesminister setzte hinzu, wir hofften auf ein positives Votum. Wir würden dann den Vertrag ausfüllen.

Falin erinnerte daran, daß laut Cycon in der „Welt" nicht der Vertrag schlecht sei, sondern die Regierung.[15]

Bundesminister schloß mit der Bemerkung, die Opposition wolle in erster Linie regieren, und dies sei ja auch durchaus legal.

Die Unterredung dauerte 40 Minuten. Sie verlief in entspannter, freundschaftlicher Atmosphäre.

VS-Bd. 9019 (II A 4)

122

Aufzeichnung des Ministerialdirektors von Staden

I B 5-83.00-92.12-1257/72 VS-vertraulich   8. Mai 1972[1]

Betr.: Beziehungen Indien–DDR;
       hier: Reaktion auf vorzeitige Anerkennung

Herrn Staatssekretär[2] vorgelegt mit dem Vorschlag, dem im folgenden dargelegten Rahmen einer deutschen Reaktion zuzustimmen.

1) Die deutsch-indischen Beziehungen haben sich bislang problemlos und ohne Spannungen entwickelt. Der Schwerpunkt der Zusammenarbeit liegt auf wirt-

---

[15] Der Journalist Cycon führte am 26. April 1972 aus, der Versuch der CDU/CSU-Fraktion, mit dem konstruktiven Mißtrauensvotum einen Regierungswechsel herbeizuführen, sei nicht allein auf die Ostpolitik der Bundesregierung zurückzuführen: „Die heutige Situation ist Ausdruck einer tiefen Vertrauenskrise zwischen der Regierung und einer über die ursprüngliche Opposition hinausreichenden Gruppe im Parlament, zwischen der Regierung und einer breiten Strömung in der Öffentlichkeit. Bei vielen hat sich der Eindruck verstärkt, daß sie von Kräften regiert werden, die nicht durchschaubar sind, daß sie auf Ziele hingesteuert werden, die nicht offen genannt werden, daß die Entwicklung nicht auf eine Verbesserung des außen- und innenpolitischen Systems, sondern auf seine Sprengung zuläuft." Vgl. den Artikel von Dieter Cycon: „Das Exempel der Protokoll-Affäre"; DIE WELT vom 26. April 1972, S. 4.

[1] Die Aufzeichnung wurde von Vortragendem Legationsrat I. Klasse Berendonck und Legationsrat I. Klasse Hoffmann konzipiert.

[2] Hat Staatssekretär Frank am 16. Mai 1972 vorgelegen, der handschriftlich für Ministerialdirektor von Staden vermerkte: „Bitte Hausbesprechung nach Pfingsten."
Hat Legationsrat I. Klasse Vergau am 16. Mai 1972 vorgelegen, der handschriftlich vermerkte: „Frau Kletschke: Bitte Terminvorschlag."
Hat Staden am 17. Mai 1972 erneut vorgelegen, der die Weiterleitung an Ministerialdirigent Müller „m[it] d[er] B[itte] u[m] w[eitere] V[eranlassung]" verfügte.
Hat Müller am 17. Mai 1972 vorgelegen, der Referat I B 5 um Rücksprache bat.

schaftlichem Gebiet. Die politischen Beziehungen können als gut bezeichnet werden, sie sind jedoch ohne wesentliche Substanz geblieben. Unser Verhältnis zu Indien ist zur Zeit durch ein gewisses deutsches Überengagement auf politischem, wirtschaftlichem und kulturellem Gebiet gekennzeichnet.

2) Die Beziehungen Indiens zur DDR haben sich in den letzten Jahren stetig verbessert. Auf unsere Bitte hat Indien, das grundsätzlich zur Anerkennung der DDR bereit ist, den Zeitpunkt der Aufnahme diplomatischer Beziehungen zur DDR noch nicht festgelegt.[3]

3) Wenn wir Störungen des innerdeutschen Dialogs durch Veränderungen der Außenbeziehungen der DDR vermeiden wollen, werden wir uns bemühen müssen, dritten Staaten die Festigkeit unserer Haltung in der deutschen Frage glaubhaft zu machen. Die deutliche Reaktion auf die Anerkennung der DDR durch Ceylon[4] hat sich in dieser Beziehung im asiatischen Raum günstig für uns ausgewirkt.

Auch die Anerkennung durch Indien kann von uns nicht ohne weiteres hingenommen werden. Dabei wird allerdings eine Anerkennung nur kurz vor der Aufnahme beider deutscher Staaten in die VN kaum Reaktionen nach sich zu ziehen haben, während die Reaktion deutlicher erkennbar werden muß, je weiter der indische Schritt vor dem Abschluß der innerdeutschen Verhandlungen liegt.

4) Wir stehen vor dem Dilemma, daß wir einerseits auf die vorzeitige indische Anerkennung deutlich reagieren sollten, andererseits aber unsere Gesamtposition in dem wichtigsten Land Südasiens nicht einbüßen wollen. Der indische Schritt wird daher zwar unsere politische Handlungsfreiheit vergrößern und uns Gelegenheit geben, ein gewisses Mißverhältnis zwischen den politischen Beziehungen einerseits und der wirtschaftlichen und kulturellen Zusammenarbeit andererseits zu mildern. Unsere konkrete Reaktion wird sich aber wohl auf ein Festschreiben der Kapitalhilfe und ein Nichteingehen auf indische Sonderwünsche – auch im kulturellen Bereich – begrenzen.

5) Im einzelnen wäre ins Auge zu fassen:

a) Auf politischem Gebiet wäre zunächst eine Erklärung des Bedauerns über den indischen Schritt zu diesem Zeitpunkt abzugeben und die Überprüfung der

---

[3] Zu einer möglichen Anerkennung der DDR durch Indien vgl. Dok. 14, besonders Anm. 5.
Am 15. Mai 1972 gab Botschafter Diehl, Neu Delhi, die Einschätzung, „daß eine schnelle indische Entscheidung für die Anerkennung der DDR im jetzigen Zeitpunkt nicht zu erwarten ist. Die Tendenz, die Ratifizierung der Ostverträge, nicht dagegen den Abschluß einer innerdeutschen Vereinbarung als das entscheidende Kriterium anzusehen, ist aber unverkennbar." Vgl. den Drahtbericht Nr. 556; Referat I B 5, Bd. 666.

[4] Am 22. Juni 1970 wurde bekanntgegeben, daß Ceylon die DDR mit Wirkung vom 16. Juni 1970 diplomatisch anerkannt habe. Die Bundesregierung beschloß daraufhin, die bis dahin als „sehr freundschaftlich und eng" betrachteten Beziehungen einer Überprüfung zu unterziehen. Bestehende Verpflichtungen auf dem Gebiet der Entwicklungshilfe sollten eingehalten werden, die bereits unterschriftsreifen Abkommen über Kapitalhilfe, ein Rahmenabkommen sowie zwei Projektabkommen über Technische Hilfe jedoch nicht unterzeichnet werden. Vgl. die Aufzeichnung des Ministerialdirektors von Staden vom 23. Juni 1970; Referat I B 5, Bd. 514.
Am 19. Januar 1971 bekräftige Ministerialdirigent Gehlhoff die Haltung, daß sich die Bundesrepublik an westlicher Wirtschaftshilfe für Ceylon nicht beteiligen könne, da „eine Wiederaufnahme deutscher Hilfsleistungen im asiatischen Raum als Zeichen der Freigabe der Außenbeziehungen zur DDR mißdeutet werden und damit unerwünschte Folgen für die Deutschlandpolitik der Bundesregierung haben" könnte. Vgl. den Drahterlaß; Referat I B 5, Bd. 515.

Beziehungen anzukündigen. Der jährliche Rhythmus der politischen Konsultationen auf Staatssekretärsebene[5] könnte unter Berücksichtigung der jeweiligen politischen Erfordernisse gedehnt werden.

b) Auf wirtschaftlichem und entwicklungspolitischem Gebiet könnte angesichts des erklärten indischen Strebens nach „self-reliance" eine stärkere Zurückhaltung angestrebt werden. Es wird uns in diesem Zusammenhang möglich sein, von neuen Zusagen der technischen Hilfe (im weiteren Sinne) Abstand zu nehmen. Dagegen wird es uns bei der bilateralen Kapitalhilfe (KH) als Mitglied des Weltbankkonsortiums für Indien[6] kaum möglich sein, weniger zu tun, als den jährlichen Beitragsrahmen (KH-Neuzusagen und Umschuldungen zusammengenommen) auf dem bisherigen Niveau (1971: 270 Mio. DM, davon 180 Mio. DM KH-Neuzusagen, 90 Mio. DM Umschuldungsbeitrag) festzuschreiben.[7]
Bei dem Handelsbilanzdefizit Indiens gegenüber der Bundesrepublik würde der deutsche Indien-Handel und somit die deutsche wirtschaftliche Position in Indien empfindlich unter einer Herabsetzung der KH-Neuzusage leiden. Im übrigen hätten wir von Fall zu Fall zu prüfen, ob es unter Berücksichtigung der deutschen Interessen noch weiterhin angebracht erscheinen kann, unsere Projekthilfe und Kapitalgüterhilfe an Indien lieferungebunden zu vergeben. Es liegt in unserem Interesse, daß der bilaterale Handelsaustausch gefördert und nach Möglichkeit gesteigert wird.

Die steigende, auf multilateralem Weg nach Indien gehende Hilfe, vor allem der IDA[8], bliebe unberührt. (Deutscher Anteil an IDA-Indienhilfe z. Zt. jährlich rund[9] 100 Mio. DM).

Was die Privatinvestitionen angeht, so stehen angesichts der indischen bürokratischen Hemmnisse und der Bevorzugung des öffentlichen Sektors in Indien besondere Anstrengungen auf unserer Seite (etwa über ein größeres Engagement der DEG mit deutschen Partnern) zur Zeit nicht zur Diskussion.

c) Da zur Zeit der Anerkennung Abmachungen im Rahmen des deutsch-indischen Kulturabkommens[10] bereits bis 1974 bestehen werden[11], ist erst für die Zeit danach an einen Abbau des starken Engagements auf diesem Gebiet zu

---

[5] Staatssekretär Frank hielt sich zuletzt am 20./21. Januar 1972 zu Konsultationen in Neu Delhi auf. Vgl. dazu Dok. 14.

[6] Die Bundesrepublik gehörte seit 1958 dem Indien-Konsortium unter Leitung der Weltbank an. Weitere Mitglieder waren Belgien, Dänemark, Frankreich, Großbritannien, Italien, Japan, Kanada, die Niederlande, Norwegen, Österreich, Schweden und die USA.

[7] Am 9. Mai 1972 notierte Vortragender Legationsrat I. Klasse Berendonck mit Blick auf die Tagung des Indien-Konsortiums am 12./13. Juni 1972 in Paris: „Da es nicht auszuschließen ist, daß Indien im Laufe der nächsten Monate die DDR anerkennt, wird gebeten, den für Kapitalhilfe Indien vorgesehenen Betrag auf der Konsortiumstagung noch nicht bekanntzugeben. Dadurch soll die Möglichkeit erhalten bleiben, von einer Steigerung über den Vorjahresbetrag hinaus Abstand zu nehmen." Vgl. Referat III B 7, Bd. 770.

[8] International Development Association.

[9] Dieses Wort wurde von Ministerialdirektor von Staden handschriftlich eingefügt. Dafür wurde gestrichen: „nur"

[10] Nach vierjährigen Verhandlungen wurde am 20. März 1969 ein Kulturabkommen zwischen der Bundesrepublik und Indien unterzeichnet, das am 11. September 1969 in Kraft trat. Für den Wortlaut vgl. BUNDESGESETZBLATT 1969, Teil II, S. 1714–1723.

[11] Vom 24. bis 26. April 1972 fand in Bonn die zweite Sitzung des Ständigen Gemischten Deutsch-Indischen Kulturausschusses statt, auf der ein Austauschprogramm für die Jahre 1972 bis 1974 vereinbart wurde. Vgl. dazu das Protokoll vom 26. April 1972; Referat 610, Bd. 465.

denken. Es sollte jedoch bereits im Rahmen der bestehenden Abmachungen nach Möglichkeit auf Reziprozität geachtet und indischen Sonderwünschen mit einer gewissen Zurückhaltung begegnet werden.

d) Der verminderte Umfang der deutschen Aufgaben in Indien könnte auch in einer Verminderung der personellen Ausstattung der dortigen Auslandsvertretungen zum Ausdruck kommen. Dabei wäre in erster Linie an einen personellen Abbau des Generalkonsulats Kalkutta zu denken.

Die Referate II A 1, III B 7, III B 1 und IV 10 haben mitgezeichnet. Herr Dg III B[12] wurde beteiligt.

Da die Überlegung, daß wir unsere Entwicklungshilfe wegen ihrer internationalen Bindung und aus eigenen wirtschaftlichen Interessen unverändert auf dem bisherigen Stand fortsetzen sollten, eine Entscheidung von erheblicher politischer Tragweite impliziert, halte ich eine Besprechung bei Ihnen unter Beteiligung von Pol und III für angezeigt.[13]

Staden

VS-Bd. 9884 (I B 5)

---

[12] Ulrich Lebsanft.
[13] Die Wörter „Besprechung" und „angezeigt" wurden von Staatssekretär Frank hervorgehoben.
Am 25. Mai 1972 fand eine Besprechung bei Frank statt, die zu dem Ergebnis kam, daß die Kapitalhilfezusagen an Indien 1972 „notfalls auf 240 bis 255 Mio. DM reduziert werden, jedoch nicht wegfallen können [...]. Wird die Kürzung nicht erforderlich, ist eine Gesamtzusage von 290 bis 300 Mio. DM in Aussicht genommen. Die scheinbar geringfügige Differenz zwischen diesen beiden Alternativen würde (wegen der Veränderung der jeweiligen jährlichen Ausgangsposition) auf die Dauer der Jahre gesehen zu beachtlichen Unterschieden in der Gesamtzusage führen." Am 2. Juni 1972 werde Frank ein Gespräch mit dem indischen Botschafter Singh führen: „Ohne direkten Hinweis auf die Kapitalhilfe soll in diesem Gespräch zum Ausdruck kommen, daß eine Aufnahme diplomatischer Beziehungen durch Indien in diesem Augenblick sich noch immer auf die Qualität der Beziehungen zu uns auswirken wird." Vgl. die Aufzeichnung des Vortragenden Legationsrats I. Klasse Schlaich vom 30. Mai 1972; VS-Bd. 8835 (III B 1); B 150, Aktenkopien 1972.
Am 9. August 1972 teilte Ministerialdirektor Herbst der Botschaft in Neu Delhi mit, daß der Interministerielle Referentenausschuß für Kapitalhilfe am 28. Juli 1972 beschlossen habe, Indien eine Gesamthilfe von 290 Mio. DM zur Verfügung zu stellen: „Davon werden 120 Mio. DM als Umschuldung in Form von Stundung fälliger Forderungen gewährt, 100 Mio. als Waren-Soforthilfe und 70 Mio. DM als Kapitalhilfe. [...] Dieser Beschluß ist vertraulich und darf den Indern vorerst nicht mitgeteilt werden." Vgl. Referat III B 7, Bd. 769.

123

Aufzeichnung des
Vortragenden Legationsrats Schlange-Schöningen

IV 5-80.SL/94.29   8. Mai 1972

Über Herrn Dg IV[1] Herrn D IV[2]

Betr.: Deutsch-sowjetische wissenschaftliche Beziehungen;
    hier: a) Sowjetischer Entwurf eines Abkommens über wissenschaftlich-technische und wirtschaftliche Zusammenarbeit[3]
    b) Entwurf des Bundesministeriums für Bildung und Wissenschaft über Zusammenarbeit in der wissenschaftlichen Forschung und technologischen Entwicklung[4]

Zweck der Vorlage

Zur Vorbereitung einer Stellungnahme des Auswärtigen Amts. Klärung des Zusammenwirkens der Abteilungen III und IV.

Entscheidungsvorschlag

D III[5] zu einem Gespräch einzuladen, in dem der Versuch zu machen wäre, die Voraussetzungen für eine Zusammenarbeit der beiden Abteilungen zu schaffen.

Sachdarstellung

Mit der in Ablichtung beigefügten Zuschrift vom 24. April 1972 – III A 8-81.SL/94.29 – übermittelte Referat III A 8 dem Referat IV 9 die oben näher be-

---

[1] Hat Ministerialdirigent Forster am 11. Mai 1972 vorgelegt, der handschriftlich für Ministerialdirektor Steltzer vermerkte: „Der Inhalt beider Entwürfe bezieht sich auch auf Materien unserer Zuständigkeit. Zum Procedere: Ich teile nicht alle Ansichten von IV 5; einiges hat sich im ‚Dirigenten-Kränzchen' auch schon anders geklärt. Einschalten müssen wir uns jedoch unbedingt. Vor einem Gespr[äch] mit III: Vorschlag Bespr[echung] bei Ihnen mit IV 1, 5 und 9."

[2] Hat Ministerialdirektor Steltzer am 12. Mai 1972 vorgelegt, der handschriftlich für Ministerialdirigent Forster vermerkte: „B[itte] Gespräch vorzubereiten."
Hat Forster erneut am 15. Mai 1972 vorgelegt, der handschriftlich für Referat IV 5 vermerkte: „B[itte] Anruf."
Hat Vortragendem Legationsrat I. Klasse Lang am 9. Juni 1972 vorgelegt, der handschriftlich vermerkte: „1) Vorgang kam heute auf meinen Tisch. 2) Fr[au] Döres: Bitte mit Fr[au] Respondek einen Termin für Gespräch bei D IV unter Teilnahme von Dg IV, IV 1, IV 9 vereinbaren. W[ieder]v[orlage] 21.6.72 (genau)."
Hat Lang am 21. Juni 1972 erneut vorgelegt, der handschriftlich vermerkte: „Termin am 21.6.72 von D IV wieder abgesagt. Fr[au] Respondek: Erbitte neuen Termin mit IV 1 und IV 9."
Hat Lang am 27. Juni 1972 nochmals vorgelegt, der handschriftlich vermerkte: „Rücksprache nicht erfolgt mit IV 1 u[nd] IV 9."

[3] Die UdSSR legte anläßlich der konstituierenden Sitzung der deutsch-sowjetischen Kommission für den wirtschaftlichen und wissenschaftlich-technischen Austausch am 19. April 1972 den Entwurf eines Abkommens über wissenschaftlich-technische und wirtschaftliche Zusammenarbeit vor. Für den Wortlaut vgl. Referat II A 4, Bd. 1519.

[4] Für den Wortlaut des Entwurfs vom 14. April 1972 für ein Rahmenabkommen mit der UdSSR über Zusammenarbeit in der wissenschaftlichen Forschung und technologischen Entwicklung vgl. Referat II A 4, Bd. 1519.

[5] Otto-Axel Herbst.

zeichneten beiden Abkommensentwürfe mit der Bitte um Stellungnahme.[6] Referat IV 9 leitete die Zuschrift ohne eigene Meinungsäußerung am 25. April 1972 – IV 9-1-94.29/3[7] – an Referat IV 5 weiter. Die späte Vorlage erlaubte es nicht mehr, an der Ressortbesprechung am 28. April 1972 im Bundesministerium für Bildung und Wissenschaft teilzunehmen. Außerdem waren hierzu auch weder Referat IV 5 noch Referat IV 9 eingeladen.

Referat IV 5 wurde – wie in solchen Fällen üblich – von Referat III A 8 nicht beteiligt und erhielt erst auf dem Umweg über Referat IV 9 von dem Vorgang Kenntnis. Die Motivation für dieses Verhalten ist klar: Referat III A 8 hält unbeirrt an der von Abteilung III aufgestellten und hartnäckig vertretenen Unterscheidung zwischen Natur- und Geisteswissenschaften fest und sieht sich als allein zuständig für den Bereich der Naturwissenschaften an, während es Referat IV 5 nur die Zuständigkeit für Geisteswissenschaften (möglichst noch eingeengt durch das Adjektiv „schöngeistig") zubilligt.[8]

Den Schaden eines solchen fortdauernden Gerangels hat die Bundesrepublik Deutschland zu tragen. Ihre Interessen gegenüber dem Ausland werden dadurch ungenügend wahrgenommen. Auch für das Auswärtige Amt selbst ist dieser immer wieder aufbrechende und jedes vernünftige Arbeiten lähmende Zuständigkeitsstreit nur schädlich.

Das Bundesministerium für Bildung und Wissenschaft, dem es aus einer Reihe von Gründen nicht gelingt, sich im Internverhältnis in der Bundesrepublik Deutschland in dem von ihm gewünschten Ausmaß Zuständigkeiten zu verschaffen, weicht zielbewußt und inzwischen mit deutlich sichtbarem Erfolg auf das außenpolitische Feld aus. Der Zuständigkeitswirrwarr und die mangelnde Zusammenarbeit im Auswärtigen Amt erleichtert ihm dieses Vorgehen. Wenn das Auswärtige Amt so weitermacht, wird es auf einem der wichtigsten Gebiete in den internationalen Beziehungen, nämlich dem der wissenschaftlichen Zusammenarbeit, bald überhaupt keine Rolle mehr spielen. Das Bundesministerium für Bildung und Wissenschaft und das Bundesministerium für wirt-

---

[6] Dem Vorgang nicht beigefügt.
Legationsrätin I. Klasse Gonzalez-Schmitz übermittelte den Referaten II A 4, IV 9 und V 8 den von sowjetischer Seite am 19. April 1972 übergebenen Entwurf für ein Abkommen über wissenschaftlich-technische und wirtschaftliche Zusammenarbeit und teilte dazu mit: „Während der Sitzung ist der sowjetischen Delegation bereits erklärt worden, wir seien der Ansicht, daß die wirtschaftliche Zusammenarbeit in dem am 7. April d. J. paraphierten Handelsvertrag bereits geregelt sei, und gingen deshalb davon aus, daß in dem neuen Abkommen nur die wissenschaftlich-technische Zusammenarbeit behandelt würde." Gleichzeitig übersandte sie den Entwurf des Bundesministeriums für Bildung und Wissenschaft vom 14. April 1972 für ein Rahmenabkommen mit der UdSSR über Zusammenarbeit in der wissenschaftlichen Forschung und technologischen Entwicklung, „der den sowjetischen Entwurf noch nicht berücksichtigt und mit den Ressorts noch nicht abgestimmt ist". Vgl. Referat II A 4, Bd. 1519.
[7] Für den Vermerk der Vortragenden Legationsrätin Lindemann vgl. Referat 610, Bd. 498.
[8] Am 12. Mai 1972 vermerkte Vortragender Legationsrat I. Klasse Opfermann zu dem am 6. April 1972 übermittelten Entwurf des Referats IV 9 vom 23. März 1972 für ein Abkommen mit der UdSSR über kulturelle und wissenschaftliche Zusammenarbeit, daß die Erwähnung der wissenschaftlichen Zusammenarbeit im Titel „insofern unkorrekt ist, als die – von Referat III A 8 betreute – naturwissenschaftliche Zusammenarbeit scheinbar eingeschlossen wird". Auch die Verwendung des Begriffs „Wissenschaft" im Text des Abkommensentwurfs sei „mißverständlich, da keine Abgrenzung zur naturwissenschaftlich-technischen Zusammenarbeit und zum Wissenschaftleraustausch auf diesem Gebiet erkennbar ist". Vgl. Referat 610, Bd. 496.

schaftliche Zusammenarbeit nehmen hier bereits starke Positionen ein, die sie, für jeden erkennbar, täglich weiter ausbauen.

Diese Warnung muß sich leider insbesondere an Abteilung IV richten. Der Wissenschafts- und Hochschulbereich nimmt im Rahmen dessen, was als auswärtige Kulturpolitik bezeichnet wird, in keiner Weise die Stellung ein, die er angesichts seiner internationalen Bedeutung haben sollte. Es wäre ein Irrtum, wollte man sich damit beruhigen, daß er ja finanziell in herausgehobener Weise am Kulturfonds beteiligt sei. Nicht nur genügt dies nicht, sondern entscheidend kommt es darauf an, daß das Auswärtige Amt eine klare und überlegte Politik in dieser Hinsicht treibt. Hierfür müssen jedoch zunächst die organisatorischen und personellen Voraussetzungen geschaffen werden, an denen es bisher fehlt. Gerade der Hochschul- und Wissenschaftsbereich ist seit der Umorganisation der Abteilung im August 1970 die Arbeitseinheit, die am stärksten vernachlässigt und durch die absolut unzureichende personelle Ausstattung praktisch handlungsunfähig gemacht wurde.

Die Erfahrung der letzten beiden Jahre zeigt bereits, daß sich das Interesse fremder Staaten in erster Linie auf den Abschluß von Wissenschaftsabkommen richtet – die praktisch schon nicht mehr zum Bereich der auswärtigen Kulturpolitik gerechnet werden und dem Einfluß der Kulturabteilung entzogen sind – und daß die Kulturabteilung Mühe hat, Kulturabkommen, die diesen Namen verdienen, mit einem substantiellen Inhalt abzuschließen. Es ist schon sehr spät, um hier Änderungen herbeizuführen, die, falls man es überhaupt wünscht, dem Auswärtigen Amt wieder eine stärkere Stellung geben. Geschieht dies nicht, dann wird sich Abteilung IV nach Auffassung von Referat IV 5 im Abseits befinden und in seiner Bedeutung im Auswärtigen Amt noch mehr zurücktreten.

Die vorliegenden beiden Entwürfe bestätigen die hier dargestellte Situation. In beiden Entwürfen – dem sowjetischen ebenso wie dem des Bundesministeriums für Bildung und Wissenschaft – werden Teilbereiche, an denen die Verfasser jeweils besonders interessiert sind und denen in der Tat auch wesentliche Bedeutung zukommt, isoliert geregelt. Dies kann nicht im wohlverstandenen allgemeinen deutschen Interesse liegen.

Aus der Sicht der für die auswärtige Kulturpolitik und für die wissenschaftliche Zusammenarbeit mit dem Ausland allgemein verantwortlichen Abteilung des Auswärtigen Amts ist folgendes zu bemerken:

1) Es sollte weder ein Abkommen allein über die wissenschaftlich-technische Zusammenarbeit – wie es der sowjetische Entwurf vorsieht – noch über die Zusammenarbeit in der wissenschaftlichen Forschung und technologischen Entwicklung – wie vom Bundesministerium für Bildung und Wissenschaft vorgeschlagen – angestrebt, sondern es sollte mit der Sowjetunion ein umfassendes Abkommen über die kulturelle und wissenschaftliche Zusammenarbeit abgeschlossen werden.[9]

---

[9] Referat IV 9 vermerkte bereits auf dem Entwurf vom 23. März 1972 für ein Abkommen mit der UdSSR über kulturelle und wissenschaftliche Zusammenarbeit: „Es wird davon ausgegangen, daß es nicht möglich sein wird, mit der Sowjetunion über ein umfassendes Abkommen zu verhandeln, das einerseits die Kulturbeziehungen, andererseits auch die Gebiete der wissenschaftlichen Forschung und der technologischen Zusammenarbeit einschließt. Daher sieht dieser Entwurf nur die

2) Kann das unter Ziffer 1) genannte Ziel nicht erreicht werden, so sollte ein Abkommen über die Zusammenarbeit im Wissenschafts- und Hochschulbereich angestrebt werden, das alle Wissenschaftsbereiche umfaßt, auch den Austausch einschließt, der gegenwärtig in den Händen der Deutschen Forschungsgemeinschaft liegt und in dem auch die Stipendienvergabe an Professoren, Dozenten, jüngere Wissenschaftler und Studenten sowie die Entsendung von Lektoren geregelt wird.

3) Die Feder- und Verhandlungsführung sollte in beiden Fällen bei dem Auswärtigen Amt liegen und von Abteilung IV in Anspruch genommen werden.

4) Auf dieser Linie sollte Übereinstimmung mit Abteilung III erzielt und sodann die notwendige Absprache mit dem Bundesministerium für Bildung und Wissenschaft getroffen werden.[10]

Referat IV 9 hat Durchdruck der Vorlage erhalten.

Schlange-Schöningen

Referat 621, Bd. 2128

Fortsetzung Fußnote von Seite 528

Regelung der kulturellen und allgemeinen wissenschaftlichen Zusammenarbeit vor." Vgl. Referat 610, Bd. 496.
Am 31. Mai 1972 wurde in einer Ressortbesprechung über den Entwurf des Referats III A 8 vom 4. Mai 1972 für ein Abkommen mit der UdSSR über wissenschaftlich-technische Zusammenarbeit beraten. Dabei blieb umstritten, ob ein enger sachlicher Zusammenhang zwischen dem Kulturabkommen und dem Abkommen über wissenschaftlich-technische Zusammenarbeit bestehe und eine Verbindung – „etwa durch ein gemeinsames Zeichnungsprotokoll" – angestrebt werden solle. Vgl. die vom Bundesministerium für Bildung und Wissenschaft am 8. Juni 1972 übermittelte Aufzeichnung; Referat 414, Bd. 473. Für den Abkommensentwurf vgl. Referat 610, Bd. 498.

10 Neue Entwürfe für ein Kulturabkommen mit der UdSSR und ein Abkommen über wissenschaftlich-technische Zusammenarbeit wurden am 14. Juni bzw. 18. Juli 1972 getrennt vorgelegt. Für den Entwurf eines Kulturabkommens vgl. Referat 610, Bd. 496.
Der Entwurf für ein Abkommen über wissenschaftlich-technische Zusammenarbeit wurde den beteiligten Referaten am 1. August 1972 übermittelt. Dazu teilte Legationsrätin I. Klasse Gonzalez-Schmitz mit, daß dieser wie auch der Entwurf für ein Kulturabkommen im „Interesse einer klaren Abgrenzung" der beiden Abkommen eine Abgrenzungsklausel enthalte. In beide Entwürfe sei „eine Klausel über Erleichterungen für Einreise und Aufenthalt der Wissenschaftler im Partnerland aufgenommen worden, die gerade gegenüber der UdSSR besonders notwendig erscheint". Auch die Bestimmungen über die Gültigkeitsdauer seien aufeinander abgestimmt worden. Vgl. Referat III A 6, Bd. 502.

124

Aufzeichnung des Vortragenden Legationsrats Stabreit

II A 4-82.00-94.29-388/72 geheim   9. Mai 1972

Über Herrn VLR Dr. Meyer-Landrut[1] Herrn D Pol z. g. K.[2]

Betr.: Niederschriften über die Gespräche Staatssekretär Bahrs mit Außenminister Gromyko

Im Anschluß an die Unterrichtung von MdB Dr. Birrenbach durch Herrn Staatssekretär Bahr, zu der ich am Sonntag, dem 7. Mai 1972 in das Auswärtige Amt gerufen wurde[3], führte ich mit dem Staatssekretär im Beisein von Herrn Dr. Vergau ein Gespräch. In diesem Gespräch behauptete Herr Bahr

– er habe die Niederschriften über seine Gespräche nie gelesen;
– die Niederschriften seien sehr schlecht gemacht, es stünden Dinge darin, die er nie gesagt habe.

Ich nehme diese Äußerung zum Anlaß, auf folgendes hinzuweisen:

– Die Niederschriften sind von mir im Auftrag des Botschafters[4] so, wie sie vorliegen, angefertigt worden;
– sie haben damals als Arbeitsgrundlage für die Delegation gedient, der neben Herrn Bahr der Botschafter, BR I Peckert, der Unterzeichnete, LR von Treskow und der persönliche Referent von Herrn Bahr, VLR Dr. Eitel, angehörten. Als Arbeitsgrundlage wurden die Papiere, die vom Botschafter und Botschaftsrat überprüft worden waren, gelesen und analysiert;
– für die Ausführungen des Staatssekretärs standen mir zusätzlich zu meinen Notizen die Notizen der Dolmetscher zur Verfügung, so daß gerade im Hinblick auf die Ausführungen des Staatssekretärs besondere Genauigkeit herrschte;
– ich habe Herrn Bahr damals mehrmals gefragt, ob er mit meiner Arbeit zufrieden sei. Er hat diese Frage stets mit lobenden Worten bejaht.

Ich muß im Hinblick auf diese Feststellungen davon ausgehen, daß das Gedächtnis Herrn Staatssekretär Bahr in diesem Punkt trügt.

---

[1] Hat Vortragendem Legationsrat Meyer-Landrut am 9. Mai 1972 vorgelegen.
[2] Hat Ministerialdirektor von Staden am 10. Mai 1972 vorgelegen.
[3] Am 6. Mai 1972 wurde in der Presse gemeldet, daß der CDU-Abgeordnete Birrenbach am selben Tag „uneingeschränkte Einsicht in die Verhandlungsaufzeichnungen" über die Gespräche mit der sowjetischen Regierung im Vorfeld des Vertrags vom 12. August 1970 haben werde und die Staatssekretäre Bahr, Bundeskanzleramt, und Frank für Kontakte zur Verfügung stünden. Vgl. den Artikel „Brandt und Barzel haben sich noch nicht geeinigt"; FRANKFURTER ALLGEMEINE ZEITUNG vom 6. Mai 1972, S. 4.
Am selben Tag wurde berichtet, daß Birrenbach bereits am Vorabend „in Anwesenheit von Staatssekretär Frank mit der Einsicht in die Protokolle" begonnen habe: „Unklar blieb, ob Birrenbach nur auf bestimmte Fragen Protokolleinsicht erhält oder ob er selbständig die 13 Protokoll-Bände durchblättern darf." Vgl. den Artikel „Nach einer Woche der Gespräche versteifte Fronten in Bonn"; DIE WELT vom 6./7. Mai 1972, S. 1 f.
[4] Helmut Allardt.

Der Herr Staatssekretär wurde von mir am 8. Mai 1972 von vorstehendem Sachverhalt mündlich unterrichtet.

Stabreit

VS-Bd. 9019 (II A 4)

125

Vortragende Legationsrätin I. Klasse Finke-Osiander an die Handelsvertretung in Warschau

II A 5-82.00-94.20 Aufgabe: 9. Mai 1972, 18.31 Uhr
Fernschreiben Nr. 166
Citissime

Betr.: Stand des Ratifizierungsverfahrens;
hier: Fortsetzung des Gesprächs zwischen Bundesminister des Auswärtigen und Leiter polnischer Handelsvertretung
Bezug: Drahterlaß Nr. 162 vom 5.5.[1]

I. Am 9.5. nachmittags bat Bundesminister des Auswärtigen Herrn Piątkowski wie vereinbart zu einem weiteren Gespräch, in dem er ihn über Inhalt des vorgesehenen Entschließungsentwurfes[2] unterrichtete. Text des vorliegenden Ent-

---

[1] Vortragende Legationsrätin I. Klasse Finke-Osiander berichtete, daß Bundesminister Scheel den Leiter der polnischen Handelsvertretung, Piątkowski, über die Beratungen der Bundesregierung mit Vertretern der CDU/CSU-Fraktion über eine Entschließung des Bundestags anläßlich der Abstimmung über den Moskauer Vertrag vom 12. August 1970 und den Warschauer Vertrag vom 7. Dezember 1970 informiert habe: „Ihm läge daran zu unterstreichen, daß die Bundesregierung diese Resolution strikt getrennt sehe von den Verträgen und Verhandlungen, die sie als abgeschlossen betrachte. Die Bundesregierung werde deshalb dafür Sorge tragen, daß diese Resolution nichts enthalten werde, das als in Widerspruch zu den Verträgen und Verhandlungen stehend betrachtet werden könnte. Im Kern gehe es dabei um die Klarstellung der deutschlandpolitischen Vorstellungen und um den sich aus dem Fehlen eines Friedensvertrages ergebenden Fortbestand der Rechte und Verantwortlichkeiten der Vier Mächte." Die Entschließung solle zunächst den Vier Mächten als den eigentlichen Adressaten und den übrigen Staaten „nach einem abgestuften Verfahren mittelbar zur Kenntnis gegeben werden". Piątkowski habe dazu als persönliche Meinung geäußert, „daß er sich ein solches Verfahren für die polnische Regierung annehmbar vorstellen könne, wenn, wie der Herr Minister erläutert habe, der Warschauer Vertrag und insbesondere sein Artikel I durch den Inhalt der Resolution nicht in Frage gestellt würde; der Inhalt nicht über den der polnischen Regierung übermittelten Notenwechsel mit den Drei Mächten hinausgehe; nicht das aus polnischer Sicht schwierige Problem des Friedensvertrages überbetont werde." Vgl. VS-Bd. 9041 (II A 5); B 150, Aktenkopien 1972.

[2] Am Morgen des 9. Mai 1972 einigten sich die Bundesminister Ehmke und Genscher sowie die Abgeordneten Marx (CDU) und Strauß (CSU) auf einen gemeinsamen Entwurf für eine Entschließung des Bundestags anläßlich der Abstimmung über den Moskauer Vertrag vom 12. August 1970 und den Warschauer Vertrag vom 7. Dezember 1970. Dazu notierte Ehmke im Rückblick: „In der Redaktionskommission [...] erlebte ich eine Überraschung. Genscher unterstützte ohne jede Vorwarnung hinsichtlich zweier Formulierungen die Unions-Vertreter. Mir blieb keine Zeit, darüber zu philosophieren, ob das der Profilierung der FDP oder der des Innenministers dienen sollte. Ich baute beide Formulierungen, sie betrafen den angestrebten Modus vivendi in Europa und die polni-

wurfes einer Bundestagsentschließung, den Minister im Verlaufe des Gesprächs Herrn Piątkowski übergab, folgt unter II.

Bei Erläuterung der Entschließung unterstrich Minister erneut, daß Ziel der Bundesregierung in erster Linie sei, eine möglichst breite Basis für die auf den Verträgen[3] aufbauende Politik sicherzustellen. Diesem Ziel – und nicht so sehr der Frage einer größeren oder kleineren Mehrheit bei der Abstimmung über die Verträge – hätten die intensiven Bemühungen um eine Entschließung des Bundestages gedient, der alle Fraktionen des Bundestages zustimmen könnten.

Der Minister unterstrich, daß es sich um eine einseitige Entschließung des Deutschen Bundestages handele, die keine Antwort erfordere. Die Bundesregierung werde jedoch den grundsätzlichen Inhalt dieser Entschließung anderen Regierungen zur Kenntnis bringen, wie er dies bereits in dem vorangegangenen Gespräch erläutert habe (vgl. Bezugs-FS).

Bei Kommentierung des Textes wies der Minister auf die Formulierung hin: Im Zusammenhang mit der Abstimmung über den Vertrag (nicht: Im Zusammenhang mit dem Vertrag) sowie darauf, daß in Punkt 2) der Entschließung erstmalig auch von seiten der CDU „die heute tatsächlich bestehenden Grenzen" als Bezugspunkt bestätigt würden.

Die Bundesregierung gehe davon aus, daß

a) die Resolution in voller Übereinstimmung mit dem Warschauer Vertrag stehe,

b) der Vertrag nur aus sich selbst heraus interpretiert werden könne, wie dies sicher auch die Auffassung der polnischen Regierung sei.

Der Minister berichtete Herrn Piątkowski ferner kurz über die vorangegangene Unterrichtung von Botschafter Falin und dessen Reaktion.[4] Botschafter Falin habe festgestellt, daß es sich a) um eine einseitige Erklärung handele, b) die Sowjetunion als eine der Vier Mächte dazu etwas sagen könne, allerdings nur im eigenen Namen. Er, der Minister, glaube, daß die Sowjetunion die Entschließung als ein einseitiges Dokument entgegennehmen werde, ohne dazu Stellung zu nehmen.

Herr Piątkowski deutete seinerseits in diesem Zusammenhang an, daß er eine entsprechende Reaktion der polnischen Regierung für denkbar halte. Abschließend unterstrich der Minister nochmals, daß mit dieser Entschließung ein gutes und gesundes Klima für die Implementierung der Verträge von Moskau und Warschau in der Bundesrepublik Deutschland geschaffen werden solle. Falls sich in der weiteren Abstimmung zwischen den Fraktionen noch Ände-

---

Fortsetzung Fußnote von Seite 531
sche Westgrenze, so in den Text ein, daß der Friedensvertrags-Vorbehalt unterstrichen, die Rechtsverbindlichkeit der von uns für die Bundesrepublik übernommenen Verpflichtungen aber nicht in Zweifel gezogen, die Substanz des Entwurfs also nicht geändert wurde." Vgl. EHMKE, Mittendrin, S. 160.

3 Für den Wortlaut des Vertrags vom 12. August 1970 zwischen der Bundesrepublik und der UdSSR vgl. BULLETIN 1970, S. 1094.
Für den Wortlaut des Vertrags vom 7. Dezember 1970 zwischen der Bundesrepublik und Polen über die Grundlagen der Normalisierung ihrer gegenseitigen Beziehungen vgl. BULLETIN 1970, S. 1815.

4 Zur Unterrichtung des sowjetischen Botschafters Falin am 9. Mai 1972 vgl. Dok. 126, Anm. 2 und 3.

rungen des Entschließungstextes ergäben, würde das Auswärtige Amt Herrn Piątkowski unterrichten.

Auf entsprechende Frage von Herrn Piątkowski erklärte der Minister, daß die Bundestagsdebatte im Einvernehmen zwischen allen Fraktionen morgen gegen 10.00 Uhr vormittags beginnen würde und daß die Abstimmung am gleichen Tage erfolgen solle.[5]

Bei der Verabschiedung äußerte der Minister die Hoffnung, daß die baldige Ratifizierung der Verträge ihm die Möglichkeit eröffnen würde, bald mit seinem polnischen Amtskollegen in Bonn zusammenzutreffen.[6]

II. Entwurf einer Bundestagsentschließung

(Redaktionskommission 9. Mai 1972: Ehmke, Genscher, Marx, Strauß)

Im Zusammenhang mit der Abstimmung über den Vertrag zwischen der Bundesrepublik Deutschland und der Union der Sozialistischen Sowjetrepubliken vom 12. August 1970 und den Vertrag zwischen der Bundesrepublik Deutschland und der Volksrepublik Polen über die Grundlagen der Normalisierung ihrer gegenseitigen Beziehungen vom 7. Dezember 1970 erklärt der Deutsche Bundestag:

1) Zu den maßgebenden Zielen unserer Außenpolitik gehört die Erhaltung des Friedens in Europa und die Sicherheit der Bundesrepublik Deutschland. Die Verträge mit Moskau und Warschau, in denen die Vertragspartner feierlich und umfassend auf die Anwendung und Androhung von Gewalt verzichten, sollen diesen Zielen dienen. Sie sind wichtige Elemente des Modus vivendi, den die Bundesrepublik Deutschland mit ihren östlichen Nachbarn herstellen will.

2) Die Verpflichtungen, die die Bundesrepublik Deutschland in den Verträgen eingegangen ist, hat sie im eigenen Namen auf sich genommen. Dabei gehen die Verträge von den heute tatsächlich bestehenden Grenzen aus, deren einseitige Änderung sie ausschließen. Die Verträge nehmen eine friedensvertragliche Regelung für Deutschland nicht vorweg und schaffen keine Rechtsgrundlage für die heute bestehenden Grenzen.

3) Das unveräußerliche Recht auf Selbstbestimmung wird durch die Verträge nicht berührt. Die Politik der Bundesrepublik Deutschland, die eine friedliche Wiederherstellung der nationalen Einheit im europäischen Rahmen anstrebt, steht nicht im Widerspruch zu den Verträgen, die die Lösung der deutschen Frage nicht präjudizieren. Mit der Forderung auf Verwirklichung des Selbstbestimmungsrechts erhebt die Bundesrepublik Deutschland keinen Gebiets- oder Grenzänderungsanspruch.

4) Der Deutsche Bundestag stellt fest, daß die fortdauernde und uneingeschränkte Geltung des Deutschlandvertrages und der mit ihm verbundenen

---

[5] Zur Bundestagsdebatte am 10. Mai 1972 und zur Vertagung der Abstimmung auf den 17. Mai 1972 vgl. Dok. 126, Anm. 4 und 5.

[6] Der polnische Außenminister Olszowski besuchte die Bundesrepublik am 13./14. September 1972. Für die Gespräche mit Bundeskanzler Brandt und Bundesminister Scheel vgl. Dok. 266, Dok. 268 und Dok. 273.

Abmachungen und Erklärungen von 1954[7] sowie die Fortgeltung des zwischen der Bundesrepublik Deutschland und der Union der Sozialistischen Sowjetrepubliken am 13. September 1955 geschlossenen Abkommens[8] von den Verträgen nicht berührt wird.

5) Die Rechte und Verantwortlichkeiten der Vier Mächte in bezug auf Deutschland als Ganzes und auf Berlin werden durch die Verträge nicht berührt. Der Deutsche Bundestag hält angesichts der Tatsache, daß die endgültige Regelung der deutschen Frage im Ganzen noch aussteht, den Fortbestand dieser Rechte und Verantwortlichkeiten für wesentlich.

6) Hinsichtlich der Bedeutung der Verträge verweist der Deutsche Bundestag darüber hinaus auf die Denkschriften, die die Bundesregierung den gesetzgebenden Körperschaften zusammen mit den Vertragsgesetzen zum Moskauer und Warschauer Vertrag vorgelegt hat.[9]

7) Die Bundesrepublik Deutschland steht fest im Atlantischen Bündnis, auf dem ihre Sicherheit und ihre Freiheit nach wie vor beruhen.

8) Die Bundesrepublik Deutschland wird die Politik der europäischen Einigung zusammen mit ihren Partnern in der Gemeinschaft unbeirrt fortsetzen mit dem Ziel, die Gemeinschaft stufenweise zu einer Politischen Union fortzuentwickeln.

Die Bundesrepublik Deutschland geht dabei davon aus, daß die Sowjetunion und andere sozialistische Länder die Zusammenarbeit mit der EWG aufnehmen werden.

9) Die Bundesrepublik Deutschland bekräftigt ihren festen Willen, die Bindungen zwischen Berlin (West) und der Bundesrepublik Deutschland gemäß dem Vier-Mächte-Abkommen und den deutschen Zusatzvereinbarungen[10] aufrechtzuerhalten und fortzuentwickeln. Sie wird auch in Zukunft für die Lebensfähigkeit der Stadt und das Wohlergehen ihrer Menschen Sorge tragen.

10) Die Bundesrepublik Deutschland tritt für die Normalisierung des Verhältnisses zwischen der Bundesrepublik Deutschland und der DDR ein. Sie geht davon aus, daß die Prinzipien der Entspannung und der guten Nachbarschaft im vollem Maße auf das Verhältnis zwischen den Menschen und Institutionen der beiden Teile Deutschlands Anwendung finden werden.

Finke-Osiander[11]

VS-Bd. 9041 (II A 5)

---

[7] Für den Wortlaut des Vertrags vom 26. Mai 1952 über die Beziehungen zwischen der Bundesrepublik Deutschland und den Drei Mächten in der Fassung vom 23. Oktober 1954 (Deutschland-Vertrag) sowie der ergänzenden Dokumente vgl. BUNDESGESETZBLATT 1955, Teil II, S. 305–576.

[8] Für den Wortlaut des Briefwechsels vom 13. September 1955 zwischen Bundeskanzler Adenauer und Ministerpräsident Bulganin über die Aufnahme diplomatischer Beziehungen sowie des Vorbehaltsschreibens von Adenauer vom selben Tag an Bulganin vgl. DzD III/1, S. 335–337.

[9] Zu den Denkschriften der Bundesregierung vom 11. Dezember 1971 zum Moskauer Vertrag vom 12. August 1970 und zum Warschauer Vertrag vom 7. Dezember 1970 vgl. Dok. 34, Anm. 8, und Dok. 121, Anm. 12.

[10] Zu den im Schlußprotokoll zum Vier-Mächte-Abkommen über Berlin vom 3. September 1971 genannten ergänzenden Vereinbarungen zwischen der DDR und der Bundesrepublik bzw. dem Senat von Berlin vgl. Dok. 9, Anm. 14.

[11] Paraphe.

126

Aufzeichnung des Staatssekretärs Bahr, Bundeskanzleramt

10. Mai 1972

Herrn Bundeskanzler

Barzel gestern abend, 20.00 Uhr: „Wir sind für diese Entschließung[1]. Es handelt sich um Sätze, über die wir heute morgen einig waren und wo jetzt der Inhalt plötzlich nicht mehr stimmen soll."[2]

Eine Reihe von wichtigen Mitgliedern der Oppositionsfraktion hat der Regierung erklärt:

Wenn wir bei diesem Wortlaut bleiben, sind wir einig. Die Regierung allein muß diese Formulierung der gemeinsamen Entschließung durchsetzen. Die Opposition kann das nicht. Es ist eine Sache der Regierung.

Die Regierung hat dies getan.[3] Die Regierung kann es für sich in Anspruch

---

[1] Für den Entwurf vom 9. Mai 1972 für eine Entschließung des Bundestags anläßlich der Abstimmung über den Moskauer Vertrag vom 12. August 1970 und den Warschauer Vertrag vom 7. Dezember 1970 vgl. Dok. 125.

[2] Am 9. Mai 1972 fand in der Residenz des Bundeskanzlers Brandt eine Besprechung statt, an der neben den Bundesministern Scheel und Ehmke, dem CDU/CSU-Fraktionsvorsitzenden Barzel sowie dem Vorsitzenden der CSU-Landesgruppe im Bundestag, Stücklen, auch der sowjetische Botschafter teilnahm. Im Rückblick notierte Falin, daß Brandt ihm bei dieser Gelegenheit den Entwurf einer Entschließung des Bundestags übergeben und ihn gebeten habe, etwaige Bedenken zu äußern: „Ich überflog diagonal zwei Seiten. Jeder zweite oder dritte Satz reizte zum Widerspruch. Vielleicht war das nicht einmal schlecht, kennzeichnete dies doch die Einseitigkeit des Dokuments. [...] Dennoch war es notwendig, Paragraph 2 näher in Augenschein zu nehmen, vor allem seinen Schlußsatz, der praktisch die Rechtsgrundlagen der real existierenden Grenzen in Frage stellte. Wegen dieses Satzes schlug ich später tüchtig Lärm. Ich glaube, Brandt würde mich verstanden haben, hätte ich sofort mein Befremden geäußert. Doch ich las diagonal. [...] Und so verpaßte ich einen Elefanten, wie man bei uns sagen würde. Daß der ‚Elefant' in Paragraph 2 Genschers Haus entstammte, erfuhr ich bei der Rückkehr in die Botschaft. Nicht Experten aus CDU/CSU hatten den Satz verfaßt, sondern Juristen aus dem Innenministerium." Nach Rückkehr in die sowjetische Botschaft habe er den Ersten Sekretär Schikin mit der Übersetzung der Entschließung beauftragt, der zu Absatz 2 bemerkt habe: „‚Sehr üble Stelle. Die Zentrale wird uns nicht verstehen, wenn wir dazu schweigen.' [...] Was am Venusberg versäumt worden war, mußte nun schleunigst nachgeholt werden. Ich brauchte unbedingt von der Regierung Brandt/Scheel eine offizielle Bestätigung, daß die Verpflichtungen der Bundesrepublik im Moskauer Vertrag vollständig in Kraft bleiben und von der Entschließung nicht tangiert werden. Alles andere, die unvermeidliche Unzufriedenheit in Moskau eingeschlossen, war zweitrangig. Ich telefonierte mit Ehmke und teilte ihm mit, daß die sowjetische Regierung Einwände erheben werde. Damit Paragraph 2 sich allein nicht langweile, fügte ich noch meinen Zweifeln am Schluß von Paragraph 5 hinzu (‚Die deutsche Frage ist offen...'). Ich beauftragte Michail Boronin, Barzel anzurufen und ihm dasselbe mitzuteilen. Moskau stellte ich vor vollendete Tatsachen." Vgl. FALIN, Erinnerungen, S. 198 und S. 200.

[3] Im Rückblick berichtete Horst Ehmke über ein weiteres Gespräch mit dem sowjetischen Botschafter Falin am 9. Mai 1972 im Bundeskanzleramt: „Da klangen die Moskauer Vorbehalte schon schwächer. Offensichtlich hatte Falin, der am Morgen zuviel auf seine eigene Kappe genommen hatte, jetzt zum Ausgleich dafür die Moskauer Vorbehalte zu apodiktisch formuliert, wohl um zu signalisieren, daß für Moskau das Ende der Fahnenstange erreicht sei. Unter Inanspruchnahme unserer Direktverbindung zu Breschnew bewirkten wir noch in der Nacht, daß Moskau seinen Widerspruch gegen den mit der Opposition vereinbarten Entschließungstext zurückzog." Vgl. EHMKE, Mittendrin, S. 161. Vgl. dazu auch FALIN, Erinnerungen, S. 201 f.
Ein Gespräch des Bundesministers Scheel mit Falin am späten Abend des 9. Mai 1972 führte zu dem Ergebnis: „1) Der Text des Entwurfs der Bundestags-Entschließung bleibt wie von den Herren Ehmke, Genscher, Strauß und Marx am 9. Mai 1972 ausgearbeitet. 2) Zu dem Schlußsatz in

nehmen. Die Frage ist jetzt allein: Steht die Opposition noch zu dieser gemeinsam erarbeiteten Entschließung?[4] Sie kann angenommen werden, und sie wird auch von der Sowjetunion angenommen. Keine zeitliche Verschiebung kann an dieser Situation etwas ändern.[5]

[Bahr]

Archiv der sozialen Demokratie, Depositum Bahr, Box 104

Fortsetzung Fußnote von Seite 535
Ziffer 2 dieses Entwurfs [...] wird der Bundesaußenminister bei Übergabe der Entschließung an Botschafter Falin etwa folgendes ausführen: Die Bundesrepublik Deutschland hat sich im Warschauer Vertrag ganz bewußt zum rechtlichen Zustandekommen der Westgrenze der Volksrepublik Polen nicht geäußert. Jedoch hat die Bundesrepublik Deutschland die Verpflichtung übernommen, diese Grenze, solange die Bundesrepublik besteht, nicht mehr in Frage zu stellen." Falin habe bestätigt, „daß die Sowjetunion der Entschließung des Bundestages nicht widersprechen wird. Ferner führte er aus, es sei logisch, daß dieses Dokument dem Präsidium des Obersten Sowjet [...] bekannt wird." Vgl. die undatierte und ungezeichnete Aufzeichnung; Ministerbüro, Bd. 475.
Vgl. auch das Schreiben von Scheel vom 9. Mai 1972 an den CDU/CSU-Fraktionsvorsitzenden Barzel; MOSKAU–BONN, Bd. II, S. 1494. Für einen Auszug vgl. Dok. 132.
[4] Für den Wortlaut der am 10. Mai 1972 im Bundestag eingebrachten Entschließung, der wortgleich mit dem Entwurf vom 9. Mai 1972 war, vgl. BT STENOGRAPHISCHE BERICHTE, Bd. 80, S. 10960 f.
Am 10. Mai 1972 wies der CDU/CSU-Fraktionsvorsitzende Barzel im Bundestag darauf hin, daß seine Fraktion eine Verschiebung der Abstimmung fordere, da sie nicht ausreichend Zeit zu Beratungen über den Entschließungsentwurf gehabt habe. Er sei nicht imstande, „nach den verwirrenden Vorgängen seit gestern nachmittag den Inhalt und das Ausmaß dessen, worüber wir heute unter Zeitdruck abstimmen sollen, so klar, so präzise, so sorgfältig zu erkennen", wie dies erforderlich sei, wenn er „in dieser wichtigen historischen Gewissensentscheidung verantwortlich handeln" solle. Bestehe die Bundesregierung „heute oder in dieser Woche auf der Abstimmung ohne die für uns notwendige Zeit der gewissenhaften Prüfung, so werden wir alle, trotz der langen Bemühungen, heute abend ‚So nicht!' sagen." Vgl. BT STENOGRAPHISCHE BERICHTE, Bd. 80, S. 10903 und 10907.
Dazu stellte Bundeskanzler Brandt klar: „Kein Satz, kein Wort, kein Punkt und kein Komma wurde geändert. Dies ist kein Zeitdruck. [...] Die Entschließung gilt. Wenn allerdings jemand geglaubt haben sollte, er könne durch die Entschließung den Vertrag ändern, dann haben wir auf falscher Grundlage verhandelt. Deshalb mußte es zweifelsfrei klargestellt werden, daß, insbesondere was die Pflichten aus dem Warschauer Vertrag angeht, weil es da mit um die Grenzfrage geht, der Entschließung insoweit keine den Vertrag entwertende Deutung gegeben werden darf." Vgl. BT STENOGRAPHISCHE BERICHTE, Bd. 80, S. 10912 f.
[5] Nachdem der Bundestag bei Stimmengleichheit von 259:259 Stimmen am 10. Mai 1972 zunächst einen Antrag der CDU/CSU-Fraktion abgelehnt hatte, die zweite Lesung der Gesetze zum Moskauer Vertrag vom 12. August 1972 und zum Warschauer Vertrag vom 7. Dezember 1970 von der Tagesordnung abzusetzen, einigten sich die Fraktionen schließlich doch auf eine Vertagung auf den 17. Mai 1972. Vgl. dazu BT STENOGRAPHISCHE BERICHTE, Bd. 80, S. 10873 und 10913.
Über die Beratungen in den Gremien von CDU und CSU berichtete Rainer Barzel im Rückblick: „Ich ließ keinen Zweifel daran, daß ich unsere ganze Operation im Kampf mit den Regierungen in Bonn wie in Moskau um die Ostpolitik und unsere fast einstimmig befürworteten Bemühungen, die Verträge zustimmungsfähig zu machen, positiv bewerte und folglich das Ja zur Entschließung und zu den Verträgen empfehle. [...] Es kam ganz anders: Strauß und Stücklen drängten frühmorgens auf eine Besprechung vor der entscheidenden Fraktionssitzung am 17. Mai 1972. Ein Ja komme nicht in Frage. Die CSU stehe beim Nein. Man sei aber bereit, eine möglichst geschlossene Enthaltung der Fraktion mitzutragen und mitzumachen. Freilich dürfe es dann keine Ja-Stimmen aus unseren Reihen geben." Vgl. BARZEL, Tür, S. 151 und 157.
Zum Ergebnis der Abstimmung im Bundestag am 17. Mai 1972 über die Entschließung vgl. Dok. 134, Anm. 6. Zum Ergebnis der Abstimmung über die Verträge vgl. Dok. 139, Anm. 2, und Dok. 140, Anm. 2.

127

Aufzeichnung des Ministerialdirigenten Müller

I B 4-82.20/92.-1556/72 VS-vertraulich 10. Mai 1972[1]

Über Herrn Staatssekretär[2] Herrn Minister[3]

Betr.: Beziehungen zu Ägypten und zu Syrien[4]

Bitte um Zustimmung zur vorgeschlagenen Linie

1) Herr Wischnewski rief am 9.5. das Referat I B 4 an und teilte folgendes mit: Der Leiter des ägyptischen Schutzmachtstabes in Bonn, Herr Dessouki, habe ihn vor einigen Tagen aufgesucht und ihn im Auftrag von Präsident Sadat zu einem baldigen neuen Besuch in Kairo[5] eingeladen. Herr Dessouki habe ihm dabei auch schon die Daten genannt, an denen Präsident Sadat in nächster Zeit nicht in Kairo sei. Ferner habe Herr Dessouki ihm mitgeteilt, daß er eine Einladung auch zu einem Besuch in Damaskus erhalten werde, und daß die ägyptische Regierung es begrüße, wenn er zunächst nach Damaskus fliegen würde. Über den Inhalt der Gespräche, die in Kairo bzw. Damaskus geführt werden sollten, habe Herr Dessouki ihm keine Einzelheiten sagen können.

Er – Herr Wischnewski – habe Herrn Dessouki zunächst nur für die Einladung gedankt und ihn unter Hinweis auf die derzeitige innenpolitische Lage in Bonn um Verständnis dafür gebeten, daß er im Augenblick nichts sagen könne. Auf dem Empfang der Arabischen Liga am vergangenen Montag[6] habe ihn Herr Dessouki jedoch erneut auf die Einladung angesprochen und um möglichst baldigen Bescheid gebeten. Auf eine Bemerkung, daß die angekündigte Einladung der syrischen Regierung noch nicht vorliege, habe Herr Dessouki geantwortet, diese werde sicher bald folgen, da Kairo und Damaskus in dieser Frage im Gespräch seien.

---

[1] Die Aufzeichnung wurde von Vortragendem Legationsrat I. Klasse Redies konzipiert.

[2] Hat Staatssekretär Frank am 11. Mai 1972 vorgelegen, der handschriftlich für Ministerialdirigent Müller vermerkte: „Es fehlt ein klarer Vorschlag, was H[errn] Wischnewski gesagt werden kann. Bitte ergänzen." Vgl. Anm. 8.

[3] Hat Bundesminister Scheel am 15. Mai 1972 vorgelegen.

[4] Nach Bekanntgabe der Aufnahme diplomatischer Beziehungen zwischen der Bundesrepublik und Israel am 12. Mai 1965 brachen die VAR und Syrien am 13. Mai 1965 die Beziehungen zur Bundesrepublik ab. Vgl. dazu AAPD 1965, II, Dok. 203.
Am 10. November 1971 zog Gesandter Jesser, Kairo, aus einem Gespräch mit Präsident Sadat den Schluß, daß Ägypten eine baldige Normalisierung der Beziehungen anstrebe. Vgl. dazu AAPD 1971, III, Dok. 390.
Zu einer Wiederaufnahme der Beziehungen mit Syrien vgl. AAPD 1971, I, Dok. 134.

[5] Hans-Jürgen Wischnewski besuchte bereits als Bundesminister für wirtschaftliche Zusammenarbeit aus Anlaß der erfolgreichen Verlagerung der Tempel von Abu Simbel vom 18. bis 23. September 1968 die VAR. Vgl. dazu AAPD 1968, II, Dok. 320.
Im Mai 1971 reiste Wischnewski erneut nach Kairo und führte am 1. Juni 1971 ein Gespräch mit Präsident Sadat über den Nahost-Konflikt und über die Beziehungen zwischen der Bundesrepublik und der VAR. Vgl. dazu die Aufzeichnung des Ministerialdirigenten Müller vom 2. Juni 1971; VS-Bd. 9870 (I B 4); B 150, Aktenkopien 1971.
Vgl. dazu ferner WISCHNEWSKI, Leidenschaft, S. 147f.

[6] 8. Mai 1972.

Herr Wischnewski bat, den Herrn Minister zu unterrichten. Unter Hinweis auf einen Brief von ihm an den Herrn Minister wegen seiner Reise nach Beirut sagte er, er legte größten Wert darauf, sich mit dem Auswärtigen Amt hinsichtlich seiner Antwort an die Ägypter genau abzustimmen, damit nicht wieder Mißverständnisse auftauchten.[7] Nach seiner Ansicht werde es wohl nicht möglich sein, auf die Einladung mit einer Absage zu reagieren. Falls das Auswärtige Amt es für richtig halte, die Reise hinauszuschieben, würde er es begrüßen, wenn das Auswärtige Amt ihm eine Begründung an die Hand gebe. Er sei allerdings der Auffassung, daß eine baldige Wiederaufnahme der Beziehungen mit Kairo jetzt nicht schlecht in die politische Landschaft passen würde.[8]

2) Herr Dessouki selber teilte Referat I B 4 ergänzend folgendes mit: Die ägyptische Seite habe nach dem Liga-Beschluß im März[9] den Syrern zugesagt, daß man mit der Wiederaufnahme der Beziehungen auf Damaskus warten wolle. Offensichtlich hätten die Syrer jedoch uns gegenüber keine konkreten Initiativen ergriffen. Er habe allerdings jetzt aus Kairo die Weisung erhalten, Herrn Wischnewski auszurichten, daß man ihn in Damaskus in der Zeit vom 11. bis 15. Mai erwarte; anschließend sei der syrische Außenminister[10] auf Reisen. Kairo habe dabei erneut bestätigt, daß man die Reise nach Damaskus vor dem Besuch in Kairo wünsche.

Die Syrer hatten uns – eine gesonderte Aufzeichnung hierüber wurde vorgelegt[11] – vor einiger Zeit sagen lassen, daß sie an dem Besuch offizieller Vertreter der Bundesregierung zur Erörterung der Wiederaufnahme-Frage interessiert seien. Sie haben dies inzwischen gegenüber unserer Interessenvertretung in Damaskus bestätigt. Das Gespräch zwischen dem Staatssekretär im syri-

---

[7] Zu den Unstimmigkeiten wegen der Reise des SPD-Abgeordneten Wischnewski vom 25. bis zum 27. März 1972 in den Libanon vgl. Dok. 79.

[8] Am 10. Mai 1972 schlug Ministerialdirigent Müller vor, dem SPD-Abgeordneten Wischnewski mitzuteilen, auch das Auswärtige Amt glaube, „daß eine rasche Aufnahme der diplomatischen Beziehungen mit Ägypten sehr gut in die politische Landschaft passe. Die Bundesregierung habe, wie er wisse, hinlänglich Zeichen gesetzt und wesentlich durch konstante und durch keine Rückschläge entmutigte Bemühungen dazu beigetragen, daß der Freigabebeschluß der Liga zustande kommen konnte. Im Auswärtigen Amt bestünde einhellig die Meinung, daß die deutsche Seite nun ohne Gesichtsverlust keine weiteren Schritte unternehmen könne, solange nicht völlig sichergestellt sei, daß es tatsächlich zur Wiederaufnahme der diplomatischen Beziehungen komme. In den Entscheidungs- und Finassierungsprozeß der Ägypter, der leider länger dauerte, als vorauszusehen war, sollte man durch einen weiteren spektakulären Besuch von Herrn Wischnewski nicht einzugreifen suchen, zumal nicht ganz zu übersehen sei, ob ein solcher Besuch, der zudem noch mit einem Aufenthalt in Damaskus verbunden werden sollte, nicht Fehldeutungen in der Region, aber auch in Deutschland unterliegen würde." Vgl. VS-Bd. 9862 (I B 4); B 150, Aktenkopien 1972.
Am 16. Mai 1972 teilte Vortragender Legationsrat I. Klasse Redies Legationsrat I. Klasse Vergau mit, daß Bundesminister Scheel diesen Vorschlägen zugestimmt habe, und bat um eine Entscheidung des Staatssekretärs Frank, „ob er selber Herrn Wischnewski unterrichten möchte". Am 18. Mai 1972 notierte Redies handschriftlich dazu, daß er Wischnewski informiert habe. Vgl. VS-Bd. 9862 (I B 4); B 150, Aktenkopien 1972.

[9] Zum Beschluß des Rats der Arabischen Liga vom 14. März vgl. Dok. 30, Anm. 7.

[10] Abdel Halim Khaddam.

[11] Ministerialdirektor von Staden vermerkte am 19. April 1972, daß der syrische Journalist Suliak am 17. April 1972 im Auftrag des Außenministers Khaddam Ministerialdirigent Müller mitgeteilt habe, „daß die syrische Regierung am Besuch einer Delegation in Damaskus interessiert sei, um über die Modalitäten einer Normalisierung der Beziehungen zu sprechen". Vgl. VS-Bd. 9865 (I B 4), B 150, Aktenkopien 1972.

schen Außenministerium und dem Leiter unserer Interessenvertretung ergab allerdings, daß die Syrer offensichtlich noch die Vorstellung haben, die Wiederaufnahme mit wirtschaftlichen oder sonstigen Fragen verknüpfen zu können.[12]

3) Es erscheine wenig sinnvoll, jetzt überstürzt zu handeln.

Gespräche in Damaskus – sei es durch offizielle Vertreter des Amtes, sei es durch Herrn Wischnewski – würden im gegenwärtigen Stadium kaum zu konkreten Ergebnissen führen können. Da die Syrer die Einladung an Herrn Wischnewski nicht direkt, sondern über Kairo ausgesprochen haben, läßt sich sogar nicht ausschließen, daß sie hier überhaupt nur ägyptischem Drängen folgen. Wir sollten deshalb zunächst unsere bisherigen Kontakte mit den Syrern in Ruhe und Geduld fortsetzen, bis auch die syrische Seite abwegige Vorstellungen über die Wiederaufnahme der Beziehungen aufgegeben hat. Unser hiesiger syrischer Kontaktmann Dr. Khatib, Leiter des Liga-Büros, der gute Beziehungen zum syrischen Staatspräsidenten[13] und zum Außenminister hat, wird am 20. Mai nach Damaskus auf Urlaub reisen und will bei dieser Gelegenheit auch den Fragenkomplex der deutsch-syrischen Beziehungen aufgreifen. Er ist über unsere Haltung gut unterrichtet; ein weiteres Gespräch vor seiner Abreise mit mir ist vorgesehen.

Sofern die Ägypter – was abzuwarten bleibt – die Wiederaufnahme weiterhin an Syrien binden wollen, werden wir hieran ohnehin nichts ändern können. Herr Dessouki sollte von unserer Haltung unterrichtet und gesagt werden, daß wir mit den Syrern zwar in Verbindung stehen, nach dem bisherigen Stand jedoch noch mit längeren Vorklärungen rechnen müßten.[14]

Müller

VS-Bd. 9862 (I B 4)

---

[12] Am 29. April 1972 bekräftigte der Staatssekretär im syrischen Außenministerium, Khani, gegenüber Botschaftsrat Mirow, Damaskus, „daß Entsendung hochrangiger, zur Verhandlung bevollmächtigter Vertreter des Auswärtigen Amts aus Bonn nach Damaskus zur Erörterung der Wiederaufnahme diplomatischer Beziehungen von syrischer Regierung begrüßt würde. Er mache aber schon jetzt auf zwei syrische Anliegen aufmerksam, die wesentlich für Wiederaufnahme Beziehungen mit Bundesrepublik erschienen. 1) Syrien erwarte eine Erklärung des Bundeskanzlers zu Nahostproblem, insbesondere zur Räumung der von Israel besetzten Gebiete. [...] 2) Syrien erwarte von Bundesrepublik Bereitschaft zu ‚Wiedergutmachungsleistungen', da mit deutscher Hilfe für Israel (Wiedergutmachungs- und Entwicklungsgelder) indirekt auch Syrien Schaden erlitten habe." Vgl. den Drahtbericht Nr. 66 von Mirow vom 2. Mai 1972; VS-Bd. 9865 (I B 4); B 150, Aktenkopien 1972.

[13] Hafez el-Assad.

[14] Am 29. Mai 1972 berichtete Gesandter Jesser, Kairo, daß ihn der Abteilungsleiter im ägyptischen Außenministerium, Hifni, zu sich gebeten habe, „um im Auftrag Außenministers Modalitäten des Wiederaufnahmeverfahrens" zu besprechen. Nach ägyptischen Vorstellungen solle ein entsprechendes gemeinsames Kommuniqué zwischen dem 2. und 4. Juni 1972 veröffentlicht werden. Vgl. den Drahtbericht Nr. 446; Ministerbüro, Bd. 508.
Die Wiederaufnahme der diplomatischen Beziehungen mit Ägypten erfolgte am 8. Juni 1972. Vgl. dazu BULLETIN 1972, S. 1184.
Die diplomatischen Beziehungen mit Syrien wurden am 7. August 1974 wieder aufgenommen.

128

Drahterlaß des Ministerialdirektors von Staden

I A 5-82.21-91.36-1589/72 VS-vertraulich   Aufgabe: 11. Mai 1972, 13.44 Uhr[1]
Fernschreiben Nr. 2090 Plurex

Betr.: Besuch von Außenminister Rogers in Bonn am 6./7. Mai 1972[2];
hier: Gespräch zwischen Staatssekretär Dr. Frank und Assistant Secretary Hillenbrand am 9. Mai 1972, 18.00 Uhr

An dem etwa einstündigen Gespräch nahmen Assistant Secretary of State Hillenbrand und Botschaftsrat Dean, auf deutscher Seite Staatssekretär Dr. Frank, MD von Staden und VLR I Dr. Thomas teil. Hillenbrand teilte mit, er sei von Außenminister Rogers fernmündlich beauftragt worden, die noch ausstehenden Konsultationen in Bonn, Paris, Rom und Madrid durchzuführen. Außenminister Rogers könne angesichts der Lage in Vietnam[3] selbst nicht nach Europa zurückkehren.

---

[1] Drahterlaß an die Botschaften in London, Moskau, Paris und Washington sowie an die Ständige Vertretung bei der NATO in Brüssel.
Der Drahterlaß wurde von Vortragendem Legationsrat I. Klasse Thomas konzipiert.

[2] Der amerikanische Außenminister Rogers kündigte am 27. April 1972 an, daß er vom 2. bis 10. Mai 1972 Island, Großbritannien, Belgien, Luxemburg, die Bundesrepublik, Frankreich, Italien und Spanien besuchen werde, um die Bündnispartner über die Themen für den Besuch des Präsidenten Nixon vom 22. bis 30. Mai 1972 in der UdSSR zu konsultieren. Vgl. dazu DEPARTMENT OF STATE BULLETIN, Bd. 66 (1972), S. 771.
Rogers hielt sich am 2. Mai 1972 in Reykjavik und am 3./4. Mai 1972 in London auf. Am 5. Mai 1972 nahm er an einer Sitzung des Ständigen NATO-Rats in Brüssel teil und führte Gespräche mit dem belgischen sowie dem niederländischen Außenminister, Harmel und Schmelzer. Nach einem Aufenthalt in Luxemburg traf Rogers am 6. Mai 1972 in Bonn ein, wo am 6. Mai 1972 Gespräche im Auswärtigen Amt stattfinden sollten. Rogers kehrte jedoch am 7. Mai 1972 nach Washington zurück, um am 8. Mai 1972 an einer Sitzung des Nationalen Sicherheitsrats zur Situation in Vietnam teilzunehmen. Vgl. dazu DEPARTMENT OF STATE BULLETIN, Bd. 66 (1972), S. 771.
Vgl. ferner den Artikel „Rogers vorzeitig nach Washington zurück"; FRANKFURTER ALLGEMEINE ZEITUNG vom 8. Mai 1972, S. 1.

[3] Zur Wiederaufnahme amerikanischer Luftangriffe auf die Demokratische Republik Vietnam (Nordvietnam) am 10. April 1972 vgl. Dok. 104, Anm. 40.
Am 8. Mai 1972 erklärte Präsident Nixon im amerikanischen Rundfunk und Fernsehen: „There are only two issues left for us in this war. First, in the face of a massive invasion do we stand by, jeopardize the lives of 60 000 Americans, and leave the South Vietnamese to a long night of terror? This will not happen. We shall do whatever is required to safeguard American lives and American honor. Second, in the face of complete intransigence at the conference table do we join with our enemy to install a Communist government in South Vietnam? This, too, will not happen." Bei drei möglichen Handlungsalternativen – sofortiger Rückzug der amerikanischen Truppen, Fortsetzung der Versuche auf dem Verhandlungsweg oder entschiedenes militärisches Vorgehen zur Beendigung des Krieges – sei nur der letztgenannte Weg gangbar: „I therefore concluded that Hanoi must be denied the weapons and supplies it needs to continue the aggression. In full coordination with the Republic of Vietnam, I have ordered the following measures which are being implemented as I am speaking to you. All entrances to North Vietnamese ports will be mined to prevent access to these ports and North Vietnamese naval operations from these ports. [...] Rail and all other communications will be cut off to the maximum extent possible. Air and naval strikes against military targets in North Vietnam will continue. These actions are not directed against any other nation. Countries with ships presently in North Vietnamese ports have already been notified that their ships will have three daylight periods to leave in safety. After that time, the mines will become active and any ships attempting to leave or enter these ports will do so at their own risk. These actions I have ordered will cease when the following conditions are met: First, all American prisoners

1) Vietnam

Staatssekretär Frank bemerkte, er sei an dem möglichen Zusammenhang zwischen der Entwicklung in Vietnam und der Fortsetzung der Ost-West-Politik in Europa interessiert. Man wisse zwar noch nicht, wie Sowjets reagieren würden.[4] Er könne sich aber vorstellen, daß Festhalten an Terminablauf Ratifizierung–Inkraftsetzen Berlin-Abkommen[5]–KSZE in der neuen Situation eher eine stabilisierende Wirkung ausüben werde.

Hillenbrand stimmte dem zu. In Washington bestehe Eindruck, daß Gipfeltreffen trotz der neuen Lage zustande kommen werde[6], da bisher keine Anzeichen dafür vorlägen, daß Sowjets ihr Interesse verloren hätten. Die erste sowjetische Reaktion sei nicht so dramatisch ausgefallen wie im Falle Kuba.[7] Im Hafen von Haiphong lägen zur Zeit nicht viele sowjetische Schiffe. Wenn im europäischen Terminplan jetzt alles vorwärts gehe, könne dies nur einen günstigen Einfluß haben.

Staatssekretär Frank fragte, ob es sich etwa um einen „showdown" mit einem Crisis management handele wie in Kuba?

Hillenbrand verneinte dies nachdrücklich und betonte, dies liege nicht in der Absicht der amerikanischen Politik. Im übrigen müsse man abwarten, da die Lage militärisch und politisch im Fluß sei.

Fortsetzung Fußnote von Seite 540

of war must be returned. Second, there must be an internationally supervised cease-fire throughout Indochina. Once prisoners of war are released, once the internationally supervised cease-fire has begun, we will stop all acts of force throughout Indochina, and at that time we will proceed with a complete withdrawal of all American forces from Vietnam within four months." Vgl. PUBLIC PAPERS, NIXON 1972, S. 584f. Für den deutschen Wortlaut vgl. EUROPA-ARCHIV 1972, D 485–489.

[4] Am 11. Mai 1972 nahm die sowjetische Regierung zur Ankündigung weiterer militärischer Maßnahmen in Vietnam durch die USA Stellung: „Die Verschärfung der Bombardierungen des DRV-Territoriums und die Versuche Washingtons, eigenmächtig seine Regeln in die internationale Seeschiffahrt einzuführen, rufen Empörung hervor und müssen scharf verurteilt werden. Sie demonstrieren erneut der ganzen Welt das räuberische Wesen des Krieges, den die Vereinigten Staaten gegen das vietnamesische Volk entfesselt haben und schon seit vielen Jahren führen. Ein Aggressionsakt zieht einen weiteren, noch gefährlicheren nach sich. Zu den bisherigen barbarischen Akten und Verbrechen kommen neue, noch schwerere hinzu. [...] Durch eine neue Eskalation der Aggressionshandlungen können die Probleme Indochinas nicht gelöst und der Wille des für Freiheit und Unabhängigkeit kämpfenden vietnamesischen Volkes nicht gebrochen werden." Vgl. EUROPA-ARCHIV 1972, D 495.

[5] Für den Wortlaut des Vier-Mächte-Abkommens über Berlin vom 3. September 1971 vgl. EUROPA-ARCHIV 1971, D 443–453.

[6] Präsident Nixon besuchte die UdSSR vom 22. bis 30. Mai 1972. Vgl. dazu Dok. 149 und Dok. 161.

[7] Nachdem die USA bei Aufklärungsflügen am 16. Oktober 1962 festgestellt hatten, daß auf Kuba Abschußbasen errichtet und Raketen sowjetischen Ursprungs, darunter MRBM, stationiert worden waren, verhängte Präsident Kennedy am 22. Oktober 1962 eine Seeblockade. Mit Schreiben vom 24. Oktober 1962 an Kennedy nahm der Erste Sekretär des ZK der KPdSU und Ministerpräsident Chruschtschow dazu Stellung: „The Soviet Government considers that the violation of the freedom to use international waters and international air space is an act of aggression which pushes mankind toward the abyss of a world nuclear-missile war. Therefore, the Soviet Government cannot instruct the captains of Soviet vessels bound for Cuba to observe the orders of American naval forces blockading that Island. Our instructions to Soviet mariners are to observe strictly the universally accepted norms of navigation in international waters and not to retreat one step from them. And if the American side violates these rules, it must realize what responsibility will rest upon it in that case. Naturally we will not simply be bystanders with regard to piratical acts by American ships on the high seas. We will then be forced on our part to take the measures we consider necessary and adequate in order to protect our rights. We have everything necessary to do so." Vgl. FRUS 1961–1963, VI, S. 170.

Einem Einwurf von Staatssekretär Frank, militärisch sei von den Maßnahmen kurzfristig wohl kaum eine Verbesserung zu erhoffen, hielt Hillenbrand die zu erwartende günstige moralische Auswirkung auf Regierung und Streitkräfte Südvietnams entgegen.

Staatssekretär Frank bemerkte, bei Bundeskanzler-Besuch in London[8] habe er mit Sir Denis Greenhill die Frage erörtert, ob Offensive von Sowjetunion initiiert, toleriert oder ob sie gegen sowjetischen Willen lanciert worden sei.[9] Offensive sei nicht in der günstigsten Jahreszeit gestartet worden. Hieraus könne man vielleicht schließen, daß sie etwas mit der Vorbereitung des Besuchs in Moskau zu tun habe. Vielleicht habe man Präsident Nixon demonstrieren wollen, wie weit die Macht der Sowjetunion reiche?

Hillenbrand antwortete, hierfür gäbe es keine Anhaltspunkte. Zwar stamme das nordvietnamesische Waffenarsenal aus der Sowjetunion; auch habe es Besuche auf hoher Ebene gegeben; in ihren öffentlichen und diplomatischen Äußerungen beteuerten die Sowjets aber, sie seien an der Auslösung der Offensive unbeteiligt. Die Wahrheit liege wohl in der Mitte. Die Sowjetunion habe jedenfalls nichts unternommen, um die Offensive zu verhindern.[10]

2) SALT und andere bilaterale Vereinbarungen

Hillenbrand erklärte, Interesse beider Seiten an SALT sei nach wie vor groß. Es bestünden gute Aussichten auf Abschluß eines ABM-Vertrags und eines Executive Agreement über offensive Systeme wie SLBMs.

Den SALT-Vereinbarungen kämen im Zusammenhang mit dem Gipfeltreffen große Bedeutung zu, da sie die Atmosphäre grundlegend verbessern könnten. Die Sowjets würden zwar in der Lage sein, ihr U-Boot-Bauprogramm fortzusetzen; dem stünden aber der amerikanische qualitative Vorsprung, der Besitz der MIRVs und die größere Anzahl von Sprengköpfen gegenüber. Solange in

---

[8] Bundeskanzler Brandt hielt sich am 20./21. April 1972 in London auf. Für die Gespräche mit Premierminister Heath vgl. Dok. 104 und Dok. 109.

[9] Vgl. dazu das Gespräch des Staatssekretärs Frank mit dem Abteilungsleiter im britischen Außenministerium, Brimelow, am 20. April 1972 in London; Dok. 111.
In den Gesprächen mit dem Staatssekretär im britischen Außenministerium, Greenhill, erörterte Frank insbesondere die Lage im Nahen Osten und im Persischen Golf, die britisch-spanischen Beziehungen, die Europäische Sicherheitskonferenz, die Deutschlandpolitik, die europäische Gipfelkonferenz und das Problem des in Großbritannien beschlagnahmten deutschen Vorkriegsvermögens. Vgl. dazu die Drahtberichte Nr. 1046 und 1047 des Botschafters von Hase, London, vom 24. April 1972; Referat I A 5, Bd. 423. Vgl. ferner die Aufzeichnung des Vortragenden Legationsrats I. Klasse Thomas vom 26. April 1972; Referat I A 5, Bd. 423.

[10] Gesandter Noebel, Washington, berichtete am 17. April 1972, ein Mitarbeiter im amerikanischen Außenministerium habe zum sowjetischen Einfluß auf die nordvietnamesische Offensive ausgeführt, die UdSSR „habe die ausschließlich für Angriffshandlungen bestimmten Waffen: schwere Artillerie und Panzer" an die Demokratische Republik Vietnam (Nordvietnam) geliefert und „könne daher nicht im Zweifel gewesen sein, daß Hanoi eine Offensive großen Stils geplant habe [...]. Zur Frage der Wahl des Zeitpunktes gingen die Ansichten unter den Experten auseinander. Einige seien der Ansicht, daß Moskau hierzu sein ausdrückliches Placet gegeben und dies durch den unmittelbar vor dem Beginn der Offensive erfolgten Besuch hoher sowjetischer Militärs quasi unterstrichen habe." Die meisten Experten glaubten jedoch, daß der Zeitpunkt der Offensive vor dem Besuch des Präsidenten Nixon in der UdSSR für die die sowjetische Regierung ungelegen sei; „Moskaus Einfluß in Hanoi reiche jedoch nicht aus, um die Nordvietnamesen von der Wahl eines durch andere Gesichtspunkte bestimmten Zeitpunkts abzubringen". Vgl. den Drahtbericht Nr. 933; Referat I B 5, Bd. 672.

der amerikanischen technologischen Entwicklung keine Stagnation eintrete, werde die Abschreckung nicht beeinträchtigt.

Hillenbrand drückte die Hoffnung aus, daß im SALT-Zusammenhang und im Zusammenhang mit den anderen amerikanisch-sowjetischen Abkommen niemand von einem „Kondominium" sprechen werde. Daher auch die eingehende Konsultation mit den Verbündeten.

Staatssekretär Frank überzeugt[11], daß wir Phasen der „primitiven Vertrauenskrisen" hinter uns hätten. Es handle sich nicht um eine Frage des Mißtrauens, sondern um eine sehr differenzierte Problematik, die wir gemeinsam in den Griff bekommen müßten. Werde Präsident Nixon z. B. in Moskau versuchen, klarzumachen, daß Ostasien, Naher Osten, Mittelmeer, Berlin usw. keine getrennten Komplexe seien, sondern daß sie in engem Zusammenhang miteinander stünden? Entspannung z. B. in Mitteleuropa sei solange nicht möglich, wie Konfrontation im Nahen Osten und Mittelmeerraum aufrechterhalten oder verschärft werde.

Hillenbrand räumte ein, daß hier ein psychologischer Zusammenhang bestehe. Eine „quid-pro-quo-Politik" etwa der Art, daß man SALT-Abkommen von befriedigender Regelung an Krisenherden abhängig mache, werde von seiner Regierung nicht für zweckmäßig gehalten. Vietnam sei ein Sonderproblem, das separat betrachtet werden müsse.

3) Berlin-Abkommen

Auf Frage vom Staatssekretär Frank nach Unterzeichnung des Schlußprotokolls[12] antwortete Hillenbrand, amerikanische Seite denke an eine Unterzeichnung durch die Außenminister in Berlin. Über Einzelheiten sei bisher mit den Sowjets noch nicht gesprochen worden. Diese und Frage des Timing werde auf bevorstehender Direktorenkonsultation in Washington[13] erörtert werden. Staatssekretär Frank trat dafür ein,[14] Unterzeichnung und Austausch der Ratifikationsurkunden gleichzeitig[15] vorzunehmen.[16]

4) KSZE

Auf Frage von Staatssekretär Frank nach Zeitplan antwortete Hillenbrand, amerikanische Regierung wolle vor den Wahlen am 7.11.[17] nicht in multilaterale Vorbereitungsphase eintreten. Früherer Zeitpunkt sei auch wegen Europagipfels[18] ungünstig.

---

11 So in der Vorlage.
12 Zum Schlußprotokoll zum Vier-Mächte-Abkommen über Berlin vom 3. September 1971 vgl. Dok. 9, Anm. 11.
13 Zur Sitzung der Bonner Vierergruppe auf Direktorenebene am 12./13. Mai 1972 vgl. Dok. 134.
14 An dieser Stelle wurde von Ministerialdirektor von Staden gestrichen: „äußerstenfalls".
15 Zur Festlegung des Termins für die Unterzeichnung des Schlußprotokolls zum Vier-Mächte-Abkommen über Berlin vom 3. September 1971 und den Austausch der Ratifikationsurkunden zum Moskauer Vertrag vom 12. August 1970 vgl. Dok. 134, Anm. 11 und 12.
16 An dieser Stelle wurde von Ministerialdirektor von Staden gestrichen: „Man solle nicht das Risiko eingehen, erst auszutauschen und dann zu unterzeichnen."
17 Am 7. November 1972 fanden in den USA Präsidentschaftswahlen und Wahlen zum Repräsentantenhaus sowie Teilwahlen zum Senat und zu den Gouverneursämtern statt.
18 Zum Stand der Überlegungen für eine europäische Gipfelkonferenz vgl. Dok. 31, Anm. 17, und Dok. 66.

Staatssekretär Frank führte aus, er habe in London insistiert, Vorbereitungen nicht abzuschließen, bevor wir nicht sicher seien, daß TO-Punkt für beide Seiten das Gleiche beinhalten. Wenn wir mit offenen Fragen in die Konferenz gingen, werde es sehr schwierig sein, Koordinierung im Westen zu gewährleisten.

Hillenbrand sprach sich ebenfalls für eine sorgfältige und nicht überstürzte Vorbereitung aus. Briten erwarteten von der Konferenz so gut wie nichts und meinten, je schneller sie vorüber sei, desto besser. US-Auffassung: Wenn es schon zu einer Konferenz komme, dann liege es im Interesse des Westens, das Beste herauszuholen. Bei sorgfältiger Vorbereitung und Koordinierung hätten wir nichts zu fürchten.

Auf Bemerkung von Hillenbrand, wir gäben der Definition des „Freer movement" andere Nuance[19], bemerkte Staatssekretär Frank, man müsse dies auf dem Hintergrund unseres innerdeutschen Problems sehen. Kleinste Fortschritte seien besser als gar keine. Herabsetzung des Rentenalters für Besucher z.B. sei kein freier Austausch, aber es sei schon etwas. Für uns handele es sich um einen Ansatzpunkt, um DDR auf den Kurs der menschlichen Erleichterungen festzulegen.[20]

Hillenbrand äußerte Verständnis. Wenn Sowjets kein Interesse hätten, sollten wir uns jedenfalls nicht davon abhalten lassen, sie in Verlegenheit zu bringen. Formulierungen seien eine Frage der Taktik.

Staatssekretär Frank ergänzte, Falin habe in Gespräch mit Bundeskanzler und Dr. Barzel[21] geäußert, wenn Verträge ratifiziert würden, werde Normalisierung des innerdeutschen Verhältnisses schneller in Gang kommen, als Bundesregierung das bisher erwartet habe. Staatssekretär bemerkte, wenn KSZE hierzu Rahmen abgeben würde, sollten wir ihn auszufüllen suchen und ihn nicht für polemische Forderungen opfern[22]. Wenn mit DDR Durchbruch erzielt werde, werde dies die Konferenz beeinflussen; umgekehrt könne es aber auch sein, daß wir KSZE brauchten, um zu Fortschritten auf innerdeutschem Gebiet zu kommen.

5) MBFR

Hillenbrand versicherte, Präsident Nixon werde nicht verhandeln und nichts unternehmen, was gegen die Interessen der Allianz verstoße. Bezüglich MBFR

---

19 Zu den unterschiedlichen Auffassungen der Bundesrepublik und der USA zum Thema „Freizügigkeit" auf einer Europäischen Sicherheitskonferenz vgl. auch Dok. 52.
Am 23. Mai 1972 notierte Vortragender Legationsrat Bazing, der Erste Sekretär an der amerikanischen Botschaft, Anderson, habe ihm „ein von Außenminister Rogers persönlich (in der Ich-Form) abgefaßtes Telegramm" gezeigt, in dem Rogers „in sehr dezidierter Weise seine Absicht mitteilt, während des Vieressens am Vorabend des NATO-Ministerrats den Bundesaußenminister zu einer Änderung der deutschen Haltung in der Frage von ‚freer movement' zu bewegen. Außenminister Rogers will vor allem darauf hinwirken, die Bezeichnung dieses KSZE-Themenbereichs unverändert als ‚freer movement of people, ideas and informations' beizubehalten. Abweichungen hiervon empfindet der amerikanische Außenminister als eine gravierende Schwächung westlicher Positionen." Vgl. VS-Bd. 9009 (II A 3); B 150, Aktenkopien 1972.
20 Der Passus „auf den Kurs ... festzulegen" ging auf Streichungen und handschriftliche Einfügungen des Ministerialdirektors von Staden zurück. Vorher lautete er: „in das Joch der menschlichen Erleichterungen hineinzuwingen".
21 Zum Gespräch des Bundeskanzlers Brandt und des CDU/CSU-Fraktionsvorsitzenden Barzel mit dem sowjetischen Botschafter Falin am 9. Mai 1972 vgl. Dok. 126, Anm. 2.
22 An dieser Stelle wurde von Ministerialdirektor von Staden gestrichen: „, die wir auch an andere Staaten richteten (Griechenland)".

herrsche zur Zeit bei den Sowjets Stagnation. Vielleicht sei Meinungsaustausch dazu angetan, sowjetischen Standpunkt aufzuhellen.[23]

Für Washington: Bitte MDg van Well unterrichten.[24]

Staden[25]

VS-Bd. 9827 (I A 5)

129

Aufzeichnung des Vortragenden Legationsrats Schilling, Bundeskanzleramt

12. Mai 1972[1]

Streng vertraulich

Vermerk über ein Gespräch des Bundeskanzlers mit dem sowjetischen Botschafter

Botschafter Falin suchte den Bundeskanzler auf eigenen Wunsch zu einem etwa 40 Min. dauernden Gespräch auf.

Der Bundeskanzler legte dem Botschafter dar, wie sich im einzelnen der Abschluß des Ratifizierungsverfahrens der Ostverträge darstellt.

---

[23] Am 12. Mai 1972 ergänzte Vortragender Legationsrat I. Klasse Thomas zu dem Gespräch, Staatssekretär Frank habe zudem mit dem Abteilungsleiter im amerikanischen Außenministerium, Hillenbrand, über Radio Free Europe und Radio Liberty gesprochen und ausgeführt: „Es handele sich um ein emotionsgeladenes Thema, bei dem wir alle Mittel der bilateralen Aufklärung einsetzen sollten, um potentiellen Meinungsverschiedenheiten vorzubeugen. [...] Wenn es eines Tages zu einer Normalisierung komme, müsse dieser Komplex miteinbegriffen werden. Die Sender könnten dann nicht Inseln darstellen, die von der Normalisierung ausgespart würden. Bis zu der endgültigen Regelung solle die Tätigkeit der Sender nicht eingeschränkt werden; aber es sollte auch nichts unternommen werden, um den Sendern neues Leben einzuhauchen." Hillenbrand habe Verständnis für diese Haltung gezeigt, aber darauf hingewiesen, daß die Sender für Osteuropa „eine Hauptquelle objektiver Information" seien. Er habe berichtet, daß die Finanzierung bis zum 30. Juni 1972 gesichert sei und die amerikanische Regierung sich um die Bewilligung der Mittel für das nächste Haushaltsjahr bemühe. Vgl. VS-Bd. 9827 (I A 5); B 150, Aktenkopien 1972.

[24] Dieser Satz wurde von Ministerialdirektor von Staden handschriftlich eingefügt.

[25] Paraphe.

[1] Die Aufzeichnung wurde am 12. Mai 1972 von Vortragendem Legationsrat Schilling, Bundeskanzleramt, an Vortragenden Legationsrat I. Klasse Hofmann übermittelt mit der Bitte, sie „sogleich Ihrem Herrn Minister vorzulegen".
Hat Hofmann am 12. Mai 1972 vorgelegen, der handschriftlich für Bundesminister Scheel vermerkte: „Der Herr Bundeskanzler meinte, wenn etwas hinzuzufügen wäre, müßten Sie sich gleich mit Falin in Verbindung setzen." Hofmann vermerkte außerdem handschriftlich: „Die veranlaßten Änderungen befinden sich auf der ersten Kopie bei StS Dr. F[rank], der sofort Botschafter Falin zitiert hat." Vgl. das Begleitschreiben; VS-Bd. 10102 (Ministerbüro); B 150, Aktenkopien 1972.
Hat Scheel am 12. Mai 1972 vorgelegen.
Für die Änderungen vgl. Anm. 3.

Der Botschafter bestätigte den Standpunkt der sowjetischen Führung, wie er ihn am vergangenen Dienstag in dem Gespräch mit Vertretern der Bundesregierung und der Opposition in der Residenz des Bundeskanzlers vorgetragen hatte.[2]

In dem Gespräch wurde die Erklärung erörtert, die der sowjetische Botschafter beim Empfang der Entschließung des Bundestages abgeben wird. Nach Auffassung des Botschafters könnte Bundesminister Scheel feststellen, daß der Botschafter die Entschließung entgegengenommen und folgende Erklärung abgegeben hat:

Erster Satz:

„Diese von der Bundesregierung übermittelte Entschließung wird an die Sowjetregierung weitergeleitet."

Alternativ-Fassung:

„Diese Entschließung des Bundestages wird an die Sowjetunion weitergeleitet."

Zweiter Satz:

„Sie gibt den Standpunkt Ihrer Seite wieder."

Dritter Satz:

„Der Standpunkt der Sowjetunion[3] ist der Bundesregierung bekannt."

Vierter Satz:

„Was die Rechte und Verpflichtungen beider Seiten aus dem Vertrag angeht, so ist vom Vertragstext selbst auszugehen."

Der Bundeskanzler sagte dem Botschafter, daß er den Bundesaußenminister hiervon unverzüglich unterrichten werde.

Der Bundeskanzler und der Botschafter stimmten überein, daß der Bundeskanzler oder der Außenminister – wenn wir dies für zweckmäßig hielten – darauf hinweisen könnten, daß der Botschafter im Anschluß an die Weiterleitung der Entschließung die Bundesregierung davon in Kenntnis setzen werde, daß diese im Besitz der Sowjetunion sei.[4]

Der Botschafter stellte in Aussicht, daß bis zum 17. Mai in der sowjetischen und polnischen Presse möglichst keine Kommentare zum Thema der Entschließung des Bundestages erscheinen sollten.

---

[2] Zum Gespräch vom 9. Mai 1972 vgl. Dok. 126, Anm. 2.

[3] An dieser Stelle fügte Staatssekretär Frank im Durchdruck der Aufzeichnung handschriftlich ein: „‚, wie er in der Rede des A[ußen]M[inisters] Gromyko enthalten ist,". Vgl. VS-Bd. 5778 (V 1); B 150, Aktenkopien 1972.

[4] Am 19. Mai 1972 notierte Staatssekretär Frank den vom sowjetischen Botschafter Falin verwendeten „Text bei der Übergabe der Entschließung des Deutschen Bundestages vom 17.5.72, der in seinem Beisein protokolliert worden" sei: „Die Entschließung des Deutschen Bundestages wird an die Sowjetregierung weitergeleitet. Sie legt Ihre bekannte Haltung dar. Die Position der Sowjetunion ist der Bundesregierung bekannt. Sie bleibt unverändert und ist u. a. in der Rede des Außenministers der UdSSR, Gromyko, auf der gemeinsamen Sitzung der Auswärtigen Kommission des Unionssowjets und des Nationalitätensowjets des Oberstens Sowjets der UdSSR dargelegt worden. Der Text dieser Rede ist dem Bundesminister des Auswärtigen der Bundesrepublik Deutschland, Herrn Scheel, zur Kenntnis gebracht worden. Was die Rechte und Pflichten der Vertragspartner angeht, so ist in dieser Frage vom Vertragstext allein auszugehen." Vgl. VS-Bd. 5778 (V 1), B 150, Aktenkopien 1972.

Es wurde vereinbart, der Öffentlichkeit die Tatsache des heutigen Gesprächs nicht bekanntzugeben. Falls es dennoch bekannt werden sollte, sollte auf Anfrage der in der Anlage vereinbarte Text[5] mitgeteilt werden.

Schilling

VS-Bd. 10102 (Ministerbüro)

130

Gespräch des Staatssekretärs Frank mit dem sowjetischen Botschafter Falin

St.S. 219/72 geheim 12. Mai 1972[1]

Am 12. Mai 1972 empfing der Herr Staatssekretär Dr. Frank den sowjetischen Botschafter zu einer Unterredung. An dem Gespräch nahmen teil:
von sowjetischer Seite: Herr Botschaftsrat Koptelzew,
von deutscher Seite: Herr MDg von Schenck.

Der Herr *Staatssekretär* führte zu Beginn aus, daß er den Herrn Botschafter zu sich gebeten habe, um mit ihm die Einzelheiten des Procedere im Zusammenhang mit der Übergabe der Entschließung des Bundestages zu besprechen. Der Herr Bundesaußenminister habe nach dem letzten Gespräch[2] das vorgesehene Procedere der Opposition in einem Brief mitgeteilt.[3] Man wolle durch dieses

---

[5] Dem Vorgang beigefügt. Vortragender Legationsrat Schilling schlug vor, gegebenenfalls folgendes über das Gespräch mit dem sowjetischen Botschafter Falin mitzuteilen: „Der Bundeskanzler hat dem Botschafter dargelegt, wie sich im einzelnen der Abschluß des Ratifizierungsverfahrens der Ostverträge darstellt. Der Botschafter hat den Standpunkt der sowjetischen Führung bestätigt, wie er ihn am vergangenen Dienstag in dem Gespräch mit Vertretern der Bundesregierung und der Opposition in der Residenz des Bundeskanzlers vorgetragen hatte." Vgl. VS-Bd. 10102 (Ministerbüro); B 150, Aktenkopien 1972.

[1] Die Gesprächsaufzeichnung wurde von Dolmetscher Hartmann gefertigt.
Hat Legationsrat I. Klasse Vergau am 17. Mai 1972 vorgelegen, der handschriftlich vermerkte: „Einzige Ausfert[igung]."

[2] Zum Gespräch des Bundesministers Scheel mit dem sowjetischen Botschafter Falin am 9. Mai 1972 vgl. Dok. 126, Anm. 3.

[3] Am 10. Mai 1972 teilte Bundesminister Scheel den CDU-Abgeordneten Birrenbach und Mikat mit: „Der sowjetische Botschafter hat sich bereit erklärt, eine Entschließung des Deutschen Bundestages in der zwischen den Fraktionen vereinbarten Fassung entgegenzunehmen. Ich werde bei dieser Gelegenheit ausführen, daß diese Entschließung die Meinung der Bundesrepublik Deutschland enthält." In schriftlicher Form werde zudem die Ausführungen des Bundeskanzlers Brandt vom 10. Mai 1972 im Bundestag über die Entschließung übergeben: „Der sowjetische Botschafter wird sodann unter Übergabe eines entsprechenden Aide-mémoires erklären, er werde diese Entschließung an seine Regierung weiterleiten. Der sowjetische Botschafter wird darüber hinaus folgende zusätzliche Bemerkungen machen: Diese Entschließung lege die der Sowjetunion bekannte Haltung der Bundesrepublik Deutschland dar. Die Position der Sowjetunion sei bekannt. Außenminister Gromyko habe sie den beiden zuständigen Kommissionen des Obersten Sowjet vorgetragen. Der Text dieser Ausführungen von Außenminister Gromyko sei dem Bundesaußenminister zur Kenntnis gebracht worden. Die sowjetische Seite gehe ebenfalls davon aus, daß die Entschließung

Gespräch mangelnde Präzision oder Übermittlungsfehler vermeiden, damit nicht der Gedanke auftreten könne, es sei eine neue Situation entstanden. Er wolle dem Herrn Botschafter das Schreiben des Herrn Bundesaußenministers an die Opposition vorlesen; vielleicht könne man dann die endgültigen Formulierungen vereinbaren. Es wäre gut, wenn der Herr Botschafter der Opposition keine Mitteilungen machen würde.

Der Herr *Botschafter* bemerkte hierzu, daß er keine Kontakte zur Opposition habe. Er wolle die gegenüber dem Herrn Bundeskanzler gemachte Äußerung hier wiederholen, daß hinsichtlich seiner Stellung gegenüber der Opposition alles so bliebe, wie man es vereinbart habe.[4]

Anschließend verlas der Herr *Staatssekretär* das Schreiben des Herrn Bundesaußenministers an die Vertreter der Opposition. Dann zitierte er aus der Darstellung des Herrn Bundeskanzlers über dessen heutiges Gespräch mit dem sowjetischen Botschafter.

Es sei wichtig zu wissen, daß es keine Abweichung von dem gebe, was der Herr Bundesaußenminister der Opposition geschrieben habe. Er stellte anschließend die Frage, ob man davon ausgehen könne, daß das Zeremoniell so ablaufen werde, wie im Brief dargestellt.

Der *sowjetische Botschafter* machte hierzu drei Bemerkungen:

1) Er habe dem Herrn Bundesaußenminister gegenüber ausgeführt, daß er nie gesagt habe, daß er die Entschließung entgegennehmen werde. Man sollte konkreter sagen: „bei der Aushändigung der Entschließung an den Botschafter".

2) Er habe weiter nicht gesagt, daß er bei der Übergabe ein Aide-mémoire überreichen werde. Es sei richtig zu sagen, er gebe den Text, wie man ihn in Moskau formulieren würde, als „non-paper".

3) Es sei ein bißchen obligatorisch ausgedrückt, daß man von der Erwägung ausgehe, daß die Entschließung an den Obersten Sowjet weitergeleitet werden würde. Er würde auf eine entsprechende Frage sagen, daß er die Entschließung an seine Regierung weiterleiten werde. Er könne nicht sagen, wie seine Regierung die Entschließung behandeln werde. Wenn man ihn frage, ob das Präsidium des Obersten Sowjet über die Vertragsbesprechungen im Bundestag informiert sei, so werde er antworten, daß dies selbstverständlich so sei. Was den Text selbst anbelange, so werde er Moskau bitten, auf die Erklärung des sowjetischen Außenministers[5] hinzuweisen. Die letzte Redaktion der sowjetischen Erklärung werde von dem abhängen, was im Bundestag gesagt werden würde. Der sowjetische Botschafter bemerkte weiter, daß der letzte Satz des in

---

Fortsetzung Fußnote von Seite 547

des Deutschen Bundestages die Rechte und Verpflichtungen, die sich aus den Verträgen ergeben, nicht berühre. Botschafter Falin hat mir versichert, daß seine Regierung der Entschließung des Deutschen Bundestages nicht widersprechen werde. Im übrigen wird man nach den Mitteilungen des Botschafters davon ausgehen können, daß die Entschließung dem Präsidium des Obersten Sowjet, das das Ratifikationsverfahren noch nicht abgeschlossen hat, zur Kenntnis kommen wird." Vgl. Ministerbüro, Bd. 475.

[4] Zum Gespräch des Bundeskanzlers Brandt mit dem sowjetischen Botschafter Falin am 12. Mai 1972 vgl. Dok. 129.

[5] Zu den Ausführungen des sowjetischen Außenministers Gromyko am 12. April 1972 vor den Kommissionen für auswärtige Angelegenheiten des Unions- und des Nationalitätenrats des Obersten Sowjet vgl. Dok. 104, Anm. 12 und 30.

Rede stehenden Briefes nicht ganz korrekt sei. Was die Rechte und Pflichten der beiden Vertragsseiten angehe, so sei hierfür der Vertragstext maßgebend.

Hierzu entgegnete der Herr *Staatssekretär*, daß man eine Erklärung des Botschafters, die Entschließung entgegenzunehmen, nicht erwarte. Da der Botschafter die Entschließung jedoch weiterleiten wolle, müsse er sie auch entgegennehmen. Dem stimmte der sowjetische Botschafter zu.

Der Herr Staatssekretär sagte weiter, daß man am Dienstagabend gesagt habe, daß die sowjetische Position in der Gromyko-Rede enthalten sei. Der Text des Schreibens des Herrn Bundesaußenministers sei in seiner Abwesenheit verfaßt worden.

Bezüglich der dritten Bemerkung des sowjetischen Botschafters sagte der Herr Staatssekretär, daß man die etwas sibyllinische Formel gewählt habe, nach der die Entschließung nicht weitergeleitet, sondern (er zitierte aus dem Schreiben) dem Obersten Sowjet zur Kenntnis kommen werde.

Der *sowjetische Botschafter* sagte, daß er zum gegenwärtigen Zeitpunkt zu irgendwelchen Äußerungen offiziell nicht Stellung nehmen werde.

Der Herr *Staatssekretär* überreichte dem sowjetischen Botschafter eine Kopie des Briefes des Herrn Bundesaußenministers an die Opposition. Bezüglich der Formel über die Weiterleitung der Entschließung durch den sowjetischen Botschafter sagte der Herr Staatssekretär, daß der deutschen Seite die von ihm verlesene erste Variante aus der Darstellung des Herrn Bundeskanzlers mehr zusage.

Unter Hinweis auf die morgen nachmittag stattfindende Expertensitzung[6] und die zu erwartende Frage nach dem Procedere fragte der Herr Staatssekretär den sowjetischen Botschafter, ob er sagen könne, daß das Procedere, so wie im Brief dargestellt, ablaufen werde.

Der *sowjetische Botschafter* antwortete, daß man dies dem Sinn nach so sagen könne. Er könne keinen Blanko-Scheck ausstellen, alles hänge vom Ende der Behandlung ab, vielleicht werde es auch Anträge auf Änderung des Entschließungstextes geben oder die Regierung könne zusätzliche Erklärungen abgeben.

Der Herr *Staatssekretär* bemerkte, daß alles so ablaufen müsse, wie man es heute fixiert habe. Die vorliegende Entschließung bilde die Geschäftsgrundlage. Dem stimmte der *sowjetische Botschafter* zu. Er wiederholte, daß das Procedere der Substanz nach im Brief richtig dargestellt sei.

Der Herr *Staatssekretär* verwies auf die zu erwartende Forderung nach einer zweiten Expertensitzung zur Prüfung der genauen Formulierungen. Er fragte, wann diese vorliegen würden.

Der *sowjetische Botschafter* bezeichnete es als sehr wahrscheinlich, daß er am Montag (15.5.) entsprechende Informationen haben werde.

Auf die Frage von Herrn Botschaftsrat *Koptelzew*, wann die Entschließung übergeben werde, konnte die deutsche Seite noch keine Antwort geben. Der

---

[6] Zur Sitzung der interfraktionellen Expertengruppe zur Vorbereitung der Ratifikation des Moskauer Vertrags vom 12. August 1970 bzw. des Warschauer Vertrags vom 7. Dezember 1970 vgl. Dok. 135.

Herr *Staatssekretär* führte jedoch aus, daß die Übergabe in jedem Falle vor Austausch der Ratifikationsurkunden geschehen werde.[7]

Abschließend legte der *sowjetische Botschafter* nochmals Wert auf seine Feststellung, daß er kein Aide-mémoire, sondern ein Papier als Gedächtnishilfe übergeben werde.

Dauer der Unterredung: ca. 45 Minuten.

VS-Bd. 5778 (V 1)

131

Botschafter Pauls, Washington, an das Auswärtige Amt

Z B 6-1-12434/72 geheim	Aufgabe: 12. Mai 1972, 10.28 Uhr[1]
Fernschreiben Nr. 1196	Ankunft: 12. Mai 1972, 15.57 Uhr

I. Der von Regierungsseite mit Entschlossenheit vorgetragenen These: „We won't accept defeat" gegenüber wächst hier die Erkenntnis, daß da nicht mehr so sehr viel zu akzeptieren bleibt, sondern daß die Niederlage eigentlich da ist und daß es jetzt mehr darum geht, wie man sie erträglicher dekorieren kann, da der Begriff Niederlage in der amerikanischen Vorstellungswelt keinen Platz hat. Daß die Vietnamization an sich gescheitert ist und, weiter auf die Probe gestellt, zusammenbrechen würde. Dem zu entsprechen, gelten Nixons Maßnahmen: die Blockade plus das Vier-Monate-Angebot.[2]

Wie ich inzwischen von der Leitung des Pentagon höre, rechnet man dort mit einer Wirkung auf die Feldoperationen erst in zwei Monaten. Meine bisher berichtete Einschätzung, „in drei Wochen"[3], war also zu optimistisch. Das heißt, daß die Blockade auf den operativen Ablauf der gegenwärtigen nordvietnamesischen Offensive versorgungsmäßig – „politisch" bleibe dahingestellt – kaum einwirken wird. Wohl aber wird sie vielleicht verhindern können, und das ist die mit ihr militärisch verbundene Absicht, daß Nordvietnam im Herbst, vor

---

[7] Die Entschließung des Bundestags wurde dem sowjetischen Botschafter Falin am 19. Mai 1972 übergeben. Vgl. dazu Dok. 129, Anm. 4.

[1] Hat Ministerialdirektor von Staden am 15. Mai 1972 vorgelegen, der die Weiterleitung an Staatssekretär Frank und Bundesminister Scheel verfügte und handschriftlich vermerkte: „Eilt."
Hat Frank laut Vermerk des Legationsrats I. Klasse Vergau vom 16. Mai 1972 vorgelegen.
Hat Vortragendem Legationsrat Hallier am 16. Mai 1972 vorgelegen, der vermerkte: „Hat dem Herrn Minister bereits vorgelegen."

[2] Vgl. dazu die Ausführungen des Präsidenten Nixon vom 8. Mai 1972; Dok. 128, Anm. 3.

[3] Botschafter Pauls, Washington, berichtete am 21. April 1972 über eine amerikanische Einschätzung der Lage in Vietnam: „Die Südvietnamesen würden weitere Rückschläge erleiden, sie sollten aber mit Hilfe der amerikanischen Luftwaffe eigentlich imstande sein, die Offensive abzuwehren und schließlich Geländegewinne des Gegners rückgängig zu machen. Erfolg oder Mißerfolg Hanois dürfte sich innerhalb der nächsten drei Wochen entscheiden." Vgl. den Drahtbericht Nr. 984; VS-Bd. 9876 (I B 4/I B 5); B 150, Aktenkopien 1972.

den Wahlen[4], die Offensive wiederaufnehmen kann, jedenfalls mit Großverbänden und operativen Waffen. Das Angebot der Vier-Monate-Frist macht deutlich, daß der Präsident sich im Falle der Annahme, mit der kaum gerechnet wird, vom dann weiteren Schicksal des Thieu-Regimes distanziert.

II. Neben die Sorge, daß eine Verschlechterung der internationalen Lage die Ratifizierungsdebatte am 17.5. abträglich beeinflussen könnte, tritt zunehmend die Hoffnung, daß die sowjetische Rücksichtnahme auf dieses Ereignis die sowjetische Reaktion auf die präsidentielle Vietnam-Politik dämpfen möge, um die deutsche Szene nicht wieder durcheinander zu bringen. Die politische Wechselwirkung wird zunehmend empfunden. Ein Gesprächskommentar gestern: „Wahrscheinlich werden die Sowjets eines Tages behaupten, wir hätten das alles zwischen Bonn und Washington taktisch so koinzident arrangiert, und werden damit unserer Koordination doch zuviel Ehre antun."

Ein Kommentar von dritter europäischer Seite: „Wenn ihr das am 17. Mai tatsächlich zustandebringt, wird es, was immer vorhergegangen ist, als ein meisterhaftes Zusammenspiel von Regierung und Opposition in später Stunde gegenüber einem sehr schwierigen Weltmacht-Partner in die Geschichte der Diplomatie eingehen, sehr zu unserer aller Erleichterung." Klar ist, daß ein Scheitern der Ratifizierung das amerikanisch-sowjetische Verhältnis jetzt noch mehr belasten würde als vor der Vietnamzuspitzung.

[gez.] Pauls

VS-Bd. 9876 (I B 4/I B 5)

---

[4] Am 7. November 1972 fanden in den USA Präsidentschaftswahlen und Wahlen zum Repräsentantenhaus sowie Teilwahlen zum Senat und zu den Gouverneursämtern statt.

132

Vortragende Legationsrätin I. Klasse Finke-Osiander an die Handelsvertretung in Warschau

II A 5 \
Fernschreiben Nr. 173 \
Citissime

Aufgabe: 12. Mai 1972, 21.24 Uhr

Betr.: Stand des Ratifizierungsverfahrens[1]; \
hier: erneutes Gespräch zwischen Bundesminister des Auswärtigen und Leiter polnischer Handelsvertretung am 12.5.

Bezug: DE Nr. 166 vom 9.5.[2]

Bundesminister bat heute nochmals Leiter polnischer Handelsvertretung zu sich, um ihm angesichts der Diskussion, die über Punkt 2 des Entwurfs einer Bundestagsentschließung[3] entstanden war, nochmals Standpunkt der Bundesregierung zu verdeutlichen.

Minister führte aus, daß die Diskussion über diesen Punkt seiner Auffassung nach auf Mißverständnissen beruhe, die die Bundesregierung hoffe, im Rahmen der Bundestagsdebatte vom 10.5.[4] ausgeräumt zu haben.

Er nahm dabei Bezug:

1) Auf seinen im Rahmen der Debatte zitierten Brief an Oppositionsführer Barzel, den er in der Bundestagsdebatte wörtlich wie folgt zitiert hatte – und in diesem Gespräch mit Herrn Piątkowski nochmals vorlas:

„Zum letzten Satz der Ziffer 2 habe ich dem Botschafter (sowjetischen) noch einmal bestätigt, daß die Bundesregierung zu den Verpflichtungen, die sie in Artikel 1 des Vertrages mit der Volksrepublik Polen[5] übernommen hat, steht. In diesem Artikel haben wir nicht zu den rechtlichen Grundlagen der bestehenden Westgrenze Polens Stellung genommen, und zwar aus wohlerwogenen Gründen nicht, die Sie kennen. Wir sind mit der Volksrepublik Polen aber übereingekommen, die Oder-Neiße-Linie als Westgrenze Polens für die Dauer des Bestehens der Bundesrepublik Deutschland nicht mehr in Frage zu stellen. Diese Verdeutlichung, die von mir sowohl im Deutschen Bundestag als auch im

---

[1] Zum Stand des Ratifikationsverfahrens zum Moskauer Vertrag vom 12. August 1970 und zum Warschauer Vertrag vom 7. Dezember 1970 vgl. Dok. 126, Anm. 5.

[2] Vgl. Dok. 125.

[3] Am 10. Mai 1972 wies der CDU-Abgeordnete Marx im Bundestag darauf hin, daß in Punkt 2 des Entwurfs für eine Entschließung des Bundestags anläßlich der Abstimmung über den Moskauer Vertrag vom 12. August 1970 und den Warschauer Vertrag vom 7. Dezember 1970 festgestellt werde: „Die Verträge nehmen eine friedensvertragliche Regelung für Deutschland nicht vorweg und schaffen keine Rechtsgrundlage für die heute bestehenden Grenzen." Bundesminister Scheel habe im Schreiben vom 9. Mai 1972 an den CDU/CSU-Fraktionsvorsitzenden Barzel jedoch „eine andere Formulierung gebraucht". Er habe nämlich erklärt, daß die Bundesregierung mit Artikel I des Warschauer Vertrags „nicht zu den rechtlichen Grundlagen der bestehenden Westgrenze Polens Stellung genommen" habe. Vgl. BT STENOGRAPHISCHE BERICHTE, Bd. 80, S. 10911.

[4] Korrigiert aus: „11.5."

[5] Für Artikel I des Vertrags vom 7. Dezember 1970 zwischen der Bundesrepublik und Polen über die Grundlagen der Normalisierung ihrer gegenseitigen Beziehungen vgl. Dok. 34, Anm. 5.

Bundesrat im Zusammenhang mit der Diskussion über die Ratifizierung der Verträge vorgetragen worden ist, hat die wünschenswerte Klarheit geschaffen. In einem Gespräch, das ich heute nachmittag mit dem Leiter der polnischen Handelsvertretung, Herrn Piątkowski, gehabt habe, habe ich auch ihm den in der Entschließung formulierten letzten Satz der Ziffer 2 im gleichen Sinne interpretiert."[6]

2) Auf die Rede des Bundeskanzlers in der Debatte, wobei er insbesondere die folgenden Ausführungen des Kanzlers zitierte:

„Aus der Sicht und der Verantwortung der Bundesregierung ist noch festzuhalten, daß die Feststellung, die Verträge schüfen, da sie eine friedensvertragliche Regelung nicht vorwegnähmen, keine Rechtsgrundlage für die heute bestehenden Grenzen, selbstverständlich keine Einschränkung der insbesondere im Warschauer Vertrag für die Bundesrepublik Deutschland übernommenen Verpflichtungen bedeutet."[7]

(Dg II A[8] bringt Sonderausgabe vom 11.5. des Bulletins des Presse- und Informationsamtes, das vollen Text der Reden enthält[9], mit.)

Der Minister betonte, daß er Wert darauf gelegt habe, Herrn Piątkowski noch einmal ausdrücklich darauf hinzuweisen, daß die Bundesregierung keine Einschränkung oder Änderung der Verträge beabsichtige oder zulassen wolle, weil ihm daran liege, daß nicht etwa durch eine mißverständliche öffentliche Diskussion Mißverständnisse zwischen den beiden Regierungen entstünden.

So wie die Dinge derzeit lägen, sei im Augenblick eine positive innenpolitische Entwicklung im Hinblick auf die Verträge im Gange. Er halte es für möglich, daß nächste Woche ein größerer Teil von CDU-Abgeordneten für die Verträge stimmen würde, als er ursprünglich erwartet habe.[10] Wenn es gelinge, die Verträge in der nächsten Woche in Ruhe und mit einer guten Mehrheit zu verabschieden, dann wäre der Prozeß der Normalisierung auf gutem Wege.

Herr Piątkowski erläuterte daraufhin den polnischen Standpunkt aufgrund ihm vorliegender Weisungen wie folgt:

1) Die polnische Regierung betrachte den Text der Verträge als allein maßgebend.

2) Sie würde nichts akzeptieren können, was nicht im Einklang mit Geist und Inhalt der Verträge stehe.

3) Die polnische Regierung betrachte Punkt 2 des Entschließungsentwurfs als im Widerspruch zum Warschauer Vertrag stehend. Sie könne einer Abschwächung des Vertrages nicht zustimmen.

---

[6] Vgl. BT STENOGRAPHISCHE BERICHTE, Bd. 80, S. 10909.
    Für den Wortlaut des Schreibens des Bundesministers Scheel vom 9. Mai 1972 an den CDU/CSU-Fraktionsvorsitzenden vgl. auch MOSKAU–BONN, Bd. II, S. 1494 f.
[7] Vgl. BT STENOGRAPHISCHE BERICHTE, Bd. 80, S. 10891.
[8] Jürgen Diesel.
[9] Vgl. BULLETIN 1972, S. 942–980.
[10] Zum Ergebnis der Abstimmung im Bundestag am 17. Mai 1972 über den Moskauer Vertrag vom 12. August 1970 und den Warschauer Vertrag vom 7. Dezember 1970 vgl. Dok. 139, Anm. 2, und Dok. 140, Anm. 2.

Herr Piątkowski führte aus, daß Punkt 2 der vorgesehenen Entschließung nach polnischer Auffassung im Gegensatz zu Äußerungen des Bundeskanzlers stehe, wonach die Verträge alles ausräumen sollten, was Keim neuer Streitigkeiten werden könnte.

Er unterstrich abschließend, daß die polnische Regierung die Denkschrift zum Vertrag, die von der Bundesregierung im Dezember den parlamentarischen Gremien zugeleitet worden sei[11], positiv beurteile.

Der Minister erwiderte auf diese Darlegungen, daß diese Auffassung der polnischen Regierung auf einem Mißverständnis des beanstandeten Passus „schaffen keine Rechtsgrundlage" beruhe. Der Passus würde vielleicht verständlicher, wenn man statt dessen eingefügt hätte: keine neue Rechtsgrundlage. Zur Entstehungsgeschichte führte er aus, daß die Bundesregierung die Formulierung vorgeschlagen habe „nimmt nicht Stellung zu den Rechtsgrundlagen". Sie habe der zwischen den Fraktionen schließlich angenommenen Formulierung zugestimmt, weil sie dem Sinne nach dasselbe besage, obwohl sie – wie sich zeige – leichter mißverstanden werden könne.

Der Minister unterstrich nochmals, daß auch von den Fraktionen des Bundestages mit dieser Formulierung nicht angestrebt werde, die Verpflichtungen anzutasten, die die Bundesrepublik Deutschland mit dem Vertrag eingehe. Er habe dies ausdrücklich nochmals erläutert, weil der Bundesregierung daran liege, nicht eine Diskussion über ein angebliche Streitfrage wieder zu eröffnen, die keine sei. Wenn die polnische Regierung es für nützlich halte, sei er bereit, in seiner Schlußrede in der Bundestagsdebatte am kommenden Mittwoch (Bundeskanzler spricht nicht mehr) einen Passus einzubeziehen, in dem er ausdrücklich nochmals auf diese Frage eingehe.[12]

Er bat Herrn Piątkowski, ihn über die polnische Auffassung hierzu zu unterrichten.

Herr Piątkowski sicherte zu, die Erläuterungen des Ministers nach Warschau weiterzugeben. Er fügte jedoch hinzu, aufgrund der zweimaligen Weisungen, die er aus Warschau erhalten habe, erscheine es ihm zweifelhaft, ob sich der Standpunkt der polnischen Regierung zu Punkt 2 des Entschließungsentwurfes ändern werde.[13]

Finke-Osiander[14]

VS-Bd. 9041 (II A 5)

---

[11] Zur Denkschrift der Bundesregierung vom 11. Dezember 1971 zum Warschauer Vertrag vom 7. Dezember 1970 vgl. Dok. 34, Anm. 8.

[12] Am 17. Mai 1972 führte Bundesminister Scheel im Bundestag aus, daß die am 10. Mai 1972 vorgelegte Entschließung „nicht im Widerspruch zu den Verträgen" stehe: „Die Verträge, die hier zur Abstimmung vorliegen, nehmen keine friedensvertragliche Regelung für Deutschland vorweg. Sie sind also weder ein Teil- noch ein Ersatzfriedensvertrag. [...] Doch die Bundesrepublik Deutschland hat sich im Art. I des Warschauer Vertrages verpflichtet, die Oder-Neiße-Grenze als Westgrenze Polens nicht in Frage zu stellen. Dies gilt ohne Einschränkung, solange es die Bundesrepublik Deutschland gibt." Vgl. BT STENOGRAPHISCHE BERICHTE, Bd. 80, S. 10938.

[13] Am 18. Mai 1972 berichtete Botschafter Emmel, Warschau, über Gespräche mit dem polnischen Stellvertretenden Außenminister Czyrek und dem stellvertretenden Abteilungsleiter im polnischen Außenministerium, Kucza: „Die Feststellung, daß Bundesregierung sich uneingeschränkt an den Text des Warschauer Vertrages gebunden fühle und Entschließung des Bundestages Inhalt der Verträge nicht beeinträchtige, wurde zur Kenntnis genommen. Es erfolgte also nicht [...] der Hin-

133

Botschafter Krapf, Brüssel (NATO), an das Auswärtige Amt

Z B 6-1-12439/72 VS-vertraulich Aufgabe: 12. Mai 1972, 20.00 Uhr[1]
Fernschreiben Nr. 573 Ankunft: 12. Mai 1972, 23.19 Uhr
Citissime

Betr.: Vorbereitung der NATO-Ministerkonferenz am 30. und 31. Mai 1972 in Bonn[2]
hier: Grundsatzfragen der Vorbereitung einer KSZE und MBFR

I. Die multilaterale Vorbereitung einer Konferenz über Sicherheit und Zusammenarbeit in Europa (KSZE) sowie der Komplex einer beiderseitigen ausgewogenen Streitkräfteverminderung (MBFR) waren – mit Ausnahme der Maltafrage[3] – die Hauptthemen der politischen Beratungen des Bündnisses seit Dezember 1971.

II. 1) KSZE-Vorbereitung
Weitgehende Einigkeit besteht unter den Verbündeten darüber, daß die langfristige Westpolitik der Sowjetunion auf den Abzug der amerikanischen Streitkräfte aus Europa, die Verminderung des allgemeinen politischen Engagements und Einflusses der Vereinigten Staaten in Westeuropa, die Verlangsamung und, wenn möglich, Verhinderung des Zusammenschlusses Westeuropas sowie auf die Erosion des nordatlantischen Bündnisses abziele und daß das sowjetische Projekt einer KSZE eines der Elemente dieser Westpolitik ist.

Jedoch bestehen z. T. tiefgehende Meinungsunterschiede darüber, welche Verhandlungsziele und welche Verhandlungstaktik die Verbündeten angesichts der sowjetischen Grundhaltung auf einer KSZE verfolgen und beachten sollten.

Fortsetzung Fußnote von Seite 554

weis, daß polnische Regierung Punkt 2 der Entschließung als im Widerspruch zum Warschauer Vertrag stehend betrachte." Vgl. den Drahtbericht Nr. 286; VS-Bd. 9041 (II A 5); B 150, Aktenkopien 1972.

Staatssekretär Frank informierte die Handelsvertretung in Warschau am 19. Mai 1972 darüber, daß die Entschließung des Bundestags den Botschaftern der Vier Mächte am selben Tag „als ein Dokument der Bundesrepublik Deutschland" übergeben worden sei, und wies Emmel an, den Text der Entschließung nochmals im polnischen Außenministerium zu übergeben. Vgl. den Drahterlaß Nr. 181; VS-Bd. 9041 (II A 5); B 150, Aktenkopien 1972.

Am 23. Mai 1972 berichtete Emmel, daß das polnische Außenministerium „nochmalige Übergabe der Entschließung für nicht mehr erforderlich" halte, nachdem Bundesminister Scheel sie bereits dem Leiter der polnischen Handelsvertretung, Piątkowski, überreicht habe. Vgl. den Drahtbericht Nr. 297; VS-Bd. 9041 (II A 5); B 150, Aktenkopien 1972.

14 Paraphe.

[1] Hat Vortragendem Legationsrat I. Klasse Pfeffer am 13. Mai 1972 vorgelegen, der die Weiterleitung an Vortragenden Legationsrat Rückriegel verfügte und handschriftlich vermerkte: „II A 3 und II B 2 bitte je eine Ablichtung."
Hat Rückriegel am 15. Mai 1972 vorgelegen.
[2] Zur NATO-Ministerratstagung vgl. Dok. 159.
[3] Zu den Beratungen im Ständigen NATO-Rat über Unterstützungszahlungen Großbritanniens und anderer NATO-Mitgliedstaaten an Malta im Rahmen eines Stützpunkte-Abkommens vgl. Dok. 53.

Einige Verbündete sind der Auffassung, daß die Sowjetunion, ungeachtet ihrer langfristigen Ziele, in der nahen Zukunft an einer gewissen Normalisierung und Stabilisierung ihrer Beziehungen zu den Staaten Westeuropas interessiert sei. Diesen Prozeß gelte es von seiten des Westens durch weitgehendes Entgegenkommen zu fördern und somit die Sowjetunion von dem Vorteil einer friedlichen Zusammenarbeit zu überzeugen. Daher sollte es das Anliegen der Verbündeten sein, auf einer KSZE nicht Ergebnisse anzustreben, denen zuzustimmen der Sowjetunion schwerfallen müßte, und eine Verhandlungstaktik auf der Konferenz zu befolgen, die der Sowjetunion keinen Vorwand böte, ihrerseits in Polemik auszuweichen.

Andere Verbündete vertreten die Meinung, daß die Sowjetunion auch nicht kurzfristig von der beharrlichen Verfolgung ihrer grundsätzlichen politischen Ziele ablassen und daher, mit der Unterstützung der anderen Warschauer-Pakt-Staaten, auf der KSZE mit Maximalforderungen und wohlvorbereiteten Verhandlungspositionen auftreten werde. Um nicht unvertretbare politische Einbußen zu erleiden, müsse der Westen diesem Vorgehen seinerseits Maximalforderungen und eine zwar nicht aggressive, wohl aber offensive Verhandlungsführung aufgrund weitgehend abgestimmter Verhandlungspositionen entgegensetzen. Nur so könne der Westen hoffen, auf einer Konferenz zu einem wirklichen „do ut des" zu gelangen.

Dieser grundsätzliche Unterschied in der Beurteilung der sowjetischen Haltung durchzieht die Erörterung aller mit einer KSZE zusammenhängenden Fragen und verhindert entweder eine Einigung der Verbündeten in wichtigen Fragen oder läßt eine Einigung nur auf dem kleinsten gemeinsamen Nenner zu.

Da unserem Urteil in dieser Frage von den Verbündeten besondere Bedeutung beigemessen wird, möchte ich anregen, daß der Herr Bundesminister in seiner Rede auf der Ministerkonferenz eine Darstellung unserer Beurteilung der sowjetischen Ziele und Absichten auf einer KSZE gibt.[4]

2) Eine weitere sich daraus ergebende grundsätzliche Auffassungsverschiedenheit besteht in der Frage, ob und ggf. wieweit die Verbündeten gemeinsame Verhandlungspositionen für die KSZE erarbeiten und befolgen sollen.

Hier vertritt insbesondere Frankreich den Standpunkt, daß gemeinsame Verhandlungspositionen des Bündnisses eine KSZE zu sehr in die Nähe von Block-zu-Block-Verhandlungen rücken würden. Die erarbeiteten und noch zu erarbeitenden Papiere sollten daher den Verbündeten als Referenzmaterial dienen, nicht aber als streng umschriebene Verhandlungspositionen betrachtet werden. Andere Verbündete halten es angesichts der von ihnen erwarteten wohlvorbereiteten Verhandlungsführung der Warschauer-Pakt-Staaten für unerläßlich, daß auch die westlichen Verbündeten gemeinsame Positionen erarbeiten und beachten.[5]

---

[4] Für die Ausführungen des Bundesministers Scheel auf der NATO-Ministerratstagung am 30./31. Mai 1972 vgl. Dok. 159, Anm. 9 und 46.

[5] Am 25. April 1972 berichtete Botschafter Krapf, Brüssel (NATO), über die „Erörterung einzelner Meinungsverschiedenheiten zu Fragen der multilateralen Vorbereitung der KSZE" im Ständigen NATO-Rat. Während sich der niederländische und griechische Vertreter der Auffassung des amerikanischen NATO-Botschafters Kennedy angeschlossen hätten, daß die Standpunkte der Bündnis-

In diesem Zusammenhang fällt auch die Frage der Konsultation der Verbündeten untereinander während der multilateralen Phase und der Konferenz selber. Während die Mehrheit der Verbündeten für eine parallele Konsultation sowohl im Ständigen NATO-Rat als auch in einem NATO-Caucus am Ort der Vorbereitung und der Konferenz eintritt, lehnt Frankreich jeden NATO-Caucus „vor Ort" ab. Durch einen solchen, gewissermaßen institutionalisierten Caucus würde die Verhandlungsfähigkeit der als souveräne Staaten an der Konferenz teilnehmenden Verbündeten unzumutbar eingeschränkt. Auch könnten dem Westen gegenüber grundsätzlich freundlich eingestellte Neutrale durch einen Caucus von einer intensiven Kontaktaufnahme mit den Verbündeten abgeschreckt und ihrerseits zur Caucus-Bildung veranlaßt werden.

Angesichts der großen Bedeutung der Fragen der bündnisgemeinsamen Verhandlungspositionen und der Bündniskonsultationen während der Vorbereitung und Verlauf einer KSZE möchte ich anregen, daß der Herr Bundesminister in seiner Ansprache unsere Vorstellungen hierzu noch einmal darlegt.

III. 1) Von den Meinungsverschiedenheiten, die sich bei der Erörterung von Einzelthemen der Vorbereitung der multilateralen Phase einer KSZE ergeben haben, sind einige für uns von so wesentlicher Bedeutung, daß sie m. E. auch von Herrn Bundesminister angesprochen werden sollten, um eine Einigung des Bündnisses in unserem Sinne zu erleichtern.

2) Im Bereich der „Grundsätze zwischenstaatlicher Beziehungen" gilt dies für

– das Selbstbestimmungsrecht der Völker sowie

– den Vorbehalt der Vier-Mächte-Rechte.

Die Zurückhaltung einiger Bündnispartner (u. a. Kanada, Großbritannien, Türkei) gegenüber dem Selbstbestimmungsrecht hat verschiedene Gründe. Die Kanadier haben offen zugegeben, daß sie eine Hervorhebung dieses Völkerrechtssatzes im Hinblick auf ihre Minderheitenprobleme nicht wünschen. Andere Bündnispartner lehnen die Erwähnung des Selbstbestimmungsrechts an hervorragender Stelle aus taktischen Erwägungen ab. Sie gehen davon aus, daß eine Erklärung über Grundsätze zwischenstaatlicher Beziehungen in erster Linie gegen die Breschnew-Doktrin[6] gerichtet und das Selbstbestimmungs-

---

Fortsetzung Fußnote von Seite 556

partner so weit wie möglich harmonisiert werden sollten, hätte der französische NATO-Botschafter de Tricornot de Rose sich zwar für größtmögliche Übereinstimmung sowohl in Substanz- als auch Verfahrensfragen ausgesprochen, jedoch erklärt, „Perfektionismus werde sich auf die Position des Bündnisses nur schädlich auswirken". Dem Ziel, substantielle Ergebnisse auf einer Europäischen Sicherheitskonferenz zu erzielen, werde es „abträglich sein, wenn das Bündnis als monolithischer Block auftreten würde, weil damit die Möglichkeit zur Beeinflussung nicht-blockgebundener Teilnehmer der KSZE weitgehend eingeschränkt würde. Wesentlich sei, daß die Bündnispartner im Hinblick auf die KSZE eine ‚philosophie commune' entwickelten und in den Einzelheiten flexibel blieben." Vgl. den Drahtbericht Nr. 508; VS-Bd. 8585 (II A 3); B 150, Aktenkopien 1972.

[6] Am 3. Oktober 1968 erläuterte der sowjetische Außenminister Gromyko vor der UNO-Generalversammlung die sowjetische Auffassung von einem „sozialistischen Commonwealth": „Diese Gemeinschaft ist ein untrennbares Ganzes, das durch unzerstörbare Bande zusammengeschweißt ist, wie sie die Geschichte bisher nicht kannte. [...] Die Sowjetunion erachtet es für notwendig, auch von dieser Tribüne zu erklären, daß die sozialistischen Staaten keine Situation zulassen können und werden, in der die Lebensinteressen des Sozialismus verletzt und Übergriffe auf die Unantastbarkeit der Grenzen der sozialistischen Gemeinschaft und damit auf die Grundlagen des Weltfriedens vorgenommen werden." Vgl. EUROPA-ARCHIV 1968, D 556 f.

Am 12. November 1968 griff der Generalsekretär des ZK der KPdSU, Breschnew, diese Thesen auf dem V. Parteitag der PVAP in Warschau auf („Breschnew-Doktrin"): „Und wenn die inneren und äu-

recht nur eines von verschiedenen Völkerrechtsprinzipien sei, mit dem man die Breschnew-Doktrin entkräften könne. Meines Erachtens besteht einige Hoffnung, bei der Ministerkonferenz durch erneuten Hinweis auf die Bedeutung des Selbstbestimmungsrechts die Widerstände gegen eine klare und vorrangige Verankerung dieses Völkerrechtsgrundsatzes in einer Erklärung über die Grundsätze zwischenstaatlicher Beziehungen abzubauen.

3) Die türkische Delegation hat einen ausdrücklichen Vorbehalt gegen eine Erwähnung der Vier-Mächte-Rechte in dem Agenda paper über die Grundsätze zwischenstaatlicher Beziehungen geltend gemacht. Ein nochmaliger klarer Hinweis auf unseren Standpunkt zum Vier-Mächte-Vorbehalt wäre daher angebracht.

Die Schwierigkeiten, auf die wir bei der Erwähnung des Selbstbestimmungsrechts stoßen, und die Unsicherheit über die Bedeutung des Vier-Mächte-Vorbehalts müssen darüber hinaus als ein weiterer Hinweis darauf angesehen werden, daß die Bereitschaft der Bündnispartner abnimmt, sich für Belange unserer Deutschlandpolitik einzusetzen.

4) Schließlich sollte aus hiesiger Sicht auch unser Interesse an Deutsch als Konferenzsprache auf Ministerebene unterstrichen werden.[7] Die grundsätzliche Bereitschaft einer Mehrheit der Verbündeten, unserem Wunsch stattzugeben, wird durch das italienische Insistieren gefährdet, dann auch Italienisch als Konferenzsprache zu erklären.[8]

5) Die Frage der Verhandlungstaktik, die bereits unter II.1) allgemein angesprochen wurde, spielt auch bei dem uns besonders interessierenden Komplex „freer movement" eine Rolle. Einige Verbündete halten an ihrer Auffassung fest, daß der Westen mit einer Verhandlungsposition in die Konferenz gehen müsse, die über die als erreichbar eingeschätzten Ziele hinausgehen müsse und es gestatte, Konzessionen zu machen, ohne das angestrebte Konferenzergebnis zu gefährden. Sie sind der Auffassung, daß es nicht Aufgabe des Bündnisses sei, mögliche Bedenken der anderen Seite vorweg zu berücksichtigen und mit entsprechend heruntergesetzten Verhandlungspositionen die kommu-

Fortsetzung Fußnote von Seite 557
ßeren, dem Sozialismus feindlichen Kräfte die Entwicklung irgendeines sozialistischen Landes auf die Restauration der kapitalistischen Ordnung zu lenken versuchen, wenn eine Gefahr für den Sozialismus in diesem Land, eine Gefahr für die Sicherheit der gesamten sozialistischen Staatengemeinschaft entsteht, ist das nicht nur ein Problem des Volkes des betreffenden Landes, sondern ein allgemeines Problem, um das sich alle sozialistischen Staaten kümmern müssen." Vgl. DzD V/2, S. 1478.

[7] Am 29. Mai 1972 übermittelte Vortragender Legationsrat I. Klasse Freiherr von Groll einen Sprechzettel zum Thema „Deutsch als gleichberechtigte Konferenzsprache auf der KSZE" für die NATO-Ministerratstagung am 30./31. Mai 1972. Darin wurde ausgeführt: „Seit März d. J. unternommene Demarchen in der Sprachenfrage haben bei der Mehrzahl der künftigen KSZE-Teilnehmer zu einem positiven Echo geführt. In allen Fällen wurde unserem Wunsch Verständnis entgegengebracht. Gegen Deutsch hat sich keine der angesprochenen Regierungen geäußert. Unsere Argumente, die sich nicht nur auf das quantitative Gewicht der deutschen Sprache in Europa sondern auf die besondere Rolle der KSZE für deutsche Probleme und auch die sachliche Bedeutung einheitlicher deutscher Originaldokumente für eine wirksame Ost-West-Entspannung bezogen, verfehlten nirgends ihren Eindruck." Vgl. Ministerbüro, Bd. 516.

[8] Am 3. März 1972 führte der Abteilungsleiter im italienischen Außenministerium, Ducci, gegenüber Ministerialdirektor von Staden aus, „daß Italien aus politischen Gründen und Gründen des nationalen Prestiges auf Gleichberechtigung bestehen müsse". Vielleicht könne versucht werden, „ein Kriterium zu finden, wie etwa über 50 Mill[ionen] Menschen einer Sprache". Vgl. die Aufzeichnung von Staden; Referat 212, Bd. 109302.

nistischen Staaten zu ermutigen, einen offenbar nachgiebigen Verhandlungspartner mit Maximalforderungen zu konfrontieren. Sie sehen in dem Titel „freer movement" nicht nur eine besonders einprägsame Formulierung, sondern eine Kurzform für das westliche Verhandlungsprogramm, das auf dem Gebiet der Freizügigkeit für Menschen, Ideen und Informationen offensiv sein müsse, weil hier die Chance am ehesten gegeben sei, Gegenleistungen für Konzessionen auf den Gebieten der wirtschaftlichen und technologischen Zusammenarbeit zu bekommen, an denen ein Interesse der anderen Seite unterstellt werden könne.[9]

Demgegenüber vertritt eine zunehmende Anzahl von Alliierten die Auffassung, daß die Verhandlungstaktik nicht die Verhandlungsziele beeinträchtigen dürfe. Zwar müsse man feste Vorstellungen besitzen, was auf einer KSZE zu erreichen sei, der Weg dahin müsse jedoch flexibel bleiben. Das Risiko müsse vermieden werden, durch die Formulierung „freer movement", die polemische Elemente enthalte, einen Meinungsaustausch in der Sache zu gefährden.

Meines Erachtens wäre es zweckmäßig, anläßlich der Ministerkonferenz unsere Vorstellung hinsichtlich einer flexiblen Behandlung dieses Themas noch einmal darzustellen und dabei hervorzuheben, daß wir mit den Verbündeten in der Sache einig sind.

IV. 1) MBFR

Zu den noch ungelösten Problemen zählt die Frage nach dem Zusammenhang zwischen MBFR und einer KSZE. Sieht man von Frankreich ab, dessen ablehnende Haltung gegenüber MBFR als Ganzes sich nicht geändert hat[10], so sind sich alle Allianzpartner darin einig, daß zwischen MBFR und einer KSZE ein Zusammenhang hergestellt werden muß. Die Kontroverse beginnt bei der Frage, wie stark dieser „link" sein und wodurch er ggf. hergestellt werden sollte. In den Auffassungen der Allianzpartner gibt es hierzu verschiedene Schattierungen. Die Grenzen werden abgesteckt einmal durch die amerikanische Haltung, die von kanadischer Seite unterstützt wird, wonach der Zusammenhang minimal sein sollte.[11] Demgegenüber wird von niederländischer Seite die Auffassung vertreten, daß ohne eine angemessene Behandlung von MBFR eine KSZE nicht stattfinden könne.

Zu der Frage, wodurch der Zusammenhang zwischen MBFR und einer KSZE im einzelnen hergestellt werden sollte, ist folgendes zu bemerken:

Eine überwiegende Mehrheit der Allianzpartner steht dem Gedanken positiv gegenüber, vertrauensbildende Maßnahmen, z. B. Bewegungsbeschränkungen, auf einer KSZE zu behandeln. Dies gilt auch für Frankreich, das sich allerdings eine endgültige Stellungnahme noch vorbehalten hat.[12] Es ist damit zu

---

[9] Vgl. dazu die Informationen des Ersten Sekretärs an der amerikanischen Botschaft, Anderson, vom 23. Mai 1972; Dok. 128, Anm. 19.

[10] Zur französischen Haltung zu MBFR vgl. Dok. 28, Anm. 33.

[11] Zur Haltung der USA vgl. Dok. 96.

[12] Am 22. März 1972 vermerkte Vortragender Legationsrat Ruth, daß innerhalb der NATO eine Arbeitsgruppe „Stabilisierende Maßnahmen im Zusammenhang der KSE" gebildet worden sei: „Die französische Seite hat ihre Mitarbeit an dieser Arbeitsgruppe unter der Voraussetzung zugesagt, daß es sich um eine zeitlich und thematisch begrenzte ad-hoc-Arbeitsgruppe handelt; ihr Mandat auf die Prüfung stabilisierender Maßnahmen abgrenzt wird, die nicht mit MBFR verbunden sind;

rechnen, daß auf der Frühjahrsministerkonferenz ohne größere Schwierigkeiten eine Einigung darüber erzielt werden kann, daß militärische vertrauensbildende Maßnahmen Gegenstand einer KSZE bilden sollten.

2) Zur Entscheidung durch die Minister wird darüber hinaus die um etliches schwierigere Frage stehen, ob auch eine gemeinsame Erklärung über MBFR-Grundsätze auf die Tagesordnung einer KSZE gesetzt werden sollte. Der Gedanke einer solchen joint declaration geht auf eine deutsche Initiative zurück[13], der nach anfänglichem Zögern eine Mehrheit der Allianzpartner positiv gegenübersteht. Abgesehen von der grundsätzlich anderen Haltung Frankreichs ist nach dem bisherigen Stand der Dinge Widerstand lediglich von amerikanischer Seite zu erwarten. Die Amerikaner bezeichnen eine gemeinsame Erklärung auf einer KSZE nach wie vor als „not desirable". Es wird daher viel davon abhängen, ob es gelingt, die Amerikaner in dieser Frage zu einem Einlenken auf die Mehrheitsmeinung oder einen gangbaren Kompromiß zu veranlassen.

3) In der Frage der MBFR-Explorationen, die weiterhin als notwendige Vorstufe zu MBFR-Verhandlungen betrachtet werden, besteht in der Allianz Übereinstimmung darüber, daß die Brosio-Mission[14], mit deren Zustandekommen nicht mehr gerechnet wird, bis zur Ministerkonferenz formell aufrechterhalten bleibt. Zwar wurden Alternativen zur exploratorischen Mission Brosios bisher noch nicht untersucht, eine Mehrheit der Allianzpartner scheint jedoch einer Exploration durch eine Gruppe von Staaten zuzuneigen, die gleichzeitig mit der multilateralen Vorbereitung der KSZE in Helsinki durchgeführt werden könnte. Die schwierige Frage, die sich hierbei stellt, betrifft die Zusammensetzung der exploratorischen Gruppe. Die amerikanische Vorstellung einer Beschränkung auf solche Staaten, deren Streitkräfte oder Territorium von Reduktionen betroffen würde[15], ist auf erhebliche Bedenken vor allem auf italienischer, griechischer, türkischer und dänischer Seite gestoßen.

Fortsetzung Fußnote von Seite 559
    diese Maßnahmen hinsichtlich der Fragestellung geprüft werden, ob ihre Erörterung auf einer KSE zweckmäßig ist oder nicht." In der deutsch-französischen Studiengruppe für die Probleme der Sicherheit Europas werde man in den siebziger Jahren werde man „die folgenden vier von der französischen Seite gestellten Fragen" untersuchen: „auf welche Zone sollen sich stabilisierende Maßnahmen beziehen; wie sollen sie verifiziert werden; Zusammenhang zwischen stabilisierenden Maßnahmen und Streitkräfteplafond; prozedurale Fragen, insbesondere Prozedur bei der Vorankündigung von Truppenbewegungen". Vgl. VS-Bd. 1842 (201); B 150, Aktenkopien 1972.
[13] Die Bundesrepublik legte am 30. August 1971 im Politischen Ausschuß der NATO auf Gesandtenebene einen Vorschlag für eine gemeinsame Erklärung über Ziele und Grundsätze künftiger Verhandlungen über beiderseitige und ausgewogene Truppenverminderungen in Europa vor. Vgl. dazu AAPD 1971, II, Dok. 289.
    Für den Vorschlag vgl. AAPD 1971, II, Dok. 266.
[14] Zur Beauftragung des ehemaligen NATO-Generalsekretärs Brosio, Sondierungsgespräche in Moskau über MBFR zu führen, vgl. Dok. 32, Anm. 2.
[15] Dazu notierte Vortragender Legationsrat Ruth am 16. Mai 1972, daß nach einem amerikanischen Papier vom 13. April 1972 „an MBFR-Explorationen und -Verhandlungen die unmittelbar von MBFR betroffenen Staaten beteiligt sein sollen". Dahinter stehe das amerikanische Interesse, „den Teilnehmerkreis an MBFR-Verhandlungen im engeren Sinne begrenzt zu halten, um eine konstruktive Behandlung dieser schwierigen Materie zu ermöglichen. Dies wird für die Amerikaner besonders dann eine Rolle spielen, wenn die Verminderung von Stationierungsstreitkräften als einem ersten Reduzierungsschritt ins Auge gefaßt wird." Vgl. VS-Bd. 9391 (221); B 150, Aktenkopien 1972.

Ich würde es für zweckmäßig halten, wenn die Vorstellungen der Bundesregierung hierzu[16] auf der Ministerkonferenz vorgetragen werden könnten, um sicherzustellen, daß unsere Interessen voll berücksichtigt werden.

[gez.] Krapf

VS-Bd. 1632 (201)

134

Ministerialdirigent van Well, z.Z. Washington, an das Auswärtige Amt

Z B 6-1-12444/72 geheim	Aufgabe: 14. Mai 1972, 14.30 Uhr
Fernschreiben Nr. 121	Ankunft: 14. Mai 1972, 21.38 Uhr

Betr.: Vierer-Konsultation auf Direktorenebene am 12. und 13.5.1972 in Washington
hier: Zusammenfassung

Zur Information

Unter Vorsitz von Fessenden und Teilnahme von Brimelow und Arnaud fand am 12. und 13. Mai in Washington eine Direktorenkonsultation zu Deutschland- und Berlin-Fragen statt. Undersecretary Irwin empfing die Delegationsleiter zu einem separaten Gespräch, das sich vor allen Dingen mit den Rückwirkungen der Vietnam-Entwicklung[1] auf die Nixon-Reise[2] und die Ost-West-Initiativen in Europa befaßte. Hillenbrand gab den Delegationen am 12.5. ein Abendessen.

Zusammenfassend ist zu sagen:

1) Allgemeine Ost-West-Lage:

Irwin, Hillenbrand und Fessenden waren einhellig der Auffassung, daß die Sowjets nach wie vor am planmäßigen Nixon-Besuch interessiert sind. Zur Zeit

---

[16] Ministerialdirektor von Staden äußerte am 16. Mai 1972 gegenüber dem italienischen Botschafter Luciolli: „In der Frage der Verhandlungsgremien hätten wir uns noch nicht festgelegt. Wir könnten aber für die Truppenreduktionen kein open-ended committee ins Auge fassen, sondern müßten auch unsererseits Wert darauf legen, den Teilnehmerkreis so zu begrenzen, wie es dem Sachinteresse entspräche und Voraussetzung für die Behandlung so komplexer Fragen sei. Wir könnten das italienische Interesse verstehen, hätten aber noch keine Formel für die ideale Lösung. Zu berücksichtigen sei, daß es außer den eigentlichen Truppenreduktionen noch andere Verhandlungsthemen gäbe, wie principal collateral restraints und im weiteren Sinne confidence building measures, für die der Kreis der unmittelbar Interessierten jeweils unterschiedlich sei. [...] Wir glaubten aus verschiedenen Gründen, daß der Kreis der Zehn für diese Erörterungen ungeeignet sei." Die Bundesregierung vertrete daher „das Prinzip, daß die Zusammensetzung des Verhandlungsgremiums sich nach dem Verhandlungsgegenstand richten solle". Vgl. die Aufzeichnung von Staden; VS-Bd. 9391 (221); B 150, Aktenkopien 1972.

[1] Zur Situation im Vietnam-Krieg vgl. Dok. 128, Anm. 4.
[2] Präsident Nixon besuchte vom 22. bis 30. Mai 1972 die UdSSR. Vgl. dazu Dok. 149 und Dok. 161.

befände sich wieder eine vierzigköpfige Vorbereitungsdelegation in Moskau, mit denen die Sowjets vorzüglich zusammenarbeiteten. In Washington liefen zur Zeit drei amerikanisch-sowjetische Verhandlungskontakte: maritime talks, incidents-at-sea agreement (die ersten Militärgespräche zwischen Amerikanern und Russen seit der unmittelbaren Nachkriegszeit) und Handelsgespräche mit Patolitschew.[3] In allen drei Bereichen seien die Sowjets freundlich und kooperativ. Dobrynin habe bei einem Toast ausgeführt: „Wenn es noch Wolken am Horizont gebe, so dürften sie sich in den nächsten Tagen aufhellen". Auf die Frage nach dem Nixon-Besuch stellte er die Gegenfrage: „Zweifelt denn jemand daran, daß er stattfindet?" Unsere amerikanischen Gesprächspartner gingen davon aus, daß die Sowjets ein vorrangiges Interesse an der erfolgreichen Ratifizierungsdebatte in Bonn haben und die Entwicklung dort nicht stören wollen.

2) Auf meinen Bericht über den Stand des Ratifikationsverfahrens beglückwünschten uns die Drei zur Einigung mit der Opposition über die Bundestagsentschließung[4] und zur Abstimmung mit den Sowjets.[5] Sie fragten, wann den Vieren die Entschließung vom Bundesaußenminister übergeben werden würde und wie die Drei reagieren sollten. Ich antwortete, daß der Minister die Resolution voraussichtlich unmittelbar nach der Annahme durch den Bundestag[6] übergeben werde, da uns daran liege, daß der Text der Entschließung dem Präsidium des Obersten Sowjet noch vor Abschluß des Moskauer Ratifikationsverfahrens[7] zur Kenntnis gelangt. Zur Reaktion der Drei verwies ich darauf, daß der Minister dies den drei Missionschefs in Bonn[8] überlassen habe. Nach Diskussion des zweckmäßigsten Verhaltens war man sich hier einig, daß die Drei möglichst ebenso reagieren sollten wie die Sowjets (Aide-mémoire mit der Erklärung, daß die Entschließung an die Regierung weitergeleitet werde[9]). Die

---

[3] Der sowjetische Außenhandelsminister Patolitschew traf am 11. Mai 1972 mit Präsident Nixon in Washington zusammen. Vgl. dazu PUBLIC PAPERS, NIXON 1972, Appendix B, B 8.

[4] Für den Entwurf vom 9. Mai 1972 einer Entschließung des Bundestags anläßlich der Abstimmung über den Moskauer Vertrag vom 12. August 1970 und den Warschauer Vertrag vom 7. Dezember 1970 vgl. Dok. 125.
Er wurde am 10. Mai 1972 im Bundestag eingebracht. Vgl. dazu Dok. 126, Anm. 4.

[5] Vgl. dazu die Gespräche mit dem sowjetischen Botschafter Falin am 9. und 12. Mai 1972; Dok. 126, Anm. 2 und 3, Dok. 129 und Dok. 130.

[6] Der Bundestag nahm die Entschließung anläßlich der Abstimmung über den Moskauer Vertrag vom 12. August 1970 und den Warschauer Vertrag vom 7. Dezember 1970 am 17. Mai 1972 mit 490 Ja-Stimmen bei 5 Enthaltungen an. Vgl. dazu BT STENOGRAPHISCHE BERICHTE, Bd. 80, S. 10943.

[7] Die Zustimmung des Obersten Sowjet zum Moskauer Vertrag vom 12. August 1970 erfolgte am 31. Mai 1972. Vgl. dazu Dok. 155, Anm. 14.

[8] Roger W. Jackling (Großbritannien), Kenneth Rush (USA) und Jean Sauvagnargues (Frankreich).

[9] Zur Übergabe der Entschließung des Bundestags vom 17. Mai 1972 an den sowjetischen Botschafter Falin und zum sowjetischen Aide-mémoire vom 19. Mai 1972 vgl. Dok. 129, Anm. 4.
Zur Übergabe an die Drei Mächte notierte Ministerialdirigent van Well am 18. Mai 1972 für den Empfang der Botschafter der drei Westmächte am 19. Mai 1972, 12.30 Uhr: „Folgendes Verfahren ist mit den Botschaftern der drei Westmächte abgesprochen worden: 1) Der Herr Minister übergibt die Entschließung mit Höflichkeitsübersetzungen und führt hierbei aus: ‚Diese Entschließung enthält die Meinung der Bundesrepublik Deutschland. 2) Der Herr Minister verweist auf die beigefügten Ausführungen des Bundeskanzlers in der Bundestagsdebatte vom 10. Mai 1972 und übergibt die Auszüge ebenfalls mit Höflichkeitsübersetzungen. 3) Die Missionschefs erklären, daß sie diese Dokumente an ihre Regierungen weiterleiten werden, und hinterlassen diese Erklärung in schriftlicher Form. 4) Die Missionschefs der drei Westmächte werden nicht die mündlichen Zusatzbemerkungen von Botschafter Falin vortragen, sondern in allgemeinen Wendungen ihre Befriedi-

Drei meinten, Abweichungen vom sowjetischen Text würden zu unnötigen Spekulationen in der Öffentlichkeit führen.

3) Unterzeichnung des Vier-Mächte-Schlußprotokolls[10]

Es wurde vereinbart, daß die Drei unmittelbar nach Abstimmung im Bundestag mit den Sowjets Verbindung aufnehmen und vorzugsweise den 19./20. Juni – hilfsweise auch den 16. Juni – als Unterzeichnungsdatum vorschlagen, wobei von Unterzeichnung durch die Außenminister ausgegangen wird. Es wurde allerdings nicht ausgeschlossen, daß bei einer Verschlechterung der internationalen Lage die Unterzeichnung auch durch die Botschafter vorgenommen werden kann.

Ich unterrichtete die Drei, daß der Austausch der Ratifikationsurkunden zum Moskauer Vertrag in Bonn nicht vor Unterzeichnung des Vier-Mächte-Schlußprotokolls, äußerstenfalls gleichzeitig damit erfolgen würde.

Es stellte sich die Frage, ob die drei westlichen Außenminister auf dem Wege nach Berlin oder zurück in Bonn kurz Zwischenhalt machen. Ich habe mich dafür ausgesprochen, weil so die Rolle der Bundesregierung im Berlin-Komplex bei diesem Anlaß unterstrichen werden könnte. Die Drei fragten, ob Gromyko zum Austausch der Ratifikationsurkunden nach Bonn kommen werde, eine Frage, die ich nicht beantworten konnte. Die Drei legten jedoch Wert darauf, daß ihre Außenminister nicht gleichzeitig mit Gromyko in Bonn sind.[11]

Vor der Unterzeichnung des Schlußprotokolls sind noch einige Fragen mit den Sowjets zu klären.[12] Über die Erörterung dieser Fragen wird Aufzeichnung vorgelegt.

Fortsetzung Fußnote von Seite 562
    gung über den Abschluß des parlamentarischen Verfahrens und über das Zustandekommen der gemeinsamen Entschließung zum Ausdruck bringen." Vgl. Referat II A 4, Bd. 1510.
10 Zum Schlußprotokoll zum Vier-Mächte-Abkommen über Berlin vom 3. September 1971 vgl. Dok. 9, Anm. 11.
11 Am 19. Mai 1972 vermerkte Ministerialdirigent van Well dazu: „Wenn die Außenminister der Vier Mächte das Schlußprotokoll des Vier-Mächte-Abkommens am 19. oder 20. Juni mittags in Berlin unterzeichnen, so könnte der Austausch der Ratifikationsurkunden zum Moskauer Vertrag zwischen dem Herrn Staatssekretär und dem sowjetischen Botschafter am gleichen Tage um 19 Uhr vorgenommen werden. Außenminister Gromyko könnte bei diesem Akt anwesend sein." Vgl. Referat II A 4, Bd. 1510.
Am 26. Mai 1972 informierte van Well die Botschaft in Moskau darüber, daß Staatssekretär Frank dem sowjetischen Gesandten Kaplin gegenüber den Wunsch der Bundesregierung zum Ausdruck gebracht habe, den Austausch der Ratifikationsurkunden zum Moskauer Vertrag vom 12. August 1970 „am gleichen Tage und zur gleichen Zeit wie die Unterzeichnung des Vier-Mächte-Schlußprotokolls durchzuführen", und „das hieße nach den neuesten Mitteilungen wohl am 3. Juni." Er habe zudem gefragt, ob der sowjetische Außenminister Gromyko „es vielleicht ermöglichen könne, im Anschluß an die Unterzeichnung des Schlußprotokolls in Berlin zu einem kurzen Arbeitsbesuch nach Bonn zu kommen". Die Außenminister Douglas-Home (Großbritannien), Rogers (USA) und Schumann (Frankreich) würden im Vorfeld der Unterzeichnung nach Bonn kommen. Vgl. den Drahterlaß Nr. 546; VS-Bd. 9020 (II A 4); B 150, Aktenkopien 1972.
12 Am 29. Mai 1972 berichtete Botschafter Sahm, Moskau, daß der amerikanische Außenminister Rogers ihn auf die Terminfrage für die Unterzeichnung des Schlußprotokolls zum Vier-Mächte-Abkommen über Berlin vom 3. September 1971 angesprochen habe: „Es komme nunmehr auf die Einigung zwischen Bonn und Moskau an, damit Unterzeichnung am 3. Juni stattfinden kann. Rogers ließ deutlich erkennen, daß ein anderer Termin für ihn nicht möglich sei. Ich erklärte die sowjetische Tendenz, Ratifikation des Vertrages und Unterzeichnung Berlin-Abkommens zeitlich zu trennen, und die schwerwiegenden Bedenken, die es uns unmöglich machten, auf diesen Gedanken einzugehen." Vgl. den Drahtbericht Nr. 1406; VS-Bd. 8556 (II A 1); B 150, Aktenkopien 1972.
Zur Unterzeichnung des Schlußprotokolls zum Vier-Mächte-Abkommen über Berlin durch die Au-

4) Frage der deutschen UNO-Mitgliedschaft

Alle Vier waren sich einig, daß die Erörterung dieses Themas auf der deutschen und der Ebene der Vier Mächte parallel erfolgen sollte, wobei die Drei allerdings einräumten, daß der deutsche Meinungsaustausch früher beginnen könne. Die Drei legten besonderes Gewicht darauf, daß sie erst tätig werden, wenn die Bundesregierung mit der Opposition eine gemeinsame Basis in dieser Frage gefunden hat. Die Drei sprachen sich für Berlin als den Ort der Vierergespräche aus. Sie erwarten eine ausdrückliche Bitte der Bundesregierung, bevor sie mit ihren Kontakten mit den Sowjets beginnen. Die Drei fanden den folgenden Gedanken interessant:

Nach Einleitung des Meinungsaustauschs zwischen Bundesrepublik und DDR über die Regelung des beiderseitigen Verhältnisses und nachdem in diesem Rahmen die Frage der UNO-Mitgliedschaft aufgeworfen worden ist, wird zwischen Regierung und Opposition eine Mitteilung der Bundesregierung an die Drei Mächte etwa folgenden Inhalts abgesprochen: In dem Meinungsaustausch zwischen Bundesrepublik und DDR sei die Frage einer UNO-Mitgliedschaft beider Staaten in Deutschland aufgeworfen worden. Die Bundesregierung würde es begrüßen, wenn die Drei Mächte ihr mitteilen würden, unter welchen Umständen die Drei Mächte unter Berücksichtigung ihrer Rechte und Verantwortlichkeiten mit Bezug auf Berlin und Deutschland als Ganzes und der noch ausstehenden Friedensregelung für Deutschland in der Lage seien, eine solche UNO-Mitgliedschaft zu unterstützen.

Die DDR würde in entsprechender Weise mit der Sowjetunion Verbindung aufnehmen. Die Drei würden dann mit der Sowjetunion die Gespräche eröffnen und uns nach einer Einigung mit der Sowjetunion formell unterrichten. Ich wies darauf hin, daß vor Einleitung der parlamentarischen Zustimmung zum UNO-Beitritt die Einigung der Vier Mächte in dieser Frage vorliegen müsse.

Es bestand Übereinstimmung, daß die Vier-Mächte-Erklärung nur pauschal auf die Rechte und Verantwortlichkeiten der Vier Mächte hinweisen sollte, die durch die UNO-Aufnahme unberührt bleiben würden. Von den beiden deutschen Seiten sollte nicht mehr erwartet werden, als daß sie in ihrem Vertrag feststellen, die Rechte und Verantwortlichkeiten der Vier Mächte blieben unberührt (eine ausdrückliche Anerkennung oder eine Respektierungserklärung wurde nicht für notwendig gehalten).[13] Es soll eine einzige, beide Aufnahmean-

---

Fortsetzung Fußnote von Seite 563

ßenminister Douglas-Home (Großbritannien), Gromyko (UdSSR), Rogers (USA) und Schumann (Frankreich) am 3. Juni 1972 vgl. Dok. 161, Anm. 21.

Zum Austausch der Ratifikationsurkunden zum Moskauer Vertrag vom 12. August 1970 am 3. Juni 1972 vgl. Dok. 158, Anm. 9.

[13] Zur Diskussion in der Sitzung der Bonner Vierergruppe auf Direktorenebene am 12./13. Mai 1972 in Washington, inwieweit die Bundesrepublik und die DDR sich zur Anerkennung der Vier-Mächte-Rechte und -Verantwortung für Deutschland als Ganzes äußern sollten, notierte Vortragender Legationsrat Joetze am 28. Juli 1972, der britische Botschaftsrat Audland habe ausgeführt: „Wir brauchen etwas von der DDR, sonst sagt sie später, sie unterliege keinen Souveränitätsbeschränkungen außer denen, die ausdrücklich festgestellt sind." Auch der amerikanische Botschaftsrat Dean habe bekräftigt: „Die beiden deutschen Staaten sollten die Annahme der Vierer-Erklärung bekunden, wie sie eben zu erreichen ist (the two Germanies should accept whatever declaration is agreed on). Sonst könnte die DDR später unsere Rechte in Frage stellen." Demgegenüber habe Ministerialdirigent van Well die Sorge geäußert: „Wir möchten nicht gerne mit erneuerten sowjetischen Forderungen konfrontiert werden, die Rechte der Sowjetunion gegen uns anzuerkennen (we would not

träge behandelnde Sicherheitsrats-Resolution angestrebt werden, die in ihrer Präambel auf die Vier-Mächte-Erklärung und den Vertrag zwischen Bundesrepublik und DDR hinweist. Übereinstimmung bestand, daß der entscheidende Augenblick für die Frage der internationalen Stellung der DDR die Annahme der Sicherheitsrats-Resolution und nicht die Abstimmung in der Vollversammlung ist. Der Sicherheitsrat könne seinen Beschluß jederzeit nach Einigung der Parteien fassen.

Auf die Frage nach möglichen chinesischen Schwierigkeiten im Sicherheitsrat teilte Arnaud mit, Chou En-lai habe Mendès-France bei seinem Besuch in Peking[14] gesagt, die Frage der UNO-Mitgliedschaft der beiden deutschen Staaten sei anders zu sehen als die der anderen geteilten Länder. Die deutsche Teilung sei das Ergebnis des Zweiten Weltkrieges.

Zur Frage der Einbeziehung Berlins in unseren VN-Beitritt verwies ich auf die Notwendigkeit einer Berlin-Klausel im Zustimmungsgesetz und einer Berlin-Erklärung anläßlich des Beitritts. Diese Akte könnten im Hinblick auf das Vier-Mächte-Abkommen durch Erwähnung des Status- und Sicherheitsvorbehalts[15] qualifiziert werden. Die alliierte Reaktion war skeptisch. Die Sache muß weiter geprüft werden.

5) DDR-Teilnahme an KSZE-Vorbereitung

Hier wurde grundsätzliche Übereinstimmung bezüglich der Wahrung der westlichen Positionen in der Anerkennungsfrage und in der Frage der Beachtung des Modus vivendi-Charakters festgestellt. Hierüber wird besondere Aufzeichnung vorgelegt.

6) Luftverkehr Berlin

Die Drei lehnten in dezidierter Form ein umfassendes Gespräch mit der Sowjetunion über Fragen des Luftverkehrs ab. Über die anstehenden Einzelprobleme wurde wie folgt Übereinstimmung erzielt:

a) Flüge von West-Berlin nach Bulgarien[16]

Die Drei sind einverstanden, daß Bundesregierung mit Sowjets, ggf. auch mit DDR, ein Gentleman's agreement herbeiführt, wonach die letztjährige Praxis weitergeführt wird. Die Drei überließen es uns, wie wir diese Verständigung herbeiführen, lehnten jedoch eine Konzession im Vier-Mächte-Bereich des Luftverkehrs Berlin ab.

b) Die Drei waren einverstanden, daß die Bundesregierung mit der DDR Verhandlungen über den beiderseitigen Luftverkehr aufnimmt, allerdings unter Ausklammerung aller Fragen, die die Luftkontrollzone Berlin angehen. Eine Erörterung von Flügen von und nach Schönefeld sei verfrüht und könne nur stattfinden, wenn auch Flüge von und nach Tempelhof/Tegel diskussionsreif sind.

Fortsetzung Fußnote von Seite 564
    like to be confronted with compensatory Soviet demands to recognise the Soviet Union's rights against us." Vgl. VS-Bd. 8532 (II A 1); B 150, Aktenkopien 1972.
14 Der ehemalige Ministerpräsident Mendès-France hielt sich vom 23. Dezember 1971 bis 12. Januar 1972 in der Volksrepublik China auf. Vgl. dazu MENDÈS-FRANCE, Oeuvres, V, S. 527–543.
15 Vgl. dazu Anlage IV zum Vier-Mächte-Abkommen über Berlin vom 3. September 1971; Dok. 25, Anm. 9.
16 Zur Einbeziehung von Berlin (West) in den Flugverkehr nach Bulgarien vgl. Dok. 44, Anm. 16 und 18.

Amerikaner machten zusätzlich den Vorbehalt, daß Flüge zwischen Schönefeld und der Bundesrepublik einen Parallel-Verkehr zu den Korridoren schaffen würden, der nach wie vor im Hinblick auf die Aufrechterhaltung der alliierten Position unakzeptabel sei.

c) West-Berlin-Landungen von SAS und AUA[17]

Es wurde vereinbart, daß in Bälde eine Dreier-Demarche bei den Sowjets erfolgt, mit der diese unterrichtet werden, daß Landegenehmigungen für die beiden Gesellschaften in West-Berlin erteilt worden sind und daß der Einflug in die Kontrollzone im Rahmen von BASC[18] entsprechend den allgemeinen Regeln gehandhabt werden soll.

Im übrigen haben die Drei keine Bedenken und halten es für vielleicht nützlich, wenn sich SAS und AUA unmittelbar mit DDR und Sowjetunion in dieser Frage in Verbindung setzen.

7) Nächste Direktoren-Konsultation

Es wurde vereinbart, am Sonntag, dem 28. Mai nachmittags in Bonn unter britischem Vorsitz zur Vorbereitung des Viereressens am 29. Mai, das von den Briten ausgerichtet wird, erneut zusammenzutreffen.[19]

Für das Ministeressen wurde folgende Tagesordnung abgesprochen:

1) Questions related to UN entry and the GDR's international status

2) Arrangements for signature of final quadripartite protocol

3) Possible subjects for discussion with the Soviets on the occasion of signature

4) Berlin civil air questions

5) Berlin-Germany section of NATO-Communiqué[20].

[gez.] van Well

VS-Bd. 8532 (II A 1)

---

[17] Zum Anflug von Berlin (West) durch die Fluggesellschaften SAS und AUA vgl. Dok. 16, Anm. 8.
[18] Berlin Air Safety Center.
[19] Die Bonner Vierergruppe legte am 28. Mai 1972 einen Bericht über Fragen hinsichtlich des Beitritts der beiden deutschen Staaten zur UNO und des internationalen Status der DDR vor. Für den Wortlaut vgl. VS-Bd. 9842 (I C 1).
Zur Sitzung der Bonner Vierergruppe am 28. Mai 1972 vgl. auch Dok. 193, Anm. 13.
Zum Gespräch des Bundesministers Scheel mit den Außenministern Douglas-Home (Großbritannien), Rogers (USA) und Schumann (Frankreich) am Vorabend der NATO-Ministerratstagung vgl. Dok. 159, Anm. 42, und Dok. 170, Anm. 29.
[20] Für den Wortlaut des Kommuniqués über die NATO-Ministerratstagung vom 30./31. Mai 1972 vgl. NATO FINAL COMMUNIQUES, S. 276–279. Für den deutschen Wortlaut vgl. EUROPA-ARCHIV 1972, D 353–355.
Für Auszüge aus dem Deutschland- und Berlin-Teil vgl. auch Dok. 159.

135

Aufzeichnung des Ministerialdirektors von Staden

II A 4-82.00-94.29-1783/72 VS-vertraulich 15. Mai 1972[1]

Betr.: Gesprächsverlauf in der interfraktionellen Expertengruppe zur Vorbereitung der Ratifikation der Verträge von Moskau und Warschau[2]

Die Expertengruppe tagte am 13. Mai im Bungalow des Bundeskanzleramts von 15.15 Uhr bis etwa 19.30 Uhr.

Teilnehmer für die Bundesregierung: Bundesaußenminister Scheel und Bundesminister Ehmke;

für die Regierungskoalition: die Abgeordneten Dr. Achenbach und Dr. Arndt;

für die CDU/CSU-Fraktion: die Abgeordneten Dr. Marx, Dr. Birrenbach, Heck, Dr. Kliesing, Prof. Mikat, Vogel, von Weizsäcker und Wittmann;

für den Bundesrat: Staatssekretär Dr. Mertes;

vom Auswärtigen Amt: Staatssekretär Dr. Frank, MD von Staden, MDg Dr. von Schenck, VLR I Hofmann, VLR I Dr. Brunner, VLR Dr. Fleischhauer;

von der Geschäftsführung der CDU/CSU-Fraktion: Dr. Dirnecker.

1) Erörtert wurden zunächst die Briefe, die von den Abgeordneten Marx und Strauß am 12. bzw. 13.5. an die Minister Ehmke und Genscher gerichtet worden waren.[3]

Von Regierungsseite wurde dazu festgestellt, daß die Redaktionskommission ihre Arbeiten beendet und nach gemeinsamer Einbringung der Entschließung im Bundestag[4] auch keine Möglichkeit mehr habe, erneut tätig zu werden.

Minister Ehmke stellte weiter fest, daß er über den Brief nicht verhandeln und auf ihn nicht reagieren werde.

Abgeordneter Marx stellte fest, daß die Briefe allein von ihren Unterzeichnern zu verantworten seien und nur deren Meinung wiedergäben.

---

[1] Entwurf.
Hat Bundesminister Scheel am 17. Mai 1972 vorgelegen.
Hat Vortragendem Legationsrat I. Klasse Hofmann am 17. Mai 1972 vorgelegen, der handschriftlich vermerkte: „1) Reg[istratur], bitte eine Ablichtung für M[inister]B[üro] fertigen. 2) Herrn D Pol: Der Herr BM hat den Entwurf gebilligt."
Hat Ministerialdirektor von Staden am 17. Mai 1972 erneut vorgelegen.
[2] Für den Wortlaut des Vertrags vom 12. August 1970 zwischen der Bundesrepublik und der UdSSR vgl. BULLETIN 1970, S. 1094.
Für den Wortlaut des Vertrags vom 7. Dezember 1970 zwischen der Bundesrepublik und Polen über die Grundlagen der Normalisierung ihrer gegenseitigen Beziehungen vgl. BULLETIN 1970, S. 1815.
Zum Stand des Ratifikationsverfahrens vgl. Dok. 126, Anm. 5.
[3] Zu den Schreiben des CDU-Abgeordneten Marx und des CSU-Vorsitzenden Strauß notierte Horst Ehmke im Rückblick: „Strauß und Marx distanzierten sich auch in zwei gleichlautenden langen Schreiben an mich von dem gemeinsamen Ergebnis der Redaktionskommission." Vgl. EHMKE, Mittendrin, S. 161.
[4] Die Entschließung anläßlich der Abstimmung über den Moskauer Vertrag vom 12. August 1970 und den Warschauer Vertrag vom 7. Dezember 1970 wurde am 10. Mai 1972 im Bundestag eingebracht. Für den wortgleichen Entwurf vom 9. Mai 1972 vgl. Dok. 125.

Auf Vorschlag des Bundesaußenministers einigte man sich darauf, daß die Briefe für die Expertenkommission als nicht existent angesehen werden sollten.

2) Anschließend wurde die Frage des Verfahrens bei Übergabe der Bundestagsentschließung an den sowjetischen Botschafter[5] erörtert.

Auf entsprechende Frage bestätigte Bundesaußenminister, daß das Dokument durch die Übergabe eine Wandlung erfahren und zum Dokument der Bundesrepublik Deutschland werde. Minister Ehmke wies darauf hin, daß Abgeordneter Wehner in diesem Zusammenhang lediglich von dem noch nicht transformierten Bundestagsdokument gesprochen habe.[6]

Bundesaußenminister erläuterte anschließend, daß die Entschließung dem Präsidium des Obersten Sowjet, der das Ratifikationsverfahren noch nicht abgeschlossen habe[7], dadurch „zur Kenntnis kommen werde", daß Personen, die im Präsidium des Obersten Sowjet Sitz haben, sie erhalten.

Auf die Frage des Abgeordneten Birrenbach, ob die Bundesregierung sicher sei, daß kein Widerspruch erfolgen werde, erläuterte Bundesaußenminister, es handele sich um eine einseitige Erklärung der Bundesrepublik Deutschland. Wesentlich sei, daß kein öffentlicher Widerspruch erfolge. So etwas könne man bei einseitigen Erklärungen nur mit den Partnern besprechen. Ein schriftliches Verfahren sei nicht möglich.

Auf eine entsprechende Zwischenfrage des Abgeordneten Wittmann stellte Bundesaußenminister fest, daß der Brief zur deutschen Einheit[8] nicht in die Ratifikationsurkunde aufgenommen wird.

3) Eine längere Erörterung fand über die Frage statt, welcher rechtliche Rang der Entschließung zukommt.

Bundesaußenminister stellte dazu fest, daß die Entschließung bei Übergabe nicht als Interpretation des Vertrags bezeichnet werden könne, weil das zu Verhandlungen mit dem Vertragspartner führen müßte. Eine einseitige Erklärung könne der Partner hinnehmen, wenn sie keinen Widerspruch zum Vertrag enthielte.

Minister Ehmke führte aus, daß das Vertragswerk

a) den Vertragstext,

b) den Brief zur deutschen Einheit, den deutsch-alliierten Notenwechsel und die zur Verwendung bestimmten Erklärungen von Gromyko

---

[5] Zum Verfahren bei der Übergabe der Entschließung des Bundestags an den sowjetischen Botschafter Falin vgl. Dok. 129.

[6] Am 12. Mai 1972 wies der SPD-Fraktionsvorsitzende Wehner darauf hin, daß es nunmehr eine Vereinbarung mit der UdSSR darüber gebe, wie die am 10. Mai 1972 im Bundestag eingebrachte Entschließung, „die ja zunächst nur eine Äußerung des souveränen Deutschen Bundestages ist, ohne jedoch von sich aus völkerrechtliche Geltung zu haben, in die Prozedur zwischen den vertragschließenden Staaten als Dokument nun nicht nur des Bundestages, sondern der Bundesrepublik Deutschland eingeführt" werde. Vgl. den Artikel „Heute neues Gespräch Regierung–Opposition"; DIE WELT vom 13./14. Mai 1972, S. 1.

[7] Zur Ratifizierung des Moskauer Vertrags vom 12. August 1970 durch den Obersten Sowjet und zum Austausch der Ratifikationsurkunden vgl. Dok. 154, Dok. 155 und Dok. 158.

[8] Zum „Brief zur deutschen Einheit" vom 12. August 1970 vgl. Dok. 55, Anm. 11.

umfasse.⁹ Die Entschließung gehöre nicht zum Vertragswerk, sondern (wie Bundesaußenminister und Dr. von Schenck schon erläutert hatten) zu den circumstances of the conclusion. Im Auslegungsstreit bedeute dies, daß man auf die Entschließung zurückgreifen könne, wenn sich aus dem Vertragswerk selbst kein eindeutiger Sinn ergäbe.

4) Abgeordneter Birrenbach warf die Frage auf, ob die Verhandlungsniederschriften nach erfolgter Ratifikation als Auslegungsmittel ausgeschlossen seien.

Bundesaußenminister bejahte die Frage unter Hinweis auf seine Gespräche mit Botschafter Falin.¹⁰ Minister Ehmke und Dr. von Schenck erläuterten ergänzend, daß einseitige Gesprächsaufzeichnungen auch nicht „travaux préparatoires" darstellten, die beiderseitig sein müßten. Minister Ehmke bezog sich dabei gleichfalls auf das Gespräch mit Botschafter Falin, wonach die Gesprächsaufzeichnungen zur Interpretation entfallen und allein der Text des Vertragswerks maßgebend sei.¹¹

Auf entsprechende Frage von Staatssekretär Mertes erläuterte Bundesaußenminister, daß sich dies nicht auf formalisierte Erklärungen beziehe wie seine Protokollerklärung zum Charakter der Absichtserklärungen.¹² Bundesaußenminister erläuterte weiter, daß die Absichtserklärungen nur die Regierung binden, die sie abgegeben habe.

5) Zum Rang der Entschließung erinnerte Minister Ehmke an eine Äußerung von Botschafter Falin auf die Frage des Abgeordneten Barzel, wonach der Botschafter der UdSSR kein Hehl daraus machen könne, daß man mit der jetzt vereinbarten Übergabe der Entschließung über das international übliche Maß hinausgehe. Das Dokument verliere bei diesem Verfahren schon etwas an Einseitigkeit.

6) Anschließend wurde die Frage erörtert, ob Zusätze bei der Übergabe der Entschließung deren rechtlichen Rang beeinflussen könnten. Minister Ehmke und Professor Mikat stellten übereinstimmend fest, daß der Rang gemäß Art. 32 der Wiener Vertragsrechtskonvention¹³ nicht berührt werden kann. Zusätze könnten nur den Inhalt berühren.

---

⁹ Vgl. dazu das Gesetz vom 23. Mai 1972 zum Vertrag vom 12. August 1970 zwischen der Bundesrepublik und der UdSSR; BUNDESGESETZBLATT 1972, Teil II, S. 353–359.

¹⁰ Vgl. dazu das Gespräch des Bundesministers Scheel mit dem sowjetischen Botschafter Falin am 6. Mai 1972; Dok. 121.

¹¹ Vgl. dazu das Gespräch des Bundeskanzlers Brandt mit dem sowjetischen Botschafter Falin am 12. Mai 1972; Dok. 129.

¹² Für den Wortlaut der Leitsätze 5 bis 10 vom 20. Mai 1970 für einen Vertrag mit der UdSSR („Bahr-Papier"), die bei den Moskauer Verhandlungen vom 27. Juli bis 7. August 1970 als Leitsätze 1 bis 6 zu „Absichtserklärungen" zusammengefaßt wurden, vgl. BULLETIN 1970, S. 1097 f.
Für die Erklärung des Bundesministers Scheel, die dem sowjetischen Außenminister Gromyko am 6. August 1970 auch in schriftlicher Form übergeben wurde, vgl. AAPD 1970, II, Dok. 375.

¹³ Artikel 32 des Wiener Übereinkommens vom 23. Mai 1969 über das Recht der Verträge: „Recourse may be had to supplementary means of interpretation, including the preparatory work of the treaty and the circumstances of its conclusion, in order to confirm the meaning resulting from the application of article 31, or to determine the meaning when the interpretation according to article 31: a) Leaves the meaning ambiguous or obscure; or b) Leads to a result which is manifestly absurd or unreasonable." Vgl. UNTS, Bd. 1155, S. 340.

7) Abgeordneter Vogel warf die Frage auf, wie die Übergabe der Rede von Außenminister Gromyko vor den zuständigen Ausschüssen des Obersten Sowjet[14] zu bewerten ist.

Bundesaußenminister erläuterte, daß der sowjetische Botschafter ihn auf eigenen Wunsch aufgesucht und ihm die Rede weisungsgemäß übergeben habe. Er habe sie ohne Stellungnahme entgegengenommen, weil sie nicht im Widerspruch zur Entschließung des Bundestages stehe.

8) Das Gespräch wandte sich dann der Frage zu, ob die Rede Gromykos im Widerspruch zu unserer Interpretation steht, daß der Grenzartikel des Moskauer Vertrages[15] dem Gewaltverzichtsartikel[16] untergeordnet ist.

Bundesaußenminister und Minister Ehmke wiesen darauf hin, daß es sich bei der Rede von Gromyko um politische Akzentsetzungen handele und nicht um juristische Wertung. Minister Ehmke erinnerte daran, daß Abgeordneter Barzel Herrn Falin am 10.5. gefragt habe, ob die Rede Gromykos als Interpretation des Vertrages zu verstehen sei.[17] Falin habe erwidert, er habe schon am 9.5. gesagt, der sowjetischen Seite diene nur der Vertrag zur Interpretation.[18]

9) Das Gespräch wandte sich der Frage zu, welche Bedeutung einerseits die von der Regierung vorgeschlagene und andererseits die schließlich in die Entschließung aufgenommene Formel über die Grenzen habe.

Minister Ehmke stellte fest, daß die in die Entschließung übernommene Formel juristisch weniger weit ginge. Man sei sich einig, mit Artikel 1 des Warschauer Vertrages[19] keine friedensvertragliche Regelung für Deutschland als Ganzes vorweg nehmen zu wollen oder zu können. Man sei sich ferner einig, daß die Bundesrepublik Deutschland mit Art. 1 Abs. 1 des Warschauer Vertrages die Verpflichtung übernehme, die Oder-Neiße-Grenze für sich nicht mehr in Frage zu stellen. Man sei sich schließlich einig, daß durch Übernahme dieser Verpflichtung ein gesamtdeutscher Souverän nicht gebunden werde.

Die von der Bundesregierung vorgeschlagene Grenzformel habe den Vorteil gehabt, die Rechtsfrage sowohl für die Vergangenheit als für die Zukunft offenzuhalten.

---

[14] Zu den Ausführungen des sowjetischen Außenministers Gromyko am 12. April 1972 vor den Kommissionen für auswärtige Angelegenheiten des Unions- und des Nationalitätenrats des Obersten Sowjet vgl. Dok. 104, Anm. 12 und 30.
Zur Übergabe durch den sowjetischen Botschafter Falin am 6. Mai 1972 vgl. Dok. 121.

[15] Für Artikel 3 des Vertrags vom 12. August 1970 zwischen der Bundesrepublik und der UdSSR vgl. Dok. 64, Anm. 10.

[16] Artikel 2 des Vertrags vom 12. August 1970 zwischen der Bundesrepublik und der UdSSR: „Die Bundesrepublik Deutschland und die Union der Sozialistischen Sowjetrepubliken werden sich in ihren gegenseitigen Beziehungen sowie in Fragen der Gewährleistung der europäischen und der internationalen Sicherheit von den Zielen und Grundsätzen, die in der Charta der Vereinten Nationen niedergelegt sind, leiten lassen. Demgemäß werden sie ihre Streitfragen ausschließlich mit friedlichen Mitteln lösen und übernehmen die Verpflichtung, sich in Fragen, die die Sicherheit in Europa und die internationale Sicherheit berühren, sowie in ihren gegenseitigen Beziehungen gemäß Artikel 2 der Charta der Vereinten Nationen der Drohung mit Gewalt oder der Anwendung von Gewalt zu enthalten." Vgl. BULLETIN 1970, S. 1094.

[17] Zum Gespräch des sowjetischen Botschafters Falin mit dem CDU/CSU-Fraktionsvorsitzenden Barzel am 10. Mai 1972 vgl. FALIN, Erinnerungen, S. 201 f.

[18] Zum Gespräch vom 9. Mai 1972 vgl. Dok. 126, Anm. 2.

[19] Für Artikel I des Vertrags vom 7. Dezember 1970 zwischen der Bundesrepublik und Polen über die Grundlagen der Normalisierung ihrer gegenseitigen Beziehungen vgl. Dok. 34, Anm. 5.

Im Gespräch mit Falin, der – vermutlich auf polnische Intervention – nachträglich Bedenken gegen die Grenzformel der Entschließung angemeldet habe[20], mußte klargestellt werden, daß die Bundesrepublik Deutschland nicht beabsichtige, sich damit ihrer mit Art. 1 des Warschauer Vertrages übernommenen Rechtspflicht zu entziehen und daß die Feststellung, die Verträge schüfen keine Rechtsgrundlagen, sich nur auf die friedensvertragliche Regelung für Deutschland als Ganzes beziehe.

Im weiteren Verlauf warfen die Abgeordneten Vogel und von Weizsäcker die Frage auf, ob der Bundesaußenminister beim Übergabeakt nicht seine Rede vom 23.2.[21] zur Grenzfrage[22] zitieren könnte, die – in etwa – die beiden Grenzformeln verbindet, statt, wie vorgesehen, die Rede des Bundeskanzlers vom 10.5., welche die von der Regierung ursprünglich vorgeschlagene und von der Redaktionskommission letztlich verworfene Grenzformel wieder aufnimmt.[23]

Professor Mikat stellte dazu fest, daß die Formel 2) in die Entschließung selbst Eingang gefunden habe, und daß die Bundesregierung ihrerseits auf Elemente der Formel 1) Wert lege. Die Aufnahme der Formel 1) in die Übergabeerklärung des Bundesaußenministers habe also nicht interpretativen, sondern additiven Charakter.

Dies wurde von Minister Ehmke bestätigt.

10) Abgeordneter Birrenbach warf die Frage auf, welche Bedeutung die Feststellung des Bundeskanzlers habe, daß die Entschließung dem Geist und dem Buchstaben des Vertrags nicht widerspreche.

Nachdem von Regierungsseite zunächst festgestellt worden war, daß damit die Entschließung interpretiert wird und nicht der Vertrag, konkludierte Professor Mikat, daß die Feststellung, die Erklärung verstoße nicht gegen den Vertrag, zum Inhalt habe, daß auch eine Politik, die auf dieser Entschließung beruhe, nicht gegen den Vertrag verstoße.

11) Ein längerer Gedankenaustausch fand über den Einwand von Staatssekretär Mertes statt, daß der Grenzartikel die Grenzfrage zwar nicht judiziere, wohl aber präjudiziere. Von Regierungsseite wurde dazu festgestellt, daß es jetzt darauf ankomme zu fragen, was der Vertrag juristisch bedeute. Die politi-

---

20 Vgl. dazu Dok. 126.
21 Korrigiert aus: „28.2."
22 Bundesminister Scheel führte am 23. Februar 1972 im Bundestag aus: „Diese Verträge enthalten eine Aussage über die Grenzen. Sie schaffen keine Rechtsgrundlagen für bestehende Grenzen und enthalten keine Stellungnahme zur Entstehung dieser Grenzen. Sie enthalten aber Verpflichtungen. Im deutsch-sowjetischen Vertrag verpflichten sich die Partner, die Grenzen als unverletzlich zu achten. Das bedeutet, sie können nicht mit Gewalt geändert werden. Eine friedliche und einvernehmliche Änderung der Grenzen ist damit natürlich nicht ausgeschlossen." Vgl. BT STENOGRAPHISCHE BERICHTE, Bd. 79, S. 9744.
Zu den Äußerungen von Scheel über die Verpflichtungen hinsichtlich der Grenzen im Warschauer Vertrag vom 7. Dezember 1970 vgl. Dok. 34, Anm. 13.
23 Bundeskanzler Brandt führte am 10. Mai 1972 im Bundestag aus: „Aus der Sicht und der Verantwortung der Bundesregierung ist noch festzuhalten, daß die Feststellung, die Verträge schüfen, da sie eine friedensvertragliche Regelung nicht vorwegnähmen, keine Rechtsgrundlage für die heute bestehenden Grenzen, selbstverständlich keine Einschränkung der insbesondere im Warschauer Vertrag für die Bundesrepublik Deutschland übernommenen Verpflichtungen bedeutet." Vgl. BT STENOGRAPHISCHE BERICHTE, Bd. 80, S. 10891.

schen Erwartungen über die Deutsche Einheit und die weitere Entwicklung gingen natürlich auseinander.

Bundesaußenminister bemerkte, daß die Bundesrepublik Deutschland an den Warschauer Vertrag gebunden wäre, falls es zu einer Friedenskonferenz mit beiden deutschen Staaten kommen sollte. Er stimmte zugleich Abgeordnetem von Weizsäcker zu, der darauf hinwies, daß die endgültige Zustimmung auch in einem solchen Fall von Konditionen, insbesondere der Wiedervereinigung in Frieden und Freiheit, abhängig gemacht werden könnte.

12) Abgeordneter Marx fragte, ob die Entschließung der polnischen Seite im gleichen Verfahren mitgeteilt werde wie der sowjetischen.

Bundesaußenminister schilderte das vorgesehene Verfahren gegenüber den Drei Mächten und der Sowjetunion sowie den übrigen Staaten.[24] Polen sei als Vertragspartner herauszuheben. Er werde die Entschließung dem polnischen Vertreter formell, aber ohne Übergabeverfahren übergeben. Dies sei dem polnischen Vertreter, den er über den Gang der Entwicklung unterrichtet habe, auch schon bekanntgegeben worden.[25]

13) Abgeordneter Birrenbach fragte, ob es zutreffe, daß die Übergabe der Entschließung die Vertragsbestätigung weder modifiziert noch präzisiert. Der Bundesaußenminister bestätigte dies.

14) Abgeordneter Birrenbach fragte weiter, ob Falin zu den bei Übergabe der Entschließung mitgeteilten Erklärungen des Bundeskanzlers etwas sagen werde.

Bundesaußenminister verneinte dies.

Auf die Frage, ob über die Mitteilung der Erklärungen des Bundeskanzlers an Falin bei Übergabe der Entschließung noch gesprochen werden könne, erwiderte Bundesaußenminister, er beabsichtige, bei dem Verfahren zu bleiben, das er in seinem Brief vom 10.5. an Abgeordneten Birrenbach und Professor Mikat[26] geschildert habe. Auf die Frage der Abgeordneten Marx und Vogel, ob damit die Entschließung interpretiert werde, erwiderte Bundesaußenminister, daß damit nur Bedenken zerstreut würden. Minister Ehmke ergänzte, daß Grenzformel 1) nachgeschoben werden müsse, um den Anschein zu vermeiden, wir hätten die Potsdamer Grenzbeschlüsse[27] anerkannt.

15) Auf die Frage von Staatssekretär Mertes nach den Gründen, aus denen Falin Bedenken gegen Punkt 5, Satz 2 der Entschließung gehabt habe, erwiderte Minister Ehmke, Falin habe diese Wendung zunächst akzeptiert und erst dann weisungsgemäß Bedenken erhoben, als auf Vorschlag des Abgeordneten von Weizsäcker die Ziffer 3) eingeführt worden sei, die das gleiche ausdrücke.

---

[24] Zum vorgesehenen Verfahren bei der Übergabe der Entschließung des Bundestags vgl. Dok. 134, Anm. 9.
[25] Vgl. dazu die Gespräche des Bundesministers Scheel mit dem Leiter der polnischen Handelsvertretung, Piątkowski, am 9. und 12. Mai 1972; Dok. 125 und Dok. 132.
[26] Zu dem Schreiben vgl. Dok. 130, Anm. 3.
[27] Vgl. dazu die Kapitel VI und IX des Kommuniqués vom 2. August 1945 über die Konferenz von Potsdam (Potsdamer Abkommen); Dok. 113, Anm. 5.

16) Staatssekretär Mertes zitierte Ziffer 1 a) Satz 1 der Aufzeichnung des Auswärtigen Amts vom 11.5. – V 1-80.22/2[28]. Bedeute dies, daß lediglich Gewalt ausgeschlossen sei, oder auch jeder andere Anspruch?

Bundesaußenminister und Minister Ehmke erläuterten, daß die Wiedervereinigung keinen Gebietsanspruch darstelle, so stehe das auch in der Entschließung. Im übrigen sei dieser Satz synonym mit der Erklärung des sowjetischen Außenministers zur Änderung von Grenzen. Alle anderen Formen, nämlich der Nicht-Einvernehmlichkeit, seien ausgeschlossen.

Auf weitere Frage von Staatssekretär Mertes, ob ganz klar sei, daß durch die Äußerungen des Bundeskanzlers im Zusammenhang mit der gemeinsamen Entschließung klargestellt ist, daß Art. 3) des Moskauer Vertrages uns gestattet, den Anspruch auf Wiedervereinigung zu stellen, erwiderten Bundesaußenminister und Minister Ehmke, dies sei eindeutig und es bestehe kein Zweifel, daß man von der Unterstellung des Art. 3) des Moskauer Vertrages unter den Art. 2) ausgehen könne.

17) Bundesaußenminister stellte abschließend fest, daß man dem gemeinsamen Ziel näher gekommen sei.

Das einzige, was nicht klar sei, sei das Verhalten der Polen, die stark gefühlsbetont reagierten. Es könnte sein, daß sie öffentlich etwas sagen würden. Damit müßte man fertigwerden. Er gehe davon aus, daß nach Inkrafttreten des Vertrages der Wille zur Normalisierung alles andere überwiegen werde.

Abgeordneter Marx dankte für die Gelegenheit zur Aussprache und sagte Unterrichtung der CDU/CSU-Fraktion zu.[29]

Staden

VS-Bd. 9019 (II A 4)

---

[28] In der Aufzeichnung, die Bundesminister Scheel am 12. Mai 1972 den Teilnehmern an der Besprechung vom 13. Mai 1972 zur Vorbereitung übermittelte, nahm Referat V 1 Stellung zu Fragen, die CDU/CSU-Fraktionsvorsitzender Barzel am 10. Mai 1972 im Bundestag bezüglich der Einwände gestellt hatte, die der sowjetische Botschafter Falin am 9. Mai 1972 gegen den Entschließungsentwurf erhoben und dann wieder zurückgezogen hatte. Zu dem umstrittenen Satz in Punkt 2 des Entschließungsentwurfs – „Die Verträge nehmen eine friedensvertragliche Regelung für Deutschland nicht vorweg und schaffen keine Rechtsgrundlage für die heute bestehenden Grenzen" – führte Referat V 1 in Ziffer 1 a) Satz 1 aus: „Artikel 3 des Moskauer Vertrages regelt den Ausschluß einseitiger Grenzänderungen." Vgl. Ministerbüro, Bd. 475.

[29] Zur Abstimmung im Bundestag am 17. Mai 1972 über den Moskauer Vertrag vom 12. August 1970 und über den Warschauer Vertrag vom 7. Dezember 1970 vgl. Dok. 139, Anm. 2, und Dok. 140, Anm. 2.

136

Botschafter Sahm, Moskau, an Bundesminister Scheel

Z B 6-1-12460/72 VS-vertraulich   Aufgabe: 16. Mai 1972, 17.30 Uhr
Fernschreiben Nr. 1266   Ankunft: 16. Mai 1972, 15.39 Uhr
Citissime

Nur für Minister und Staatssekretär[1]
Betr.: Ratifizierung des Vertrages mit Moskau[2]

Ich hatte nach meinem Drahtbericht Nr. 1217 vom 9.5.[3] gehofft, über dortige Verhandlungen mit sowjetischer Seite unterrichtet zu werden. Bis zur Stunde habe ich keine Ahnung, ob und gegebenenfalls welche Absprachen mit sowjetischem Botschafter in Bonn getroffen worden sind und welche Haltung sowjetische Regierung zu den zentralen Fragen der deutsch-sowjetischen Beziehungen eingenommen hat.

Die peinliche Situation, in die ich durch mein Unwissen gegenüber den wohlunterrichteten Botschaftern der Drei Mächte[4] oder den Botschaftern der übrigen Verbündeten und Pressevertretern gerate, ist schon unangenehm.

Nachdem Botschafter Falin in der vergangenen Woche in das engste Vertrauen von Regierung und Opposition gezogen worden ist[5], wird jedoch die Stellung des Botschafters der Bundesrepublik Deutschland in Moskau für unser Land wertlos und für den Botschafter unerträglich, wenn er nicht wenigstens über die wichtigsten Ereignisse der Beziehungen zwischen den beiden Ländern und die Auffassungen und Absichten der Bundesregierung unterrichtet wird.

Da ich keinen Anlaß habe, anzunehmen, daß diese Behandlung auf Gründe zurückzuführen ist, die in meiner Person liegen, bitte ich im Interesse der Sache um unverzügliche Unterrichtung.[6]

[gez.] Sahm

VS-Bd. 9020 (II A 4)

---

[1] Hat Staatssekretär Frank vorgelegen, der handschriftlich für Ministerialdirektor von Staden vermerkte: „Wie kann man helfen; die Lage ändert sich ja alle halbe Stunde?"
Hat Staden am 17. Mai 1972 vorgelegen, der die Weiterleitung an Ministerialdirigent van Well verfügte.

[2] Für den Wortlaut des Vertrags vom 12. August 1970 zwischen der Bundesrepublik und der UdSSR vgl. BULLETIN 1970, S. 1094.
Zum Stand des Ratifikationsverfahrens vgl. Dok. 126, Anm. 5.

[3] Botschafter Sahm, Moskau, teilte Staatssekretär Frank am 9. Mai 1972 mit: „Habe volles Verständnis, daß laufende Unterrichtung der Botschaft über dortige Kontakte mit sowjetischer Regierung in letzten Tagen nicht möglich war. Im Interesse meiner Stellung gegenüber sowjetischer Regierung und hiesigen diplomatischen Vertretungen, vor allem der Drei Mächte, halte ich es jetzt jedoch für unumgänglich, daß ich alsbald über Vorgänge und sowjetische Haltung eingehend unterrichtet werde." Vgl. VS-Bd. 9019 (II A 4); B 150, Aktenkopien 1972.

[4] Jacob D. Beam (USA), John A. Killick (Großbritannien) und Roger Seydoux de Clausonne (Frankreich).

[5] Zu den Gesprächen des sowjetischen Botschafters Falin mit Mitgliedern der Bundesregierung und Vertretern der CDU/CSU-Fraktion vgl. besonders Dok. 126, Anm. 2 und 3.

[6] Am 17. Mai 1972 teilte Vortragender Legationsrat I. Klasse Blumenfeld Botschafter Sahm, Moskau, „aus der sich teilweise überstürzenden Entwicklung der letzten Tage folgendes mit: 1) Heute

137

Vortragender Legationsrat I. Klasse Heimsoeth an die Botschaft in Reykjavik

I C 1-81.10/6-1656I/72 VS-vertraulich Aufgabe: 18. Mai 1972, 18.19 Uhr[1]
Fernschreiben Nr. 2198 Plurex
Citissime nachts

Betr.: 25. Weltgesundheitsversammlung
hier: isländische Erklärung zum DDR-Antrag[2]

Bezug: FS-Schriftbericht Nr. 81 vom 17.5.[3]

I. 1) Isländische Absicht, die formulierte Erklärung bei Debatte über DDR-Aufnahmeantrag abzugeben, hat hier außerordentlich schockiert und wird als sehr ernste Angelegenheit beurteilt.

2) Nach Einbestellung isländischen Geschäftsträgers[4] bei D Pol[5] am 17.5. wurde heute isländischer Botschafter[6] zu Staatssekretär[7] zitiert.

Fortsetzung Fußnote von Seite 574
   vom Bundestag angenommene gemeinsame Resolution wird – wie abgesprochen – nach abschließender Behandlung des Vertrages im Bundestag, aber vor Austausch der Ratifizierungsurkunden den Botschaftern der Vier Mächte übergeben. 2) Laut Absprache soll Bundesratsausschuß für Auswärtige Angelegenheiten am 18. Mai, Bundesratsplenum am 19. Mai über Verträge entscheiden und Vertragsgesetze passieren lassen." Vgl. den Drahterlaß Nr. 511; VS-Bd. 9020 (II A 4); B 150, Aktenkopien 1972.

1 Der Drahterlaß wurde von Vortragendem Legationsrat Rötger konzipiert.
2 Zu den Bemühungen der Bundesregierung, auf der WHO-Versammmlung vom 9. bis 26. Mai 1972 eine Vertagung des Antrags der DDR auf Aufnahme in die WHO zu erreichen, vgl. Dok. 54, Anm. 12. Am 9. Mai 1972 berichtete Botschafter Rowold, Reykjavik, der Generalsekretär im isländischen Außenministerium, Thorsteinsson, habe mitgeteilt, daß die Regierung beschlossen habe, „ihre Delegation bei der WHO anzuweisen, sich bei Abstimmung über Vertagung des DDR-Aufnahmeantrags der Stimme zu enthalten. Die Weisung gelte auch im Hinblick auf einen möglichen Antrag auf Einladung der DDR als Beobachter." Vgl. den Drahtbericht Nr. 73; Referat I C 1, Bd. 562.
Auf eine Demarche von Rowold hin sagte der isländische Außenminister Agustsson am 10. Mai 1972 zu, „um eine neue Überprüfung der isländischen Regierungsentscheidung zu bitten". Vgl. den Drahtbericht Nr. 76; Referat I C 1, Bd. 562.
Am 16. Mai 1972 teilte Vortragender Legationsrat I. Klasse Heimsoeth der Botschaft in Reykjavik mit, daß nach einem Bericht der Vertretung bei den Internationalen Organisationen in Genf die isländische Delegation zur WHO-Versammlung „bei der Abstimmung in der DDR-Frage abwesend sein, jedoch eine Erklärung zu dem Problem" abgeben solle: „Es wird hier nicht verkannt, daß wir eine isländische Abwesenheit der isländischen Stimmenthaltung vorziehen müssen. Jedoch würde durch eine Erklärung für diese Haltung, wie auch immer eine solche Erklärung ausfallen mag, unseren Interessen und denen der übrigen Verbündeten widersprechen." Vgl. den Drahterlaß Nr. 2167; Referat I C 1, Bd. 562.
3 Botschafter Rowold, Reykjavik, berichtete, der isländische Außenminister Agústsson sehe keine Möglichkeit, die Abgabe einer Erklärung zum Aufnahmeantrag der DDR bei der WHO-Versammlung in Genf zu verhindern. Über Inhalt der Erklärung „sei im Kabinett heftige Debatte entbrannt. Kommunistische Minister hätten schließlich durchgesetzt, daß isländische Regierung in abzugebender Erklärung ‚Unterordnung einer die ganze Menschheit berührenden Angelegenheit unter großmachtpolitische Interessen' verurteile und die Beteiligung beider deutscher Staaten an der Arbeit der VN fordere." Vgl. Referat I C 1, Bd. 562.
4 Thorleifur Torlacius.
5 Berndt von Staden.
6 Arni Tryggvason.
7 Paul Frank.

Isländischer Botschafter teilte dem Staatssekretär in einer über halbstündigen Unterredung mit, er habe vor einer Stunde mit seinem Außenminister[8] gesprochen. Dieser habe ihn gefragt, warum die Erklärung von[9] uns für so gefährlich gehalten würde. Dabei wollte er zugleich nochmals den Wortlaut der uns bekanntgewordenen Version der Erklärung verifizieren. Staatssekretär stellte fest, daß wir den Vorwurf, wir verfolgten großmachtpolitische Interessen, als Beleidigung ansähen. Unsere Politik sei im Gegenteil, die Folgen der Großmachtpolitik des Dritten Reiches zu liquidieren. Wir hätten kein Verständnis für solche Beleidigungen von seiten des in der NATO mit uns verbundenen Islands, auch wenn sich dort in der Koalitionsregierung Schwierigkeiten ergäben[10], die uns nichts angingen. Seit 1954 habe Island Bündnisverpflichtungen uns gegenüber[11], die es in zahllosen NATO-Kommuniqués bekräftigt habe. Die Abgabe der genannten Erklärung würde einen Schatten auf die bevorstehende NATO-Ministerkonferenz[12] werfen.

Die Erklärung sei darum so gefährlich, weil die Entwicklungsländer der Dritten Welt geradezu nur darauf warteten, gegen eine angebliche Großmachtpolitik vorzugehen. Wenn unser Vertagungsantrag von einem NATO-Verbündeten als Großmachtpolitik dargestellt werde, so sei das gefährlicher, als wenn der Verbündete eine Nein-Stimme abgäbe.

Was die Teilnahme der beiden deutschen Staaten an der VN-Arbeit angehe, so seien wir auf dem Wege dorthin, wie Verkehrsvertrag[13] und die soeben gelungene Ratifizierung der Ostverträge[14] beweisen. Vor einer Beteiligung der DDR an der Arbeit der Vereinten Nationen müßten jedoch die Verhältnisse in Deutschland durch einen Grundvertrag geregelt werden, der auch menschliche Erleichterungen brächte. Wenn es der DDR gelänge, in die WHO aufgenommen zu werden, so könnten wir nicht mehr damit rechnen, daß sie uns irgendwelche Konzessionen auf dem Gebiete der menschlichen Erleichterungen mache. Deshalb hätten wir die Ankündigung der Erklärung wie einen Dolchstoß eines Freundes in den eigenen Rücken empfunden.

---

[8] Einar Ágústsson.

[9] Korrigiert aus: „für".

[10] Am 10. Mai 1972 teilte Botschafter Rowold, Reykjavik, aus einem Gespräch mit dem isländischen Außenminister mit: „Kommunistischer Koalitionspartner habe gefordert, daß Island für den DDR-Aufnahmeantrag stimmen solle." Dem Bericht von Ágústsson zufolge hätten die beiden der Kommunistischen Volksallianz angehörenden Minister Jósepsson und Kjartansson „an ihrer Forderung auf Zustimmung zur Aufnahme der DDR so stark festgehalten, daß er sich letztlich gezwungen sah, die Stimmenthaltung als Kompromiß durchzusetzen, um den Weiterbestand der Regierung nicht zu gefährden." Vgl. den Drahtbericht Nr. 76; Referat I C 1, Bd. 562.

[11] Am 23. Oktober 1954 unterzeichneten die NATO-Mitgliedstaaten in Paris das Protokoll über den Beitritt der Bundesrepublik zum NATO-Vertrag. Für den Wortlaut vgl. EUROPA-ARCHIV 1954, Bd. 2, S. 7135.
Mit Hinterlegung der Beitrittsurkunde am 6. Mai 1955 wurde die Bundesrepublik Mitglied der NATO. Vgl. dazu BUNDESGESETZBLATT 1955, Teil II, S. 630.

[12] Zur NATO-Ministerratstagung am 30./31. Mai 1972 vgl. Dok. 159.

[13] Am 12. Mai 1972 wurde das Abkommen zwischen der Bundesrepublik und der DDR über Fragen des Verkehrs paraphiert. Vgl. dazu Dok. 119.

[14] Zum Ergebnis der Abstimmungen im Bundestag am 17. Mai 1972 über den Moskauer Vertrag vom 12. August 1970 bzw. über den Warschauer Vertrag vom 7. Dezember 1970 vgl. Dok. 139, Anm. 2, und Dok. 140, Anm. 2.

Staatssekretär Frank fragte abschließend, ob Beschluß isländischen Kabinetts womöglich mit Streitigkeiten zwischen Bundesrepublik und Island in Fischereifragen[15] zusammenhinge. Sollte dies der Fall sein, so mache er darauf aufmerksam, daß die WHO-Abstimmung bald vorbei sei, die Fischereifragen aber noch bestehen bleiben werden und daß beide Länder noch lange Zeit auf den guten gegenseitigen Willen angewiesen seien. Island könne durch die Abgabe der Erklärung in der WHO nichts gewinnen, aber wir könnten viel verlieren.

II. Bitte umgehend bei Außenminister vorstellig werden und den großen Ernst zum Ausdruck bringen, mit dem wir die isländische Haltung beurteilen. Angesichts der kurzen Zeitspanne bis zur Abstimmung richteten wir unter Berufung auf die isländischen NATO-Verpflichtungen einen eindringlichen Appell an die isländische Regierung, ihre Delegation in Genf anzuweisen, die Erklärung nicht abzugeben.

Drahtbericht erbeten.[16]

Heimsoeth[17]

VS-Bd. 9840 (I C 1)

---

[15] Die Bundesregierung bemühte sich seit Herbst 1971, die isländische Regierung von ihrer Absicht abzubringen, die isländische Fischereizone von bisher 12 Seemeilen auf 50 Seemeilen auszudehnen. Vgl. dazu AAPD 1971, III, Dok. 445.
Am 15. Februar 1972 beschloß das isländische Parlament die Ausdehnung der Fischereizone auf 50 Seemeilen. Dazu notierte Ministerialdirigent von Schenck am 31. Mai 1972: „Diese Maßnahme ist völkerrechtswidrig. Zugleich bedroht sie die deutsche Hochseefischerei, deren Fänge zu zwei Dritteln aus den Gewässern um Island stammen, in ihrer Existenz." Da die Gespräche mit der isländischen Regierung ohne Ergebnis geblieben seien, habe die Bundesregierung am 1. März 1972 beschlossen, den Internationalen Gerichtshof (IGH) anzurufen. Die Klageschrift werde „in diesen Tagen dem Internationalen Gerichtshof zugeleitet werden", nachdem das ebenfalls betroffene Großbritannien den IGH bereits am 14. April 1972 angerufen habe. Vgl. Ministerbüro, Bd. 534.

[16] Am 19. Mai 1972 berichtete Botschafter Rowold, Reykjavik, daß die isländische Delegation bei der WHO-Versammlung in Genf angewiesen worden sei, „mit deutscher Delegation Fühlung zu nehmen, um zu entscheiden, ob isländische Delegation gegen Vertagung DDR-Aufnahmeantrags stimmen oder unter Abgabe Erklärung abwesend sein soll". Vgl. den Drahtbericht Nr. 86; VS-Bd. 9840 (I C 1); B 150, Aktenkopien 1972.
Der isländische Delegierte Sigurdsson nahm am 19. Mai 1972 an der Abstimmung über den Antrag auf eine Vertagung des Aufnahmeantrags der DDR nicht teil, gab aber zuvor die Erklärung ab: „It is the declared policy of my government that both German states have the right to membership in the United Nations and its specialized agencies such as the World Health Organization. In my government's opinion it is taking far too long to decide this question, and the existence of both German states in Europe is bound to be recognized before long. The reason why this problem has not yet been solved is its connexion with the conflicts of the big power blocks, where both sides have shown inflexibility. It is especially regrettable that an organization like the World Health Organization, which has the objective of raising the level of health of mankind, should suffer from such division of the nations, thus delaying the solution of this important question." Vgl. den Drahtbericht Nr. 681 des Botschafters Schnippenkötter, Genf (Internationale Organisationen), vom 24. Mai 1972; Referat I C 1, Bd. 562.

[17] Paraphe.

138

Leitlinien der Bundesregierung für die Europäische Sicherheitskonferenz

II A 3-84.10/3-761/72 VS-vertraulich 18. Mai 1972[1]

III. Leitlinien der Bundesregierung für die „Konferenz über Sicherheit und Zusammenarbeit in Europa" (KSZE)

1) Nach Auffassung der Bundesregierung haben die Verständigungsbemühungen in Europa einen Grad erreicht, der es möglich erscheinen läßt, auch über eine erfolgreiche „Konferenz für Sicherheit und Zusammenarbeit in Europa" die Entspannung in Europa weiter zu fördern; die Verträge von Moskau und Warschau[2] und das Vier-Mächte-Abkommen über Berlin haben einen wesentlichen Beitrag zu dieser Entwicklung geleistet.

2) Die multilateralen Ost-West-Konsultationen zur Vorbereitung der KSZE können erst beginnen, wenn der Erfolg der Berlin-Verhandlungen durch die Festlegung eines vereinbarten Termins für die Unterzeichnung des Schlußprotokolls[3] gesichert ist. Von dieser Bindung kann die Bundesregierung nicht abgehen.

3) Die Bundesrepublik wird sich wie bisher aktiv an den Vorbereitungsarbeiten für die KSZE zusammen mit unseren westlichen Partnern und an der bilateralen Exploration mit den osteuropäischen und ungebundenen Ländern be-

---

[1] Die „Leitlinien" wurden am 18. Mai 1972 von Staatssekretär Frank an die Bundesminister, an die Chefs des Bundeskanzleramtes, des Bundespräsidialamtes und des Presse- und Informationsamtes der Bundesregierung sowie an den Präsidenten des Bundesrechnungshofes übermittelt. Dazu teilte er mit: „In der Anlage übersende ich die Endfassung des Kapitels III der Kabinettsvorlage – Leitlinien der Bundesregierung für die ‚Konferenz über Sicherheit und Zusammenarbeit in Europa' (KSZE), die vom Bundeskabinett am 16. d. M. gebilligt worden ist. Die Anregungen des Herrn Bundesministers für innerdeutsche Beziehungen sowie des Herrn Bundesministers für Städtebau und Wohnungswesen zu den Ziffern 10 (C und D g), 12 (Zeile 3) und 16 (Satz 1) sind berücksichtigt." Vgl. VS-Bd. 8582 (II A 3); B 150, Aktenkopien 1972.
Die „Leitlinien" sowie Materialien „zur Begründung und Information" waren dem Kabinett mit Kabinettsvorlage des Auswärtigen Amts vom 9. Mai 1972 zugeleitet worden. In Kapitel I wurde dazu erläutert: „Es kann in der Vorbereitungsphase nicht um die Fixierung starrer Formeln gehen, sondern um die Markierung von Orientierungspunkten für die deutsche Mitwirkung an den westlichen Vorbereitungsarbeiten und für die deutsche Verhandlungsdelegation bei den multilateralen Ost-West-Gesprächen. Die deutschen Vertreter sollten in die Lage versetzt werden, im Sinne einer aktiven Entspannungspolitik flexibel vorzugehen, wobei Warnleuchten die Grenzen markieren, die durch unsere vertraglichen Bindungen, sicherheitspolitische Erwägungen und unsere Gesellschaftsordnung vorgegeben sind." Kapitel II der Kabinettsvorlage befaßte sich mit dem Zeitplan und technischen Vorkehrungen für eine KSZE. Vgl. VS-Bd. 8583 (II A 3); B 150, Aktenkopien 1972.
Am 15. Mai 1972 übermittelte Frank dem Kabinett die aufgrund einer Staatssekretärsbesprechung am 12. Mai 1972 überarbeitete Fassung der „Leitlinien". Für diese Fassung vgl. VS-Bd. 8583 (II A 3); B 150, Aktenkopien 1972.
[2] Für den Wortlaut des Vertrags vom 12. August 1970 zwischen der Bundesrepublik und der UdSSR vgl. BULLETIN 1970, S. 1094.
Für den Wortlaut des Vertrags vom 7. Dezember 1970 zwischen der Bundesrepublik und Polen über die Grundlagen der Normalisierung ihrer gegenseitigen Beziehungen vgl. BULLETIN 1970, S. 1815.
[3] Zum Schlußprotokoll zum Vier-Mächte-Abkommen über Berlin vom 3. September 1971 vgl. Dok. 9, Anm. 11.
Zur Festlegung des Termins für die Unterzeichnung vgl. Dok. 134, Anm. 11 und 12.

teilen. Auch in den multilateralen Konsultationen zur Vorbereitung der Konferenz beabsichtigt die Bundesrepublik, eine aktive Rolle zu spielen.

4) Für die Modalitäten der multilateralen Vorbereitung beruft sie sich auf das Aide-mémoire der finnischen Regierung vom 24.11.70, wonach die Teilnahme an der Vorbereitung keine Anerkennung der politischen Gegebenheiten in Europa und keine Verpflichtung bedeutet, an der Konferenz teilzunehmen.[4] Ob und in welcher Form bei Teilnahme der DDR an den multilateralen Vorbereitungen Vorbehaltserklärungen im Sinne der bisherigen Disclaimer über völkerrechtliche Nicht-Anerkennung sowie zur Wahrung der Drei-Mächte-Rechte abgegeben werden sollen, wird zwischen der Bundesregierung und den drei Westmächten noch geprüft.

Die Vorbereitung muß gründlich sein und bei Prozedur- und Sachfragen einen ausreichenden Konsensus erkennen lassen, um auf der Konferenz selbst zu konkreten Ergebnissen in Sachfragen der Sicherheit und Zusammenarbeit zu kommen. Die Bundesregierung bemüht sich, Deutsch als Konferenzsprache durchzusetzen.[5]

5) Die Bundesregierung ist bereit, Helsinki als Ort der multilateralen Ost-West-Konsultationen zu akzeptieren, vorausgesetzt, daß Finnland keine einseitigen deutschlandpolitischen Schritte zu unseren Lasten unternimmt. Eine Zustimmung zu Helsinki als Ort der Vorbereitung bedeutet keine Festlegung auf den Tagungsort der Konferenz selbst (hier ist auch Wien im Gespräch).

6) Die Bundesregierung wird die Interessen von Berlin (West) – soweit Angelegenheiten der Sicherheit und des Status nicht berührt werden[6] – auf einer KSZE vertreten. Sie wird dafür sorgen, daß die engen Bindungen Berlins an den Bund und die Möglichkeiten ihrer Entwicklung durch Beschlüsse der Konferenz nicht geschmälert werden. Sollte es nach der KSZE zur Gründung neuer internationaler Gremien kommen, hält sich die Bundesregierung die Option offen, Berlin als Sitz anzubieten.

7) Die Bundesregierung wird alles in ihren Kräften Stehende tun, um die Kohäsion des westlichen Bündnisses und den Ausbau der Europäischen Gemeinschaft vor, während und nach einer KSZE zu fördern. Sie ist der Meinung, daß die Fragen der Sicherheit und Zusammenarbeit in Europa akute Fragen sind, die besser gemeinsam im Rahmen einer KSZE als einzeln von jedem Land gelöst werden sollten, da dies zur Erosion des westlichen Zusammenhalts führen könnte.

8a) Im Bericht über die künftigen Aufgaben der Allianz vom Dezember 1967 (Harmel-Bericht) hat die NATO die Verteidigung und die Verhandlungsbereitschaft als komplementäre Elemente der Politik des Bündnisses bezeichnet. Das Bündnis kam derzeit überein, sowohl die notwendigen Verteidigungsanstrengungen fortzusetzen als auch alle politischen Maßnahmen zu prüfen, die darauf gerichtet sind, eine gerechte und dauerhafte Ordnung in Europa zu er-

---

[4] Zum finnischen Aide-mémoire vom 24. November 1970 vgl. Dok. 52, Anm. 4.
[5] Zu den Bemühungen der Bundesrepublik um Anerkennung von Deutsch als Konferenzsprache der Europäischen Sicherheitskonferenz vgl. Dok. 133, Anm. 7.
[6] Vgl. dazu die Bestimmungen im Vier-Mächte-Abkommens über Berlin vom 3. September 1971 hinsichtlich Sicherheit und Status; Dok. 25, Anm. 9.

reichen, die Teilung Deutschlands zu überwinden und die Sicherheit in Europa zu fördern.[7]

b) Die Bundesregierung setzt sich für ausgewogene und beiderseitige Truppenverminderungen ein (MBFR). Sie betrachtet das Projekt einer KSZE als einen möglichen internationalen Rahmen, in dem dieses Entspannungskonzept der Allianz zur Geltung gebracht und gefördert werden kann. Es ist anzustreben, daß die Bündnismitglieder bei den die gemeinsame Sicherheit berührenden Fragen gemeinsame Vorstellungen entwickeln.

c) Im Interesse der Sicherheit ist es wichtig, daß zwischen Ost und West schrittweise und parallel Fortschritte auf den nichtmilitärischen und den militärischen Gebieten der Sicherheit erzielt werden. Dadurch wird vermieden, daß nichtmilitärische Ergebnisse im Westen den Eindruck größerer Sicherheit entstehen lassen mit der Folge der Verringerung der militärischen Anstrengungen, während eine solche Entwicklung auf sowjetischer Seite nicht eintritt.

d) Die Bundesregierung ist daher der Auffassung, daß die Bereitschaft der Sowjetunion und anderer osteuropäischer Regierungen zur Entspannung in Europa vor allem daran gemessen werden muß, ob auch sie auf die Behandlung der militärischen Fragen einzugehen bereit sind. Es ist daher im Interesse der Sicherheit Europas erforderlich, daß MBFR-Explorationen im Zuge der multilateralen Vorbereitung einer KSZE erfolgen, falls sie nicht schon vorher begonnen haben, und daß spätestens auf oder parallel zu einer KSZE der Beginn von MBFR-Verhandlungen verbindlich vereinbart wird.

e) Auf einer KSZE müssen bestimmte Elemente des MBFR-Komplexes (gemeinsame Erklärung über MBFR-Grundsätze und -Kriterien, stabilisierende Maßnahmen wie Notifizierung von Truppenbewegungen, Manöverbeobachter, Beschränkung von militärischen Bewegungen) behandelt werden. MBFR-Verhandlungen im engeren Sinn werden in einem auf die jeweils unmittelbar Betroffenen beschränkten Kreis außerhalb der Gesamtkonferenz stattfinden müssen.

9) Die Bundesregierung ist der Überzeugung, daß der Europäischen Gemeinschaft in den meisten Fragen der wirtschaftlichen und wissenschaftlich-tech-

---

[7] In Ziffer 5 des „Berichts des Rats über die künftigen Aufgaben der Allianz" (Harmel-Bericht), der dem Kommuniqué über die NATO-Ministerratstagung am 13./14. Dezember 1967 in Brüssel beigefügt war, wurde festgestellt: „The Atlantic Alliance has two main functions. Its first function is to maintain adequate military strength and political solidarity to deter aggression and other forms of pressure and to defend the territory of member countries if aggression should occur. Since its inception, the Alliance has successfully fulfilled this task. But the possibility of a crisis cannot be excluded as long as the central political issues in Europe, first and foremost the German question, remain unsolved. Moreover, the situation of instability and uncertainty still precludes a balanced reduction of military forces. Under these conditions, the Allies will maintain as necessary, a suitable military capability to assure the balance of forces, thereby creating a climate of stability, security and confidence. In this climate the Alliance can carry out its second function, to pursue the search for progress towards a more stable relationship in which the underlying political issues can be solved. Military security and a policy of detente are not contradictory but complementary. Collective defence is a stabilising factor in world politics. It is the necessary condition for effective policies directed towards a greater relaxation of tensions. The way to peace and stability in Europe rests in particular on the use of the Alliance constructively in the interest of detente. The participation of the USSR and the USA will be necessary to achieve a settlement of the political problems in Europe." Vgl. NATO FINAL COMMUNIQUES, S. 199. Für den deutschen Wortlaut vgl. EUROPA-ARCHIV 1968, D 75 f.

nischen Zusammenarbeit, die Gegenstand einer KSZE sein könnten, auf der Konferenz eine wichtige Rolle zufällt. Sie wird sich dafür einsetzen, daß die Gemeinschaft und ihre Mitgliedstaaten den Ländern Osteuropas konstruktive Angebote zur Ausweitung der Kooperation unterbreiten, wozu aber auch auf der anderen Seite gewisse Vorkehrungen gehören. Sie wird ferner alle Versuche abwehren, die gegen den Ausbau der Gemeinschaften gerichtet sein könnten, und dafür sorgen, daß die Gemeinschaft im Zusammenhang mit einer KSZE und in möglichen Nachfolgegremien die ihr gebührende Rolle spielt.

10) Zu den Themen der Vorbereitung einer KSZE und der Konferenz selbst sollten nach Ansicht der Bundesregierung gehören:

A. Prinzipien zwischenstaatlicher Beziehungen einschließlich Gewaltverzicht

B. Aspekte der militärischen Sicherheit, z. B.

a) vertrauensbildende Maßnahmen
b) MBFR-Prinzipien

C. Verbesserung der Kommunikation (menschliche Kontakte und Informationsaustausch)

D. Zusammenarbeit auf den Gebieten

a) Handel und Finanzen,
b) industrielle Kooperation,
c) Entwicklungshilfe,
d) Wissenschaft und Technologie,
e) Verkehr,
f) Energie,
g) Umwelt und Städtebau,
h) kulturelle Beziehungen,
i) Tourismus.

E. Verfahrensfragen (Konferenztyp und Institutionalisierung).

11) Mit den „Prinzipien zwischenstaatlicher Beziehungen" sollten die Teilnehmer der KSZE nach Ansicht der Bundesregierung vor allem die völkerrechtlichen Grundlagen ihres friedlichen Zusammenlebens bekräftigen; sie sollten auf ein möglichst einheitliches Verständnis dieser Prinzipien hinwirken. Für besonders wichtig hält die Bundesregierung das Prinzip, daß auch die Zugehörigkeit zu einer bestimmten Sozialordnung das Recht der Völker, ihr eigenes Schicksal frei von äußerem Zwang zu gestalten, nicht beeinträchtigen und keinen Vorwand für Interventionen liefern darf, sowie die Anerkennung des Selbstbestimmungsrechts, der allgemeinen Menschenrechte und der individuellen Grundfreiheiten als Grundprinzipien des zwischenstaatlichen Zusammenlebens und als Ausgangspunkt der Freizügigkeit für Menschen, Ideen und Informationen.

12) Nach Ansicht der Bundesregierung wird auf kaum einem Sachgebiet verbesserte Zusammenarbeit wirklich wirksam werden, ohne daß nicht zugleich die Kommunikation verbessert wird. Sie ist ein wesentliches Element für jeden wirklichen Fortschritt im Ost-West-Verhältnis; das Maß ihrer Verwirklichung ist der wichtigste, konkret sichtbare Maßstab für Entspannung und Kooperation. Es muß uns daher darauf ankommen, auf einer KSZE diesem Gedanken –

auch im Hinblick auf die entsprechende Fragestellung im Verhältnis zwischen den beiden Staaten in Deutschland – möglichst wirksam Geltung zu verschaffen. Da für die osteuropäischen Länder dieses Thema besonders heikel ist, müssen wir es möglichst behutsam vorbringen. Neben allgemeinen Reiseerleichterungen müßte z. B. beim Thema wirtschaftliche Kooperation die Frage der Niederlassung westlicher Firmenvertreter und ihrer Kontaktmöglichkeiten ein integraler Bestandteil der westlichen Angebote sein.

13) Die Bundesregierung ist seit langem bemüht, trotz der strukturellen Unterschiede, die eine Ausweitung des Handels mit Osteuropa erschweren, die Kooperation mit diesen Ländern nach Kräften zu fördern. Auch bei der Vorbereitung einer KSZE und auf der Konferenz selbst wird sie ihre großen Erfahrungen auf diesem Gebiet einsetzen und mit Energie und Phantasie nach neuen Lösungsmöglichkeiten suchen. Sie ist der Ansicht, daß die Interessen der osteuropäischen Länder dabei so weit wie möglich berücksichtigt werden sollten, um auf diese Weise das jeweils unterschiedliche Niveau der einzelnen östlichen Volkswirtschaften in Richtung auf eine Verstärkung der Exportkraft und der Wettbewerbsfähigkeit zu heben. Den beiden Hauptanliegen der Ostländer – vollständige Einfuhrliberalisierung und staatliche Kredite mit niedrigem Zinssatz bzw. Zinssubventionen für langfristige Kredite – kann allerdings – ersteres auch mit Rücksicht auf bestehende EG-Bindungen – auf einer Europäischen Sicherheitskonferenz vermutlich nicht entsprochen werden.

14) Es liegt daher nicht zuletzt aus diesem Grund im Interesse der Bundesrepublik, in den Mittelpunkt der Erörterung wirtschaftlicher Fragen auf einer KSZE die industrielle Kooperation zu stellen. Schon die Bereitschaft, dieses Thema auf der KSZE eingehend zu erörtern, kann erhebliche Signal- und Publizitätswirkung haben. Allein die Tatsache eines Gedankenaustausches zwischen Ost und West über alle sich dabei stellenden materiellen Fragen (u. a. Kapitalbeteiligung, Firmenvertretungen, Steuer- und Rechtsfragen) kann zu einer Überwindung der oft noch aus mangelnder Information bestehenden Kooperationshemmnisse beitragen. Die unterschiedlichen Wirtschaftssysteme sind kein unüberwindliches Hindernis für eine solche industrielle Zusammenarbeit. Allerdings dürfte es für den Erfolg der Kooperation entscheidend darauf ankommen, daß der Spielraum der in ein verhältnismäßig starres Wirtschafts- und Verwaltungssystem eingegliederten östlichen Partner wesentlich erweitert wird. Die Bundesregierung setzt sich innerhalb des Bündnisses und bei den Konsultationen mit unseren EG-Partnern dafür ein, alle Aspekte der industriellen Zusammenarbeit – und auch ihre intensivste Form, die Gründung von gemischten Gesellschaften in Osteuropa – gründlich zu untersuchen. Sie tritt dabei, wie auch allgemein, für eine möglichst weitgehende, die Interessen aller Mitgliedstaaten berücksichtigende Harmonisierung der Ansichten der Gemeinschaftsländer auch auf den Gebieten der Zusammenarbeit ein, die noch nicht zum Zuständigkeitsbereich der EG gehören. Dabei dürfen die Interessen der anderen Handelspartner nicht außer acht gelassen werden.

15) Auch eine Zusammenarbeit zugunsten der Entwicklungsländer kann zur Entspannung zwischen Ost und West beitragen. Ziel einer solchen Zusammenarbeit sollte die Besserung der Situation der Entwicklungsländer in wirtschaftlicher und sozialer Hinsicht im Sinne der Zielsetzung der zweiten Entwick-

lungsdekade der Vereinten Nationen⁸ sein. Hierzu könnte eine Abstimmung der beiderseitigen Hilfen und eine bestmögliche Nutzung der Ressourcen in West und Ost für die effektiven Entwicklungsbedürfnisse der Dritten Welt beitragen. Bei einer Zusammenarbeit sollte in Grundsatzfragen eine Annäherung der gegenseitigen Standpunkte erreicht werden. Hierbei müßte auch das Prinzip der Ungebundenheit der Lieferungen und Leistungen bei der öffentlichen Hilfe angestrebt werden.

16) Auf den Gebieten der Wissenschaft und Technologie, des Verkehrs, der Energie und des Umweltschutzes – auch unter städtebaulichen Gesichtspunkten – bieten sich ebenfalls zahlreiche Möglichkeiten für eine engere Ost-West-Zusammenarbeit. Dies gilt auch für den kulturellen Bereich. Als konkrete multilaterale Vorhaben kommen verstärkte Jugendbegegnungen, Abkommen über die Anerkennung von Schul- und Hochschulzeugnissen sowie Vereinbarungen über Urheberrechte in Frage. Grundsatzerklärungen über größere Freizügigkeit könnten den bilateralen Kulturaustausch beleben.

17) Nach Ansicht der Bundesregierung sollten, sofern es zweckmäßig erscheint, Kommissionen und Unterkommissionen zu den in Ziffer 10 aufgeführten Punkten der Tagesordnung gebildet werden, die vielleicht schon in einem fortgeschrittenen Stadium der multilateralen Vorbereitung, jedenfalls aber auf der Konferenz selbst, die Materie gründlich diskutieren. Dies sieht auch das französische Konferenzschema vor, dem die Bundesregierung ein gewisses Interesse entgegenbringt: Nach Abschluß der multilateralen Konsultationen treten die Außenminister zusammen, danach beraten die Kommissionen einige Monate, und dann treffen sich die Minister erneut, um die Arbeitsergebnisse abschließend zu beraten und zu billigen.

Die Entscheidung über das Konferenzmodell kann jedoch erst im Lichte der multilateralen Ost-West-Konsultationen getroffen werden. Die Bundesregierung ist mit ihren Verbündeten der Meinung, daß die eventuelle Schaffung neuer internationaler Gremien vom Konferenzverlauf abhängig gemacht werden sollte.

18) Innerhalb der Bundesregierung wird das Auswärtige Amt die Vorbereitungsarbeiten weiterhin koordinieren. Rechtzeitig vor Beginn der multilateralen Ost-West-Konsultationen, die voraussichtlich im Herbst dieses Jahres in

---

⁸ Die Zweite Entwicklungsdekade der UNO umfaßte den Zeitraum von 1971 bis 1980. Das Bundesministerium für wirtschaftliche Zusammenarbeit erläuterte dazu: „Die Zweite Entwicklungsdekade, die formell am 1.1.1971 beginnen wird, soll eine gemeinsame und planmäßig durchgeführte Aktion der gesamten Völkergemeinschaft sein, mit dem Ziel, den Teufelskreis der Unterentwicklung in weiten Teilen der Erde zu durchbrechen. Der Akzent liegt dabei auf einer langfristigen Koordinierung der Maßnahmen von Industrie- und Entwicklungsländern. Davon verspricht man sich eine Vergrößerung der Effizienz der Entwicklungsbemühungen. [...] Die Bundesregierung beteiligt sich aktiv an der schwierigen Planung einer internationalen Strategie der Entwicklung im ‚Vorbereitenden Ausschuß für die Zweite Entwicklungsdekade' sowie in anderen Gremien der Vereinten Nationen, wie der UNCTAD (Welthandelskonferenz), FAO (Ernährungs- und Landwirtschaftsorganisation) u. a." Vgl. das Schreiben vom 22. Januar 1970 an das Auswärtige Amt; Referat III B 1, Bd. 857.

Helsinki beginnen⁹, wird unter Federführung des Auswärtigen Amtes eine interministerielle Arbeitsgruppe gegründet werden.¹⁰

VS-Bd. 8582 (II A 3)

139

Bundeskanzler Brandt an den Ersten Sekretär des ZK der PVAP, Gierek

19. Mai 1972¹

Herr Erster Sekretär,

nach der klaren positiven Entscheidung des Deutschen Bundestags zu dem Vertrag zwischen der Bundesrepublik Deutschland und der Volksrepublik Polen über die Grundlagen der Normalisierung ihrer gegenseitigen Beziehungen² kann die Absicht beider Staaten verwirklicht werden, einen Schlußstrich zu setzen und einen neuen Anfang zu schaffen. Was ich im Dezember 1970 in Warschau im Namen meiner Regierung gesagt habe, kann ich heute für die Bundesrepublik Deutschland wiederholen: „Sie nimmt die Ergebnisse der Geschichte an; Gewissen und Einsicht führen uns zu Schlußfolgerungen, ohne die wir nicht hierher gekommen wären."³

Ich hoffe, daß wir in Kürze diplomatische Beziehungen aufnehmen werden.⁴ Sie sollen mit dazu dienen, den Vertrag mit Leben zu erfüllen, damit der Prozeß der Verständigung und wenn möglich Aussöhnung nicht nur zwischen den Regierungen, sondern auch den Völkern beginnen kann.

Ich freue mich, daß wir uns an die Arbeit machen können, den Vertrag in den Dienst der Sicherheit und der Zusammenarbeit in Europa zu stellen.

---

⁹ Die multilateralen Gespräche zur Vorbereitung einer Konferenz über Sicherheit und Zusammenarbeit in Europa begannen am 22. November 1972.

¹⁰ Die konstituierende Sitzung der Interministeriellen Arbeitsgruppe KSZE fand am 8. September 1972 statt. Vgl. dazu die Aufzeichnung des Vortragenden Legationsrats Hillger vom 14. September 1972; B 150, Aktenkopien 1972.

¹ Durchdruck.

² Am 17. Mai 1972 stimmten 248 Abgeordnete dem Gesetz zum Warschauer Vertrag vom 7. Dezember 1970 zu bei 17 Nein-Stimmen und 231 Enthaltungen. Vgl. dazu BT STENOGRAPHISCHE BERICHTE, Bd. 80, S. 10941.
Der Bundesrat entschied am 19. Mai 1972 bei Enthaltung der über eine knappe Mehrheit verfügenden, von CDU und CSU regierten Länder, keinen Antrag auf Einsetzung eines Vermittlungsausschusses zu stellen. Vgl. dazu BR STENOGRAPHISCHE BERICHTE, 381. Sitzung, S. 566.

³ Vgl. die Tischrede des Bundeskanzlers Brandt vom 7. Dezember 1970; BULLETIN 1970, S. 1875.

⁴ Im Kommuniqué über den Besuch des Bundeskanzlers Brandt vom 6. bis 8. Dezember 1970 in Polen wurde mitgeteilt, „daß die Bundesrepublik Deutschland und die Volksrepublik Polen unmittelbar nach dem Inkrafttreten des Vertrages miteinander diplomatische Beziehungen aufnehmen werden". Vgl. BULLETIN 1970, S. 1878. Vgl. dazu auch AAPD 1970, III, Dok. 579.
Zu den Gesprächen über eine Aufnahme der diplomatischen Beziehungen vgl. Dok. 261.

Ich möchte die Gelegenheit benutzen, mich für die durch Herrn Wehner übermittelten Grüße[5] zu bedanken. Auch ich würde mich freuen, wenn wir uns in nicht ferner Zukunft persönlich kennenlernten.[6]

Mit dem Ausdruck meiner Hochachtung

gez. Willy Brandt

Willy-Brandt-Archiv, Bestand Bundeskanzler, Mappe 74

140

Bundeskanzler Brandt an den Generalsekretär des ZK der KPdSU, Breschnew

19. Mai 1972[1]

Sehr geehrter Herr Generalsekretär,

es gibt ein deutsches Sprichwort: Aller Anfang ist schwer. Wie schwer er war, wissen Sie und ich besser als viele andere. Mir liegt daran, Ihnen bei dieser Gelegenheit zu danken, vor allem dafür, daß ich in den zurückliegenden schwierigen Wochen und Monaten die Erfahrung machen konnte, sich auf das gegebene Wort verlassen zu können. Ich möchte in diesen Dank auch Ihre Mitarbeiter einschließen.

Auf dieser Grundlage der Offenheit und des Vertrauens möchte ich auch künftig unsere Beziehungen entwickeln.

Die Mehrheit für unseren Vertrag ist klar und eindeutig.[2] Das kann man von der parlamentarischen Mehrheit meiner Regierung nicht sagen.[3] Bis zu Neu-

---

[5] Der SPD-Fraktionsvorsitzende Wehner hielt sich vom 5. bis 10. Februar 1972 in Polen auf. Vgl. dazu Dok. 28, Anm. 38.

[6] Am 7. Juli 1972 teilte Staatssekretär Frank Botschafter Emmel, Warschau, mit, daß der Erste Sekretär des ZK der PVAP, Gierek, am 23. Mai 1972 Bundeskanzler Brandt geantwortet habe, er akzeptiere den „Vorschlag für ein Treffen zwischen uns in naher Zukunft". Emmel wurde gebeten, im polnischen Außenministerium mitzuteilen, Brandt „freue sich, daß Einvernehmen über eine baldige persönliche Begegnung bestehe. Nach Meinung des Bundeskanzlers biete der für Anfang Oktober vorgesehene Besuch Giereks in Frankreich eine günstige Gelegenheit für ein Treffen." So könne Gierek die Rückreise zu einem Aufenthalt in der Bundesrepublik nutzen. Vgl. den Drahterlaß Nr. 244; VS-Bd. 9037 (II A 5); B 150, Aktenkopien 1972.

[1] Durchdruck.

[2] Am 17. Mai 1972 stimmten 248 Abgeordnete dem Gesetz zum Moskauer Vertrag vom 12. August 1970 zu bei 10 Nein-Stimmen und 238 Enthaltungen. Vgl. dazu BT STENOGRAPHISCHE BERICHTE, Bd. 80, S. 10941.
Der Bundesrat entschied am 19. Mai 1972 bei Enthaltung der über eine knappe Mehrheit verfügenden, von CDU und CSU regierten Länder, keinen Antrag auf Einsetzung eines Vermittlungsausschusses zu stellen. Vgl. BR STENOGRAPHISCHE BERICHTE, 381. Sitzung, S. 566.

[3] Zu den Mehrheitsverhältnissen im Bundestag vgl. Dok. 114, Anm. 9, und Dok. 117, Anm. 8.

wahlen, mit denen ich in diesem Jahr nicht mehr rechne[4], wird die Opposition versuchen, die Regierung zu lähmen. Die Regierung wird ihren Kurs unbeirrt fortsetzen und dabei im Falle des Erfolgs weitere Tatsachen für die Politik der Entspannung schaffen.

Der Austausch der Ratifizierungsurkunden unseres Vertrages könnte noch am Ende dieses Monats erfolgen.[5] Ich würde es begrüßen, wenn das Schlußprotokoll der Berlin-Regelung[6] durch die vier Außenminister möglichst bald unterzeichnet werden kann.[7]

Wir sind bereit, den im Prinzip mit der DDR vereinbarten Meinungsaustausch noch im Juni aufzunehmen.[8] Es läge sicher im Interesse aller Beteiligten, wenn er bis zum Herbstanfang zu einem positiven Ergebnis geführt werden könnte.

Wir können uns nun mit größerer Energie den Fragen der europäischen Sicherheit, der Reduzierung der Rüstungslasten, der ausgewogenen Verminderung der Truppenstärken und der ökonomischen Zusammenarbeit zuwenden. Für diese Fragen werden Ihre Gespräche mit dem amerikanischen Präsidenten[9] von großer Bedeutung sein.

Ich würde mich freuen, Sie im Laufe dieses Jahres sehen zu können[10], und übermittle Ihnen meine herzlichen Grüße.

gez. Willy Brandt

Archiv der sozialen Demokratie, Depositum Bahr, Box 431 A

---

[4] Am 19. Mai 1972 leiteten Bundeskanzler Brandt und Bundesminister Scheel den Vorsitzenden und den Fraktionsvorsitzenden der im Bundestag vertretenen Parteien eine Erklärung zu, in der sie an CDU und CSU appellierten, „einer Verständigung über einen Termin für baldige Bundestagswahlen zuzustimmen und die Modalitäten in einwandfreier Weise zu vereinbaren". Vgl. BULLETIN 1972, S. 1058.

[5] Die Ratifikationsurkunden zum Moskauer Vertrag vom 12. August 1970 wurden am 3. Juni 1972 ausgetauscht. Vgl. dazu Dok. 158.

[6] Für den Wortlaut des Vier-Mächte-Abkommens über Berlin vom 3. September 1971 vgl. EUROPA-ARCHIV 1971, D 443–453.
Zum Schlußprotokoll vgl. Dok. 9, Anm. 11.

[7] Zur Festlegung des Termins für die Unterzeichnung des Schlußprotokolls zum Vier-Mächte-Abkommen über Berlin vom 3. September 1971 vgl. Dok. 134, Anm. 11 und 12.

[8] Das erste Gespräch des Staatssekretärs Bahr, Bundeskanzleramt, mit dem Staatssekretär beim Ministerrat der DDR, Kohl, über einen Grundlagenvertrag fand am 15. Juni 1972 in Ost-Berlin statt. Vgl. dazu Dok. 170 und Dok. 172.

[9] Präsident Nixon besuchte vom 22. bis 30. Mai 1972 die UdSSR. Vgl. dazu Dok. 149 und Dok. 161.

[10] Der Generalsekretär des ZK der KPdSU, Breschnew, besuchte die Bundesrepublik vom 18. bis zum 22. Mai 1973.

141

Botschafter z. b. V. Northe, z. Z. Santiago de Chile, an das Auswärtige Amt

Fernschreiben Nr. 283 　　　　　　　　Aufgabe: 21. Mai 1972, 19.30 Uhr
Cito 　　　　　　　　　　　　　　　　　Ankunft: 22. Mai 1972, 01.51 Uhr

Betr.: Dritte Welthandelskonferenz[1]
　　　hier: kurze Bewertung

1) Die wichtigsten Ergebnisse der nach fast sechswöchiger Dauer beendeten Welthandelskonferenz sind folgende:

– Es ist anerkannt worden, daß die Entwicklungsländer voll an den Arbeiten zur Reform des internationalen Währungssystems beteiligt werden müssen. Diese Arbeiten werden im Internationalen Währungsfonds durchgeführt werden, der damit das zentrale Organ für die Behandlung der Währungsfragen bleibt. Der Wunsch zahlreicher Entwicklungsländer, der Welthandelskonferenz wichtige Aufgaben auch auf dem Währungsgebiet zu übertragen, ist damit nicht erfüllt worden.[2]

– Zur Reform des Währungssystems und zur Übertragung von Ressourcen mit Hilfe der Sonderziehungsrechte an Entwicklungsländer werden – beschleunigt – im Währungsfonds Studien durchzuführen sein. Eine Entscheidung, ob ein „link" eingeführt werden soll[3], ist nach Auffassung der Industrieländer nicht gefallen. Diese Entscheidung wird dem Währungsfonds vorbehalten.

– Der gegenwärtige Rahmen zwischen IWF, GATT und Welthandelskonferenz bleibt erhalten. Die Welthandelskonferenz wird weder ein Oberorgan zur Koordinierung der Aufgaben von GATT und IWF, noch wird sie zu einem Verhandlungsgremium umgestaltet.

– Im Rohstoffbereich ist ein Ausgleich zwischen den Standpunkten der Entwicklungsländer einerseits und der Industrieländer andererseits nicht möglich gewesen. Die beiden sich diametral entgegenstehenden Resolutionsentwürfe[4] wurden dem Welthandelsrat zur weiteren Behandlung überwiesen.

---

[1] Die Dritte Konferenz für Handel und Entwicklung (United Nations Conference on Trade and Development – UNCTAD) fand vom 13. April bis 22. Mai 1972 in Santiago de Chile statt.
[2] Am 17. Mai 1972 berichtete Staatssekretär Freiherr von Braun, z. Z. Santiago de Chile, die Entwicklungsländer verlangten „Anerkennung der Notwendigkeit eines institutionellen Umbaus mit dem Ziel der Herstellung einer ‚universellen' Oberkompetenz der UNCTAD für alle währungs- und handelspolitischen Fragen." Vgl. den Drahtbericht Nr. 259; Referat III A 3, Bd. 166.
[3] Dazu notierte Vortragender Legationsrat Rabe am 9. Mai 1972, daß die Entwicklungsländer die „Verwendung von S[onder]Z[iehungs]R[echten] zu Entwicklungshilfezwecken" forderten: „Verkannt wird hierbei Unterschied zwischen Liquiditäts- und Kapitalbedarf. Kapitalbedarf in erster Linie aus Ersparnissen bzw. Haushaltsmitteln zu finanzieren. Finanzierung von Entwicklungshilfe über Geldschöpfung (SZR) verstärkt weltweiten Inflationsprozeß." Die Bundesrepublik habe daher Bedenken gegen den „link" von Sonderziehungsrechten und Entwicklungshilfe, trete aber „für stärkere Berücksichtigung der Entwicklungsländer bei künftigen SZR-Zuteilungen, und zwar auf Kosten der Industrieländer ein." Vgl. Referat III A 3, Bd. 163.
[4] Vortragender Legationsrat Rabe vermerkte am 9. Mai 1972 zum bisherigen Verlauf der Welthandelskonferenz, daß die Entwicklungsländer bei der Diskussion über das Thema „Grundstoffe" ins-

Der Generalsekretär der Welthandelskonferenz[5] wird außerdem aufgefordert, Konsultationen im Rohstoffbereich „on agreed commodities" einzuleiten (dagegen haben allerdings einige Industrieländer einen Vorbehalt eingelegt).

– Für die im Jahr 1973 geplanten Handelsverhandlungen wird das WHK-Sekretariat gewisse Funktionen zur Unterstützung der Entwicklungsländer bei der Vorbereitung und Durchführung der Verhandlungen erhalten.

– Das Prinzip der bevorzugten Hilfe für die am wenigsten entwickelten Länder ist anerkannt worden.[6] Für diese Länder sind Sondermaßnahmen vorgesehen. Über die Einrichtung eines Sonderfonds für die am wenigsten entwickelten Länder bestand keine Einigkeit.[7]

– Auf dem Gebiet der Technologie wurde der bestehende institutionelle Rahmen verstärkt. Die Welthandelskonferenz wird zusätzliche Aufgaben übernehmen.

Fortsetzung Fußnote von Seite 587
besondere gefordert hätten: „Preisstabilisierung durch Rohstoffabkommen und bufferstocks; Reservierung fester Anteile auf den Märkten der Industrieländer; Senkung der Zoll- und Steuerbelastung für Rohstoffe bzw. Überweisung der sich aus diesen Belastungen ergebenden Einnahmen an die Entwicklungsländer; Stützungsmaßnahmen für Naturprodukte gegenüber synthetischen Erzeugnissen. Die Industrieländer stehen diesen Forderungen weitgehend skeptisch gegenüber. Leitlinie für die deutsche Haltung ist die Erzielung marktkonformer Lösungen auf der Grundlage des liberalen Welthandels. Hinsichtlich der Grundstoffabkommen: Festhalten am Grundsatz ‚Ware für Ware'". Vgl. Referat III A 3, Bd. 163.
Am 8. Mai 1972 berichtete Botschafter z. b. V. Northe, z. Z. Santiago de Chile, daß die Entwicklungsländer „inzwischen offiziell Entschließungsentwürfe über Diversifizierung, Vermarktungs- und Verteilungssysteme, Wettbewerbsfähigkeit von Naturprodukten und Marktzugang, einschließlich Grundstoffabkommen vorgelegt" hätten. Die Gruppe der Industrieländer werde dazu Gegenentwürfe erstellen, wobei vor allem „Frage des Marktzugangs, Preispolitik und internationaler Abkommen [...] voraussichtlich streitig bleiben" werde. Vgl. den Drahtbericht Nr. 207; Referat III A 3, Bd. 166.
Northe teilte am 22. Mai 1972 mit, daß die Konferenz eine Entschließung zur Stabilisierung der Grundstoffpreise und zur Rolle der Weltbank verabschiedet habe. Angenommen worden sei ferner eine Entschließung „zur Frage des Vermarktungs- und Verteilersystems". Weiter berichtete Northe: „Ein in letzter Minute unter wesentlicher Beteiligung des WHK-Generalsekretärs erarbeiteter Entschließungsentwurf über Marktzugänge und Preispolitik wurde durch Akklamation verabschiedet. Die Entschließung sieht vor, daß die nächste Sitzung des WHK-Grundstoffausschusses unter Beteiligung möglichst aller WHK-Mitgliedstaaten stattfinden soll, um eingehende Konsultationen über vereinbarte Grundstoffe oder Grundstoffgruppen, einschließlich der Einsetzung von Ad-hoc-Konsultationsgruppen zu organisieren." Vgl. den Drahtbericht Nr. 291; Referat III A 3, Bd. 166.
5 Manuel Pérez-Guerrero.
6 Am 15. April 1972 wies Bundesminister Schiller auf der Welthandelskonferenz in Santiago de Chile auf die Kluft nicht nur zwischen Industrie- und Entwicklungsländern, sondern auch darauf hin, „daß zwischen den Entwicklungsländern große Unterschiede in Lebensstandard und Wohlfahrt bestehen. Daraus folgt für unsere Politik: Wir müssen differenzierter vorgehen je nach den geographischen, demographischen, ökonomischen und sozialen Bedingungen der einzelnen Ländern. Und wir müssen dort verstärkt unsere Hilfe leisten, wo Armut und Not der Bevölkerung am größten sind." Er kündigte an, daß die Bundesregierung ab sofort den 25 Entwicklungsländern, die von der UNO am 18. November 1971 zu „hard core least developed countries" erklärt worden seien, Kapitalhilfekredite „zu 0,75 Prozent Zinsen mit 50 Jahren Laufzeit einschließlich zehn Freijahren" gewähren werde und auch bereit sei, das Volumen der Kapitalhilfe für diese Staaten zu erhöhen. Vgl. den Drahtbericht Nr. 128 aus Santiago de Chile; Referat III A 3, Bd. 163.
7 Die Delegation zur Welthandelskonferenz in Santiago de Chile berichtete am 22. Mai 1972 über die einstimmige Annahme des 46 Punkte umfassenden Aktionsprogramms für die am wenigsten entwickelten Länder. Allerdings hätten viele westliche Staaten zu einzelnen Punkten Vorbehalte zu Protokoll gegeben, insbesondere gegen eine „empfohlene Studie des ECOSOC über Möglichkeiten der Errichtung eines Sonderfonds für am wenigsten entwickelte Länder sowie gegen Zusätzlichkeit der Maßnahmen". Vgl. den ungezeichneten Drahtbericht Nr. 293; Referat III A 3, Bd. 166.

- Auch in Schiffahrtsfragen ist die Stellung der Welthandelskonferenz gestärkt worden, ohne daß allerdings die Industriestaaten die sehr weitgehenden Forderungen der Entwicklungsländer angenommen haben.

2) Das Gesamtergebnis ist vom deutschen Standpunkt befriedigend. Es ist der deutschen Delegation gelungen, sich durch positive und konstruktive Initiativen, dort wo sie aufgrund der bestehenden Weisungen möglich waren, Ansehen bei den Entwicklungsländern zu erwerben. Allerdings steht diesen positiven Aspekten auf verschiedenen anderen Gebieten, z. B. im Grundstoffbereich, eine mehr restriktive Haltung gegenüber, die ebenfalls vermerkt wurde.

Innerhalb der westlichen Gruppe hielt sich die deutsche Delegation im allgemeinen zwischen den Extremen, die auf der einen Seite durch die USA, auf der anderen durch die Niederlande verkörpert wurden. Ergänzend ist zu bemerken, daß die niederländische Delegation häufig extreme Haltungen einnahm, die innerhalb der westlichen Gruppe mit Befremden aufgenommen wurden.

3) Die sechs Länder der Gemeinschaft sind dort, wo es möglich war, gemeinschaftlich und geschlossen aufgetreten.[8] Dadurch konnte auch das Ansehen der Gemeinschaft verstärkt werden. Auch die Zusammenarbeit mit den vier Beitrittskandidaten hielt sich im gewünschten Rahmen. Durch die zahlreichen gleichzeitig stattfindenden Sitzungen wurde gelegentlich die Abstimmung sowohl in der EG als auch in der B-Gruppe[9] behindert.

[gez.] Northe

Referat III A 3, Bd. 163

---

[8] Am 10. Mai 1972 bat der Präsident des EG-Ministerrats, Thorn, die Außenminister der EG-Mitgliedstaaten, darauf hinzuwirken, daß sich die Delegationen auf der Welthandelskonferenz „so oft und so wirkungsvoll wie möglich miteinander abstimmten" und zu den Entschließungen möglichst einen gemeinsamen Standpunkt verträten. Vgl. das Fernschreiben; Referat III A 3, Bd. 163.

[9] Der Gruppe B gehörten die Industriestaaten an; Gruppe A umfaßte die asiatischen und afrikanischen, Gruppe C die lateinamerikanischen und Gruppe D die sozialistischen Staaten Osteuropas.

142

Botschafter Sahm, Moskau, an das Auswärtige Amt

Z B 6-1-12549/72 VS-vertraulich   Aufgabe: 23. Mai 1972, 19.00 Uhr[1]
Fernschreiben Nr. 1338   Ankunft: 23. Mai 1972, 19.18 Uhr

Betr.: Inkrafttreten des Vertrages von Moskau und des Vier-Mächte-
Berlinabkommens[2]

Das Inkrafttreten des Vertrages von Moskau und des Berlinabkommens ermöglicht neue politische Aktivitäten in den deutsch-sowjetischen Beziehungen sowie die Klärung einiger noch ungelöster Fragen. Hierzu mache ich aus hiesiger Sicht folgende Anregungen:

1) Zu dem Thema KSZE wäre zu erwägen, den Sowjets im Rahmen der Vorarbeiten für die multilaterale Vorbereitung in Helsinki ein bilaterales Konsultationsgespräch[3] vorzuschlagen, wie wir es auch schon mit anderen osteuropäi-

---

[1] Hat Bundesminister Scheel vorgelegen.
Am 5. Juni 1972 leitete Vortragender Legationsrat I. Klasse Hofmann den Drahtbericht „unter Hinweis auf die grünen Unterstreichungen und eine positive Randbemerkung mit der Bitte um Kenntnisnahme" an Staatssekretär Frank weiter. Vgl. Anm. 3, 6, 10, 15, 19, 22, 23, 26, 31, 34, 40, 42 und 44.
Außerdem vermerkte Hofmann: „In der Direktorenbesprechung wurde kürzlich entschieden, daß dem Herrn Minister eine zusammengefaßte Stellungnahme vorgelegt werden und zu diesem Zweck eine vorbereitende Besprechung bei Ihnen stattfinden soll."
Hat Frank am 5. Juni 1972 vorgelegen, der handschriftlich für Ministerialdirektor von Staden vermerkte: „Wir sollten eine Besprechung abhalten. Woche 19. bis 26. oder am Rande Botsch[after]-Konf[erenz]."
Hat Legationsrat I. Klasse Vergau am 14. Juni 1972 vorgelegen, der handschriftlich vermerkte: „Der einzige Termin, der bei StS frei wäre, ist 20.VI., 16.00 Uhr."
Hat Staden am 14. Juni 1972 vorgelegen, der handschriftlich für Vergau vermerkte: „Das geht, wenn nicht gerade dann P[olitische] Z[usammenarbeit] besprochen wird. Bitte mit StS von Braun klären. PZ sollte dann von 15–16.00 [Uhr] genommen werden."
Hat Vergau am 16. Juni 1972 erneut vorgelegen, der handschriftlich für Staden vermerkte: „StS v[on] Braun will das Thema PZ ab 17 Uhr behandeln lassen. Unsere Bespr[echung] kann also um 16.00 [Uhr] stattf[inden]."
Hat dem Stellvertreter von Staden, Ministerialdirigent van Well, am 16. Juni 1972 vorgelegen.
Hat Staden am 19. Juni 1972 erneut vorgelegen, der handschriftlich vermerkte: „Bleibt. Herrn Lörsch: bitte die St[ellung]n[ahme] v[on] II A 4 zum DB 1338 b[ei]f[ü]g[en]."
Hat Staden am 22. Juni 1972 nochmals vorgelegen, der handschriftlich für van Well vermerkte: „Am 20.6. ist m[eines] W[issens] über Berlin gesprochen worden. Diese Besprech[un]g muß wohl nachgeholt werden."
Hat van Well am 22. Juni 1972 erneut vorgelegen, der die Weiterleitung an Referat II A 4 „gem[äß] Bespr[echung]" verfügte. Vgl. den Begleitvermerk; VS-Bd. 9020 (II A 4); B 150, Aktenkopien 1972.

[2] Für den Wortlaut des Vertrags vom 12. August 1970 zwischen der Bundesrepublik und der UdSSR vgl. BULLETIN 1970, S. 1094.
Für den Wortlaut des Vier-Mächte-Abkommens über Berlin vom 3. September 1971 vgl. EUROPA-ARCHIV 1971, D 443–453.
Zum Schlußprotokoll, mit dem das Vier-Mächte-Abkommen in Kraft gesetzt werden sollte, vgl. Dok. 9, Anm. 11.
Zur Festlegung des Termins für den Austausch der Ratifikationsurkunden zum Moskauer Vertrag und die Unterzeichnung des Schlußprotokolls vgl. Dok. 134, Anm. 11 und 12.

[3] Die Wörter „Helsinki ein bilaterales Konsultationsgespräch" wurden von Bundesminister Scheel hervorgehoben.

schen Staaten geführt haben.[4] Andeutungen eines Interesses an einem solchen Kontakt sind Sowjets bisher zurückhaltend begegnet. Nach Zustimmung der NATO-Ministertagung[5] zu der Multilateralisierung der Vorbereitungen würde jedenfalls kein Anlaß zu der Befürchtung bestehen, wir wollten mit bilateralen Kontakten die multilateralen Gespräche verzögern.

2) Im MBFR-Bereich ist die Sowjetunion seit geraumer Zeit sehr reserviert. Angesichts unseres Interesses daran, MBFR-Sondierungen in einem gewissen Zusammenhang mit der multilateralen KSZE-Vorbereitung zu führen, wäre auch hier zu prüfen (falls die NATO kein anderes Verfahren beschließt), ob eine bilaterale Konsultation wünschenswerte Anstöße geben[6] könnte, zumal dieses Thema in Oreanda[7] eingehend besprochen wurde. Auch wäre es interessant, nach dem Nixon-Besuch[8] die sowjetische Haltung in diesen Fragen zu erkunden.

3 a) Besuche

Gegenbesuche Breschnews und Kossygins. Initiative liegt auf deutscher Seite. Hierzu verweise ich auf DB Nr. 1311 vom 19.5.1972.[9]

b) Konsultationen

Fortsetzung der in Oreanda vereinbarten Konsultationen, insbesondere des Gedankenaustausches der Außenminister[10]. Gegenbesuch Gromykos gemäß angenommener Einladung durch Bundesminister vom 30.11.1971.[11] Aus Dritter Europäischer Abteilung des SAM ist zu hören, daß man dort die Frage von Konsultationen auch auf der Ebene der politischen Direktoren prüft.

---

[4] Zu den Gesprächen mit dem rumänischen Ersten Stellvertretenden Außenminister Macovescu über eine Europäische Sicherheitskonferenz am 21./22. Februar 1972 vgl. Dok. 38, besonders Anm. 11. Am 6./7. März 1972 sprach Ministerialdirektor von Staden mit dem ungarischen Stellvertretenden Außenminister Nagy in Budapest über dieses Thema. Vgl. dazu Dok. 52, Anm. 8.
Am 8./9. März 1972 erörterte Ministerialdirigent van Well Fragen der Europäischen Sicherheitskonferenz in Sofia.
Mit Jugoslawien fanden am 25. Februar 1972 entsprechende Konsultationen statt; außerdem war die Europäische Sicherheitskonferenz eines der Themen im Gespräch des Staatssekretärs Frank mit dem jugoslawischen Außenminister Tepavac am 23./24. März 1972 in Belgrad. Vgl. dazu Dok. 69.
[5] Zur NATO-Ministerratstagung am 30./31. Mai 1972 vgl. Dok. 159.
[6] Die Wörter „bilaterale Konsultation wünschenswerte Anstöße geben" wurden von Bundesminister Scheel hervorgehoben.
[7] Bundeskanzler Brandt führte vom 16. bis 18. September 1971 in Oreanda Gespräche mit dem Generalsekretär des ZK der KPdSU, Breschnew. Vgl. dazu AAPD 1971, II, Dok. 310, Dok. 311, Dok. 314 und Dok. 315.
[8] Präsident Nixon besuchte die UdSSR vom 22. bis 30. Mai 1972. Vgl. dazu Dok. 149 und Dok. 161.
[9] Botschafter Sahm, Moskau, wies darauf hin, daß er anläßlich der Werkzeugmaschinen-Ausstellung der Bundesrepublik in Moskau möglicherweise mit Ministerpräsident Kossygin und dem Generalsekretär des ZK der KPdSU, Breschnew, zusammentreffen werde. Er bat um Weisung, ob er „mit Hinweis auf bevorstehende Ratifizierung Frage der im Prinzip in Aussicht gestellten Besuche beider Herren in der Bundesrepublik anschneiden" solle. Vgl. Referat II A 4, Bd. 1510.
[10] Die Wörter „Gedankenaustausches der Außenminister" wurden von Bundesminister Scheel hervorgehoben.
[11] Zur Einladung des sowjetischen Außenministers Gromyko in die Bundesrepublik vgl. das Kommuniqué über den Besuch des Bundesministers Scheel vom 25. bis 30. November 1971 in der UdSSR; BULLETIN 1971, S. 1909 f.
Gromyko hielt sich anläßlich der Unterzeichnung des Schlußprotokolls zum Vier-Mächte-Abkommen über Berlin vom 3. September 1971 am 3./4. Juni 1972 in der Bundesrepublik auf. Für die Gespräche mit Bundesminister Scheel am 3. Juni und Bundeskanzler Brandt am 4. Juni 1972 vgl. Dok. 160 und Dok. 161.

c) Unterzeichnung des Wirtschaftsabkommens in Bonn[12]

Zusammentreten der darin vorgesehenen gemischten Kommission.[13] Auf handelspolitischem Gebiet sollten Sowjets veranlaßt werden, ihre allgemeinen Andeutungen über neue Perspektiven des deutsch-sowjetischen Handels zu konkretisieren.

d) Die bei erster Sitzung der deutsch-sowjetischen Wirtschaftskommission beschlossene Arbeitsgruppe für Zusammenarbeit im Industrie-Grundstoff-Energiebereich[14] sollte möglichst bald zusammentreten. Initiative sollte von Bundesregierung ausgehen.[15] Dabei gehe ich davon aus, daß hinsichtlich der Einbeziehung Berlins in die Kommissionstätigkeit alles geklärt ist und keine weiteren Schritte mehr erforderlich sind.[16]

e) Wissenschafts- und Kulturabkommen[17]

Die Sowjets streben getrennte Verhandlungen und Vereinbarungen über diese beiden Bereiche an, da sie an Wissenschaftleraustausch wesentlich stärker interessiert sind als an der Hinnahme der hier stets umstrittenen Darstellung westlichen Kultur- und Geisteslebens. Es wäre daher zu prüfen, ob es in unserem Interesse liegen könnte, die Ausgewogenheit von Leistung und Gegenleistung durch ein Rahmenabkommen in Anlehnung an das Abkommen über kulturellen und wissenschaftlich-technischen Austausch vom 30.5.1959[18] sicherzustellen.[19]

---

[12] Am 7. April 1972 wurde in Moskau das Abkommen zwischen der Bundesrepublik und der UdSSR über den Handel und die wirtschaftliche Zusammenarbeit paraphiert. Vgl. dazu Dok. 86, Anm. 4. Das Abkommen wurde am 5. Juli 1972 von Bundesminister Schiller und dem sowjetischen Außenhandelsminister Patolitschew in Bonn unterzeichnet. Vgl. dazu Dok. 198.

[13] Nach Artikel 8 des am 7. April 1972 paraphierten und am 5. Juli 1972 unterzeichneten Abkommens zwischen der Bundesrepublik und der UdSSR über den Handel und die wirtschaftliche Zusammenarbeit war vorgesehen, daß eine Gemischte Kommission aus Vertretern der Regierungen „mindestens einmal im Jahr abwechselnd in Bonn und Moskau zusammentreten" sollte: „Zu den Aufgaben der Gemischten Kommission gehört es insbesondere, Fragen der Entwicklung des Handels und der wirtschaftlichen Zusammenarbeit sowie Möglichkeiten der Verbesserung der Bedingungen hierfür zu prüfen. Die Gemischte Kommission kann den beiden Regierungen Vorschläge zur Förderung der weiteren Entwicklung des Handels und der wirtschaftlichen Zusammenarbeit unterbreiten." Vgl. BUNDESGESETZBLATT 1972, Teil II, S. 844.

[14] Zur konstituierenden Sitzung der deutsch-sowjetischen Kommission für wirtschaftliche und wissenschaftlich-technische Zusammenarbeit am 19. April 1972 in Bonn vgl. Dok. 114, Anm. 12.

[15] Dieser Satz wurde von Bundesminister Scheel hervorgehoben.

[16] Im gemeinsamen Protokoll der deutsch-sowjetischen Kommission für die wirtschaftliche und wissenschaftlich-technische Zusammenarbeit vom 19. April 1972 wurde dazu festgestellt, daß die Bundesregierung und die sowjetische Regierung übereingekommen seien, „nach dem Inkrafttreten des Vier-Mächte-Abkommens vom 3. September 1971 die Berücksichtigung der entsprechenden Interessen von Berlin (West) in der Tätigkeit der Kommission in Übereinstimmung mit dem Vier-Mächte-Abkommen zu regeln". Vgl. Referat III A 6, Bd. 503.

[17] Zum Stand der Gespräche über ein Kulturabkommen und ein Abkommen über wissenschaftlich-technische Zusammenarbeit mit der UdSSR vgl. Dok. 123.

[18] Für den Wortlaut der Vereinbarung vom 30. Mai 1959 zwischen der Bundesrepublik und der UdSSR über kulturellen und technisch-wirtschaftlichen Austausch vgl. BULLETIN 1959, S. 933–937.

[19] Der Passus „wesentlich stärker interessiert ... sicherzustellen" wurde von Bundesminister Scheel hervorgehoben. Dazu vermerkte er handschriftlich: „Ja."
Zu den Verhandlungen über ein Kulturabkommen und ein Abkommen über wissenschaftlich-technische Zusammenarbeit mit der UdSSR vgl. weiter Dok. 200, Anm. 21.

f) Filmabkommen

Unter Federführung des BMWF-W geführte Sondierungen über Kooperation bei der Filmproduktion sind seinerzeit am Berlin-Problem gescheitert. Verhandlungen sollten nunmehr erneut aufgenommen werden.[20]

g) Rückführung und Familienzusammenführung

Zusage Falins über Ausreise von 700 Personen der vom Bundesminister im November 1971 übergebenen Liste[21] bisher erst zu etwa 1/3 erfüllt. Zugesagte sowjetische Liste über genehmigte Fälle bisher nicht eingegangen. Ich beabsichtige, Angelegenheit bei nächstem Gespräch mit Gromyko grundsätzlich aufzunehmen[22], auf großzügige Handhabung zu drängen sowie an Erledigung der noch ausstehenden Listenfälle zu erinnern. Gleichzeitig beabsichtige ich, die zwischen Bundesminister und Falin erörterte Frage der großzügigeren Besuchsreiseregelung[23] (in beiden Richtungen) mit Gromyko anzusprechen, was Druck von der Familienzusammenführung nehmen würde.[24]

h) Unter Bezugnahme auf Gespräch Falin–Thiele[25] könnte Thema Kriegsgräber[26] mit Sowjets aufgenommen werden.[27]

---

[20] Am 8. August 1972 erinnerte der Mitarbeiter im Bundesministerium für Wirtschaft und Finanzen, Bieberstein, daran, daß in einer Ressortbesprechung am 6. Juli 1972 über den Entwurf für ein Abkommen mit der UdSSR über kulturelle und wissenschaftliche Zusammenarbeit Einverständnis darüber erzielt worden sei, daß im Protokoll über die Verhandlungen „die Bereitschaft der Vertragsparteien zum Ausdruck gebracht wird, die Regelung der Zusammenarbeit im Filmbereich einem gesonderten bilateralen Abkommen vorzubehalten; diese Zusammenarbeit werde die Ein- und Ausfuhr von Filmen der Partnerländer und die Zusammenarbeit bei der Herstellung von Gemeinschaftsproduktionen umfassen." Vgl. Referat 610, Bd. 497.

[21] Bundesminister Scheel übergab dem sowjetischen Außenminister Gromyko am 29. November 1971 in Moskau eine Liste mit Fällen der Familienzusammenführung. Vgl. dazu AAPD 1971, III, Dok. 418.
Am 12. April 1972 übergab der sowjetische Botschafter Falin Bundesminister Scheel ein Aide-mémoire, in dem die Zustimmung zur Ausreise von 182 Familien erklärt wurde. Vgl. dazu Dok. 93, Anm. 3.
Am 5. Mai 1972 berichtete Botschaftsrat I. Klasse Peckert, Moskau, daß erst 47 der von Scheel genannten 255 Fälle „positiv erledigt" seien und 185 Personen Ausreisegenehmigungen erhalten hätten. Vgl. den Drahtbericht Nr. 1159; Referat II A 4, Bd. 1502.

[22] Die Wörter „grundsätzlich aufzunehmen" wurden von Bundesminister Scheel hervorgehoben.

[23] Das Wort „Besuchsreiseregelung" wurde von Bundesminister Scheel hervorgehoben.

[24] Botschafter Sahm, Moskau, sprach am 25. Juli 1972 mit dem sowjetischen Außenminister Gromyko, über Fragen der Familienzusammenführung. Vgl. dazu Dok. 207.

[25] Am 18. April 1972 führte der Präsident des Volksbundes Deutsche Kriegsgräberfürsorge, Thiele, ein Gespräch mit dem sowjetischen Botschafter. Falin führte aus, die „Frage der Pflege deutscher Friedhöfe in der UdSSR halte er für die größte Schwierigkeit oder das größte Problem. Man müsse in diesem Zusammenhang die Situation der sowjetischen Bevölkerung bedenken. Da eine Einzelbestattung und Grabkennzeichnung sowjetischer Gefallener nicht stattgefunden habe, gäbe es nicht viel Verständnis für eine Gestaltung von Friedhöfen, wie wir sie in den westlichen Ländern, in Skandinavien und anderswo durchgeführt hätten." Er sagte jedoch zu, nach der Ratifizierung des Moskauer Vertrags vom 12. August 1970 „mit den höchsten Persönlichkeiten seines Landes zu sprechen. Er werde darauf hinweisen, daß der Zeitpunkt gekommen ist, diese Frage aus einer neuen Sicht zu betrachten und nach Lösungen zu suchen." Vgl. die Aufzeichnung des Vorstandsmitglieds des Volksbundes Deutsche Kriegsgräberfürsorge, Weber; Referat II A 4, Bd. 1515.

[26] Das Wort „Kriegsgräber" wurde von Bundesminister Scheel hervorgehoben.

[27] Am 19. Dezember 1972 kam der Präsident des Volksbundes Deutsche Kriegsgräberfürsorge, Thiele, erneut mit dem sowjetischen Botschafter zusammen. Falin sicherte zu, daß die Friedhöfe Ljublino und Krasnogorsk „mit einer Bepflanzung versehen würden, die über das sonst auf sowjetischen Friedhöfen übliche Maß hinausgehen werde. Auf allen Einzelgräbern würden Namenstafeln aufgestellt." Zum Wunsch nach der Aufstellung von Gedenktafeln riet er „zu einem vorsichtigen Vor-

4) Zum Berlin-Abkommen

a) Wahrnehmung des Rechts auf konsularische Betreuung von Berlinern. Alsbald nach Inkrafttreten des Berlin-Abkommens wird Botschaft Besuchstermin mit hier festgehaltenem Berliner Kopelowicz[28] auf Grundlage unseres Konsularabkommens[29] und des ergänzenden Notenwechsels vom 22.7.1971[30] beantragen[31].

b) „Alt-Verträge" mit Berlin-Klausel

Man könnte erwägen, Ratifikationsurkunden für Verträge, bei denen die Sowjets bisher Hinterlegung wegen Berlin-Klausel abgelehnt hatten, nachträglich zu hinterlegen. Letzter offener Fall ist Weltraumabkommen[32] (Verweige-

Fortsetzung Fußnote von Seite 593

gehen, damit Rückschläge vermieden werden". Vgl. die Aufzeichnung des Vortragenden Legationsrats Stabreit; Referat II A 4, Bd. 1515.

[28] Der Einwohner von Berlin (West) Kopelowicz wurde am 8. März 1971 bei der Einreise in die UdSSR als Reiseleiter wegen Devisenvergehen verhaftet und am 27. April 1972 wegen Verstoßes gegen die Devisenbestimmungen zu drei Jahren Arbeitslager verurteilt. Vgl. dazu das Schreiben des Vortragenden Legationsrats I. Klasse Strothmann vom 5. Juli 1972 an das Bundesministerium des Innern; Referat II A 4, Bd. 1519.

[29] Für den Wortlaut des Konsularvertrags vom 25. April 1958 zwischen der Bundesrepublik und der UdSSR vgl. BUNDESGESETZBLATT 1959, Teil II, S. 233–241.

[30] Für die Verbalnoten vom 22. Juli 1971 über die Errichtung von Generalkonsulaten in Hamburg und Leningrad vgl. Referat II A 4, Bd. 1078. Vgl. dazu auch AAPD 1971, I, Dok. 132.

[31] Die Wörter „Besuchstermin" und „beantragen" wurden von Bundesminister Scheel hervorgehoben. Botschafter Sahm, Moskau, berichtete am 8. Juni 1972, daß Botschaftsrat I. Klasse Peckert in der Sache des inhaftierten Abram Kopelowicz ein Gespräch mit dem stellvertretenden Abteilungsleiter im sowjetischen Außenministerium, Tokowinin, geführt habe. Dieser habe die Ansicht vertreten, daß die einzige Rechtsgrundlage der Befassung der Botschaft der Bundesrepublik mit Berliner Konsularfällen das Vier-Mächte-Abkommen über Berlin vom 3. September 1971 sei. Eine Bezeichnung von Kopelowicz als ‚deutscher Staatsbürger' sei unangebracht: „Auf das Argument der Botschaft, ihr stehe es frei, die mündliche oder die Schriftform zu wählen, um ein Gespräch mit einem Gefangenen zu beantragen, wandte Tokowinin ein, die Sowjetregierung habe sich nicht verpflichtet, das Konsularabkommen auf Westberliner ebenso anzuwenden wie auf Personen der Bundesrepublik Deutschland. Der russische Text der Note, mit der Falin die Anwendbarkeit des Konsularvertrages auf Westberlin bestätigt hatte, spreche davon, daß ein ‚ähnliches' Verfahren angewendet werde. [...] Tokowinin führte erklärend aus, eine unmittelbare Anwendung der Verpflichtungen des Konsularvertrages auf Westberliner käme schon deshalb nicht in Betracht, weil z. B. ein in der Sowjetunion gefaßter Westberliner Spion zwar unter den Konsularvertrag, jedoch auch unter die Ausnahmeklausel ‚Status- und Sicherheitsfragen' falle und folglich nicht der konsularischen Betreuung durch die Botschaft unterliege." Vgl. den Drahtbericht Nr. 1533; Referat 502, Bd. 891.
Dazu teilte Ministerialdirektor von Staden der Botschaft in Moskau am 13. Juni 1972 mit: „Wir sind nicht in der Lage, die von Tokowinin am 8. Juni 1972 geäußerte Rechtsansicht bezüglich des Ausschlusses der konsularischen Betreuung in Fällen, in denen Status und Sicherheit Berlins berührt sein könnten, in der vorgetragenen Form zu teilen. Sollte Tokowinin auf das von ihm gewählte Beispiel zurückkommen, so ist ihm entgegenzuhalten, daß das Berlin-Abkommen nach seinem klaren Wortlaut und Sinn Ausnahmen nur für die Fragen zuläßt, die Status und Sicherheit der Stadt betreffen. Jede Auslegung, die Status und Sicherheit auf beliebige dritte Staaten oder auch nur die Signatare des Berlin-Abkommens bezieht, ist nicht nur mit dem Abkommen unvereinbar, sondern würde den Grundsatz konsularischer Betreuung von Westberlinern im Ausland und insbesondere in den Staaten des Ostblocks durch uns in unerträglicher Weise entwerten." Vgl. den Drahterlaß Nr. 628; VS-Bd. 9022 (II A 4); B 150, Aktenkopien 1972.
Ein Vertreter der Botschaft in Moskau konnte am 15. Juni 1972 ein Gespräch mit Kopelowicz führen. Vgl. dazu den Schriftbericht des Botschafters Sahm, Moskau, vom 4. Dezember 1972; Referat II A 4, Bd. 1519.

[32] Für den Wortlaut des Abkommens vom 27. Januar 1967 über die Grundsätze zur Regelung der Tätigkeit der Staaten bei der Erforschung und Nutzung des Weltraums, einschließlich des Mondes und anderer Himmelskörper vgl. UNTS, Bd. 610, S. 205–301. Für den deutschen Wortlaut vgl. EUROPA-ARCHIV 1967, D 1–5.

rung der Annahme der Ratifikationsurkunden am 23.2.1971³³). Ich zweifle jedoch, ob mit einer solchen, nur theoretische Bedeutung besitzenden Handlung irgend etwas gewonnen wird, während das Risiko von Kontroversen groß ist.

c) Beitritt der Bundesrepublik Deutschland zur Donau-Konvention³⁴ ist bisher vornehmlich wegen Berlin-Problems liegengeblieben.³⁵ Aufnahme dieses Themas und damit zusammenhängend das Aufgreifen der sowjetischen Anregung, Schiffahrtsbüros in Regensburg und Ismailia zu errichten³⁶, wäre im Anschluß an das Inkrafttreten des Berlin-Abkommens zu empfehlen, falls nicht Schwierigkeiten wegen der DDR bestehen.

d) Bei der praktischen Anwendung des Berlin-Abkommens werden sich noch verschiedene Probleme ergeben, bei denen sorgfältig auf Sicherung der Interessen von Berlin (West) und der Berliner geachtet werden muß:

Unterbringung Berliner Firmen bei Ausstellungen und Zeigen der Berliner Flagge.

Eintragung (Paßnummer oder Nummer des Personalausweises) in den Einlegevisen.

Es ist zu erwarten, daß Sowjets bei der Einbeziehung Berlins in internationale Verträge nach Präzedenzfall des Astronauten-Rettungsabkommens³⁷ versu-

---

33 Zur Verweigerung der Annahme der Ratifikationsurkunde zum Weltraumvertrag vom 27. Januar 1967 vgl. Dok. 94, Anm. 5.

34 Das Wort „Donau-Konvention" wurde von Bundesminister Scheel hervorgehoben.
Für den Wortlaut der Konvention vom 18. August 1948 zwischen Bulgarien, Jugoslawien, Rumänien, der Tschechoslowakei, der UdSSR, der Ukrainischen SSR und Ungarn über die Regelung der Schiffahrt auf der Donau (Donau-Konvention) vgl. UNTS, Bd. 33, S. 181–225.

35 Staatssekretär Wittrock, Bundesministerium für Verkehr, wies Staatssekretär Frank am 31. März 1971 darauf hin, daß die Zustimmung aller Mitgliedstaaten zum Beitritt zur Donau-Konvention vom 18. April 1948 vorliege und erwartet werde, „daß die BRD den Beitritt sobald wie möglich vollzieht". Wittrock sprach sich dafür aus, „die Beitrittsverhandlungen so rechtzeitig einzuleiten, daß die Bundesrepublik Deutschland an der XXX. Tagung der Donaukommission im Frühjahr 1972 als Mitglied teilnehmen kann". Vgl. das Schreiben; Referat V 2, Bd. 755.
Frank antwortete am 23. November 1971, daß sich der Beitritt „auch auf Berlin erstrecken" müsse: „Wir können nicht verschweigen, daß spätestens bei Hinterlegung der deutschen Ratifikationsurkunde eine formelle Erklärung über die Einbeziehung Berlins abgegeben wird. [...] Solange das Vier-Mächte-Abkommen über Berlin nicht in Kraft ist, werden wir leider auch noch kaum mit einer Bereitschaft der Ostblockstaaten rechnen können, die Einbeziehung Berlins widerspruchslos zu akzeptieren. Mir erscheint es daher nicht ratsam, es im gegenwärtigen Stadium aus Anlaß von Verhandlungen über einen Beitritt der Bundesrepublik Deutschland zur Donaukonvention zu Auseinandersetzungen über die Berlin-Frage kommen zu lassen." Vgl. Referat V 2, Bd. 755.

36 Am 14. Juli 1971 fragte der Erste Sekretär an der sowjetischen Botschaft, Sarnizkij, im Gespräch mit Vortragendem Legationsrat I. Klasse Hoffmann „offiziell, ob die sowjetrussische staatliche Donauschiffahrtsgesellschaft mit Sitz in Ismail, Donaudelta, in Regensburg eine Vertretung eröffnen könne und mit wem wann darüber Verhandlungen aufgenommen werden könnten. Gleichzeitig biete seine Regierung an, daß eine deutsche Donauschiffahrtsgesellschaft im sowjetrussischen Donaudelta eine Vertretung, etwa in Ismail, errichten könne." Vgl. Referat V 2, Bd. 755.
Ministerialdirektor Herbst vermerkte dazu am 19. Januar 1972: „Gegen diesen Wunsch erheben die zuständigen Bundesressorts grundsätzlich keine Einwände; gewissen sicherheitspolitischen Bedenken kann durch eine vom Bundesministerium des Innern vorgeschlagene und bereits in gleichgearteten Fällen praktizierte Bewegungsbeschränkung der sowjetischen Bediensteten in der Bundesrepublik Rechnung getragen werden." Vgl. Referat III A 4, Bd. 817.

37 Für den Wortlaut des Übereinkommens vom 22. April 1968 über die Rettung und Rückführung von Raumfahrern sowie die Rückgabe von in den Weltraum gestarteten Gegenständen (Astronautenbergungsabkommen) vgl. UNTS, Bd. 672, S. 119–189. Für den deutschen Wortlaut vgl. BUNDESGESETZBLATT 1971, Teil II, S. 238–242.

chen werden, „Sicherheit und Status"-Klausel des Berlin-Abkommens[38] extensiv auszulegen.[39]

5) Administrative Fragen

a) Den Sowjets sollte nunmehr unverzügliche Errichtung von Militärattaché-Stäben[40] bei den Botschaften in Bonn und Moskau vorgeschlagen werden.[41]

b) Falls sich die deutsch-sowjetischen Handelsbeziehungen erheblich beleben sollten, ist eine gut ausgebaute Handelsförderungsstelle[42] von großer Bedeutung. Sobald Erfahrungen vorliegen, sollte Handelsförderungsstelle zügig zu einem wirksamen Instrument ausgebaut werden (Personalaufstockung, Bürounterbringung, FS-Verbindung). Die Öffentlichkeit sollte anläßlich der Unterzeichnung des Wirtschaftsabkommens von der Existenz dieser Stelle unterrichtet werden.

c) Problem der Wohnungen für Botschaftsangehörige ist z.Zt. wieder äußerst kritisch. Ich beabsichtige, Thema bei nächstem Zusammentreffen auf politischer Ebene anzusprechen. Quote von 90 Botschaftsbediensteten kann von Sowjetunion voll ausgeschöpft werden, während sie für uns Theorie bleibt, solange keine zusätzlichen Wohnungen zugewiesen werden.[43] Schon bei gegenwärtigem Bestand von rund 70 Bediensteten reichen Wohnungen nicht aus.

d) Sowohl in Bonn wie hier sollte erneut darauf gedrungen werden, die noch offene Frage der Größe des Botschaftsgrundstücks[44] in unserem Sinne zu klären.[45]

---

[38] Für die Bestimmungen im Vier-Mächte-Abkommen über Berlin vom 3. September 1971 hinsichtlich Sicherheit und Status vgl. Dok. 25, Anm. 9.

[39] Vgl. dazu die Erklärung des Referatsleiters im sowjetischen Außenministerium, Ussitschenko, zur Einbeziehung von Berlin (West) in die Ratifikationsurkunde zum Astronautenbergungsabkommen; Dok. 37, Anm. 3. Vgl. dazu auch Dok. 94.

[40] Dieses Wort wurde von Bundesminister Scheel hervorgehoben.

[41] Erste Überlegungen, der UdSSR den Austausch von Militärattachés vorzuschlagen, wurden im Auswärtigen Amt bereits 1966 angestellt. Vgl. dazu AAPD 1966, II, Dok. 418.
Am 1. August 1972 teilte Vortragender Legationsrat I. Klasse Schödel dem Bundesministerium der Verteidigung mit, daß von einem Austausch von Militärattachés mit der UdSSR noch abgesehen werden solle: „Es muß damit gerechnet werden, daß unsere Alliierten gegen eine derartige Initiative in diesem Zeitpunkt Bedenken erheben würden. Sie beabsichtigen, bei den künftigen Gesprächen mit der Sowjetunion über eine Klarstellung der Vier-Mächte-Rechte und -Verantwortlichkeiten im Zusammenhang mit dem Abschluß eines Grundvertrages und mit dem VN-Beitritt der beiden deutschen Staaten auch sicherzustellen, daß sich bezüglich des Status und der Funktionen der Alliierten Militärmissionen in Potsdam nichts ändert. Sie haben schon 1970 der Befürchtung Ausdruck gegeben, daß ein Austausch von Militärattachés Auswirkungen auf die alliierten Militärmissionen haben könnte, auf deren weiteres Bestehen sie großen Wert legen." Vgl. Referat II A 4, Bd. 1513.

[42] Dieses Wort wurde von Bundesminister Scheel hervorgehoben.

[43] Bereits am 7. März 1970 erklärte Botschafter Allardt, Moskau, zum sowjetischen Wunsch nach beiderseitiger Aufstockung des Botschaftspersonals auf 90 Mitarbeiter, „unabdingbare Voraussetzung" dafür sei es, „daß angemessene dienstliche und private Unterbringung neu hinzukommender Bediensteter von vornherein und verbindlich abgesprochen wird". Büroräume und Unterkünfte seien bereits „notgedrungen zum Teil im Kellergeschoß untergebracht". Vgl. den Drahtbericht Nr. 338; Referat II A 4, Bd. 1512.
Das Auswärtige Amt stimmte einer Aufstockung der Personalquote erst am 5. Mai 1971 zu, nachdem der Botschaft in Moskau im April 1971 sieben Wohnungen zur Verfügung gestellt worden waren. Vgl. dazu die Verbalnote; Referat II A 4, Bd. 1513. Vgl. ferner die Aufzeichnung des Vortragenden Legationsrats I. Klasse Blumenfeld vom 26. April 1971; Referat II A 4, Bd. 1513.

[44] Dieses Wort wurde von Bundesminister Scheel hervorgehoben.

[45] Zum Problem des Grundstücks für den Neubau der Botschaft in Moskau vgl. bereits Dok. 44, besonders Anm. 4.
Am 15. Juni 1972 teilte Botschafter Sahm, Moskau, mit, „daß aufgrund einer Initiative des Au-

Ich bitte um Weisungen, soweit die Botschaft nicht ohnehin aus eigener Initiative tätig wird.⁴⁶

[gez.] Sahm

VS-Bd. 9020 (II A 4)

143

Aufzeichnung des Ministerialdirektors von Staden

I B 3-82.00-90.45-166^(II)/72 geheim 24. Mai 1972¹

Herrn Staatssekretär²

Betr.: Nigrische Zusammenarbeit mit dem Bundesnachrichtendienst

Vorschlag:

1) die Ausbildungshilfe des BND an den nigrischen Staatssicherheitsdienst in der Bundesrepublik Deutschland zu unterstützen³;

2) keine Waffen und Munition an Niger zu liefern⁴;

3) soweit eine Einbeziehung der sonstigen Materiallieferungswünsche des ni-

---

Fortsetzung Fußnote von Seite 596

ßenministers die Stadt Moskau sich nunmehr bereit erklärt hätte, für den Neubau der Botschaft auf den Lenin-Hügeln das gesamte von uns gewünschte Gelände im Umfang von 3,5 Hektar zur Verfügung zu stellen." Vgl. den Drahtbericht Nr. 1601; Referat II A 4, Bd. 1513.

46 Ministerialdirigent van Well nahm am 22. Juni 1972 zu den Überlegungen des Botschafters Sahm, Moskau, Stellung. Zur Frage von Konsultationen über die Europäische Sicherheitskonferenz führte er aus: „Abteilung Pol hält die Abhaltung derartiger Konsultationen für grundsätzlich gut, allerdings sind mit den Sowjets noch derartig viele Probleme zu lösen, daß ein Herauslösen der KSZE-Problematik leicht mißverstanden werden könnte". Die Arbeitsgruppe für die Zusammenarbeit im Industrie-, Grundstoff- und Energiebereich sei in Vorbereitung; ihre Hauptaufgabe solle es sein, „die speziellen Bereiche zu ermitteln, in denen die Intensivierung des Handels und der Kooperation aussichtsreich erscheint. Hingegen soll sich die Arbeitsgruppe nicht mit der Vorbereitung konkreter Geschäfte befassen." Die Verhandlungen über Kultur und Wissenschaft bzw. über technisch-wissenschaftliche Zusammenarbeit sollten „örtlich und zeitlich koordiniert und beide Abkommen durch ein gemeinsames Unterschriftsprotokoll verbunden werden. Andernfalls besteht die Gefahr, daß die sowjetische Seite auf dem technisch-wissenschaftlichen Gebiet, an dem sie das größere Interesse hat, ihre Ziele erreicht, während unsere Interessen an einem verstärkten Kulturaustausch nicht in gleicher Weise Berücksichtigung finden." Auch an einem Filmabkommen sei die Bundesregierung interessiert. Zum Thema Familienzusammenführung solle „den Sowjets deutlich gemacht werden, daß der Wunsch nach mehr Kontakten auch eine humanere Handhabe innenpolitischer Maßnahmen erfordert." Vgl. den Drahterlaß Nr. 664; VS-Bd. 9020 (II A 4); B 150, Aktenkopien 1972.

1 Die Aufzeichnung wurde von Vortragendem Legationsrat I. Klasse Eger und von Vortragendem Legationsrat Fiedler konzipiert.
Hat Ministerialdirigent Müller am 5. Juni 1972 vorgelegen.
2 Hat Staatssekretär Frank am 2. Juni 1972 vorgelegen.
3 Dieser Absatz wurde von Staatssekretär Frank mit Häkchen versehen.
4 Die Wörter „keine" und „liefern" wurden von Staatssekretär Frank hervorgehoben.

grischen Nachrichtendienstes in unsere Ausrüstungshilfe möglich ist, dieser zuzustimmen.[5]

Begründung:

Präsident Diori von Niger hat um Zusammenarbeit des BND mit dem nigrischen Staatssicherheitsdienst gebeten. Der BND hat den Direktor des nigrischen Staatssicherheitsdienstes, Moussa Boubagar, Ende März zu einem Arbeitsgespräch empfangen. Vereinbart wurde zunächst ein Grundlehrgang für leitende Herren des nigrischen Staatssicherheitsdienstes in München, auf den aufbauend später einzelne Spezialkurse folgen sollen.

Direktor Moussa bat außerdem um technische Hilfe für den nigrischen Staatssicherheitsdienst und übergab eine detaillierte Wunschliste, die Waffen, Munition, Polizeiausrüstung und Polizeifahrzeuge enthält.

Abteilung Pol begrüßt es, daß die Gespräche zwischen Direktor Moussa und dem BND zu ersten Ergebnissen über die Ausbildungshilfe geführt haben. Andererseits spricht sich die Abteilung Pol gegen eine Waffen- und Munitionslieferung an den nigrischen Staatssicherheitsdienst aus. Alle Länder Afrikas stellen potentiell Spannungsgebiete dar. Im allgemeinen wird daher die Einstellung jeglicher Waffenlieferungen angestrebt. Neue Waffenlieferungen sollten nicht vereinbart werden.

Soweit sich die Wunschliste auf Materiallieferung (außer Waffen und Munition) bezieht, befürwortet Abteilung Pol eine Prüfung der Einbeziehung der Materialwünsche in die Ausrüstungshilfe durch die Abteilung III.[6]

Präsident Diori von Niger ist ein Freund der Bundesrepublik Deutschland. Er hat sich stets für unsere Belange im internationalen Bereich und innerhalb des Conseil de l'Entente[7] eingesetzt. Bei der letzten WHO-Konferenz hat Niger den Vertagungsantrag über den DDR-Eintritt eingebracht.[8] Sein Verhalten sollte honoriert werden.

---

[5] Dieser Absatz wurde von Staatssekretär Frank mit Häkchen versehen.

[6] Am 16. Mai 1972 vermerkte Vortragender Legationsrat I. Klasse Dietrich zur Ausrüstungshilfe an den Niger, „daß angesichts der eng begrenzten Haushaltsmittel eine erneute Aufstockung der Ausrüstungshilfe für Niger im gegenwärtigen Zeitpunkt nicht opportun erscheint, nachdem erst am 22. Februar 1972 ein Anschlußhilfeabkommen mit der nigrischen Regierung über 3 Mio. DM (für die Jahre 1972/73) unterzeichnet wurde. Der Gesamtwert der Niger seit 1966 gewährten oder zugesagten Ausrüstungshilfe beträgt damit 11 Mio. DM. [...] Der seit 1965 geübten und durch Kabinettsbeschluß vom 16. Juni 1971 erneut bestätigten Praxis entsprechend umfaßt die Ausrüstungshilfe keinerlei Waffen. Falls andere deutsche Stellen Waffen geschenkweise an Niger liefern würden, wäre eine Verquickung derartiger Lieferungen mit der Ausrüstungshilfe, insbesondere in den Augen anderer Empfängerstaaten dieser Hilfe, die gleichfalls Waffen wünschen, nicht zu vermeiden." Vgl. VS-Bd. 9854 (I B 3); B 150, Aktenkopien 1972.

[7] Im Mai 1959 schlossen sich Dahomé, die Elfenbeinküste, der Niger und Obervolta zum Conseil de l'Entente zusammen; Togo trat im Juni 1966 bei. Die Mitgliedstaaten vereinbarten Freihandel untereinander und einheitliche Außenzölle; angestrebt wurde außerdem eine Vereinheitlichung der Verfassungsstrukturen, der Organisation der Streitkräfte und der Verwaltung sowie der Steuer- und Zollpolitik.

[8] Zu den Bemühungen der Bundesregierung, auf der WHO-Versammlung vom 9. bis 26. Mai 1972 eine Vertagung des Antrags der DDR auf Aufnahme in die WHO zu erreichen, vgl. Dok. 54, Anm. 12. Niger gehörte zu den sechs afrikanischen Staaten, die sich bereit erklärten, den Antrag auf Vertagung mit einzubringen, und war einer von 19 afrikanischen Staaten, die für diesen Antrag stimmten. Vgl. dazu die Aufzeichnung des Legationsrats I. Klasse Schraepler vom 26. Mai 1972; Referat I C 1, Bd. 566.

Nach hiesiger Auffassung sollte so vorgegangen werden, daß nach Abstimmung mit dem BND in dieser Frage unser Botschafter⁹ Präsident Diori über die Zusammenarbeit unterrichtet.

Abteilung III hat mitgezeichnet.

Staden

VS-Bd. 9854 (I B 3)

144

Aufzeichnung des Staatssekretärs Bahr, Bundeskanzleramt

25. Mai 1972

Nur für den Herrn Bundeskanzler¹ über den Herrn Bundesminister²

Betr.: DDR/Internationale Organisationen

1) Sowohl die DDR wie die Russen sind über unser Verhalten auf der WHO-Sitzung³ tief verärgert. Beide Seiten haben mir klargemacht, daß sie, gerade bei dem zeitlichen Ablauf (Durchlauf Bundesrat Freitag vormittag⁴ – Abstimmung Genf Freitag nachmittag⁵), dafür kein Verständnis hätten. Die DDR bombardiert Moskau mit Klage-Papieren. L.⁶ meinte, es sei in unserem Interesse, wenn wir eine Form fänden, sowohl in Ost-Berlin wie in Moskau zu erklären und zu beruhigen.

Das Unverständnis ist um so größer, als für die DDR die Mitgliedschaft in internationalen Organisationen nicht entfernt von der Bedeutung ist wie die Vollmitgliedschaft bei den UN. Was die UN angeht, versteht man unsere Haltung.

Die Verärgerung über die nicht-gleichberechtigte Teilnahme der DDR an der Umwelt-Konferenz⁷ wird in Moskau und in Ost-Berlin größer sein als bei der

---

⁹ Alexander Arnot.
¹ Hat Bundeskanzler Brandt vorgelegen.
² Hat Bundesminister Ehmke am 25. Mai 1972 vorgelegen.
³ Zu den Bemühungen der Bundesregierung, auf der WHO-Versammlung vom 9. bis 26. Mai 1972 eine Vertagung des Antrags der DDR auf Aufnahme in die WHO zu erreichen, vgl. Dok. 54, Anm. 12.
⁴ Im Bundesrat wurde am 19. Mai 1972 über die Gesetze zum Moskauer Vertrag vom 12. August 1970 und zum Warschauer Vertrag vom 7. Dezember 1970 entschieden. Zum Ergebnis vgl. Dok. 139, Anm. 2, und Dok. 140, Anm. 2.
⁵ Die WHO-Versammlung folgte am 19. Mai 1972 einem von der Bundesrepublik und 32 weiteren Delegationen eingebrachten Antrag und beschloß, den „DDR-Aufnahmeantrag mit 70 gegen 28 Stimmen bei 25 Enthaltungen" zu vertagen. Vgl. den Drahtbericht Nr. 663 des Botschafters Schnippenkötter, Genf (Internationale Organisationen); Referat I C 1, Bd. 566.
⁶ Vermutlich Walerij Lednew.
⁷ Zu einer Beteiligung der DDR an der UNO-Umweltkonferenz vom 5. bis 16. Juni 1972 in Stockholm vgl. Dok. 180.

WHO, zumal die Teilnahme an dieser Konferenz eben gerade nicht die Mitgliedschaft in irgendeiner Organisation präjudiziert.[8]

2) Wenn die BRD jetzt den Versuch unternehmen würde, sich aktiv für die Beteiligung der DDR an der Umwelt-Konferenz zu verwenden, wäre eine tiefe Verärgerung bei unseren Verbündeten die Folge, deren Apparate seit langem auf der Kompromißformel einer Beteiligung der DDR ohne Stimmrecht festgelegt sind[9], von der man weiß, daß sie für die DDR unakzeptabel ist.

Auch L. hat mir noch einmal versichert, daß die SU und alle ihre Verbündeten an der Konferenz nicht teilnehmen werden, falls die DDR nicht gleichberechtigt zugelassen wird[10] (Kohl verwies empört auf die Zulassung von Bangladesh[11]).

3) Es ist ziemlich grotesk: Ich möchte im Rahmen des Grundvertrages eine Fülle von kleinen Wünschen der Länder von Bayern bis Schleswig-Holstein an der Grenze regeln, die zu einem großen Teil Umweltfragen sind. Die DDR muß einfach mit dem Argument kommen, dies zu verweigern, solange ihr die gleichberechtigte Mitarbeit auf internationaler Ebene verweigert wird.

4) Es gäbe die Möglichkeit, eine Erklärung abzugeben, wonach die BRD den Beschluß der Vollversammlung der UN über die Stockholmer Konferenz[12] respektiert, aber auch respektieren würde, falls die Konferenz selbst zu einem anderen Beschluß käme.

Eine derartige Anregung wäre auf der Direktorenkonsultation am Sonntag nachmittag[13] zu konsultieren. Bei negativem Echo würde ich den Versuch fallenlassen.

---

[8] Der Passus „zumal die Teilnahme ... präjudiziert" wurde von Bundesminister Ehmke durch Fragezeichen hervorgehoben.

[9] Vgl. dazu die Erklärung der Drei Mächte vom 10. März 1972; Dok. 54, Anm. 5.

[10] Am 31. Mai 1972 informierte Botschafter Obermayer, Stockholm, über ein Gespräch mit dem Generalsekretär der UNO-Umweltkonferenz. Strong habe aus einem Gespräch mit dem sowjetischen Botschafter in Schweden vom Vortag berichtet, Jakowlew habe betont, daß die UdSSR nur dann nach Stockholm kommen würde, wenn die DDR „völlig gleichberechtigt" an der Konferenz teilnehmen könne. Obermayer führte dazu aus: „Die allgemeine Meinung hier ist, daß man kaum mehr mit einer Teilnahme des Ostblocks an der Konferenz rechnen kann. Gut unterrichtete Kreise halten es nicht für ganz ausgeschlossen, daß die Schwierigkeiten mit der DDR den Sowjets einen willkommenen Vorwand bieten, wegzubleiben; sie hätten von Anfang an nicht gern gesehen, daß sich die UNO, deren eigentliche Aufgabe die Erhaltung des Friedens sei, mit solchen Fragen wie Umweltschutz befasse. Zudem ließen sich ihre Umweltprobleme weitgehend national begrenzen, so daß sie kein größeres Interesse an kostspieligen internationalen Maßnahmen des Umweltschutzes hätten." Vgl. den Drahtbericht Nr. 171; VS-Bd. 9837 (I C 1); B 150, Aktenkopien 1972.

[11] Am 19. Mai 1972 wurde Bangladesh in die WHO aufgenommen, wobei die Bundesrepublik für die Aufnahme stimmte. Vgl. dazu den Schriftbericht Nr. 751 des Botschafters Schnippenkötter, Genf (Internationale Organisationen), vom 29. Juni 1972; Referat I C 1, Bd. 566.
Da „damit die Voraussetzungen für die Anwendung der Wiener Formel" gegeben waren, wurde Bangladesh am 20. Mai 1972 auch in die Welthandelskonferenz aufgenommen. Vgl. den Drahtbericht Nr. 290 des Botschafters z. b. V. Northe, z. Z. Santiago de Chile, vom 22. Mai 1972; Referat III A 3, Bd.166.

[12] Zur Resolution Nr. 2850 der UNO-Generalversammlung vom 20. Dezember 1971 vgl. Dok. 4, Anm. 11.

[13] Zur Sitzung der Bonner Vierergruppe auf Direktorenebene am 28. Mai 1972 vgl. Dok. 193, Anm. 13.

5) Wir könnten uns dann auf folgenden Standpunkt zurückziehen, falls das Thema in Moskau[14] besprochen worden ist: Wir folgen den dort erarbeiteten Empfehlungen.

Falls das Thema nicht in Moskau besprochen worden ist: Es war zu spät, die Sache zu ändern.

Schließlich gäbe es noch die dritte Möglichkeit, die ich nicht auf ihre Praktikabilität beurteilen kann: die Konferenz zu verschieben.

6) Wir könnten der DDR einen Trostpreis geben: den Beitritt zur ECE. Sie ist keine Sonderorganisation, d.h. das Problem der Wiener Formel[15] entfällt.[16] Der ECOSOC tagt im Juli. Er könnte über die Zulassung der DDR zur ECE entscheiden.[17] Praktisch würde das zunächst bedeuten, daß der Vertreter in Genf aufgewertet wird, daß die DDR sich an den Arbeiten des ECE-Sekretariats beteiligt und ihre Mitgliedschaft in einer Anzahl von ECE-Konventionen beantragt.

In dem Protokollvermerk zu Art. 28 des Verkehrsvertrages ist von der „notwendigen gleichberechtigten Mitgliedschaft beider Staaten" bei TIR und ADR die Rede.[18] Wir könnten uns darauf berufen, wenn wir nach innen und außen unseren Entschluß vertreten, der DDR die Mitgliedschaft in der ECE zu ermöglichen.

Auch dies müßte im positiven Falle spätestens von Scheel bei dem Vierer-Essen der Außenminister am Abend des 29. Mai[19] vorgetragen werden.

7) Scheel hat in einem Koalitionsgespräch von sich aus darauf hingewiesen, daß wir unsere Haltung gegenüber der DDR und ihrer Mitgliedschaft in internationalen Organisationen nach der Ratifizierung ändern müßten. Ich habe bekanntlich Kohl darüber Andeutungen gemacht, die dieser mit dem Hinweis

---

[14] Vom 22. bis 30. Mai 1972 besuchte Präsident Nixon die UdSSR. Vgl. dazu Dok. 149 und Dok. 161.
[15] Für Artikel 48 des Wiener Übereinkommens vom 18. April 1961 über diplomatische Beziehungen („Wiener Formel") vgl. Dok. 36, Anm. 19.
[16] Der Passus „Wir könnten ... Wiener Formel entfällt" wurde von Bundesminister Ehmke durch Fragezeichen hervorgehoben.
[17] Mit Schreiben vom 3. Juli 1972 an den Präsidenten der 53. ECOSOC-Tagung vom 3. bis 28. Juli 1972 in Genf, Szarka, forderte der Außenminister der DDR, Winzer, „die unverzügliche Regelung der Mitgliedschaft der DDR in der ECE". Vgl. AUSSENPOLITIK DER DDR, Bd. XX/2, S. 1073.
Da jedoch kein Resolutionsentwurf zur Aufnahme der DDR eingebracht wurde, blieb das Schreiben „verfahrensmäßig für den ECOSOC ein nullum". Vgl. den Drahterlaß Nr. 161 des Vortragenden Legationsrats I. Klasse Heimsoeth vom 11. Juli 1972 an die Botschaft in Tunis; Referat I C 1, Bd. 708.
[18] Protokollvermerk zu Artikel 28 des Vertrags vom 26. Mai 1972 zwischen der Bundesrepublik und der DDR über Fragen des Verkehrs: „Bis zu der notwendigen gleichberechtigten Mitgliedschaft beider Staaten in dem Zollübereinkommen vom 15. Januar 1959 über den internationalen Warentransport mit Carnets TIR und dem Europäischen Übereinkommen vom 30. September 1957 über die internationale Beförderung gefährlicher Güter auf der Straße (ADR) bleibt Artikel 28 des Verkehrsvertrages suspendiert." Vgl. BULLETIN 1972, S. 988.
[19] Zum Gespräch des Bundesministers Scheel mit den Außenministern Douglas-Home (Großbritannien), Rogers (USA) und Schumann (Frankreich) am 29. Mai 1972 vgl. Dok. 159, Anm. 42, und Dok. 170, Anm. 29.

beantwortete: Das ergäbe sich schon aus der Inkraftsetzung der Moskauer Absichtserklärungen[20]; ich wollte diese Sache zweimal verkaufen.

Wir erschweren unsere Verhandlungen und unsere Einwirkungsmöglichkeiten auf die DDR via Moskau über einen Grundvertrag bedeutend, wenn wir unseren Standpunkt zu den internationalen Organisationen nicht modifizieren. Wir würden damit diejenigen stützen, die – wie mir Kohl sagte – in der DDR dafür sind, zwei Jahre über einen Grundvertrag zu verhandeln und dabei den Durchbruch auf internationalem Feld gegen den Widerstand der BRD zu erzwingen.

Dieser Durchbruch ist für die DDR um so sicherer, als sie an der multilateralen Vorbereitung der KSZE bereits teilnehmen wird.

Frank hat im Frühjahr in New Delhi gebeten, auf die Ratifizierung Rücksicht zu nehmen[21]; es wundert nicht, daß Indien jetzt diplomatische Beziehungen zur DDR aufnehmen will.[22]

Es ist auch nicht einzusehen, warum wir uns etwas abpressen lassen sollen, statt es von uns aus zu geben, solange wir noch etwas dafür bekommen. Schließlich werden die Drei Mächte mit uns am Montag die Modalitäten der UN-Aufnahme und ihrer bilateralen Beziehungen zur DDR besprechen.[23]

Insgesamt:

Wir haben die Verträge[24] und das Berlin-Abkommen[25]. Das ist zwar die Hauptsache. Aber die Gefahr besteht, daß wir das Dach auf dem Ganzen, unser Verhältnis zur DDR, nicht mehr schaffen, während die internationale Anerkennung der DDR mit der einzigen Ausnahme der UN-Mitgliedschaft läuft.

Aus allen diesen Gründen bin ich für eine vorzunehmende Revision zum genannten Thema.[26] Nach einer Verständigung zwischen Ihnen und Scheel sollte sie am Montag im Koalitionsgespräch abgesegnet werden.

---

[20] Für den Wortlaut der Leitsätze 5 bis 10 vom 20. Mai 1970 für einen Vertrag mit der UdSSR („Bahr-Papier"), die bei den Moskauer Verhandlungen vom 27. Juli bis 7. August 1970 als Leitsätze 1 bis 6 zu „Absichtserklärungen" zusammengefaßt wurden, vgl. BULLETIN 1970, S. 1097f.

[21] Staatssekretär Frank hielt sich am 20./21. Januar 1972 in Neu Delhi auf. Vgl. dazu Dok. 14.

[22] Zu einer möglichen Aufnahme diplomatischer Beziehungen zwischen Indien und der DDR vgl. Dok. 122.

[23] Die Bonner Vierergruppe legte am 28. Mai 1972 einen Bericht zu diesem Thema vor. Für den Wortlaut vgl. VS-Bd. 9842 (I C 1).

[24] Für den Wortlaut des Vertrags vom 12. August 1970 zwischen der Bundesrepublik und der UdSSR vgl. BUNDESGESETZBLATT 1972, Teil II, S. 354 f.
Für den Wortlaut des Vertrags vom 7. Dezember 1970 zwischen der Bundesrepublik und Polen über die Grundlagen der Normalisierung ihrer gegenseitigen Beziehungen vgl. BUNDESGESETZBLATT 1972, Teil II, S. 362 f.

[25] Für den Wortlaut des Vier-Mächte-Abkommens über Berlin vom 3. September 1971 vgl. EUROPA-ARCHIV 1971, D 443–453.

[26] Am 25. Mai 1972 vermerkte Staatssekretär Frank zur Beteiligung der DDR an internationalen Konferenzen: „Die Abwehr der DDR-Bemühungen um internationale Aufwertung ist nicht mehr Selbstzweck wie früher, sondern dient dem Ziel eines befriedigenden Grundvertrages. Sobald wir nicht mehr sicher sein können, daß die Abwehr der DDR-Bemühungen diesem Ziel dient, sollten wir die Lage überprüfen." Falls die UdSSR ihre Ankündigung wahrmache, der UNO-Umweltkonferenz fernzubleiben, wenn der DDR die gleichberechtigte Teilnahme verwehrt bliebe, ergäbe sich zwar „für das deutsch-sowjetische Verhältnis nach der Ratifizierung der Verträge eine erste Friktion. Da wir den guten Einfluß der Sowjetunion auf die DDR für die Verhandlungen über den Grundvertrag brauchen, sollten wir diesen Gesichtspunkt berücksichtigen." Zu den Folgerungen für die Haltung der Bundesregierung vermerkte Frank: „Es wäre meines Erachtens für den Ge-

Im übrigen sollte es bei dem Modell „verbundene Debatte" bleiben, sofern die DDR das mitmacht. Darüber hoffe ich morgen etwas zu erfahren. Sie hätte zwei Vorteile:

1) Keine vorzeitige parlamentarische Diskussion über unser Verhältnis zur DDR aus Anlaß des Verkehrsvertrages, die zur Folge hätte, daß die Opposition die Forderung für einen Grundvertrag unübersteigbar hoch schraubt.

2) Die Opposition muß bei der Entscheidung über den Grundvertrag auch mitentscheiden, ob die menschlichen Erleichterungen, die im Verkehrsvertrag vorgesehen sind[27], stattfinden oder nicht.

Der Grundvertrag wird außerdem erst vorgelegt, wenn die Drei Mächte sich mit der Sowjetunion über die Formel des Eintritts beider Staaten in die UN geeinigt haben. Die Opposition wird also abermals vor die Entscheidung gestellt, gegen menschliche Erleichterungen und gegen ein noch sichtbareres Votum der Vier Mächte sein zu müssen. Erfahrungsgemäß wird sie sich enthalten. Mit den Drei Mächten ist bereits abgesprochen, daß sie ihre Verhandlungen mit der Sowjetunion über den Vier-Mächte-Vorbehalt beim UN-Beitritt beider Staaten parallel zu den Verhandlungen über den Grundvertrag führen.[28]

Die DDR ist darauf eingestellt, den Meinungsaustausch in der zweiten Juni-Hälfte zu beginnen.[29]

Bahr

Archiv der sozialen Demokratie, Depositum Bahr, Box 445

Fortsetzung Fußnote von Seite 602

    samtbereich der internationalen Organisationen schädlich, wenn wir wenige Tage vor der Umweltkonferenz eine spektakuläre Schwenkung in unserer Haltung vollziehen würden, und zwar in Richtung auf vollständige Zulassung der DDR. Es sei denn, die Amerikaner würden einen solchen Wunsch als Ergebnis ihrer Besprechungen in Moskau an uns herantragen. [...] Ist dies nicht der Fall, so sollten wir an die DDR und an die Sowjetunion den Vorschlag herantragen, daß wir bereit sind, den Gesamtbereich der internationalen Organisationen (mit Ausnahme der Vereinten Nationen selbst) und Konferenzen für die DDR freizugeben am Tage der Unterzeichnung des Grundvertrages, d.h. noch lange vor dem Beitritt der beiden deutschen Staaten zu den Vereinten Nationen." Vgl. VS-Bd. 10106 (Ministerbüro); B 150, Aktenkopien 1972.

[27] Vgl. dazu die Information der DDR über Reiseerleichterungen; Dok. 112, Anm. 6.
[28] Vgl. dazu die Absprachen während der Sitzung der Bonner Vierergruppe auf Direktorenebene am 12./13. Mai 1972 in Washington; Dok. 134.
[29] Das erste Gespräch des Staatssekretärs Bahr, Bundeskanzleramt, mit dem Staatssekretär beim Ministerrat der DDR, Kohl, über einen Grundlagenvertrag fand am 15. Juni 1972 in Ost-Berlin statt. Vgl. dazu Dok. 170 und Dok. 172.

145

Botschafter von Hase, London, an das Auswärtige Amt

Z B 6-1-12592/72 VS-vertraulich Aufgabe: 25. Mai 1972, 18.17 Uhr[1]
Fernschreiben Nr. 1338 Ankunft: 25. Mai 1972, 20.46 Uhr

Betr.: Ratifizierung der Ostverträge
hier: britische Bewertung und Überlegungen zur Deutschlandpolitik für die nächste Zeit

Im Anschluß an DB Nr. 1104 vom 1.5.1972 – II A 4-82.20-94.29
Zur Information (auch für Vorbereitung NATO-Tagung[2]):
I. 1) Aus meinen Gesprächen mit Außenminister Sir Alec Douglas-Home und Staatssekretär Sir Denis Greenhill sowie allen Gesprächen meiner Mitarbeiter im Foreign Office sprach Erleichterung („relief") darüber, daß die Ostverträge nunmehr ratifiziert werden.[3]

In erster Linie ist man befriedigt, daß nunmehr grünes Licht für das Inkrafttreten des Berlin-Abkommens[4] gegeben ist. Erleichtert ist man auch, daß die schwebenden Ost-West-Verhandlungsprojekte – ohne daß man allzu hohe Erwartungen an sie knüpft – ruhig weitergeführt werden können, unter anderem die multilaterale KSZE-Vorbereitung.

Insbesondere besteht die Erleichterung aber darin, daß die erheblichen Schwierigkeiten, die die Briten innerhalb des Bündnisses im Fall eines Scheiterns der Ostverträge befürchtet hatten, jetzt vermieden sind. Man war hier besorgt, daß internen, von den Sowjets geschürten Zwistigkeiten Tür und Tor geöffnet worden wären. Jetzt aber könne die Arbeit an der Festigung und Stärkung des NATO-Bündnisses und vor allem der politisch-wirtschaftliche Ausbau Westeuropas einschließlich der Gipfelkonferenz ohne Störung vorangetrieben werden.

2) Die Erleichterung auf Regierungsseite wird im Unterhaus bei den großen Parteien vollauf geteilt. Auf seiten der Labour-Party mischt sich in die Befriedigung große Freude, teilweise sogar Begeisterung, wie sie in der Glückwunschadresse zahlreicher Labour-Abgeordneter an den Bundeskanzler zum Ausdruck gekommen ist. Auf konservativer Seite äußert man sich ebenfalls positiv, freilich wie stets deutlich zurückhaltender, wobei immer wieder die Auffas-

---

[1] Hat Vortragendem Legationsrat I. Klasse Blumenfeld am 26. Mai 1972 vorgelegen.
Hat Vortragendem Legationsrat I. Klasse Blech am 30. Mai 1972 vorgelegen, der die Weiterleitung an die Vortragenden Legationsräte Bräutigam und Joetze verfügte.
Hat Bräutigam am 31. Mai 1972 vorgelegen.
Hat Joetze vorgelegen.
[2] Zur NATO-Ministerratstagung am 30./31. Mai 1972 vgl. Dok. 159.
[3] Am 23. Mai 1972 unterzeichnete Bundespräsident Heinemann die Gesetze zum Moskauer Vertrag vom 12. August 1970 und zum Warschauer Vertrag vom 7. Dezember 1970. Für den Wortlaut vgl. BUNDESGESETZBLATT 1972, Teil II, S. 353–368.
[4] Für den Wortlaut des Vier-Mächte-Abkommens über Berlin vom 3. September 1971 vgl. EUROPA-ARCHIV 1971, D 443–453.
Zum Schlußprotokoll, mit dem das Vier-Mächte-Abkommen in Kraft gesetzt werden sollte, vgl. Dok. 9, Anm. 11.
Zum sowjetischen Junktim zwischen der Ratifizierung des Moskauer Vertrags vom 12. August 1970 und der Unterzeichnung des Schlußprotokolls vgl. Dok. 28, Anm. 13.

sung zu hören ist, daß wirkliche Ergebnisse jetzt davon abhängen, daß der Osten den guten Willen wahrmacht. Der Ball liege jedenfalls eindeutig bei den Sowjets.

3) Bei aller Zustimmung und Befriedigung ist die Gesamthaltung der Regierung, wie wiederholt berichtet, eine Nuance gedämpfter als etwa, soweit von hier zu erkennen, in Frankreich und in den USA.

Während der französische Außenminister[5] sogleich nach Ratifizierung eine persönliche Erklärung abgab, beschränkte sich das Foreign Office auf ein kurzes Statement für die Presse am Wochenende, das folgenden Wortlaut hat:

„As you know, HMG fully support the Federal German Government's Ostpolitik and publicly welcomed the initialling of the treaties with Poland and the Soviet Union. Now that the German Parliament has approved ratification of the treaties, the way is open for early signature of the Four Powers of the final protocol bringing the Berlin Agreement into force. This is a welcome and encouraging development, a constructive step in the process of East-West détente."

II. Ihr Hauptaugenmerk richten 10 Downing Street und die Leitung des Foreign Office jetzt auf die operativen Folgen und die vom Westen für die absehbare Zukunft zu planenden Schritte.

1) Nachdem die Fragenkomplexe „Berlin-Abkommen/Einleitung der multilateralen KSZE-Vorbereitung" jetzt sozusagen erledigt seien, wird das wesentliche politische Problem darin gesehen, daß wir den Alliierten darlegen müssen, was wir von einem innerdeutschen Generalvertrag und der Ausgestaltung des besonderen Modus vivendi erwarten und wie wir uns die Verhandlungslinie vorstellen. Im persönlichen Gespräch befürworten die britischen Gesprächspartner ein geduldiges Vorgehen mit dem Ziel, eine möglichst hoch angesetzte „Modus vivendi"-Schwelle durchzubringen. Wir seien dafür nicht nur durch die Ratifizierung der Ostverträge in einer guten Position, da uns der internationale good will auf lange Zeit hin sichergestellt sei. Besonders schlage aber zu Buch, daß die deutsch-westliche Kooperation im Falle der Zurückweisung des DDR-Aufnahmeantrags in der WHO zu so unerwartet hohem Erfolg geführt habe.[6] Von außen her bestehe also in britischer Sicht keinerlei Zeitdruck. Was aber die innerpolitische Situation in Bonn nach der Ratifizierung der Verträge, d.h. das „Patt" im Bundestag[7] anlange, so sehen die Briten hierin für unsere innerdeutsche Verhandlungsposition eher Stärken als Schwächen, da die Sowjets – angesichts der unsicheren Mehrheitsverhältnisse, angesichts der gemeinsamen Erklärung des Bundestages[8] und auch angesichts der CDU/CSU-Stimmenthaltung[9] – zu einem gewissen „Wohlverhalten" und auch dazu veranlaßt wer-

---

[5] Maurice Schumann.
[6] Zur Abstimmung in der WHO-Versammlung am 19. Mai 1972 über den Aufnahmeantrag der DDR vgl. Dok. 144, Anm. 5.
[7] Zu den Mehrheitsverhältnissen im Bundestag vgl. Dok. 114, Anm. 9, und Dok. 117, Anm. 8.
[8] Für die Entschließung des Bundestags vom 17. Mai 1972 vgl. den wortgleichen Entwurf vom 9. Mai 1972; Dok. 125.
Zum Ergebnis der Abstimmung über die Entschließung vgl. Dok. 134, Anm. 6.
[9] Zum Ergebnis der Abstimmungen am 19. Mai 1972 über den Moskauer Vertrag vom 12. Mai 1970 und den Warschauer Vertrag vom 7. Dezember 1970 vgl. Dok. 139, Anm. 2, und Dok. 140, Anm. 2.

den, ihr Interesse an einer Wirksammachung der Ostverträge auch durch Honorierung im innerdeutschen Vertragsbereich konkret zur Geltung zu bringen.

2) Für das weitere Vorgehen im Zusammenhang „Modus vivendi-Vertrag/VN-Beitritt" halten die Briten die Entscheidung der Vierergruppe auf Direktorenebene in Washington[10], derzufolge die deutsche Seite an die Alliierten herantreten soll, für ein sehr wohlüberlegtes politisches Procedere. Hiermit werde sichergestellt, daß erst substantielle Ansätze im innerdeutschen Verhandlungsverlauf sichtbar werden müssen, bevor die Gespräche der drei Verbündeten mit den Sowjets über eine UNO-Formel einsetzen.

Was die weitere Stufe eines VN-Beitritts-Vorgangs angeht, so neigen die Briten dazu, auf jeden Fall bei dem „Vordertür-Prinzip" zu beharren, alle Einbruchsversuche in den Sonderorganisationen weiterhin gemeinsam zurückzuweisen und auch bilateralen DDR-Anerkennungsabsichten durch dritte Länder so kräftig wie möglich entgegenzuwirken. Bei der Entscheidung, ob ein VN-Beitritt durch eine Sicherheitsrats-Resolution (die schon im Frühjahr 1973 möglich wäre) oder durch die Vollversammlung (Herbst 1973) erfolgen sollte, neigen sie der Alternative „Vollversammlung" zu, auch wenn dies unter anderem eine Wiederholung des Aufschiebungsakts in der WHO und ähnlichen Stellen notwendig machen würde. In diesem Zusammenhang zeigte z. B. Sir Thomas Brimelow Verständnis für die in einem Gespräch meines Vertreters[11] mit ihm erwähnte Erwägung, daß die Frage einer späteren deutschen Mitgliedschaft im Sicherheitsrat in den Gesprächen der Drei mit den Sowjets auch den Aspekt umfassen sollte, wie einer Erstmitgliedschaft der DDR im Sicherheitsrat vorgebeugt werden könnte.

3) Die „Philosophie" hinter diesen Überlegungen, so drückte es ein Gesprächspartner aus, geht dahin, den innerdeutschen Verhandlungen über den Generalvertrag[12] mittels internationaler Absicherung möglichst viel Zeit zu lassen, so daß die in unserem Interesse liegenden materiellen Ergebnisse erzielt werden und auf keinen Fall Terminzwänge, die nur zum Vorteil der Sowjets wirken würden, entstehen.

III. Vorstehende britische operative Überlegungen werden im Hinblick auf die NATO-Konferenz und die voraufgehenden Deutschland-Besprechungen ausführlich wiedergegeben. Von britischer Seite werden Sir Thomas Brimelow und Unterabteilungsleiter Wiggin für die ganze Konferenz in Bonn bleiben. Sie werden für die Dauer der Deutschland-Erörterungen am 28. und 29.[13] von C. M. James, Leiter des Westeuropa-Departments, begleitet.

[gez.] Hase

VS-Bd. 8543 (II A 1)

---

[10] Zur Sitzung der Bonner Vierergruppe auf Direktorenebene am 12./13. Mai 1972 vgl. Dok. 134.
[11] Edgar von Schmidt-Pauli.
[12] Das erste Gespräch des Staatssekretärs Bahr, Bundeskanzleramt, mit dem Staatssekretär beim Ministerrat der DDR, Kohl, über einen Grundlagenvertrag fand am 15. Juni 1972 in Ost-Berlin statt. Vgl. dazu Dok. 170 und Dok. 172.
[13] Am 28. Mai 1972 kam die Bonner Vierergruppe auf Direktorenebene zusammen, am 29. Mai 1972 sprach Bundesminister Scheel mit den Außenministern Douglas-Home (Großbritannien), Rogers (USA) und Schumann (Frankreich) über deutschlandpolitische Fragen. Vgl. dazu Dok. 159, Anm. 42, Dok. 170, Anm. 29 und Dok. 193, Anm. 13.

146

Aufzeichnung des Staatssekretärs Bahr, Bundeskanzleramt

26. Mai 1972

Streng vertraulich!

Betr.: Gespräch mit Kohl vor Unterzeichnung des Verkehrsvertrages[1]

1) Wir tauschten die unterschriebenen Briefe zu CIM/CIV[2] aus.

2) Kohl erklärte sich bereit, die „Information" zur Erleichterung des Reiseverkehrs mir in Briefform zu übergeben. Ich unterschrieb eine entsprechende Bestätigung.[3] Kohl stimmte zu, daß sein Brief im ND ebenso wie unsere beiden Erklärungen veröffentlicht werden.[4]

3) Ich teilte ihm mit, daß unter den acht Delegationsmitgliedern der BRD in der gemeinsamen Kommission, wie sie im Transitabkommen vorgesehen ist[5], sich ein West-Berliner befinden wird.

Wir kamen auf seinen Vorschlag überein, uns die Namen der Mitglieder brieflich mitzuteilen.[6]

Kohl akzeptierte, daß die Kommission am 8.6. zu ihrer konstituierenden Sitzung in Ost-Berlin zusammentreten wird, die vorherige Unterschrift unter das Vier-Mächte-Abkommen[7] vorausgesetzt. Eine entsprechende Einladung wird ergehen.

Der konstituierenden Sitzung soll eine gewisse Publizität gegeben werden.[8] Die künftigen Sitzungen sollen ohne Publizität stattfinden.

4) Kohl trug einen formulierten Protest gegen unser Verhalten bei der WHO[9] vor. Er ist vom Politbüro und der Regierung formuliert.

---

[1] Für den Wortlaut des am 12. Mai 1972 paraphierten und am 26. Mai 1972 unterzeichneten Vertrags zwischen der Bundesrepublik und der DDR über Fragen des Verkehrs sowie der Protokollvermerke vgl. BULLETIN 1972, S. 982–988.

[2] Für den Wortlaut des Briefwechsels zwischen Staatssekretär Bahr, Bundeskanzleramt, und dem Staatssekretär beim Ministerrat der DDR, Kohl, vom 12. Mai 1972 über die Absicht der Bundesrepublik und der DDR, den Internationalen Übereinkommen vom 25. Februar 1961 über den Eisenbahn-Personen- und -Gepäckverkehr (CIV) und über den Eisenbahnfrachtverkehr (CIM) sowie deren Zusatzabkommen beizutreten, vgl. BULLETIN 1972, S. 989.

[3] Für den Wortlaut des Briefwechsels zwischen Staatssekretär Bahr, Bundeskanzleramt, und dem Staatssekretär beim Ministerrat der DDR, Kohl, vom 26. Mai 1972 vgl. BULLETIN 1972, S. 1094.

[4] Vgl. NEUES DEUTSCHLAND vom 27. Mai 1972, S. 2.

[5] Vgl. dazu Artikel 19 des Abkommens vom 17. Dezember 1971 zwischen der Regierung der Bundesrepublik und der Regierung der DDR über den Transitverkehr von zivilen Personen und Gütern zwischen der Bundesrepublik Deutschland und Berlin (West); Dok. 50, Anm. 3.

[6] Die Namen der Kommissionsmitglieder wurden per Fernschreiben übermittelt. Vgl. dazu Dok. 156.

[7] Zur Festlegung des Termins für die Unterzeichnung des Schlußprotokolls zum Vier-Mächte-Abkommen über Berlin vom 3. September 1971 vgl. Dok. 134, Anm. 11 und 12.

[8] Am 9. Juni 1972 wurde in der Presse eine vereinbarte Mitteilung über die konstituierende Sitzung der Transit-Kommission vom Vortag veröffentlicht. Vgl. die Meldung „Kommission konstituierte sich"; NEUES DEUTSCHLAND vom 9. Juni 1972, S. 2.

[9] Zu den Bemühungen der Bundesregierung, auf der WHO-Versammlung vom 9. bis 26. Mai 1972 eine Vertagung des Antrags der DDR auf Aufnahme in die WHO zu erreichen, vgl. Dok. 54, Anm. 12. Zum Abstimmungsergebnis vom 19. Mai 1972 vgl. Dok. 144, Anm. 5.

Mit großem Befremden sei registriert worden, daß sich der Widerstand der Bundesregierung gegen den Ausbau der internationalen Beziehungen der DDR versteife, statt, wie das nach der Ratifizierung der Ostverträge[10] zu erwarten sei, abbaue. Kohl bezog sich auf das Verhalten Botschafter Schnippenkötters; er erwähnte auch Berichte über die Reise des Bundeskanzlers nach Österreich[11]. Es sei befremdend, daß der Bundeskanzler ausdrücklich auf Ausführungen Scheels im Spiegel vom 22.5.[12] Bezug nahm, wo die UN-Aufnahme der beiden Staaten in das Jahr 1973 verwiesen wurde.

Das herausfordernde Auftreten Schnippenkötters sei gegen die Staatlichkeit der DDR überhaupt gerichtet. Man könne das beim besten Willen nicht hinnehmen. Die Verstimmung sei besonders groß, weil die DDR ein Maximum an Verständnis für die BRD gezeigt habe. Man habe mit Kritik an der Bundesregierung zurückgehalten, auch wenn das nicht leichtfiel. Kohl erwähnte die „großzügige Geste des guten Willens", die Bereitschaft zum Meinungsaustausch. Es sei nicht übertrieben zu erklären, daß man sehr kooperativ sei. Es habe am guten Willen der DDR nicht gefehlt. Dagegen komme nun diese Reaktion der BRD.

Die Frage sei zu stellen, ob das Wort des Bundeskanzlers nicht mehr gelte, wonach guter Wille dort gutem Willen hier begegnen würde.[13] Es sei keine Polemik, sondern eine bloße Feststellung: Die Menschen, gleich auf welcher Ebene, in der DDR begreifen nicht mehr; die BRD habe die Verträge durch und trete dann in dieser feindseligen Form international gegen die DDR auf. Das sei eine verbreitete Stimmung, gerade bei denen, die während der Feiertage hart arbeiten mußten, um die reibungslose Durchführung der Regelungen zu ermöglichen.[14]

Es stelle sich wirklich die Frage, ob der Bundeskanzler sein Wort halten werde.

Das Entgegenkommen der DDR werde gegen sie ausgenutzt. Die Mehrzahl der Diplomaten der BRD argumentiere: Die Zurückhaltung anderer Staaten habe ermöglicht, dies und jenes von der DDR zu erreichen. Dabei werde verschwie-

---

[10] Am 23. Mai 1972 unterzeichnete Bundespräsident Heinemann die Gesetze zum Moskauer Vertrag vom 12. August 1970 und zum Warschauer Vertrag vom 7. Dezember 1970.
Zur Abstimmung im Bundestag und im Bundesrat am 17. bzw. 19. Mai 1972 vgl. Dok. 139, Anm. 2, und Dok. 140, Anm. 2.

[11] Bundeskanzler Brandt hielt sich vom 23. bis 25. Mai 1972 in Österreich auf. Vgl. dazu BULLETIN 1972, S. 1085–1089.

[12] Am 22. Mai 1972 antwortete Bundesminister Scheel auf die Frage: „Wann können beide deutsche Staaten in die UNO? Noch in diesem Herbst?": „Zunächst müssen wir mit der DDR einen Generalvertrag aushandeln, der das Verhältnis BRD–DDR vertraglich regelt. Und das kann vielleicht in diesem Jahr erreicht werden." Die Aufnahme der Bundesrepublik und der DDR in die UNO „dürfte eher 1973 werden". Vgl. den Artikel „Mit Kraftakten kann man nichts erreichen"; DER SPIEGEL, Nr. 22 vom 22. Mai 1972; S. 31.

[13] Vgl. die Äußerung des Bundeskanzlers Brandt am 23. Februar 1972 im Bundestag; Dok. 51, Anm. 7.

[14] Zur zeitlich befristeten Anwendung des Transitabkommens vom 17. Dezember 1971 zu Ostern und Pfingsten 1972 vgl. Dok. 49, Anm. 10.
Vom 17. bis 24. Mai 1972 waren Besuche von Einwohnern von Berlin (West) in Ost-Berlin möglich; gleichzeitig wurde der Transitverkehr zwischen der Bundesrepublik und Berlin (West) erleichtert. Nach Schätzungen nutzten 700 000 Personen diese Besuchsregelung. Vgl. dazu den Artikel „Massenansturm nach Ost-Berlin und in die DDR"; FRANKFURTER ALLGEMEINE ZEITUNG vom 23. Mai 1972, S. 1.

gen, daß ein großer Teil dieser Entwicklung auf die Initiative der DDR zurückgehe.

Damit werde die Reizschwelle überschritten. Dies müsse uns unbedingt klar sein. Die DDR sei nicht in einem Zugzwang. Sie habe 23 Jahre existiert und werde weiterbestehen. Kohl sei beauftragt, mit allem Nachdruck zu erklären: Es würde ein bedauerlicher Irrglaube sein, anzunehmen, die DDR müsse um gut Wetter bitten oder nachlaufen. Es breite sich eine Stimmung der Empörung und der Negation aus. Ohne das persönliche Engagement Honeckers wäre schon jetzt die Reaktion anders ausgefallen.

Die DDR sei nicht bereit, weiterhin die Diskriminierung ihrer Außenbeziehungen durch die BRD hinzunehmen. Nur wenn diese Diskriminierung beendet werde, würde der Meinungsaustausch vorankommen. Man habe sich an das gegebene Wort gehalten und könne den Beginn des Meinungsaustausches vereinbaren. Wie weit er führe, hänge jetzt vor allem von der BRD ab.

Ich habe u. a. darauf hingewiesen, daß nach unseren Besprechungen seit März die Haltung der BRD bei der WHO keine Überraschung für die DDR sein könnte. Kohl bestätigte das. Es gehe zunächst um die diffamierende Art, in der in Genf argumentiert worden sei. Kohl las aus dem Protokoll der WHO vor, nach dem Schnippenkötter ausgeführt habe, daß die BRD vor über 20 Jahren in die Organisation aufgenommen wurde, weil ihr das Attribut der Staatlichkeit nicht abgesprochen worden sei. Das sei jedoch bei der DDR noch nicht der Fall. Dies seien die Realitäten, die vom Leben selbst hervorgebracht wurden. Nichts in den vor acht Tagen ratifizierten Verträgen verändere die Situation.[15]

Diese Ausführungen bewiesen, daß man auch künftig den Charakter der Staatlichkeit der DDR bestreiten wolle. Das gehe hinter die Regierungserklärung zurück[16] und beweise, daß die Bundesregierung diese Linie verstärke und die Diskriminierung verschärfe. Wie solle man den Worten der Herren Brandt und Scheel glauben, wenn ihre Diplomaten gleichzeitig täglich das Gegenteil praktizierten. Wenn sich daran nichts erkennbar ändere, „dann wird sich in unserem Meinungsaustausch nichts tun".

Wir verstünden offenbar nicht, daß die DDR ihre Ziele, mit Ausnahme der Vollmitgliedschaft bei den Vereinten Nationen, in jedem Falle erreichen werde.

Es sei auch schon der Gedanke aufgekommen, ob man nicht auch einmal ein Junktim bauen sollte: Ratifizierung des Verkehrsvertrages mit den Reiseerleichterungen erst nach Beendigung der Diskriminierung der DDR.

---

[15] Botschafter Schnippenkötter, Genf (Internationale Organisationen), wandte sich am 19. Mai 1972 gegen das Argument der Befürworter des Aufnahmeantrags der DDR in die WHO, daß die Bundesrepublik auch Mitglied der WHO sei, ohne der UNO anzugehören: „The Federal Republic of Germany was admitted to WHO more than 20 years ago, because it was never denied the attributes of statehood and was from the very beginning recognized by a vast majority of states. This is not yet the case with the German Democratic Republic." Außerdem führte Schnippenkötter zur Begründung des Antrags auf Vertagung der Entscheidung über eine DDR-Mitgliedschaft in der WHO aus: „So far none of the specialized organizations have admitted the German Democratic Republic. It should not be the ambition of the representatives of the world's medical profession and organizations to open up a side door to the United Nations system, for the main door will be open as soon as the two states in Germany have reached general, not merely partial, agreement with each other." Vgl. den Drahtbericht Nr. 710 vom 30. Mai 1972; Referat I C 1, Bd. 566.

[16] Zu den Ausführungen des Bundeskanzlers Brandt über die Deutschlandpolitik in der Regierungserklärung vom 28. Oktober 1969 vgl. Dok. 64, Anm. 17.

Das mindeste sei doch, daß die BRD nicht aktiv gegen den Wunsch anderer wirke, ihre Beziehungen zur DDR zu normalisieren.

Man werde sehen, wie wir uns bei der Frage der Umweltkonferenz[17] verhielten. Auf diesen Punkt erwiderte ich, daß wir uns entsprechend dem Beschluß der Vollversammlung[18] verhalten würden.

5) Kohl teilte mit, daß die DDR den Verkehrsvertrag als ein selbständiges, in sich geschlossenes Werk betrachte, das selbständiger Bestätigung bedarf. Sie werde die Verhandlungen in den gesetzgebenden Körperschaften dementsprechend durchführen und erwarte dasselbe von der BRD. Sie werde auch diesen Vorgang beschleunigt einleiten, wobei klar sei, daß der Abschluß dieses Vorgangs in einem zeitlichen Zusammenhang mit dem Verhalten der BRD erfolgen müsse.

Ich wies darauf hin, daß man sich über diesen Komplex auf unserer Seite noch kein umfassendes Urteil gebildet habe, daß jedenfalls angesichts des parlamentarischen Terminkalenders ohnehin eine Behandlung erst im Herbst erfolgen könne.

6) Kohl teilte mit: Wenn ein DDR-Bürger die Reise in die BRD zum Anlaß nehmen würde, in der BRD zu bleiben und daraus in der BRD eine große Kampagne gemacht würde, würde dies seitens der DDR zu Konsequenzen führen und entsprechende Maßnahmen notwendig machen.

Ich habe das ohne Kommentar zur Kenntnis genommen. Es ist interessant, daß man sich auf derartige Vorgänge einstellt; es wird erforderlich sein, hier auf die Massenmedien zu gegebener Zeit nach Möglichkeit einzuwirken.

7) Wir verständigten uns, den Meinungsaustausch am 15.6. zu beginnen.[19] Kohl hatte dafür zunächst den 8.6. vorgeschlagen. Dies erschien mir angesichts der noch zu treffenden Vorbereitungen zu kurzfristig.

Bahr

Archiv der sozialen Demokratie, Depositum Bahr, Box 445

---

[17] Zu einer Beteiligung der DDR an der UNO-Umweltkonferenz vom 5. bis 16. Juni 1972 in Stockholm vgl. Dok. 180.
[18] Zur Resolution Nr. 2850 der UNO-Generalversammlung vom 20. Dezember 1971 vgl. Dok. 4, Anm. 11.
[19] Zum ersten Gespräch des Staatssekretärs Bahr, Bundeskanzleramt, mit dem Staatssekretär beim Ministerrat der DDR, Kohl, am 15. Juni 1972 über einen Grundlagenvertrag vgl. Dok. 170 und Dok. 172.

147

Botschafter Gehlhoff, New York (UNO), an das Auswärtige Amt

Z B 6-1-12631/72 VS-vertraulich   Aufgabe: 26. Mai 1972, 13.25 Uhr[1]
Fernschreiben Nr. 539   Ankunft: 29. Mai 1972, 17.03 Uhr

Betr.: VN-Beitritt der beiden deutschen Staaten
hier: Besprechung in der Beobachtermission in New York am 16.5.72

Am 16. Mai 1972 fand in der Beobachtermission ein Gedankenaustausch mit MDg van Well, VLR I Blech, VLR Joetze über verschiedene Aspekte des deutschen VN-Beitritts mit nachstehendem Besprechungsergebnis statt.

1) Politische Ausgangslage

Die Verwirklichung der Universalität der Weltorganisation wird immer eindringlicher gefordert. Hierunter wird – nach Regelung der Chinafrage[2] – hauptsächlich der deutsche VN-Beitritt verstanden. Der überwiegende Teil der VN-Mitglieder verspricht sich vom deutschen VN-Beitritt nicht nur eine Verbesserung der finanziellen Lage der Organisation, sondern auch eine Stärkung ihrer politischen Wirksamkeit. Auch die ungebundenen Länder setzen hierbei ihre Hoffnungen weniger auf die DDR als auf die Bundesrepublik. Die westlichen Staaten erwarten sich von uns eine Unterstützung ihrer Bemühungen um Versachlichung der VN-Arbeit. Als wichtiges Mitglied der EG, welche bereits beginnen, auch im VN-Rahmen Profil zu gewinnen, wird die Bundesrepublik nach Ansicht der westlichen Länder auch dem europäischen Einfluß zusätzliches Gewicht verleihen.

Bis zu einem gewissen Grade können der Trend in Richtung Universalität und der allgemeine Wunsch nach einem baldigen Beitritt der beiden deutschen Staaten es uns erleichtern, Widerstände gegen Qualifizierungen unseres Beitritts, auf die wir Wert legen, aus dem Weg zu räumen.

2) Qualifizierung unseres VN-Beitritts

a) Antrag

Anzustreben wäre eine Verbindung zwischen unserem Antrag und dem der DDR, sei es durch Verweisung jeweils des einen Antrags auf den anderen, sei es durch Bezugnahmen auf den Grundvertrag.

Wir würden uns vorzugsweise des seinerzeit auch von der DDR angewendeten Verfahrens, Antrag mit beigefügten Memorandum, in welchem eine Antragsbegründung enthalten ist[3], bedienen.

---

[1] Hat Vortragendem Legationsrat Joetze am 30. Mai 1972 vorgelegen, der die Weiterleitung an Legationsrat I. Klasse Derix verfügte.
[2] Zur Aufnahme der Volksrepublik China in die UNO am 25. Oktober 1971 vgl. Dok. 6, Anm. 19.
[3] Am 28. Februar 1966 beantragte die DDR die Mitgliedschaft in der UNO. Im Memorandum zur Antragsbegründung wurde ausgeführt: „Die Deutsche Demokratische Republik ist ein friedliebender souveräner Staat, der alle Bedingungen für die Mitgliedschaft in der Organisation der Vereinten Nationen erfüllt und gewillt und imstande ist, alle sich daraus ergebenden Verpflichtungen wahrzunehmen." Eine Aufnahme der DDR in die UNO werde auch die Wiedervereinigung Deutschlands fördern: „Da die Normalisierung der Beziehungen zwischen beiden deutschen Staaten eine

Es ist grundsätzlich Angelegenheit der DDR, ob sie ihren Antrag von 1966, der bisher nicht zurückgezogen wurde, aufrechterhält, oder ob sie einen neuen Antrag einreicht. – Das Memorandum zu dem Antrag von 1966 weist gewisse Elemente auf, die wir gerne erhalten würden. Andererseits wird manches im Zeitpunkt unserer Antragstellung überholt sein, und zwar insbesondere im Hinblick auf den dann abgeschlossenen Grundvertrag.[4]

b) Resolution des Sicherheitsrats betreffend die Empfehlung der Aufnahme der beiden deutschen Staaten in die Vereinten Nationen

Die Aufnahme aller Qualifizierungen unseres Beitritts, die wir für notwendig halten, in die SR-Resolution wird wegen der grundsätzlichen Bedingungsfreundlichkeit des Beitritts Schwierigkeiten bereiten.

Es erscheint für unsere politischen Zwecke ausreichend, wenn die SR-Resolution auf eine vorhergehende Erklärung der Vier Mächte über Nichtberührtsein ihrer Rechte und Verantwortlichkeiten für Deutschland als Ganzes und Berlin bezug nimmt. Weitergehende Qualifizierungen unseres Beitritts müßten in dem Memorandum zu unserem Beitrittsantrag zum Ausdruck gebracht werden (siehe oben).

Wichtig ist, daß die Empfehlung der Aufnahme der beiden deutschen Staaten durch eine einheitliche Resolution erfolgt (wie z. B. bei den Staaten, die aufgrund eines package deals in die Vereinten Nationen aufgenommen wurden).

c) Resolution der Vollversammlung

Nach unseren Vorstellungen sollte auch die Vollversammlung über die Aufnahme der beiden deutschen Staaten durch einen einheitlichen Beschluß entscheiden. Die Resolutionen der Vollversammlung, mit welchen die Aufnahme neuer Mitglieder beschlossen wird, nehmen Bezug auf die die Aufnahme empfehlenden Resolutionen des Sicherheitsrats.

Fortsetzung Fußnote von Seite 611

unabdingbare Voraussetzung für ihre friedliche Wiedervereinigung darstellt, ist die Regierung der Deutschen Demokratischen Republik bei allen Vorbehalten, die sie im Hinblick auf die fehlende Übereinstimmung der Politik der westdeutschen Regierung mit den Zielen und Grundsätzen der Satzung der Vereinten Nationen hat, der Auffassung, daß auch die Aufnahme der westdeutschen Bundesrepublik in die Weltorganisation diesem Ziel dienen würde." Die Politik der DDR seit ihrer Gründung entspreche den Grundsätzen und Zielen der UNO-Charta vom 26. Juni 1945. Seit 1955 übe „die Regierung der Deutschen Demokratischen Republik uneingeschränkt alle souveränen Rechte in Übereinstimmung mit den Grundsätzen und Zielen der Charta der Vereinten Nationen aus. Sie unterhält zu zahlreichen Staaten diplomatische, konsularische und andere offizielle Beziehungen und nimmt im internationalen Handel einen bedeutenden Platz ein." Eine Mitgliedschaft der DDR in der UNO „würde zweifellos auch dazu beitragen, die noch ausstehende friedensvertragliche Regelung der aus dem Krieg herrührenden Fragen zu erleichtern". Die bisherige Praxis der UNO bei der Aufnahme neuer Mitglieder zeige, daß auch zahlreiche Staaten aufgenommen worden seien, „die zur Zeit ihrer Aufnahme noch nicht von allen Mitgliedstaaten der Organisation der Vereinten Nationen oder des Sicherheitsrates anerkannt waren oder die nur zu einigen Mitgliedstaaten diplomatische Beziehungen unterhielten." Für den Wortlaut des Schreibens des Staatsratsvorsitzenden Ulbricht an UNO-Generalsekretär U Thant sowie des Memorandums des Ministeriums für Auswärtige Angelegenheiten der DDR vgl. DzD IV/12, S. 245–253. Vgl. dazu auch AAPD 1966, I, Dok. 74.

[4] Das erste Gespräch des Staatssekretärs Bahr, Bundeskanzleramt, mit dem Staatssekretär beim Ministerrat der DDR, Kohl, über einen Grundlagenvertrag fand am 15. Juni 1972 in Ost-Berlin statt. Vgl. dazu Dok. 170 und Dok. 172.

Durch die Bezugnahme auf die SR-Resolution über den deutschen VN-Beitritt würden die dort festgehaltenen Qualifizierungen in die VV-Resolution übernommen.

d) Berlin

Für unsere künftige Stellung in den Vereinten Nationen und unserer Mitarbeit muß klargestellt sein, daß die Bundesrepublik unangefochten Berlin (West) in den Vereinten Nationen vertreten kann (sofern es sich nicht um Status- oder Sicherheitsfragen handelt[5]).

Hierzu gehört auch die Berücksichtigung West-Berlins bei der Festlegung unseres Beitrags zum VN-Haushalt und unserer Personalquote im Sekretariat. Ferner muß klargestellt sein, daß Westberliner zu Delegationen usw. der Bundesrepublik gehören können.

Jeder Streit um die Grenzen unserer Vertretungsmacht müßte unsere Mitarbeit von neuem belasten. Die beabsichtigte Einfügung einer Berlin-Klausel nicht nur in das Zustimmungsgesetz zu unserem Aufnahmeantrag, sondern auch in eine von uns und/oder den Alliierten hierzu abzugebende Erklärung, die mit der östlichen Seite vereinbart ist oder zumindest unwidersprochen bleibt, dürfte ein geeignetes Mittel hierzu sein.

3) Kontakte zur VR China

Als ständiges Mitglied des Sicherheitsrats muß die VR China einer SR-Resolution über den deutschen VN-Beitritt und etwaiger Qualifizierungen dieses Beitritts zustimmen. (Stimmenthaltung würde nach VN-Praxis genügen). Bisher gibt es keine Anzeichen, daß China in letzter Konsequenz eine Zulassung der beiden deutschen Staaten blockieren könnte.

Es muß dennoch vorgebeugt werden, daß China eines Tages mit einer fertigen Lösung unseres Beitritts konfrontiert wird und sich übergangen fühlt. Hierzu müßte rechtzeitig mit China Kontakt aufgenommen werden.

4) Bezeichnung der Bundesrepublik Deutschland

Bisher wurden wir in den Vereinten Nationen unter der Bezeichnung „Federal Republic of Germany" geführt. In einigen Publikationen der VN, insbesondere in einigen Statistiken, wird die Bezeichnung „Germany, Federal Republic of" verwendet. Wir haben eine Präferenz für die Bezeichnung: „Germany, Federal Republic of". Dies würde der Kurzbezeichnung „Germany" entgegenkommen.

Nach der Praxis der Vereinten Nationen ist die Wahl der Bezeichnung grundsätzlich Angelegenheit des betreffenden Mitgliedstaats. Verwendet werden neben der vollen offiziellen Bezeichnung der geographische Ländername oder – wie bei der von uns angestrebten Bezeichnung – der Ländername mit nachgestellter Bezeichnung der Staatsform. Hiernach können wir erwarten, daß unser Wunsch auf keine größeren Widerstände stößt.

Die DDR wird voraussichtlich unter der Bezeichnung „German Democratic Republic" in der Vollversammlung sitzen.

---

[5] Vgl. dazu die Bestimmungen im Vier-Mächte-Abkommen über Berlin vom 3. September 1971 hinsichtlich Sicherheit und Status; Dok. 25, Anm. 9.

5) Frage der Einführung von Deutsch als Amts- oder Arbeitssprache

Eine Charta-Änderung wäre hierzu nicht erforderlich, nur eine Änderung der Rules of Procedure of the General Assembly (rule 51).[6] Gleichwohl sollte unser Beitritt nicht mit der Frage belastet werden, zumal damit zu rechnen ist, daß unser Wunsch auch auf westlicher Seite keine uneingeschränkten Sympathien finden würde.

6) Frage eines Vorbehalts wegen der Artikel 53 und 107 der Charta[7]

Eine Festlegung unserer Auffassung über die Bedeutung dieser Artikel wäre im Prinzip wünschenswert.

Überwiegende Gesichtspunkte sprechen aber dafür, eine Diskussion über diese Artikel im Zusammenhang mit unserem Beitritt zu vermeiden.

[gez.] Gehlhoff

VS-Bd. 8538 (II A 1)

---

[6] Regel 51 der Verfahrensvorschriften der UNO-Generalversammlung: „All resolutions and other important documents shall be made available in the official languages. Upon the request of any representative, any other document shall be made available in any or all of the official languages." Vgl. YEARBOOK OF THE UNITED NATIONS 1947–48, S. 325.

[7] Artikel 53 der UNO-Charta vom 26. Juni 1945: „1) The Security Council shall, where appropriate, utilize such regional arrangements or agencies for enforcement action under its authority. But no enforcement action shall be taken under regional arrangements or by regional agencies without the authorization of the Security Council, with the exception of measures against any enemy state, as defined in paragraph 2 of this Article, provided for pursuant to Article 107 or in regional arrangements directed against renewal of aggressive policy on the part of any such state, until such time as the Organization may, on request of the Governments concerned, be charged with the responsibility for preventing further aggression by such a state. 2) The term enemy state as used in paragraph 1 of this Article applies to any state which during the Second World War has been an enemy of any signatory of the present Charter."
Artikel 107 der UNO-Charta vom 26. Juni 1945: „Nothing in the present Charter shall invalidate or preclude action, in relation to any state which during the Second World War has been an enemy of any signatory to the present Charter, taken or authorized as a result of that war by the Governments having responsibility for such action." Vgl. CHARTER OF THE UNITED NATIONS, S. 687 bzw. S. 697.

148

Aufzeichnung des Vortragenden Legationsrats I. Klasse Hansen

I A 1-80.05/60 VS-NfD 29. Mai 1972

Betr.: Vorbereitung Gipfelkonferenz[1] auf Außenministertreffen 26./27. Mai 1972 in Luxemburg (institutionelle Stärkung der Gemeinschaft und Fortschritte im politischen Bereich)

Anlagen: 4[2]

Die Diskussion fand im kleinen Kreis statt. Beim Thema „Institutionelle Stärkung der Gemeinschaft" und bei der Erörterung der weiteren Prozedur der Gipfelvorbereitung war die EG-Kommission anwesend.

Die den Ausführungen der Außenminister Scheel (geändert), Harmel und Schmelzer sowie von Präsident Mansholt zugrunde liegenden Sprechzettel sind als Anlage beigefügt. – Aus den Erklärungen der übrigen Minister ist folgendes festzuhalten:

1) Institutionelle Stärkung der Gemeinschaft

Douglas-Home: Grundsätzliche Zustimmung zum niederländischen Papier (Sprechzettel Schmelzer). Zieht jedoch halbjährigen Turnus der Ratspräsidentschaft vor. Bei aller Wichtigkeit der Rolle der Kommission „Primacy" des Rats. – Europaminister[3]: Könnten vielleicht von Vorteil sein, sollten jedoch Außenminister entlasten und nicht etwa zusätzliche Ebene im Entscheidungsprozeß darstellen. – EP: Frage Direktwahl verdient Prüfung, muß jedoch im Zusammenhang mit verstärkten Zuständigkeiten gesehen werden. Trennung EP-Mitglieder von ihrer Basis in internationalen Parlamenten (zwei Arten von Abgeordneten) problematisch, da dies mit Autoritätsschwund verbunden wäre.

Cappelen: Frage sollte nicht nur auf Gipfel behandelt werden, sondern weiterhin auf Tagesordnung bleiben. Schrittweise, nach und nach. Pragmatischer und flexibler Approach. Neue Regelungen müssen für alle annehmbar sein. Institutionen sollen weder mehr noch weniger Autorität als notwendig besitzen, dürfen jedoch nicht minder effektiv als im nationalen Bereich sein. Zitiert Heath-Erklärungen im Unterhaus (Erhaltung nationaler Identität, Einstimmigkeit in vitalen Fragen). Priorität des Rats, gleichwohl Erhaltung der Rolle der Kommission, die als „mediator" und „initiator" nützlich. Betonung demokratischer Kontrolle und Notwendigkeit, Entscheidungsbefugnisse EP zu stärken. Vedel-Bericht[4] geeigneter Ansatz.

---

[1] Zum Stand der Überlegungen für eine europäische Gipfelkonferenz vgl. Dok. 31, Anm. 17, und Dok. 66.
[2] Dem Vorgang nicht beigefügt.
[3] Zum Vorschlag des Staatspräsidenten Pompidou zur Ernennung von Europa-Ministern vgl. Dok. 1, Anm. 12.
[4] Zum Bericht der Ad-hoc-Gruppe für die Prüfung der Frage einer Erweiterung der Befugnisse des Europäischen Parlaments vom 25. März 1972 („Bericht Vedel") vgl. Dok. 66, Anm. 5.

Hillery: Zunächst Erfahrungen mit Erweiterung abwarten. Grundsätze derzeitigen Systems der Entscheidungsmechanismen sollten vorerst beibehalten werden. Verstärkung demokratischer Kontrolle. Hinweis auf Regionalpolitik bei Erhöhung Effizienz der Institutionen.

Noergaard: Eventuelle Änderung derzeitiger Strukturen dürfen nicht Selbstzweck sein. Jetzige Institutionen sollten vorerst erhalten und nicht unmittelbar bei Erweiterung geändert werden. Erst „trial period" von zwei bis drei Jahren. Demokratisierung erwünscht. Bei Stärkung Rats auch Stärkung EP erforderlich. Kein exzessiver Zentralismus. Europastaatssekretäre[5]: Nationale Verschiedenheiten verhindern einheitliche Grundsätze; würden ihren Zielen selbst im Wege stehen.

Schumann: Bisherige Institutionen haben sich bewährt. Zustimmung zu von Vorrednern erhobener Forderung, mit Änderung derzeitigen Gleichgewichts vorsichtig zu sein. „Rodage" nach Erweiterung unbedingt erforderlich. Gewisse Mißerfolge und Enttäuschungen der Vergangenheit dürfen nicht Institutionen angelastet werden. Artikel 235[6] noch nicht ausgeschöpft; muß vor „Abenteuern" mit Umsicht genutzt werden. (Gegen Anwendung von Artikel 236[7] werde man sich indessen nicht „für die Ewigkeit und auf Jahrhunderte" sträuben.) – Hinweis Bundesminister auf Wirtschafts- und Sozialausschuß sei interessant. Rat soll ihm Aufträge geben und von ihm um Prüfung bestimmter Fragen gebeten werden können. – EP: Prärogativen sind nach und nach erheblich ausgeweitet worden (sogar außerhalb Verträge: Einschaltung in PZ). Weitere Verbesserung soll nicht rechtlich, sondern praktisch vonstatten gehen: z. B. Anhörung („audition") im Rat, häufigere Begründung der von EP-Stellungnahmen abweichenden Ratsentscheide durch Vorsitzenden, allgemein öfter dessen Beteiligung an Generaldebatten des Parlaments. – Europastaatssekretäre: Könnten Kontakt Rats zur Kommission und zum EP verbessern. Schaffung würde jedoch bestimmte Probleme aufwerfen. Versteht Reserven Harmels. Keine zusätzliche Entscheidungsebene. Müßte Prozedur vereinfachen und nicht erschweren. – Betonung der „finalité générale" der Römischen Verträge. Wichtig, daß EG ihre Gesamtrolle gegenüber der Welt (USA, Japan, Osteuropa, Entwicklungsländer) findet und definiert. Vor allem gegenüber Dritter Welt (UNCTAD Santiago[8] war Enttäuschung). Es geht nicht um die Rechtsnatur, sondern um die Unabhängigkeit Europas.

Moro: Entscheidende Fortschritte im politischen und institutionellen Bereich notwendig. Institutionen müssen wirksamer arbeiten. Gipfel sollte die im März

---

[5] Zum Vorschlag der Bundesregierung, Staatssekretäre für Europafragen einzusetzen, vgl. Dok. 1, Anm. 17.

[6] Artikel 235 des EWG-Vertrags vom 25. März 1957: „Erscheint ein Tätigwerden der Gemeinschaft erforderlich, um im Rahmen des Gemeinsamen Marktes eines ihrer Ziele zu verwirklichen, und sind in diesem Vertrag die hierfür erforderlichen Befugnisse nicht vorgesehen, so erläßt der Rat einstimmig auf Vorschlag der Kommission und nach Anhörung der Versammlung die geeigneten Vorschriften." Vgl. BUNDESGESETZBLATT 1957, Teil II, S. 898.

[7] Für Artikel 236 des EWG-Vertrags vom 25. März 1957 vgl. Dok. 66, Anm. 4.

[8] Zu den Ergebnissen der Dritten Konferenz für Handel und Entwicklung (United Nations Conference on Trade and Development – UNCTAD) vom 13. April bis 22. Mai 1972 in Santiago de Chile vgl. Dok. 141.

1971 im Hinblick auf die WWU getroffenen Entscheidungen[9] bekräftigen.[10] – Großer Rat alle zwei oder drei Monate. Dauer Präsidentschaft ein Jahr statt sechs Monate. Ratspräsident sollte sich auf EG konzentrieren und nationale Funktionen stark einschränken. – Wieder Mehrheitsbeschlüsse nötig; nur in vitalen Fragen Einstimmigkeit. – EP: Direktwahl spätestens in Endphase WWU. Schrittweise Erweiterung Befugnisse. Verbesserung Verhältnisses EP–Rat (bei Einsetzung Kommissionspräsident echte Debatte über Kommissionsprogramm; mehr Diskussion über politische Integration; Konsultation des EP auch über nicht von Verträgen gedeckte Gebiete, zweite Einschaltung EP, falls Rat von dessen Stellungnahme abweicht). – Kommission: Zusammensetzung durch Persönlichkeiten von politischem Niveau und europäischem Prestige. Initiativrecht auch für Materien außerhalb Verträgen. Mandat Präsidenten auf vier Jahre verlängern.

Thorn: Jetzt keine wesentlichen Vertragsänderungen, jedoch Möglichkeit dafür offenhalten. Gipfel muß hier Orientierungen geben. – Stärkung Effizienz Exekutive. Verbesserung Beziehungen Rat–Kommission. Zusammensetzung Kommission wichtig. Keine Kluft zwischen Rat und Fachministerräten. Ratssitzungen zu festen Daten. Skeptisch, ob Dauer Ratsvorsitz auf ein Jahr ausgedehnt werden kann. Zu Beginn jeder Präsidentschaft Aufstellung eines Zeitplans. – Europastaatssekretäre: Sollte geprüft werden, jedoch Hinweis auf gewisse Probleme, z. B. Verhältnis zu Coreper[11]. Keine Verlängerung des Entscheidungsprozesses. Minister müssen entlastet werden. Statt Ernennung besonderer Staatssekretäre auch Anhebung der Ständigen Vertreter denkbar. – EP: Beziehung zu Rat und Kommission wichtig für demokratische Ausrichtung Europas. Einschätzung bisheriger Stärkung EP durch Schumann zu optimistisch. Vor Direktwahl besser Kompetenzerweiterung. – Politische und wirtschaftliche Integration muß später einmal in einem Vertrag figurieren.

2) Fortschritte im politischen Bereich

Moro: Auf Gipfel muß Ziel wirtschaftlicher und politischer Union festgehalten werden. Italien strebt föderativen Staat an, ist jedoch zu Zwischenlösung konföderaler Art bereit. Wie sollen bei Institutionen Befugnisse aufgeteilt werden? – Bei rechtsprechender Gewalt keine Schwierigkeiten. Europäischer Gerichtshof könnte vielleicht eines Tages für Gemeinschaftsländer einziges überstaatliches Gericht darstellen, d. h. auch Kompetenzen der Haager Cour übernehmen. – Legislative: Stärkung der Zuständigkeiten des EP. Zweikammersystem? – Exekutive: Periodische, etwa einmal jährlich stattfindende Konferenz der Staats-

---

[9] Zur Entschließung des EG-Ministerrats vom 9. Februar bzw. 22. März 1971 über die stufenweise Verwirklichung der Wirtschafts- und Währungsunion vgl. Dok. 19, Anm. 3.
[10] Die Behandlung der Wirtschafts- und Währungsunion sowie des sozialen Fortschritts auf der europäischen Gipfelkonferenz war Thema der Außenministerkonferenz der EG-Mitgliedstaaten und -Beitrittsstaaten am 24. April 1972 in Luxemburg. Dazu teilte Vortragender Legationsrat Schlingensiepen am 27. April 1972 mit: „Im institutionellen Bereich wurde mehrfach die Schaffung eines Fonds für die monetäre Zusammenarbeit gefordert." Die Außenminister hätten sich zudem „zum Teil sehr ausführlich den Gebieten, die der wirtschaftlichen und gesellschaftspolitischen Flankierung der Wirtschafts- und Währungsunion dienen sollen", gewidmet: „Besonders nachdrücklich setzte sich Präsident Mansholt für die dynamische Auslegung der Gemeinschaftsverträge im Sinne einer Verbesserung des Lebens in allen gesellschaftspolitischen und sozialen Bereichen ein." Vgl. den Runderlaß Nr. 40; Referat 240, Bd. 167.
[11] Comité des représentants permanents.

bzw. Regierungschefs, die vor Bildung europäischer Regierung jedoch nur allgemeine politische Orientierungen zu geben hätten. Europaminister bzw. -staatssekretäre interessante Idee. Embryo europäischer Exekutive bereits vorhanden; Prozeß sollte in Richtung auf Struktur gehen, die zur Zeit von Rat und Kommission ausgeübte Befugnisse berücksichtigt. – Gipfel muß politische Ziele und Grundsätze für Aufbau Europas (wofür EG Ausgangspunkt bleibt) festhalten. Mandat an Außenminister, bis zu bestimmtem Datum (z. B. nächster Gipfel) entsprechenden Bericht zu erstellen; Anhörung EP. – Neue Initiativen. Wirksamere politische Ausrichtung. Europäische Identität auch in Außenpolitik und Verteidigungspolitik.

PZ-Sekretariat[12]: Sympathie. Nicht nur Verwaltungsgremium mit eingeschränkter Bedeutung und Tragweite. Wir wollen etwas mehr. Es soll, wenn auch neben EG stehend und engen Kontakt mit PK haltend, auch der Gemeinschaft zugute kommen.

Schumann: Frankreich hat konföderales Konzept, das auch kürzlichem Referendum[13] zugrundelag. Dafür praktische und historische Erwägungen maßgeblich. Praktisch: Alle Regierungen der Zehn – mit Ausnahme Großbritanniens – stellen Koalitionen dar. In essentiellen Fragen Einstimmigkeit erforderlich; wenn sich ein Partner zurückzieht, geschieht nichts mehr. Historisch: Zwar haben sich bisher alle Konföderationen aufgelöst oder aber sich zu Föderationen entwickelt, letzteres jedoch stets durch Krieg oder Gewalt – und gerade das wollen wir ja nicht; Freiheit der Wahl muß erhalten bleiben.

PZ-Sekretariat: Deutscher Vorschlag. Paris hat préjugé favorable. Wir haben keine Ungeduld.

Andersen: PZ beruht auf Luxemburger Bericht[14]. Zwar Corollary der EG, schließt politische Aspekte wirtschaftlicher Probleme ein, enge Verbindung zwischen Politik und Wirtschaft deutlich. Gleichwohl sind beide verschiedener Natur. Pragmatischer Approach des Luxemburger Berichts ist angemessen. Bereit, zu zweitem Bericht beizutragen.

PZ-Sekretariat: Sehr gut. Soll jedoch keinen institutionellen Charakter wie EG als solche erhalten. Administratives Organ, das helfen und Konsultationen vorbereiten soll. Uneinigkeit über Lokalisierung.[15] Manches spricht für die ver-

---

[12] Zum Vorschlag der Bundesrepublik, ein Sekretariat für die Europäische Politische Zusammenarbeit zu schaffen, vgl. Dok. 31, Anm. 6.

[13] Am 23. April 1972 fand in Frankreich ein Referendum zur Erweiterung der Europäischen Gemeinschaften statt. Vgl. dazu EUROPA-ARCHIV 1972, Z 100.

[14] Für den Wortlaut des am 27. Oktober 1970 auf der EG-Ministerratstagung in Luxemburg verabschiedeten Berichts der Außenminister der EG-Mitgliedstaaten vom 20. Juli 1970 über mögliche Fortschritte auf dem Gebiet der politischen Einigung (Davignon-Bericht) vgl. EUROPA-ARCHIV 1970, D 520–524.

[15] Zur Haltung der Bundesregierung in der Frage des Sitzes eines Sekretariats für die Europäische Politische Zusammenarbeit vgl. Dok. 104, Anm. 59.
Dazu notierte Ministerialdirektor von Staden am 18. Mai 1972, es werde immer deutlicher, „daß die Sitz-Frage sich zum zentralen Punkt der Diskussion entwickelt", da „in dieser Entscheidung eine Weichenstellung" gesehen werde: „Auf Arbeitsebene haben wir durchaus die Folgerung gezogen, daß zunächst alles darauf ankommt, diese erste Entscheidung richtig, d. h. im Sinne von Brüssel zustande zu bringen. Wir sind der Meinung, daß man um dieser Zielsetzung willen auf mögliche weitergehende Vorschläge zur institutionellen Verbesserung der PZ weiterhin verzichten sollte. [...] M. E. kommt es darauf an, daß sich die Gemeinschaftspartner auf der Minister-Sitzung am 26./27. Mai möglichst eindeutig für Brüssel als Sitz des Sekretariats aussprechen. Anderenfalls

schiedenen Vorschläge. Wir ziehen Lösung vor, die verschiedenartigen Charakter von Politik und Wirtschaft unterstreicht. Wir können allem zustimmen, das dies in Rechnung stellt.

Hillery: Kurze irische Erfahrungen mit PZ sehr befriedigend. „Efficient, smooth and expeditious". Sollte ermutigt werden. Jedoch Behutsamkeit nötig. Nicht überstürzt und kein zu starrer Rahmen.

PZ-Sekretariat: Einverstanden mit bescheidenem Gremium, das Sitzungen vorbereitet und für Follow up sorgt. Nicht zu groß. Keine unangemessene Bürokratisierung und Überproduktion von Papieren. Keine Barriere für die Politischen Direktoren, deren unmittelbarer Kontakt so wichtig. (Herr Keating sagte mir am Rande der Sitzung zum Ort des Sekretariats, man sei irischerseits durchaus offen, habe jedoch gewisse Reserven gegenüber Brüssel als Sitz der NATO.)

Cappelen: Notwendigkeit PZ-Sekretariats wird voll anerkannt. Soll klein sein und für stärkere Kontinuität und Schnelligkeit sorgen. Hinsichtlich Lokalisierung sei „easy access for all of us" wichtig.

Douglas-Home: „High degree of consensus" in Außenpolitik erforderlich. Zitiert Zürcher Rede von Heath: „Common foreign policy".[16] Keine klare Trennung zwischen Politik und Wirtschaft möglich. PZ-Sekretariat: Klein und bescheiden. Soll Kontinuität gewährleisten. Am besten in Brüssel, wo Außenminister meist zusammentreffen. Zunächst keine besonderen „links" zur Gemeinschaft, die für die Zukunft jedoch nicht ausgeschlossen werden sollten.

Thorn: Wortstreit Föderation – Konföderation überflüssig; es kommt auf Inhalt, nicht auf Etikett an. – Öfter PZ-Ministertreffen (wie BM: dafür weniger WEU-Minsterratstagungen). – Politik und Wirtschaft lassen sich nicht voneinander abschließen.

PZ-Sekretariat: Einverstanden. Nicht „pléthorique et énorme". Parkinsonsches Gesetz[17] verhindern. Wie BM: Unmittelbare Kontakte zwischen Regierungen müssen erhalten bleiben; sie dürfen durch Sekretariat nicht gestört werden. Gemeinsame Studien sollten jedoch nicht ausgeschlossen werden. Vor allem Steigerung der Effizienz. In Verbindung zur Gemeinschaft bringen. Ort: Wie Scheel, Harmel und Schmelzer. Wir sind noch nicht so weit, daß wir uns Dezentralisierung leisten können, die im übrigen nur im technischen Bereich statthaft wäre.

Fortsetzung Fußnote von Seite 618
bestünde die Gefahr, daß die französische Regierung diese Frage beim deutsch-französischen Gipfel zu einer bilateralen Frage und möglicherweise zu einer entscheidenden Frage des deutsch-französischen Verhältnisses macht." Vgl. VS-Bd. 9777 (I A 1); B 150, Aktenkopien 1972.

[16] Premierminister Heath äußerte sich am 17. September 1971 in Zürich aus Anlaß des 25jährigen Jubiläums der Rede des Premierministers Churchill vom 19. September 1946. Dazu wurde in der Presse berichtet, Heath habe ausgeführt: „It was the Government's firm belief that Britain's future prosperity and security both required membership of an enlarged Community, so that there could be an advance towards the common objectives, such as a common foreign policy accompanied by increasing cooperation on defence." Vgl. den Artikel: „Mr. Heath sees need for new monetary system"; THE TIMES vom 18. September 1971, S. 4.

[17] Nach dem „Parkinsonschen Gesetz" stand „die Zahl der Beamten oder Angestellten in keiner Beziehung zur Menge der vorhandenen Arbeit". Vielmehr sei ein ständiges Wachsen der Beamten- und Angestelltenzahlen zu verzeichnen, „gleich, ob die Arbeit zunimmt, abnimmt oder völlig verschwindet". Vgl. PARKINSON, Parkinsons neues Gesetz, S. 12.

3)[18] Weitere Prozedur der Gipfelvorbereitung

Moro regt an, einige Gegenstände (alle drei Gipfelthemen) durch eine Gruppe qualifizierter Beamter zu Händen der Minister noch einmal „zu überarbeiten, zu vergleichen, zusammenzufassen", Übereinstimmungen und Divergenzen festzustellen und eine Prioritätenliste zu erarbeiten. Dies sollte weniger für große politische, sondern vielmehr für bestimmte Einzelfragen eher technischer Art gelten.[19]

Man beschließt, dieses Problem am Rande der Ratstagung vom 26./27. Juni (26. Juni vormittags und eventuell frühnachmittags) zu zehnt auf Grund eines von Präsidentschaft über Treffen 26./27. Mai zu erstellenden Protokolls[20] zu erörtern.[21] Dann soll entschieden werden, welche Fragen im einzelnen im Sinne von Moro Arbeitsgruppe(n) zu überantworten wären. Allgemeines Einverständnis, daß zu detaillierte Gipfelvorbereitung vermieden werden muß. Schumann warnt davor, neuen „échelon supplémentaire" zu schaffen und verweist auf Präsidentschaft und Politisches Komitee. Douglas-Home setzt sich für möglichst intensive Beteiligung der vier Beitrittswilligen an Gipfelvorbereitung ein. Am 26. Juni soll außerdem entschieden werden, ob vor dem 11. September[22] noch einmal am Rande einer Ratstagung zu zehnt über Gipfel zu sprechen wäre. Es wird hierfür vorsorglich der 19. Juli nachmittags (Ratstagung 19./20. Juli: am 10./11. Juli ist Schumann abwesend) in Aussicht genommen.[23]

Hiermit Herrn Dg I A[24], Herrn D Pol[25], Herrn D III[26] vorgelegt.

Hansen

Referat I A 1, Bd. 750

---

[18] Korrigiert aus: „4)".
[19] Am 14. Juni 1972 übermittelte Botschafter Sachs, Brüssel (EG), „zwei der von der Präsidentschaft auf Beschluß der Außenministerkonferenz der Zehn am 26./27. Mai 1972 in Luxemburg erstellten Synthesepapiere über die bisher anläßlich der Vorbereitungsgespräche für die Gipfelkonferenz aufgeworfenen Fragen" zu den Themen „Außenbeziehungen der Gemeinschaft und ihre Verantwortung in der Welt" bzw. „Wirtschafts- und Währungsunion und sozialer Fortschritt der Gemeinschaft". Vgl. den Schriftbericht; Referat III E 1, Bd. 1970.
[20] Botschafter Sachs, Brüssel (EG), übermittelte am 13. Juni 1972 eine von der EG-Präsidentschaft erstellte Zusammenfassung der Außenministerkonferenz der EG-Mitgliedstaaten und -Beitrittsstaaten am 26./27. Mai 1972 in Luxemburg. Vgl. den Schriftbericht; Referat III E 1, Bd. 1975.
[21] Zur Außenministerkonferenz der EG-Mitgliedstaaten und -Beitrittsstaaten am 26. Juni 1972 vgl. Dok. 173, Anm. 6.
[22] Am 11./12. September 1972 kamen in Frascati und Rom die Außen- sowie die Wirtschafts- und Finanzminister der EG-Mitgliedstaaten und -Beitrittsstaaten zusammen. Vgl. dazu Dok. 274.
[23] Zu den Beratungen über die europäische Gipfelkonferenz auf der Außenministerkonferenz der EG-Mitgliedstaaten und -Beitrittsstaaten am 19. Juli 1972 in Brüssel vgl. Dok. 204.
[24] Klaus Simon.
[25] Hat Ministerialdirektor von Staden vorgelegen.
[26] Otto-Axel Herbst.

149

**Gespräch des Bundeskanzlers Brandt
mit dem amerikanischen Außenminister Rogers**

30. Mai 1972[1]

Vermerk über das Gespräch des amerikanischen Außenministers mit dem Bundeskanzler in dessen Amtszimmer am 30. Mai 1972 von 9.00 bis 10.00 Uhr[2]

Am Gespräch nahmen von amerikanischer Seite Unterstaatssekretär Hillenbrand und Geschäftsträger Cash, von deutscher Seite Staatssekretär Bahr, Staatssekretär Frank und MD Sanne teil.

1) Der *amerikanische Außenminister* unterrichtete den Bundeskanzler über Ablauf und Ergebnis des Besuches von Präsident Nixon in Moskau.[3] Er bezeichnete das Gipfeltreffen als sehr erfolgreich. Es passe ausgezeichnet zur Politik der Bundesregierung, und er wolle bei dieser Gelegenheit dem Bundeskanzler noch einmal zur Ratifizierung der Ostverträge gratulieren.

Nachdem der *Bundeskanzler* auf Wunsch von Herrn Rogers seine Vorstellungen über die nächsten Schritte der Bundesregierung gegenüber den Staaten des Warschauer Pakts dargelegt hatte, wies der *amerikanische Außenminister* auf eine Äußerung von Breschnew hin, man wolle den Prozeß der Aufnahme der beiden deutschen Staaten in die Vereinten Nationen beschleunigen. Er, Rogers, habe darauf geantwortet, daß seine Regierung sich in dieser Frage nach der BRD richte. Was immer Bonn hierzu entscheide, sei annehmbar für die Vereinigten Staaten.

Auf einen Einwurf von Staatssekretär *Bahr* präzisierte der *amerikanische Außenminister*, er habe nicht den Eindruck erwecken wollen, daß die USA die Bundesregierung in dieser Frage zu irgend etwas zu zwingen gedächten. Andererseits habe er natürlich klargemacht, daß die Rechte und Verantwortlichkeiten der Vier Mächte im Zusammenhang mit dem Beitritt der beiden deutschen Staaten zu den Vereinten Nationen gewahrt werden müßten.

---

[1] Ablichtung.
Die Gesprächsaufzeichnung wurde von Ministerialdirektor Sanne, Bundeskanzleramt, gefertigt und am 31. Mai 1972 an Vortragenden Legationsrat I. Klasse Schönfeld gesandt „mit der Bitte um Vorlage bei dem Herrn Staatssekretär".
Hat Schönfeld am 31. Mai 1972 vorgelegen, der die Weiterleitung an Staatssekretär Frank verfügte.
Hat Frank am 2. Juni 1972 vorgelegen, der die Weiterleitung an Ministerialdirektor von Staden verfügte.
Hat Staden am 6. Juni 1972 vorgelegen, der die Weiterleitung an die Ministerialdirigenten Diesel und Simon sowie die Referate II A 1, II A 3, II A 4 und I A 5 verfügte.
Hat Diesel und Simon am 7. Juni 1972 vorgelegen.
Hat Vortragendem Legationsrat I. Klasse Freiherr von Groll am 8. Juni 1972 vorgelegen, der handschriftlich vermerkte: „Erbitte Ablichtung für II A 3 (wesentliche Äußerungen zu Konferenzort und -form)."
Hat Vortragendem Legationsrat I. Klasse Blumenfeld am 9. Juni 1972 vorgelegen. Vgl. den Begleitvermerk; Referat 212, Bd. 109300.

[2] Der amerikanische Außenminister Rogers hielt sich anläßlich der NATO-Ministerratstagung am 30./31. Mai 1972 in Bonn auf.

[3] Präsident Nixon besuchte die UdSSR vom 22. bis 30. Mai 1972. Vgl. dazu auch Dok. 161.

Das Gespräch drehte sich dann um den Zeitplan. Der *Bundeskanzler* und Staatssekretär *Bahr* legten dar, daß die Verhandlungen mit der DDR[4] nicht leicht sein würden. Man könne nicht damit rechnen, in drei Monaten damit fertig zu werden. Wenn alles gutgehe, könne man hoffen, Ende des Jahres zu einem Ergebnis zu kommen. Viel werde davon abhängen, wie der Westen sich in der Frage der Beteiligung der DDR an Internationalen Organisationen verhalte. Eine zu starre Position könne dazu führen, daß die Verhandlungen ein Jahr und länger dauerten.

Der *amerikanische Außenminister* meinte, der Westen stehe nicht unter Zeitdruck. Der Beitritt zu den Vereinten Nationen sei etwas, was der Osten wünsche. Hinsichtlich der Internationalen Organisationen hätten wir uns auf eine feste Ausgangsposition geeinigt. Man müsse im Laufe der Verhandlungen sehen, inwieweit eine gewisse Flexibilität in dieser Frage nötig werde.

2) Zur Frage einer Europäischen Sicherheitskonferenz teilte Außenminister Rogers mit, daß darüber in Moskau ausführlich gesprochen worden sei. Allerdings habe es keine neuen Erkenntnisse gegeben. Sein Präsident habe festgestellt, daß die Vereinigten Staaten nicht bereit seien, vor November[5] mit den multilateralen Vorbereitungsarbeiten zu beginnen und daß sie sich ihre Entscheidung über den Zeitpunkt und den Ort für die Hauptkonferenz noch vorbehalten.

Herr Rogers unterstrich, daß in der Zeit bis zum November der Westen intensive Vorarbeiten für Helsinki leisten müsse. Es habe sich sehr ausgezahlt, daß der Besuch des amerikanischen Präsidenten in Moskau so gut vorbereitet worden sei. Er schlage vor, daß man etwa im September oder Oktober ein Treffen von stellvertretenden Außenministern der NATO-Staaten vorsehe. Es müsse auch genügend Zeit zwischen der Runde in Helsinki und der Eröffnung der Hauptkonferenz bleiben. Im übrigen habe man keine guten Erfahrungen mit den Konferenzeinrichtungen in Helsinki und ziehe daher Wien oder Genf für die Hauptkonferenz vor. Zu MBFR unterstrich Herr Rogers die Notwendigkeit und die Schwierigkeit, sie mit einer KSZE zu koordinieren. Man brauche MBFR schon allein für Mansfield[6]. Im übrigen müsse man aber auch versuchen, dem Grundsatz allgemeiner Abrüstung gerecht zu werden, der in den SALT-Abkommen[7] und im Moskauer Kommuniqué[8] Eingang gefunden habe.

---

[4] Am 15. Juni 1972 begannen die Gespräche des Staatssekretärs Bahr, Bundeskanzleramt, mit dem Staatssekretär beim Ministerrat der DDR, Kohl, über einen Grundlagenvertrag. Vgl. dazu Dok. 170 und Dok. 172.

[5] Am 7. November 1972 fanden in den USA Präsidentschaftswahlen und Wahlen zum Repräsentantenhaus sowie Teilwahlen zum Senat und zu den Gouverneursämtern statt.

[6] Zu den Bestrebungen des Senators Mansfield, eine Reduzierung der in Europa stationierten amerikanischen Truppen zu erreichen, vgl. Dok. 62, Anm. 9.

[7] Am 26. Mai 1972 unterzeichneten der Generalsekretär des ZK der KPdSU, Breschnew, und Präsident Nixon in Moskau einen Vertrag über die Begrenzung der Raketenabwehrsysteme (ABM-Vertrag) und ein Interimsabkommen über Maßnahmen hinsichtlich der Begrenzung strategischer Waffen (SALT) mit Protokoll. Für den Wortlaut vgl. UNTS, Bd. 944, S. 4–26. Für den deutschen Wortlaut vgl. EUROPA-ARCHIV 1972, D 392–398.
Vgl. auch die vereinbarten und einseitigen Interpretationen zu den Verträgen; DEPARTMENT OF STATE BULLETIN, Bd. 67 (1972), S. 11–14. Für den deutschen Wortlaut vgl. EUROPA-ARCHIV 1972, D 398–404.
Zu den Abkommen teilte der amerikanische Außenminister Rogers den Botschaftern der NATO-Mitgliedstaaten in Moskau am 28. Mai 1972 mit: „a) Vertrag über ABM. Da es sich um ein langfri-

Der *Bundeskanzler* wies darauf hin, daß wir dem französischen Gedanken zuneigten, die Hauptkonferenz der KSZE in drei Stufen abzuhalten.⁹ Dieses würde es auch erlauben, einen Teil der Konferenz in Helsinki abzuwickeln. Es würde die Stellung Finnlands gegenüber der Sowjetunion schwächen, sollte man anders verfahren. Er halte es im übrigen für unbedingt erforderlich, über MBFR auf der Sicherheitskonferenz zu sprechen. Er gebe zu, daß MBFR eine sehr schwierige Aufgabe seien, deren Lösung lange Zeit in Anspruch nehmen könne. Es sei aber nötig, einen Versuch zu machen, auch wenn man am Anfang nur ganz geringe Ergebnisse erziele. Helmut Schmidt sei sehr dafür. Er glaube, daß MBFR-Gespräche die Sicherheitslage in Westeuropa nicht schwächen würden, sondern eher zu einer Stabilisierung der Dinge beitragen könnten. Dabei sei es selbstverständlich, daß die eigentliche Arbeit an MBFR in einer kleinen Gruppe geleistet werden müsse.

Außenminister *Rogers* erklärte, seine Seite habe den Sowjets in Moskau die Notwendigkeit dargelegt, auf einer KSZE auch über das Thema MBFR zu reden. Die Sowjets hätten keinen Einwand dagegen erhoben.¹⁰

3) Der letzte Teil des Gespräches drehte sich um allgemeine Eindrücke, die der amerikanische Außenminister in Moskau empfangen hat. Er hob hervor, daß es keinerlei feindselige Äußerungen von sowjetischer Seite gegen irgendeinen

---

Fortsetzung Fußnote von Seite 622

stiges Abkommen handele, das nur im Falle von höchsten nationalen Interessen unter Geltendmachung der entsprechenden Klausel gekündigt werden könne, bedürfe es der Ratifizierung durch den Senat. Es beinhalte ein Einfrieren der ABM, wobei jede Seite berechtigt ist, zwei ABM-Stellungen mit jeweils 100 Raketen zu errichten. [...] b) Abkommen über ICBM und SLBM. Wenn auch die Sowjets zur Zeit eine größere Anzahl von U-Booten konstruierten und demnach am Ende eine größere Anzahl U-Boote verfügbar haben würden als die USA, die gegenwärtig kein entsprechendes Programm hätten, würden die Sowjets ihr Programm nicht im geplanten Umfang verwirklichen können. Der ‚freeze' gelte für fünf Jahre. Danach hätte jede Seite das Recht, das Abkommen aufzukündigen." Vgl. den Drahtbericht Nr. 1407 des Botschafters Sahm, Moskau, vom 29. Mai 1972; VS-Bd. 9830 (I A 5); B 150, Aktenkopien 1972.
Ergänzend informierte Sahm am 1. Juni 1972 über die Bewertung der Abkommen durch den amerikanischen Botschafter in Moskau, Beam: „Politisch von besonderer Bedeutung erscheine, daß es den USA gelungen sei, mit der Ablehnung von ‚compensations' ihren Startvorsprung zu erhalten, der sich vornehmlich in technischer Überlegenheit, einem weltweiten Stützpunktsystem und Verbündeten mit Atomwaffen und Atom-U-Booten ausdrücke. [...] Der Vertrag beseitige diese Ungleichheiten der Startvoraussetzungen nicht, sondern habe sie zur Grundlage." Vgl. den Drahtbericht Nr. 1466; VS-Bd. 9029 (II A 4); B 150, Aktenkopien 1972.
Zu den Abkommen vgl. auch Dok. 176.

8 Im Kommuniqué vom 29. Mai 1972 über den Besuch des Präsidenten Nixon in der UdSSR wurde dazu ausgeführt: „The two Sides gave primary attention to the problem of reducing the danger of nuclear war. They believe that curbing the competition in strategic arms will make a significant and tangible contribution to this cause. [...] Both sides believe that the goal of ensuring stability and security in Europe would be served by a reciprocal reduction of armed forces and armaments, first of all in Central Europe. Any agreement on this question should not diminish the security of any of the Sides." Vgl. DEPARTMENT OF STATE BULLETIN, Bd. 66 (1972), S. 900–902. Für den deutschen Wortlaut vgl. EUROPA-ARCHIV 1972, D 293 und 296.
9 Zum französischen Vorschlag für eine KSZE vgl. Dok. 52, Anm. 5.
10 Am 29. Mai 1972 gab Botschafter Sahm, Moskau, Informationen des amerikanischen Außenministers über die Gespräche mit der sowjetischen Regierung weiter. Rogers habe berichtet: „Zu MBFR und ihrem Verhältnis zur KSZE hätte die amerikanische Seite vorbereitende Gespräche vor, gleichzeitig oder im Verfolg der Helsinki-Gespräche zur Vorbereitung der KSZE befürwortet. Man neige zu einem zeitlichen und sachlichen Parallelismus. Die Sowjets hätten bezweifelt, ob solche Gespräche von Block zu Block weise wären, und vorgeschlagen, die amerikanische Seite sollte mit den Sowjets unmittelbar MBFR vorbereiten. Die amerikanische Seite hätte dies als unakzeptabel bezeichnet und erklärt, daß, welche Gruppe auch immer das Thema diskutiere, sie repräsentativ sein müsse." Vgl. den Drahtbericht Nr. 1407; VS-Bd. 9830 (I A 5); B 150, Aktenkopien 1972.

Staat gegeben habe. China habe in den Gesprächen praktisch keine Rolle gespielt. Hinsichtlich der Nahost-Frage hätten Gromyko und er sich im wesentlichen darauf beschränkt, festzustellen, daß die beiderseitigen Positionen unverändert seien. Über Vietnam hätten der Präsident und Breschnew längere Zeit gesprochen, allerdings ohne Ergebnis.

In den Wirtschaftsfragen werde man nicht weiterkommen, bevor es eine Lösung für das Lend-Lease-Problem[11] gebe. Die vorgesehene Kommission[12] würde etwa einmal im Jahr tagen. Er habe den Eindruck, als ob die Sowjets die Bedeutung des Osthandels für die Nationen des Westens erheblich überschätzten. Kossygin habe – offenbar ernstlich – gemeint, der Handel mit der Sowjetunion könne den Vereinigten Staaten helfen, ihr Arbeitslosenproblem zu lösen.

Bei verschiedenen Gelegenheiten (Wirtschaftsfragen, Olympische Spiele) sei angeklungen, daß die Sowjets in der DDR einen ernsthaften Konkurrenten sehen.

Insgesamt sei der Besuch in Moskau ein guter Anfang gewesen, er stimme mit der Politik der Bundesregierung überein und entspreche den Auffassungen des gesamten Bündnisses. Es müsse sich aber noch herausstellen, ob dieses Treffen auf die Dauer als ein großer oder nur als ein begrenzter Erfolg gesehen werden könne. Ihn persönlich habe ein Besuch auf einem Markt in Moskau beeindruckt, wo er aus Äußerungen der vielen Menschen dort entnehmen konnte, wie sehr sie bisher unter Kriegsfurcht gestanden haben müssen. Anders sei die Bewegung nicht zu erklären, mit der diese Menschen von ihrem Wunsch nach Frieden gesprochen hätten. Es sei dabei eine Aufrichtigkeit und Tiefe des Gefühls sichtbar geworden, die man im Westen in dieser Form nicht finden würde.

Referat 212, Bd. 109300

---

[11] Mit dem Lend-Lease-Act vom 11. März 1941 unterstützten die USA am Krieg gegen das Deutsche Reich beteiligte Staaten, aufgrund von Abkommen vom 11. Juni 1942 und vom 15. Oktober 1945 auch die UdSSR, indem sie kriegswichtige Güter ohne Bezahlung auf der Grundlage von Gegenlieferungen bereitstellte. Verhandlungen zwischen den USA und der UdSSR zwischen 1951 und 1960 über die offenen sowjetischen Schuldverpflichtungen endeten ergebnislos.
Am 1. Juni 1972 berichtete Botschafter Sahm, Moskau, der amerikanische Botschafter in Moskau, Beam, habe dazu mitgeteilt: „Es sei nicht gelungen, den Lend-Lease-Komplex zu bereinigen, der für die USA Voraussetzung sowohl für die Meistbegünstigung als auch für die Kreditgewährung sei. Man hätte sich zwar bei der Erörterung des Gesamtbetrages der sowjetischen Lend-Lease-Verpflichtungen sehr angenähert, jedoch keine Fortschritte in der Frage der Zinsen und Rückzahlungstermine gemacht. Sowjets hätte zwei Proz[ent] Zinsen mit 20 Jahren Rückzahlung als ideale Lösung angegeben." Vgl. den Drahtbericht Nr. 1466; VS-Bd. 9029 (II A 4); B 150, Aktenkopien 1972.
Am 18. Oktober 1972 unterzeichneten der sowjetische Außenhandelsminister Patolitschew und der amerikanische Außenminister Rogers ein Abkommen über die Regelung der sowjetischen Verpflichtungen aus den Lend-Lease-Abkommen. Es sah die Zahlung von mindestens 722 Millionen Dollar an die USA bis zum 1. Juli 2001 vor, beginnend mit einer Sofortzahlung von 12 Millionen Dollar. Vgl. dazu die Mitteilung der amerikanischen Regierung vom 18. Oktober 1972; DEPARTMENT OF STATE BULLETIN, Bd. 67 (1972), S. 592–595. Für den deutschen Wortlaut vgl. EUROPA-ARCHIV 1972, D 563–568.
Für den Wortlaut des Abkommens vgl. DEPARTMENT OF STATE BULLETIN, Bd. 67 (1972), S. 603 f.

[12] Im Abschnitt „Bilateral Relations" des Kommuniqués vom 29. Mai 1972 über den Besuch des Präsidenten Nixon in der UdSSR wurde die Einsetzung einer gemeinsamen amerikanisch-sowjetischen Handelskommission bekanntgemacht. Sie sollte im Sommer 1972 ihre erste Sitzung in Moskau abhalten. Vgl. DEPARTMENT OF STATE BULLETIN, Bd. 66 (1972), S. 900. Für den deutschen Wortlaut vgl. EUROPA-ARCHIV 1972, D 293 f.

150

Aufzeichnung des Ministerialdirektors von Staden

I A 1-80.05/07-1803/72 VS-vertraulich 30. Mai 1972

Herrn Staatssekretär[1] zur Unterrichtung
Vorschlag: Vorlage beim Herrn Minister[2]
Betr.: Politische Zusammenarbeit;
hier: Sekretariat

Zu vorstehendem Thema halte ich zwei Beobachtungen fest:

1) Auf eine Frage von mir sagte mir Herr Deniau in Luxemburg, daß die französische Regierung auf dem Standpunkt stünde, entweder käme das Sekretariat nach Paris, oder es werde überhaupt kein Sekretariat geben.[3] Er selbst habe Staatspräsident Pompidou kürzlich darauf aufmerksam gemacht, daß Paris allenfalls durchsetzbar sei, wenn das Elysée bereit wäre, dafür den Preis eines „lien organique" mit der Gemeinschaft zu bezahlen. Werde der französische Wunsch, das Sekretariat nach Paris zu bringen, dagegen mit der Absicht begründet, die politische Zusammenarbeit von der Wirtschaftsintegration zu trennen, dann sei mit einem Nachgeben der Partner Frankreichs nicht zu rechnen.

Ich halte es für möglich, daß die Auffassung von Herrn Mansholt, wonach er einem Sekretariat in Paris mit „lien organique" den Vorzug vor einem Sekretariat in Brüssel ohne „lien organique" gebe[4] und die er im Kreise seiner Mitarbeiter in Luxemburg bestätigt habe, zutrifft. Auf diesen Gedankengang von Herrn Deniau in der Umgebung von Herrn Mansholt wird dessen Beurteilung damit begründet, daß es auch zwischen EG und NATO keinerlei Kontakte gebe, obwohl beide in Brüssel ansässig seien.

Beim tour de table in Luxemburg[5] hat es sich gezeigt, daß Brüssel als Sitz des Sekretariats nur von Großbritannien, der Bundesrepublik Deutschland, den

---

[1] Hat Staatssekretär Frank am 2. Juni 1972 vorgelegen.
[2] Hat Bundesminister Scheel am 2. Juni 1972 vorgelegen.
[3] Am 29. Mai 1972 notierte Vortragender Legationsrat I. Klasse Hansen, daß ihm der Referatsleiter im französischen Außenministerium, Robin, gesagt habe, „Frankreich werde die Lokalisierung in Brüssel ‚niemals akzeptieren'. Er machte – zusätzlich zu den bekannten EG-Argumenten (‚sous tutelle de la Commission') – geltend, Brüssel sei ja Sitz der NATO. Wie könne man es z. B. den Russen (!) gegenüber rechtfertigen, dort das Sekretariat anzusiedeln?" Vgl. Referat 200, Bd. 108868.
[4] Am 12. Mai 1972 führte der Präsident der EG-Kommission, Mansholt, im Gespräch mit Bundeskanzler Brandt aus, „für die Kommission sei eine organische Verbindung zwischen Rat, Kommission sowie Europäischem Parlament einerseits und den Gremien der außenpolitischen Zusammenarbeit andererseits von ausschlaggebender Bedeutung. Die Kommission unterstütze die Ansiedlung des Politischen Sekretariats in Brüssel, messe dieser Verbindung jedoch einen höheren Stellenwert bei. [...] Auf die Frage des Bundeskanzlers, ob die Kommission Paris als Sitz des Politischen Sekretariats bei voller Beteiligung der Kommission den Vorzug vor Brüssel ohne eine derartige Beteiligung gebe, antwortete Mansholt, daß er bei einer derartigen Alternative für Paris sei." Vgl. die Gesprächsaufzeichnung; Ministerbüro, Bd. 527.
[5] Zur Diskussion über den Sitz des Sekretariats für die Europäische Politische Zusammenarbeit auf der Außenministerkonferenz der EG-Mitgliedstaaten und -Beitrittsstaaten zur Vorbereitung einer europäischen Gipfelkonferenz am 26./27. Mai 1972 in Luxemburg vgl. Dok. 148.

Niederlanden und Belgien eindeutig unterstützt wird. Dänemark hat sich deutlich und Norwegen weniger deutlich (a place with easy excess[6] for all of us) für Paris ausgesprochen. Italien hat geschwiegen und Luxemburg seine Bereitschaft erklärt, über jeden Ort zu sprechen. Irland hat sich nicht geäußert, soll aber gewisse Vorbehalte gegen Brüssel haben, weil Brüssel Sitz der NATO ist.

Bei dieser Sachlage ist es zweifelhaft, ob Brüssel durchsetzbar sein wird, wenn die Kommission ihrerseits zu einem Kompromiß im Sinne der Mansholtschen Vorstellungen neigt.

Wir werden dann zu entscheiden haben, ob wir uns einem solchen Kompromiß anschließen können.

2) Herr Frisch, der mich am 29.5.1972 aufsuchte, erzählte mir, er sei von einem hohen Beamten des Quai d'Orsay und einem außenpolitischen Mitarbeiter des Ministerpräsidenten (er nannte beide Namen) darauf angesprochen worden, daß die französische Regierung bereit wäre, beim politischen Sekretariat beträchtlich über die „Telephonzentrale" hinauszugehen, wenn die Partner Frankreichs einen solchen Wunsch äußern sollten und bereit wären, Paris als Sitz des Sekretariats zu akzeptieren.[7]

Ich halte diesen Hinweis für interessant. Herrn Frisch habe ich allerdings geantwortet, daß hier, was uns anbeträfe, vielleicht ein gewisses Mißverständnis vorläge. Der Bundesaußenminister habe niemals eine ambitiöse Konstruktion vorgeschlagen, sondern einen ganz bescheidenen und praktischen ersten Schritt. Wir hielten das System der unmittelbaren Zusammenarbeit der Außenministerien für nützlich und wirkungsvoll und glaubten lediglich, daß eine bescheidene Infrastruktur diese Art der Arbeit technisch erleichtern könnte. Unter reinen Arbeitsgesichtspunkten – und ich äußerte mich insoweit lediglich als Praktiker – könnte man notfalls noch eine Weile mit der jetzigen Methode weitermachen.

Staden

VS-Bd. 9777 (I A 1)

---

[6] Dieses Wort wurde von Staatssekretär Frank hervorgehoben. Dazu zwei Ausrufezeichen.

[7] Am 12. Juni 1972 vermerkte Ministerialdirektor von Staden dazu: „Bei der Sitzfrage geht es uns nicht um Prestige-Erwägungen von zweitrangiger Bedeutung. Die Lokalisierung in Brüssel ist vielmehr die unerläßliche Voraussetzung für die – sachlich erforderliche (z. B. KSZE, Mittelmeer) – Heranführung der PZ an die Gemeinschaft. Nur wenn das Sekretariat an deren Sitz errichtet wird, sind die Weichen für die allgemeine Annäherung und spätere Verschmelzung des politischen und des wirtschaftlichen Strangs der europäischen Einigung richtig gestellt. Andernfalls droht eine permanente Separierung der beiden Prozesse mit der Folge, daß entweder die PZ ein ‚totgeborenes Kind' bleibt oder daß die politische Substanz der Gemeinschaft langsam aus den Brüsseler Institutionen herausgezogen und am neuen Kristallisationspunkt in Paris konzentriert wird. Dieser Gefahr ist auch nicht dadurch zu begegnen, daß von Frankreich als Gegenleistung für Paris ein sogenanntes ‚lien organique' zur Gemeinschaft gefordert wird." Vgl. Referat 200, Bd. 108868.

151

Aufzeichnung des Ministerialdirektors Oncken

Pl-80.01/1-177/72 VS-vertraulich 30. Mai 1972

Herrn Staatssekretär[1]

Betr.: Grundsatzvertrag mit der DDR;
hier: zur Frage unserer Verhandlungstaktik

Bezug: Direktorenbesprechung am 24. Mai 1972

Zweck: Kenntnisnahme

I. Vorbemerkung

Auf der o. a. Besprechung wurde die Frage aufgeworfen, wie sich unsere Chance, mit der DDR einen Grundsatzvertrag zu schließen, im Lichte der Abstimmungsniederlage der DDR in der WHO[2] darstelle (Junktim „internationale Aufwertung der DDR/innerdeutsche Konzessionen der DDR").

II. Zur Interessenlage der DDR und der SU

Der Planungsstab regt an, bei der Prüfung dieser Frage auch folgende Gesichtspunkte zu berücksichtigen:

1) Wir sind interessiert, der DDR nachzuweisen, daß wir ihren Aufwertungsprozeß verlangsamen können. Dem berechtigten Gegeneinwand, Verlangsamung bedeute keine Verhinderung, wäre entgegenzuhalten, daß der entscheidende Atout auch bei allmählichem Vordringen der DDR in die internationalen Organisationen in westalliierter (d. h. auch unserer) Hand verbleibt: die Entscheidung über ihre Aufnahme in die VN.

2) Zur Bewertung dieser VN-Mitgliedschaft wäre zu bemerken:

– Für die DDR ist die VN-Mitgliedschaft, die ihr auf höchster internationaler Ebene die Möglichkeit einer offensiven Kompetition mit uns in kontroversen Fragen (vor allem Dritte-Welt-Fragen) eröffnet, die Krönung einer auf internationale Anerkennung abzielenden Politik.

– Demgegenüber können wir – wie z. B. die Schweiz – aus verschiedenen Gründen gut ohne VN-Mitgliedschaft leben: unsere internationale völkerrechtliche Existenz ist unbestritten. Wir haben von Hause aus kein Interesse daran, in den VN zu uns belastenden Stellungnahmen (Naher Osten, Südafrika usw.) veranlaßt zu werden. Im Falle der gleichzeitigen Aufnahme der Bundesrepublik und der DDR in die VN verlieren wir einen wichtigen Hebel gegenüber der DDR.

Entsprechend wäre die Hinnahme einer VN-Mitgliedschaft Ostberlins eine Leistung der Bundesrepublik, die entsprechend zu honorieren wäre.

---

[1] Hat Staatssekretär Frank am 20. Juni 1972 vorgelegen.
[2] Zur Abstimmung in der WHO-Versammlung am 19. Mai 1972 über den Aufnahmeantrag der DDR vgl. Dok. 144, Anm. 5.

3) Das gelegentlich vorgetragene Argument, die DDR könne bei einer Fortführung unserer Junktimspolitik das Interesse an einer VN-Mitgliedschaft verlieren[3], halte ich daher nicht für stichhaltig. Wenn es heute das zentrale Ziel der DDR-Taktik ist, den Durchbruch zur völkerrechtlichen Anerkennung (und damit zu einer formalisierten Abgrenzung von uns) zu erreichen, dann dürfte die Annahme nicht zutreffen, daß die DDR nur aus Gründen ihrer Verärgerung über den Genfer Mißerfolg auf den Abschluß eines Grundsatzvertrages und damit auf ihre VN-Mitgliedschaft verzichten könnte.

4) Wenn die DDR also in der Frage des Grundsatzvertrages Schwierigkeiten macht, dann aus Gründen, die sich weniger auf unsere Taktik in der Aufwertungsfrage beziehen. Gründe dieser Art könnten sich für die DDR aus einer Abwägung ihrer Vorteile in der Frage der VN-Mitgliedschaft und möglicher Nachteile bei Vorliegen eines Grundsatzvertrages mit der Bundesrepublik (z. B. bei daraus resultierenden Risiken für die Sicherheit des SED-Regimes) ergeben. Eine aus diesem Grund gegen den Grundsatzvertrag getroffene Entscheidung dürfte freilich mit dem Ergebnis von Genf (oder ähnlichen Ergebnissen der Zukunft) nichts zu tun haben. Sie wäre erfolgt oder würde erfolgen unabhängig davon, ob das Genfer Ergebnis weniger negativ ausgefallen wäre.

5) Offen bleibt zunächst, inwieweit die Haltung Ostberlins in der Frage des Grundsatzvertrages durch Moskau mitbestimmt wird. Gewiß war das begrenzte Entgegenkommen der DDR in den vergangenen Monaten u. a. auch auf das Konto des sowjetischen Interesses zu setzen, uns durch Konzessionen die Ratifizierung der Ostverträge zu erleichtern. Dieses Stimulans für eine Einwirkung auf die DDR fällt für die Sowjetunion nach erfolgter Vertragsratifizierung fort. Aber auch unabhängig hiervon wäre in der Frage des Grundsatzvertrages ein von der Linie der DDR abweichender Kurs Moskaus kaum anzunehmen, da die Interessen der Sowjetunion und der DDR in diesem Punkt fast vollständig identisch sind. Die DDR ist an der Lebensfähigkeit des SED-Regimes interessiert, die Sowjetunion an dem Fortbestehen ihres Glacis in Deutschland, das wiederum die Lebensfähigkeit des SED-Regimes voraussetzt. Glaubt die Sowjetunion, daß diese Sicherheit gefährdet werden könnte, dann kann sie mit der DDR in der Frage einer Ablehnung des Grundsatzvertrages nur konform gehen – und umgekehrt.

6) Trifft diese Annahme zu, dann wäre dem Abstimmungsergebnis von Genf auch in bezug auf das deutsch-sowjetische Verhältnis keine ausschlaggebende Bedeutung einzuräumen. Man mag einwenden, daß die Sowjets nach ihrer entgegenkommenden Taktik der letzten Wochen von uns Leistungen erwarten, daß also der Genfer Mißerfolg der DDR bei ihnen psychologisch in für uns nachteiliger Weise nachwirkt. Ich möchte dem folgendes entgegenhalten: Gelangen die Sowjets zu dem Ergebnis, daß der temporäre Rückschlag von Genf langfristig durch einen bleibenden Gewinn, eben die VN-Mitgliedschaft der DDR, aufgewogen werden kann, dann dürften sie dem Grundsatzvertrag kaum Hindernisse in den Weg legen – und dies um so weniger, als ihnen bekannt ist, daß sein Abschluß auch den Weg zur KSZE ebnet.

---

[3] Vgl. dazu die Äußerungen des Referatsleiters im amerikanischen Außenministerium, Sutterlin, in der deutsch-amerikanischen Regierungsbesprechung am 14. März 1972; Dok. 54.

7) Die Chancen für Verhandlungen über den Grundsatzvertrag hängen also von der Moskauer und der Ostberliner Einschätzung einer VN-Mitgliedschaft der DDR und von einer Einschätzung möglicher negativer Folgen eines Grundsatzvertrages ab und nicht von unserem Entgegenkommen in der Frage der DDR-Aufwertung.

8) Entsprechend sollte das o. a. Junktim aufrechterhalten bleiben.

III. Zur Frage unserer Taktik

1) Hieraus ergeben sich nachstehende Folgerungen:

a) Wir sollten unsere Leistungen, die Hinnahme einer VN-Mitgliedschaft der DDR, „aufwerten", d.h. nicht zu oft erklären, wir würden uns mit dieser VN-Mitgliedschaft abfinden. Wirksamer könnten in diesem Zusammenhang gelegentliche Andeutungen sein, daß uns diese VN-Mitgliedschaft der DDR nicht angenehm sei. Je mehr wir dies hervorheben, desto größer dürfte der Anreiz für die DDR-Führung sein, diese uns unbequeme Konzession unter allen Umständen herbeizuführen und dafür gegebenenfalls Leistungen zu erbringen.[4]

b) In gleicher Weise sollten wir entschlossen an unserer Linie in der Junktim-Frage festhalten. In den einzelnen Phasen der Ostverhandlungen hat sich 1970 gezeigt, daß sich konsequentes Festhalten an einer Linie immer wieder bezahlt machte und daß entgegenstehende Äußerungen einzelner Publizisten oder Politiker – z. B. in der Frage des Berlin-Junktims – unsere Verhandlungssituation nur erschweren.

2) Im übrigen würde eine Modifizierung unserer Haltung in der Junktim-Frage und ein dann eventuell zustande kommender, nicht voll befriedigender Grundsatzvertrag bei den derzeitigen Mehrheitsverhältnissen im Parlament[5] unvermeidlich schwierige innenpolitische Diskussionen nach sich ziehen, wobei auch an die Frage der Zustimmungsbedürftigkeit des Grundsatzvertrages zu denken wäre. (Ziffer 2 der Kasseler 20 Punkte besagt: „Der Vertrag soll in den verfassungsgemäß vorgesehenen Formen den gesetzgebenden Körperschaften beider Seiten zur Zustimmung vorgelegt werden."[6])

3) Diese Überlegungen schließen nicht aus, daß bei Feststellung eines Entgegenkommens der DDR eine gewisse Lockerung unserer Haltung in der Aufwertungsfrage unauffällig praktiziert wird – Voraussetzung ist freilich, daß dieses Entgegenkommen der DDR substantielle, d.h. bei uns auch innenpolitisch ins Gewicht fallende Vorteile im Sinne der 20 Punkte von Kassel mit sich bringt.[7]

4) Führen unsere Bemühungen in der Frage des Grundsatzvertrages heute nicht zum Ziel, dann wäre davon auszugehen, daß die Sowjetunion und die DDR wegen der Verhältnisse in der DDR nicht an einen befriedigenden Grundsatzvertrag gedacht haben. Es dürfte dann freilich auch nicht notwendig sein, das

---

[4] Der Passus „uns diese VN-Mitgliedschaft ... Leistungen zu erbringen" wurde von Staatssekretär Frank durch Fragezeichen hervorgehoben.

[5] Zu den Mehrheitsverhältnissen im Bundestag vgl. Dok. 114, Anm. 9, und Dok. 117, Anm. 8.

[6] Für Punkt 2 der „Grundsätze und Vertragselemente für die Regelung gleichberechtigter Beziehungen zwischen der Bundesrepublik und der DDR" („20 Punkte von Kassel"), die Bundeskanzler Brandt am 21. Mai 1970 anläßlich des Treffens mit dem Vorsitzenden des Ministerrats, Stoph, in Kassel übergab, vgl. BULLETIN 1970, S. 670.

[7] Dieser Absatz wurde von Staatssekretär Frank hervorgehoben. Dazu vermerkte er handschriftlich: „r[ichtig]".

„Junktim" für das Nichtzustandekommen einer Vereinbarung verantwortlich zu machen. Die Gründe hierfür würden vielmehr – ich wiederhole – in dem substantiellen Interesse der Sowjetunion an der Sicherung ihres Glacis liegen, Gründe, die von uns auch nicht durch ein materielles Entgegenkommen aus der Welt geschafft werden können, dem unter anderem durch die Bundestagsentschließung vom 10. Mai 1972[8] bestimmte Grenzen gesetzt sind. Sollte es zu dieser an sich bedauerlichen Entwicklung kommen, hätten wir noch immer den (freilich vergleichsweise kleineren) Vorteil in der Hand, die VN-Mitgliedschaft der DDR nach wie vor verhindert zu sehen.

Oncken

VS-Bd. 11576 (Planungsstab)

152

Vortragender Legationsrat I. Klasse Munz an die Botschaft in Athen

I A 4-82.00-94.08-1806/72 VS-vertraulich   Aufgabe: 30. Mai 1972, 17.15 Uhr[1]
Fernschreiben Nr. 131

Betr.: Deutsch-griechisches Gespräch am Rande der NATO-Konferenz[2]

Am Rande der NATO-Ministerkonferenz fand am 29. Mai bilaterales Gespräch zwischen Bundesminister des Auswärtigen und stellvertretendem griechischen Außenminister Palamas statt, das in freundschaftlicher und entspannter Atmosphäre wie folgt verlief:

1) Palamas übermittelte einleitend Grüße des griechischen Regierungschefs[3].

2) Bundesminister dankte und bekundete unser Interesse an guten und noch engeren deutsch-griechischen Beziehungen. Er begrüßte Gelegenheit eines Gedankenaustausches über derzeitigen Stand der Beziehungen und schlug vor, mit den schwierigen Problemen zu beginnen.

3) Bundesregierung habe dem Ersuchen griechischer Regierung nach Abberufung von Botschafter Limbourg mit Bedauern entsprochen[4], weil gerade er sich stets für Verbesserung beiderseitiger Beziehungen eingesetzt habe. Im übrigen sei Bundesregierung auch der Auffassung, daß Botschafter Limbourg stets kor-

---

[8] Für die am 10. Mai 1972 eingebrachte und am 17. Mai 1972 verabschiedete Entschließung des Bundestags vgl. den wortgleichen Entwurf vom 9. Mai 1972; Dok. 125.

[1] Hat Vortragendem Legationsrat I. Klasse Mühlen und Legationsrat von Nordenskjoeld am 30. Mai 1972 zur Mitzeichnung vorgelegen.
Hat Ministerialdirigent Simon am 30. Mai 1972 vorgelegen.
[2] Zur NATO-Ministerratstagung am 30./31. Mai 1972 vgl. Dok. 159.
[3] Georgios Papadopoulos.
[4] Zur Abberufung des Botschafters Limbourg aus Athen vgl. Dok. 102, Anm. 18.

rekt gehandelt habe. Sie habe es begrüßt, daß griechisches Außenministerium selbst die öffentliche Diskussion dieser Angelegenheit als beendet erklärt habe. Leider sei zu befürchten, daß durch die Klage, die jetzt gegen Prof. Mangakis und Prof. Tsatsos erhoben worden sei[5], die Angelegenheit erneut von der Öffentlichkeit aufgegriffen werde. Dies sollte im beiderseitigen Interesse vermieden werden.

Palamas erwiderte, die griechische Regierung habe Botschafter Limbourg persönlich stets geschätzt und gewürdigt. Möglicherweise sei er zum Zeitpunkt des bekannten Zwischenfalls nicht genau informiert gewesen; sein Vorgehen dabei habe wohl nicht ganz den üblichen diplomatischen Gepflogenheiten entsprochen.

Was die Angelegenheit Tsatsos betrifft, so werde er den griechischen Ministerpräsidenten telegraphisch bitten, den Fall nach Möglichkeit „herunterzuspielen". Auch er teile die Auffassung, daß die Angelegenheit Mangakis endgültig beendet werden müsse.

4) Positiv wurde beiderseits die Entwicklung der wirtschaftlichen Beziehungen gewertet. Palamas wies jedoch auf Fortdauer unausgeglichener Bilanz deutsch-griechischer Handelsbeziehungen hin. Bundesminister erwähnte, daß sich deutsche Industrielle gelegentlich enttäuscht über Benachteiligung bei Vergabe griechischer Regierungsaufträge äußerten. Es sei wohl schwer, mit politisch motivierten Preisangeboten, wie z. B. beim Kraftwerk-Projekt Ptolemais[6], zu

---

5 Am 16. Mai 1972 berichtete Gesandter von Schubert, Athen, daß Pressemitteilungen zufolge „die von den Behörden angeordnete gerichtliche Untersuchung in der Angelegenheit der Abreise von Prof. Mangakis ihrem Abschluß" entgegengehe. Auch der an der Universität Bonn tätige Professor Tsatsos sei vorgeladen, habe jedoch wegen Lehrverpflichtungen um Fristaufschub gebeten: „Im übrigen habe er lediglich Prof. Mangakis in seinem Haftverschonungsverfahren vertreten. Die Abreise von Prof. Mangakis sei nicht seine Sache gewesen." Vgl. den Drahtbericht Nr. 240; Referat I A 4, Bd. 435.
Am 23. Mai 1972 teilte Schubert mit, daß der Generalstaatsanwalt am 20. Mai 1972 Strafverfolgung gegen das Ehepaar Mangakis sowie Tsatsos angeordnet habe wegen der Verletzung der Ausreisevorschriften durch Ausreise ohne Sichtvermerk bzw. „heimliche Beförderung von Personen ins Ausland". Vgl. den Drahtbericht Nr. 259; Referat I A 4, Bd. 435.
Tsatsos ließ Ministerialdirigent von Keller am 20. Juni 1972 wissen, „er sei fest entschlossen, zu dem Termin nach Athen zu reisen, er wolle sich verteidigen, da er unschuldig sei, im übrigen riskiere er, falls er nicht vor dem Gericht erscheine, den Entzug der Staatsangehörigkeit; dieses wolle er unter allen Umständen vermeiden." Vgl. die Aufzeichnung von Keller vom 30. Juni 1972; VS-Bd. 8276 (V 4); B 150, Aktenkopien 1972.
Zum Verfahren gegen Tsatsos vgl. auch den Artikel „An Stelle Bonns auf der Anklagebank?"; FRANKFURTER ALLGEMEINE ZEITUNG vom 26. Mai 1972, S. 4.

6 Am 7. Oktober 1971 berichtete Botschafter Limbourg, Athen, daß sich ein Konsortium mit den Firmen Krupp, Siemens und Salzgitter bemühe, den Auftrag zur Lieferung von Abraummaterial im Wert von ca. 500 Mio. DM zum Ausbau des Braunkohlefeldes in Ptolemais zu erhalten und damit die langjährige erfolgreiche Tätigkeit in diesem Bereich fortzusetzen. Limbourg wies auf die Gefahr hin, daß die DDR die Lieferungen übernehmen könnte: „Sie verfügt nicht nur über einschlägige Erfahrungen im Übertage-Abbau von Braunkohle, sondern bietet auch erheblich preisgünstiger an […]. Besonders schwer wiegt die Größe des Projekts. Mit einer Investition von 500 Mio. DM wird das Vorhaben eines der bedeutendsten der jüngsten Wirtschaftsgeschichte Griechenlands sein. Die Vergabe eines solchen Auftrags muß als ein besonderer Vertrauensbeweis verstanden werden. Sollte es der DDR gelingen, diese Referenz etwa für sich zu buchen, so ist zu befürchten, daß wir künftig nicht nur in Griechenland mit ihrer verstärkten Präsenz zu rechnen haben, sondern daß sie darüber hinaus gerade unter Hinweis auf Ptolemais auch in der übrigen Welt zu einem gefährlichen Konkurrenten für unsere Industrie wird." Vgl. den Schriftbericht Nr. 928; Referat III A 5, Bd. 850.

konkurrieren, wo DDR-Firmen den Zuschlag bekamen. Billigstes Angebot brauche, besonders langfristig, nicht bestes zu sein.

Palamas versicherte, Griechenland sei an deutschen Investitionen interessiert. Amerikaner und Franzosen bemühten sich besonders um griechischen Markt. Griechenland sei kein schlechter Platz für Investitionen; es biete Sicherheit und Stabilität. Die Regierung könne nicht intervenieren, sondern allenfalls behilflich sein.

5) Palamas äußerte Wunsch, Bundesregierung möge Griechenland in Fragen des Verhältnisses zum Gemeinsamen Markt[7] behilflich sein. Dies gelte insbesondere hinsichtlich des für Griechenland wichtigen Problems der Importe von Weinen, über die zurzeit mit der Kommission diskutiert werde.[8] Bundesminister sagte wohlwollende Prüfung dieser Frage zu und versicherte, daß wir alles täten, um auch die grundsätzlichen Beziehungen Griechenlands zur EG zu verbessern. Die kürzliche Reaktion der Kommission auf die Maßnahmen der griechischen Regierung gegen den früheren griechischen Verhandlungsführer mit der Kommission, Pesmazoglou, sei wohl unausweichlich gewesen.[9] Palamas ent-

---

[7] Am 12. Mai 1972 notierte Referat III E 1 dazu: „Griechenland ist der erste europäische Staat, der sich mit der EWG assoziierte. Abkommen von Athen trat 1962 in Kraft; Ziel Zollunion in 22 Jahren, ferner Harmonisierung der Politik in allen von EWG-Vertrag erfaßten Bereichen. Entwicklungshilfe (Finanzprotokoll für fünf Jahre) 125 Mio. R[echnungs]E[inheiten]. Seit Staatsstreich 1967 durch Beschluß Ministerrats nur noch laufende Administration der Assoziierung, d. h. Fortführung der Zollunion. Harmonisierungsmaßnahmen und Finanzhilfe wurden blockiert." Verhandlungen über eine Ausweitung der Assoziierung auf die Beitrittsstaaten hätten begonnen. Insgesamt sei die EG-Kommission „scharf gegen zu großes Entgegenkommen an griechisches Militärregime. [...] Im Rat sind Niederlande und Belgien gegen eine Verbesserung der Beziehungen, in Zukunft wird ihre Position durch Dänemark und Norwegen noch verstärkt. Frankreich ist griechischen Anliegen gegenüber stets aufgeschlossen, soweit nicht seine Agrarinteressen betroffen sind." Vgl. Referat I A 4, Bd. 435.

[8] In den Verhandlungen zwischen der EG-Kommission und Griechenland wurde am 17./18. Januar 1972 im wesentlichen Einigung erzielt. Offen blieb nur die Übernahme des Referenzpreissystems der Europäischen Gemeinschaften für Weine. Der griechische Delegationsleiter Roussos führte dazu aus, es sei „unbedingt erforderlich, daß Griechenland im Verhältnis zu den übrigen Drittländern einen Handelsvorteil erhalte, da Griechenland auch bisher eine wesentlich günstigere Behandlung als diese Länder genieße und zur Zeit nicht unter dem Referenzpreis nach Deutschland und den Beneluxländern liefern könne." Vgl. den Drahtbericht Nr. 198 des Botschafters Sachs, Brüssel (EG), vom 20. Januar 1972; Referat III E 1, Bd. 1917.
Am 19. Mai 1972 teilte Gesandter von Schubert, Athen, mit, die griechische Regierung habe in einem Aide-mémoire an die EG-Kommission ihren Standpunkt „wie folgt präzisiert: 1) Preis für gewöhnliche Trinkweine soll mit Marktpreis der Weinmarktordnung abgestimmt werden. Zollfreiheit soll weiterbestehen. 2) Verschneiden von Weinen soll zugelassen sein. 3) Für Brennweine soll gegenwärtige Einfuhrregelung beibehalten bleiben. 4) Mengenmäßige Beschränkungen könnten vorgesehen werden, sollen aber progressiv aufgestockt werden." Vgl. den Drahtbericht Nr. 250; Referat III E 1, Bd. 1917.

[9] Gesandter von Schubert, Athen, berichtete am 10. Mai 1972, daß der Präsident der „Gesellschaft zum Studium griechischer Probleme" und ehemalige Vizegouverneur der Bank von Griechenland, Pesmazoglou, verhaftet „und für ein Jahr unter Zwangsaufenthalt in der Provinz gestellt" worden sei. Pesmazoglou sei „noch vor kurzem auf einer Pressekonferenz als heftiger Kritiker der wirtschaftlichen Lage des Landes hervorgetreten" und verfüge über enge Kontakte zu den westlichen diplomatischen Vertretungen. Vgl. den Drahtbericht Nr. 231; Referat I A 4, Bd. 437.
Am 15. Mai 1972 teilte Schubert mit, daß der Präsident der EG-Kommission, Mansholt, der griechischen Regierung mit Verbalnote übermittelt habe: „Der Exekutivausschuß der Europäischen Gemeinschaft hat mit Empörung von den neuen Verhaftungen in Griechenland Kenntnis genommen, die besonders Personen treffen, welche stets für den europäischen Gedanken und die Verwirklichung der Assoziierung Griechenlands und der EWG gekämpft haben. Trotz ihrer Versprechen ist die griechische Regierung noch sehr weit davon entfernt, die Grundbedingungen des Assoziierungsvertrages, nämlich die Wiederherstellung der Demokratie, zu erfüllen. Der Exekutivausschuß

gegnete, Mansholts Reaktion als dessen Freund sei verständlich, als Präsident der Kommission jedoch unzulässig gewesen. Bundesminister gab Befürchtung Ausdruck, daß bis zur Normalisierung der Beziehungen Griechenlands zur Gemeinschaft wohl noch einige Zeit vergehen werde.

6) Die kulturellen Beziehungen zwischen beiden Ländern wurden übereinstimmend als gut bezeichnet. Einzelheiten wurde nicht angesprochen.

7) Palamas schnitt sodann Frage der NATO-Verteidigungshilfe an.[10] Bundesminister schilderte sein persönliches Engagement vor den zuständigen parlamentarischen Gremien. Die griechische Forderung nach Abberufung von Botschafter Limbourg sei sicher nicht förderlich gewesen. Man müsse nun etwas abwarten, um einen neuen Zugang zu finden. Trotz des Rückschlags sei er nicht pessimistisch. Im übrigen sei das Material weitgehend geliefert; es komme nunmehr hauptsächlich auf die Art der Verrechnung an. Selbst wenn die griechische Regierung bezahlen müsse, so werde es sich eher um symbolischen Preis weit unter dem eigentlichen Wert handeln.[11]

8) Palamas dankte für Einsatz des Bundesministers und des Bundeskanzlers in dieser Frage. Die Verteidigung des Westens sei heute mehr denn je gemeinsame Sache.

Hieran schloß sich kurzer Gedankenaustausch über die Nixon-Reise nach Moskau[12] und die Aussichten für eine KSZE an; insbesondere interessierte sich Palamas für deutsche Auffassung über Zusammenhang zwischen KSZE und MBFR.

9) Palamas erneuerte abschließend Einladung des Bundesministers nach Athen.[13] Bundesminister erwiderte, er werde ihr bestimmt Folge leisten. Zunächst aber sollte Staatssekretär Frank im Herbst d.J. nach Athen reisen[14] und damit auch den Besuch des Ministers[15] vorbereiten.

Fortsetzung Fußnote von Seite 632
der Europäischen Gemeinschaft urteilt daher, daß die gegenwärtige Situation die Berechtigung der Haltung der Gemeinschaft gegenüber dem Assoziierungsvertrag, der sich streng auf die gegenwärtige Handhabung beschränkt, bestätigt." Vgl. den Schriftbericht Nr. 483; Referat I A 4, Bd. 437.

10 Zur Frage einer Wiederaufnahme der Ausrüstungshilfe an Griechenland im Rahmen der NATO-Verteidigungshilfe vgl. Dok. 48.

11 Am 2. Juni 1972 übermittelte das Presse- und Informationsamt eine Meldung der Nachrichtenagentur „dpa", daß griechischen Pressemitteilungen zufolge die Verteidigungshilfe der Bundesrepublik an Griechenland wieder aufgenommen werden solle, „sobald der Haushalt vom Bundestag verabschiedet worden" sei: „Nach diesen Berichten soll sich die Bundesregierung gegenüber der NATO zur Wiederaufnahme der nach dem Militärputsch in Griechenland 1967 eingestellten Hilfe verpflichtet haben." Dazu notierte Bundesminister Scheel handschriftlich: „Palamas hat der Sache durch die öffentliche Behandlung keinen Dienst erwiesen." Vgl. das Pressefernschreiben Nr. 6296; VS-Bd. 10104 (Ministerbüro); B 150, Aktenkopien 1972.

12 Präsident Nixon besuchte die UdSSR vom 22. bis 30. Mai 1972. Vgl. dazu Dok. 149 und Dok. 161.

13 Bundesminister Scheel antwortete am 2. Oktober 1971 auf eine „entsprechende Frage" des Staatssekretärs im griechischen Außenministerium, Xanthopoulos-Palamas, „daß er gern zu einem Besuch nach Athen kommen werde. Man könne Besuch für nächstes Jahr ins Auge fassen". Vgl. den Schriftbericht des Vortragenden Legationsrats I. Klasse Heimsoeth, z. Z. New York; Ministerbüro, Bd. 471.

14 Staatssekretär Frank führte am 26./27. September 1972 Gespräche mit der griechischen Regierung in Athen. Vgl. dazu Dok. 303.

15 Ministerialdirigent Simon notierte am 4. Dezember 1972, daß ein Besuch des Bundesministers Scheel in der Türkei, Griechenland und Zypern „etwa vom 12. bis 22. Mai 1973" geplant sei. Vgl. Referat I A 4, 436.

10) Palamas kündigte das in Kürze bevorstehende Eintreffen des neu ernannten griechischen Botschafters in Bonn an[16] und gab Hoffnung Ausdruck, daß auch Bundesregierung bald wieder einen Botschafter nach Athen entsende. Bundesminister erwiderte, die erforderlichen personellen und administrativen Schritte seien eingeleitet.[17]

Munz

VS-Bd. 9806 (I A 4)

153

Drahterlaß des Vortragenden Legationsrats I. Klasse Thomas

I A 5-82.21-94.09-1808/72 VS-vertraulich Aufgabe: 30. Mai 1972, 17.25 Uhr[1]
Fernschreiben Nr. 2342 Plurex

Betr.: Besuch des britischen Außenministers in Bonn am 29.5.72[2]

Bundesminister empfing Sir Alec Douglas-Home am 29.5.72 zu einem 45minütigen Gespräch.

1) Deutsche Ost-West-Politik

Auf Bitte von Sir Alec legte Bundesminister voraussichtliche weitere Entwicklung unserer Beziehungen zu osteuropäischen Staaten nach Ratifizierung der Ostverträge dar:

Deutsch-sowjetische Beziehungen würden intensiviert werden (Handels- und Kulturabkommen[3]). Aufnahme diplomatischer Beziehungen mit Polen hänge von deutsch-polnischen Verhandlungen ab, die bald beginnen würden.[4] Auch

---

[16] Am 29. April 1972 berichtete Gesandter von Schubert, Athen, „daß griechische Regierung es als ein Zeichen für beiderseitiges Interesse an einer Weiterentwicklung der Beziehungen begrüßen würde, wenn vor der Abreise von Botschafter Sioris nach Bonn um das Agrément für einen neuen deutschen Botschafter in Athen nachgesucht werden könnte." Vgl. den Drahtbericht Nr. 209; VS-Bd. 9806 (I A 4); B 150, Aktenkopien 1972.
Dazu notierte Ministerialdirektor von Staden am 3. Mai 1972: „Botschafter Sioris ist bereits seit dem 17.2.1972 im Besitz des deutschen Agréments. Seine Ausreise hat mit der Benennung eines Nachfolgers für Botschafter Limbourg nichts zu tun." Vgl. VS-Bd. 9806 (I A 4); B 150, Aktenkopien 1972.
Der griechische Botschafter Sioris übergab Bundespräsident Heinemann am 2. August 1972 sein Beglaubigungsschreiben.
[17] Am 11. September 1972 übergab Botschafter Oncken in Athen sein Beglaubigungsschreiben an den griechischen Regenten Papadopoulos.
[1] Drahterlaß an die Botschaften in London, Paris und Washington.
[2] Der britische Außenminister Douglas-Home hielt sich anläßlich der NATO-Ministerratstagung am 30./31. Mai 1972 in Bonn auf.
[3] Zu den Verhandlungen mit der UdSSR vom 3. bis 7. April 1972 über ein Abkommen über den Handel und wirtschaftliche Zusammenarbeit vgl. Dok. 86, Anm. 4.
Zu den Verhandlungen über ein Kulturabkommen vgl. Dok. 123.
[4] Zu den Gesprächen mit Polen über die Aufnahme diplomatischer Beziehungen vgl. Dok. 261.

hier Intensivierung der Kontakte, Erhöhung der Zahl der Umsiedler. Gespräche mit ČSSR würden nach längerer Unterbrechung wieder aufgenommen werden.[5] Es bestehe eine gewisse Hoffnung, befriedigende Kompromißformel hinsichtlich Münchener Abkommens zu finden. Wenn diese Formel gefunden sei, würden restliche Probleme keine Schwierigkeiten bereiten. Nach Arrangement mit ČSSR sei der Weg für Ungarn und Bulgarien ebenfalls frei, da es hier keine bilateralen Probleme gebe.

2) Verhältnis zwischen BRD und DDR

Zur Entwicklung des Verhältnisses zwischen BRD und DDR führte Bundesminister aus, in dem am 15.6. beginnenden Gesprächen über Grundvertrag[6] gehe es darum, eine Formel für Modus vivendi zu finden, die das Sonderverhältnis zwischen den zwei deutschen Staaten qualifiziere und die die deutsche Frage für künftige Ausübung des Selbstbestimmungsrechts offenhalte.

Hauptproblem sei Stellung der DDR in internationalen Organisationen und gegenüber dritten Ländern. Unsere Bereitschaft, Widerstand gegen Statusveränderung zu lockern, sei eine Funktion des Fortschritts in bilateralen Verhandlungen.

Sir Alec äußerte Hoffnung, daß ein kontrollierter quid-pro-quo-Prozeß eingehalten werden könne. Eine vorzeitige Anerkennungslawine müsse verhindert werden. Die DDR wünsche Anerkennung mehr als alles andere: Dies verschaffe uns einen Verhandlungsvorteil, den wir nicht vorschnell aus der Hand geben sollten. Sir Roger Jackling ergänzte, DDR werde vielleicht Lehre aus WHO-Abstimmungsergebnis[7] ziehen, von dem sie auf Grund ihrer Fehlkalkulation überrascht und schockiert worden sei.

Bundesminister stimmte zu und meinte, man werde Verhandlungsprozeß vielleicht dadurch beeinflussen können, daß man Konzessionen für bestimmte Zeitpunkte in Aussicht stelle, wenn Bedingungen bis dahin erfüllt seien. Bereitschaft, von Fall zu Fall Methoden zu erörtern, die praktische Mitarbeit der DDR zuließen (Umweltkonferenz, multilaterale Vorbereitungen KSZE). Im übrigen gehe Hoffnung der DDR dahin, Anerkennung im Rahmen der KSZE zu erhalten, deren Beginn ihr weitgehende Anerkennung bringen werde. Das sei ihr Trumpf, und daher stünden wir unter Zeitdruck.

Auf Frage von Sir Alec, welchen Vorteil Bundesrepublik und der Westen aus einem Arrangement mit DDR-Anerkennung ziehen werde, antworte Bundesminister, es werde eine Wiedervereinigung nicht blockieren und in der Zwischenzeit eine stabilere Situation schaffen. Im übrigen seien die Vorteile einer solchen Modus-vivendi-Politik in Berlin sichtbar geworden.

---

[5] Am 31. März und 1. April, am 14./15. Mai, am 27./28. September und am 18./19. November 1971 fanden vier Gesprächsrunden mit der ČSSR über eine Verbesserung des bilateralen Verhältnisses statt. Vgl. dazu zuletzt AAPD 1971, III, Dok. 398.
Die fünfte Runde der Gespräche mit der ČSSR fand am 29. Juni 1972 in Prag statt. Vgl. dazu Dok. 192.

[6] Zum ersten Gespräch des Staatssekretärs Bahr, Bundeskanzleramt, mit dem Staatssekretär beim Ministerrat der DDR, Kohl, über einen Grundlagenvertrag am 15. Juni 1972 vgl. Dok. 170 und Dok. 172.

[7] Zur Abstimmung in der WHO-Versammlung am 19. Mai 1972 über den Aufnahmeantrag der DDR vgl. Dok. 144, Anm. 5.

Auf die Frage nach Einbeziehung der Sowjetunion antwortete Bundesminister, der Antrag der beiden deutschen Staaten auf Aufnahme in die VN müsse von einer Vier-Mächte-Erklärung begleitet sein. Insofern werde man es mit einer der Berlin-Regelung vergleichbaren Operation zu tun haben.

3) KSZE

Zum Beginn der multilateralen KSZE-Vorbereitungen meinte Sir Alec, die Amerikaner wollten sich vor November auf nichts einlassen. Britische Seite wolle mit den Erörterungen prozeduraler und technischer Fragen aber bereits im September beginnen, um dann nach der Präsidentschaftswahl[8] zu Substanzfragen überzugehen. Er hoffe, daß man Rogers in diesem Punkte umstimmen könne. Im NATO-Kommuniqué solle nach britischem Dafürhalten kein fester Termin genannt werden.[9]

Bundesminister dankte für britisches Verständnis für unseren Wunsch, Deutsch zur Konferenzsprache zu machen.[10] Sir Alec meinte scherzhaft, er unterstütze diesen Wunsch, wenn wir unsererseits sein Anliegen befürworteten, die Konferenz selbst nicht in Helsinki, sondern etwa in Wien stattfinden zu lassen.

[gez.] Thomas[11]

VS-Bd. 9827 (I A 5)

---

[8] Die Präsidentschaftswahlen in den USA fanden am 7. November 1972 statt.
[9] Zu den multilateralen Gesprächen über die Vorbereitung einer Europäischen Sicherheitskonferenz vgl. Ziffer 8 des Kommuniqués der NATO-Ministerratstagung vom 30./31. Mai 1972; Dok. 159, Anm. 4.
[10] Zu den Bemühungen der Bundesrepublik um Anerkennung von Deutsch als Konferenzsprache der Europäischen Sicherheitskonferenz vgl. Dok. 133, Anm. 7.
[11] Paraphe.

154

Vortragender Legationsrat I. Klasse Blumenfeld an die Botschaft in Moskau

II A 4-82.00-94.29-458I/72 geheim 30. Mai 1972[1]
Fernschreiben Nr. 563 Aufgabe: 31. Mai 1972, 01.32 Uhr
Citissime

Betr.: Ratifikation des Moskauer Vertrages[2]

Bezug: Drahterlaß Nr. 557 vom 30. Mai 1972[3]

Aus erneuter Unterredung Staatssekretär Frank/Botschafter Falin am 30. Mai 17.30 Uhr ist folgendes festzuhalten:

1) Staatssekretär überreichte zwei Varianten des Textes der deutschen Ratifikationsurkunde.

Erste Variante enthält im Obersatz Bezugnahme auf Vertrag und Brief[4], wobei beide Dokumente als Anlage beigefügt werden. Der Bestätigungsvermerk bezieht sich nur auf den Vertrag.

Die zweite Variante lautet:

---

[1] Der Drahterlaß wurde von Vortragendem Legationsrat I. Klasse Blumenfeld Ministerialdirigent van Well vorgelegt mit der Anregung, ihn Botschafter Emmel, Warschau, „zur Unterrichtung zu übermitteln".
Hat van Well am 31. Mai 1972 vorgelegen, der handschriftlich vermerkte: „Besser nicht, schafft Konfusion."

[2] Nachdem Bundespräsident Heinemann am 23. Mai 1972 das Gesetz zum Moskauer Vertrag vom 12. August 1970 unterzeichnet hatte, führte Staatssekretär Frank am 26. Mai 1972 ein Gespräch mit dem sowjetischen Gesandten Kaplin über die Modalitäten des Austauschs der Ratifikationsurkunden. Dazu teilte Ministerialdirigent van Well der Botschaft in Moskau mit: „Staatssekretär Frank verlas dann den vorgesehenen Text der deutschen Urkunde: ,Nachdem der in Moskau am 12. August 1970 von dem Bundeskanzler und dem Außenminister der Bundesrepublik Deutschland und dem Vorsitzenden des Ministerrates und dem Außenminister der Union der Sozialistischen Sowjetrepubliken unterzeichnete Vertrag, dessen Wortlaut als Anlage beigefügt ist, zusammen mit dem dazugehörigen Brief des Bundesministers des Auswärtigen an den Außenminister der Union der Sozialistischen Sowjetrepubliken vom 12. August 1970, dessen Wortlaut ebenfalls beigefügt ist, in gehöriger Gesetzesform die verfassungsmäßige Zustimmung gefunden hat, erkläre ich hiermit, daß ich den Vertrag bestätige.' [...] Kaplin hielt die Beifügung des Briefes des Bundesaußenministers für unbegründet. Was vereinbart worden sei, sei der Vertrag. Erwägungen, die im Ratifikationsverfahren auf seiten der Bundesrepublik eine Rolle gespielt hätten, sollten in der Ratifikationsurkunde nicht erscheinen." Vgl. den Drahterlaß Nr. 546; VS-Bd. 9020 (II A 4); B 150, Aktenkopien 1972.

[3] Vortragender Legationsrat I. Klasse Blumenfeld unterrichtete die Botschaft in Moskau über ein Gespräch des Staatssekretärs Frank mit dem sowjetischen Botschafter Falin am Vortag: „Sowjetische Seite ist mit Austausch Ratifikationsurkunden zur gleichen Zeit wie Unterzeichnung Schlußprotokolls Berlin-Abkommen, d. h. 3. Juni mittags, einverstanden. [...] Sowjetische Ratifikationsurkunde soll nach Falin nur eine Bestätigung des Vertrages enthalten. Unsere Wünsche seien geprüft worden. Die von uns gewünschte Erwähnung des Briefes zur deutschen Einheit erschwere die Sache. Falin regte an, wir mögen uns mit indirektem Bezug auf den Brief durch Bezug auf das Zustimmungsgesetz begnügen. Staatssekretär bestand auf Erwähnung des Briefes." Vgl. VS-Bd. 9020 (II A 4); B 150, Aktenkopien 1972.

[4] Zum „Brief zur deutschen Einheit" vom 12. August 1970 vgl. Dok. 55, Anm. 11.

„Der Vertrag vom 12.8.1970 hat durch das Gesetz vom 23.5.1972[5], so wie es in der Anlage beigefügt ist, die verfassungsmäßige Zustimmung erhalten. Ich erkläre dementsprechend, daß ich den Vertrag bestätige."

Diese zweite Variante enthält in der Anlage das Gesetz mit allen Anlagen (Brief und Notenwechsel).

2) Falin sagte, die zweite Variante sei womöglich noch schlechter als die erste. Über den Brief sei nicht verhandelt worden. Er sei lediglich auf Arbeitsebene abgestimmt worden, wobei die sowjetische Seite nicht widersprochen habe.[6] Inhaltlich bliebe er zwar einseitig, prozedural werde er aber nun zweiseitig.

3) Staatssekretär erwiderte, uns läge nichts daran, dem Brief einen anderen Charakter zu geben als bei der Unterzeichnung des Vertrages. Die Entgegennahme und Kenntnisnahme des Briefes[7] sei aber eine wesentliche Voraussetzung für die Ratifizierung gewesen. Wir wollten am Schluß des Verfahrens diesen Status beibehalten.

4) Falin erwiderte, Außenminister Gromyko habe seine Zustimmung zur Unterzeichnung des Schlußprotokolls am 3. Juni[8] nur prinzipiell gegeben. Die endgültige Zustimmung werde er erst dann geben, wenn die Frage des Austausches der Ratifikationsurkunden jetzt geregelt werde.

5) Staatssekretär äußerte sich besorgt über die jetzt entstandene Situation. Er sei am Ende seiner Instruktionen.

6) Falin wird beide Varianten nach Moskau geben. Er habe aber wenig Hoffnung auf Annahme.

7) Eine erneute Unterredung ist für den 31. Mai vorgesehen.[9]

Blumenfeld[10]

VS-Bd. 9020 (II A 4)

---

[5] Das Gesetz vom 23. Mai 1972 zum Moskauer Vertrag vom 12. August 1970 umfaßte den Vertrag, den „Brief zur deutschen Einheit" und den Notenwechsel vom 7. und 11. August 1970 zwischen der Bundesrepublik und den Drei Mächten. Für den Wortlaut vgl. BUNDESGESETZBLATT 1972, Teil II, S. 353–360.

[6] Der „Brief zur deutschen Einheit" wurde in Gesprächen des Staatssekretärs Frank mit dem Abteilungsleiter im sowjetischen Außenministerium, Falin, am 3. und 4. August 1970 in Moskau abgestimmt. Vgl. dazu AAPD 1970, II, Dok. 359 und Dok. 363.

[7] Der „Brief zur deutschen Einheit" wurde von Kanzler I. Klasse Diemer, Moskau, am 12. August 1970 im sowjetischen Außenministerium abgegeben und dort quittiert. Vgl. dazu AAPD 1970, II, Dok. 407.

[8] Zum Schlußprotokoll zum Vier-Mächte-Abkommen über Berlin vom 3. September 1971 vgl. Dok. 9, Anm. 11.
Zur Festlegung des Termins für die Unterzeichnung vgl. Dok. 134, Anm. 11 und 12.

[9] Vgl. Dok. 155.

[10] Paraphe.

155

Gespräch des Staatssekretärs Frank
mit dem sowjetischen Botschafter Falin

St.S. 244/72 geheim   31. Mai 1972[1]

Am 31. Mai 1972 empfing der Herr Staatssekretär Dr. Frank den sowjetischen Botschafter zu einer Unterredung. An dem Gespräch nahmen teil:
von deutscher Seite: Herr MDg van Well, Herr MDg von Schenck, Herr VLR Fleischhauer;
von sowjetischer Seite: Herr Botschaftsrat Koptelzew.

Als Einleitung zu dem neuen Vorschlag der deutschen Seite für den Text der deutschen Ratifikationsurkunde[2] machte der Herr *Staatssekretär* einige einleitende Bemerkungen über die rechtliche und politische Wertung des Briefes zur deutschen Einheit vom 12. August 1970[3] durch die Bundesregierung. Die deutsche Seite werte im Gegensatz zur sowjetischen Seite den Brief als ein zum Vertragskontext gehöriges Dokument, das sie in einem hoffentlich niemals eintretenden Falle der Erforderlichkeit einer Interpretation des Vertrages[4] als Interpretationsinstrument heranziehen würde. Falls die sowjetische Seite erklären würde, daß unser Streben nach einem Frieden, der dem deutschen Volk in freier Selbstbestimmung[5] die Einheit wiederbringen solle, dem Vertrag widerspreche, werde die deutsche Seite dem Vertragspartner den Brief entgegenhalten. Dies werde geschehen, weil der Brief vom Vertragspartner akzeptiert und quittiert worden sei[6], weil im Obersten Sowjet der UdSSR auf den Brief verwiesen[7] und der deutschen Seite von dieser Tatsache Mitteilung gemacht worden sei.[8] Dies sei die Bedeutung des Briefes für uns und für das deutsch-sowjetische Verhältnis. Wenn es hier Kontroversen gäbe, wenn unser Streben nach Frieden und dem Recht auf Selbstbestimmung als dem Vertrag widersprechend bezeichnet würde, wäre dies sehr schlecht für das deutsch-sowje-

---

1 Die Gesprächsaufzeichnung wurde von Dolmetscher Hartmann gefertigt.
  Hat Staatssekretär Frank am 5. Juni 1972 vorgelegen, der handschriftlich vermerkte: „1) Dem H[errn] Minister vorzulegen. 2) Zum Ratif[izierungs]-Vorgang nehmen."
  Hat Bundesminister Scheel am 8. Juni 1972 vorgelegen.
2 Für die Vorschläge vom 30. Mai 1972 vgl. Dok. 154.
3 Zum „Brief zur deutschen Einheit" vom 12. August 1970 vgl. Dok. 55, Anm. 11.
4 Für den Wortlaut des Vertrags vom 12. August 1970 zwischen der Bundesrepublik und der UdSSR vgl. BUNDESGESETZBLATT 1972, Teil II, S. 354 f.
5 Die Wörter „in freier Selbstbestimmung" wurden von Staatssekretär Frank handschriftlich eingefügt.
6 Der „Brief zur deutschen Einheit" wurde von Kanzler I. Klasse Diemer, Moskau, am 12. August 1970 im sowjetischen Außenministerium abgegeben und dort quittiert. Vgl. dazu AAPD 1970, II, Dok. 407.
7 Vgl. dazu die Ausführungen des sowjetischen Außenministers Gromyko am 12. April 1972 vor den Kommissionen für auswärtige Angelegenheiten des Unions- und des Nationalitätenrats des Obersten Sowjets; Dok. 104, Anm. 30.
8 Vgl. dazu Dok. 121.

tische Verhältnis. Dann würde sich der Vertrag politisch ins Gegenteil verkehren.

Herr Staatssekretär führte weiter aus, daß der sowjetische Botschafter begründet habe, warum die sowjetische Seite die Erwähnung des Briefes expressis verbis in der Ratifikationsurkunde und die Anlage des Brieftextes zu derselben nicht wünsche. Wenn die deutsche Seite die sowjetischen Wünsche berücksichtigen würde, käme eine andere Urkunde zustande. Dafür wollten wir besonders hinsichtlich eventueller Spekulationen die Verantwortung nicht tragen.

Die deutsche Seite sei unter zwei Voraussetzungen bereit, auf die Erwähnung des Briefes expressis verbis in der Urkunde und auf die Beilage des Brieftextes zu verzichten. Diese Voraussetzungen bestünden in folgendem:

1) Die deutsche Seite müsse in die Lage versetzt werden, der sowjetischen Seite auf einem anderen Wege (Brief oder Note) den Text des Zustimmungsgesetzes zu übermitteln.

2) Der Text des Vertrages solle der Urkunde nicht als Anlage beigefügt werden.

Damit wolle man die hoffentlich theoretische Möglichkeit ausschließen, daß erklärt werde, der Brief sei nicht vorhanden. Deshalb sei ein möglichst schonender und freundschaftlicher Weg zur Übergabe des Gesetzestextes erforderlich. Die zweite Voraussetzung sei erforderlich, damit man aus der Tatsache, daß nur der Vertrag gedruckt würde, nicht den Schluß ziehen könne, daß sich der Brief in Luft aufgelöst habe.

Wenn man sich über diese beiden Punkte einigen könne, wäre diese erste und hoffentlich einzige Änderung der Praxis geeignet, um das zu verhindern, was geschehen würde, wenn am 3. Juni weder in Berlin unterzeichnet noch in Bonn ausgetauscht würde.[9]

Der Herr Staatssekretär bemerkte abschließend, daß es ungeachtet der Bedeutung formaler Überlegungen der beiden Seiten wichtig sei, den politischen Kontext nicht aus dem Auge zu verlieren.

Hierauf erwiderte der *sowjetische Botschafter*, daß der deutschen Seite die sowjetische Stellung gegenüber dem Brief bekannt sei, diese Position bleibe unverändert. Er wolle heute nochmals feststellen, daß man im August 1970 die Details des Gebrauchs des Briefes durch beide Seiten festgelegt habe.[10] Die Überlegungen, den Brief zu einem Teil des Ratifizierungsprozesses zu machen, schaffe eine neue Situation, dies sei eine Sache des inneren Verlaufs auf deutscher Seite. Die sowjetische Seite stehe unverändert auf der im August 1970 abgestimmten Position. Er glaube, wenn beide Seiten den gleichen Standpunkt einnähmen, gäbe es keinen Grund für Schwierigkeiten. Der Botschafter stellte

---

[9] Zur Festlegung des Termins für die Unterzeichnung des Schlußprotokolls zum Vier-Mächte-Abkommen über Berlin vom 3. September 1971 und den Austausch der Ratifikationsurkunden zum Moskauer Vertrag vom 12. August 1970 vgl. Dok. 134, Anm. 11 und 12.

[10] Der „Brief zur deutschen Einheit" wurde in Gesprächen des Staatssekretärs Frank mit dem Abteilungsleiter im sowjetischen Außenministerium, Falin, am 3. und 4. August 1970 in Moskau abgestimmt. Vgl. dazu AAPD 1970, II, Dok. 359 und Dok. 363.

weiter fest, daß die deutsche Seite angesichts des vorliegenden Vorschlages den Vertrag, den „dazugehörigen Brief" und die Noten an die Westmächte[11] auf ein Niveau heben wolle – dies könne die sowjetische Seite nicht akzeptieren. Dieser Vorschlag bedeute im Lichte der Ausführungen des Herrn Staatssekretärs, daß die deutsche Seite ihrem Partner bestätigen wolle, daß der Brief zu einem Teil des Vertrages und zu einem Teil des Ratifizierungsverfahrens gemacht worden sei, und daß sich die sowjetische Seite durch den Austausch der Urkunden damit einverstanden erkläre.

Die Behandlung des Briefes durch die beiden Seiten in den Ratifizierungsverfahren ändere nichts an der Tatsache, daß die Rechte und Pflichten der Partner allein aus dem Vertrag herzuleiten seien. Wenn die sowjetische Seite den deutschen Vorschlag akzeptieren würde, so würde dies Stoff für Mißverständnisse liefern, an deren Vermeidung beide Seiten interessiert sein sollten.

Der Herr *Staatssekretär* führte in seiner Erwiderung aus, daß er die Interpretation des Herrn Botschafters, nach der der Hinweis auf das Zustimmungsgesetz[12] den Vertrag, den Brief und die Noten an die Westmächte auf ein Niveau erhebe, für nicht richtig erachtet. Der Herr Bundeskanzler habe in seiner Regierungserklärung festgestellt, daß sich für uns die Rechte und Verpflichtungen nur aus dem Vertrag ergäben.[13] Der Hinweis auf das Zustimmungsgesetz bringe zum Ausdruck, wie die deutsche Seite einseitig diesen Brief sehe und bewerte.

Die deutsche Seite wolle durch den Hinweis auf das Gesetz sicherstellen, daß die Existenz des Briefes im Verlauf des Ratifizierungsverfahrens nicht verlorengehe. Wir könnten nicht akzeptieren, daß der Brief durch den Ratifizierungsprozeß zerstört werde. Es wäre natürlich einfacher, in der Urkunde nicht auf das Gesetz, sondern auf den Brief hinzuweisen. Die deutsche Seite müsse zu erkennen geben, daß der Brief existiert.

Er könne die Schwierigkeiten der sowjetischen Seite nicht verstehen, da sie den Brief entgegengenommen und seine Existenz bekannt gemacht habe. Wenn die deutsche Seite auf die Beilage des Briefes verzichte, so würde die sowjetische Weigerung, die Erwähnung zu akzeptieren, zu weitgehenden Schlußfolgerungen führen.

Hierauf erwiderte der *Botschafter*, daß er einen Widerspruch zwischen dem Geist des Vertrages und dem Text des Zustimmungsgesetzes beweisen könne. Der Brief sei „anläßlich der Unterzeichnung des Vertrages" übergeben worden,

---

[11] Für den Wortlaut der Note der Bundesrepublik vom 7. August 1970 an die Drei Mächte und der Note der Drei Mächte vom 11. August 1970 an die Bundesrepublik vgl. BULLETIN 1970, S. 1095 f.
[12] Zum Gesetz vom 23. Mai 1972 zum Moskauer Vertrag vom 12. August 1970 vgl. Dok. 154, Anm. 5.
[13] Bundeskanzler Brandt führte am 10. Mai 1972 im Bundestag zum Moskauer Vertrag vom 12. August 1970 und zum Warschauer Vertrag vom 7. Dezember 1970 aus: „Die Interpretation der Verträge muß von dem ausgehen, was unter den Vertragspartnern vereinbart und was von ihnen einvernehmlich in den Kontext, in den Zusammenhang der Verträge einbezogen worden ist." Was die vorgelegte Entschließung des Bundestags angehe, so habe sich die Bundesregierung vergewissert, daß eine solche Entschließung, „die mit Geist und Buchstaben der Verträge übereinstimmt, die also auch an den sich aus den Verträgen ergebenden Rechten und Pflichten nichts ändert, von unseren Partnern entgegengenommen wird, wenn, wie vorgesehen, die Bundesregierung sie in aller Form übermittelt." Vgl. BT STENOGRAPHISCHE BERICHTE, Bd. 80, S. 10890 f.

das Gesetz spreche von einem Zusammenhang zwischen Brief und Vertrag. Der Wortlaut des Gesetzes stehe im Widerspruch zu der früher vereinbarten Position. Die sowjetische Seite könne nicht im Gegensatz zu der Position vom August 1970 das akzeptieren, was heute passiere. Diese im Gesetzestext zum Ausdruck kommende Verschiebung sei eine innere Angelegenheit der deutschen Seite, dies könne jedoch nicht in eine Position der Gegenseitigkeit übertragen werden. Die sowjetische Seite könne durch derartige Schritte eine Revision der gemeinsam abgestimmten Position nicht zulassen. Man habe sich 1970 über die Absendung und Akzeptierung des Briefes geeinigt. Es sei damals nicht davon gesprochen worden, daß der Brief noch einmal an die sowjetische Seite geschickt und von ihr noch einmal bestätigt werden würde. Es sei eine neue Situation entstanden, die der Lage von 1970 widerspreche. Die sowjetische Position habe sich nicht geändert. Wenn die sowjetische Seite aus bekannten Überlegungen gewisse entgegenkommende Schritte bei der Behandlung des Briefes getan habe, so könne man daraus nicht den Schluß ziehen, daß sie noch weitere Schritte tun werde. Die sowjetische Seite könne heute nicht etwas bejahen, was sie vor zwei Jahren nicht habe akzeptieren können.

Hierauf erwiderte der Herr *Staatssekretär*, daß die deutsche Seite daran interessiert sei, den Wert des Briefes so festzulegen, wie er 1970 bestanden habe. Man wolle nicht, daß der Brief verschwinde.

Dazu führte der *Botschafter* aus, daß der Brief anläßlich der Unterzeichnung des Vertrages übergeben worden sei und daß er auch nach der Unterzeichnung existiere. Die sowjetische Seite könne jedoch unmöglich akzeptieren, daß der Wert und die Zusammenhänge zwischen Vertrag und Brief nachträglich direkt oder indirekt geändert würden. Er sei überzeugt, daß die sowjetische Regierung den im deutschen Vorschlag genannten beiden Voraussetzungen nicht zustimmen werde.

Der Herr *Staatssekretär* bat den Botschafter um Übermittlung seines Vorschlages. Er könne jetzt nichts mehr hinzufügen, die Entscheidung läge auf höchster Ebene. Er fügte hinzu, daß man nicht beabsichtige, den Vertrag, den Brief und die Noten an die Westmächte auf ein Niveau zu heben oder ihnen die gleiche Qualität zu verleihen. Für die deutsche Seite sei es wichtig, den Wert des Briefes zu erhalten.

Der *sowjetische Botschafter* bemerkte hierzu, daß der Wert des Briefes in der inneren Diskussion in der BRD und im Text des Zustimmungsgesetzes eine Wertsteigerung erfahren habe. Die sowjetische Seite stehe auf der Position, daß die Rechte und Verpflichtungen im Vertrag festgelegt seien. (Letzterem stimmte der Herr Staatssekretär zu). Der sowjetische Botschafter betonte nochmals, daß die sowjetische Stellung gegenüber dem Brief unverändert sei.

Der Herr *Staatssekretär* betonte, daß der Bundesregierung der vorliegende Vorschlag nicht leichtgefallen sei. Die deutsche Seite verfolge damit nicht das Ziel, einen Widerspruch zum Geist und zum Buchstaben des Vertrages und zu den Verhandlungen von Moskau herzustellen. Der deutsche Wunsch wolle lediglich verhindern, daß sich der Brief während des Ratifizierungsprozesses in Nichtexistenz auflöse.

Der *sowjetische Botschafter* wiederholte, daß der Brief im Grunde mit der Ratifizierung nichts zu tun habe, er stehe nur im Zusammenhang mit der Unterzeichnung des Vertrages.[14]

Dauer des Gesprächs ca. 50 Minuten.

VS-Bd. 5778 (V 1)

156

Aufzeichnung des Staatssekretärs Bahr, Bundeskanzleramt

Geheim 31. Mai 1972[1]

Betr.: Persönliches Gespräch mit Herrn Kohl am 31.5.72

1) Wir einigten uns nach längerer Diskussion, daß das Transitabkommen um 24.00 Uhr des Tages in Kraft treten soll, an dem die Vier Mächte das Schlußprotokoll unterschreiben.[2]

Kohl war darüber unterrichtet, daß der Termin des 3.6. noch nicht ganz feststeht.[3]

2) Wir vereinbarten, daß die Einrichtung der Kommission[4] und die Mitteilung ihrer Mitglieder am 5.6. per Fernschreiben erfolgt. Kohl übergab mir den Entwurf eines Briefes, der an sich vorgesehen war.

Falls sich die Unterzeichnung des Vier-Mächte-Abkommens verzögern sollte, würden sich auch evtl. Verzögerungen für die erste Sitzung der Kommission ergeben. Sollte die Unterzeichnung am 5. vorgenommen werden, kann die Kommission dennoch am 8. zusammentreten.

---

[14] Das Präsidium des Obersten Sowjet der UdSSR stimmte am 31. Mai 1972 dem Gesetz zum Moskauer Vertrag vom 12. August 1970 zu. Botschafter Sahm, Moskau, berichtete dazu am 1. Juni 1972: „Die publizistische Aufmachung der Debatte in der ‚Iswestija' grenzt an das technisch mögliche Maximum und ist für einen sich sonst in aller Stille vollziehenden Ratifizierungsvorgang ganz ungewöhnlich." Vgl. den Drahtbericht Nr. 1464; Referat II A 4, Bd. 1510.
Vgl. dazu auch den Artikel „V interesach mira i bezopasnosti"; PRAVDA vom 1. Juni 1972, S. 1f. Für den deutschen Wortlaut vgl. MOSKAU–BONN, Bd. II, S. 1525–1535.

[1] Durchdruck.
Hat Staatssekretär Frank am 2. Juni 1972 vorgelegen, der die Weiterleitung an Bundesminister Scheel und Ministerialdirektor von Staden verfügte.
Hat Scheel am 6. Juni 1972 vorgelegen.
Hat Staden am 6. Juni 1972 vorgelegen.
Hat Vortragendem Legationsrat I. Klasse Blech am 7. Juni 1972 vorgelegen, der handschriftlich vermerkte: „Referate I A 7 und II A 3 sind von den erheblichen Ziffern 6 bzw. 7 durch Übermittlung von Auszügen in Kenntnis gesetzt."

[2] Das Transitabkommen vom 17. Dezember 1971 gehörte zu den Zusatzvereinbarungen, die mit Unterzeichnung des Schlußprotokolls zum Vier-Mächte-Abkommen über Berlin vom 3. September 1971 in Kraft treten sollten. Vgl. dazu Dok. 9, Anm. 14.

[3] Zur Festlegung des Termins für die Unterzeichnung des Schlußprotokolls zum Vier-Mächte-Abkommen über Berlin vom 3. September 1971 vgl. Dok. 134, Anm. 11 und 12.

[4] Vgl. dazu Artikel 19 des Abkommens vom 17. Dezember 1971 zwischen der Regierung der Bundesrepublik und der Regierung der DDR über den Transitverkehr von zivilen Personen und Gütern zwischen der Bundesrepublik Deutschland und Berlin (West); Dok. 50, Anm. 3.

Kohl erbat rechtzeitig Angaben über Personalien, Ausweise, Grenzübergangsstellen etc. für die Mitglieder unserer Kommission und die Sitzung. Es werde ein kurzes Gespräch, rein protokollarisch, mit dem stellvertretenden Verkehrsminister Winkler stattfinden.[5]

3) Kohl erbat rechtzeitige Angaben über Unternehmer, Zollverschlüsse, Muster im Zusammenhang mit der Anlage des Transitabkommens, damit die Maßnahmen über Verplombung rechtzeitig ergriffen werden können.

4) Ich machte darauf aufmerksam, daß entsprechend der Verabredung vom 29.9.71 in unserer Besprechung vom 1.10.71 von Herrn Kohl erklärt worden ist, daß seine Regierung der sowjetischen Seite bereits am Vorabend das Protokoll der Postvereinbarung[6] mit dem vereinbarten Wortlaut zur Aufnahme in das Schlußprotokoll der Vier Mächte übermittelt habe. Dies habe der Außenminister[7] selbst vorgenommen, wenngleich nicht in einer Verbalnote. Ich hatte Kohl Einsicht gegeben in die von unserer Seite vorbereitete Verbalnote an die französische Botschaft. Kohl hatte erklärt, daß die Dinge bei ihnen nicht so förmlich geschähen.[8]

Es sei jedenfalls ohne jeden Zweifel klar, daß wir die ausgetauschten Mitteilungen wörtlich abgestimmt und entsprechend gehandelt hätten. Er habe die Tatsache der Übermittlung der Ziffern 6 und 7 des Post-Protokolls[9] an die Vier Mächte zur Einfügung in das Schlußprotokoll gekannt und bestätigt. Ich ginge davon aus, daß damit die Schwierigkeiten bei den Kontakten der Vier Mächte in Berlin beseitigt seien, weil man sich auf das Wort der DDR verlassen könne, auch wenn man keinen förmlichen Vertrag schließe.

Kohl bestritt weder Tatsache noch Zusammenhänge. Er war etwas verlegen, zeigte sich überrascht über die Erinnerung an Einzelheiten, die ihm erst langsam wiederkamen, und nahm meine Ausführungen ohne Widerspruch zur Kenntnis.

5) Kohl unterrichtete mich, daß der Ministerrat der DDR beschlossen habe, das Ratifizierungsverfahren des Verkehrsvertrages[10] in der Volkskammer in Gang zu setzen; er habe Maßnahmen „im Zusammenhang mit dem Inkrafttreten" des Verkehrsvertrages beschlossen (Reiseerleichterungen), über die er mich im einzelnen am 15.6.[11] informieren werde.

---

5 Vgl. dazu die Meldung „Kommission konstituierte sich"; NEUES DEUTSCHLAND vom 9. Juni 1972, S. 2.
6 Für den Wortlaut des Protokolls vom 30. September 1971 über Verhandlungen zwischen dem Bundesministerium für das Post- und Fernmeldewesen und dem Ministerium für Post- und Fernmeldewesen der DDR sowie der Vereinbarung über die Errichtung und Inbetriebnahme einer farbtüchtigen Richtfunkstrecke zwischen der Bundesrepublik und der DDR vgl. BULLETIN 1971, S. 1522–1524.
7 Otto Winzer.
8 Vgl. dazu das Vier-Augen-Gespräch des Staatssekretärs Bahr, Bundeskanzleramt, mit dem Staatssekretär beim Ministerrat der DDR, Kohl, am 1. Oktober 1971; AAPD 1971, III, Dok. 329.
9 In Ziffer 6 des Protokolls vom 30. September 1971 über Verhandlungen zwischen dem Bundesministerium für das Post- und Fernmeldewesen und dem Ministerium für Post- und Fernmeldewesen der DDR kündigte der Leiter der Delegation des Ministeriums für Post- und Fernmeldewesen der DDR konkrete Maßnahmen zur Verbesserung des Post- und Fernmeldeverkehrs mit Berlin (West) an, in Ziffer 7 wurde dies vom Leiter der Delegation des Bundesministeriums für das Post- und Fernmeldewesen zustimmend zur Kenntnis genommen. Vgl. BULLETIN 1971, S. 1523.
10 Für den Wortlaut des Vertrags vom 26. Mai 1972 zwischen der Bundesrepublik und der DDR über Fragen des Verkehrs sowie der Protokollvermerke vgl. BULLETIN 1972, S. 982–988.
11 Zum ersten Gespräch des Staatssekretärs Bahr, Bundeskanzleramt, mit dem Staatssekretär bei Mi-

Er, Kohl, sei mit der Fortsetzung des Meinungsaustauschs beauftragt worden.

Ich habe ihm mitgeteilt, daß die Bundesregierung mich zur Fortsetzung des Meinungsaustauschs beauftragt habe, der Verkehrsvertrag aber heute nicht behandelt worden sei. Im übrigen habe ich ihn darauf hingewiesen, daß auch auf Grund seiner Ausführungen vom vergangenen Freitag[12] Überlegungen zur Frage der internationalen Stellung der DDR angestellt worden seien, deren Ergebnis die Außenminister der Drei Mächte ihrem sowjetischen Kollegen bei der Unterzeichnung des Schlußprotokolls mitteilen würden.[13] Nach meinem Eindruck wäre die westliche Haltung ein großer Fortschritt.

Kohl nahm dies ohne Kommentar zur Kenntnis.

6) Wenn von seiten der Bundeswehr Ballon-Aktionen und ähnliches eingestellt würden, werde die DDR die Tätigkeit ihres Soldatensenders einstellen. Kohl erklärte dies als Antwort auf eine seinerzeit von mir gemachte Ausführung[14] und als weitere Geste zum Abbau von Aktionen des Kalten Krieges.

Ich nahm dies mit dem Kommentar zur Kenntnis, daß ich ihm

a) darauf bei der nächsten Zusammenkunft antworten werde (er fragte, ob wir dies sofort vereinbaren könnten) und

b) es für notwendig hielte, die Angriffe gegen die Person des Bundesministers für Verteidigung[15] durch Organe der DDR einzustellen. Kohl notierte sich das mit einem „gewissen Lächeln".

7) Auf die Frage: Deutsch als Konferenzsprache einer KSZE[16] erklärte er, die DDR, als ein Freund demokratischen Verfahrens, sei der Auffassung, daß die Konferenz selbst beschließen müsse, welche Sprachen Konferenzsprachen seien. Die DDR werde sich dort äußern. Auf eine Zusatzfrage bestätigte er, daß die DDR natürlich auch daran interessiert sei, Deutsch als Konferenzsprache zu bekommen.

8) Kohl äußerte die außerordentliche Genugtuung über die amerikanisch-sowjetische Grundsatzerklärung und das Kommuniqué.[17]

Bahr

VS-Bd. 8556 (II A 1)

Fortsetzung Fußnote von Seite 644

nisterrat der DDR, Kohl, über einen Grundlagenvertrag am 15. Juni 1972 in Ost-Berlin vgl. Dok. 170 und Dok. 172.

[12] Zu den Ausführungen des Staatssekretärs beim Ministerrat der DDR, Kohl, im Gespräch mit Staatssekretär Bahr, Bundeskanzleramt, am 26. Mai 1972 vgl. Dok. 146.

[13] Vgl. dazu das Aide-mémoire, das die Außenminister Douglas-Home (Großbritannien), Rogers (USA) und Schumann (Frankreich) am 3. Juni 1972 dem sowjetischen Außenminister Gromyko übergaben; Dok. 161, Anm. 21.

[14] Für die Äußerung des Staatssekretärs Bahr, Bundeskanzleramt, im Vier-Augen-Gespräch mit dem Staatssekretär beim Ministerrat der DDR, Kohl, am 19./20. April 1972 vgl. Dok. 106.

[15] Helmut Schmidt.

[16] Zu den Bemühungen der Bundesrepublik um Anerkennung von Deutsch als Konferenzsprache der Europäischen Sicherheitskonferenz vgl. Dok. 133, Anm. 7.

[17] Für den Wortlaut des Kommuniqués vom 29. Mai 1972 über den Besuch des Präsidenten Nixon vom 22. bis 30. Mai 1972 in der UdSSR vgl. DEPARTMENT OF STATE BULLETIN, Bd. 66 (1972), S. 899–902. Für den deutschen Wortlaut vgl. EUROPA-ARCHIV 1972, D 292–298. Für Auszüge vgl. Dok. 149, Anm. 8, Dok. 161, Anm. 7, und Dok. 170, Anm. 9.
Zur Grundsatzerklärung vom 29. Mai 1972 über die amerikanisch-sowjetischen Beziehungen vgl. Dok. 159, Anm. 36.